DAS ZEITALTER KAISER FRANZ JOSEPHS

2. TEIL 1880–1916

GLANZ UND ELEND

BEITRÄGE

SCHLOSS GRAFENEGG

9. MAI – 26. OKTOBER 1987 TÄGLICH 9–18 UHR

NIEDERÖSTERREICHISCHE LANDESAUSSTELLUNG

Herausgeber und Verleger:
Amt der NÖ Landesregierung, Abt. III/2 – Kulturabteilung

Schriftleitung:
Univ.-Prof. Dr. Harry Kühnel
Dr. Elisabeth Vavra
Dr. Gottfried Stangler

Graphische Gestaltung:
Dipl.-Graphikerin Irmgard Grillmayer (Graphiken, Layout)
Dipl.-Graphiker Hermann Härtl (Umschlag)

Reproduktion:
Repro 12, Wien

Gesamtherstellung:
Druckerei Ferdinand Berger & Söhne Gesellschaft m.b.H., 3580 Horn, NÖ

Titelbild:
Leopold Forstner, Mosaiken. Wien, Antiquitäten Hofstätter.

Katalog des NÖ Landesmuseums, Neue Folge Nr. 186, Wien 1987
1. Auflage (1-25.000) ISBN 3-900-464-53-4

VERANSTALTER:

Bundesland Niederösterreich

GESCHÄFTSFÜHRUNG:

Amt der Niederösterreichischen Landesregierung, Abteilung III/2 – Kulturabteilung

AUSSTELLUNGSBEIRAT:

Landeshauptmann Siegfried Ludwig, Vorsitzender
Landtagsabgeordneter Alois Breininger
Landtagsabgeordneter Georg Stangl
Landtagsabgeordneter Ewald Wagner
Landesamtsdirektor Vortr. Hofrat Dr. Karl Kern
Vortr. Hofrat Dr. Rudolf Höbarth, Leiter der Abteilung IV/1
Wirkl. Hofrat Dr. Gottfried Kapf, Leiter der Abteilung I/9
Bezirkshauptmann Wirkl. Hofrat Mag. Wilhelm Eigl, Krems
Landesintendant Dr. Paul Twaroch
Franz Albrecht Metternich-Sándor, Schloß Grafenegg
Univ.-Prof. Dr. Harry Kühnel, Krems, Wissenschaftlicher Ausstellungsleiter
Dr. Georg Schmitz, Leiter der Abteilung III/2

WISSENSCHAFTLICHER AUSSTELLUNGSLEITER:

Univ.-Prof. Dr. Harry Kühnel

ASSISTENT:

Dr. Elisabeth Vavra

WISSENSCHAFTLICHER SACHBEARBEITER:

Dr. Gottfried Stangler

TECHNISCHER SACHBEARBEITER:

Ing. Hubert Schwarz

AUSSTELLUNGSGESTALTUNG:

Burkhardt Rukschcio

GRAPHIK:

Dipl.-Graphikerin Irmgard Grillmayer

AUSSTELLUNGSSEKRETARIAT:

Sonja Bankl
Christa Grillenberger
Birgit Karl
Gabriele Breuer

ÖRTLICHE AUSSTELLUNGSLEITUNG:

Erika Nemec

ELEKTRO- UND SICHERHEITSTECHNISCHE ANGELEGENHEITEN:

Ing. Hubert Schwarz
Hubert Moschinger

WERBUNG:

Dr. Gottfried Stangler
Dr. Maria Gager
Maria Jungwirth

PRESSE:

Wirkl. Hofrat Dr. Gottfried Kapf
Oberred.-Rat Dr. Heinz-Werner Eckhardt

PROTOKOLL:

Hofrat Erich Berhel

GRAPHIKERTEAM:

Dipl.-Graphikerin Siglinde Haas-Ortner
Dipl.-Graphikerin Michaela Moscouw
Dipl.-Graphikerin Heide Nönning
Dipl.-Graphikerin Sylvie Proidl
Lisbeth Schöbl
Dipl.-Graphiker Peter Seeberg
Dipl.-Graphikerin Reingard Tamchina

RESTAURIERUNGEN:

Werkstätte des NÖ Landesmuseums:
Akad. Restaurator Oberrat Felix Pischinger
Friedbert Herndlhofer

Akad. Restaurator Prof. Michael Pfaffenbichler

WEITERS HABEN AN DER AUSSTELLUNG MITGEWIRKT:

Norbert Braunecker, Dr. Paul Ebhart, Hermann Erhart, Margit Figl, Rudolf Klippl, Erich Lang, Kurt Nuss, Helga Rapp, Helene Schmid, Werner Schoberwalter, Wilhelm Schuster, Leopoldine Setzger, Emma Wagner, Dr. Alfred Willander

Abbildungsnachweis

Beograd, Narodni Muzej, S. 321, 322
Budapest, Magyar Munkásmozgalmi Múzeum, S. 133
Budapest, Magyar Nemzeti Galéria, S. 287, 288, 289, 291, 293, Farbabb. 24 (Zoltán Hasznos)
Budapest, Országos Müemleki Felügyelőseg, S. 239
Budapest, Történeti Múzeum, S. 297, 298, 299
Graz, Landesmuseum Joanneum, S. 143
Jaidhof, M. Malina, S. 109, 129, 169, Farbabb. 1
Marbach a. Neckar, Schiller-Nationalmuseum, S. 193
Salzburg, Galerie Welz, Farbabb. 4
Wien, Archiv der Gesellschaft der Musikfreunde, S. 223, 225, 227
Wien, Bildarchiv der Österreichischen Nationalbibliothek, S. 7, 113, 189, 233, 235, 255, 257, 265, 267, 277
Wien, Graph. Lehr- und Versuchsanstalt, S. 327
Wien, Graphische Sammlung Albertina, S. 165
Wien, Historisches Museum der Stadt Wien, S. 11, 215, 217, 258, 269, Farbabb. 2
Wien, Hochschule für angewandte Kunst, S. 156
Wien, J. & L. Lobmeyr, S. 279, 281
Wien, Museum für angewandte Kunst, S. 329, Farbabb. 11–18
Wien, Fotostudie Otto, Farbabb. 5, 8
Wien, Foto Pfeifer, Farbabb. 6, 7
Wien, Foto Georg Riha, Farbabb. 20–22
Wien, Sammlung Fotografis Länderbank, S. 328
Wien, Siemens-Archiv, S. 65
Wien, Theatersammlung der Österr. Nationalbibliothek, Farbabb. 9, 10 (Nikolaus Dobowolski)
Zagrab, Galerija JAZU, S. 323
Die Abbildungen auf den Seiten 331–343 wurden den Publikationen Franz Hubmann, K. u. K. Familienalbum. Wien 1971 und Michael W. Fischer, Zur Jahrhundertwende in Salzburg. Salzburg 1984 entnommen. Die übrigen Abbildungen stammen aus diversen privaten Archiven.

MITARBEITERVERZEICHNIS

Univ.-Doz. Dr. Franz Baltzarek
Institut für Wirtschaftswissenschaft an der Universität Wien

Dr. Otto Biba
Gesellschaft der Musikfreunde, Wien

Univ.-Prof. Dr. Ernst Bruckmüller
Institut für Wirtschafts- und Sozialgeschichte an der Universität Wien

Univ.-Prof. Dr. Moritz Csáky
Institut für Geschichte an der Universität Graz

Dr. Ernő Deák
Österreichische Akademie der Wissenschaften, Kommission für Wirtschafts-, Sozial- und Stadtgeschichte, Wien

Dr. Monika Faber
Palais Liechtenstein, Museum Moderner Kunst, Wien

Dr. Gerbert Frodl
Österreichische Galerie, Wien

Univ.-Prof. Dr. Walter Frodl, Wien

Hofrat Dr. Richard Gisser
Österreichisches Statistisches Zentralamt, Wien

Dr. Eugenie Hanreich, Schloß Walchen

Univ.-Prof. Dr. Herbert Hofmeister
Juridisches Institut an der Universität Wien

Generaldirektor Dr. Jiři Kotalik
Nationalgalerie Prag

Doz. Dr. habil. Piotr Krakowski, Krakau

Dipl.-Ing. Gerhard Maresch
Technisches Museum, Wien

Dr. Ernő Marosi, Budapest

Univ.-Prof. Dr. Alois Mosser
Institut für Wirtschafts- und Sozialgeschichte an der Universität Wien

Oberbibliotheksrat Dr. Walter Obermaier
Wiener Stadt- und Landesbibliothek

Prof. Ingeborg Petrascheck-Heim, Wien

Dr. Damjan Prelovšek, Ljubljana

Dr. Ulrike Riss
Österreichisches Theatermuseum, Wien

Arch. Dipl.-Ing. Dr. Burkhardt Rukschcio, Wien

Univ.-Doz. Dr. Roman Sandgruber
Institut für Wirtschafts- und Sozialgeschichte an der Universität Wien

Dr. Ilona Sármány-Parsons, Wien

Dr. Katalin Sinkó
Nationalgalerie Budapest

Dr. Peter Urbanitsch
Kommission für Geschichte der Österreichisch-Ungarischen Monarchie, Wien

Dr. Peter Vergo
University of Essex

Juliane Vogel, Wien

Univ.-Prof. Dr. Adam Wandruszka, Wien

Univ.-Prof. Dr. Walter Weiss
Institut für Germanistik an der Universität Salzburg

Dr. Patrick Werkner, Wien

Univ.-Prof. Dr. Herbert Zeman
Institut für Germanistik an der Universität Wien

„Das Zeitalter Kaiser Franz Josephs – Glanz und Elend", so der Titel der niederösterreichischen Landesausstellung 1987 im Schloß Grafenegg, verspricht neuerlich ein großes kulturelles Ereignis zu werden und damit die bisherige Erfolgslinie der großen Ausstellungen in Niederösterreich fortzusetzen. Als Landeshauptmann und Kulturreferent bin ich sehr dankbar dafür, daß auch für diese Landesausstellung, die den ersten Teil der Franz Josephs-Exposition 1984 in Grafenegg fortsetzt, ein hervorragendes Team von in- und ausländischen Mitarbeitern unter der neuerlichen Führung von Univ.-Prof. Dr. Harry Kühnel gewonnen werden konnte. Ebenso ist die Tatsache, daß Exponate aus dem gesamten Raum der ehemaligen Monarchie gezeigt werden können, eine wesentliche Voraussetzung für den Ausstellungserfolg. Ich meine unter Erfolg nicht allein die hunderttausenden Besucher, die wir erwarten, sondern auch die Tatsache, daß sich im Zeichen dieser Landesausstellung abermals Mitarbeiter sowie Sammlungen aus dem mitteleuropäischen Raum in einer überaus erfreulichen und vielversprechenden Kooperation gefunden haben. Darauf nämlich kommt es mir und uns besonders an: auf die Wahrung und Erneuerung eines über Niederösterreich und Österreich hinausgehenden historischen, kulturellen und wirtschaftlichen Zusammenhanges, wie er nun einmal in der Ära Franz Josephs und schon viel früher bereits existiert hat. Diese Verbindungen auch künftig verstärkt zu pflegen, so etwa mit dem 1988 geplanten großen internationalen Donaufestival in Niederösterreich, zähle ich zu meinen vornehmsten und schönsten Aufgaben als Kulturreferent des Landes Niederösterreich. Schloß Grafenegg hat sich für diese Franz Joseph-Ausstellung vor allem aus zwei Gründen angeboten: Zum einen ist es ein Schloßbau aus der francisco-josephinischen Zeit selbst, und zum anderen ist die Ausstellung gleichzeitig Anlaß einer gemeinsamen Restaurierung zwischen dem Eigentümer des Schlosses, Herrn Franz Albert Metternich-Sándor, dem ich auch von dieser Stelle aus für sein Entgegenkommen und seine hervorragende Bereitschaft zur Zusammenarbeit danken möchte, und dem Land Niederösterreich. Die großartige, exklusive und einmalige Kulisse des Schlosses samt dem Inhalt dieser Ausstellung 1987 sind jedenfalls die besten Indikatoren für einen neuerlichen Höhepunkt des niederösterreichischen Ausstellungsgeschehens. Ich möchte allen, die am Zustandekommen dieser Landesausstellung 1987 mitgewirkt haben und während der Ausstellungsmonate selbst mitwirken, ein herzliches und aufrichtiges Dankeschön sagen. Möge zahlreicher Besuch diese großartigen Bemühungen entsprechend lohnen.

Mit den besten Grüßen

S. Ludwig

Siegfried Ludwig
Landeshauptmann von Niederösterreich

Grafenegg steht wieder einmal im Mittelpunkt des kulturellen Interesses unserer Heimat: die NÖ Landesausstellung „Das Zeitalter Kaiser Franz Josephs“ (2. Teil) öffnet ihre Pforten! Ich bin überzeugt, daß nach dem so gelungenen 1. Teil dieser Landesausstellung im Jahr 1984 auch der 2. Teil ein voller Erfolg wird.

Schon für die erste Landesausstellung sind wesentliche Teile des Schlosses restauriert worden. Auch dieses Mal haben wir uns bemüht, die Ausstellungsräume zu erweitern und zusätzliche Akzente zu setzen. Hier sei in erster Linie die Schloßkapelle erwähnt, ein markantes Bauwerk sakraler Architektur des Historismus im Stil der Neugotik, mit einem wertvollen Flügelaltar, einem interessanten Chorgestühl und nicht zuletzt mit schönen gotischen Bildtafeln. Ich bin überzeugt, daß die Schloßkapelle, die jetzt in neuem Glanz erstrahlt, eine wesentliche Bereicherung der Landesausstellung sein wird. Auch die Loggia, im Bereich der Prunkräume der Beletage gelegen, mit ihrer feingliedrigen Deckenmalerei ist ein neu hinzugekommenes Glanzstück. Auch an den Fassaden des Schlosses ist gegenüber 1984 ein großer Fortschritt erzielt worden.

Im vergangenen Jahr haben wir in Grafenegg ein Jubiläum gefeiert: im Jahr 1956, ein Jahr nach dem Staatsvertrag, ist Grafenegg nach 10 Jahren russischer Besetzung in unsere Hände zurückgelegt worden.

In den darauffolgenden 30 Jahren wurde mit Fleiß und Optimismus vieles in Angriff genommen. Sowohl in der Land- und Forstwirtschaft, wie im Weingut und nicht zuletzt im Schloßareal von Grafenegg, diesem großartigen Bauwerk des 19. Jahrhunderts, ist intensive Aufbauarbeit geleistet worden.

Wir haben versucht, parallel mit dem Wiederaufbau und der Restaurierung dem Schloß auch eine neue Bestimmung zu geben. Mit Hilfe von Bund und Land ist es uns gelungen, ein aktives Kulturzentrum aufzubauen. Heute ist Grafenegg mit seinen Ausstellungen, Konzerten und anderen Veranstaltungen wie z. B. dem „Grafenegger Advent“ eine Attraktion für ganz Niederösterreich. Ohne Zweifel hat die Vorbereitung der beiden Landesausstellungen den Wiederaufbau maßgeblich vorangetrieben und den Bekanntheitsgrad von Grafenegg gesteigert.

In all den Jahren waren wir bemüht, in Grafenegg nicht nur elitäre Kunst zu bieten, sondern auch für breite Bevölkerungsschichten unserer Region Interessantes und Vergnügliches zu bringen. Ich glaube, daß wir mit alledem auch den Bekanntheitsgrad der Region mit ihren landschaftlichen Schönheiten, ihren guten Weinen und ihren gastronomischen Betrieben gefördert haben. Auch bei dieser zweiten Landesausstellung sollen die Fremdenverkehrseinrichtungen der Gegend den Besuchern vorgestellt werden, und es ist auch an drei Wochenenden eine Weinpräsentation der regionalen Weinhauerbetriebe in der Grafenegger Reitschule vorgesehen.

Auf diese Entwicklungsstufe in Grafenegg zu kommen, hat nicht nur viel Mühe und Arbeit gekostet, sondern dafür war auch viel materielle Hilfe und tatkräftige Unterstützung aller zuständigen Stellen notwendig. Ich möchte allen Helfern – Beamten und Künstlern, Handwerkern und Betriebsangehörigen – sehr herzlich danken für die jahrelange gute Zusammenarbeit. Ohne Hilfe der vielen Förderer von Grafenegg wäre es nicht zu den NÖ Landesausstellungen gekommen, und ohne diese Landesausstellungen wäre Grafenegg nicht das, was es heute ist. Rückblickend glaube ich, daß sich die viele Mühe und der große Aufwand gelohnt haben. Auch in der Zukunft werden wir die Hilfe und die Unterstützung aller brauchen, damit es uns gelingt, Grafenegg auch weiter lebendig und aktiv zu erhalten.

Der NÖ Landesausstellung 1987 und all ihren Mitarbeitern wünsche ich einen durchschlagenden Erfolg! Wir haben mit Freude an der Vorbereitung dieser Ausstellung mitgewirkt.

Wir hoffen, daß die auf das Thema der Landesausstellung 1987 abgestimmten Konzerte in Grafenegg zum Erfolg der Ausstellung beitragen und daß auch die Gastronomie von Grafenegg und Umgebung die Ansprüche der Besucher voll befriedigen kann.

Grafenegg will nicht nur für diese NÖ Landesausstellung seine Tore weit öffnen, sondern auch in den kommenden Jahren und Jahrzehnten der Öffentlichkeit dienen.

Franz Albrecht Metternich-Sándor
Eigentümer des Schlosses Grafenegg

INHALTSVERZEICHNIS

Harry Kühnel – Adam Wandruszka

ZIEL UND AUFGABE DER AUSSTELLUNG

In verstärktem Maße kann seit der Niederösterreichischen Landesausstellung 1984, die das Thema „Das Zeitalter Kaiser Franz Josephs. Von der Revolution zur Gründerzeit“ zu veranschaulichen bemüht war, starkes internationales Interesse an der Geschichte der Österreichisch-Ungarischen Monarchie und im speziellen mit der Kunst und Kultur des Fin de siècle konstatiert werden. Im Palazzo Grassi in Venedig wurde 1984 die Exposition „Le Arte a Vienna“ präsentiert und erfreute sich eines regen Zuspruches durch das italienische Publikum. In abgewandelter Form war diese Ausstellung im Künstlerhaus in Wien mit dem zugkräftigen Untertitel „Traum und Wirklichkeit. Wien 1870–1930“ zu sehen und wurde im Anschluß daran mit dem ausschließlichen Schwerpunkt der bildenden Kunst im Centre Pompidou in Paris vor Augen geführt: „Vienne 1880–1938. L'apocalypse joyeuse 1986“. Die Franzosen erkannten – wie der Untertitel zum Ausdruck bringt – eine gewisse Analogie der Endzeit der Monarchie mit der Entwicklung ihres eigenen Landes nach 1945 und den daraus resultierenden Problemen. Zugleich wurde der überaus hohen Qualität der Kunstwerke und deren Eigenständigkeit und Aussagefähigkeit hohes Lob gezollt. Der Abschluß im Reigen der internationalen Präsentation dieses Themas bildete die Ausstellung in New York unter dem Titel „Vienna 1900. Art, Architecture & Design. 1986“.

Die wissenschaftliche Auseinandersetzung mit Kunst und Kultur der Zeit um die Jahrhundertwende ist in gleicher Weise in den ehemals zur Monarchie gehörenden Staaten zu beobachten. In der Nationalgalerie in Budapest wurde 1986 mit wertvollen Objekten die Bedeutung und Auswirkung der Sezession in Ungarn vor Augen geführt („Lelek és forma. Magyar Müvészet. 1896–1914“); eine eigene Ausstellung unter dem Titel „Zsolnay. Ungarische Jugendstilkunst“, Budapest 1986, machte mit der Jugendstil-Keramik Ungarns vertraut und wurde auch im Museum für angewandte Kunst in Wien gezeigt. Das Kunstgewerbemuseum in Prag hat die tschechische Sezession zum Inhalt einer Schaustellung gemacht. In umfassender Weise wurde 1985 in Darmstadt die tschechische Kunst von 1880 bis 1914 präsentiert; der zweibändige Katalog gibt Aufschluß über die vielfältigen eigenständigen künstlerischen Bestrebungen im nördlichen Nachbarland.

Die Niederösterreichische Landesausstellung 1987 im Schloß Grafenegg unterscheidet sich wesentlich vom Konzept „Wien 1870–1930“, bleibt jedoch einmal die Thematik nicht allein auf die Haupt- und Residenzstadt allein beschränkt, sondern bezieht die wichtigen Kunstzentren in Budapest, Prag, Krakau, Zagreb und Triest mit ein, sodaß in einer komparativen Methode Abhängigkeiten von Österreich, aber auch autochthone Entwicklungen in den Ländern der Monarchie deutlich werden. Es liegt aber ebensosehr in der Intention der Exposition, den kulturhistorischen Aspekt in den Vordergrund zu stellen, um auf diese Weise die stupende Fülle und Vielfalt der Monarchie in den letzten Jahrzehnten vor dem Zusammenbruch auf den Gebieten von Alltag, Technik, Wissenschaft und Wirtschaft, nicht minder in den Bereichen von Sport und Fremdenverkehr zu veranschaulichen. Desgleichen kann die geistige und künstlerische Regsamkeit nachhaltig in Schwerpunkten dokumentiert werden. Die Literatur, insbesondere das Feuilleton, fand ihre außergewöhnliche Pflege in den Cafés von Wien, Budapest, Prag und Krakau, Theater, Satire und Kabarett setzten sich mit den geistigen Trends und den Problemen der Gesellschaft auseinander. Die Musik ist gekennzeichnet durch eine Vielschichtigkeit und verschiedener parallel verlaufender Entwicklungen; es war die große Zeit des Umbruchs und Wandels von der weiterhin gepflegten musikalischen Romantik zur neuen Musik, zur Kompositionsweise in Zwölftontechnik eines Arnold Schönberg und Joseph Matthias Hauer. Das Kino und mit ihm der Stummfilm fanden 1896 Eingang in die Kulturszene – und fand bei Franz Joseph Gefallen – und es nimmt weiter nicht wunder, daß Persönlichkeiten wie Peter Altenberg, Arthur Schnitzler und Egon Friedell sich mit dem neuen Kunstmittel beschäftigten, das alsbald eine enorme Wirkung auf die Massen erzielte. In der Architektur vollzog zunächst Otto Wagner die Loslösung vom Historismus. An die Stelle des Primats des Ästhetischen trat der Primat des Funktionellen und Technischen. Der Entwurf Otto Wagners für einen Bebauungsplan der Stadt Wien stellt dies ebenso unter Beweis wie das nach seinen Plänen entstandene Wiener Stadtbahnnetz, das Gebäude der Postsparkasse oder die Kirche am Steinhof. Gegen die Schmuckfreudigkeit eines Wagner ist aber dann Adolf Loos, der stark von der funktionalistischen Architektur Amerikas geprägt war, aufgetreten und hat seine radikale Vorstellung von Architektur im Loos-Haus am Michaelerplatz realisiert. In der bildenden Kunst verkörperte Gustav Klimt lange Zeit den Vertreter der Secession schlechthin, sein „Beethovenfries" von 1902 bedeutete jedoch die Einführung des Häßlichen und Krankhaften in der Kunst, und mit der realistischen Darstellung von Krankheit, Wahnsinn, Tod, Wollust, Unkeuschheit und Unmäßigkeit brach Klimt mit den Normen von Schönheit und Harmonie. Schiele und Kokoschka als Vertreter der Moderne, eines österreichischen Expressionismus, haben bei der Gestaltung ihrer Sujets auf Klimt zurückgegriffen. Der schöpferische Subjektivismus und verabsolutierende Individualismus waren sodann maßgeblich beim künstlerischen Schaffen eines Schiele, Kokoschka oder Gerstl, aber auch für Schönberg, dem jungen Gütersloh und für Kubin. Die Reaktionen Franz Josephs und Franz Ferdinands auf diese Kunstauffassung reichten vom Entsetzen bis zu Kraftausdrücken.

Der Zeitabschnitt von ca. 1880 bis 1916 war politisch und sozial von Gegensätzen und Spannungen erfüllt. Wohl vermochte Ministerpräsident Eduard Graf Taaffe in den vierzehn Jahren seiner Regierung (1879–1893) Teilerfolge zu verzeichnen: Das erweiterte Wahlrecht von 1882 durch Herabsetzung der jährlichen Steuerleistung von zehn auf fünf Gulden verschaffte breiteren kleinbürgerlichen und bäuerlichen Schichten die Möglichkeit, fortan die Politik mitzubestimmen. Einen erheblichen Fortschritt brachten die sozialpolitischen Leistungen, vor allem die Beschränkung der Arbeitszeit, insbesonders für Frauen und Kinder, die Einführung der Gewerbe-Inspektoren sowie die Schaffung der Unfall- und Krankenversicherung für Arbeiter in der Industrie. Die Anfänge der Sozialpartnerschaft gehen gleichfalls in diese Zeit zurück, wurden doch einzelne Typen von Arbeiterversicherungs-Träger 1888 geschaffen, die, wie die Bezirkskrankenkassen (heute Gebietskrankenkassen) zu zwei Drittel mit Arbeitern und zu einem Drittel mit Arbeitgebern besetzt waren. 1898 kam es zur Schaffung des sozialpartnerschaftlich besetzten „Arbeitsbeirats" als ständigem Beratungsgremium für sozialpolitische Fragen. Die 1882 einsetzende Verstaatlichung der Eisenbahnen war bis 1909 soweit fortgeschritten, daß in der cisleithanischen Reichshälfte von insgesamt 22.000 Bahnkilometern bereits 19.000 km in das Eigentum des Ärar übergegangen waren. Der zunehmende staatliche Einfluß machte sich auch in einer verschärften Banken- und Versicherungsaufsicht bemerkbar. Die Arbeiterwohnungsgesetze von 1892 und schließlich von 1902 brachten zunächst nicht den erhofften Erfolg. Erst mit der Gründung des „Kaiser-Franz-Joseph-Regierungsjubiläumsfonds" 1908 und dem 1910 gegründeten „Staatlichen Wohnungsfürsorgefonds für Kleinwohnungen" konnte ein wirksames Instrument staatlicher Wohnbauförderung geschaffen werden, wurden doch zinsengünstige und mit langer Laufzeit versehene Darlehen gewährt, Maßnahmen, die als Vorläufer moderner Wohnbauförderung apostrophiert werden können.

Die von Kasimir Graf Badeni 1897 für das Königreich Böhmen erlassene Sprachenverordnung – Anerkennung der Doppelsprachigkeit für alle Gerichts- und Verwaltungsbehörden – stellte die Brisanz des Nationalitätenproblems unter Beweis und führte zu einer Entfremdung der deutschen und tschechischen Nation gegenüber der Krone und dem Gesamtstaat. Ernest von Koerber, einem der fähigsten Staatsmänner der Endzeit der Monarchie, war es zwar gelungen, eine Beruhigung im Nationalitätenstreit durch Verständigungskonferenzen und einem großzügigen

Wirtschaftsprogramm zu erzielen, doch war die vom Rumänen Aurel Popovici geäußerte Idee von den „Vereinigten Staaten von Großösterreich“ nicht mehr zu verwirklichen.

Die schweren Schicksalsschläge, die Kaiser Franz Joseph hinnehmen mußte – beging doch der hochbegabte und vielseitig interessierte Kronprinz Rudolf Selbstmord, wurde Kaiserin Elisabeth in Genf von einem Anarchisten ermordet und fiel schließlich der Thronfolger Franz Ferdinand mit seiner Gemahlin in Sarajewo einem Attentat zum Opfer – sind an dem Monarchen nicht spurlos vorübergegangen, wenngleich er stets Haltung und Würde bewahrt hat. Groß war seine Sorge um die Zukunft der Monarchie, die er pessimistisch beurteilte. Viele seiner Zeitgenossen teilten die Skepsis des Kaisers, und Karl Kraus bezeichnete in sarkastischer Weise die Monarchie als „Experimentieranstalt für Weltuntergänge“. Franz Joseph, der durch 66 Jahre den Bestand des Vielvölkerstaates gewährleistet und als dessen Symbol gegolten hatte, äußerte einmal prophetisch: „Ich bin mir seit langem bewußt, wie sehr wir in der heutigen Welt eine Anomalie sind ... Nach meinem Tod wird es (das Ende) unvermeidbar kommen“.

Der gewaltige Umfang des Materials und der darzustellenden Themen und Probleme ließ keine andere Wahl, als durch Schwerpunktbildung und in straffer Form diesen faszinierenden Zeitabschnitt zu veranschaulichen, um solcherart ein Nachvollziehen durch das interessierte Publikum zu ermöglichen. Zwei Faktoren der Epoche, Charme und Flair, sollen hiebei nicht zu kurz kommen, aber auch die bedrückende Not und das Elend werden in angemessener Form berücksichtigt.

Es war ein besonderes Anliegen der Exposition, in der Belle Etage durch eine sinnvolle Aneinanderreihung der Themen die gewaltige Spanne, die Vielschichtigkeit und Gegensätzlichkeit des Fin de siècle zu visualieren. Photographie, Film und Theater sowie Musik, Architektur, Kunstgewerbe sowie bildende Kunst – mit ihren unterschiedlichen Strömungen Künstlerhaus, Secession und Hagenbund – erfuhren im Zeitalter Franz Josephs eine ungewöhnliche Entwicklung bis hin zum zukunftsweisenden Weg der Monarchie. Am Anfang und am Ende dieser rasanten und einschneidenden Veränderungen stand jener Monarch, der politisch, geistig und künstlerisch dem Vormärz verhaftet geblieben ist, der unverrückbar seinen Prinzipien treu blieb, in dessen Regierungszeit Neuerungen aller Art einfach „passierten“. Bewußt wurde das umfangreiche Kapitel „Erster Weltkrieg“ ausgespart, weil es die Thematik gesprengt hätte, überdies ist daran gedacht, den Verlauf dieser kriegerischen Kampfhandlungen eventuell in einer eigenen Ausstellung in Zukunft zu behandeln.

Möge diese Exposition im Schloß Grafenegg, dessen Westtrakt nunmehr zur Gänze restauriert worden ist und dessen Schloßkapelle ihr ursprüngliches Aussehen wiedererlangt hat, dem in- und ausländischen Publikum einen nachhaltigen Eindruck dieser schicksalschweren Epoche vermitteln.

Adam Wandruszka

DIE HABSBURGERMONARCHIE VON DER GRÜNDERZEIT BIS ZUM ERSTEN WELTKRIEG

Die vierzehn Jahre der Regierung des Ministerpräsidenten Graf Eduard Taaffe von 1879 bis 1893, die den bis heute ungebrochenen Langlebigkeits-Rekord in der Geschichte konstitutioneller österreichischer Regierungen aufgestellt hatte, sind zunächst im Rückblick meist als „verlorene Zeit" oder höchstens etwas wohlwollender – euphemistisch als „Atempause" zwischen der kurzen „liberalen Ära" (1867–1879) und der letzten Lebensphase der Habsburgermonarchie, jener der „Nationalitätenkämpfe und der demokratischen Massenbewegungen", insgesamt jedenfalls vorwiegend negativ beurteilt worden. Erst in jüngster Zeit haben die Bemühungen des „böhmischen Feudalen" und „Kaiser-Ministers" Taaffe und seiner Regierung um die Lösung der nationalen und sozialen Probleme und die dabei erzielten Teilerfolge eine gerechtere oder zumindest ausgewogenere Beurteilung erfahren. Die Erweiterung des Wahlrechts im Jahre 1882 durch die Halbierung des von zehn auf fünf Gulden jährlicher Steuerleistung gesenkten Zensus und damit der Einzug der breiteren kleinbürgerlichen und bäuerlichen Schichten der „Fünfguldenmänner" in die Politik der cisleithanischen Reichshälfte, in den Reichsrat, die Landtage und in die Gemeindevertretungen, erscheint im Rahmen der allgemeinen Entwicklung des Konstitutionalismus in Europa aus heutiger Sicht als ein bemerkenswerter zukunftsorientierter Fortschritt; und daß die Regierung Taaffe dann 1893 gerade wegen ihres allerdings nicht völlig ausgereiften Projekts einer neuerlichen Wahlrechts-Erweiterung von einer „unheiligen Allianz" konservativer und liberaler Gegner eines allgemeinen Wahlrechts gestürzt wurde, muß ihr aus dieser heutigen Sicht wohl auch als Pluspunkt angerechnet werden. Ähnlich positiv bewertet man heute allgemein die sozialpolitischen Leistungen der Arbeiterschutz-Gesetzgebung (Beschränkung der Arbeitszeit, der Frauen- und Kinderarbeit, die Einführung der Gewerbe-Inspektoren, der Unfall- und Krankenversicherung).

Am 11. November 1893 war die Regierung Taaffe zurückgetreten. Auf Rat des deutschliberalen Führers Ernst von Plener berief Kaiser Franz Joseph ein liberal-konservatives Koalitionsministerium unter dem Fürsten Alfred von Windischgrätz, in dem Plener das Finanzressort übernahm. Gegen den von dieser Regierung ausgearbeiteten Wahlrechtsentwurf protestierte die Sozialdemokratie, die nunmehr unter der Führung Dr. Victor Adlers ihre rasch anwachsende Kraft auf die Erringung des allgemeinen Wahlrechts konzentrierte, zwar in zahlreichen Massenversammlungen, doch konnte sich Adler nicht entschließen, in diesem Kampf die gefährliche Waffe des Generalstreiks einzusetzen.

Die Koalitionsregierung Windischgrätz-Plener scheiterte dann aber nicht an der Wahlrechtsfrage, sondern an einem für die Bedeutung des Nationalitätenproblems im Vielvölkerreich bezeichnenden lokalen Streitfall. In Erfüllung eines den Slowenen gegebenen Versprechens war im Voranschlag für 1895 die Einrichtung slowenischer Parallelklassen am deutschen Gymnasium der südsteirischen Stadt Cilli (Celje) vorgesehen. Obwohl in Marburg an der Drau (Maribor) bereits eine entsprechende Regelung bestand, befürchtete das deutsche Bürgertum der kleineren und exponierteren Stadt Cilli eine Bedrohung durch die slowenische „Unterwanderung" und an dieser Streitfrage zerbrach die Koalition zwischen der liberalen „Vereinigten Linken" auf der einen, den Konservativen und Polen auf der anderen Seite. Man hat den Deutschliberalen Pleners ihre Haltung als Gipfelpunkt kleinlicher nationaler Engstirnigkeit vorgeworfen, doch entbehrte ihre Politik insofern nicht der Konsequenz, als sie aus dem gleichen Grund, um der Aufrechterhaltung des „nationalen Besitzstands" willen, ja auch schon das Wahlrechtsprojekt Taaffes abgelehnt hatten, da sie von einer Erweiterung des Wahlrechts eine Majorisierung der Deutschen durch die breiteren slawischen Schichten in den national gemischten Bezirken befürchteten. In beiden Fällen wurde eine Lösung durch die Verbindung nationaler und sozialer Gegensätze erschwert. Daß die im Vielvölkerstaat alle Lebensbereiche durchdringende und komplizierende „nationale Frage" auch die sich zur internationalen Arbeitersolidarität bekennende österreichische Sozialdemokratie nicht verschonte, wird sehr anschaulich durch die Tatsache illustriert, daß bald nachher ein Konflikt zwischen den deutschen Sozialdemokraten der Steiermark und ihren slowenischen Genossen um die Zugehörigkeit der Bezirksorganisation von Cilli – Unterstellung unter die Führung in der steirischen Hauptstadt Graz nach dem territorialen oder unter die in Laibach (Ljubljana) nach dem nationalen Prinzip – ausbrach, bei dem die gleichen nationalen Gegensätze mitspielten wie bei dem Streit um das Gymnasium.

In der nach dem Scheitern des Koalitionsministeriums ausweglos erscheinenden innenpolitischen Situation wurde der Kaiser auf den Statthalter von Galizien, Graf Kasimir Badeni, als einen Mann aufmerksam gemacht, der an der Spitze einer „Regierung der starken Hand" zu einem „österreichischen Bismarck" werden könne. Dieser jedoch erklärte, er habe noch von ihm eingeleitete Verwaltungsmaßregeln in Galizien durchzuführen, wobei ihn möglicherweise die Absicht leitete, erst eine Klärung der verworrenen Lage abzuwarten. So wurde inzwischen der Statthalter von Niederösterreich Erich Graf Kielmansegg mit der Bildung eines provisorischen Beamtenkabinetts betraut. Am 30. September wurde dann die Regierung Badeni ernannt, der außer dem Ministerpräsidenten noch zwei weitere Polen, der Finanzminister Dr. Leon Bilinski und Dr. Eduard Rittner als Minister für Galizien, angehörten. Zugleich war auch der Leiter des beiden Reichshälften gemeinsamen Außenministeriums Graf Agenor Goluchowski ein Pole.

Durch seine Liebenswürdigkeit erwarb sich Badeni zunächst bei den verschiedenen nationalen Gruppen und Parteien des Reichsrats Sympathien, so daß er die auf ihn gesetzten Hoffnungen zu rechtfertigen schien. Doch bald zeigte sich, daß er, an die einfacheren Regierungsmethoden in dem vom polnischen Adel beherrschten Galizien gewöhnt, die Schwierigkeiten der zu lösenden Probleme unterschätzte, wie ihm überhaupt eine sanguinische Leichtfertigkeit eigen war. Sein „Königsgedanke", aus den liberalen Gruppen aller cisleithanischen Nationalitäten eine ähnliche stabile Mehrheit zu bilden, wie dies Taaffe durch so lange Zeit mit den Konservativen verschiedener Nationalität gelungen war, erwies sich angesichts des ständig zunehmenden Überwiegens des nationalen über das liberale Prinzip in allen nationalliberalen Gruppen der Monarchie – wie auch im übrigen Europa – als völlig unrealistisch.

Zunächst gelang es Badeni zwar noch, die angekündigte Wahlrechtsreform durchzubringen, durch die zu den vier bestehenden Wählerkurien eine fünfte „allgemeine Kurie" trat, zu der alle über 24 Jahre alten männlichen Staatsbürger wahlberechtigt waren; wobei allerdings dieser Kurie nur 72 der insgesamt 425 Mandate zugeteilt wurden. Auf Grund dieser Reform gelangten bei den Neuwahlen im März 1897 zum ersten Mal Sozialdemokraten in den Reichsrat. Sie erhielten 15 Mandate, die Christlichsozialen 26, die radikalen Deutschnationalen, die sich jetzt „Alldeutsche" nannten und deren Führer Schönerer nun wieder in den Reichsrat einzog, 5 Mandate, während die gemäßigteren Deutschnationalen, die sich in die stärker in den Alpenländern verwurzelte „Deutsche Volkspartei" und die vorwiegend in den Ländern der Wenzelskrone (Böhmen, Mähren und Schlesien) beheimatete „Deutsche Fortschrittspartei" gliederten, zusammen 41 Mandate errangen. Da der nationale Gegensatz den konservativen „Hohenwart-Klub" gesprengt hatte, bildeten die katholisch-konservativen Abgeordneten der Ruthenen, Kroaten und Slowenen einen slawisch-christlichen Verband mit 35 Mitgliedern, denen die konservative „Katholische Volkspartei" der deutschen Kronländer mit 31 Abgeordneten gegenüberstand; eine Splittergruppe von 6 katholischen Abgeordneten konstituierte sich als selbständiges „Zentrum". Die stärkste nichtdeutsche Gruppe war die der Tschechen mit 60 Abgeordneten.

Als der neugewählte Reichsrat Ende März 1897 in Wien zusammentrat, fand hier nach fast zweijähriger

Dauer eben ein politischer Kampf seinen Abschluß, der die Leidenschaften aufgewühlt und in dem die Regierung Badeni ihre erste eindrucksvolle Niederlage erlitten hatte: der Kampf Dr. Karl Luegers und seiner Christlichsozialen um die Herrschaft im Wiener Rathaus. Schon im Frühjahr 1895, als das Koalitionsministerium Windischgrätz-Plener noch amtierte, war Lueger zum Vizebürgermeister und nach der Demission des liberalen Bürgermeisters Dr. Raimund Grübl zum Bürgermeister gewählt worden, hatte aber die Wahl abgelehnt, da er die absolute Mehrheit der Stimmen nicht erreicht hatte. Nach Einsetzung eines Regierungskommissärs und Auflösung des Gemeinderates brachten die Gemeinderatswahlen vom September 1895 den Christlichsozialen eine klare Mehrheit, und Lueger wurde mit 93 von 137 Stimmen zum Bürgermeister gewählt. Badeni aber fürchtete, daß die Wahl des in Ungarn verhaßten Demagogen, der die dort herrschende liberale Partei durch das von ihm geprägte Schimpfwort „Judäomagyaren“ tödlich beleidigt hatte, zum Bürgermeister der „Reichshaupt- und Residenzstadt“ die bevorstehenden Ausgleichsverhandlungen mit Ungarn belasten und den gesamtstaatlichen Zusammenhalt schädigen würde. So riet er dem Kaiser, von seinem Recht Gebrauch zu machen, Lueger die Bestätigung zu versagen. Eine Wiederholung der Wahl im November brachte das gleiche Ergebnis und wieder versagte der Kaiser seine Zustimmung. Nach stürmischen Straßendemonstrationen der Anhänger Luegers wurde der Gemeinderat wieder aufgelöst und ein Regierungskommissär eingesetzt. Die Gemeinderatswahlen im Februar 1896 brachten einen weiteren Zuwachs der christlichsozialen Stimmen und bei der Bürgermeisterwahl im April erhielt Lueger wieder eine überwältigende Mehrheit. Nun lud der Kaiser den populären Volkstribunen zu einer Audienz in die Hofburg ein und veranlaßte ihn, zunächst auf die Annahme der Wahl zu verzichten, seinem Parteifreund Josef Strobach den Posten des Bürgermeisters zu überlassen und sich selbst mit dem eines Vizebürgermeisters zu begnügen. Nach einem Jahr, in dem Lueger bereits tatsächlich die Stadtverwaltung leitete, trat Strobach zurück, Lueger wurde erneut zum Bürgermeister gewählt und jetzt vom Kaiser bestätigt.

Nach der Erreichung dieses seines Lebensziels hat sich Lueger mit großer Tatkraft der kommunalpolitischen Aufgaben angenommen, die großen Unternehmungen von öffentlichem Interesse wie Gaswerk, Elektrizitätswerk und öffentliche Verkehrsmittel aus privatem, teilweise ausländischen, in kommunalen Besitz überführt, sich um die Hebung der Volksgesundheit durch die Anlage von öffentlichen Parks und durch die Erhaltung des Wald- und Wiesengürtels um Wien, durch neue Spitäler, Fürsorgeanstalten und Bäder verdient gemacht. Die durch Anleihen finanzierte großzügige Kommunalpolitik Luegers in Wien hat in Österreich und darüber hinaus, besonders bei den katholischen Parteien in ganz Europa, Beachtung und Nachahmung gefunden. Sie besaß für die Habsburgermonarchie aber auch eine eminente staatspolitische Bedeutung, deren sich Lueger wohl bewußt war, da die alte Reichshauptstadt dadurch einen neuen Glanz und eine verstärkte Anziehungskraft auf die Provinzen gegenüber den zentrifugalen Tendenzen erhielt. Ein dunkler Schatten in diesem weitgehend positivem Bild war die vom christlichsozialen Parteiinteresse beherrschte Personalpolitik Luegers im ganzen ständig wachsenden Bereich der Gemeindeverwaltung.

Die sozialdemokratischen Massenkundgebungen für das allgemeine Wahlrecht und die christlich-sozialen Straßendemonstrationen für Luegers Bestätigung als Bürgermeister hatten ebenso wie die Arbeiteraufmärsche am 1. Mai und die Großkundgebungen der Katholikentage den Eintritt der Massen in die Politik angekündigt und zugleich auch schon die Macht dieser neuen Faktoren erwiesen. Der stärkste, den staatlichen Zusammenhalt gefährdende Ausbruch politischer Leidenschaften aber erfolgte im Zusammenhang mit der nun immer stärker das gesamte öffentliche Leben beherrschenden „nationalen Frage“. Er entzündete sich bezeichnenderweise an den Sprachenverordnungen der Regierung Badeni für das Königreich Böhmen vom 5. April 1897. Diese Verordnungen, denen am 22. April gleichlautende für Mähren folgten, bestimmten die Doppelsprachigkeit für alle Gerichts- und Verwaltungsbehörden und verlangten von allen Beamten die Kenntnis beider Landessprachen in Wort und Schrift. Die Deutschen erblickten in den Verordnungen eine weitere Verschlechterung gegenüber der 1880 von der Regierung Taaffe erlassenen Sprachen-

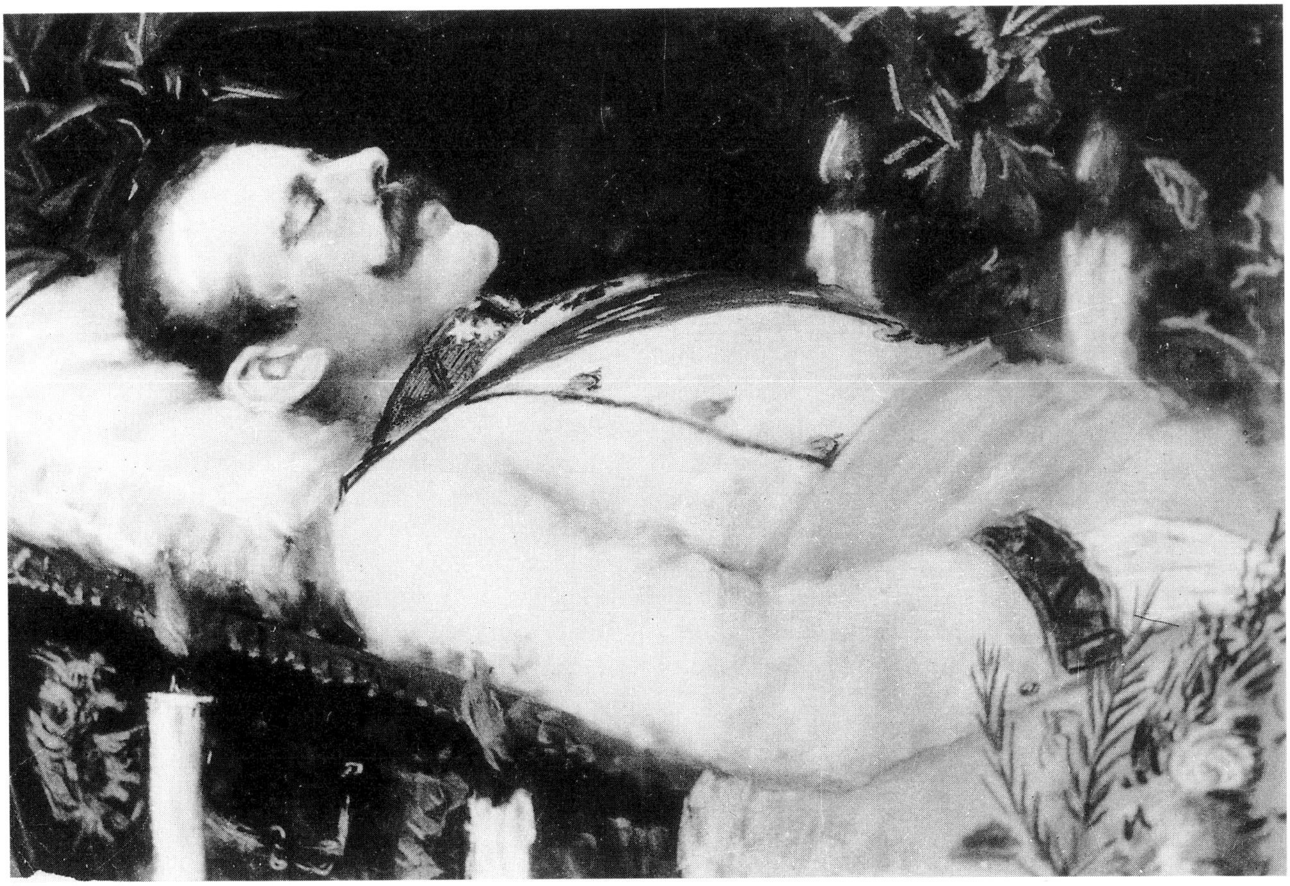

Kronprinz Rudolf auf dem Totenbett. Wien, Österreichische Nationalbibliothek, Bildarchiv

verordnung des damaligen Unterrichtsministers Karl von Stremayr und beschwerten sich über die mangelhafte vorherige Unterrichtung durch die Regierung in dieser vor allem die deutsche Beamtenschaft der Länder der böhmischen Krone betreffenden Angelegenheit. Da für die Sprachenverordnungen eine aus Tschechen, Polen, Slowenen sowie aus den beiden katholisch-konservativen Gruppen der „Katholischen Volkspartei“ und des „Zentrums“ bestehende Mehrheit eintrat, griff die Opposition der Deutschen zu den Mitteln der Obstruktion, zu Dauerreden und Lärmszenen, die sich bis zu Tätlichkeiten steigerten. Straßendemonstrationen und blutige Zusammenstöße zwischen den feindlichen Volksgruppen sowie zwischen Demonstranten und dem zur Wiederherstellung der Ordnung eingesetzten Militär begleiteten die Sturmszenen im Reichsrat, wurden von ihnen angefacht und wirkten wieder auf sie zurück. Neben Prag und den deutschen Gebieten Böhmens waren vor allem Wien und Graz Schauplätze der Unruhen. Die Versuche Badenis, den Sturm einerseits durch den Einsatz der staatlichen Machtmittel, andererseits durch Verhandlungen und Einlenken zu besänftigen, erwiesen sich also ebenso unwirksam wie die zu Vernunft und Mäßigkeit mahnenden Stimmen einzelner, die sich dadurch nur den Vorwurf des „Volksverrats“ zuzogen. Im Gegensatz zu ihrer sonstigen Zurückhaltung nahm auch die von den Alldeutschen Schönerers und seines Parteigängers Karl Hermann Wolf zu Hilfe gerufene reichsdeutsche Öffentlichkeit an den Ereignissen lebhaften Anteil, wobei ein offenes Schreiben des greisen Theodor Mommsen „An die Deutschen in Österreich“ durch höchst unglückliche Ausbrüche nationaler Arroganz (die Tschechen als „Apostel der Barbarisierung“, deren Schädel nicht für Vernunft sondern nur für Schläge zugänglich seien) besonderes Aufsehen erregte. Auch die Hoffnung der Regierung, daß sich die Leidenschaften nach der parlamentarischen Sommerpause abkühlen würden, erfüllten sich nicht. Denn als Badeni wegen der dringlichen parlamentarischen Behandlung des Ausgleichs mit Ungarn den Reichsrat wieder einberief, steigerten sich Obstruktion, wüste Lärm- und Schimpfszenen, wobei sich innerhalb wie außerhalb des Reichsrats eine eigentümliche, aber für die weiteren politischen Kämpfe in Österreich bedeutungsvolle Zusammenarbeit zwischen den radikalen Deutschnationalen und den Sozialdemokraten ergab. Den Höhepunkt erreichte die stürmische, das Ansehen des Reichsrats und des Parlamentarismus, aber auch des Staatswesens selbst im In- und Ausland schwer schädigende Entwicklung gegen Ende November 1897, als auf Antrag des Führers des katholischen „Zentrums“, des Grafen Julius Falkenhayn, in einer stürmischen Sitzung eine Änderung der Geschäftsordnung durchgepeitscht wurde und dann auf Grund dieser „lex Falkenhayn“ Badeni, der bereits im September bei einem Pistolenduell mit dem Abgeordneten Wolf von diesem am Arm verwundet worden war, Polizei in den Sitzungssaal einrücken und dreizehn deutschnationale und sozialdemokratische Abgeordnete aus der Sitzung entfernen ließ, worauf sich auch die Christlichsozialen an den Lärmszenen beteiligten. Da Lueger zudem als Bürgermeister von Wien erklärte, er könne die Aufrechterhaltung der Ruhe und Ordnung in der Hauptstadt nicht mehr verbürgen, und die Massendemonstrationen in Wien und Graz den Ausbruch einer Revolution befürchten ließen, verlangte Kaiser Franz Joseph die Demission Badenis und die Vertagung des Reichsrats, die dann am folgenden Tag, dem 28. November 1897, bekanntgegeben wurden. Den Auftrag zur Regierungsbildung erhielt der bisherige Unterrichtsminister Baron Paul Gautsch von Frankenthurn, der mit einem Beamtenministerium und gestützt auf den Notverordnungsparagraphen 14 um die Wiederherstellung geordneter Verhältnisse bemüht war.

Die Badeni-Krise und die blutigen Unruhen, die in der Nacht vom 27. zum 28. November, als das Schicksal der Regierung schon entschieden war, in Graz zwei Todesopfer gefordert hatten, haben der Habsburgermonarchie einen nicht wieder gutzumachenden Schaden zugefügt. Statt der von ihm angestrebten Versöhnung zwischen Deutschen und Tschechen hat der polnische Graf mit seiner „Regierung der starken Hand“ die weitere Verschärfung der Gegensätze bewirkt und zugleich die Entfremdung beider Nationen gegenüber der Krone und dem Gesamtstaat vertieft. Bei den Deutschen konnten sich die radikalen Deutschnationalen und Alldeutschen, die Staat und Dynastie als „undeutsch“ ablehnten, als Sieger über die Regierung betrachten, während sich die Tschechen und mit ihnen auch die übrigen Slawen von der Dynastie im Stich gelassen fühlten. Auch das Verhältnis zu Ungarn wurde durch die Ereignisse des Jahres 1897 belastet, da Badeni sein Ziel, die parlamentarische Behandlung des Ausgleichs mit Ungarn, wegen der Tumulte und der Schließung des Reichsrats nicht hatte erreichen können. In den in der Habsburgermonarchie führenden staatstreuen „schwarz-gelben“ Kreisen, die in Bürokratie und Armee, aber auch in den gesellschaftlichen, wirtschaftlichen und kulturellen Oberschichten noch immer den Ton angaben, machte sich nach den Badeni-Unruhen eine resignierende Skepsis gegenüber der Möglichkeit einer inneren Gesundung der Monarchie breit, die dann eine wesentliche psychologische Voraussetzung für die Außenpolitik bildete, die zum Ausbruch des Ersten Weltkriegs und damit zum Untergang der Monarchie führte. Der Sieg der Obstruktion und der Straßendemonstrationen, die Lärm- und Radauszenen im Reichsrat haben bei den Angehörigen jener Generation, die dann nach 1918 in den Nachfolgestaaten die politische Führung übernahm, einen unauslöschlichen Eindruck hinterlassen, den Glauben an Demokratie und Parlamentarismus erschüttert und damit wesentlich zum Aufwachsen autoritäter und totalitärer Tendenzen von links und rechts im Mitteleuropa der Zwischenkriegszeit beigetragen. Als eine positive, zunächst nicht erkennbare Folge der Badeni-Krise wird man vielleicht allein die Tatsache verbuchen, daß die verantwortungsbewußten Elemente in allen politischen und nationalen Gruppen sich nun mit verstärktem Eifer um die Ausarbeitung von Lösungen des Nationalitätenproblems bemühten. Die reiche Literatur von teilweise hohem geistigem Rang, die zum Problem des Verhältnisses von Nation und Staat, zum Volksgruppen- und Minderheitenrecht, in der Zeit zwischen 1897 und dem Untergang der Monarchie erschien und die sowohl die Minderheiten-Politik der Völkerbundzeit wie etwa auch die sowjetische Nationalitätenpolitik beeinflußte, hat wesentliche Impulse aus den Erfahrungen der Badeni-Krise empfangen.

Die Amtsnachfolger Badenis suchten Ruhe und Ordnung wiederherzustellen und die aufgepeitschten nationalen Leidenschaften zu beschwichtigen. Das Beamtenministerium Gautsch, dem der bedeutende Nationalökonom Eugen von Böhm-Bawerk als Finanzminister und die späteren Ministerpräsidenten Ernest von Koerber als Handels- und Heinrich von Wittek als Eisenbahnminister angehörten, mußte wegen der antideutschen Ausschreitungen in Prag dort das Standrecht verhängen. Das aus dem gleichen Grunde für Prag verfügte Abzeichen- und Farbenverbot führte zu einem Studentenstreik an den deutschen Hochschulen der Monarchie, den die Regierung mit vorzeitigem Semesterschluß beantwortete. Die Badenischen Sprachenverordnungen milderte Gautsch durch die dehnbare Durchführungsbestimmung, daß jeder Beamte in Böhmen die im Dienst notwendigen Sprachenkenntnisse besitzen müsse. Auch die Einteilung der Amtsbezirke in deutsche, tschechische und gemischtsprachige kam den deutschen Forderungen entgegen. Obwohl das Ministerium Gautsch, entsprechend seiner Zusammensetzung, so eher die Politik eines gemäßigten deutschen Zentralismus vertrat und daher bei den Tschechen auf starken Widerstand stieß, fand es auch bei den deutschen Parteien nicht die nötige Unterstützung. Eine weitere Schwierigkeit ergab sich im Verhältnis zu Ungarn, da Gautsch, Koerber und Böhm-Bawerk sich weigerten, die sehr weitgehenden wirtschaftlichen Zugeständnisse anzuerkennen, die Badeni den Ungarn gemacht hatte und auf deren Erfüllung die ungarische Regierung nun bestand. Vor allem aber hatte die einflußreiche Gruppe der böhmischen Hocharistokratie, die zwischen den beiden Nationen des Landes stand, in der Ablehnung des deutschen Zentralismus theresianisch-josephinischer Tradition aber vielfach mit den Tschechen gemeinsame Sache machte, Gautsch nur als Platzhalter für einen Angehörigen ihrer Gruppe angesehen. So mußte Gautsch schon am 24. Februar 1898 dem Grafen Franz Thun-Hohenstein weichen. Dieser suchte den deutsch-tschechischen Konflikt dadurch zu lösen, daß er den jungtschechischen Politiker Josef Kainzl, Professor der Nationalökonomie an der tschechischen Universität von Prag, als Finanzminister und den zur deutschliberalen Gruppe des „Verfassungstreuen Großgrundbesitzers“ gehörenden Dr. Joseph Maria Baernreither als Handelsminister in sein Beamtenministerium aufnahm. Doch Thun gelang die deutsch-tschechische Versöhnung ebensowenig wie seinen Vorgängern, weil auch die einsichtsvolleren und kompromißbereiten Politiker beider Volksgruppen zu sehr unter dem Druck der Radikalen und der von ihnen aufgepeitschten öffentlichen Meinung, der Demonstrationen und blutigen Zwischenfälle, bis zu Duellen mit tödlichem Ausgang zwischen „patriotischen“ Offizieren und „nationalen“ Studenten standen. So mußte auch Thun wie sein Vorgänger Gautsch mit Hilfe des Notverordnungsparagraphen 14 regieren, wobei ihm die deutschen Parteien und deren publizistische Organe mit ständig wachsender Vehemenz eine einseitige Begünstigung der Slawen und besonders der Tschechen vorwarfen. Da in den mehr als anderthalb Jahren seiner Regierung keine Beruhigung des Nationalitatenkampfes eintrat, sondern der Sprachenstreit nun sogar mit der Weigerung der tschechischen Rekruten, beim Namensaufruf mit „hier“ (statt tschechisch „zde“) zu antworten, auf die Armee übergriff, entließ der Kaiser Thun am 2. Oktober 1899 und berief den bisherigen Statthalter der Steiermark Graf Manfred Clary-Aldrigen, der am 14. Oktober Badenis Sprachenverordnung aufhob und auch die Ausgleichsverhandlungen mit Ungarn mit Herabsetzung der „cisleithanischen Quote“ (dem Anteil der „im Reichsrat vertretenen Königreiche und Länder“ am Budget der „gemeinsamen Ministerien“) auf 65,6 Prozent erfolgreich abschloß. Die Sanktionierung dieses für die nicht-ungarische Reichshälfte günstigen Ergebnisses durch den Reichsrat konnte er allerdings nicht mehr erreichen, denn die slawische Obstruktion wegen der Aufhebung der Sprachenverordnungen zwang ihn zum Rücktritt, da er versprochen hatte, nicht mit dem Paragraphen 14 zu regieren und er sein Versprechen nicht brechen wollte. Nach einem kurzlebigen Ministerium Wittek, das das Budget und die Ausgleichsvereinbarungen mit Hilfe des Notverordnungsparagraphen in Kraft setzte, erfolgte am 19. Jänner 1900 die Bildung der Regierung unter Ernest von Koerber.

Dieser, zweifellos einer der fähigsten Staatsmänner der Monarchie in den letzten Jahrzehnten ihres Bestehens, suchte eine Beruhigung im Nationalitätenstreit einerseits durch von ihm mit großer Geduld und Beharrlichkeit einberufene und geleitete Verständigungskonferenzen, andererseits durch ein überaus großzügiges Wirtschaftsprogramm zu erreichen. Auf beiden Wegen hat er zunächst verheißungsvolle Teilerfolge erzielt, da es ihm gelang, durch wirtschaftliche und kulturelle Zugeständnisse die Tschechen zur Aufgabe der Obstruktion zu bewegen, mit der sie wie vorher die Deutschen die parlamentarische Arbeit lahmlegten. Den Höhepunkt von Koerbers Erfolgen brachte das Jahr 1902, als es ihm gelang, den Staatsvorschlag termingerecht und ordnungsgemäß durchzubringen. Kurz darauf legte er dem Reichsrat den Entwurf eines neuen, sehr freiheitlichen Pressegesetzes vor. Im gleichen Jahr übernahm er zu den von ihm bisher innegehabten Ämtern des Ministerpräsidenten und des Innenministers auch noch das des Justizministers. An der Fülle der Aufgaben hat sich der für alle neuen Ideen aufgeschlossene Koerber, der sich um eine Modernisierung der Verwaltung bemühte und auch in sozialer Hinsicht sehr verständnisvoll und arbeiterfreundlich war, aufgerieben. Zu den schwierigen Verhandlungen mit den Deutschen und Tschechen sowie zu dem zähen Ringen mit der ungarischen Regierung kamen blutige Zusammenstöße in Triest anläßlich eines Streiks und die Straßenkämpfe in Innsbruck wegen der Errichtung einer italienischen Rechtsfakultät an dieser Universität. Mehrmals hat Koerber seine Demission eingereicht, doch wurde sie vom Kaiser zunächst immer wieder unter Anerkennung für die Tätigkeit des dynamischen Ministerpräsidenten abgelehnt. So blieb das Kabinett Koerber fast fünf Jahre, bis Ende 1904, im Amt. Allerdings wuchs im Lauf der Zeit die Zahl der Gegner aus allen Volksgruppen und Parteirichtungen gegen den Ministerpräsidenten, der, aus der Bürokratie stammend, selbst über keinen eigenen parteipolitischen Rückhalt im Reichsrat verfügte und sich diesen immer wieder in mühevoller Arbeit von Fall zu Fall – oft durch Gefälligkeiten wie Titel- und Ordenverleihungen, die ihm dann von Seiten seiner Kritiker den Vorwurf der Bestechung einbrachten – verschaffen mußte. Sein österreichisch-gesamtstaatliches Regierungsprogramm konnte die immer nationalistischer werdenden Führer der verschiedenen Nationalitäten naturgemäß nicht voll befriedigen. Zwar bedeutete es eine innenpolitische Entlastung, daß die „Alldeutschen“, die bei den Neuwahlen vom Februar 1901 mit 21 Abgeordneten in den Reichsrat eingezogen waren, sich schon im folgenden Jahr wegen des Streits ihrer Führer in die Schönerer treu bleibende Minderheit und in die Anhänger Wolfs spaltete, die sich dann „Deutsch-Radikale“ nannten. Es war der Beginn des Niedergangs dieser radikalen Gruppe des deutschen Nationalismus, wozu die von Schönerer seit der Badeni-Krise propagierte „Los-von-Rom“-Bewegung (der Übertritt vom „undeutschen“ Katholizismus zum Protestantismus oder zum altkatholischen Bekenntnis, ein Schritt, den immerhin mehr als 70.000 Personen vollzogen) ebenso beitrug wie dann die persönlichen Affären Wolfs. Andererseits dürfte die Weigerung Koerbers, gegen diese politischen Kirchenaustrittsbewegung mit polizeilichen Mitteln vorzugehen, die Abneigung des Thronfolgers Franz Ferdinand gegen den das Vertrauen des Kaisers genießenden Ministerpräsidenten verstärkt haben. Dem geistig im Liberalismus wurzelnden Koerber begegneten die katholisch-konservativen und christlichsozialen Kreise auch sonst mit Mißtrauen, wobei in der gewiß auch sachlich begründeten Abneigung gegen Koerbers einflußreichsten Gehilfen, den Vorstand seines Präsidialbüros Dr. Rudolf Sieghart, antisemitische Motive mitspielten. Die unnatürliche Fronde von Angehörigen der verschiedensten politischen und nationalen Gruppen gegen Koerber machte diesen nervös und gereizt, so daß er schließlich auch noch das Vertrauen des Kaisers verlor. Blieb Koerber so auch der letzte entscheidende Erfolg versagt, so hat die Monarchie in seiner Regierungszeit doch eine wichtige Strecke auf dem Weg zum modernen Verfassungsstaat zurückgelegt. Das lag gewiß im Zug der Zeit, wie sich an einer scheinbaren Äußerlichkeit zeigte; obwohl seit der Barockzeit in Österreich wiederholt und häufiger als in den meisten anderen europäischen Ländern Angehörige niederer Volksschichten zu wichtigen Staatsstellungen und in die Hofgesellschaft aufstiegen (so Hocher, Sailern, Bartenstein oder dann der Iglauer Schneidersohn Kübeck), blieb der Posten des Regierungschefs traditionsgemäß vorwiegend Angehörigen des hohen Adels vorbehalten – selbst in der „liberalen Ära", dort etwa mit einem liberalen Mitglied der Dynastie wie dem Erzherzog Rainer oder liberalen Hocharistokraten wie die beiden Fürsten Carlos und Adolf Auersperg. Mit Gautsch, Wittek, Koerber und Beck aber traten nunmehr Angehörige der bürokratisch-militärischen Staatsdienerschicht, die nach 1866 auch in der Armee mit den „einsilbigen Generälen" – wie Kuhn, John, Beck usw. das Übergewicht in den Führungspositionen erlangt hatten, an die Spitze der Regierung. Wenn Angehörige des hohen Adels bis zum Ende der Monarchie auch noch wiederholt in der Staatsführung und besonders in der Außenpolitik eine wichtige Rolle spielten, so hat die unter Maria Theresia und Joseph II. begonnene Verbürgerlichung des Staatsapparats um die Wende zum zwanzigsten Jahrhundert doch einen entscheidenden Fortschritt gemacht.

Das zeigte sich auch daran, daß die Frage der Einführung des allgemeinen und gleichen Wahlrechts seit der Jahrhundertwende nicht mehr zur Ruhe kam. Verschiedene Faktoren wie einerseits die beharrliche Agitation der Sozialdemokratie für die Erreichung dieses Ziels, andererseits das Beispiel des Wahlrechts für den Deutschen Reichstag in einer Zeit immer stärkerer außenpolitischer Bindung an das Deutsche Reich spielten eine wichtige Rolle. Im Jahr 1905, als wieder Gautsch als Ministerpräsident auf Koerber gefolgt war, wurde im Konflikt mit Ungarn der allerdings dann nicht durchgehaltene Versuch unternommen, durch eine Wahlrechtsreform die Herrschaft der nationalistischen adelig-großbürgerlichen magyarischen Führungsschichten zu brechen, während die russische Revolution des gleichen Jahres selbst im Zarenreich die Schaffung einer Volksvertretung zur Folge gehabt hatte. Vor allem aber hoffte Kaiser Franz Joseph, der ewigen nationalen Streitigkeiten im Reichsrat müde, daß eine Zunahme der Vertreter der Massenbewegungen der Christlichsozialen und der Sozialdemokraten, bei denen sich seit der Badeni-Krise die Anzeichen für eine positive Einstellung zum Vielvölkerreich mehrten, und eine Schwächung der bürgerlich-nationalistischen Parteien ein Nachlassen des Nationalitätenstreits herbeiführen werde. Die Christlichsozialen, die sich nunmehr auch der Billigung durch die höchste kirchliche Autorität erfreuten – nachdem der zweimal aus Kreisen des hohen österreichischen Klerus unternommene Versuch, die Ver-

Der Attentäter Luigi Lucheni wird abgeführt. Wien, Historisches Museum der Stadt Wien urteilung dieser ungebärdigen „Kaplansbewegung" durch Rom zu erreichen, gescheitert war – wurden von der Jahrhundertwende an, im sicheren Besitz der Herrschaft im Wiener Rathaus, immer konservativer. Sie griffen von Wien auf das flache Land über, gewannen immer mehr bisherige Anhänger der konservativen Katholischen Volkspartei und entwickelten sich rasch zu einer österreichischen Reichspartei, nicht zuletzt wegen des Vorbild-Charakters von Luegers Wiener Kommunalpolitik.

Die Sozialdemokraten hingegen erkannten an der heftigen Reaktion ihrer slawischen Genossen, wie gefährlich für eine sich zur internationalen Solidarität bekennende Arbeiterpartei die während der Badeni-Krise im Reichsrat wie bei den Straßenkrawallen praktizierte Aktionsgemeinschaft mit den Anhängern Schönerers und Wolfs war. Die Ausarbeitung des Brünner Nationalitäten-Programms der österreichischen Sozialdemokratie im Jahre 1899 war eine Folge des Bestrebens, die durch die Badeni-Krise und deren Nachwirkungen gefährdete Einheit der Partei in einer Zeit allgemein zunehmender nationalistischer Tendenzen zu bewahren. Hatte man doch erschreckt feststellen müssen, daß der Brand eines integralen Nationalismus, wie Victor Adler einmal sagte „auf unser Haus übergeschlagen" habe. So lief es dann doch in der Praxis auf eine Anerkennung der Werte und Vorteile einer übernationalen Völkergemeinschaft wie der Habsburgermonarchie und auf einen Versuch zur Lösung des österreichischen Nationalitätenproblems hinaus. Die zahlreichen Schriften, die im Zusammenhang mit dieser Problematik der junge Sozialdemokrat Dr. Karl Renner – wegen seiner Anstellung als Reichsrats-Bibliothekar unter den Pseudonymen „Synopticus" und „Rudolf Springer" – veröffentlichte und die ihm die Gunst Koerbers und eine außertourliche Beförderung einbrachten, kennzeichneten das Hineinwachsen der Sozialdemokratie in den Staat und ihre sich geradezu gegen den eigenen Willen vollziehende Entwicklung zur „staatserhaltenden" Partei. Das schon während der Badeni-Krise von dem genialen Demagogen Lueger geprägte Wort von der „k. k. privilegierten Sozialdemokratie" ist daher, so empfindlich die Partei darauf auch reagierte, in der Folgezeit häufig verwendet worden und wegen seines unbestreitbaren, wenngleich scheinbar paradoxen Wahrheitsgehalts lebendig geblieben.

Mit großen aber ruhig verlaufenden Massenkundgebungen demonstrierten die Sozialdemokraten im Oktober und November 1905 in Wien, Prag und allen größeren Städten Cisleithaniens für die Gewährung des allgemeinen und gleichen Wahlrechts, und Gautsch versprach, bis Februar 1906 dem Reichsrat einen Wahlrechtsentwurf vorzulegen. Aber obwohl er sein Versprechen hielt und der im Herbst 1905 zustande gekommene „Ausgleich" zwischen Deutschen und Tschechen für Mähren ein Abflauen des Nationalitätenstreits anzukündigen schien, rief der Regierungsentwurf wegen des Verteilungsschlüssels der Abgeordnetenzahl auf die einzelnen Nationalitäten heftige Kritik vor allem bei den Deutschen und den Polen hervor. Gautsch mußte zurücktreten, sein Nachfolger Prinz Konrad von Hohenlohe legte schon nach wenigen Wochen wegen Meinungsverschiedenheiten bei den Zolltarif-Verhandlungen mit Ungarn sein Amt nieder. So brachte erst der nächste Ministerpräsident, Max Wladimir Freiherr von Beck, mit großem Verhandlungsgeschick bis zum Jahresende 1906 die Wahlrechtsfrage zum glücklichen Abschluß. Dabei wurde dem Verlangen der Deutschen und Italiener nach Berücksichtigung ihrer Steuerleistung durch die Wahlkreiseinteilung Rechnung getragen. So erhielten die Deutschen 43 Prozent der Mandate, obwohl sie nur 35 Prozent der Bevölkerung Cisleithaniens ausmachten, aber 63 Prozent der Steuern aufbrachten. Eine ähnliche Bevorzugung wurde den Italienern gegenüber den Slowenen, den Polen gegenüber den Ruthenen sowie den Rumänen in der Bukowina eingeräumt. Doch hielten sich diese Konzessionen an das bisher geltende Zensus-Wahlrecht in so bescheidenen Grenzen, daß sich auch die Sozialdemokraten, deren Führer Victor Adler sich um die Ausarbeitung des Kompromisses große Verdienste erworben hatte, zunächst mit dem Erreichten zufriedengaben.

Die ersten Wahlen nach dem allgemeinen, gleichen, direkten und geheimen – allerdings auf die Männer über 24 Jahre beschränkten – Wahlrecht im Mai 1907 brachten den Massenparteien die erwarteten Erfolge. Als stärkste deutsche Partei zogen die Christlichsozialen mit 66 Abgeordneten in den Reichsrat ein, zu denen dann noch die 30 Abgeordneten der Katholischen Volkspartei nach der im Juni erfolgten Vereinigung beider Gruppen zur „Christlichsozialen Reichspartei" hinzukamen. Die Sozialdemokraten brachten insgesamt 87 Abgeordnete ins Parlament (50 Deutsche, 23 Tschechen, 7 Polen, 5 Rumänen und 2 Ruthenen), die im Deutschen Nationalverband zusammengeschlossenen deutschnationalen und deutschliberalen Gruppen (Deutsche Volkspartei, Deutsche Fortschrittspartei, Deutsche Agrarier und Deutschradikale) 90 Abgeordnete, darunter 13 Deutschradikale mit ihrem Führer Wolf, während nur 3 Alldeutsche Schönerers gewählt wurden und Schönerer selbst nicht mehr in den Reichsrat gelangte. Die eigentlichen Unterlegenen aber waren die bisher führenden Schichten, die konservative Hocharistokratie und das liberale Großbürgertum, daneben der Thronfolger Franz Ferdinand, der seine Abneigung gegen die Wahlrechtsreform – von der er durch das Zusammenwirken von Sozialdemokraten und Deutschnationalen vor allem Nachteile bei den Bewilligungen für das Verteidigungsbudget befürchtete – und schon gegenüber Gautsch wie dann gegenüber Beck deutlich ausgesprochen hatte.

Nach den Wahlen ergänzte Beck sein Kabinett, in dem nunmehr neben vier Beamtenministern sieben Parlamentarier (darunter zwei Christlichsoziale, ein Jungtscheche, ein deutscher und ein tschechischer Agrarier) saßen. Die Ausgleichsverhandlungen mit Ungarn wurden mit einer neuerlichen Senkung des österreichischen Anteils (63,6 zu 36,4 Prozent) abgeschlossen, das österreichische Budget, die Verstaatlichung der Nordbahn und die Rekrutierungsvorlagen bewilligt. Durch sozialpolitische Maßnahmen wollte Beck auch die Sozialdemokraten gewinnen. Die hoffnungsvollen Anfänge einer neuen parlamentarischen Ära aber wurden dann durch die „Affäre Wahrmund" gestört, den Streit um den Innsbrucker Professor für Kirchenrecht Ludwig Wahrmund, dessen takt- und geschmacklosen antikirchlichen Äußerungen im katholischen Lager eine verständliche Empörung hervorriefen. Dabei wirkte sich die in Tirol noch nicht überwundene Rivalität zwischen Konservativen und Christlichsozialen ebenso ungünstig aus wie das Eingreifen des päpstlichen Nuntius Granito Pignatelli di Belmonte, der die Entfernung Wahrmunds als eines „Häretikers" vom Lehrstuhl für Kirchenrecht forderte. Die liberalen und antiklerikalen Kreise riefen nun zur Verteidigung der Freiheit der Wissenschaft auf und als Beck und sein liberaler Unterrichtsminister Dr. Gustav Marchet die Affäre durch die Kompromißlösung der Versetzung Wahrmunds nach Prag regelten, zogen sie sich die erbitterte Gegnerschaft der katholischen Kreise zu. Auch daß Becks Bemühungen um einen deutsch-tschechischen Ausgleich in Böhmen nach dem Vorbild des mährischen Ausgleichs erfolglos blieben, wirkte sich für ihn ungünstig aus. Entscheidend aber war, daß der Thronfolger Franz Ferdinand seinem einstigen Lehrer in den Staatswissenschaften Beck schon von dem Augenblick an grollte, als dieser die Berufung zum Ministerpräsidenten Franz Josephs annahm, ohne den damals im Ausland weilenden Thronfolger zu fragen, der seinerseits für den bald erwarteten Beginn seiner Herrschaft eine Ministerpräsidentschaft Becks geplant hatte. Die Durchführung der vom Thronfolger vergeblich bekämpften Wahlreform, das angeblich zu weitgehende Entgegenkommen gegenüber Ungarn in den Ausgleichsverhandlungen und schließlich die „Affäre Wahrmund" bestärkten Franz Ferdinand in seinem Haß gegen Beck. Durch seinen Einfluß auf die Christlichsozialen wie durch persönliche Intervention beim Kaiser erreichte er schließlich die Entlassung des Ministerpräsidenten im November 1908, zu einem Zeitpunkt, da sich die Donaumonarchie wegen der Annexion Bosniens und der Herzegowina in einer außenpolitischen Krise befand. Wieder wie beim Scheitern Koerbers hatte das Zusammentreffen alter und neuer, politischer, weltanschaulicher, nationaler, sozialer und persönlicher Probleme und Konflikte eine hoffnungsvolle Entwicklung unterbrochen.

Der rasche Wechsel der Regierungen seit Taaffes Sturz hing nicht nur mit der Verschärfung des Nationalitätenstreits und dem gleichzeitigen Aufwachsen der demokratischen Massenbewegungen zusammen. Einen wesentlichen Anteil hatte auch die Person des Kaisers Franz Joseph. Denn die Dynastie blieb auch nach dem Umbau des „Kaisertums Österreich" zur „Österreichisch-Ungarischen Monarchie" ein im positiven wie im negativen Sinne den Charakter des Staatswesens bestimmender Faktor. Ja, die Gestalt des Monarchen verkörperte im Laufe der langen Lebens- und Regierungszeit Franz Josephs so sehr „die Monarchie“, daß sich zuletzt viele Österreicher – und zwar nicht nur, wenngleich auch besonders, unter den „Staatsdienern“ in Bürokratie und Armee – eine Monarchie ohne diesen Kaiser überhaupt nicht mehr vorstellen konnten. Daher hat auch das persönliche und familiäre Schicksal des Kaisers, zumal es in diesem letzten Lebensabschnitt der Monarchie von einer Reihe tragischer Ereignisse überschattet war, zu einer starken Anteilnahme im Volke geführt und damit zu einer Sympathie für den alten Kaiser, deren er sich in Jugend und Mannesalter nicht hatte erfreuen können.

Es bestand ja überhaupt seit jeher eine seltsam tragische Verknüpfung zwischen dem persönlichen Leben des Kaisers und dem Schicksal der Monarchie; eine Verknüpfung, die dem Wort vom „Zeitalter Kaiser Franz Josephs“ eine besondere und tiefere Bedeutung verleiht. Eine kurze Rückblendung mag dies verdeutlichen: am 5. April 1852 war überraschend und allzu früh der tatkräftige und fähige Ministerpräsident Fürst Felix Schwarzenberg gestorben, der „Mentor der ersten Jahre“ des jungen Kaisers, der dann noch im hohen Alter rückblickend seinen ersten Ministerpräsidenten als seinen besten bezeichnete. Nach dem vielberufenen Beispiel des Verhaltens Ludwigs XIV. nach dem Tod des Kardinals Mazarin hat der nun schon über drei Jahre an der Spitze des Staates stehende aber doch erst 21 Jahre alte Franz Joseph in wohl übersteigertem monarchischem Selbstbewußtsein die Führung der Staatsgeschäfte nun selbst übernommen; und nun fielen sowohl in der Außen- wie in der Innenpolitik jene Entscheidungen, die im Krimkrieg 1854–56 zur völligen außenpolitischen Isolierung des Kaisertums Österreich und damit schließlich zu den Verlusten und Niederlagen von 1859 und 1866 führten und in der Innenpolitik durch das Konkordat von 1855 das Zerbrechen der, als Reaktion auf die revolutionären Ereignisse von 1848/49 zustandegekommenen Zusammenarbeit von Aristokratie, Bürokratie und Bürgertum zur Folge hatte. Im Sommer 1853 aber verliebte sich der junge Kaiser wider alle Erwartungen in seine nur fünfzehnjährige Cousine Elisabeth, Prinzessin in Bayern, und heiratete sie im darauffolgenden Jahr 1854. Die vielbejubelte Verbindung mit der schönen jungen Prinzessin war, zumindest von seiner, aber zunächst auch von ihrer Seite aus eine „Liebesheirat“, die dem Herrscher wegen der allzu großen Charakter-Unterschiede der Ehegatten aber doch nicht das ersehnte glückliche Familienleben brachte.

Seit den Niederlagen von 1859 und 1866 war Franz Josephs politisches und militärisches Selbstvertrauen erschüttert. Dazu kam, daß er, entsprechend den absolutistischen Prinzipien seines Regierungsanfangs und infolge der prägenden Eindrücke des Revolutionsjahres 1848/49 die konstitutionelle Entwicklung mit tiefer Skepsis verfolgte, da er sie als lebensbedrohend für ein Vielvölkerreich ansah, so korrekt er sich an die bestehende Verfassung, aber eben nur aus Pflichtbewußtsein und nicht aus innerer Überzeugung hielt. Obwohl er in seinem langen Herrscherleben reiche Menschenkenntnis erwarb, hatte er in der Auswahl seiner Staatsmänner auch nicht immer eine glückliche Hand. Schließlich zeichnete ihn eine gewisse Ungeduld aus, wenn sich die erhofften Erfolge nicht sogleich einstellten; eine Haltung, die sich zum Teil auch aus seiner pessimistischen Beurteilung der Zukunft der Monarchie ergab. Hat er doch immer wieder und besonders an den entscheidenden Wendepunkten seines Lebens in fast gleichlautenden Formulierungen den Gedanken des Stehens auf verlorenem Posten, des Kämpfens bis zum letzten Atemzug, des Untergehens in Ehren ausgesprochen, der so recht seiner ritterlichen und geradlinigen Charakteranlage gemäß war. Er hat in seinem Testament Verfügungen getroffen für den Fall, daß „die Krone nicht bei unserem Hause bleiben sollte“, und gewünscht, daß seine Tochter Gisela ihr Vermögen an sich nehme, es „läge sicherer in Deutschland als wie in Wien.“ Von der gleichen Skepsis und feiner Selbstironie zeugt das in seinen letzten Lebensjahren zu einem österreichischen Diplomaten geäußerte Wort: „Ich bin mir seit langem bewußt, wie sehr wir in der heutigen Welt eine Anomalie sind.“

Franz Josephs einziger Sohn, der hochbegabte, intelligente und vielseitig interessierte Kronprinz Rudolf

Kaiser Franz Joseph I., 1916. Privatbesitz

stand in seinen politischen und weltanschaulichen Ideen im diametralen Gegensatz zu dem von ihm gefürchteten Vater. Er sympathisierte mit der ungarischen Opposition, mit dem Liberalismus und auf dem Gebiet der Außenpolitik mit Frankreich, schrieb anonym die Regierungspolitik der Regierung Taaffe kritisierende Artikel in regierungsfeindlichen Zeitungen, so vor allem in dem von seinem Freund Moriz Szeps geleiteten „Neuen Wiener Tagblatt“. Der furchtbare Entschluß zum Doppel-Selbstmord mit seiner Geliebten, der blutjungen Baronesse Mary Vetsera, hatte aber doch wohl keine politischen Hintergründe, sondern lag sicher primär in einer schweren erblichen Belastung begründet, wobei vermutlich eine von ihm selbst als ausweglos angesehene persönliche Krisensituation das auslosende Moment bildete. Trotz der tiefen Kluft, die Vater und Sohn in Lebensauffassung und politischen Ansichten trennte, war der Selbstmord des Kronprinzen am 30. Jänner 1889 der schwerste Schicksalsschlag im Leben des vielgeprüften Monarchen. Die von ihm trotz ihrer exzentrischen Lebensführung innig geliebte Kaiserin Elisabeth, die, soweit wir sehen, nur ein einziges Mal, beim Zustandekommen des „ungarischen Ausgleichs“, einen politischen Einfluß auf Franz Joseph ausübte, wurde fast ein Jahrzehnt nach dem Selbstmord Rudolfs am 10. September 1898 am Genfer See von dem italienischen Anarchisten Luigi Luccheni ermordet.

Nach dem Selbstmord des einzigen Sohnes und Thronfolgers und dem Verzicht von Franz Josephs jüngerem Bruder Karl Ludwig wurde dessen ältester Sohn Erzherzog Franz Ferdinand Thronfolger. Aber auch zwischen Onkel und Neffe stellte sich nicht das notwendige Vertrauensverhältnis ein. Der ungeduldig die Zeit seiner eigenen Regierung herbeisehnende Thronfolger war streng katholisch und konservativ eingestellt, entwickelte einen starken, autokratisch orientierten Ehrgeiz, war mit dem ihm in manchen Zügen wesensverwandten Kaiser Wilhelm II. befreundet und ein erbitterter Gegner der ungarischen Sonderstellung. Seine morganatische Ehe mit der dann zur Herzogin von Hohenberg erhobenen Gräfin Sophie Chotek warf einen weiteren Schatten auf das Verhältnis von Kaiser und Thronfolger. Wie meist in solchen Fällen wurde auch hier der Gegensatz zwischen „Schönbrunn", der Lieblingsresidenz des Kaisers, und dem „Belvedere", der Residenz des Thronfolgers, durch die beiderseitige Umgebung geschürt, wobei auch bei den Beratern der Gegensatz der Generationen zum Ausdruck kam. Beriefen sich die Räte des Kaisers auf ihre Lebenserfahrung und die durch eine lange Reihe von Niederlagen und Mißerfolgen gewonnene Einsicht in die prekäre Lage des Reiches, die keine radikalen Eingriffe erlaube, so meinten die ihre Stunde erwartenden Männer um den Thronfolger als Angehörige einer Generation, die übermäßig der Macht und dem Triumph des Willens vertraute, gerade die Gefährdung und Problematik des Staatswesens verlange gebieterisch nach radikalen Maßnahmen zum inneren Umbau als Rettung in letzter Stunde. Im Gegensatz zu manchem oberflächlichen Optimisten aus seiner Umgebung und auch sonst im öffentlichen Leben, der an die Wirksamkeit einer Zauberformel zur Umwandlung der Doppelmonarchie in einen friedlichen Bund freier Völker glaubte, war sich Franz Ferdinand der Gefahren bewußt, die sich aus der Verwirklichung seiner Pläne ergeben konnten, und sah die Möglichkeit von Bürgerkrieg und Intervention von außen voraus. Durch den Chef seiner Militärkanzlei, den Major Alexander Brosch von Aarenau, versammelte der Thronfolger einen Kreis von ideenreichen jüngeren Politikern aus den verschiedenen Nationalitäten um sich, darunter die Rumänen Alexander Vajada-Vojvod und Julius Maniu, der Ungar Josef von Kristóffy, der Slowene Dr. Anton Korošec und der Slowake Dr. Milan Hodža, der in der Zwischenkriegszeit Ministerpräsident in der Tschechoslowakei wurde. Auch der Rumäne Aurel Popovici, der Verfasser des Buches „Die Vereinigten Staaten von Großösterreich" (1906) und der Führer des ungarländischen Deutschtums Edmund Steinacker gehörten dem „Belvedere-Kreis" an. Von den politischen Parteien standen dem Thronfolger die Christlichsozialen, besonders nach ihrer Vereinigung mit den Konservativen, am nächsten; publizistisches Organ des „Belvedere" wurde die katholische Tageszeitung „Reichspost" unter ihrem streitbaren Chefredakteur und Herausgeber Dr. Friedrich Funder.

Knüpften vor allem die jüngeren, aktivistischen Angehörigen der staatsbejahenden Führungsschichten ihre Hoffnung auf eine Erneuerung und Stärkung des Habsburgerreiches an die Person des Thronfolgers, so blickten andere, die sich dem „alten Kaiser" in unwandelbarer Loyalität verbunden fühlten, mit Besorgnis der Regierung Franz Ferdinands entgegen, wobei sie darauf hinwiesen, daß manche persönliche Charakterzüge des Thronfolgers wie seine herrische, keinen Widerspruch duldende Art, sein cholerisches, aufbrausendes, Pauschalurteile und Kraftausdrücke bevorzugendes Temperament oder auch seine unweidmännische Jagdleidenschaft wenig Gutes verhießen. Auch über Bedeutung und Umfang der für seinen Regierungsbeginn ausgearbeiteten Pläne zur Umgestaltung der Donaumonarchie im föderalistischen Sinne oder durch eine „trialistische", die südslawische Frage lösende Reichskonstruktion anstelle der bisherigen dualistischen, sowie über die Möglichkeiten der Verwirklichung solcher Pläne bestand und besteht weder Einmütigkeit noch letzte Klarheit. So wird die wiederholt aufgeworfene Frage, ob Franz Ferdinand der Retter oder der Totengräber der Habsburgermonarchie geworden wäre, wenn das Attentat von Sarajewo seinem Leben nicht ein Ende gesetzt hätte, wohl für immer unbeantwortet bleiben.

Mit der Annexionskrise und dem Sturz der Regierung Beck traten die Außenpolitik und hier besonders die Balkanpolitik in ihrer für die Habsburgermonarchie schicksalhaften Verklammerung mit der südslawischen Frage und den verschiedenen Aspekten des „Dualismus“ immer stärker in den Vordergrund und überschatteten die anderen inneren Probleme. Becks Nachfolger als Ministerpräsident Richard Freiherr von Bienerth-Schmerling (November 1908 – Juni 1911) und Graf Karl Stürgkh (November 1911 – Oktober 1916; dazwischen kam es noch zu einem dritten, kurzlebigen Ministertum Gautsch), waren keine stark profilierten politischen Persönlichkeiten, so daß in diesen Jahren zunächst der schon seit 1906 amtierende Außenminister Aloys Graf Lexa von Aehrenthal und dann, nach dessen 1912 erfolgtem Tod, seit 1913 der ungarische Ministerpräsident Graf Stephan Tisza weitgehend den politischen Kurs bestimmten. Zudem erlebten die beiden großen Massenparteien der Christlichsozialen und der Sozialdemokraten, die mit dem allgemeinen Wahlrecht und den Reichsratswahlen von 1907 zu bestimmenden Faktoren des öffentlichen Lebens geworden waren, wohl mit als Folge des Übergangs zur staatstragenden und staatserhaltenden Partei, gerade damals eine innere Krise. Obwohl Victor Adler seit Jahren mit großem Geschick und seiner virtuosen Kunst der Menschenbehandlung die nationalen Gegensätze in der Partei auszugleichen suchte und die theoretischen Schriften Renners und des hochbegabten jungen Dr. Otto Bauer dafür das geistige Rüstzeug lieferten, konnte das seit der Parteieinigung von Hainfeld fast mythisch verehrte Gut der Einheit der Partei gegenüber dem nationalen Separatismus der tschechischen Sozialdemokratie und der tschechischen Gewerkschaften doch nicht bewahrt werden. Ein bis vor das Forum der Internationale getragener Konflikt führte zur Spaltung des Abgeordnetenklubs der Partei nach nationalen Grenzen und zur Aufstellung eigener tschechischer Kandidaten bei den Reichsratswahlen von 1911 mit den bei dem geltenden Mehrheitswahlrecht unvermeidlichen negativen Folgen. Aber abgesehen von diesem Bruderkampf der „Separatisten“ und „Zentralisten“ hatte das tschechische Beispiel eines nationalen Sozialismus auch bei den deutschen Arbeitern der Sudetenländer Nachahmung gefunden und so gelangten 1911 drei in deutschböhmischen Wahlkreisen gewählte Vertreter der 1904 in Trautenau gegründeten „Deutschen Arbeiterpartei“ in den Reichstag.

Der durch die nationale Spaltung erlittene Rückschlag wurde von den Sozialdemokraten teilweise ausgeglichen durch die Erfolge, die sie in Wien und Niederösterreich über die Christlichsozialen errangen. Die seit der Verschmelzung mit den Konservativen und dem Ausbau der Parteiorganisation auf dem flachen Land unaufhaltsam fortschreitende Wandlung der Christlichsozialen zu einer in sozialer Hinsicht konservativen Partei, die Regierungsbeteiligung und die nun schon fast anderthalb Jahrzehnte andauernde Herrschaft im Wiener Rathaus, dann aber vor allem der am 10. März 1910 erfolgte Tod Luegers, Nachfolgekämpfe und Korruptionsaffären führten besonders in Wien zu einer katastrophalen Niederlage der Christlichsozialen und zum endgültigen Verlust der Mehrheit in der Reichshauptstadt. Nur dadurch wurde dieser dann auch für die innere Geschichte der späteren Republik Österreich bestimmte Verlust zunächst formell und damit auch machtpolitisch nicht sofort wirksam, daß im Juni 1911 nur der Reichsrat und nicht der Wiener Gemeinderat neugewählt wurde, so daß die christlichsoziale Herrschaft im Rathaus noch bis zum Ende der Monarchie währte und Luegers Erben Richard Weiskirchner das undankbare Amt des Bürgermeisters in der Notzeit des Krieges zufiel. Die Richtigkeit des beschwörenden Appells in Luegers politischem Testament („Die Partei möge sich daher hüten, irgendeine spezifische Berufspartei zu werden, sie darf weder eine agrarische noch eine andere spezifische Partei sein, sondern sie muß ihr Augenmerk ebenso auf die großstädtische Bevölkerung und Intelligenz richten wie auf den Bauernstand“) hatte sich jedenfalls erwiesen; die Partei, die ihr soziales Schwergewicht in den besitzenden Schichten, im Bauerntum und in den führenden Wirtschaftskreisen gefunden hatte und zum politischen Werkzeug des Thronfolgers und des „Belvedere-Kreises“ geworden war, mußte diese Wandlung eben mit dem Verlust der kleinbürgerlichen und proletarischen Massen in der Großstadt an den linken Nachbarn bezahlen. In der Stichwahl wurde den Christlichsozialen dann vielfach die Haltung der deutschnational-freisinnigen Wähler verhängnisvoll, die nach der Devise „lieber rot als schwarz“ bei der durch das Mehrheitswahlrecht in vielen Fällen notwendig werdenden Entscheidung aus gemeinsamer antiklerikaler, antihabsburgischer und antikonservativer Einstellung dem sozialdemokratischen Kandidaten ihre Stimme gaben. Ein erschreckendes Signal für die Leidenschaftlichkeit des politischen Parteihasses war dann die Ermordung des populären sozialdemokratischen Volkstribunen Franz Schuhmeier durch den Bruder des christlichsozialen Arbeiterführers Leopold Kunschak am 12. Februar 1913. Die zersetzende Wirkung des Nationalismus, die der internationalen Sozialdemokratie so viel zu schaffen machte, bekamen die Christlichsozialen in den Spaltungsversuchen der nationalistisch-antisemitischen Gruppe um Ernst Vergani und sein „Deutsches Volksblatt“ zu spüren. Die beherrschende Wirkung der „nationalen Frage“ kam auch darin zum Ausdruck, daß bei den Wahlen von 1911 die im „Deutschen Nationalverband“ zusammengeschlossenen deutschnationalen und deutschliberalen Gruppen 104, die Christlichsozialen 74 und die Sozialdemokraten 44 Abgeordnete in den Reichsrat entsandten.

Es gab allerdings auch Anzeichen dafür, daß im Streit der Nationalitäten allmählich doch eine gewisse Ermüdung eintrat. So verliefen, nach einer Krise, die im Sommer 1913 mit der Sistierung der böhmischen Landesverfassung wegen Arbeitsunfähigkeit des Landtags ihren Höhepunkt erreicht hatte, im Herbst dieses Jahres die deutsch-tschechischen Ausgleichsverhandlungen erfolgsversprechend. Da die Vertreter der beiden nationalen Gruppen, wohl auch unter dem Eindruck der gespannten internationalen Lage sowie des guten Funktionierens des mährischen Ausgleichs seit nahezu einem Jahrzehnt, verständigungsbereit waren, kam damals das Wort auf, daß nur mehr eine „papierdünne Wand“ die beiden Volksgruppen trenne. Doch betrieb Stürgkh die Verhandlungen nicht mit dem nötigen Nachdruck und man vermutete, der Thronfolger Franz Ferdinand wolle sich den spektakulären Erfolg eines böhmischen Ausgleichs für den bald zu erwartenden Beginn seiner eigenen Regierungsperiode vorbehalten. Auch hatte man sich in den Krisen der vergangenen Jahre an das einfachere Regieren mit Hilfe des Notverordnungs-Paragraphen 14 gewöhnt. So vertagte dann auch Stürgkh im Frühjahr 1914 den durch die Obstruktion der tschechischen Agrarier arbeitsunfähig gewordenen Reichsrat.

Man hat oft festgestellt, daß in ihrer letzten Lebensphase die Habsburgermonarchie, die Victor Adler als „Experimentierkammer der Weltgeschichte“ und der Kritiker Karl Kraus als „Experimentieranstalt für Weltuntergänge“ bezeichnete, zur Wiege von geistigen, künstlerischen, aber auch politischen Bewegungen wurde, die in der Folgezeit auf die Entwicklung in Europa und der Welt einen nachhaltigen Einfluß ausübten. Hatten in den siebziger und achtziger Jahren nicht nur die späteren sozialdemokratischen Führer Adler und Pernerstorfer, der Historiker Heinrich Friedjung, Arthur Schnitzler, Gustav Mahler und Sigmund Freud, sondern auch der junge Theodor Herzl, der dann als Feuilletonredakteur der „Neuen Freien Presse“ der Begründer der zionistischen Bewegung wurde, in den gleichen deutschnationalen, unter dem Einfluß der Ideen Wagners und Nietzsches stehenden Studentenvereinigungen entscheidende Impulse für ihr späteres Wirken empfangen, so weilten in den Jahren vor 1914 die russischen Revolutionäre Trotzki und Stalin – der sich hier mit den Schriften der österreichischen Genossen Renner und Bauer zur Nationalitätenfrage auseinandersetzte –, der junge Adolf Hitler, der Trentiner Reichsratsabgeordnete Alcide De Gasperi und die späteren Staatspräsidenten Thomas G. Masaryk und Josip Broz-Tito in der Donaumetropole, in der die Vielfalt der nationalen und sozialen Spannungen, Beziehungen und Probleme einen unvergleichlichen Anschauungsunterricht bot. Das räumliche und zeitliche Zusammentreffen des Beginns zahlreicher in der Folgezeit die Welt verändernder neuer Bewegungen auf den verschiedensten Gebieten des geistigen, künstlerischen und politischen Lebens kann dabei kaum als ein Zufall angesehen werden. Denn die Verbindung eines raschen wirtschaftlichen Aufstiegs und einer aus allen Provinzen und Nationalitäten des Vielvölkerreiches angeregten und bereicherten künstlerischen und geistigen Entwicklung mit einer fast chronischen politischen Krise und der ständigen Konfrontation mit den Zeugnissen vergangener Größe und einer in der untergehenden Abendsonne noch einmal ihren ganzen Glanz und Zauber entfaltenden Welt hat hier offenbar besonders stimulierend gewirkt.

Literatur (in Auswahl):

BRIGITTE HAMANN (Hrsg.), Kaiserin Elisabeth. Das poetische Tagebuch. Wien 1984 – ROBERT A. KANN, Erzherzog Franz Ferdinand Studien. Wien 1976 – ADAM WANDRUSZKA –PETER URBANITSCH (Hrsg.), Die Habsburgermonarchie 1848–1918, Bd. I Die wirtschaftliche Entwicklung (hrsg. von ALOIS BRUSATTI). Wien 1973; Bd. II Verwaltung und Rechtswesen. Wien 1975; Bd. III/1 und III/2 Die Völker des Reiches. Wien 1980; Bd. IV Die Konfessionen. Wien 1984 – ADAM WANDRUSZKA, Österreich-Ungarn vom ungarischen Ausgleich bis zum Ende der Monarchie (1867–1918). In: Handbuch der europäischen Geschichte, Bd. 6. Stuttgart 1968 – FRIEDRICH WEISSENSTEINER, Franz Ferdinand. Der verhinderte Herrscher. Wien 1983 – ERICH ZÖLLNER, Geschichte Österreichs. Von den Anfängen bis zur Gegenwart. 7. Aufl. Wien 1984 (hier auch weitere Literatur).

Richard Gisser

BEVÖLKERUNGSENTWICKLUNG IN DER MONARCHIE NACH 1880

STRUKTURÜBERBLICK

Zu den wichtigsten Kennzeichen Österreich-Ungarns und seiner Bevölkerung gehörten die Größe und außerordentliche Vielfalt. Die Donaumonarchie umfaßte einschließlich des 1908 staatsrechtlich einverleibten Landes Bosnien und Herzegowina 677.000 Quadratkilometer und zählte Ende 1910 rund 51,4 Millionen Einwohner. Sie verfügte damit in Europa über die zweitgrößte Fläche und die drittgrößte Bevölkerung (nach dem russischen und dem Deutschen Reich, vor Großbritannien und Irland, Frankreich und Italien).

Wie schon die Bezeichnung „Vielvölkerstaat" besagt, war das Habsburgerreich besonders in ethnischer Hinsicht sehr heterogen. Nach den Sprachenauswertungen der letzten Volkszählung (Umgangssprache in Österreich, Muttersprache in Ungarn und Bosnien-Herzegowina) waren von der einheimischen Bevölkerung knapp 24% Deutsche, 20% Magyaren, 17% Tschechen und Slowaken, 11% Kroaten und Serben, 10% Polen, 8% Ruthenen (Ukrainer), 6% Rumänen, 2½% Slowenen und 1½% Italiener. Selbst in den jeweiligen Reichshälften hatten die führenden Nationalitäten nur die relative Mehrheit inne: Deutsche in Cisleithanien (Österreich) 36%, Magyaren im Königreich Ungarn 48%.

Hinzu kam bei manchen Sprachgruppen eine religiöse Differenzierung. Insgesamt war die Monarchie durch das Vorherrschen der Katholiken geprägt, die fast 77% der Bevölkerung ausmachten und sich im Verhältnis 6:1 auf den lateinischen und griechischen Ritus verteilten. Jeweils 9% waren Orthodoxe und Protestanten, wobei letztere ein Verhältnis zwischen Lutheranern und Kalvinisten von 2:3 aufwiesen. Dem jüdischen Glauben gehörten über 4% der Bevölkerung an, dem Islam über 1%.

In wirtschaftlicher Hinsicht blieb die Monarchie bis zuletzt ein Agrarland, wenn auch industrielle Aktivitäten und Dienstleistungen ständig an Bedeutung gewannen. Bei der Volkszählung 1910 betrug der land- und forstwirtschaftliche Bevölkerungsanteil noch 56%, mit Maximalwerten um 80% in den überwiegend von Serbokroaten besiedelten Ländern Bosnien-Herzegowina, Dalmatien und Kroatien-Slavonien. Bei 70% lag die Agrarquote in Ungarn östlich der Theiß (einschließlich Siebenbürgen) und in den angrenzenden österreichischen Karpatenländern (Galizien, Bukowina); hier lebten hauptsächlich die Rumänen, Ruthenen und Polen, es gehörte aber auch ein Teil des Siedlungsgebietes der Magyaren dazu.

Ökonomisch am weitesten fortgeschritten waren die vorwiegend von Tschechen und zu 35% von Deutschen besiedelten Sudetenländer (Böhmen, Mähren, Schlesien) sowie die sieben rein oder überwiegend deutschsprachigen Alpenländer, aus denen die heutige Republik Österreich hervorgegangen ist. In diesen zwei Ländergruppen, die manchmal auch als „Nordwestländer" zusammengefaßt wurden, lag die Agrarquote 1910 mit durchschnittlich 35% annähernd auf dem Niveau Deutschlands. Noch deutlicher als die innerstaatlichen Unterschiede in der wirtschaftlichen Entwicklung waren übrigens die regionalen Abstufungen im Bildungsstand der Bevölkerung, gemessen am Anteil der Analphabeten. Hierzu nur Werte für die Gesamtmonarchie: 1910 konnten von den 20- bis 30jährigen Männern 17% und von den gleichaltrigen Frauen 23% weder lesen noch schreiben.

Von den Wirtschafts- und Verwaltungszentren Österreich-Ungarns entwickelte sich Wien zu einer der größten Städte der Welt; als „Wohnplatz" beherbergte es 2,09 Millionen Menschen. Groß-Budapest erreichte 1,07 Millionen, Prag samt Vororten 600.000 Einwohner. Es folgten die Agglomerationen von Lemberg, Triest, Ostrau-Karwin, Brünn, Graz und Krakau mit je rund 200.000 Einwohnern. Insgesamt lebten 1910 etwa 10% der Gesamtbevölkerung in Großstädten.

BOSNIEN UND HERZEGOWINA

Die Bevölkerungsentwicklung des 1878 von der Monarchie annektierten Landes muß wegen der Datenlage gesondert betrachtet werden. Auf die erste Volkszählung 1879, die anscheinend an Untererfassung litt, folgte schon 1885 die nächste. Sie ergab 1,336.000 Zivil- und 27.000 Militärpersonen. 1910 waren es 1,898.000 Zivilisten und 34.000 Militärs. In diesem Vierteljahrhundert wuchs die Bevölkerung um durchschnittlich 1,38% per annum, d. h. um die Hälfte stärker als im österreichisch-ungarischen Mutterland. Der Unterschied ergab sich nicht durch das natürliche Wachstum, sondern durch den Zuzug von Kolonisten nach Bosnien und Herzegowina. Für die Kalenderjahre 1886–1910 errechnet sich ein Wanderungsgewinn von 99.000 Personen (ohne Militär), davon allein 7.800 pro Jahr im Dezennium 1886–1895. Für die ersten Jahre nach der Annexion dürften ähnlich hohe Werte gelten. Dazu paßt, daß 1910 unter der Zivilbevölkerung 108.000 (5,7%) ungarische und österreichische Staatsangehörige gezählt wurden.

BEVÖLKERUNGSWACHSTUM ÖSTERREICH-UNGARNS (OHNE BOSNIEN UND HERZEGOWINA)

Nachdem Ende 1869 in beiden Reichshälften die erste Volkszählung mit moderner Konzeption und Methodik durchgeführt worden war, fanden ab 1880 weitere Zählungen in zehnjährigen Abständen statt. Die anwesende Gesamtbevölkerung nahm im Zeitraum 1880–1910 von 37,9 auf 49,5 Millionen zu. Das jährliche Wachstum betrug im Durchschnitt 0,89% und war in der Dekade 1891–1900 mit 0,94% am stärksten. Gegenüber früheren Perioden (1828–1857: 0,34%, 1857–1880: 0,64%) ergab sich eine deutliche Erhöhung des Zuwachses, vor allem in Ungarn, dessen Bevölkerung zeitweise stagniert hatte. In den achtziger und neunziger Jahren verzeichneten die Länder der ungarischen Krone eine stärkere Wachstumsrate als Cisleithanien, nach der Jahrhundertwende war es umgekehrt. Im Durchschnitt 1880–1910 nahm die Bevölkerung in den österreichischen Ländern um 0,85% und in Transleithanien um 0,95% zu. Das Stärkeverhältnis der beiden Reichshälften von 58 : 42 blieb weitgehend stabil. 1910 zählte man in Österreich 28,6 und in Ungarn 20,9 Millionen Einwohner.

Die Zerlegung der Bevölkerungszunahme in die natürliche Komponente (Saldo der Geburten und Sterbefälle) und den Wanderungssaldo ergibt für die drei Dekaden 1880–1910 wachsende Geburtenüberschüsse, aber auch immer größere Auswanderungsverluste. Durch den Geburtenüberschuß allein wäre die Bevölkerung in diesem Zeitraum um über 13,8 Millionen oder um jährlich 10,6‰ gewachsen. Österreich-Ungarn vermochte einen Zuwachs dieses Ausmaßes offenbar nicht zu verkraften (obwohl er wegen der hohen Sterblichkeit ohnehin um etwa 3 Promillepunkte niedriger war als in Deutschland). Insgesamt

NATÜRLICHE BEVÖLKERUNGSBEWEGUNG IN ÖSTERREICH-UNGARN 1881–1913

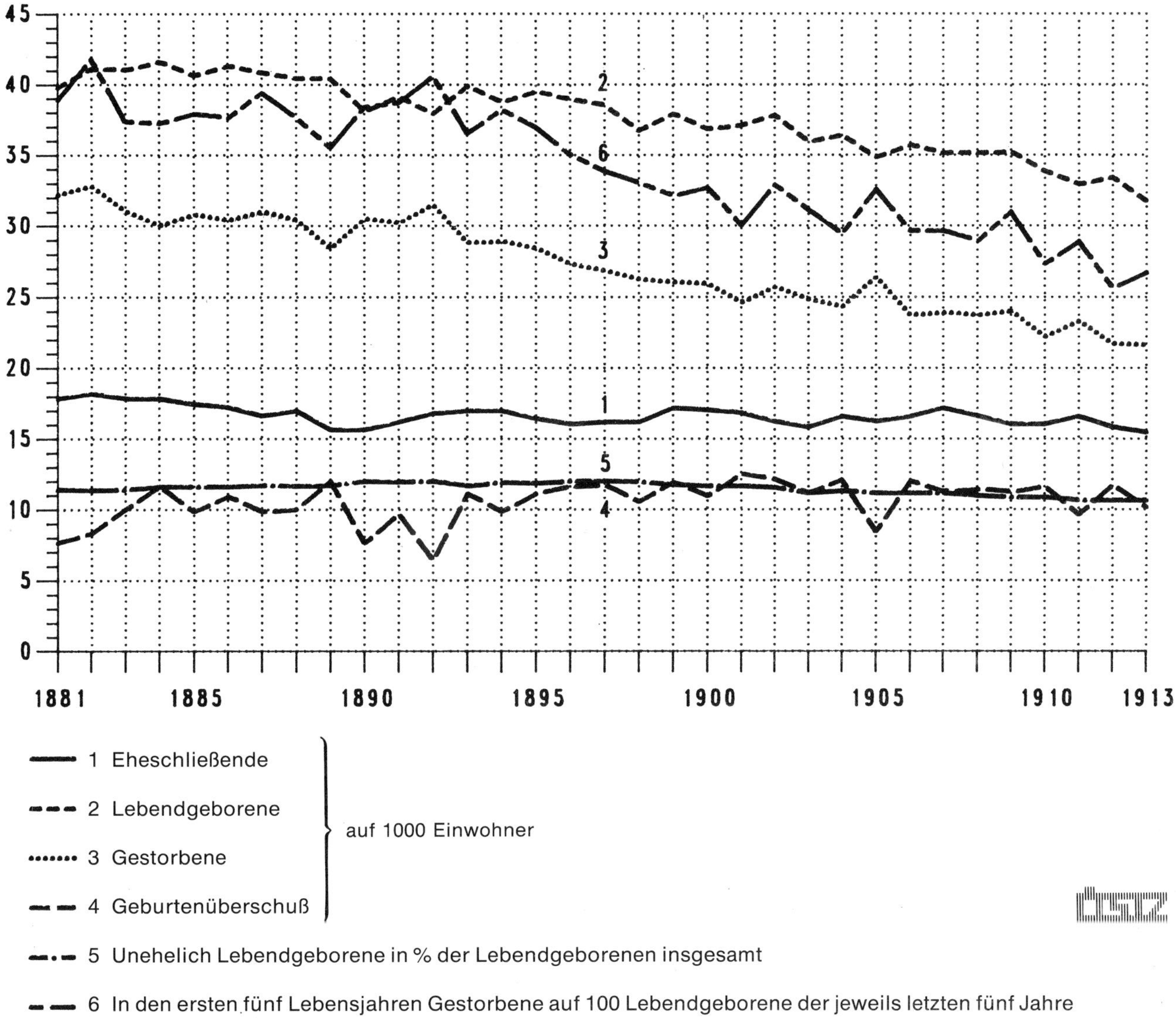

erreichte der Verlust an Auswanderern in diesen drei Jahrzehnten beinahe 2,3 Millionen oder ein Sechstel des gleichzeitigen Geburtenüberschusses. Im langjährigen Durchschnitt betrug die Netto-Auswanderungsrate mehr als 1,7‰; sie lag in Cisleithanien, das mit 56% am Gesamtverlust beteiligt war, kaum niedriger als in Ungarn.

Nachdem die Auswanderung in den siebziger Jahren noch keine große Bedeutung gehabt hatte, entwikkelten sich die Wanderungssalden Österreich-Ungarns wie folgt (Jahresdurchschnitte): 1881/1890 −37.000 oder −0,9‰, 1891/1900 −56.000 oder −1,3‰, 1901/1910 −133.000 oder −2,8‰ der Bevölkerung. Im ersten Jahrzehnt des 20. Jahrhunderts erreichte der Verlust an Auswanderern sogar ein Viertel des gleichzeitigen Geburtenüberschusses.

Diese Nettogrößen sind das Ergebnis noch größerer Auswandererzahlen, da es ja auch Rückwanderer gab. Hierüber wurden z. T. ausführliche Statistiken geführt, die jedoch keinen Anspruch auf Vollständigkeit erheben können. Die Addition der jeweils höchsten bzw. verläßlichsten Werte ergibt für Österreich-Ungarn im Durchschnitt 43.000 (1881/1890), 70.000 (1891/1900) und 216.000 Auswanderer (1901/1910). Die analogen Werte der Immigrationsstatistik der Vereinigten Staaten allein lauteten 35.000, 60.000 und 215.000 Einwanderer aus Österreich und Ungarn. Aus derselben Quelle ist an Hand des Mittelwertes für 1911/1913 (198.000) ersichtlich, daß sich die starke überseeische Auswanderung fast ungebrochen bis zum Vorabend des Ersten Weltkriegs fortgesetzt hat. Daneben muß auch die Auswanderung in europäische Länder erwähnt werden. Bosnien und Herzegowina wurden bereits genannt. Im Deutschen Reich wurden 1880 erst 118.000 Staatsangehörige aus der Monarchie gezählt, 1910 aber schon 667.000, darunter 95% Österreicher.

REGIONALE BEVÖLKERUNGSENTWICKLUNG 1881–1910

Ergibt die Betrachtung auf der hohen Aggregationsebene der Reichshälften ein verhältnismäßig einheitliches Bild, so treten auf tieferen Regionalebenen deutliche Unterschiede im natürlichen Bevölkerungswachstum und noch stärker bei der Wanderungskomponente auf, da hier die Binnenwanderung zusätzlich differenzierend wirkt. Hohe Geburtenüberschüsse in agrarischen Gebieten gingen meist mit Wanderungsverlusten einher („Landflucht“); der Zuzug in die Städte begünstigte deren Altersstruktur und trug so noch zur Aufrechterhaltung von Geburtenüberschüssen bei, als die Kinderzahl schon eingeschränkt wurde. Auf der hier betrachteten Ebene der österreichischen Kronländer und ungarischen Landesteile kommen manche Entwicklungen nicht zum Ausdruck (z. B. die innerböhmische Zuwanderung in die schon erwähnte Landeshauptstadt Prag).

Die kräftigste Bevölkerungszunahme wiesen im Zeitraum 1881–1910 jene zwei Regionen auf, die vom Wachstum der beiden Metropolen Wien und Budapest geprägt waren, nämlich Niederösterreich und das Donau-Theiß-Zwischenstromland. Im Jahresdurchschnitt belief sich der Wanderungsgewinn Niederösterreichs auf 17.200 Personen oder 5,9‰, jener des Donau-Theiß-Gebietes auf 11.200 Personen oder 3,7‰. Infolge des weit höheren Geburtenüberschusses wuchs die Bevölkerung zwischen Donau und Theiß jedoch rascher (mit einer Jahresrate von 1,57%) als in Niederösterreich (1,40%).

Beachtliche Wanderungsgewinne von jährlich 3,5 bzw. 3,3‰ wiesen nur noch die Länder Salzburg und Vorarlberg auf. Im Verein mit den niedrigen Geburtenüberschüssen, die ganz allgemein für die Alpenländer kennzeichnend waren – der Mittelwert ohne Niederösterreich betrug 5,9‰ –, ergab sich bloß ein leicht überdurchschnittliches Bevölkerungswachstum (Salzburg 0,91%, Vorarlberg 1,02% pro Jahr). Zeitweise Wanderungsgewinne gab es in den achtziger Jahren in der Steiermark im Zusammenhang mit dem Ausbau der Montanindustrie sowie ab den neunziger Jahren in Tirol. Diese Länder blieben mit Wachstumsraten von 0,58 bzw. 0,54% weit hinter dem Gesamtmittel zurück. Noch mehr gilt dies für Kärnten (0,43%) und Oberösterreich (0,39%), wo Wanderungsverluste im Ausmaß von jährlich 2,2 bzw. 1,7‰ auftraten.

Weitaus am schwächsten wuchs die Bevölkerung im Herzogtum Krain (0,30%); der Wanderungsverlust war mit 5,8‰ der höchste von Cisleithanien und machte zwei Drittel des Geburtenüberschusses aus. Im benachbarten Küstenland kam es durch die starke Zuwanderung nach Triest zu einem Wachstum von 1,08% pro Jahr. Die höchsten Geburtenüberschüsse der Monarchie hatten Dalmatien mit 13,5 und die Karpatenländer mit 13,9‰. Trotz der hohen Wanderungsverluste von 3,5 bzw. 3,9‰, die im Lauf der Jahre erheblich zunahmen und insgesamt mehr als ein Viertel des Geburtenüberschusses ausmachten, kam es zu einem leicht überdurchschnittlichen Bevölkerungswachstum.

Interessant ist, daß die Sudetenländer (abgesehen von Unterschieden zwischen Böhmen und Mähren einerseits und dem kräftiger wachsenden Schlesien) eine eher schwache Bevölkerungszunahme von 0,68% jährlich aufwiesen. Dies ergab sich – Böhmen und Mähren waren bekanntlich ein wichtiges Reservoir für die Zuwanderung nach Wien –, durch die relativ hohe Nettoabwanderung von 2,7‰, welche, gemessen am Geburtenüberschuß von 9,5‰, wie in den Karpatenländern immerhin 28% ausmachte.

In Ungarn, wo alle Landesteile bis auf das Zwischenstromland von Abwanderung betroffen waren, bewegte sich der Geburtenüberschuß zwischen rund 9‰ im Banat und in Siebenbürgen und knapp 13‰ in den benachbarten Gebieten Linkes Theiß-Ufer und Rechtes Theiß-Ufer (Ostslowakei). Der Wanderungsverlust war in der Ostslowakei mit 6,2‰ am stärksten; es folgten Westungarn und die Westslowakei (Rechtes und Linkes Donau-Ufer, beide im Einzugsbereich von Budapest und z. T. von Wien) mit 4,7 und 4,1‰. In diesen drei Landesteilen war das Bevölkerungswachstum daher mit 0,59 bis 0,71% relativ gering. In den anderen Abwanderungsgebieten Ungarns (Landesteile östlich der Theiß und Kroatien-Slavonien) betrug der Wanderungsverlust trotz des hohen Anteils der Landwirtschaft nur 1,3 bis 1,9‰; das Bevölkerungswachstum differenzierte sich nach dem Geburtenüberschuß.

FRUCHTBARKEITS- UND STERBLICHKEITS-ENTWICKLUNG

Etwa bis 1875 herrschte in Österreich-Ungarn der verhältnismäßig schwache Bevölkerungszuwachs einer damaligen Agrargesellschaft mit hohen und infolge von Seuchen und Hungersnöten stark schwankenden Geburten- und Sterbeziffern. Die letzte der demographischen Katastrophen des 19. Jahrhunderts war die große Cholera-Epidemie von 1873, die in Ungarn und Galizien zu Bevölkerungsrückgängen führte. Anschließend kam es durch Verbesserungen der Hygiene und Ernährung sowie die Bekämpfung von Infektionskrankheiten zu einer nachhaltigen Senkung der Sterbeziffer (von 32,9‰ 1876/80 auf 23,5‰ 1906/10 und 22,2‰ 1911/13). Die Geburtenziffer begann ebenfalls zu sinken, nahm aber viel langsamer ab und lag 1906/10 mit 35,0‰ nur um 6 Promillepunkte niedriger als drei Dezennien zuvor. In dieser Frühphase des demographischen Übergangs („Scherenöffnung") ergaben sich daher wachsende Geburtenüberschüsse, wobei längerfristig drei Niveaus erkennbar sind: 8,1‰ 1876/80, 9,7‰ 1881/95 und 11,4‰ 1896/1910. Erst 1911/13 führte der beschleunigte Geburtenrückgang (die Geburtenziffer sank auf 32,7‰) zu einer Reduzierung des natürlichen Wachstums auf 10,5‰.

Innerhalb der Monarchie gab es allerdings Unterschiede. In der ungarischen Reichshälfte kam es zunächst zu einem deutlichen Anstieg des Geburtenniveaus, das etwa zwei Jahrzehnte hindurch über dem der frühen siebziger Jahre lag. Geburten- und Sterbeziffer sanken weitgehend parallel und ergaben langfristig etwa konstante Geburtenüberschüsse von über 11‰ (auch noch 1911/13: Geburtenziffer 35,2, Sterbeziffer 23,9‰). In Cisleithanien war der Geburtenrückgang bis zur Jahrhundertwende gering, vor allem wegen der bis dahin anhaltend hohen Geburtenziffer von 44‰ in den Karpatenländern. Die Karstländer hielten ihr Geburtenniveau von 37‰ übrigens bis 1910. Im Dezennium 1896/1905 erreichte die cisleithanische Geburtenziffer noch 36,4‰, das natürliche Wachstum kulminierte mit 11,5‰ und lag damit sogar geringfügig über dem ungarischen. Im Jahrfünft 1906/10 änderte sich nur wenig. Dann ging die Geburtenziffer jedoch doppelt so stark zurück wie die Sterbeziffer (Werte für 1911/13: 30,8 bzw. 20,9‰), und der Überschuß schrumpfte auf 9,9‰.

Die Sudetenländer zeigten einen der Reichshälfte ähnlichen Verlauf, allerdings mit leicht unterdurchschnittlichen und immer stärker sinkenden Geburtenziffern. Gegenüber dem Maximum von 1896/1900 reduzierte sich der Geburtenüberschuß bis 1911/13 von 11,0‰ auf 8,1‰. Vorreiter im demographischen Übergang war das Kronland Niederösterreich (mit Wien), wo die Geburtenziffer vom anfänglich hohen Niveau (1876/80: 37,4‰) um mehr als zwei Fünftel absank und 1911/13 mit 21,8‰ schon ein Drittel unter dem Reichsdurchschnitt lag. Das natürliche Wachstum war zuletzt nur noch halb so groß wie in der

Kulminationsphase (1896/1900: 9,9, 1911/13: 4,6‰). Ganz anders verlief die Entwicklung in den übrigen Alpenländern, die bis in die neunziger Jahre ein niedrigeres Geburtenniveau aufwiesen als Niederösterreich. Die Geburtenziffer blieb lange stabil (1876/80: 30,9, 1901/05: 30,6‰) und sank danach bis 1911/13 (28,7‰) parallel zur Sterbeziffer. Der Geburtenüberschuß stieg von 4,4‰ 1876/80 auf durchschnittlich 7,8‰ 1901/13, wobei er seinen Höhepunkt in Oberösterreich 1901/05, in Salzburg und der Steiermark 1906/10, in Kärnten, Tirol und Vorarlberg 1911/13 erreichte.

Als Hauptfaktor der Umformung des Bevölkerungsprozesses wird vielfach die Abnahme der Säuglings- und Kleinkindersterblichkeit gesehen, die zu immer höheren Anteilen überlebender Kinder führte und mit zeitlicher Verzögerung zur Geburtenbeschränkung veranlaßte. Die Zusammenhänge sind indes sehr komplex, und es könnte sein, daß für den Rückgang von Sterblichkeit und Fruchtbarkeit im Zuge der Modernisierung gemeinsame Ursachen wie Steigerung des Lebensstandards und rationalere Einstellungen und Verhaltensweisen verantwortlich waren. Für die Gesamtmonarchie ist festzustellen, daß die Sterblichkeit der Neugeborenen in den ersten fünf Lebensjahren bis in die neunziger Jahre sehr hoch war (1891/95: 38,2%) und sich durch den anschließenden Rückgang (1911/13: 27,1%) die Überlebenschancen um etwa 11 Prozentpunkte verbesserten. Von den 5,2 Kindern, die eine Frau um 1880 und 1890 im Durchschnitt zur Welt brachte, erlebten 3,2 den 5. Geburtstag; um 1900 waren es bei 5,0 Lebendgeburten mehr als 3,4, und von den um 1910 Geborenen, deren Anzahl je Frau mittlerweile auf 4,5 gesunken war, konnten 3,3 das 5. Lebensjahr vollenden. Die ungarische Reichshälfte unterschied sich von der österreichischen im langjährigen Mittel durch ein 12% höheres Niveau der Fruchtbarkeit, aber auch 3–4% geringere Überlebensraten der unter 5jährigen, sodaß die Aufwuchszahlen etwa 8% über denen Cisleithaniens lagen.

Die höhere Sterbeziffer Ungarns war zum Teil (wegen des großen Gewichtes der Säuglingssterblichkeit) auf die höheren Geburtenzahlen zurückzuführen. Im Niveau der Säuglingssterblichkeit, die seit den frühen neunziger Jahren von fast 25 auf unter 20% gedrückt werden konnte, gab es zwischen den großen Regionen der Monarchie relativ geringe Unterschiede. Anders war die Situation bei der Sterblichkeit der über 1 Jahr alten Bevölkerung, die in Österreich (für Ungarn fehlen lange Reihen) binnen drei Jahrzehnten um 28% zurückging: In der Zeit um 1910 lag das Mortalitätsniveau, bezogen auf eine europäische Standardbevölkerung, in Ungarn 14% höher als in Cisleithanien, und auch in den österreichischen Karpatenländern bestand ein solcher Abstand zum Durchschnitt der Reichshälfte.

Quer durch die Monarchie verlief, auf der Linie Triest–St. Petersburg, auch die Grenze der europäischen Heiratssysteme: frühe und universelle Ehe im Osten, späte Heirat und hohe Ledigenquote im Westen. Der Anteil jemals verheirateter Frauen im gebärfähigen Alter betrug 1910 in Ungarn zwei Drittel, in Dalmatien, Istrien und den Karpatenländern 56%, in den Sudetenländern 52%, in den Alpenländern und Krain durchschnittlich 44%, wobei Kärnten, Salzburg, Tirol und Vorarlberg erst von bedeutend niedrigeren Niveaus aufgeschlossen hatten. Mit der Ledigenquote variierte der Anteil unehelicher Geburten (1901/13: Ungarn 9,3, Karpatenländer 9,7, Sudetenländer 11,4, Alpenländer 21,1%); zusätzlich herrschte in Kärnten (38,2% uneheliche Geburten) eine sehr hohe illegitime Fruchtbarkeit. In Tirol, Vorarlberg und den Karstländern, wo nur 6–7% der Kinder unehelich geboren wurden, war das Gegenteil der Fall. Hier wurde dafür in den Ehen fast keine Fertilitätskontrolle praktiziert: Neun oder zehn Geburten pro Ehe waren der langjährige Durchschnitt.

In den übrigen Ländern Cisleithaniens hatten die Ehen zumeist acht legitime Geburten, in Ungarn sieben (es gab jedoch mehr Ehen). Nach der Jahrhundertwende setzte auf breiter Front der Rückgang der ehelichen Fruchtbarkeit ein. In Budapest und weiten Teilen Südungarns, in Prag und Nordostböhmen sowie im Wiener Raum hatte dieser Prozeß schon früher begonnen. Von 1880 bis 1910 sank die eheliche Geburtenzahl in Niederösterreich von acht auf fünf, in Böhmen auf sechs. Eine frühzeitige Abnahme trat auf höherem Niveau auch in Vorarlberg und Salzburg ein, doch kam es wie in allen Alpenländern außer Niederösterreich nur zu einem schwachen oder gar keinem Rückgang der Gesamtfruchtbarkeit, da der Anteil verheirateter Frauen stark zunahm. Aus dem gleichen Grund ergab sich in Kärnten und Tirol sogar eine Anhebung der Gesamtfruchtbarkeit auf 4,4 bzw. 4,2 Geburten je Frau. Dies waren um 1910 die Spitzenwerte der Alpenländer. Um 1880 hatte diese Position noch Niederösterreich innegehabt; die Geburtenzahl je Frau sank jedoch von 4,4 auf 2,8 und reichte damit bei der damaligen Sterblichkeit schon nicht mehr zum Ersatz der Generationen.

Literatur (in Auswahl):

Birgit Bolognese-Leuchtenmüller, Bevölkerungsentwicklung und Berufsstruktur. Gesundheits- und Fürsorgewesen in Österreich 1750–1918. Wirtschafts- und Sozialstatistik Österreich-Ungarns, geleitet von Alfred Hoffmann und Herbert Matis, Teil 1, Wien 1978. – The Decline of Fertility in Europe. The Revised Proceedings of a Conference on the Princeton European Fertility Project. Edited by Ansley J. Coale and Susan Cotts Watkins. Princeton NJ 1986. – Geschichte und Ergebnisse der zentralen amtlichen Statistik in Österreich 1829–1979. Festschrift aus Anlaß des 150jährigen Bestehens der zentralen amtlichen Statistik in Österreich. Beiträge zur österreichischen Statistik, herausgegeben vom österreichischen Statistischen Zentralamt, Heft 550 (Tabellenanhang Heft 550A). Wien 1979. – Magyarország történeti demográfiája. Magyarország népessége a honfoglalástól 1949–ig. Szerkesztette: Kovacsics József. Budapest 1963.

Ernő Deák

DIE AUSWANDERUNG – EINE MASSENBEWEGUNG

Die letzte in der noch bestehenden Österreichisch-Ungarischen Monarchie durchgeführte Volkszählung (1910) ermittelte in der westlichen Reichshälfte (die im Reichsrat vertretenen Königreiche und Länder) 28,571.934, in der östlichen Reichshälfte (die Länder der hl. ungarischen Krone) 20,886.487 Einwohner, die Gesamtbevölkerung betrug demnach 49,458.421. Von diesen waren 2,370.165 (4,79%) zur Zeit der Erhebung in ihrem ständigen Wohnsitz abwesend; davon entfielen auf die westliche Reichshälfte 1,771.946 (6,20%), auf die östliche 598.219 (2,86%). Zehn Jahre früher hielten sich erst insgesamt 2,182.657 Personen im Ausland auf, davon lag der westliche Anteil bei 1,942.437 (7,43%), der östliche bei 240.220 (1,26%). Demnach setzte in den einzelnen Reichshälften eine ungleiche Entwicklung ein. Obwohl ein beträchtlicher Teil der Abwesenden sich jeweils in der anderen Reichshälfte aufhielt – so wurden 1910 227.554 österreichische Staatsangehörige in den Ländern der ungarischen Krone, dafür 324.495 ungarische Staatsangehörige in den im Reichsrat vertretenen Königreichen und Ländern gezählt – deuten allein schon diese wenigen Zahlen eine Mobilität größten Ausmaßes an, deren Wellen mit unterschiedlicher Intensität alle Kontinente erreichten.

In der zeitgenössischen Terminologie sprach man von Wanderbewegung und, da sie nach außen hin tendierte, von Auswanderung. Im Zusammenhang mit dem Verlust der österreichischen Staatsbürgerschaft findet sich die Formulierung: Auswanderung heißt im Ausland bleibenden Aufenthalt zu nehmen, wobei die vollzogene Tat für diese begriffliche Einstufung gegolten hat. Die Absicht der Übersiedlung mußte innerhalb von Jahresfrist in die Tat umgesetzt werden. Rückblickend auf das Staatsgrundgesetz von 1867 sei die diesbezügliche Erklärung (Absatz 3) festgehalten: „Die Auswanderung ist von Staatswegen nur durch die Wehrpflicht beschränkt." Mit dieser Grundsatzerklärung wurden einer Bewegung Tür und Tor geöffnet, die erst ab den achtziger Jahren an

Intensität ständig zugenommen hat. War die Auswanderung – insbesondere nach der Niederwerfung der Revolutionen von 1848 in der neoabsolutistischen Ära – vorwiegend politisch geartet, so daß der Gesetzgeber mit der Wiedereinführung der Verfassung die Zusicherung der bürgerlichen Rechte und Freiheiten verankern ließ, und in diese Kategorie fiel auch das Recht der Auswanderung, waren für die zunehmende Auswanderung komplexe, in der überwiegenden Zahl der Fälle jedenfalls keine politischen Motive ausschlaggebend.

In der begrifflichen Bestimmung der Auswanderung können von den zeitlichen und räumlichen Komponenten her vier große Gruppen unterschieden werden: temporäre und vorübergehende bzw. kontinentale oder Saisonwanderung und stabile oder endgültige Auswanderung. Im Hinblick auf die großen Entfernungen gab es mehrheitlich eine Affinität zwischen der temporären oder Kontinental- bzw. Saisonwanderung, ebenso zwischen der stabilen oder überseeischen Auswanderung. Um ein Bild über die Ausmaße der Kontinental- oder Saisonwanderung zu vermitteln, seien folgende Daten angeführt: Neben den Ländern der ungarischen Krone und Bosnien mit Herzegowina waren an der Jahrhundertwende bzw. im ersten Jahrzehnt des 20. Jahrhundert das Deutsche Reich (1900: 370.900; 1910: 622.655), Rußland (1897: 85.000), Schweiz (1900: 23.433; 1910: 37.679), Großbritannien mit Irland (1901: 13.675) und Italien (1900: 10.943; 1911: 10.958) stark vertreten. Die anderen europäischen Staaten wiesen Kontingente von jeweils unter zehntausend auf. Beachtenswert ist, daß aus den Ländern der ungarischen Krone mit Schwerpunkt Siebenbürgen in der Zeitspanne 1899–1913 allein nach Rumänien 102.378 Personen auswanderten.

Die Saisonwanderung war vornehmlich nach dem Deutschen Reich gerichtet und war in Galizien vorherrschend, wo man um 1910 jährlich über 200.000 Wanderer vermutete. Von dieser geschätzten Gesamtsumme begaben sich nach der Meldung der deutschen Feldarbeiterzentrale 165.403 (83.447 Polen, 81.956 Ruthenen) vorwiegend nach Preußen, wo sie in der Landwirtschaft tätig waren. Es wird berichtet, daß diese Saisonarbeiter im März–April aufbrachen und spätestens bis zum 20. Dezember wieder zurückkehrten. Diese Daten fanden womöglich in den Volkszählungen keine Berücksichtigung, galt doch der 31. Dezember als Stichtag.

Vergleicht man die einzelnen Angaben, ist es schon anhand der Zahlen über die abwesende Bevölkerung ersichtlich, daß die einzelnen Regionen der Österreichisch-Ungarischen Monarchie von der Massenbewegung der Auswanderung unterschiedlich betroffen waren. Geht man vom 6,34%igen Durchschnitt aus (1910), sind vor allem Oberösterreich (10,71%), Salzburg (9,10%), Kärnten (16,07%), Krain (10,16%), Görz und Gradisca (13,40%) und Böhmen (6,31%), Mähren (13,68%) sowie Schlesien (14,49%) zu nennen, wo der Anteil der Abwesenden weit über den Durchschnitt der westlichen Reichshälfte lag. Bei den Absolutzahlen stechen freilich Böhmen (491.198), Mähren (383.616) und Galizien (195.609) hervor, aber auch Niederösterreich und Schlesien kletterten über die Hunderttausend-Grenze. In der östlichen Reichshälfte zeigten einzelne oberungarische Komitate (heute Slowakei), so Árva (12,7%), Liptó (5,5%), Trencsén (6,8%) und Turóc (6,3%), ferner Abaúj-Torna (10,4%), Sáros (17,3%), Ung (12,0%) und Zemplén (11,6%), Werte, die wesentlich über den Durchschnitt von 1910 (2,86%) lagen. In Siebenbürgen waren die Komitate Brassó (6,3%), Fogaras (9,4%) und Nagy-Küküllő (6,2%) bzw. Szeben (6,1%) führend; in Kroatien-Slavonien seien die Komitate Lika-Krbva (14,7%), Modruš-Rijeka (16,4%) und Zagreb (7,6%) hervorgehoben. Nicht unwesentlich erscheint in diesem Zusammenhang die nationale Zusammensetzung der Abwesenden am Beispiel der Amerika-Auswanderer festzuhalten: Im Jahrzehnt 1901–1910 waren sie nach ihrer Nationalität 11,8% Deutsche, 4,3% Tschechen, 15,4% Slowaken, 18,6% Polen, 6,6% Ruthenen, 16,1% Serbo-Kroaten samt Slowenen, 0,8% Italiener, 3,6% Rumänen, 14,7% Magyaren, 7,1% Juden und 1% sonstige. Betrachtet man den Anteil der sogen. Staatsvölker in der Monarchie: 1910 23,4% deutsch, 19,6% magyarisch, waren beide an der überseeischen Auswanderung unterproportional beteiligt; ähnlich verhielt es sich aber auch mit den Tschechen (12,7%), während die Polen, Slowaken und die Südslawen überproportioniert waren. All diese Daten auf die einzelnen Länder der Monarchie übertragen, zeigen deutlich, welche Regionen eine allzu starke Auswanderung zu verzeichnen hatten.

Von der Saisonwanderung abweichend ging die überseeische Auswanderung in völlig anderen Dimensionen vor sich: In der Zeit von 1876 bis 1910 begaben sich insgesamt 3,547.630 – nach anderen Berechnungen bis einschließlich 1913 sogar 4,329.571 – Personen aus Österreich-Ungarn nach Übersee (westliche Reichshälfte 1,845.382, östliche Reichshälfte 1,702.248); an erster Stelle standen die Vereinigten Staaten mit 2,953.587 Personen (westliche Reichshälfte 1,531.382, östliche Reichshälfte 1,442.205), gefolgt von Kanada mit 157.969, Argentinien mit 358.507, Brasilien mit 64.360, sonstiges Südamerika mit 6544, Afrika mit 1774, Australien mit 4097 und Asien mit 109 Auswanderern; bei 686 Personen war das Zielland unbekannt. Den Höhepunkt brachte das Jahr 1907, als 177.653 bzw. 373.361 Personen in der Hoffnung auf gute Verdienstmöglichkeiten die Monarchie Richtung Übersee verließen.

Da von der Auswanderung vorwiegend die arbeitskräftige junge bzw. jüngere Generation erfaßt wurde, machte sich ein Unbehagen breit, bevor die zuständigen Stellen unter dem Eindruck der erdrückenden Zahlen den Ursachen nachgehen ließen. Überprüft man die zeitgenössischen Darstellungen über die Auswanderung, offenbart sich eine weitgehende Desorientierung, gepaart mit einer um sich greifenden Ratlosigkeit, die vornehmlich an der Schwankung zwischen beabsichtigter Behinderung und Bejahung abzulesen ist. Allein die Tatsache ist schon für positiv zu halten, daß man zunächst bemüht war, zumindest annähernd richtiger Zahlen fündig zu werden (Berichte der Hafenbehörden, amerikanische Einwanderungsstatistik u. ä.). Für die Ursachen fand man hingegen mitunter skurille Erklärungen, indem sogar die Wanderslust im jeweiligen Nationalcharakter mit ins Kalkül gezogen wurde. Leopold Caro, einer der namhaftesten Experten auf diesem Gebiet, verwies auf die regionalen Unterschiede in diesem Fragenkomplex und vertrat 1909 die Meinung: „Hier kommt insbesondere in Betracht, daß in den Jahren 1901–1905 in ganz Österreich 65.603 Liegenschaften, davon 43.530 kleine Parzellen und Anwesen öffentlich versteigert wurden, sowie daß die Bauernwirtschaften hie und da von einigen Großkapitalisten angekauft und auf denselben Äcker, Wiesen und Wälder aufgeforstet werden. Großer Latifundienbesitz, Mangel an lohnender Arbeitsgelegenheit in der Heimat, Mangel oder geringe Entwicklung der heimischen Industrie, niedriger Stand der Volksbildung dürften so ziemlich die Hauptursachen der Auswanderung in ganz Österreich bilden." Auf Galizien und die Hochalpentäler gemünzt greift ein Kolumnist in der Österreichs Illustrierten Zeitung (16. Jänner 1910) die Landflucht auf und hält den Bauern ihre konservative Einstellung vor, die sie daran hindert, ihre Wirtschaften zu modernisieren. „Amerika gilt für sie noch immer als das gelobte Land, in dem sich ein wahres Schlaraffenleben führen lasse", argumentiert er. Gleichermaßen wurden die Verlockungen durch die Auswanderungsagenturen genannt; auf einer Enquete in Prag 1912 wurden den Auswanderern sogar „Geldgier, Abenteuerlust, mangelnde Heimatliebe und Selbstbewußtsein, Familienunglück, das Streben sich dem Militärdienst zu entziehen" vorgeworfen (Der Auswanderer, Oktober 1910). In einem am 21. November 1911 verfaßten Konsularbericht aus Philadelphia wird zudem noch angeführt: „Sehr gefördert wird die Auswanderung durch Briefe, welche seitens der in Amerika weilenden Angehörigen gesendet werden. Der Entschluß zur Auswanderung wird vielfach noch dadurch erleichtert, daß diesen Briefen „Prepaid tickets" (Schiffahrtsbillette) angeschlossen werden, für welche der Fahrpreis bereits in Amerika erlegt wurde."

Erst 1912 wurde ein Gesetzentwurf ausgearbeitet, um das Auswanderungswesen wenigstens rein rechtlich in einheitliche Bahnen zu lenken, dieser konnte aber bis zum Ausbruch des Ersten Weltkrieges vom Parlament nicht verabschiedet werden. Der versuchten Einlenkung ging bereits 1894 „Ein patriotisches Mahnwort" voraus, in dem die notwendige Kolonisation als Kulturarbeit deklariert ist: „Durch eine organisierte Massenauswanderung entledigen wir uns aber nicht nur allein der immer gefährlicher werdenden, unzufriedenen Massen, sondern wir dehnen gleichzeitig unser Wirtschaftsgebiet aus und gewinnen demnach neue Märkte für unsere Arbeit." Zugleich wird auf Argentinien hingewiesen, wo „sich ein Territorium zu einer Provinz mit selbständiger Verfassung

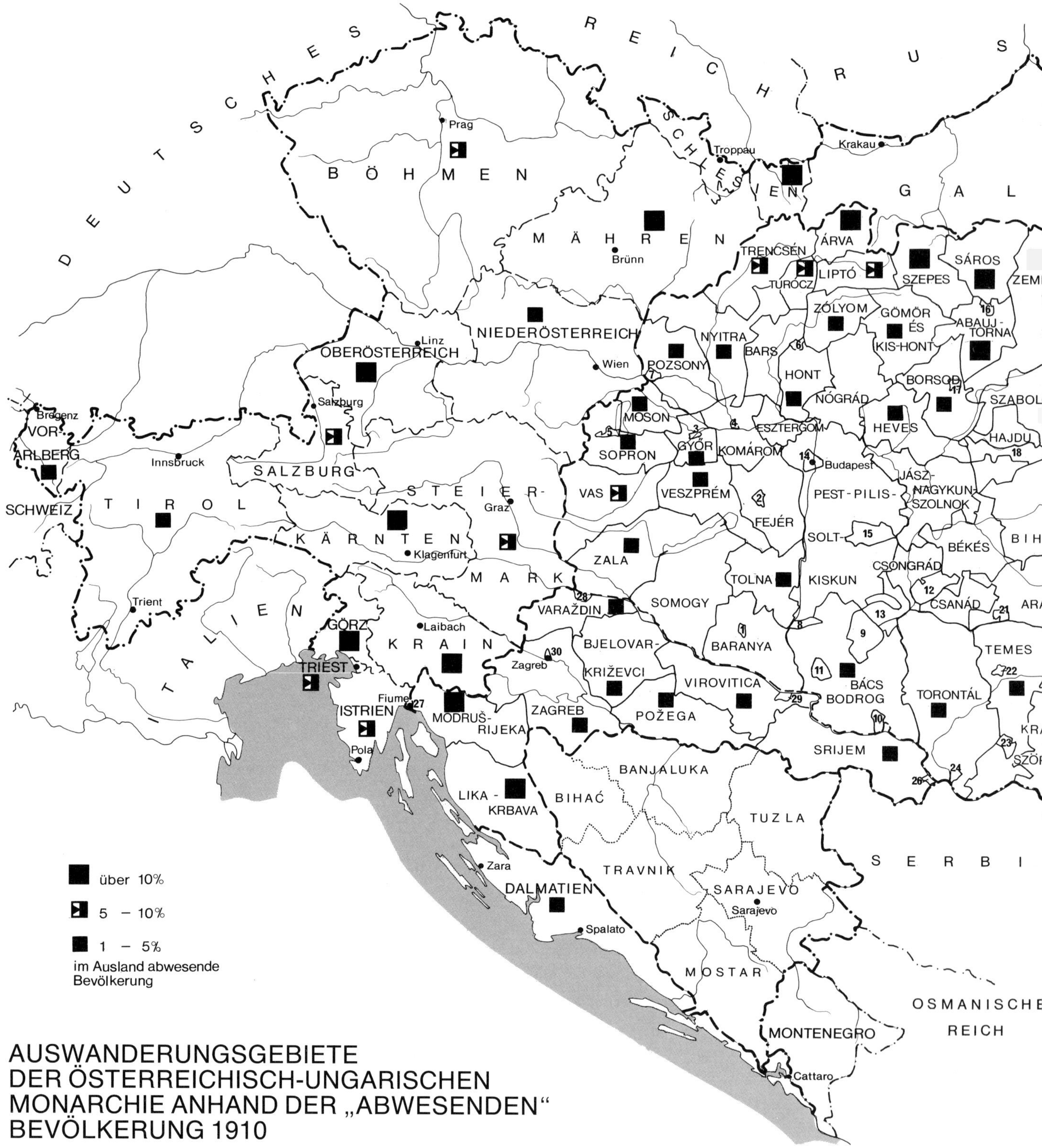

AUSWANDERUNGSGEBIETE DER ÖSTERREICHISCH-UNGARISCHEN MONARCHIE ANHAND DER „ABWESENDEN" BEVÖLKERUNG 1910

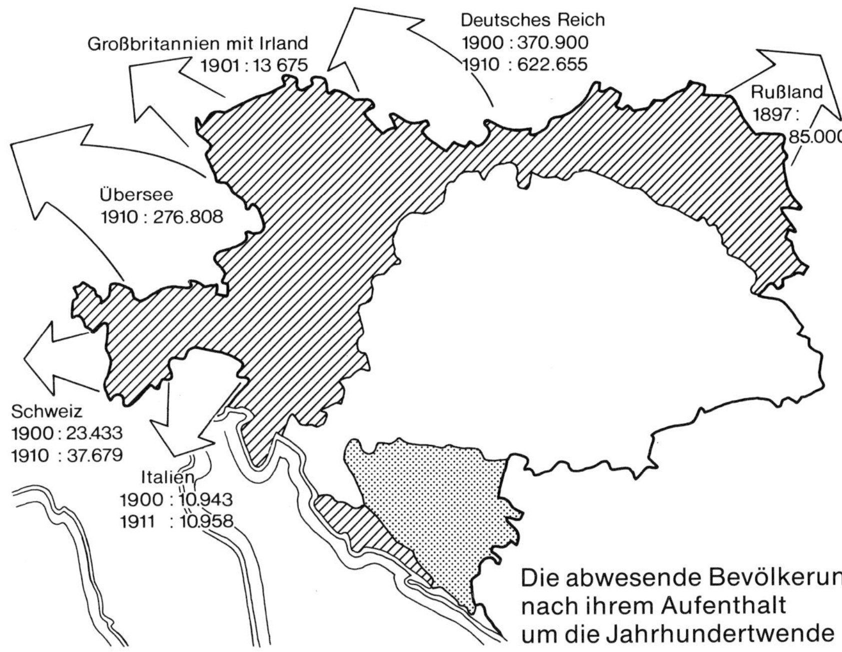

Die abwesende Bevölkerung nach ihrem Aufenthalt um die Jahrhundertwende

Reichsgrenze

Grenze zwischen Cisleithanien, Bosnien-Herzegowina und den Ländern der Stephanskrone

Grenze der Kronländer bzw. zwischen Ungarn und Kroatien-Slavonien

Grenze der Kreise in Bosnien-Herzegowina

Komitatsgrenzen

STÄDTE:

1 Pécs (Fünfkirchen)
2 Székesfehérvár (Stuhlweißenburg)
3 Győr (Raab)
4 Komárom
5 Sopron (Ödenburg)
6 Selmec-és Bélabánya (Schemnitz)
7 Pozsony (Preßburg)
8 Baja
9 Szabadka
10 Újvidék (Neusatz)
11 Zombor
12 Hódmezővásárhely
13 Szeged
14 Budapest
15 Kecskemét
16 Kassa (Kaschau)
17 Miskolc
18 Debrecen
19 Nagyvárad (Großwardein)
20 Szatmárnémeti
21 Arad
22 Temesvár
23 Versec
24 Pancsova
25 Kolozsvár (Klausenburg)
26 Zemun (Semlin)
27 Fiume (Rijeka)
28 Varaždin
29 Osijek (Esseg)
30 Zagreb
31 Marosvásárhely

DAS BURGENLAND ALS SONDERFALL EIGENS AUSGEWIESEN

VEREINIGTE STAATEN: GEOGRAPHISCHE VERTEILUNG DER EINWANDERER AUS ÖSTERREICH–UNGARN 1910

MAINE (Augusta)
VERMONT (Montpelier)
N. HAM = NEW HAMPSHIRE (Concord)
MASS. = MASSACHUSETTS (Boston)
CONN. = CONNECTICUT (Hartford)
R. I. = RHODE ISLAND (Providence)
NEW JERSEY (Trenton)
DELAWARE (Dover)
MARYLAND (Annapolis)
WEST. VIRG. = WEST VIRGINIA (Charleston)
INDIANA (Indianapolis)

ÖSTERREICHER IN STÄDTEN 1910

		Anteil in %
a	Chicago	6,04
b	Cleveland	7,50
c	Philadelphia	1,28
d	New York	3,99
e	Detroit	3,04
f	Milwaukee	3,09
g	St. Louis	1,63
h	Buffalo	2,19
i	Pittsburg	4,01

DIE ENTWICKLUNG DER ÜBERSEEISCHEN AUSWANDERUNG 1876–1910 NACH JAHREN UND LÄNDERN

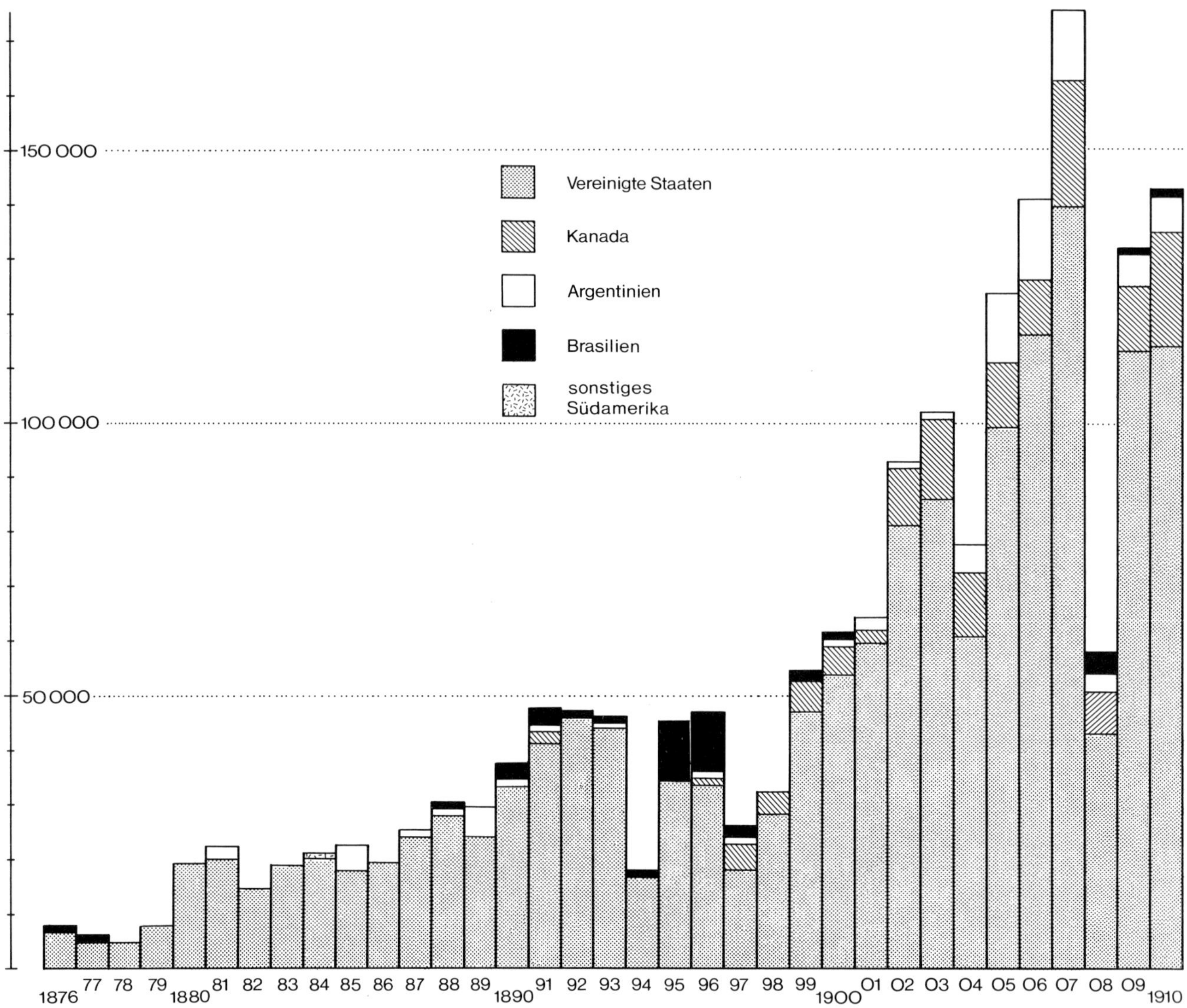

Es wurden nur Auswandererzahlen über 1000 Personen berücksichtigt. Insgesamt wanderten in den Jahren 1876–1910 3,547.630 Personen aus Österreich–Ungarn aus.

BERUFLICH-SOZIALE GLIEDERUNG DER AUSWANDERER 1876–1910

Angaben in % der Gesamtauswanderung

Österreichische Reichshälfte

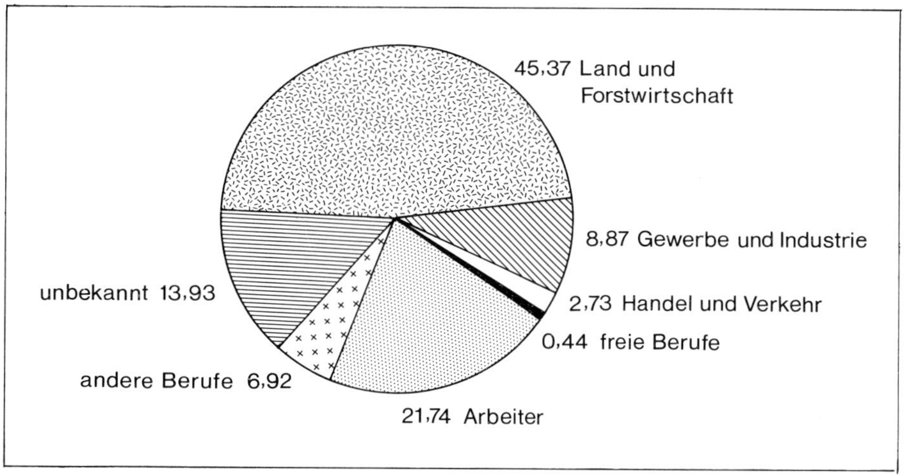

Ungarische Reichshälfte

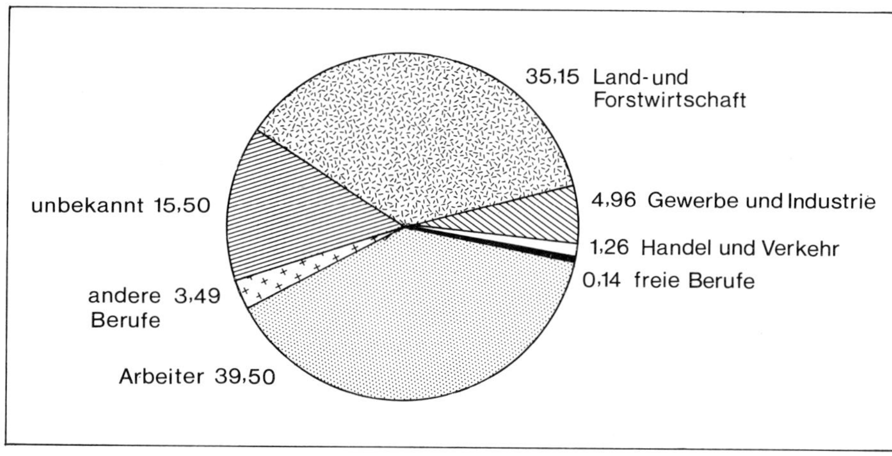

NATIONALE ZUSAMMENSETZUNG DER EINWANDERER AUS ÖSTERREICH–UNGARN IN DIE VEREINIGTEN STAATEN 1901–1910

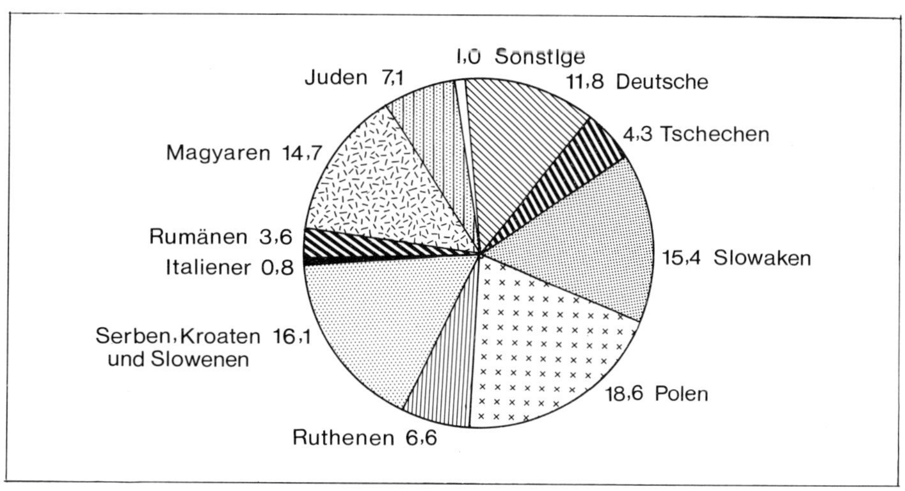

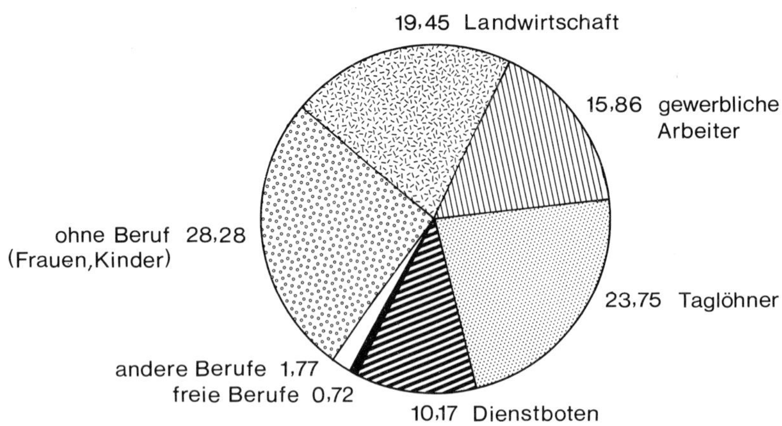

BERUFLICH-SOZIALE GLIEDERUNG DER EINWANDERER AUS ÖSTERREICH–UNGARN IN DIE VEREINIGTEN STAATEN 1901–1910

DIE RÜCKWANDERUNG IM VERGLEICH ZUR AUSWANDERUNG AM BEISPIEL DER VEREINIGTEN STAATEN 1907–1913

Jahr	Auswanderung	Rückwanderung
1907	296.208	
1908	168.509	130.197
1909	170.191	49.413
1910	258.737	47.290
1911	159.057	86.342
1912	178.882	88.560
1913	254.825	58.664

Quelle: Österreichisches Statistisches Handbuch Jge 29–33, 1910–1914

SAISONWANDERUNG NACH PREUSSEN 1908–1913

Jahr	Polen	Ruthenen	Deutsche	Böhmen	Ungarn	sonstige	zusammen
1908/09	86.050	75.102	37.434	15.000	21.770		235.356
1909/10	83.447	81.956	46.949	15.000	23.209		250.561
1910/11	77.567	82.718	58.390	19.803	17.389		255.867
1911/12	75.851	77.911	54.553	26.845	27.025	27.787	289.969
1912/13	75.079	91.395	59.631	28.308	19.830	26.724	300.967

Quelle: Österreichisches Statistisches Handbuch, Jge 29–33, 1910–1914

GELDÜBERWEISUNGEN DER AUSWANDERER NACH ÖSTERREICH–UNGARN 1900–1910

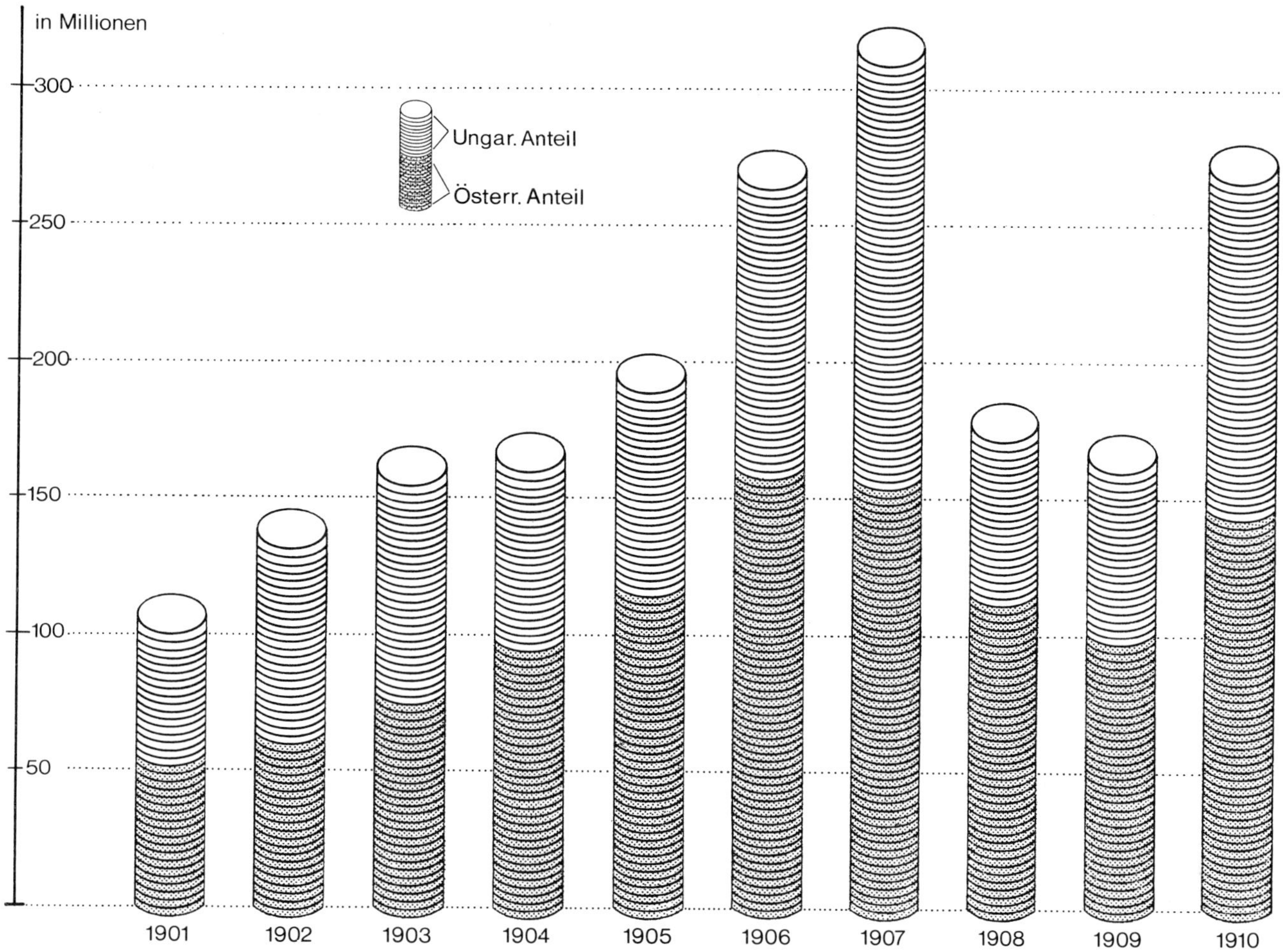

und Verwaltung constituieren kann, sobald dasselbe 50.000 Einwohner besitzt, weil dieser Umstand für eine organisierte Masseneinwanderung binnen kurzem von größter Bedeutung werden kann“.

In der Zeit von 1900 bis 1914, als die Österreichisch-Ungarische Monarchie mit Italien und Rußland zu den bedeutendsten Auswanderungsstaaten zählte, wobei sie sechsmal den ersten und achtmal den zweiten Platz einnahm, richteten sich die wichtigsten Auswanderungsbüros und Schiffahrtsgesellschaften vor allem in Hamburg (Hamburg-Amerika-Linie) und Bremen (Norddeutscher Lloyd) auf das Auswanderungswesen ein. In Hamburg z. B. wurden in den Hallen zu Beddel Empfang, Desinfizierung, Unterbringung, Verköstigung und Abfertigung der täglich etwa 2000 Auswanderer für 1 Mark abgewickelt. Auch die religiösen Riten und die nationale Empfindsamkeit fanden ihre Berücksichtigung. Sowohl eine katholische als auch eine evangelische Kirche bzw. eine eigene Synagoge stand den Auswanderern zur Verfügung. „Mitten in freundlichen, grün schimmernden Anlagen, die durchgehend nach dem Pavillonsystem erbaut sind, erhebt sich auch ein Musikpavillon, auf dessen Plateau die gut ausgebildete Stewartkapelle nationale Weisen der hier zusammengeströmten Massen aus Ost und West, Galizien, Schlesien, aus Mähren und Böhmen und aus Ungarn ertönen läßt", berichtete Österreichs Illustrierte Zeitung am 26. Mai 1906 über „Die österreichisch-ungarischen Auswanderer in Hamburg". Bis dahin hat sich auf den modernen Dampfern aus dem Zwischendeckwesen (für Auswanderer) eine dritte Kajütenklasse entwickelt. Die Fahrt etwa von Bremen bis New York nahm noch um die Mitte des 19. Jahrhundert rund einen Monat (mit Segelschiff sogar 40–50 Tage) in Anspruch, bis zur Jahrhundertwende hat sich die Fahrtzeit auf 8–10 Tage verringert. Als schnellstes Schiff galt der „Kaiser Wilhelm II." des Norddeutschen Lloyd, das die gleiche Strecke in sieben Tagen bewältigte. Neben Hamburg und Bremen erlangten für die Auswanderung aus Österreich-Ungarn Antwerpen und Genua größere Bedeutung, gefolgt vom damals ungarischen Hafen Fiume (Rijeka), während Triest als österreichischer Hafen mit den genannten nicht wetteifern konnte (Fahrt bis New York 15 Tage).

Ihrer beruflichen und sozialen Zugehörigkeit entsprechend erwartete die Neuankömmlinge in Übersee ein hartes Schicksal, das sie nur unter größtem Einsatz ihrer Arbeitskraft einigermaßen meistern konnten. „Drüben leben sie dann mühselig und bedürfnislos als Taglöhner, Handlanger, Feldarbeiter", kommentierte Österreichs Illustrierte Zeitung (26. Februar 1911) die Aussichten der Auswanderer. Wenn auch viele durch Krankheit, Mangel an Ausdauer oder die Verlockungen des amerikanischen Lebensstils, bzw. in nicht geringer Anzahl infolge von Arbeitsunfällen als Invaliden scheiterten, kam ihnen ihre Jugend zugute, die oft verbissene Hoffnung, oder, wie ein zeitgenössischer Betrachter schreibt: „. . . kraftvolles Wollen, energisches Sichaufraffen und Vorwärtsstreben, das in der Neuen Welt Kopf und Hände regen will, um dort einzuholen, was die Alte versagt hat, um gutzumachen, was bisher versäumt worden ist" (Illustrierte Zeitung, Leipzig–Berlin, 30. November 1899). Ungeachtet der skeptischen Äußerungen in der Heimat hatten die Auswanderer günstige Erwerbsmöglichkeiten in Übersee. Nach dem Konsularbericht vom 1. Jänner 1904 aus Montreal verdienten die Feldarbeiter täglich 1–1,25 Dollar, die Handwerker 1,50–2,50 Dollar, in den Kohlengruben betrug dafür der Monatslohn 50–60 Dollar. Die Lebenskosten für eine vierköpfige Familie betrugen jährlich 300 Dollar, für alleinstehende Arbeiter die Hälfte. 1908 wurden in den Vereinigten Staaten einfachen Arbeitern 1,50–1,60 Dollar, Facharbeitern 2,50–4 Dollar gezahlt. Als Bergmann erhielt man einen Monatslohn von 60 Dollar. Die Ausgaben lagen für Alleinstehende monatlich bei 15 Dollar, für Familien bei 35–40 Dollar. (Kurs 1913: 1 Dollar = 4 Kronen 94 Heller). In der Monarchie bekam ein Arbeiter an die 750 Kronen jährlich, in Amerika an 1740 Dollar.

Die Neuankömmlinge fanden zunächst gesellschaftlichen Anschluß in den national organisierten Hilfs- und Unterstützungsvereinen. Neben der gesellschaftlich-kulturellen Tätigkeit übten zahlreiche von ihnen auch Funktionen auf dem Gebiet des Versicherungs- und Kreditwesens aus. Wurde man von aufnahmefreudigen Freunden oder Verwandten nicht empfangen, war man auf die Unterstützung durch die Vereine, ja nicht zuletzt die Agenturen, deren Inhaber oder Geschäftsleiter sich in zunehmendem Maße aus Einwanderern rekrutierten und zumeist rein gewinnorientiert arbeiteten, angewiesen. Jeweils vom finanziellen Erfolg und gesellschaftlichen Aufstieg abhängig verharrte man lange Jahre im Vereinsverband. In Anbetracht der Zunahme der Auswanderung verzeichneten manche nationale Vereine ständig steigende Mitgliederzahlen, ihre Tätigkeit nahm Formen von Massenorganisationen an. Laut Konsularbericht vom 17. August 1909 aus Manchester, Bundesstaat Massachusetts, stellten die an die drei Millionen geschätzten Polen zwei solche Vereine, die „Polish National Alliance" und die „Society of the secred heart of Jesus" mit dem Sitz in Chicago mit 60.000 und 45.000 Mitgliedern. An zweite Stelle rückten die „verhältnismäßig stramm organisierten" Slowaken mit der „National Slavonic Society" und der „First Slovak Union" mit je 40–45.000 Mitgliedern.

Auf Vereinsebene entfaltete sich ein bemerkenswerter Prozeß bei den Auswanderern in Amerika. Während gesamtösterreichischen, im Schutze der Botschaften agierenden österreichisch-ungarischen Vereinigungen kein dauerhafter oder zumindest kein durchschlagender Erfolg beschieden war – so wird am 21. Mai 1893 aus Washington berichtet, „daß unsere nationalen Colonien in den Vereinigten Staaten, abgesehen vom amtlichen Verkehr, keine näheren Beziehungen zu den k. u. k. Consulaten daselbst unterhalten" – sonderten sich die nationalen Verbände immer mehr ab. Eine zunehmende Entfremdung von der Monarchie und zugleich ein nationales Sichwiederfinden waren im Gange. „Zur Frage der Organisation der Auswanderer in Amerika" wird gemeldet: Man gelangt „zu dem Resultate, daß die insbesondere in den Vereinigten Staaten Nord-Amerikas in sehr großer Zahl bestehenden Vereine, welche Angehörige unserer Monarchie zu Mitgliedern haben, weniger die gemeinsame österreichische oder ungarische Staatsbürgerschaft, als vielmehr die Zugehörigkeit zu einer der in der Monarchie vertretenen Nationalitäten hervorkehren, nur somit weniger österreichische oder ungarische als vielmehr tschechische, magyarische, slowakische Vereine sind. Dies erhellt schon daraus, daß manche derselben, z. B. die polnischen Vereine alle der gleichen Nationalität, wenn auch verschiedenen Staaten angehörenden Auswanderer als Mitglieder aufnehmen, bzw. unterstützen. Die tschechischen und slowakischen Vereine verfolgen vielfach panslawistische Tendenzen." Letztere werden wiederholt angeprangert: Die Böhmen, die zu den wohlhabenderen Bevölkerungsschichten gezählt wurden, bekannten sich „nur sehr ungern als Österreicher", vielmehr starteten sie „organisierte Versuche", um bei den Volkszählungen etwa als „selbständiger und unabhängiger Stamm" eingeordnet zu werden. Über die Slowaken heißt es, sie legten ihre „feindselige Gesinnung" gegen die Monarchie, speziell gegen Ungarn offen zutage. Selbst die Polen und Ruthenen wollten getrennt angesiedelt werden und verlangten eigene Seelsorge und eigenes Schulwesen. Die Dalmatiner und Kroaten führten ihren aus der Heimat mitgebrachten politischen Zwist beiläufig auch in Südamerika weiter, ist aus Österreichs Illustrierter Zeitung (2. September 1906) zu erfahren. Über die beiden sogen. Staatsnationen wurde vermerkt, daß z. B. die Magyaren übermäßig zahlreiche Vereine führten, deren Mitgliederzahlen deshalb durchaus niedrig waren. Kein besonderes Interesse brachten die Deutsch-Österreicher dem Vereinswesen entgegen, vielmehr widmeten sie sich ihrem persönlichen Fortkommen und neigten nur allzu stark zur Assimilation oder aber schlossen sie sich vorbehaltlos den bestehenden reichsdeutschen Vereinen an.

Den Konsularberichten ist zu entnehmen, daß die Lebensführung der breiten Massen der Einwanderer in hygienischer und moralischer Hinsicht viel zu wünschen übrig ließen. Es wurde daher den zahlreichen nationalen Zeitungen und Seelsorgen geradezu nahegelegt, für die Besserung der vorherrschenden Zustände Sorge zu tragen.

Zwei wichtige Fragen, die der sogen. zivilisatorischen Leistung und damit im Zusammenhang des amerikanischen Einflusses wären zum Schlusse noch zu klären. Geht man davon aus, daß selbst die einzelnen behördlichen Instanzen über das Problem der Auswanderung geteilter Meinung waren, kann auch die Frage der Rückwanderung – wären doch vornehmlich die in diese Gruppe fallenden Personen als Vermittler anzusehen – weder quantitativ noch qualitativ präzis beantwortet werden. 1910 wurden in den Vereinigten Staaten 2,021.860 Personen österreichisch-ungarischer Abstammung registriert. Vergleichsweise wanderten 1876–1910 2,953.587 Personen dorthin aus. Kalkuliert man die Todesfälle nicht ein, wäre die Differenz von 931.727 als die Summe der Rückwanderer zu deklarieren; dies entspricht 31,55%, d. h., vorsichtig ausgedrückt, annähernd 30% bis ein Drittel (auf Ungarn bezogen waren es in der Zeitspanne 1899–1913 24,28%) der Amerika-Einwanderer kehrten wieder in die Heimat zurück. Ein Regierungsrat vertrat 1913 die Meinung, man könne bei einigem Sparsinn jährlich leicht 6–800 Kronen heimbringen. In achtzehn Jahren (1893–1910) wurde an Geldüberweisungen eine Summe von 2,283,988.000 Kronen (westliche Reichshälfte 1,220,770.000, östliche Reichshälfte 1,063,218.000) errechnet. Vergleichsweise übermittelte die k. u. k. Botschaft in Washington in den Jahren 1907–1913 9,618.973 Kronen an Nettobeträgen an Familienangehörige in der Monarchie. Diese waren aus verschiedenen Versicherungsgeldern, Verlassenschaften u. ä. erwachsen. In Anbetracht der Komplexität wäre es unmöglich, diese Gelder als reinen Gewinn zu verbuchen, müßte man doch vor allem den geschätzten Gesamtwert der in Übersee eingesetzten Arbeitskräfte als Quasi-Verlust für die Monarchie abziehen. Bedenkt man jedoch, daß durch den Abgang kein Mangel an Arbeitskräften geherrscht hat, kann ein beträchtlicher Teil der obigen Summe als Kompensation für die Krise vor allem im Agrarsektor angesehen werden. Tatsächlich wurden keine geringen Summen für die Sanierung bzw. für die Tilgung von Schulden bezahlt. Mag die Auswanderung folglich auf Reichsebene keine erfreuliche Erscheinung gewesen sein, im persönlichen Bereich bedeutete sie sehr oft den einzigen Ausweg.

Ungeachtet der Tatsache, daß der Problematik ab den neunziger Jahren eine erhöhte Aufmerksamkeit gewidmet wurde, – die Zahl der Publikationen nahm enorm zu, Enquetes und Konferenzen wurden immer häufiger einberufen, – konnte das ganze Ausmaß der Auswanderung eher erahnt als erfaßt werden, was nicht zuletzt durch die widersprüchlichen Meinungen erkennbar ist. In einem vertraulichen Konsularbericht vom 6. März 1912 aus Buenos Aires wird mitgeteilt: „Hingegen kehrt ein Procentsatz der Erfolglosen und Schwachen, die der struggle for life nicht überhaupt gebrochen hat, in die Heimat zurück, ein unzufriedenes, demoralisiertes Element, das nicht mehr begehrenswert sein kann." Der bereits zitierte Regierungsrat plädierte 1913 entschieden für die staatliche Steuerung der Auswanderung, wobei als Auswanderungsländer aus Staatsinteressen nur die Vereinigten Staaten, Kanada und Südamerika zugelassen werden sollten. Langfristig war er aber für Abwehrmaßnahmen, die er in folgenden Punkten zusammenfaßte: 1. Einführung intensiver Wirtschaftsmethoden, 2. Erbauung von Arbeiterwohnhäusern, 3. Inszenierung von Notstandsbauten großen Stils, 4. Industrialisierung der Auswandererländer, 5. Innenkolonisation, 6. Errichtung von Feld- und Industriearbeiterzentralen durch den Staat oder unter staatlicher Aufsicht.

Als Signifikant für den aufkommenden amerikanischen Einfluß kann unter anderem eine reich illustrierte Abhandlung über die neuere amerikanische Architektur in der Kunst-Revue (April 1908) erachtet werden, die mit dem Satz eingeleitet wird: „Ein gewaltiger Erneuerungsprozeß auf allen Gebieten der Architektur, dessen Ende noch gar nicht abzusehen ist, lenkt ... die Aufmerksamkeit ... auf Amerika". Von Weitblick zeugen die Ausführungen des Freiherrn von Forster in seinem Auswanderungsbericht vom 10. Oktober 1903 aus Sydney: „Denn es läßt sich nicht leugnen, daß die Beobachtung des trotz aller politischen Mißgriffe ausserordentlichen Fortschritts in den englischen Kolonien, das Vertrautwerden mit der wirtschaftlichen Macht genossenschaftlicher Vereinigung zu Arbeitszwecken, die Kenntnis der Quellen und Ursachen des Wohlstandes und materieller Cultur, welche bis in die Hütte des bescheidensten Arbeiters dringt, auf den Einwanderer im höchsten Grade anregend und belehrend wirken muß und ihm insbesondere vor Augen führt, von welcher Wichtigkeit der materielle Fortschritt auf Grund rationeller Arbeit für den Staat wie für die einzelne Familie ist, wie trotz des heißesten Patriotismus alle nationalen und confessionellen Reibungen angesichts der sich immer dringender gestalteten Notwendigkeit zurücktreten müssen, sich auch in Europa von der kleinsten ökonomischen Einheit bis zu den größten wirtschaftlich immer enger aneinander zu schließen, um im unaufhaltsam fortschreitenden Wettkampf um Wohlstand und Cultur nicht zu unterliegen."

Der Vorsatz, die Auswanderer mögen neben ihren Ersparnissen ihre in Übersee erworbenen Kenntnisse und ihre dort gemachten Erfahrungen zugunsten der Gesamtmonarchie einsetzen, konnte auch schon deshalb nicht realisiert werden, weil diese Kenntnisse höchstens für persönliche oder familiäre Interessen ausreichten, andere wieder nationale, dem Gesamtstaat zuwiderlaufende Ziele verfolgten. Die wirklich Erfolgreichen kehrten meistens gar nicht zurück. Dazu steht im bereits zitierten Konsularbericht aus dem Jahre 1912: „Erfolgreiche Menschen aller Classen bleiben fast ausnahmslos für immer an den Ort ihrer neuen Bethätigung gefesselt. Der Erfolg besteht eben darin, dass es ihnen gut geht, dass sie sich Interessen und Verbindungen geschaffen haben und das vague, immer wieder hinausgeschobene Projekt, einmal doch wieder bleibend nach Oesterreich zurückzukehren, endet in der Regel mit einem Schlaganfall. Die nächste

Generation denkt an einen Domicilwechsel nicht mehr, weil sie schon alle Lebensinteressen drüben hat."

Quellen und Literatur (in Auswahl):

Österreichisches Haus-, Hof- und Staatsarchiv: Auswanderung und Kolonisation (F 15) – Die Ergebnisse der Volkszählungen 1880, 1890, 1900 und 1910 vgl. in den jeweiligen Bänden der Österreichischen Statistik, ab 1910 Neue Folge, Ungarn betreffend Ungarische Statistische Mitteilungen, Neue Serie, Bd. 42, Budapest 1912 – Österreichisches Statistisches Handbuch, Wien 1882 ff. – Illustrierte Zeitung, Leipzig und Berlin, Jg. 1864 ff. – Österreichs Illustrierte Zeitung, Wien, X/1900 ff. – Der Auswanderer, Wien, Jg. I–V/ 1911–1914 – Auswanderung und Rückwanderung der Länder der ungarischen heiligen Krone in den Jahren 1899–1913. Ungarische Statistische Mitteilungen, Neue Serie, Bd. 67, Budapest (1918). – Leopold Caro, Auswanderung und Auswanderungspolitik in Österreich. Leipzig 1909 – Hans Chmelar, Höhepunkte der österreichischen Auswanderung. Auswanderung in den im Reichsrat vertretenen Königreichen und Ländern in den Jahren 1905–1914 (Studien zur Geschichte der Österreichisch-Ungarischen Monarchie Bd. XIV) Wien 1974 – Darstellung der bisherigen Gesamt-Einwanderung aus Österreich-Ungarn in die Vereinigten Staaten von Nordamerika mit Berücksichtigung der Erwerbs- und sozialen Verhältnisse der Einwanderer, sowie der volkswirtschaftlichen und sonstigen Bedeutung der Niederlassungen derselben für die Monarchie (Abdruck aus der „Österreich-Ungarischen Export-Revue" 1902). Wien 1903 – Ernő Deák, Die Auswanderung aus Österreich im 19. und 20. Jahrhundert. Ein Überblick. In: Siedlungs- und Bevölkerungsgeschichte Österreichs (Wien 1974) S. 163–198 – Walter Dujmovits, Die Amerikawanderung der Burgenländer. Diss., 2 Bde, Wien 1980 – Karl Ritter von Englisch, Zu unserer Auswanderungsfrage. In: Statistische Monatsschrift, Neue Folge, XVI. Jg. (Brünn 1911) S. 89–120 – Ders., Die Lehren der amerikanischen Einwanderungsstatistik. Ebda. S. 345–389 – Ders., Die österreichische Auswanderungsstatistik. Ebda. XVIII. Jg. (Brünn 1913) S. 65–167 – Emerich Ferenczi, Die Arbeitslosigkeit und die internationalen Arbeiterwanderungen. Bericht an das internationale Komitee der Internationalen Vereinigung zur Bekämpfung der Arbeitslosigkeit. Jena 1913 – Ders. (Hrsg.), International Migrations, Volume I: Statistics. New York 1929 – Sigismund Gargas, Zur Regelung des Auswanderungswesens in Österreich. Wien 1913 – Monika Glettler, Pittsburg–Wien–Budapest. Programm und Praxis der Nationalitätenpolitik bei der Auswanderung der ungarischen Slowaken nach Amerika um 1900 (Studien zur Geschichte der Österreichisch-Ungarischen Monarchie, Bd. XIX) Wien 1980 – Friedrich Hey, Die Auswanderung und ihre eminente Bedeutung für unser Wirtschaftsleben. Wien und Leipzig 1913 – Arthur Mann, Immigrants in American Life. Selected Readings. New York 1968 – Franz Markitan, Auswanderungsverkehrswege in Österreich. Wien 1912 – Ernst Mayrhofer, Handbuch für den politischen Verwaltungsdienst in den im Reichsrathe vertretenen Königreichen und Ländern mit besonderer Berücksichtigung der diesen Ländern gemeinsamen Gesetze und Verordnungen. 2. Bd., 5. Aufl. Wien 1896 – Vladimir Nikša, Geschichtliche Analyse der Einwanderung in die Vereinigten Staaten unter Berücksichtigung der wirtschaftlichen, sozialen, politischen und allgemein-kulturellen Faktoren. Diss. Wien 1949 – Charlotte Papen, Die Rolle der Presse in der Konsularberichterstattung und ihre Verwendung zur Regelung der Auswanderung in Österreich-Ungarn 1860–1900. Nach den Auswanderungsakten des Österreichischen Staatsarchivs. Diss. Wien 1949 – Julianna Puskás, Kivándorló magyarok az Egyesült Államokban 1880–1940 (Ungarische Auswanderer in den Vereinigten Staaten 1880–1940). Budapest 1982 – Ladislaus Schneider, Die ungarische Auswanderung. Studie über die Ursachen und den Umfang der ungarischen Auswanderung. Pozsony 1915 – Richard Schroft, Die österreichisch-ungarische überseeische Culturarbeit und Auswanderung. Ein patriotisches Mahnwort. Wien 1894 – Franz Ritter von Srbik, Die Auswanderungsgesetzgebung I. Grundzüge der wichtigsten europäischen Auswanderungsgesetze (mit Berücksichtigung der beiden österreichischen Entwürfe). Wien 1911.

Moritz Csáky

DIE GESELLSCHAFT

Versucht man sich über die gesellschaftliche Situation der Habsburgermonarchie während der letzten Jahrzehnte ihres Bestehens ein auch nur annähernd gültiges Bild zu machen, dann muß man sich zumindest über einige Kriterien im Klaren sein, die es vom methodischen und inhaltlichen Gesichtspunkt zu berücksichtigen gilt und die gleichzeitig der Grund dafür sein mögen, weshalb einerseits eine komparatistische, die Gesamtheit der Monarchie umfassende Sozialgeschichte bis heute nicht vorhanden ist und weshalb andererseits auch die nachfolgenden Überlegungen nur als essayistischer Versuch gewertet werden können, der einige wichtige Aspekte andeutend hervorheben sollte.

Erstens haben wir es bei der Habsburgermonarchie mit einer Pluralität von relativ autochthonen politischen und gesellschaftlichen Traditionen zu tun. Trotz analoger sozialer Schichtungen und einer gesellschaftlichen Entwicklung, die im europäischen Kontext ihren vergleichbaren Ort hat, gibt es auch zu Beginn des 20. Jahrhunderts innerhalb der einzelnen Länder der habsburgischen Staatenföderation – dieser Ausdruck ist hier nicht im strikten, politisch-verfassungsmäßigen Sinne zu verstehen – Unterschiede, die es nur schwer zulassen, von einer einheitlichen gesellschaftlichen Entwicklung zu sprechen. Ganz abgesehen davon, daß eine bisher zum Teil vom nationalen Aspekt geleitete Forschung Gesamtzusammenhänge zugunsten der Hervorhebung des Eigenständigen eher in den Hintergrund gedrängt hat. Wobei noch hinzugefügt werden kann, daß das Erstarken der nationalen Ideologie, die selbstverständlich auch gesellschaftliche Ursachen hatte, in der Tat eine „zentrifugale" Entwicklung im politisch-gesellschaftlichen Bereich begünstigte.

Zweitens ist zu beobachten, daß in manchen Bereichen, vor allem im juristisch-politischen Verständnis, aber auch in Lebensgewohnheiten und -bereichen mancher sozialer Schichten, anscheinend „überholte", traditionale Gesellschaftsstrukturen vorhanden sind, die innerhalb der Monarchie wiederum von Land zu Land unterschiedlich hervortreten, die selbst in städtischen Bereichen, das heißt in gewissen städtischen Schichten nachweisbar sind.

Drittens bewirkte freilich der demographische Anstieg auf der einen und die infolge sozio-ökonomischer Voraussetzungen wachsende Urbanisierung (Verstädterung) der Gesellschaft auf der anderen Seite eine Auflösung noch vorhandener, mentalitätsmäßig verankerter gesellschaftlicher Strukturen und Normen. Hier, wie auch in anderen Bereichen – etwa auf der Ebene der kulturellen Entwicklung – tritt die Gleichzeitigkeit des Ungleichzeitigen, das heißt das Bestehen moderner und anachronistischer Formen der Vergesellschaftung zu ein- und derselben Zeit, deutlich zutage.

Viertens resultieren nicht zuletzt daraus und aus den weiter oben angeführten Gründen gesellschaftliche Konflikte, von denen die Habsburgermonarchie zu Ende des 19. und zu Beginn des 20. Jahrhunderts zunehmend erfaßt wird und die neue gesellschaftliche Organisationsformen (politische Parteien) zur Folge haben bzw. welcher sich verschiedene politische Ideologien zunutze machen.

Die Bevölkerung der Monarchie war in den letzten Jahrzehnten ihres Bestandes unverhältnismäßig rasch angewachsen. Zählte man im Jahre 1880 noch 37,8 Millionen Einwohner, so vermehrte sich ihre Zahl bis 1910 auf 49,3 Millionen. Auf die staatsrechtliche Gebietseinteilung umgelegt bedeutete dies, daß 1910 Cisleithanien (das heißt alle Gebiete mit Ausnahme der Länder der Stephanskrone und des 1878 okkupierten bzw. 1908 annektierten Gebietes von Bosnien-Herzegowina) 28,6 Millionen Einwohner aufwies, gegenüber 18,3 Millionen Bewohnern von Ungarn. Während die Bevölkerung Cisleithaniens (also inklusive des heutigen Österreich) durchschnittlich um 0,96% pro Jahr zunahm, vermehrte sich die Bevölkerung der Länder der Stephanskrone im Schnitt um 1,4% jährlich, wobei bemerkt werden muß, daß die Magyaren innerhalb Ungarns, neben seinen deutschsprachigen Bewohnern, den geringsten natürlichen Zuwachs aufzuweisen hatten. Der unverhältnismäßig hohe Bevölkerungszuwachs zur damaligen Zeit im Gebiet des heutigen Österreich um 1,2% ist zu einem Großteil der Migration innerhalb der Monarchie zu verdanken; man denke nur an die Sogwirkung der Urbanisierung auf die Bevölkerung der ländlichen Gebiete. So wuchs die Zahl der Wiener Bevölkerung von 1890 bis 1910 von 817.300 auf 2,031.420, wobei freilich zu beachten bleibt, daß die Eingemeindung der Randbezirke (XI-XIX) zu Ende des 19. Jahrhunderts diese Zahl wesentlich relativiert.

Innerhalb dieser Gesamtzahl der Bevölkerung war der Anteil der Nationalitäten sehr unterschiedlich. Auch die Zuwachsrate der einzelnen ethnischen Gruppen (Nationalitäten), die nur primär nach dem Kriterium der Sprache bestimmt wurden, wies zum Teil beträchtliche Unterschiede auf. In absoluten Zahlen ausgedrückt vermehrte sich der Anteil der Magyaren am stärksten. Von ca. 6,5 Millionen im Jahre 1880 schnellte ihre Zahl auf mehr als 10 Millionen im Jahre 1910 hinauf und dies, obwohl die Geburtenziffern in Ungarn nur um nicht ganze 2‰ höher lag als in Cisleithanien (37,4 gegenüber 35,7‰). Der natürliche Geburtenzuwachs, abzüglich der Sterbequote, bewegte sich in Ungarn in den letzten Jahrzehnten der Monarchie im Durchschnitt um die 10–11,8‰. Freilich: die vornehmlichste Ursache dieses zahlenmäßigen Anstiegs der Magyaren war unzweifelhaft eine gezielte nationale Assimilierungspolitik, die etwa dank einer zunehmend chauvinistischen Bildungspolitik die Annahme der ungarischen Sprache favorisierte und somit, aufgrund des Sprachkriteriums bei der Erfassung der Nationalitäten, die magyarische gegenüber den anderen ethnischen Gruppen des Landes kräftig erstarken ließ. Ein Blick auf die Reziprozität der Nationalitäten der Gesamtmonarchie – im Verhältnis zur Einwohnerzahl – mag dies verdeutlichen:

Die Nationalitäten der Österreichisch-Ungarischen Monarchie 1880–1910

	1880		1910	
Deutsche	9 963 000	26,4%	11 987 000	24,2%
Magyaren	6 445 000	17,1%	10 050 000	20,3%
Tschechen	5 181 000	13,7%	6 436 000	13,0%
Slowaken	1 864 000	5,0%	1 968 000	4,0%
Serbo-Kroaten	2 916 000	7,7%	3 528 000	7,6%
Slowenen	1 141 000	3,0%	1 253 000	2,5%
Polen	3 239 000	8,6%	4 686 000	10,0%
Ukrainer (Ruthenen)	3 149 000	8,3%	3 991 000	8,1%
Rumänen	2 596 000	6,0%	3 224 000	6,5%
Italiener	669 000	1,7%	768 000	1,6%
Sonstige	623 000	1,6%	1 090 000	2,2%
Insgesamt	37 786 000	100,0%	49 263 000	100,0%

Im Unterschied zu anderen europäischen Staaten war also in der Österreichisch-Ungarischen Monarchie die ethnisch-sprachliche Pluralität ein besonders charakteristisches Merkmal. Diese Vielfalt spiegelte sich auch in den einzelnen Teilen der Monarchie, sowohl in den Ländern der Stephanskrone als auch in Cisleithanien. Selten verliefen die ethnischen und Sprachgrenzen relativ deutlich. So waren, mit Ausnahme des Schmelztiegels Wien, die ursprünglichen habsburgischen Erblande (mit einigen Abstrichen die Bundesländer der heutigen Republik Österreich) größtenteils deutschsprachig. Doch auch hier zeigte sich, was für andere Teile der Monarchie zur Regel wurde, daß nämlich ethnische und sprachliche Überlappungen häufig vorkamen, ja daß sich die ethnische Verteilung, etwa im Industriegebiet Nordwestböhmens, von wo deutschsprachige Industriearbeiter samt ihren Familien ins Sächsische auswanderten, was das Einströmen tschechischsprachiger Schichten nach sich zog, oder wie anderswo (Ungarn) infolge von Assimilierungen, mehrmals verschob und demzufolge ein sprachlich homogener Raum eher im Kern als an der breiten Peripherie der Monarchie anzutreffen war. Es ist daher nicht verwunderlich, daß die Durchführung des auf dem Nationalitätenprinzip basierenden Pariser Friedens nach dem Ersten Weltkrieg fast in allen „Nachfolgestaaten" als Ungerechtigkeit empfunden wurde. Einige Beispiele mögen diese sprachliche Vielfalt bei einzelnen Ländern der Monarchie noch verdeutlichen. Tirol hatte 1880 794 445 Einwohner, bis zum Jahre 1910 stieg ihre Zahl auf 916 261; davon waren aber bloß 432 062 bzw. 525 115 deutschsprachig, denn 360 975 bzw. 387 700 bekannten sich zur italienischen Muttersprache (das waren 45,4 bzw. 42,0% der Tiroler Gesamtbevölkerung). Von den 1,4 Millionen Einwohnern der Steiermark im Jahre 1910 waren 983 252 deutschsprachig, gegenüber 409 684, die Slowenisch als ihre Muttersprache angaben. Demgegenüber hatte Kärnten einen Anteil von 21,24% (1910) slowenischer Bevölkerung. Andere Erbländer (Bundesländer) wie Niederösterreich, Oberösterreich oder Salzburg wiesen eine annähernd hundertprozentige sprachliche Homogenität auf. Sprachlich und ethnisch besonders vermischte Gebiete waren Böhmen und Mähren, wobei infolge der gerade in Böhmen unverhältnismäßig raschen Industrialisierung die urbanen Zentren nicht nur rasch anwuchsen, vielmehr die anteilsmäßige Proportionierung der Sprachgruppen sich ebenso rasch verschob. Zumeist war es die ländliche tschechische Bevölkerung, die aufgrund ökonomischer Anreize in bis dahin vorwiegend deutsch besiedelte Industriezentren zog.

Bevölkerung und Umgangssprachen in Böhmen und Mähren

	1880		1910	
Böhmen:				
Deutsche	2 051 486	37,1%	2 467 717	36,4%
Tschechen	3 472 940	62,7%	4 241 925	63,1%
Sonstige	2 837	0,2%	59 906	0,5%
Mähren:				
Deutsche	628 907	29,3%	719 439	27,6%
Tschechen	1 507 328	70,4%	1 868 999	71,7%
Sonstige	4 585	0,3%	16 442	0,7%

Der österreichische Teil Schlesiens wies außer den deutsch- und tschechischsprachigen Bewohnern noch einen relativ hohen polnischen Bevölkerungsanteil auf:

Deutsche	269 338	48,9%	325 530	43,9%
Tschechen	126 385	22,9%	180 341	24,3%
Polen	154 887	28,2%	235 224	31,8%

Ähnlich wie in diesen Teilen der Monarchie verhielt es sich im Königreich Ungarn, nur daß hier die ethnisch-sprachliche Pluralität noch bedeutender war, sodaß bereits 1820 der Historiker und Geograph Johann Csaplovics treffend behaupten konnte, Ungarn sei „Europa im Kleinen". Infolge dieser vielfältigen Differenzierung der Bevölkerung war dann im Laufe des 19. Jahrhunderts und zu Beginn des 20. Jahrhunderts der Nationalitätenkampf in den Ländern der Stephanskrone besonders extrem, galt es doch, gemäß der Doktrin der nationalen Ideologie, einem Volk und einer Sprache, das heißt der magyarischen „Staatsnation" und ihrer Sprache die Suprematie zu sichern. Das folgende Diagramm verdeutlicht sowohl die ethnisch-sprachliche Vielfalt Ungarns als auch die Auswirkungen der magyarischen Assimilierungspolitik:

Die Bevölkerung Ungarns nach Nationalitäten (ohne Kroatien-Slawonien)

	1880		1900		1910	
Magyaren	6 505 070	46,6%	8 651 520	51,4%	9 944 627	54,4%
Deutsche	1 870 772	13,6%	1 999 060	11,9%	1 903 357	10,4%
Slowaken	1 855 451	13,5%	2 002 165	11,9%	1 946 357	10,7%
Rumänen	2 403 041	17,5%	2 798 559	16,6%	2 948 186	16,1%
Ruthenen	353 229	2,6%	424 774	2,5%	464 270	2,5%
Kroaten			169 781	1,2%	198 700	1,1%
Serben	639 986	4,6%	520 440	3,1%	545 833	3,0%
Sonstige	223 054	1,6%	224 956	1,4%	313 203	1,7%
Insgesamt	13 749 603		16 838 255		18 264 533	

Die Bevölkerung Österreich-Ungarns war also von einer sowohl ethnischen – wie immer man ein Ethnikum auch fassen will – und sprachlichen Pluralität gekennzeichnet. Diese Pluralität hatte neben seinen positiven Aspekten – etwa der Möglichkeit und Chance von Akkulturationen – vor allem im Hinblick auf individuelle Vielsprachigkeit, auf Toleranz anderen, „Fremden" gegenüber, insbesondere im Zeitalter der nationalen Ideologie auch zentrifugale, die Monarchie sprengende Tendenzen aufzuweisen: der allmähliche Übergang von einer intentionalen zu einer faktischen Identifizierung von Volk – Sprache – Nation – Staat mußte ein pluralistisches Gebilde, das Österreich-Ungarn eben war, der Auflösung entgegenführen. Ein Großteil, bzw. der wortgewaltige Teil der deutschsprachigen Bevölkerung (der unterschiedlichsten politischen Schattierung) tendierte zu einem „Anschluß" an das Deutsche Reich; die anderen Nationalitäten und Völker sahen ihr politisches Hauptziel in der Errichtung eines nach ethnisch-sprachlichen Prinzipien zu konstituierenden föderativen Staatenbundes, dem freilich die vielfache Überschneidung von Sprachgebieten, die nur durch eine Politik der repressiven Assimilierung beseitigt werden konnte, entgegenstand, bzw. auf weite Sicht gesehen in der Errichtung einer Anzahl souveräner Sprach-Nationalstaaten.

Die Bevölkerung der Monarchie wies aber nicht nur eine vielfältige ethnisch-sprachliche Differenzierung auf, sie unterschied sich auch bezüglich ihrer regionalen Verteilung erheblich. In Gesamteuropa vollzog sich vor allem in der zweiten Hälfte des 19. Jahrhunderts die allmähliche Verlagerung der weitgehend „ländlichen" Bevölkerung („société rurale") in urbane Räume, ein Vorgang, der vor allem durch den regional unterschiedlichen Industrialisierungsprozeß maßgeblich begünstigt wurde. Dieser Entwicklungsvorgang ist auch für die Österreichisch-Ungarische Monarchie symptomatisch.

Erstens wäre festzuhalten, daß, so rasch die städtischen Zentren gerade seit der zweiten Hälfte des 19. Jahrhunderts auch anwuchsen, der überwiegende Teil der Bevölkerung doch noch immer am Lande lebte. Und selbst jene ländlichen Bewohner, die vom fortschreitenden Sog der Verstädterung angezogen wurden, sind, auch wenn sie schon im industriellen Gewerbe oder im tertiären Sektor (Handel) Beschäftigung gefunden haben, mentalitätsmäßig und was ihren Lebensstil betrifft, noch immer der „société rurale" zuzurechnen. Diese Feststellung möge als Korrektiv den nachfolgenden Beobachtungen vorangestellt werden. Besonders auf dem Gebiet des heutigen Österreich – aber auch in Böhmen und Mähren – nahm die Zuwanderung der ländlichen Bevölkerung in die Städte rasant zu. Lebten hier 1880 noch 68% in Orten unter 2000 Einwohnern, so verminderte sich dieser Bevölkerungsanteil 1890 auf 63%, 1900 auf 58% und 1910 auf 53%.

Proportional dazu nahmen die Zahl und die Bewohner von großen Städten im selben Zeitraum zu. Die Haupt- und Residenzstadt wuchs in der Zeit zwischen 1880 (1890) und 1910 beträchtlich mehr als um das Doppelte, wobei freilich, wie schon erwähnt, die Eingemeindungen hier eine maßgebliche Rolle spielten. Zählte Wien 1890 ohne die eingemeindeten Außenbezirke 817300 Einwohner und verdoppelte sich diese Zahl aufgrund der Stadterweiterung auf 1641190, so überschritt 1910 die Größe Wiens bereits die Zweimillionenmarke (2031420). Wien, wohin vor allem Zuwanderer aus der nächsten Umgebung, aber auch aus der Gesamtmonarchie kamen, um hier v. a. im tertiären oder im niederen Dienstleistungssektor eine Beschäftigung zu finden, war freilich auch ein kultureller Anziehungspunkt. Die Chancen einer höheren Schulbildung (Universität, Hochschulen), des Theaters, der Literatur (Journalistik), der Kunst und Musik waren für zahlreiche bildungsbeflissene Bewohner der Monarchie ein wesentliches Motiv, wenigstens vorübergehend oder doch auch für immer nach Wien zu ziehen. Um diese Entwicklung zu verdeutlichen, sei nur auf die Tatsache hingewiesen, daß der überwiegende Teil der Repräsentanten des Wiener Fin de siècle bzw. deren Elterngeneration nicht ansässige Wiener waren, sondern aus den verschiedensten Teilen der Monarchie hierher zugewandert waren. Angesichts der „Pluralität" der Monarchie nahm auch der jüdische Anteil Wiens, etwa reziprok jenem der zuwandernden Tschechen, zu. Dies zu erwähnen ist in diesem Zusammenhang deshalb so wichtig, weil, zwar zum Großteil bereits assimilierte Juden aus der so vielfältigen und fruchtbaren kulturellen Szene Wiens um 1900 nicht wegzudenken sind und diese ohne ihren Beitrag wohl auch nicht zustandegekommen wäre: sie hatten ihren wesentlichen Anteil an der in ihren Elementen „pluralistischen" österreichischen Kultur. Einige Zahlen mögen den Anteil der Juden an der Bevölkerung Wiens verdeutlichen: beherbergte Wien 1860 erst 6217 Juden, so waren es 1890 bereits 99444, um dann 1910 auf 175294 anzusteigen. Der zunehmende Antisemitismus jener Jahrzehnte war also auch (freilich keineswegs ausschließlich) auf Xenophobie zurückzuführen, die überall dort auftritt, wo eine vermeintliche „Überfremdung" der ansässigen Bevölkerung eintritt. Man bedenke dabei, daß es um 1900 in Wien auch eine deutliche Abneigung gegen andere „Minderheiten", etwa Tschechen, gab, die auch zu repressiven Verhaltensweisen führte.

Doch nicht nur Wien hatte einen hohen Zuwachs zu verzeichnen. Vor allem die Hauptstädte der übrigen Länder und Provinzen haben eine ähnliche Entwicklung durchgemacht. Prags Bevölkerung stieg innerhalb eines guten halben Jahrhunderts ebenfalls etwa um das Dreifache, von 118405 im Jahre 1851 auf etwa 270000 im Jahre 1870 bzw. auf 620000 im Jahre 1910. Hier spiegelte sich aufgrund der starken Migration vom Land in die Stadt vielleicht noch mehr als in Wien die nationale Pluralität der Monarchie bzw. des böhmischen Raumes: es wurde führend für beide Kulturen des Landes, nämlich die tschechische und die deutschsprachige („Prager Kreis"), wobei auch hier die jüdische Intelligenz, die sich als Gebildetenschicht zunächst vornehmlich der deutschen Literatursprache bediente, auf dem kulturellen Gebiet eine hervorragende Rolle spielte.

Das Zentrum der ungarischen Reichshälfte war das 1873 aus ursprünglich drei Städten vereinigte Budapest: es wies zur Zeit seiner Vereinigung ca. 280 000 Einwohner auf und diese Zahl erhöhte sich bis 1890 auf 491 938, um 1910, unter Einbeziehung der Vororte, die Millionengrenze zu überschreiten (1,1 Millionen, ohne Vororte 880 371). Noch entschiedener als in Prag überlagerte hier allmählich das nationale (magyarische) Element das zumindest in Ofen und Altofen ursprünglich überwiegende deutschsprachige Kulturelement. Dennoch blieb die Zwei- bzw. Dreisprachigkeit noch lange Zeit ein Charakteristikum dieses ungarischen Kulturzentrums und das öffentliche Bekenntnis zum Magyarentum entsprach bei vielen weniger einer durch eine forcierte Assimilierungspolitik vollzogenen Magyarisierung, als vielmehr dem Umstand, daß die Umgangssprache, die u. a. auch für das berufliche Fortkommen entscheidend war, das nationale Kriterium der offiziellen Volkszählung in der Monarchie war und man sich eben aus ökonomischen oder bildungspolitischen Überlegungen zur ungarischen Umgangssprache bekannte. Ein ähnliches Phänomen ist übrigens auch in Wien festzustellen, wo tschechische, galizische oder ungarische Zuwanderer sich aus eben diesen praktischen Überlegungen zur deutschen Umgangssprache bekannten. Die Urbanisierungswelle erfaßte aber nicht bloß die wichtigsten Hauptstädte der Monarchie. Auch kleinere urbane Zentren, wie etwa die Landeshauptstädte oder größere Kreisstädte weisen eine ähnliche Entwicklung auf wie Wien, Prag oder Budapest. Während Graz 1910 schon 152 000 Einwohner (gegenüber 45 000 im Jahre 1840) aufzuweisen hatte, wuchs etwa die Bewohnerzahl von Dornbirn innerhalb von vierzig Jahren (1869/1910) auf das Doppelte an (von 6 000 auf 12 000) oder jene von Brünn in einem halben Jahrhundert (1851/1910) von 47 359 auf 125 737. Solche Urbanisierungstendenzen hatten, neben zahlreichen auf der Hand liegenden positiven Aspekten im wirtschaftlichen und kulturellen Bereich auch ihre negativen Folgeerscheinungen: die fortschreitende Pauperisierung vor allem jener sozialen Schichten, die, ihrem Lebensstil und ihrer Mentalität nach ländlich bestimmt, in großen Scharen in die Städte zogen, ohne daß für sie hier die nötige Infrastruktur vorhanden gewesen oder geschaffen worden wäre.

Insgesamt überwog in der Bevölkerungsstruktur der Anteil jener, die weiterhin „Landbewohner“ blieben. In Ungarn verhielt sich das Verhältnis Stadt – Land etwa so, daß 1869 14,8% in Städten (davon Budapest 2%) und 85,2% auf dem Lande lebten; in den folgenden Jahrzehnten verschob sich die Relation, trotz des sprunghaften Anstiegs der Budapester Bevölkerung, nicht wesentlich: 1890 war das Verhältnis 16,9% (3,2% Budapest) zu 83,1% und 1910 20,4% (4,8%) zu 79,6%. Dabei ist festzuhalten, daß ein beträchtlicher Teil dieser ländlichen Bevölkerung im agrarischen Sektor tätig war. Während im Osten (Ungarn), Süden (Dalmatien, Kroatien) und Nordosten (Galizien, Bukowina) der Monarchie die agrarische Produktionsweise überwog, wiesen die zentralen Gebiete (Alpenländer, Böhmen, Mähren) nicht nur mehr gewerbliche Wirtschaftsformen auf, sondern erschlossen sich nachhaltigst der industriellen Produktionsweise. In Ungarn sank zwar der agrarische Anteil von 71% im Jahre 1890 auf 62% im Jahre 1910, war aber noch immer beträchtlich höher als in Cisleithanien (56% bzw. 48%) beziehungsweise in den Alpenländern (45% bzw. 35%). Die gewerblich – industrielle Gesellschaft stieg von 1890 bis 1910 in der Gesamtmonarchie nur geringfügig, von 20% auf 23%, hatte aber beispielsweise in den böhmischen Ländern einen hohen Anteil: er erhöhte sich von 1892 bis 1907 von 35,5% auf 42,8%, womit er annähernd gleich hoch war wie im „industrialisierten“ Deutschen Reich. Diese sozio-ökonomische Situation war auch das Primum Movens für das schnelle Heranwachsen einer neuen Gesellschaftsschicht: der Arbeiterschaft. Während die land- und forstwirtschaftlich tätige Bevölkerung die althergebrachten Lebens- und Mentalitätsstrukturen, gewiß mit einer unterschiedlichen ökonomischen Sicherstellung (vor allem wenn man an den relativ hohen Anteil des „Gesindes“ denkt), beibehielt, hatte die lohn- und nicht naturalienabhängige Arbeiterschaft allmählich mit der Preisgabe der angestammten „Heimat“ und vor allem infolge neuer Lebensbedingungen, in denen sie genötigt war, sich zurechtzufinden, auch den ländlichen, „bäuerlichen“ Lebensstil abgelegt und war zunächst in ein Mentalitätsvakuum eingedrungen. Ihre Solidarisierung erfolgte erst allmählich und wurde vor allem von politischen Parteiungen und Parteien, etwa den Arbeitervereinen, der Christlich-sozialistischen Partei (in Ungarn) oder der Sozialdemokratie vorangetrieben.

Während der letzten Jahrzehnte der Monarchie kam der 1848 initiierte Prozeß der Ablöse alter ständischer Gesellschaftsstrukturen erst voll in Gang. Ohne auf die Ursachen näher einzugehen, die zur Überwindung der ständisch-hierarchischen Sozialgliederung des Ancien Régime führten, möge hier vorweg nur auf einige Faktoren aufmerksam gemacht werden, die um die Jahrhundertwende zur Beschleunigung einer Entwicklung beitrugen, die als treibende Kräfte einer einsetzenden Demokratisierung, die in ganz Europa zu beobachten ist, namhaft gemacht werden können.

Erstens wäre hier die demographische Entwicklung, das heißt die Bevölkerungszunahme zu nennen. Sie bewirkt zwar nicht notwendigerweise demokratische Gesellschafts- und politische Formen, sie trägt aber gewiß dazu bei, daß Verwaltungs- und Bildungsinstitutionen, die wirtschaftliche Produktion und Verteilung usf. aufgrund der immer größer werdenden Zahl der Betroffenen geändert, beziehungsweise erweitert werden müssen. Das bedingt von sich aus die Erweiterung alter Rechts- und Verwaltungsstrukturen, die ja ursprünglich für eine engere, ständische Gesellschaftsschicht konzipiert waren, auf eine breitere Bevölkerungsschichte. So extrapolierte etwa die Ideologie des auch in Österreich-Ungarn bis ins ausgehende 19. Jahrhundert vorherrschenden Liberalismus ursprünglich ständische politische, soziale und ökonomische Rechte auf weitere Bevölkerungskreise. Durch diese Erweiterung erfuhren natürlich auch die praktischen Mechanismen ursprünglich ständischer Einrichtungen allmählich eine Veränderung, die dann eben demokratische, das heißt das ganze Volk miteinbeziehende Rahmenbedingungen ermöglichten. Ein augenfälliges Beispiel dafür ist etwa im Bereich der politischen Vertretung, im Zugang Einzelner zu den politischen Machthebeln, die Überleitung von ständischen Versammlungen (Landtage) zum demokratischen Parlament, d. h. am Beispiel Ungarns etwa von der ständischen Repräsentation (Landtag) zur sukzessiven Vertretung der Gesamtbevölkerung (demokratisches Repräsentativsystem).

Zweitens trugen einerseits die infolge der demokratischen Veränderungen notwendig gewordenen neuen ökonomischen Produktions- und Verteilungssysteme, andererseits ökonomische Innovationen etwa in Form der Industrialisierung maßgeblich zur Veränderung der sozialen Landschaft bei. Im Kleinen bewirkten sie die Auflösung von patriarchalischen Familienstrukturen („ganzes Haus“, Großfamilie), im Großen eben die Paralysierung eines gesellschaftlichen Gefüges, dessen Basis etwa eine vorindustrielle, primär auf der Landwirtschaft beruhende Arbeitsweise war. Es ist bezeichnend, daß zum Beispiel ein Großteil des hohen Adels, dessen äußere, letztlich auch politische Machtfülle im Besitz von Grund und Boden (Latifundien, Wälder usw.) lag, sich in der Regel „neuen“ Produktionsformen verweigerte, und wo er zu einer solchen Änderung bereit war, wurde er auch zusehends seiner alten, ständischen Mentalität und sozialen Immobilität verlustig („Verbürgerlichung“). Doch auch alte bäuerliche Schichten vermochten der Veränderung der wirtschaftlichen Voraussetzungen zunächst wenig abzugewinnen und setzten sich gegen das Neue zur Wehr. Die neue industrielle Wirtschaftsform aber erfaßte zunehmend eine ganz neue Schicht von „Arbeitnehmern“, die ohne innere Bindung an die Produktionsmittel in diesen industriellen Arbeitsprozeß eingegliedert wurden. Mit der Zunahme der Bedeutung der industriellen Produktionsweise wuchs naturgemäß sowohl die Zahl als auch die sozial-politische Bedeutung dieser neuen Gesellschaftsklasse, der Arbeiterschaft, und da sie in den zwar in Auflösung begriffenen, jedoch bewußtseinsmäßig noch immer vorhandenen gesellschaftlichen Rahmen sich nicht einfügen ließ, war es notwendig, ihr, die quantitativ immer größer wurde und qualitativ einen wesentlichen Beitrag zur wirtschaftlichen Absicherung der gesamten Gesellschaft leistete, entsprechende sozial-politische Rechte zu sichern, bis hin zur politischen Mitverantwortung (allgemeines Wahlrecht in Cisleithanien 1906). In der Tat war es dann die in einer Partei organisierte Arbeiterschaft, angeführt von einer ideologisch (marxistisch) geschulten Führungsschicht (die jedoch ursprünglich der Bourgeoisie entstammte), welche mehr noch als die Sammelbewegung neuer Mittelschichten (Christlichsoziale) den Untergang des Liberalismus, der zusehends zum Sammelbecken sozial und politisch konservativer Vorstellungen geworden war, herbeiführte.

Drittens hatte am Prozeß des gesellschaftlichen Wandels ganz gewiß auch jener intellektuelle Bewußtseinshorizont seinen Anteil, der inhaltlich von den Zielvorstellungen eines „aufgeklärten Bürgertums" im 18. Jahrhundert seinen Ausgang nahm und in der Habsburgermonarchie noch im 19. Jahrhundert weitgehend von der Bürokratie repräsentiert wurde. Staats- und Landesbeamte (und ihr soziales Umfeld) trugen einen wesentlichen Anteil am Funktionieren von Verwaltung und Regierung. Das erforderte aber von ihren Sachwaltern einen gehobenen Bildungsstand, der sie von anderen abhob und gleichsam „offiziell" zu einem Amt befähigte. Nicht mehr die Herkunft war wichtig, sondern die aufgrund der erworbenen Bildung erbrachte Leistung. Ein solches beamtetes Bildungsbürgertum mußte letztlich naturgemäß danach streben, auch in politische Verantwortung miteinbezogen zu werden, und es ist daher nicht verwunderlich, daß der josephinisch gefärbte Liberalismus in der Monarchie vor allem von diesen unterstützt und repräsentiert wurde. Dazu kommt noch ein weiteres Moment: immer mehr Vertreter der alten Stände fanden als Beamte ihr Auslangen und trugen damit indirekt zur Auflockerung, zur Permissivität alter gesellschaftlicher Schranken bei. Die Neuorganisation des Laufbahn- und Besoldungsschemas der Beamten in Cisleithanien (1873) und die Dienstpragmatik (1914) verliehen dieser neuen Gesellschaftsschicht einen rechtlichen und gesetzlichen Rahmen. Daß es freilich auch die entgegengesetzte Tendenz gab, daß aufstrebende Schichten in frühere Führungsschichten aufzurücken versuchten, soll damit nicht geleugnet werden.

Viertens begünstigte die Überwindung alter, ständischer gesellschaftlicher Schranken auch ein Phänomen, dem in diesem Zusammenhang vielleicht allzuoft nicht große Bedeutung beigemessen wird: die (horizontale) Mobilität, die mit der Erschließung neuer Verkehrswege (dem Ausbau der alten Heerstraßen und ihrer Nebenwege), mit der Einführung und Verdichtung des Eisenbahnnetzes, mit dem zu Beginn des 20. Jahrhunderts bereits merklich einsetzenden Automobilverkehr und nicht zuletzt mit dem Fahrrad, das für die Jugend der Jahrhundertwende zum Symbol von Freiheit wurde, einsetzte. Das Reisen wurde zur großen Mode; die Entstehung und Belebung großer Sommerfrischen und Kurorte, die ihrerseits von den neuen Verkehrsmitteln (und -Wegen) abhängig waren – die auch heute noch frequentierten Kurorte am Wörthersee nahmen mit der neuen Trassenführung der Südbahn Anfang der sechziger Jahre des vergangenen Jahrhunderts ihren Anfang –, brachte es mit sich, daß sich die Vertreter alter und neuer Schichten an einem Ort und in einem Haus (Hotel) begegneten. Es ist zum Beispiel bezeichnend, daß ein Kurort wie Pörtschach am Wörthersee von Beginn an vor allem Wiener Großbürgertum und Adel aus der Gesamtmonarchie beherbergte. Bald gehörte es zum guten Ton, möglichst oft im Salzkammergut, am Semmering, in Kärnten oder in Abbazia einige Tage und Wochen zu verbringen, man traf dort Vertreter der hohen und mittleren Gesellschaftsschicht und Freunde, es entstanden dadurch neue Bekanntschaften und Freundschaften, was nicht zuletzt auch aus der Korrespondenz und den Tagebüchern der Schriftsteller der damaligen Zeit, etwa eines H. von Hofmannsthal, A. Schnitzler, Th. Herzl, R. Musil, B. Balázs oder T. Déry ersichtlich wird. Das heißt: auch diese zunächst vielleicht „banale" Kommunikationsform trug ihrerseits zur gesellschaftlichen Permissivität bei.

Trotz solcher Faktoren, die die Auflösung bereits obsoleter Gesellschaftsstrukturen begünstigte und beschleunigte, wird das gesellschaftliche Gefüge in den Ländern der Habsburgermonarchie auch noch zu Beginn des 20. Jahrhunderts von einem Lebensstil und seinen Normen bestimmt, die weitgehend noch vom Geschmack und von Wertvorstellungen ständischer Prinzipien geleitet werden. Es ist das gesellschaftliche Beharrungsprinzip, das hier zum Ausdruck kommt.

Die bäuerliche Schicht war davon, nicht zuletzt aufgrund traditionaler Produktionsformen, besonders betroffen. Landwirtschaftsvereine, Bauernvereine, Genossenschaften, die ab den achtziger Jahren des 19. Jahrhunderts in der ganzen Monarchie entstanden und neue Methoden der Bewirtschaftung, inklusive ihrer Finanzierung (Raiffeisenverbände) ermöglichten, vermochten dennoch nicht an der Grundtatsache zu rütteln, daß der Bauer es mit der Bearbeitung von Grund und Boden, wie viele hunderte Jahre zuvor, zu tun hatte, daß also die Lebensbedingungen und der Lebenshorizont und dementsprechend auch der Lebensstil grundsätzlich unverändert erhalten geblieben sind. Daß sich bäuerliche Schichten primär konservativen politischen Richtungen (Parteien) anschlossen, daß sie auch alte, von der Kirche geprägte Normen befolgten und diese zum Teil nur zögernd aufgaben, mag auch hierin seine Begründung haben.

Die monarchische Staatsform, obwohl durch (liberale) Konstitutionen sowohl in Cisleithanien als auch in Ungarn „domestiziert", war vor allem für den Adel, der de facto keine politische Gewichtung mehr hatte – sowohl das Herrenhaus im Reichsrat als auch das Oberhaus im ungarischen Parlament hatten als zweite Kammer kaum mehr eine reale politische Macht – äußeres Zeichen und ideeller Anhaltspunkt für eine vermeintliche Lebensberechtigung, die man ihm gerne zubilligte, solange er seine zum Teil noch beträchtlichen ökonomischen Ressourcen (vor allem in Böhmen und Ungarn) nicht gegen die Interessen des Fortschritts, etwa in „altkonservativem" Sinne, einzusetzen suchte. Als politisch-ökonomische Führungsschicht von Gestern hatte der Adel um 1900 noch immer eine gewisse Anziehung auch auf die breiteren Bevölkerungsschichten, auch wenn man ihn bloß durch die Brille der Operettenlibretti zwar liebenswürdig-verzerrt, aber skeptisch-kritisch begegnete. Freilich stellte der Adel innerhalb der Monarchie keineswegs eine Einheit dar und es ist wohl angebracht, ihn weniger nach seiner nur mehr fiktiven juristischen Umschreibung, als vielmehr nach seiner in den einzelnen Ländern unterschiedlichen sozial-politischen Gewichtung, nach der Vielfalt der sozialen Schichtung und schließlich nach seinem Selbstverständnis (Mentalität) zu definieren. In die juristisch-ständische Differenzierung des Adels zwischen Aristokratie (Fürsten, Grafen, Freiherrn) und „Adeligen" (mittlerer, niederer Adel, Ritter, „von") schob sich, vom sozio-kulturellen und sozioökonomischen Gesichtspunkt aus betrachtet, die unverhältnismäßig stark anwachsende Schicht der „zweiten Gesellschaft", des neuen Beamten- und Geldadels, der im gesamtgesellschaftlichen Gefüge mehr der Bourgeoisie bzw. dem gehobenen Bürgertum, als der oberen Elite zuzurechnen war. Die Akzeptanz dieser „Annoblis" bei der Aristokratie stieß dementsprechend auf mehr oder weniger großen Widerstand: man vertrug sich mit diesen zwar in bestimmten Wirkungsbereichen (etwa in der Diplomatie, in der öffentlichen Verwaltung, im Militär) recht gut, ließ aber im Ganzen den Unterschied – bis zur Verweigerung des unter dem alten Adel allgemein üblichen „Du" – fühlbar erscheinen. Eheschließungen zwischen der „ersten" und „zweiten" Gesellschaft bleiben in der Regel eine Ausnahme, es sei denn, daß man sich von einer Verbindung mit einer in den Adelsstand erhobenen reichen „Bürgerlichen" etwa die Absicherung der sozial-ökonomischen Basis, die bei vielen alten Familien durch die wirtschaftliche Umschichtung ins Wanken geraten war, versprach. Hugo von Hofmannsthal charakterisiert diese Situation in jenem seiner Stücke, das, nach seiner eigenen Aussage, die Gesellschaft um 1900 und nicht, wie oft angenommen wird, jene des 18. Jahrhunderts darstellen möchte: im „Rosenkavalier". Die Verbindung mit der neugeadelten Familie „von Faninal" sollte Ochs von Lerchenaus präkere ökonomische Situation sanieren und die unverhofft eingetretene Annäherung zwischen Sophie und Oktavian (aus alter Aristokratie) wird zwar angedeutet, die endgültige Bindung aber wird doch offengelassen: „Sophie ist recht innerlich bürgerlich, wie ihr Vater, und so steht diese Gruppe gegen die Vornehmen, die Großen, die sich vieles erlauben dürfen . . . Oktavian zieht Sophie zu sich herüber – aber zieht er sie wirklich zu sich und auf immer? Das bleibt vielleicht im Zweifel. So stehen Gruppen gegen Gruppen, die Verbundenen sind getrennt, die Getrennten verbunden". (H. v. Hofmannsthal, Nachwort zum Rosenkavalier. 1911).

Verlor der Adel in Cisleithanien zunehmend an sozial-politischem Prestige, was nicht zuletzt bereits mit seiner sukzessiven politischen Entmachtung im Zuge des Erstarkens der absolutistischen Regierungsform im 17. Jahrhundert seinen Anfang nahm, und war ihm gerade deshalb in den letzten Jahrzehnten der Monarchie das Gespür für politische und soziale Verantwortung abhanden gekommen – Ferdinand von Saar beschreibt dies etwa in seiner späten Novelle „Die Familie Worel" –, so bewahrte sich der ungarische Adel, wohl infolge seiner bis in die Zeit des Neoabsolutismus geübten, verfassungsmäßig garantierten politischen Mitsprache ein ungebrochenes politisches Bewußtsein, was zu seiner vermehrten Präsenz auch in dem politischen Geschehen um 1900 beitrug, das auch in Ungarn zunehmend konstituionell-demokratisch bestimmt war. Es ist in diesem Zusammenhang auch das politische Engagement der nachrückenden bürgerlichen Schicht in Ungarn von Interesse bzw. besser zu erklären. Während in Österreich etwa die aus dem Bürgertum kommenden Repräsentanten des Fin de siècle sozial-politisch eher abstinent waren, ist es ein typisches Merkmal der ungarischen Jahrhundertwende, daß ihre Vertreter das politische knowhow der früheren Führungsschicht rezipierten und die politische und soziale Wirklichkeit zu beeinflussen und zu verändern suchten – Kreis um die Zeitschrift „Huszadik század" (Zwanzigstes Jahrhundert) bzw. die Mitglieder des „Vasárnapi kör" (Sonntagskreis). Freilich übertrug sich hier auch die Gentry-Mentalität auf zahlreiche bürgerliche Aufsteiger. Diese Mentalität, die man oft allgemein, aber zu Unrecht, dem ungarischen Adel insgesamt anlastete, war von einem falschen Bewußtsein im klassischen Sinne getragen: der nach 1848/49 verarmte mittlere Adel, nun schon längst in staatlichen (Beamte) oder privaten (Angestellte) Berufen tätig, verhielt sich weiterhin so – und dies bis weit über 1918 hinaus –, als ob er noch Grund und Boden besäße und seine „alten adeligen Prärogativen" von dieser ökonomischen Basis ableiten könnte; er repräsentierte nach außen einen Lebensstil, der seiner sozio-ökonomischen Lage nicht mehr entsprach, beharrte auf seiner historisch-kulturellen Sonderstellung (im Sinne des „Tripartitum" des Stephan Werböczy aus dem 16. Jahrhundert) und gab sich der fiktiven, anachronistischen Idee hin, daß „omnes nobiles una eademque nobilitatis gaudent". Diese Gentry, und nicht die Aristokratie, bildete die Vorlage für zahlreiche Operettengrafen und -barone. Insgesamt besaß freilich der Adel, in Ungarn inklusive eines Teils der Gentry, ein starkes historisches Bewußtsein, d. h. das, was man die Beharrung auf dem „Sein" nennt, im Gegensatz etwa zum bürgerlichen „Leistungsdenken". Dieses historisch fundierte Selbstbewußtsein, das übrigens auch bei den alten bäuerlichen Schichten anzutreffen war, ließ den Adel zum Wahrer von Kultur und echter Tradition werden und verlieh ihm gleichzeitig die Fähigkeit, auch Neues in den Katalog kultureller Werte aufzunehmen. Dieses historische Gedächtnis befähigte den Adel aber auch zu einem (zumeist dynastisch gefärbten) Österreichbewußtsein, das neben den Landespatriotismen, die nun oft zu nationalistischen Denominationen degradiert waren, Bestand hatte und sich auch mit einem – aufgrund internationaler verwandtschaftlicher Beziehungen existenten – „guten Europäertum" (F. Nietzsche) zu vertragen wußte.

Als eigentliche Führungsschicht der Monarchie hatte sich in der zweiten Hälfte des 19. Jahrhunderts das Bürgertum etabliert. Auch hier gab es unterschiedliche, schichtspezifische Differenzierungen. Die bürgerliche Oberschicht (Bourgeoisie) war, nicht zuletzt aufgrund des dem Beharrungsdenken („Sein") früherer sozialer Schichten entgegengesetzten Leistungsprinzips, das sich den ökonomischen Strukturwandel zunutze zu machen wußte und diesen auch begünstigte, zu immer größerem Einfluß gelangt. Sie konnte sich infolge der durch die Verfassung (in Cisleithanien und in Ungarn) erschlossenen Möglichkeiten (Zensuswahlrecht) auch in der Politik, vor allem in der liberalen Parteienlandschaft etablieren und bestimmte in Cisleithanien bis in die neunziger Jahre, in Ungarn mit kurzer Unterbrechung bis zum Zerfall der Monarchie in wichtigen Belangen die offizielle politische Linie. Vom sozio-kulturellen Gesichtspunkt ist die bereits erwähnte Tatsache von Interesse, daß diese obere bürgerliche Schicht zunehmend den Lebensstil der früheren Führungsschicht, des Adels, zu imitieren suchte, was nicht nur in den quasi-adeligen Prachtbauten zum Ausdruck kam und sich in einem großzügigen Mäzenatentum niederschlug, vielmehr auch in dem Streben nach Nobilitierung, bis zur Übernahme adeliger Landsitze, seine konsequente Fortsetzung fand. Ferdinand von Saar hat diese Entwicklung in

„Schloß Kostenitz" anschaulich zu schildern gewußt. Die großbürgerliche Schicht Wiens, Prags und Budapests, aber auch kleinerer urbaner Zentren, vor allem Böhmens und Ungarns, war weiterhin ethnisch pluralistisch zusammengesetzt: in ihr gingen nicht nur tschechische und deutsch-österreichische, ungarische und deutsch-ungarische Elemente eine Symbiose ein, auch das sich assimilierende Judentum der Monarchie fand hier eine Ebene gesellschaftlicher Integration vor, – eine Tatsache, die dann in der primitiven Identifikation von liberal und jüdisch, magyarisch (liberal) und jüdisch in der Parteienauseinandersetzung des beginnenden 20. Jahrhunderts seinen gehässigen Ausdruck fand. Es ist symptomatisch, daß das zunächst liberaldemokratisch gesinnte Großbürgertum seit dem ausgehenden 19. Jahrhundert immer mehr zu einem seine eigenen Rechte und ökonomischen Vorteile verteidigenden politischen Stil ausholte, im Gegensatz zu den bürgerlichen Mittelschichten (Christlichsoziale) und der Arbeiterschaft (Sozialdemokratie), die die demokratische Ausweitung politischer Rechte forderten. So wurde das Großbürgertum zunehmend zu einem „konservativen" Element innerhalb des Gesellschaftsgefüges. Das Sicherheitsstreben im Interesse der Verteidigung des nun einmal errungenen Status wurde so zum Leitmotiv des Denkens und Handelns dieser Schicht. Stefan Zweig beschrieb diese Entwicklung eingehend in der „Welt von Gestern", wobei die Charakterisierung seines Vaters für diese bürgerliche Oberschicht insgesamt seine Geltung hat: „Er hatte das Credo seiner Epoche ‚Safety first' in sich aufgenommen; es war ihm wesentlicher, ein ‚solides' – auch dies ein Lieblingswort jener Zeit – Unternehmen mit eigener Kapitalkraft zu besitzen, als es durch Bankkredite oder Hypotheken ins Großdimensionale auszubauen".

Aufgrund des Stellenwertes des Großbürgertums im gesellschaftlichen Gefüge wurden zunehmend auch staatliche und hohe Beamtenposten vor allem von dessen Söhnen besetzt. Der übrige Teil des Bürgertums setzte sich aus dem Gros der Kleingewerbetreibenden, Handwerker, Angestellten und den mittleren und niederen Beamten zusammen. Das bürgerliche Selbstverständnis dieser Schicht entwickelte sich erst im Laufe der achtziger Jahre des 19. Jahrhunderts: erst jetzt beginnt man sich, analog zur Tendenz der bürgerlichen Oberschicht bei der Rezeption eines „adeligen" Lebensstils, als Bürger zu begreifen, wobei die Eingemeindungspolitik der Großstädte dabei eine nicht geringe Rolle gespielt haben dürfte. Oberschichten der früheren Vorstadtgemeinden werden nun zu „Städtern" und tendieren danach, ihre frühere Position im neuen urbanen Gefüge zu artikulieren bzw. zu verbessern. Wenn man bedenkt, daß Wien um 1890 gleich auf das Doppelte seiner Einwohner anwuchs – die Eingemeindung ließ die Einwohnerzahl von 817 300 auf 1 641 190 hochschnellen – und die Zunahme der Prager und Budapester Bevölkerung zum Teil auf dasselbe Phänomen zurückzuführen ist, dann wird das eben Gesagte vielleicht etwas verständlicher. Freilich darf nicht unerwähnt bleiben, daß gerade diese städtischen Mittelschichten sich im Großen und Ganzen nicht in der traditionellen liberalen politischen Landschaft ansiedelten, sondern den Grundstock für neue, etwa christlichsoziale oder nationale Tendenzen bildeten: das Wählerpotential Karl Luegers (1897) bildeten diese bürgerlichen Mittelschichten.

Mit der Kapitalisierung und der zunehmenden Industrialisierung der Wirtschaft wuchs die Zahl jener Beschäftigten, die in diesem Sektor als lohnabhängige Arbeiter tätig waren, sprunghaft an. Während in Cisleithanien 1880 539 000 Arbeiter in der Industrie tätig waren, erhöhte sich ihr Anteil innerhalb von zwei Jahrzehnten um ca. das Vierfache. Gegenüber den bereits 2 214 900 Industriearbeitern Cisleithaniens (1902) zählte man nur acht Jahre später in Ungarn 1 851 697 (1910) Industriearbeiter, neben 169 700 Handels- und 432 312 Verkehrsarbeitern. Mit dieser ungewöhnlich hohen gesellschaftlichen Umschichtung – das Gros der Industriearbeiter kam vom Lande – entstanden naturgemäß sogleich Probleme und Konflikte, die, als gesamteuropäisches Phänomen, weit bis ins 20. Jahrhundert hineinreichen sollten und zu deren Lösung in einer spät-ständischen, bürgerlich-ländlichen Gesellschaft zunächst weder die gesetzlichen, noch die sozialen Rahmenbedingungen bereitstanden.

Erstens bedeutete das Anwachsen der Industrie für die in ihr tätige, lohnabhängige Schicht zunächst in der Regel ein Absinken des Lebens- und ökonomischen Niveaus: aus der noch relativ geschützten ländlichen Gesellschaftsstruktur herausgerissen und an Industrieorten angesiedelt, waren die Arbeiter nicht nur der Willkür ihrer Arbeitgeber ausgesetzt, sie fanden u. a. in den Städten auch menschenunwürdige Wohnverhältnisse vor („Bettgeher"), konnten, wenn sie Familie hatten, diese kaum nachkommen lassen (was auch zum Verlust der Identität beitrug) und waren insgesamt in ihrem (Selbst-)Bewußtsein „gespalten".

Zweitens hatten sie vorerst niemanden, der ihre Interessen den Arbeitgebern („Kapitalisten") und dem Staat gegenüber vertreten konnte. Erst allmählich wurde vor allem die Sozialdemokratie zu einem gewichtigen Wortführer ihrer Anliegen und zum ideologischen Propagator eines neuen Bewußtseins, das sie, die Arbeiterschaft insgesamt, als Einheit erscheinen ließ: als jene neue Klasse, die eine gemeinsame (abhängige) ökonomische Basis aufwies, der eben folgerichtig ein gemeinsames neues (Klassen-) Bewußtsein entsprach.

Drittens folgte daraus, daß man nun sukzessive auch für eine politische Mitsprache zu kämpfen begann. Nicht nur deshalb, weil die Arbeiterschaft in der Tat einen beträchtlichen Teil der Gesamtbevölkerung ausmachte, sah man sich zu einer politischen Mitsprache motiviert; auch die Tatsache, daß ihre eigene Situation nur durch eine Veränderung der staatlich-legistischen Rahmenbedingungen auf Dauer verbessert werden konnte, wirkte als Anreiz für die politische Aktivierung der Arbeiterklasse. So wurde die Sozialdemokratie zu einem der wesentlichsten Verfechter einer demokratischen Gesellschaftsordnung, und die Durchführung des allgemeinen (Männer-) Wahlrechts in Cisleithanien (1906) ist nicht zuletzt auch ihrem Engagement zu verdanken.

Viertens ergeben sich aus dieser Situation Konflikte sozialer und politischer Natur. Einerseits die Polarisierung zwischen den Eigentümern der Produktionsmittel, d. h. primär dem besitzenden Industriebürgertum, und den Produktionskräften, den Arbeitern und ihren Interessensvertretern; andererseits zwischen jenen Schichten (Klassen), die bisher Zugang zu den entscheidenden politischen Machthebeln besaßen, d. h. vergröbert gesprochen den bisherigen bürgerlich-aristokratischen Führungsschichten, die aufgrund der liberalen Verfassung in die politische Verantwortung eingebunden waren und der Klasse der Arbeiter, die sich das politische Befinden gerade auch über ihre eigene Existenz schrittweise zu erkämpfen suchte (politische Agitation, Streitbewegungen, Durchsetzung des Wahlrechts usw.). Insofern, als sie sich dadurch für die allgemeine Demokratisierung des gesellschaftlichen Lebens, für gleiche Rechte aller Staatsbürger, für soziale Gerechtigkeit, für das Recht auf allgemeine Bildung, insgesamt also für eine, aufgrund der veränderten ökonomischen Situation, neue gesellschaftliche Konstellation einsetzte, waren die Zielvorstellungen der Arbeiterschaft in der Tat progressiv und zukunftsweisend.

Das gesellschaftliche Gefüge der Monarchie in den letzten Jahrzehnten ihres Bestehens war also von einer bedeutenden Mobilität (Umschichtung, Permissivität) gekennzeichnet, die in vielen Bereichen den Keim des offenen Konflikts in sich trug. Allein diese Spannungen mußten für den Bestand eines Staatengebildes, das z. T. noch auf gesellschaftlichen Prinzipien einer vergangenen Zeit beruhte, zur existentiellen Gefahr werden. Diese in Veränderung begriffene gesellschaftliche Pluralität sah sich, auf einer umfassenderen Ebene, mit einer ethnisch-sprachlichen Pluralität konfrontiert, die, im Gegensatz zu einer übergreifenden Gesamtstaatsidee, zunehmend von einer nationalistischen Ideologie des exklusiven Eigenwerts bestimmt wurde. Und insofern, als die nationale letztlich auch eine soziale Frage war, sind der gesellschaftliche Wandel und die Forderung nach nationaler Selbstbestimmung Manifestationen von Konflikten, die den möglichen Untergang des Vielvölkerstaates bereits in sich trugen. Die Frage, ob eine Vermittlung vor 1918 noch möglich gewesen wäre, ist wohl müßig. Vielleicht fehlte es aber im allgemeinen an jener Einsicht, die Hugo von Hofmannsthal kurz vor dem Ende der Monarchie (1917) notierte: „Das Volk wie die Gesellschaft muß immer wieder postuliert werden". (Aufzeichnungen aus dem Nachlaß 1917).

Literatur (in Auswahl):

KARL BOSL (Hrsg.), Handbuch der Geschichte der böhmischen Länder Bd. III Die böhmischen Länder im Habsburgerreich 1848–1919. Stuttgart 1968 (Lit. !) – JOHN W. BOYER, Political Radicalism in late imperial Vienna. Origins of the Christian Social

Movement 1848–1897. Chicago-London 1981 – ERNST BRUCKMÜLLER, Sozialgeschichte Österreichs. Wien-München 1985 (Lit. !) – DAVID F. GOOD, Der wirtschaftliche Aufstieg des Habsburgerreiches 1970–1914. Wien-Köln-Graz 1986 (Lit. !) – PÉTER HANÁK, Ungarn in der Donaumonarchie. Probleme der bürgerlichen Umgestaltung eines Vielvölkerstaates. Wien-Budapest 1984 (Lit. !) – HEIMOLD HELCZMANOVSZKY (Hrsg.), Beiträge zur Bevölkerungs- und Sozialgeschichte Österreichs. Wien 1973 – WILLIAM H. HUBBARD, Der Wachstumsprozeß in den österreichischen Groß-Städten 1869–1910. Eine historisch-demographische Untersuchung. In: P. CHR. LUDZ (Hrsg.), Soziologie und Sozialgeschichte. Opladen 1979, S. 386–418 – DIETER LANGEWIESCHE, Zur Freizeit des Arbeiters. Bildungsbestrebungen und Freizeitgestaltung österreichischer Arbeiter im Kaisertum und in der Ersten Republik. Stuttgart 1979 – HERBERT MATIS, Österreichs Wirtschaft 1848–1913. Konjunkturelle Dynamik und gesellschaftlicher Wandel im Zeitalter Franz Josephs I. Berlin 1972 – KARL MEGNER, Beamte. Wirtschafts- und sozialgeschichtliche Aspekte des k. k. Beamtentums. Wien 1985 – GUSTAV OTRUBA, Entstehung und soziale Entwicklung der Arbeiterschaft und der Angestellten bis zum Ersten Weltkrieg. In: ERICH ZÖLLNER (Hrsg.), Österreichs Sozialgeschichte in historischer Sicht. Wien 1980, S. 123–154 – PETER URBANITSCH, Wien – Prag – Budapest um 1900. Sozialgeschichtliche Aspekte. Wien 1987 (im Druck) – ADAM WANDRUSZKA – PETER URBANITSCH (Hrsg.), Die Habsburgermonarchie 1848–1918 Bd. III Die Völker des Reiches (2 Teilbände). Wien 1980 (Lit. !).

Ernst Bruckmüller

DIE ENTWICKLUNG DER LANDWIRTSCHAFT ZWISCHEN ETWA 1880 UND 1916

In seinem letzten vollendeten Roman, „Die Wasserfälle von Slunj", entfaltete Heimito von Doderer das Schicksal der Hauptpersonen in einem wirtschaftlichen Umfeld, das durch die zur Zeit, als jener Roman spielte, im Gange befindlichen Veränderungen und Modernisierungsprozesse in der Land- und Forstwirtschaft der Donaumonarchie mitgeprägt war: Ein Umfeld, in dem die Produktion und der Absatz von Landmaschinen als mehr oder minder präsenter Hintergrund das Leben zweier Generationen von Menschen bestimmte. – Die Hochzeitsreise des englischen Landmaschinenfabrikanten-Sohnes Robert Clayton führte im Jahre 1877 über Wien nach Kroatien. Unmittelbar danach eröffnete Roberts Vater dem Sohne, daß er ein Werk zur Erzeugung landwirtschaftlicher Maschinen in Wien zu errichten gedenke, das dieser leiten solle:

„... Über die enormen Absatzmöglichkeiten in den zum Teil wenig entwickelten Gebieten des Südostens bestehe kein Zweifel. Der Import aus England könne sich aus vielen Gründen ... an Rentabilität niemals messen mit einer Erzeugung aller Geräte und der zu ihrem Antrieb erforderlichen Lokomobilen gleich an Ort und Stelle, nämlich in Österreich selbst ... "

Und die den Roman abschließende tragische Reise des jungen Clayton, Donald, um 1910, führte wiederum ebendorthin – in den Südosten, oder, genauer gesagt, zuerst in den Vorderen Orient, dann, zurück über Konstantinopel, Bukarest, Budapest, Györ, St. Johann im Seewinkel wiederum nach Kroatien, nach Slunj. Dabei ward, so nebenbei, die Neu-Einrichtung eines ungarischen Gutshofes mit einem kompletten Maschinenpark von Clayton & Shuttleworth (wie wir der historischen Genauigkeit halber sagen können, und Doderer hat beim Firmennamen tatsächlich kaum gemogelt!) abgemacht, nicht ohne daß uns, aus einer früheren Phase des Romans, dessen Zustandekommen bekannt gemacht worden wäre: Es war nämlich dieser Gutshof

„... aus einem ursprünglichen Bauern-Anwesen durch immer mehr um sich greifenden Hinzukauf rundum liegenden verschuldeten Bodens zu einem reinen Ertrags-Gut entwickelt worden ... eher eine große Farm als ein überdimensionierter Bauerhof zu nennen ... "

Wir erhalten auf diese Weise Bekanntschaft mit – zumindest – zwei die landwirtschaftliche Entwicklung der Zeit kennzeichnenden Erscheinungen: Zum einen mit der Veränderung der Produktionsformen, die mit der hier mehr angedeuteten als genauer beschriebenen neuartigen maschinellen Ausstattung vorab der Gutswirtschaften (es war allerdings von „Lokomobilen" und „Heuwendern" die Rede!) anklingt, zum andern mit einer beginnenden Mobilisierung des Bodenmarktes, der Neuentstehung großer Gutshöfe und deren Kehrseite, der Verschuldung und dem Zugrundegehen von Bauernwirtschaften. Und den Begriff „Farm" für jene neue ungarische Großwirtschaft assoziieren wir mit dem passenden Vokabel für diese Veränderungen – „Kapitalismus". Ein immer stärker am Markte orientierter, für den Markt (als „reines Ertrags-Gut") produzierender Wirtschaftszweig sollte die Landwirtschaft werden. Dieser Prozeß einer mehr oder weniger raschen Verwandlung in einen marktorientierten, einer insgesamt kapitalistischen Wirtschaftsweise vollangepaßten Wirtschaftszweig lief aber weder gleichmäßig in der ganzen Monarchie ab, noch auch im zeitlichen Verlauf glatt und ohne Stockungen.

Die Adaptierung der Landwirtschaft an eine in voller Entwicklung befindliche Industriegesellschaft (und wir hegen keinen Zweifel, daß diese im alten Österreich-Ungarn auf dem Wege war, jedenfalls rasch und deutlich in den „entwickelten" Kronländern des Westens, Böhmen, Mähren, Schlesien, Niederösterreich, Vorarlberg, ferner Oberösterreich, Steiermark und dem Küstenland mit Triest, weniger massiv aber schon spürbar in Tirol, Kärnten, Krain, im ungarischen Zentralgebiet, am wenigstens in Galizien und der Bukowina, in Kroatien und in Dalmatien) war ein komplizierter, langwieriger und keineswegs schmerzloser Prozeß. Er ist bis heute nicht abgeschlossen und, wie die Probleme der Gegenwart zeigen, offenbar auch nur schwer in einer Weise zu zügeln und zu regulieren, die den wirtschaftlichen Bedeutungsverlust der Landwirtschaft und den damit einhergehenden Zwang zu einer andauernden Reduktion der in ihr Beschäftigten mit für die Betroffenen erträglichen Bedingungen verbindet.

Davon konnte um 1900 natürlich noch viel weniger die Rede sein. Die Auswanderungsstatistik der Monarchie spricht da eine beredte Sprache: Etwa 2,2 Millionen Menschen wanderten zu Beginn des 20. Jahrhunderts aus der Monarchie aus, je zur Hälfte aus Ungarn bzw. aus „Österreich" (wie wir hier kürzer anstelle der unmöglichen Formel von den „im Reichsrat vertretenen Königreichen und Ländern" sagen werden). Die meisten von ihnen stammten aus den überwiegend agrarischen Gebieten: Aus der Slowakei, aus den von Ukrainern bewohnten Gebieten Nordostungarns und Galiziens, aus Kroatien, aus dem späteren Burgenland, aus den von Slowenen bewohnten Gebieten. 70–80% dieser Auswanderer waren Landarbeiter oder arme Bauern. Offenkundig vermochte ihnen ihr angestammter Tätigkeitsbereich das zum Überleben notwendige Brot nicht zu sichern.

Neben dieser Auswanderung steht die starke Abwanderung in die wachsenden städtischen und industriellen Zentren, nach Wien, nach Budapest, nach Prag, in das Mährisch-Ostrauer Industrierevier, nach Triest. Wir wissen vom raschen Wachstum der Städte in jenen Jahrzehnten, da Wien die größte Einwohnerzahl seiner Geschichte (mehr als zwei Millionen) erreichte, Budapest und Prag ebenso wie Triest zu ansehnlichen und weitläufigen Großstädten wurden.

Den Prozeß der Modernisierung der Landwirtschaft begleitet auch dies: In den letzten Jahrzehnten des Bestandes der Monarchie wurden in manchen Gebirgsgegenden des südlichen Niederösterreich und der Obersteiermark bis zu 50% des bäuerlichen Besitzes vom Großgrundbesitz aufgesogen. Dieses „Bauernlegen" ist zweifellos auch eine Begleiterscheinung einer Mobilisierung von Grund und Boden und einer Kapitalisierung der ökonomischen Beziehungen. Nicht wenige Bauern standen der neuen Beweglichkeit des Bodenmarktes staunend und hilflos gegenüber (die weniger hilflosen profitierten selbst davon).

Es wäre aber vollständig unzutreffend, wollte man diese düsteren Bilder alleine zur Kennzeichnung der wirtschaftlichen und gesellschaftlichen Wandlungsvorgänge heranziehen.

Obgleich die Landwirtschaft andauernd Menschen an die eher städtischen Wirtschaftszweige, Industrie und Gewerbe, Handel und Verkehr, abgab, zeigen doch die vorhandenen Daten, daß dies keineswegs Rückgang und Verfall der Produktion bedeutete. Im Gegenteil: Die Landwirtschaft der Monarchie konnte ihre Gesamtproduktion erheblich steigern.

So hat sich die Weizenernte in Ungarn zwischen 1870 und 1910 fast verdreifacht: Von durchschnittlich 1,7 Millionen Tonnen im Jahr auf etwa 4,1 Millionen Tonnen. Auch in der österreichischen Reichshälfte stieg im gleichen Zeitraum die Erntemenge des Weizens von 0,9 auf 1,7 Millionen Tonnen – man sieht schon, wo bei diesem wichtigen Brotgetreide der Produktionsschwerpunkt lag. Umgekehrt verhielt es sich beim Roggen: Hier war die Produktion in Österreich von (ca. 1870) etwa 1,7 Millionen Tonnen auf (ca. 1910) fast 2,7 Millionen Tonnen angestiegen, während Ungarn nur etwa 1,2 Millionen Tonnen erzeugte. Ähnliche Wachstumsraten von ca. 2,5% pro Jahr zeigen auch Gerste, Hafer und Mais. Die Kartoffelproduktion hat sich in Österreich von ca. 1870 bis ca. 1910 in etwa verdoppelt, in Ungarn mehr als das. Von einer Gesamternte von ca. 18 Millionen Tonnen wurde ein Viertel in Ungarn erzeugt, drei Viertel in Österreich. Auch an Zuckerrüben wurde vor dem Ersten Weltkrieg mehr als doppelt soviel geerntet wie um 1870: 8,7 Millionen nach knapp 4 Millionen Tonnen. Dabei war der ungarische Anteil von etwa 12 auf fast 29% angestiegen (Gründung der Zuckerfabrik Siegendorf!), doch blieben hier die böhmischen Länder bei weitem führend.

Insgesamt lagen auch am Beginn des Ersten Weltkrieges die österreichischen Länder in der Hektarproduktivität noch vor den ungarischen. Aber der Aufholprozeß der letzteren ging rasch vonstatten. War die ungarische Landwirtschaft bis in die achtziger Jahre das Musterbeispiel für extensives Wachstum (also: Ausweitung des Getreidebaues durch Ausweitung der Anbaufläche, das heißt Rodung, Trockenlegung von Sümpfen, Umwandlung von Weideflächen in Ackerland), so wurde seither auch hier, ebenso wie in den westlichen Ländern, der Betrieb zunehmend intensiviert. Auch hier verschwand nun die Brache, wurde die Dreifelderwirtschaft durch verbesserte Fruchtfolgesysteme ersetzt. Dieser ersten sehr arbeitsaufwendigen Intensivierungsphase folgte dann um die Jahrhundertwende eine zweite, mit verstärktem Einsatz von Maschinen, schließlich auch von Mineraldüngern.

Freilich blieb die Monarchie dabei vergleichsweise gegenüber Deutschland, aber auch Frankreich zurück. Um 1910 wurden in Deutschland schon ca. 5,9 Millionen Tonnen Mineraldünger pro Jahr verbraucht, in Frankreich 2,3, in Österreich-Ungarn nur 0,78; davon entfielen 30% auf Ungarn, 70% auf Österreich. In Deutschland gab es schon 1895 1.696 Dampfpflüge und 260.000 Dreschmaschinen, in Österreich hingegen verwendeten noch 1902 nur 383 Betriebe Dampfpflüge (wobei wir annehmen können, daß diese wenigen großen Betriebe solche Ungetüme häufig auch selbst besaßen), knapp 330.000 berichten von der Benützung (und hier kann zweifellos nicht der Besitz gemeint sein!) von Dreschmaschinen. 1895 gab es in Ungarn 159 Dampfpfluggarnituren und etwa 9.000 Dreschmaschinen. Man sieht also: Das West-Ostgefälle ist deutlich ausgeprägt, die Ausstattung der Landwirtschaft in Ungarn (und den nordöstlichen, zu Österreich zählenden Ländern Galizien und Bukowina, ebenso wie in den südlichen) viel bescheidener als in den auch landwirtschaftlich höher entwickelten Gebieten Böhmen, Mähren, Schlesien und Niederösterreich. Denn immerhin verwendeten in Böhmen, Salzburg und Niederösterreich mehr als ein Viertel der Betriebe Dreschmaschinen (und nur etwas weniger als ein Viertel der mährischen, schlesischen und oberösterreichischen Betriebe), während die analogen Hundertsatze in Galizien usw. um und unter 1 lagen.

In Ungarn war's mit der Maschinenverwendung noch weniger weit her. Doch soll hier ab etwa 1907 eine deutliche Beschleunigung in der Mechanisierung zu beobachten gewesen sein. Der Einsatz des kleineren und wesentlich handlicheren Benzinmotors gegenüber der monströsen und (vorab beim Dreschen!) ja nicht ungefährlichen Dampfmaschine erleichterte diese Entwicklung sehr: 1915 wurden in Ungarn schon fast 8.900 Dreschmaschinen derart angetrieben (1895 hatte es erst 15 Benzinmotoren in der ungarischen Landwirtschaft gegeben). Wenn also die Gesamtzahlen noch immer nicht hoch wirken, so waren doch die

Wachstumsraten – und das heißt auch: das Tempo der Ausbreitung neuer Verfahrensweisen und Techniken – enorm. Die durchaus beachtenswerte Entwicklung der Landmaschinenindustrie wäre ja sonst auch nicht zu erklären. Die starken regionalen Unterschiede in Mechanisierung und Düngereinsatz schlugen sich auch in den Erträgen pro Hektar nieder. Wir haben ja schon beobachtet, daß diese in Ungarn, trotz des enormen agrarischen Aufschwunges zwischen 1870 und 1914 noch immer unter den für die entwickelteren österreichischen Länder ausgewiesenen Sätzen lagen: So lag der Hektarertrag für Weizen am Ende unseres Beobachtungszeitraumes in Ungarn bei 12,3 Zentner, in Böhmen aber bei 18,2, in Mähren bei 15,9, in Niederösterreich bei 15,7 und in der Bukowina bei 14,8. Selbst der Staatsdurchschnitt „Österreichs" lag über dem Ungarns. Freilich ist dies nicht nur auf die höher entwickelte Agrartechnik zurückzuführen. Vermutlich wurde Weizen in Österreich, angesichts der starken ungarischen Konkurrenz, nur mehr in den besten Lagen angebaut, während in der ungarischen Landwirtschaft, trotz Tendenz zur Intensivierung, auch noch breite Zonen extensiven Weizenbaues existierten. Immerhin hatte sich dieser Hektarertrag in Ungarn zwischen 1870 und 1914 in etwa verdoppelt, während die Steigerung in Österreich nicht einmal 50% betrug.

Bei steigender Markteinbindung wird die Entwicklung der Produktion in der Landwirtschaft in wachsendem Maße von der Preisentwicklung bestimmt. Nun, die säkulare Agrarkrise, die die europäische Landwirtschaft nach 1870, als Folge des Erscheinens des amerikanischen (und russischen) Getreides auf den westeuropäischen Markt, traf, begann sich in der Monarchie in den achtziger Jahren in Form fallender Preise auszuwirken. Trotz steigender Produktion blieben die Gesamterlöse stabil (und das heißt: der finanzielle Ertrag sank insgesamt). Zunächst wurde diese Entwicklung in Ungarn verspürt, das seit der Entwicklung der Dampfschiffahrt seine traditionelle Stellung als Getreideexporteur nach Westeuropa deutlich hatte ausbauen können. Die Konkurrenz des amerikanischen Weizens ließ nicht nur die Preise fallen, sondern auch auf Auswege sinnen. Der Ausweg hieß: Österreich. Obgleich die Ungarn nicht müde wurden, die Nachteile ihrer Verbindung mit Österreich zu beklagen, haben sie doch den einen, für sie äußerst beachtlichen Vorteil, nämlich den eines gemeinsamen Marktes, ohne Zollschranken zwischen den beiden Staaten, hervorragend auszunützen verstanden. Je besser und dichter das Eisenbahnnetz wurde, desto rascher konnte der vorzügliche Banater Weizen, konnten Mehl, Mais, ungarisches Schlachtvieh usw. in alle Teile Österreichs, in erster Linie aber auf den zentralen Wiener Markt gelangen. In Zahlen ausgedrückt hieß das, daß um 1880 noch etwa drei Viertel der ungarischen Weizenausfuhr nach Österreich gingen, 1914 aber schon 99,6% – also der gesamte Export. In ähnlicher Weise ging der allergrößte Teil des ungarischen Exportes an Rindern nach Österreich – und dieser Export ist zwischen etwa 1880 und 1913 auf das dreieinhalbfache angestiegen: von 96.000 Stück auf 347.000.

Diese zunehmende Marktverflechtung führte in der Folge natürlich auch zu einer wachsenden Angleichungstendenz der Preise, die sich an den wichtigsten Märkten und schließlich auch an den Möglichkeiten der mächtigsten Anbieter orientieren mußten. Diese Tendenz zur Preisangleichung bedeutete für viele Landwirte in Österreich, die in ungünstigen Lagen Getreide produziert hatten, eigentlich erst recht den Einbruch des Weltmarktes: Häufig war man, etwa in abgelegenen Gebirgstälern, bis ins späte 19. Jahrhundert zur Selbst- und Nahversorgung gezwungen gewesen, Getreide anzubauen. Nun wurde diese Wirtschaftsform zunehmend unrentabel. Die Möglichkeiten, den neuartigen Zwängen zu entkommen, waren nicht allzu zahlreich, denn gleichzeitig wurden die Exportmöglichkeiten für Vieh nach Deutschland reduziert. In vielen, vorab gebirgigen, Gegenden wurde der Konsum der Bauernfamilie eingeschränkt, die Zahl der Dienstboten vermindert. Verstärkt sollte die Viehzucht anstelle des immer weniger günstigen Getreidebaues in den Vordergrund treten. Es existierte allerdings eine Art von Arbeitsteilung zwischen den alpinen Gegenden und der Landwirtschaft der Gunstlagen auch im Bereich der Viehwirtschaft: Während der alpine Raum das Zuchtvieh lieferte, erfolgte die Nutzung, vorab als Milchvieh, wiederum in den den

Zentren (Wien, Prag usw.) näheren Gebieten, wo nicht nur zahlreiche Bauern, sondern auch viele Gutswirtschaften immer stärker zur Milchproduktion übergingen. Futterbasis dafür bot nicht nur eine entwickeltere Fruchtwechselwirtschaft, sondern auch Nebenprodukte des Zuckerrübenanbaues bzw. der Rübenzuckererzeugung (zu den modernsten Gutswirtschaften Mährens, Böhmens und Westungarns zählten solche, die im Besitze von Zuckerrübenfabrikanten standen). Das heißt aber: Für die alpine Landwirtschaft konnten die Überlebenschancen nur verbessert werden, wenn es gelang, in die Milchwirtschaft und, allenfalls, in die Produktion von Schlachtvieh verstärkt einzusteigen. Von den natürlichen Voraussetzungen ebenso wie von der Marktferne her waren diese Möglichkeiten nicht leicht zu ergreifen, zu groß war schon der Vorsprung der Ebenen.

Bis heute reagieren Landwirte ja in der Regel nicht sehr viel anders auf den tendenziellen Preisverfall ihrer Produkte: durch Mehrproduktion und durch Verringerung des Konsums. Vereinzelt sind auch die Verheiratungsmöglichkeiten reduziert worden, um durch den Verzicht auf das „Auszahlen" weichender Erben die Höfe überlebensfähiger zu gestalten. Andererseits erzeugte man mehr: Die in allen Bereichen (mit Ausnahme der Schafhaltung) Wachstum anzeigenden Kennziffern zeigen dies deutlich (und dieses Mehrwachstum wurde keinesfalls nur von den Gutsbesitzern hervorgerufen!). Das Dilemma der Landwirtschaft im Modernisierungsprozeß zeigt sich eben darin, daß diesem Mengenwachstum keine analogen Wertsteigerungen entsprachen: So produzierten auf dem Gebiet des heutigen Österreich knapp 40% aller Berufstätigen (so viele arbeiteten noch in der Landwirtschaft) nur mehr 11,2% des Bruttonationalproduktes.

Der Einbruch des Marktes in die traditionell autarke bäuerliche Wirtschaft mochte anfangs geringfügig erscheinen. Die ersten Buchführungsergebnisse auf dem Gebiet der westlichen Reichshälfte verweisen bei ausgewählten Betrieben Mährens auf eine Marktverflechtung von 36% – ein solcher Hundertsatz der gesamten Produktion gelangte auf den Markt, der Rest wurde im Hause selbst verbraucht. Wir dürfen ruhig annehmen, daß dieser Satz bis zum Ersten Weltkrieg in vielen abgelegenen Gegenden weitaus niederer lag: Nun was man für Steuern, Salz, Zucker und Tabak benötigte, mußte zuerst durch den Verkauf verschiedener Produkte hereinkommen. Sicher wurde diese relativ weitreichende Autarkie der bäuerlichen Wirtschaft von mehreren Seiten her aufgebrochen: Einmal durch das erhöhte Angebot einer Industrie, deren Erzeugnisse den Bauern auf den ländlichen Kirtagen und Viehmärkten ebenso zu Gesicht kamen wie in den Städten (wohin man ja nun doch schon leichter einmal kam). Auch die wesentlich ausgedehnte Militärpflicht muß zur Ausweitung des bäuerlichen Kirchturmhorizontes nicht zum geringsten beigetragen haben.

Ein anderer Weg zur Aufbrechung der Autarkie erfolgte von der Kapitalseite her. Zwar war durch die Freiteilbarkeit der Bauerngüter (1868) und durch die prinzipielle Gleichberechtigung der Erben die weithin gültige Anerbenrechtssitte nicht aufgehoben worden, die weichenden Erben mußten aber ausbezahlt werden. Das wurde um 1870 nun, scheinbar, leichter, weil städtisches Kapital, vermittelt über private Geldverleiher oder durch Sparkassen, aufs Land drängte, und dem Bauern scheinbar günstige Bedingungen offerierte: Dieser griff oft genug zu, ohne sich sehr viele Gedanken über das Folgende zu machen (und, vor allem, ohne das aufgenommene Geld für Investitionen zu verwenden!). Das Ende war eine dramatische Steigerung der Verschuldung der landwirtschaftlichen Güter, schließlich wachsende Zahlen von Zwangsexekutionen: Allein in Niederösterreich wurden zwischen 1868 und 1892 fast 29.000 bäuerliche Anwesen zwangsversteigert. Rein ökonomisch betrachtet, war dies natürlich eine Bewegung des Bodens zum „besseren Wirt", das Ausscheiden im kapitalistischen Sinne untüchtiger Wirtschaftsfaktoren aus der Landwirtschaft (mit folgender Abwanderung in die Stadt und in Industrie, Gewerbe oder Handel). Die Verschuldung und der Zwang, Zinsen und Tilgungen zu bezahlen, bedeuteten ferner auch einen Zwang zur Produktionssteigerung und zur Selbstdisziplinierung.

Weniger vom wirtschaftlichen, als von einem sozialen (oder besser sozialpolitischen) Standpunkt aus betrachtet, war die Sache natürlich erheblich weniger abstrakt, und um vieles unerfreulicher. Es bedeutete nichts anderes, als daß Menschen von ihrem Land, aus ihrer gewohnten Umgebung, aus ihrer durch Generationen geformten Lebensweise vertrieben wurden, entwurzelt (wie das so schön heißt), gezwungen, sich nicht nur einen neuen Lebensunterhalt, sondern auch das ganze Spektrum der materiellen (und schließlich auch geistigen) Kultur, das man da verloren hatte, neu zu erwerben. Entweder in Wien, in Triest, in Budapest, oder – wie das insbesondere für die zurückbleibenden Randgebiete der Monarchie registriert wurde – gleich in Amerika.

Doch nahm die Landwirtschaft diese Entwicklung keineswegs widerstandlos hin. Man kann die Versuche, die Auswirkungen des Einbruches von Marktwirtschaft und Kapitalismus in die Landwirtschaft abzuwehren bzw. zu kanalisieren, auf mehreren Ebenen beobachten.

Die erste Ebene ist in dem Versuch zu sehen, den Einbruch des Kapitalmarktes möglichst gering zu halten, das heißt also, die Landwirtschaft von der Bodenmarkt- und Kapitalmarktbewegung abzukoppeln. Eine breite Palette von Vorschlägen wurde da erarbeitet. Nur wenig davon wurde allerdings bis 1914 umgesetzt. Um die Boden- und Kapitalmarktbewegungen von der Landwirtschaft fernzuhalten, wurde die Schaffung von Rentengütern diskutiert, die im Bereich der Landwirtschaft bleiben müßten und eine langfristige Umschuldung verschuldeter Bauerngüter bedeutet hätten: Damit wäre die Haftung für landwirtschaftliche Kredite vom einzelnen Bauern auf eine zu konstruierende Haftungsgemeinschaft (meist eine Gemeinde) übergegangen, der verschuldete Bauer hätte um sein Anwesen nicht bangen müssen, wohl aber regelmäßig zahlen (das begegnet immer wieder, in allen Vorschlägen: Der Bauer müsse endlich rechnen lernen!). Aus den Rentengütern wurde nichts, doch haben die meisten Kronländer, um die Kreditnot der Landwirtschaft zu beheben, Hypothekenanstalten eingerichtet, bei denen langfristige und günstige Hypothekarkredite zu erhalten waren. In eine ähnliche Richtung geht die massive Förderung seitens der meisten Länder für ländliche Kreditgenossenschaften, die im heutigen Österreich neu auf der Basis „Raiffeisen“ errichtet wurden (1886 die erste in Mühldorf bei Spitz, 1909 waren es schon 6575), in Böhmen zum Teil schon an ältere Kontributionsfondskassen anschließen konnten (dementsprechend war dort das ländliche Kreditgenossenschaftssystem schon wesentlich dichter als in den Alpenländern!).

Im allgemeinen wurde jene erste Ebene nur zaghaft beschritten: Die weitreichende Abkoppelung des landwirtschaftlichen Bodenmarktes vom übrigen wurde erst ab 1919 durchgeführt. Eine zweite Ebene ist in den Versuchen zu sehen, den Markt auf irgendeine Art und Weise zu beeinflußen. Dies geschah prinzipiell in zwei verschiedenen Formen. Erstens wurde versucht, der Nachfragekonzentration des landwirtschaftlichen Produktenhandels eine Angebotskonzentration in Form genossenschaftlicher Marktmacht gegenüberzustellen. Das funktionierte bei Getreide und Vieh noch kaum. Recht gut entwickelte sich aber die genossenschaftliche Vermarktung von Milch und Milchprodukten (wieder nicht ohne Förderung durch den Staat und, besonders, durch die Länder!). Die Marktanteile der Genossenschaftsmilch in Wien (1900 wurde dafür die Niederösterreichische Molkerei gegründet) konnten sich um 1910 schon sehen lassen: Etwa 20% der in Wien verkauften Milch stammte aus Genossenschaftsmolkereien. Und zweitens versuchte man ein erhöhtes Preisniveau dadurch sicherzustellen, daß man die Zölle erhöhte. Lange Zeit hindurch konnten sich die Zollwünsche der Agrarier (hier zogen, ausnahmsweise, die ungarischen und die österreichischen an ein und demselben verhängnisvollen Strange) nur sehr teilweise durchsetzen. Erst 1906 ging man zu einem verhältnismäßig hohen Zollsatz über. Rasch stiegen nun die Preise, vorab für Weizen: Von 1905 bis 1910 um fast genau 50% (Budapester Preise). Das schlug sich dann auch in den Kleinhandelspreisen für Fleisch, Eier, Gemüse etc. nieder: Zwischen 1906 und 1913 stiegen diese in Ungarn für Rindfleisch um 40%, für Kalbfleisch um 30%, für Butter um 26% und für Brot um 28%. Das war für eine Zeit, die an lange Perioden stabiler Preise gewöhnt war (die zweite Hälfte des 19. Jahrhunderts gilt als Periode großer Stabilität), unerhört, ja skandalös. Für die weniger bemittelten Bevölkerungsschichten brachte diese agrarische Politik deutliche Einbußen des ohnehin bescheidenen Lebensstandards. Die zu unkontrollierten Gewalttaten ausufernden Teuerungsdemonstrationen in Wien im Oktober 1911 gehörten darob auch zu den schwersten Ausschreitungen, die es seit Jahrzehnten gegeben hat. Aber es war auch durchaus umstritten, ob die Zollerhöhungen wirklich für alle Landwirte Vorteile brachten: Unzweifelhaft für alle Getreideproduzenten. Aber auch für die Viehzüchter? Futtermittel verteuerten sich. Und, stieg auch der Viehpreis, so stieg doch nicht im gleichen Ausmaß der Konsum – ganz im Gegenteil, man muß bei jeder Verteuerung der Agrarprodukte mit einer Verschiebung des Konsums der städtischen Massen von hochwertigen, veredelten Produkten (also: Fleisch) auf minder hochwertige rechnen. Heftige Polemiken gegen den Hochschutzzoll kamen daher nicht nur von der Sozialdemokratie und von der Industrie, sondern auch von Teilen der Landwirtschaft. Der politische Preis, der für diese Hochschutzzollpolitik zu bezahlen war: Niederlage der Christlichsozialen in Wien 1911, schwere Auseinandersetzungen und faktische Spaltung der steirischen Christlichsozialen, Verstimmung auch bei vielen kleineren Bauern des Mühlviertels, Tirols, Salzburgs.

Damit ist schon die Ebene der im weitesten Sinne politischen Organisationen angesprochen, die dritte, auf der die Einbrüche von Kapitalismus und Marktwirtschaft in die Landwirtschaft abgewehrt werden sollte. Hier wären wieder drei Bereiche zu unterscheiden, zwischen freien Vereinigungen, zwischen offiziellen Korporationen (Kammern) und im engeren Sinne politischen Organisationen.

Zu den freien Vereinigungen zählten in erster Linie die altehrwürdigen Landwirtschaftsgesellschaften, die sich in unserem Beobachtungszeitraum endgültig zu Interessenvertretungen der Großbetriebe bzw. der spezialisierten, marktorientierten Landwirtschaft entwickelten (oder aber ihre Bedeutung verloren, wo es eine solche Wirtschaft nicht gab). Daneben ist aber eine rasch wachsende Zahl von Vereinigungen für die Verfolgung spezieller Zwecke zu beobachten: Züchtervereine, Weinbauvereine, Gartenbauvereine, aber auch landwirtschaftliche Kasinos und Lesevereine wurden immer noch zahlreicher.

Kammern im eigentlichen Sinne hatte die österreichische Landwirtschaft nicht entwickelt (auch nicht die ungarische). Doch entstanden seit den siebziger Jahren freie Vereinigungen, beschränkt auf ausübende Landwirte (Grundbesitzer und Pächter), die sog. „Bezirksgenossenschaften der Landwirte", die dann auch landesweite Dachorganisationen errichteten, denen eine offizielle Interessenvertretungsfunktion, analog den seit 1921 errichteten Landwirtschaftskammern zukam, die sog. „Landeskulturräte". Solche entstanden in Oberösterreich (1886), Tirol (1884), Istrien (1884), Kärnten (1910), Vorarlberg (1911), schließlich auch in Schlesien. Hier war übrigens auch das 1902 verabschiedete Reichsgesetz über die Errichtung landwirtschaftlicher Berufsgenossenschaften (also: tatsächliche Kammern) bei der Neueinrichtung des Landeskulturrates 1910 wirksam geworden. In anderen Ländern (Böhmen 1891, Mähren 1897, Niederösterreich 1905), wurde der Landeskulturrat eine Dachorganisation, beschickt aus dem reich entwickelten landwirtschaftlichen Vereins- und Genossenschaftswesen.

Die dritte Organisationsform schließlich bezweckte die Beeinflussung des politischen Prozesses durch Aufstellung von Kandidaten für Wahlen: Es handelt sich also um Bauernparteien bzw. um agrarische Teilorganisationen umfassender Parteiorganisationen. In den tschechischen Gebieten war die politische Mobilisierung der Bauernschaft analog zur nationalen und wirtschaftlichen Entwicklung sehr stark unter bürgerlich-liberalen Vorzeichen abgelaufen: So entstand eine Bauernbewegung, die in engem Zusammenhang mit den Jungtschechen stand, aber teilweise auch organisatorisch eigene Wege ging. In den österreichischen Donau- und Alpenlandern war eine erste Welle politischer Mobilisierung der Bauernschaft unter antiliberalen Vorzeichen schon Anfang der siebziger Jahre bemerkt worden. Unabhängige Bauernorganisationen entstanden aber zuerst unter sowohl antiliberalen wie antiklerikalen Vorzeichen: in Oberösterreich, in Kärnten, in der Steiermark, im Waldviertel (Schönerer!). Spezielle konservative bzw. dann auch christlich-soziale Bauernorganisationen entwickelten sich spät, da die Katholisch-Konservativen keine Klassenpartei sein wollten und daher der eigenen politischen Organisation ablehnend gegenüber standen. Als sie dann auftraten (Steiermark 1899, Tirol 1904, Niederösterreich 1906) erreichten sie bald sehr hohe Organisationsdichte und -breite.

Drücken diese organisatorischen Prozesse auch ein wachsendes, wenngleich den Anforderungen der Modernisierung gegenüber häufig defensiv eingestelltes spezielles bäuerliches Klassenbewußtsein aus, so konnte sich bei der Landarbeiterschaft ein ähnliches noch kaum entwickeln.

Das hängt mit den Arbeitsverhältnissen selbst zusammen. Im weiten Bereich der Monarchie existierte davon eine breite Vielfalt. Die größten Landarbeiterzahlen pro Betrieb zählte man auf den Gutsbetrieben Böhmens und Mährens: Hier waren zahlreiche Arbeitskräfte vorhanden, da es sich häufig um Intensivlandwirtschaften (neben Getreide- und Zuckerrübenbau gab es häufig große Milchmeiereien, usw.) handelte. Man brauchte also viele Leute, die in verschiedensten Arbeitsverhältnissen von Deputatsarbeitern mit kleinen eigenen Gärten bis zu mehr oder fix gehaltenen Taglöhnern standen. Die oftmals vorhandene Möglichkeit zu industrieller Arbeit trieb die Löhne relativ in die Höhe. Ganz anders in Galizien (und in den größten Teilen Ungarns): Hier dominierte auf den Gutshöfen der Getreidebau, die Viehzucht ging noch recht extensiv vor sich. Nur um Budapest und in den westlichen, nach Wien orientierten Gegenden Ungarns wurden Gutswirtschaften für die Zukkerrüben- und Milchproduktion umgestaltet, mit entsprechend großen Belegschaften. Wo die extensiveren Formen dominierten, gab es wenig fest bestalltes Personal, die Erntespitzen wurden mit Taglöhnern bestritten. Diese Taglöhner waren meist Wanderarbeiter aus den ertragsarmen Gebieten, landlose oder landarme Leute mit dem geringsten Lebensstandard der gesamten österreich-ungarischen Bevölkerung. Hier wie in den Sudetenländern hielten auch die größeren Bauern Dienstboten, aber relativ wenige. Auch die Bauernwirtschaft arbeitete viel eher mit Taglöhnern.

Ganz anders in den Alpenländern. Hier dominierten Dienstbotenverhältnisse: Knechte und Mägde standen unter der Obhut des Hausvaters (dessen Kontrollrechte noch sehr weit gingen!), gehörten aber auch irgendwie zur Familie: Nur bei sehr großen Bauern waren Bauern- und Gesindetisch getrennt. Geringe Geldlöhne, aber relativ gute Verpflegung kennzeichnen den altertümlichen Charakter solcher Verhältnisse. Knechte und Mägde kamen häufig von verwandten Bauern, waren also im Prinzip selber Teilhaber an bäuerlichen Verhaltens- und Vorstellungsweisen – ganz anders, als der landlose oder landarme Landarbeiter des Ostens, der, meist selbst Familienvater, von der bäuerlichen Ökonomie und Gesellschaft getrennt lebte. Während die Physiognomie des flachen Landes im Osten durch die Trias: Gutshof, bäuerliches Dorf und Landarbeitersiedlung (am Rande des bäuerlichen Dorfes) gekennzeichnet ist, stand in den Bauerngebieten des heutigen Österreich der Bauernhof im Vordergrund. Der Großgrundbesitz dominierte dafür den Wald (was genugsam Anlaß für Streit und Auseinandersetzung bot), die Dienstboten gehörten zum Haus. Daneben existierten Kleinhäusler, mit teilweise nichtagrarischer Haupt-Betätigung (als Handwerker, Straßenarbeiter usw.) mit gewissen klientelartigen Bindungen an bestimmte Bauernhäuser.

Wollte man die ländliche Gesellschaft der Monarchie charakterisieren, so könnte man in der Tat zwischen Gebieten mit vorherrschend bäuerlicher und vorherrschend gutsherrlicher Wirtschaftsform unterscheiden. Die letztere war immer auch mit zahlreichen Kleinstlandwirtschaften (Taglohnerfordernis!) verbunden. Versucht man, die gesamte landwirtschaftliche Bevölkerung aufzugliedern, so entfallen in Ober- und Niederösterreich, Salzburg, Steiermark und Kärnten im Jahre 1902 zwischen 24 und 28% dieser Bevölkerung auf Mittel- und Großbauern, 19–35% auf Kleinbauern, 30–47% auf Landarbeiter (inkl. ständige Dienstboten), der Rest waren Kleinhäusler und Inleute, teils landwirtschaftlich, teils gewerblich tätig. In Tirol und Vorarlberg waren die Kleinbauernanteile signifikant höher, die Dienstbotenzahlen geringer. In Vorarlberg wird eine größere Gruppe von landwirtschaftlichen Kleinstbesitzern mit gleichzeitiger industrieller Beschäftigung sichtbar (8,5% der gesamten Agrarbevölkerung!). Vergleicht man damit die Sudetenländer, so war das Mittel- und Großbauerntum hier weniger stark vertreten, es dominierten Kleinbauern und Kleinstbesitzer mit ziemlich ausgeprägter industrieller Nebenbetätigungen (Böhmen 8,3% und

Schlesien 16,9%). Kleinbauern und Kleinstbesitzer mit dem Zwang zu überwiegend landwirtschaftlicher Nebentätigkeit dominierten dagegen in Galizien und in der Bukowina – hier wird schon das große Auswandererreservoir sichtbar! Dagegen sind die Karstländer (Krain, Küstenland, Dalmatien) überwiegend kleinbäuerlich strukturiert, mit mehr (Dalmatien, 38%) oder weniger (Krain, 13%) landwirtschaftliche Lohnarbeit suchendem Zwergbetrieb. (Nach dem mittel- und großbäuerlichen Anteil von 20% gehört Krain übrigens noch zu den Alpenländern, analog zu Vorarlberg).

In Ungarn treten landarme und landlose agrarische Schichten noch stärker hervor. Größere Bauern in nennenswerter Anzahl existierten primär im Südgebiet (Vojvodina – nach Nationalitäten bei Deutschen und Serben). Immerhin scheint der verbreitete Gutsbetrieb noch Arbeitsmöglichkeiten geboten zu haben, die in Kroatien (70% Kleinbauern – höchster Anteil der ganzen Monarchie), einem weiteren typischen Auswandererland, auch schon mangelten.

Sollte abschließend die ganze agrarische Gesellschaft der Monarchie, und das war noch mehr als die Hälfte der Gesamtbevölkerung, trotz ständigem Sinken des Agraranteils, gekennzeichnet werden, so müßte man zunächst hervorheben, daß die Spitzen dieser Gesellschaft identisch waren mit den Spitzen der Gesellschaft jenes Staatswesens überhaupt: größter Grundbesitz war das Kaiserhaus, neben Staats-, Fonds- und Kirchen- bzw. Klosterbesitz kamen dann die bekannten 100 hochadeligen Latifundienbesitzerfamilien, deren Kreis man mit den übrigen größten Grundbesitzern auf etwa 1000 Familien erweitern kann. Über aristokratische und bürgerliche Mittel- und Großgrundbesitzer (die Grenze ist da nicht immer leicht zu ziehen), gelangt man zu den Groß- und Mittelbauern, bei deren reichsten Vertretern es immerhin auch noch nicht durchgängig üblich war, selbst zu arbeiten. Die Arbeit leisteten andere: Frauen, Familienangehörige, Knechte, Mägde, Taglöhner, Saison- und Wanderarbeiter. Trotz der massiven Veränderungen in jenem Bereich gab es auch große Hemmnisse für Modernisierung: Sie lagen einesteils in der Geisteshaltung konservativer Großgrundbesitzer, andererseits in der Bauernschaft, die den Einbruch des Marktes in ihr keineswegs idyllisches, aber von Gewohnheiten und Traditionen weithin bestimmtes Leben ebenfalls als verstörend empfand. Insofern es gelang, die politisch einflußreichen Gruppierungen des großgrundbesitzenden Adels und Großbürgertums mit den neuen politischen Organisationen der Bauernschaft zu verbinden, mußte der agrarische Block in einem Staatswesen, in dem noch immer mehr als 50% der Bevölkerung in und von der Landwirtschaft lebten, bedeutende Machtstellungen erringen: Sie schlugen sich im Hochschutzzoll von 1906 und in den folgenden Teuerungswellen nieder. So bietet sich uns das paradoxe Bild, daß ein scheinbar erfolgreicher Konservativismus dem Gegenstand der Erhaltungswürdigkeit, nämlich der Monarchie, keineswegs genützt hat, sondern selbst desintegrierend (durch Verbreiterung der Kluft zwischen Stadt und Land) gewirkt hat. Die durch alle diese Faktoren schließlich doch verzögerte Modernisierung der Landwirtschaft sollte unter den Umständen der Kriegswirtschaft fatale Folgen zeitigen und die Unfähigkeit dieses Agrarstaates, seine Bevölkerung zu ernähren, seinen Untergang erheblich beschleunigen.

Literatur (in Auswahl):

Die Agrarfrage in der österreichisch-ungarischen Monarchie. Mitt. auf der Konferenz der Geschichtswissenschaftler, Budapest 4. bis 9. Mai 1964. Bukarest 1965 – ERNST BRUCKMÜLLER, Landwirtschaftliche Organisationen und gesellschaftliche Modernisierung. Vereine, Genossenschaften und politische Mobilisierung der Landwirtschaft Österreichs vom Vormärz bis 1914. Salzburg 1977 – GÜNTHER R. BURKERT, Österreichische Bauernvereine 1869 bis 1914. In: Geschichte und Gegenwart 2 (1983) und 3 (1984) – BENEDIKT ERHARD, Bauernstand und Politik. Zur Geschichte des Tiroler Bauernbundes. Wien–München 1981 – Festschrift 1807–1932, 125 Jahre Österr. Land- und Forstwirtschaftsgesellschaft in Wien. Jahrbuch 1931 und 1932, Tätigkeitsbericht der österr. Land- und Forstwirtschaftsgesellschaft, ihrer Sektionen, Abteilungen und Gründungen. Wien 1933 – Geschichte der österreichischen Land- und Forstwirtschaft und ihrer Industrien 1848–1898. Festschrift zur Feier der am 2. December erfolgten fünfzigjährigen Wiederkehr der Thronbesteigung Sr. Majestät des Kaisers Franz Joseph I., hrsg. v. dem hiezu gebildeten, unter dem Protectorate Sr. Excellenz des k. k. Ackerbauministers Michael Frh. v. Kast stehenden Comité. 6 Bde. Wien 1899–1901 – JAN HAVRÁNEK, Der Umwandlungsprozeß in der Bauerngesellschaft Böhmens in der zweiten Hälfte des 19. Jahrhunderts. In: Die Agrarfrage in der österreichisch-ungarischen Monarchie 1900–1918 (Bukarest 1965) S. 295–299 – JAN HAVRÁNEK, Die ökonomische und politische Lage der Bauernschaft in den böhmischen Ländern in den letzten Jahrzehnten des 19. Jahrhunderts. In: Jahrbuch für

Wirtschaftsgeschichte (1966/II) S. 96 ff. – PETER HEUMOS, Agrarische Interessen und nationale Politik in Böhmen 1848–1889. Sozialökonomische und organisatorische Entstehungsbedingungen der tschechischen Bauernbewegung. Wiesbaden 1979 – ALFRED HOFFMANN, Das Kaisertum Österreich als Agrarstaat im Zeitalter des Neoabsolutismus (1849–1867). In: Wirtschaftliche und soziale Strukturen im säkularen Wandel, Bd. III, Wirtschaft u. Ges. i. d. Zeit d. Industrialisierung. Fs. W. Abel (Hannover 1974) S. 578 ff. – ALFRED HOFFMANN, Österreich-Ungarn als Agrarstaat. Wirtschaftliches Wachstum und Agrarverhältnisse in Österreich im 19. Jahrhundert. Wien 1978 – KARL TH. INAMA-STERNEGG, Die landwirtschaftlichen Arbeiter und deren Löhne in den im Reichsrathe vertretenen Königreichen und Ländern. In: Statistische Monatsschrift XXI (1895) S. 319–359 – TIBOR KOLOSSA, Beiträge zur Verteilung und Zusammensetzung des Agrarproletariats in der Österreichisch-Ungarischen Monarchie (1900) (= Studien zur Geschichte der Österr.-Ungar. Monarchie = Studia Historica 51). Budapest 1961, S. 239–265 – TIBOR KOLOSSA, Statistische Untersuchung der sozialen Struktur der Agrarbevölkerung in den Ländern der österreichisch-ungarischen Monarchie (um 1900). In: Die Agrarfrage in der Österr.-Ungar. Monarchie (1965) S. 79–172 – MICHAEL MITTERAUER (Hg.), Kreuztragen. Drei Frauenleben. Wien–Köln–Graz 1984 – HUGO MORGENSTERN, Gesindewesen und Gesinderecht in Österreich. Wien 1902 – FERDINAND PANTZ, Die Bauernlegung in den Alpentälern Niederösterreichs. Agrarpolitische Erhebungen und Reformvorschläge. Wien 1905 – ROMAN SANDGRUBER, Die Agrarrevolution in Österreich. Ertragssteigerung und Kommerzialisierung der landwirtsch. Produktion im 18. und 19. Jahrhundert. In: HOFFMANN, Agrarstaat, S. 195 ff. – ROMAN SANDGRUBER, Österreichische Agrarstatistik 1750–1918. Wien 1978 – ROMAN SANDGRUBER, Die Anfänge der Konsumgesellschaft. Wien 1982 – WALTER SCHIFF, Österreichs Agrarpolitik seit der Grundentlastung, I/2. Tübingen 1898 – KARL SCHMIDT, Gutsübergabe und Ausgedinge. Eine agrarpolitische Untersuchung mit besonderer Berücksichtigung der Alpen- und Sudentenländer I. Wien–Leipzig 1920 – HERMANN v. SCHULLERN-SCHRATTENHOFEN, Die Lohnarbeit in der österreichischen Landwirtschaft und ihre Verhältnisse. In: Zeitschrift für Volkswirtschaft, Socialpolitik und Verwaltung 5 (1896) – KARL UITZ, Der Rückgang des bäuerlichen Besitztums in den Alpenländern, seine wichtigsten Ursachen und die Mittel zu seiner Bekämpfung. In: Zeitschrift für Volkswirtschaft, Sozialpolitik und Verwaltung 24 (1915).

Alois Mosser

DIE WIRTSCHAFT IM HABSBURGERREICH

Das gewaltsame Ende der österreichisch-ungarischen Monarchie schien vielen eine Bestätigung der Anschauung von der Lebensuntüchtigkeit des Habsburgerreiches. Auch die in der Zwischenkriegszeit geführte Diskussion um die Zulänglichkeit der existentiellen Grundlagen einiger Nachfolgestaaten mag diese Meinung gefördert haben. Der Untergang des Reiches erwies sich nicht so sehr als Werk äußerer Kräfte im Umfeld des Ersten Weltkrieges, sondern vielmehr als im Inneren des Staates grundgelegt und somit unausbleiblich. Daß jedoch viele der strukturellen Eigenarten des Vielvölkerstaates destabilisierend und letztlich zerstörend wirkten, war für viele Zeitgenossen wie Historiker eine Folge des mangelhaften wirtschaftlichen Aufschwungs. Die überspitzte Formulierung von GEORGE MACESICH, mit der Wirtschaftseinheit Österreich-Ungarns sei etwas zerschlagen worden, was es niemals gegeben habe, ist kennzeichnend für diese Anschauung.

Dagegen stehen allerdings Aussagen über die beachtliche Entwicklung der Wirtschaft der Donaumonarchie; so schrieb noch 1947 der angesehene Nationalökonom FRIEDRICH HERTZ, daß kein ernstzunehmender Ökonom oder verantwortungsbewußter Politiker auch nur im Traum daran gedacht hätte, die Zerschlagung dieser Wirtschaftseinheit zu fordern.

Die Frage der „Angemessenheit" des wirtschaftlichen Fortschritts, bzw. dessen Anteil am politischen Schicksal des Habsburgerreiches ist auch heute noch umstritten. Die kontroversen Aussagen hierüber sind häufig die Folge vorweggenommener Gewichtungen der die Entwicklung vermeintlich steuernden Faktoren. Neuere Forschungen haben jedoch unser empirisch abgesichertes Wissen vermehrt, mit dessen Hilfe manche der aufgestellten Hypothesen überprüfbar geworden sind. Welche Rolle spielte nun die Wirtschaft in der Spätphase der imperialen Macht Habsburgs?

DIE DONAUMONARCHIE ALS WIRTSCHAFTSRAUM

Die politisch-historische Raumbildung der Donaumonarchie zeigt wenig Abhängigkeit von der geographischen Raumgliederung, die Grenzen des Staates verliefen nicht entlang der Trennlinien der großen Landschaftszonen. Der Anteil Österreich-Ungarns an verschiedenen Natur- und Kulturräumen wurde seit jeher als schicksalhaft und von vielen Historikern als die tiefere Ursache für das Scheitern der Bemühungen um einen lebensfähigen Staat empfunden. Es kursierte das Schlagwort von der „zentrifugalen Gliederung" des Staatsgebietes, dessen Teile sich nicht um das Zentrum lagerten, sondern tief in das umliegende Ausland hineinreichten, wohin auch das wirtschaftliche und kulturelle Leben ausgerichtet war.

Tatsächlich baute die Habsburgermonarchie auf strukturellen Gegebenheiten auf, welche den wirtschaftlichen und politischen Integrationsvorgang wesentlich erschwerten. Die Frage ist jedoch, ob sie ihn und damit den Wandel zu einem modernen Staat, wie er von den westlichen Nationen vollzogen wurde, verhinderten.

Als gewichtiges Hindernis ist die mangelnde funktionale Verflechtung zwischen Zentrum und Peripherie zu nennen. Das Donaubecken konnte nicht die Bedeutung eines wirtschaftlichen Zentralraumes für das gesamte Staatsgebiet erlangen. Aufgrund der geophysikalischen Beschaffenheit tendierten viele Kronländer zu ausländischen Märkten. Die Hauptverkehrswege der Böhmischen Länder waren nach Norden ausgerichtet und bewirkten eine Orientierung der Industrie an den deutschen Wirtschaftszentren, die Karpatenländer Galizien und Bukowina befanden sich stärker mit Ungarn als mit den österreichischen Teilen der Monarchie im Güteraustausch. Auch die Küstenländer waren isoliert, es fehlte das erschlossene Hinterland für Industrieansiedlungen großen Stils, so daß auch den Seehäfen im europäischen Vergleich eine bescheidene Rolle zukam. Im Westen des Habsburgerstaates waren Vorarlberg und Tirol in den schweizerischen und süddeutschen Markt integriert und konnten von der heimischen Industrie als Absatzgebiete kaum behauptet werden.

Die vielfältige Zergliederung der Donaumonarchie durch die Berg- und Hügelketten der Alpen, Karpaten, Sudeten und des Karstes erschwerte den Landtransport und die Marktverflechtung. Auch die wichtigen natürlichen Wasserstraßen verstärkten die Handelsbeziehungen mit dem Ausland wie die Elbe oder konnten wie die Donau nur unzulänglich Ersatz für mangelnde Verkehrsverbindungen im Inneren des Reiches bieten. Insgesamt kamen in Österreich-Ungarn vor dem Ersten Weltkrieg etwa 105 Quadratkilometer Bodenfläche auf einen Kilometer schiffbare Wasserstraße, in Großbritannien, Deutschland oder Frankreich war es nur 30 bis 40. Das Fehlen eines für den Wirtschaftsverkehr geeigneten Wasserstraßennetzes erhöhte die Frachtkosten und verminderte die Konkurrenzfähigkeit der heimischen Produkte. Dazu kam noch die ausgeprägte Streulage der natürlichen Ressourcen, der Roh- und Hilfsstoffe für die industrielle Produktion. Die Prager Eisenindustriegesellschaft verarbeitete niederschlesischen Koks und die Oesterreichische-Alpine Montangesellschaft war gezwungen, die notwendigen Brennmaterialien aus Deutschland und aus dem Ostrauer Revier (Mähren) heranzuschaffen; in beiden Fällen überstiegen die Frachtkosten den Kokswert. Der österreichische Industrielle Alexander von Engel klagte 1907, daß die Holzfracht von Amerika nach Triest weniger koste als vom benachbarten Kärnten.

Neben Lage und Oberflächengestalt der Monarchie erhöhten gesellschaftliche und kulturelle Eigenheiten der Kronländer die Raumabhängigkeit der Produktionsbetriebe. Vor allem die regional äußerst unterschiedlichen Arbeitsmarktverhältnisse und Konsumgewohnheiten standen einer großbetrieblichen Entwicklung und Massenproduktion im Wege. Der aufkeimende Nationalitätenhader verwandelte zudem Unterschiede in Gegensätze, die das überkommene Ökosystem perpetuierten und den Modernisierungsprozeß hemmten.

Bei aller grundsätzlichen Gegebenheit der angeführten topographischen Hindernisse nahm jedoch ihre Wirksamkeit seit der Mitte des 19. Jahrhunderts merklich ab. Einer der wesentlichsten Gründe ist der Ausbau des Eisenbahnnetzes, das 1880 in seinen Hauptlinien feststand und auch die entlegenen Provinzen im Westen und Osten des Reiches untereinander und mit den Zentralräumen um Wien, Prag und Budapest verband. Durch Anfügen von Nebenbahnen und Steigerung der Kapazität der Hauptstrecken wurde in den folgenden Jahrzehnten die Raumerschließung vorangetrieben; besonders in den östlichen Teilen der Monarchie kam erst mit den Zubringerbahnen die integrative Funktion der Hauptbahnen zum Tragen. Vor dem Ersten Weltkrieg erfüllten die Eisenbahnen der Donaumonarchie weitgehend die Aufgabe der Versorgung regionaler Märkte und deren Einbindung in die großen Handelsströme. Selbst in den wirtschaftlich rückständigen Regionen wie Siebenbürgen oder Kroatien-Slawonien entfielen auf 100.000 Einwohner 96 bzw. 82 Eisenbahnkilometer. In den selbständigen Balkanstaaten Rumänien, Bulgarien und Serbien lagen die Vergleichswerte zwischen 30 und 50 Kilometer.

So augenscheinlich die Bedeutung des Eisenbahnbaues für die Bildung eines einheitlichen Wirtschaftsraumes auch ist, diese Tatsache reicht nicht aus, um die fortschreitende Integration des nationalen Marktes für Güter und Produktionsfaktoren unter Beweis zu stellen.

Dieser Frage nach weiteren Anzeigern der Integrationstendenz ist im neueren historischen Schrifttum vor allem David Good nachgegangen. Er verweist dabei auf die angesichts der bereits erwähnten starken Auslandsorientierung mehrerer Randprovinzen überraschend niedrige Außenhandelsverflechtung der Habsburgermonarchie, was auf hohe Komplementarität der heimischen Güter- und Faktorströme schließen läßt. So exportierten vor Ausbruch des Ersten Weltkrieges die europäischen Staaten im Schnitt 12,3 Prozent ihres Bruttosozialproduktes, bei Österreich-Ungarn betrug der Anteil rund 7 Prozent. Insgesamt war die Handelsbilanz der Monarchie bei Agrarprodukten und Rohstoffen positiv, jedoch negativ bei Fertigwaren.

Die geringe Beteiligung am internationalen Handel fand tatsächlich ihr Gegenstück im intensiven Warenverkehr zwischen der österreichischen und der ungarischen Reichshälfte der Doppelmonarchie. Die unter Berücksichtigung der natürlichen Ressourcen wie der historischen Entwicklung schon von Maria Theresia in den „Operationsplänen“ vorgesehene regionale Spezialisierung zwischen westlichen Industrie- und östlichen Agrarländern behielt auch im 19. Jahrhundert und nach dem 1867 geschlossenen Ausgleich ihre Gültigkeit. Wie Berechnungen ergaben, stieg die gegenseitige Abhängigkeit der österreichischen und ungarischen Länder während der drei Jahrzehnte des wirtschaftlichen Aufschwungs vor dem Ersten Weltkrieg weiter an. Zwischen 1884 und 1913 erhöhte sich der nach Cisleithanien gerichtete Teil des ungarischen Exports von 71,7 auf 74,1 Prozent. Über vier Fünftel der von Ungarn ausgeführten Agrarprodukte gingen nach Österreich. Die österreichischen Länder waren vom ungarischen Markt zwar in geringerem Maße abhängig, immerhin betrug der Anteil Ungarns am österreichischen Export bei steigender Tendenz an die zwei Fünftel, bei einigen Warengruppen lag er wesentlich höher, so bei Textilien, von denen um die Mitte der achtziger Jahre 65 Prozent und vor dem Krieg noch 58,7 Prozent auf ungarischen Märkten verkauft wurden.

Eine tiefergehende, die Bedeutung der einzelnen Kronländer auslotende Aufgliederung des Warenverkehrs ist mangels Daten nicht möglich. David Good verwendete jedoch die Preise auf den regionalen Märkten für Güter und Produktionsfaktoren als Integrationsanzeiger. Bei voneinander isolierten Märkten weichen die Preise derselben Waren und Faktorleistungen stark voneinander ab, so lange, als die Ursachen der Isolierung (Zölle, mangelnde Verkehrsverbindungen und Kommunikationseinrichtungen) ihre Wirksamkeit behalten. Ihre Beseitigung ermöglicht den Austausch von Gütern und Leistungen und im entstehenden Wettbewerbsdruck gleichen sich die interregionalen Preise an. Die Untersuchung der Preisstreuung bei Weizen, Rindfleisch und Wein in verschiedenen Städten Österreich-Ungarns läßt einen spätestens mit den sechziger Jahren einsetzenden Angleichungsprozeß erkennen, der einerseits bis zum

Ersten Weltkrieg anhielt, andererseits in seinem Verlauf mit den Phasen des Eisenbahnbaues übereinstimmte. Der Abbau der regionalen Preisunterschiede entsprach dem regionalen Ausbau des Eisenbahnnetzes.

Ähnliche Beobachtungen machte DAVID GOOD bezüglich der Entwicklung der Faktormärkte. So gibt es untrügliche Anzeichen für eine Vereinheitlichung des Kapitalmarktes. Obwohl erhebliche regionale Abweichungen bei den kurzfristigen Zinssätzen typisch für die gesamte Periode von 1873 bis 1913 sind, zeichnet sich folgender Trend ab: Nach markanter Streuung in den siebziger Jahren folgte eine Periode zunächst rascher, dann sich verlangsamender Angleichung der Zinssätze bis 1906, worauf die Streuung der Werte bis zum Kriegsausbruch wieder leicht zunahm. Im Vergleich mit Österreich läßt die ungarische Reichshälfte eine Überzeichnung des Trends vor allem bis 1900 erkennen. Der Gesamttrend weist auf eine wachsende Vereinheitlichung des Kapitalmarktes hin.

Für diese Anschauung spricht auch der Ausbau des Kreditapparates in Österreich-Ungarn. Die Oesterreichische Nationalbank und die Großbanken in Wien, dem Finanzzentrum der Monarchie, sowie die großen Bankinstitute in Prag und Budapest schufen ein allmählich auch die wirtschaftlich rückständigen Randgebiete des Reiches erfassendes Filialnetz, über das ein immer größer werdender Teil des gesamten Kreditgeschäftes abgewickelt wurde.

Die Nationalbank verfügte bereits um 1890 über ein das Staatsgebiet abdeckendes Zweigstellennetz, das bis zum Kriegsausbruch stetig verdichtet wurde. Von den großen Wiener Aktienbanken war es vor allem die Creditanstalt für Handel und Gewerbe, die in allen Teilen des Reiches Filialen einrichtete. Die anderen Institute folgten bis zur Jahrhundertwende nur zögernd diesem Beispiel; dann beschleunigte sich der Ausbau: Nach GOOD wurden von 1899 bis 1909 von den Wiener Großbanken 43 Zweigstellen errichtet, in den vier folgenden Jahren jedoch 67.

Mit der wachsenden wirtschaftlichen Bedeutung der Böhmischen Länder entwickelte sich Prag zum zweiten Finanzzentrum der Monarchie. Die Aktienbanken, allen voran die 1868 gegründete Živnostenká banka (Gewerbebank) schufen gleich den Wiener Instituten Filialen, bis zur Jahrhundertwende vor allem in den industriellen Ballungsgebieten, danach auch in den agrarischen Regionen im Osten und Südosten des Reiches.

Der ungarische Kapitalmarkt ähnelte strukturell dem österreichischen. Die großen Investitionen wurden von wenigen Großbanken gesteuert, die insgesamt mehr als die Hälfte aller Kredite flüssig machten. Österreichischem Kapital kam dabei eine tragende Rolle zu.

Man schätzt, daß bis zur Jahrhundertwende etwa vier Fünftel der Kapitalbeteiligungen Österreichs auf Ungarn entfielen. Die Abhängigkeit Ungarns verringerte sich allerdings seit der Errichtung der Doppelmonarchie 1867 stetig. Wurden damals etwa 60 Prozent des Kapitalbedarfes von nichtheimischen Investoren gedeckt, dürfte dieser Anteil in der Periode von 1900 bis 1913 auf 40 Prozent zurückgegangen sein. Auch die großen ungarischen Bankinstitute errichteten ein dichtes Filialnetz, dessen Geschäftsvolumen wesentlich rascher wuchs als das der Zentralen.

Auch die Entwicklung des Arbeitsmarktes läßt bei aller Vorsicht Tendenzen einer monarchieweiten Vereinheitlichung erkennen. Länder mit hohem Pro-Kopf-Einkommen wie Niederösterreich verzeichneten Wanderungsgewinne, während aus den Gebieten mit dem niedrigsten Durchschnittseinkommen (Galizien, Bukowina, Dalmatien) eine starke Abwanderung einsetzte. Dies führte zu einer Angleichung der Löhne, nämlich einem Rückgang der Relativlöhne in den traditionellen Hochlohngebieten (Teile Niederösterreichs, Salzburgs und der Steiermark) zugunsten jener in den Niedriglohngebieten um Prag, Brünn, Lemberg oder Triest. Nach den Berechnungen von DAVID GOOD verringerten sich die Lohnunterschiede in Österreich-Ungarn vor allem zwischen den frühen neunziger Jahren und 1913.

Aus all dem Gesagten tritt doch eines deutlich zutage: Die Ungunst der Lage wie der geophysischen Beschaffenheit des Staatsgebietes, die Vielgestaltigkeit der Kultur- und Lebensräume verhinderten nicht einen vor allem seit den neunziger Jahren sich beschleunigenden Integrationsprozeß, der auch die wirtschaftlich rückständigen Randgebiete erfaßte und ihre Position im Gesamtreich verbesserte.

STRUKTUR UND WACHSTUM DER WIRTSCHAFT

Gleichzeitig mit der Vereinheitlichung des Wirtschaftsraumes wuchsen die Wirtschaftskräfte der Doppelmonarchie beträchtlich an.

Schätzungen von PAUL BAIROCH und ANTON KAUSEL zufolge erhöhte sich in der Habsburgermonarchie zwischen 1870 und 1913 das reale Bruttosozialprodukt pro Einwohner um 86 Prozent, was einer jährlichen Zuwachsrate von 1,45 Prozent entspricht. In den vier Jahrzehnten davor (1830 bis 1870) hatte die Wertschöpfung insgesamt um 22 Prozent, also nur um ein halbes Prozent jährlich zugenommen. Durch diese Zahlen wird eine Wachstumsbeschleunigung der Wirtschaft in Österreich-Ungarn seit dem Ausgleich deutlich signalisiert.

Diese Entwicklung veränderte auch die Stellung der Donaumonarchie unter den europäischen Nationen. War sie bis in die siebziger Jahre vor allem gegenüber den westeuropäischen Industrieländern, aber auch gegenüber den deutschen Staaten, der Schweiz und Norwegen zusehends in wirtschaftlichen Rückstand geraten, so wurde sie im anschließenden Aufschwung an Wachstumsdynamik nur vom Deutschen Reich, von Schweden und Dänemark übertroffen. Berücksichtigt man zudem das Entwicklungsgefälle innerhalb der Monarchie, so scheint die Annahme berechtigt, daß die höher entwickelten westlichen Kronländer bis zum Ausbruch des Ersten Weltkrieges den aus der frühindustriellen Periode herrührenden Rückstand aufgeholt oder zumindest beträchtlich verringert hatten. Entsprechend den von ANTON KAUSEL durchgeführten Berechnungen hätte das Gebiet der späteren Republik Österreich im Jahre 1913 den Entwicklungsstand von Frankreich innegehabt.

Während, wie bereits angeführt, die Habsburgermonarchie in der Periode von 1870 bis 1913 ein wirtschaftliches Wachstum von 1,45 Prozent im Jahresdurchschnitt verzeichnete und damit einen Spitzenplatz unter den europäischen Staaten einnahm, lag der Vergleichswert für die österreichische Reichshälfte (Cisleithanien) tiefer, nämlich bei 1,32 Prozent. Das bedeutet, daß in diesem Zeitraum die ungarische Reichshälfte (Transleithanien) ein relativ rasches Wachstum durchschritten haben muß. Obwohl die

WIRTSCHAFTSWACHSTUM EUROPÄISCHER NATIONEN 1830–1913
REALES BRUTTOSOZIALPRODUKT PRO KOPF

Republik Österreich = 100

	1830	1870	1880	1890	1900	1910	1913	durchschnittliches Jahreswachstum in Prozenten 1870–1913
Republik Österreich	100	100	100	100	100	100	100	1,46
Österreichische Reichshälfte	73	65	65	64	61	63	62	1,32
Österreich-Ungarn	60	55	?	?	?	?	55	1,45
Deutsches Reich	90	107	108	113	113	110	109	1,51
Frankreich	96	120	113	108	107	106	101	1,06
Großbritannien (mit Irland)	126	172	166	165	156	141	142	1,00
Italien	97	85	76	65	59	57	65	0,81
Holland	127	139	133	123	109	110	111	0,93
Schweiz	101	150	165	148	139	139	142	1,32
Schweden	71	67	74	75	80	92	100	2,39
Dänemark	76	93	97	105	112	115	127	2,19
Norwegen	102	115	113	110	102	105	110	1,35
Rußland	62	68	55	38	44	45	48	0,62

Quellen: PAUL BAIROCH, Europe's National Product: 1800–1975. The Journal of European Economic History 5 (1976) S. 286; ANTON KAUSEL, Österreichs Volkseinkommen 1830 bis 1913. In: Geschichte und Ergebnisse der zentralen amtlichen Statistik in Österreich 1829–1979. Wien 1979, S. 715.

entsprechenden Vergleichsdaten fehlen, finden sich im überlieferten Material zahlreiche Hinweise auf die Richtigkeit dieser Vermutung.

Berechnungen ungarischer Historiker ergaben für den Zeitraum von 1850 bis 1911/1913 bei Ausschaltung der Dienstleistungen eine Steigerung des Bruttosozialproduktes auf das 6,63fache in Österreich, in Ungarn jedoch auf das 8,67fache. Damit vergrößerte Ungarn auch seinen Anteil an der gemeinsamen Wertschöpfung von 30 auf 36,4 Prozent. Die dadurch bewirkte Verbesserung seiner wirtschaftlichen Position innerhalb des Gesamtreiches darf nicht über den nach wie vor gegebenen absoluten Rückstand gegenüber Österreich hinwegtäuschen, wenn sich dieser auch erheblich verkleinert haben dürfte. Derselben Quelle zufolge überschritt das in Cisleithanien pro Kopf erwirtschaftete Sozialprodukt im Jahre 1913 den für Transleithanien geschätzten Wert um 34 Prozent, 1850 waren es jedoch 73 Prozent gewesen.

Für den Zeitraum von 1867 bzw. 1870 bis 1913 liegen Berechnungen des insgesamt und des pro Beschäftigten erzielten Sozialproduktes sowohl für die ungarische als auch für die österreichische Reichshälfte vor; die Dienstleistungen bleiben allerdings wieder ausgeklammert. Die ermittelten Daten zeigen an, daß das an der Zahl der Erwerbstätigen gemessene Sozialprodukt in Ungarn von 1867 bis 1913 um 1,8 Prozent im Jahr anwuchs; Österreich erzielte im Zeitraum von 1870 bis 1913 eine jährliche Steigerung von 1,49 Prozent. Gemessen an den jeweiligen Basiswerten bedeutete dies eine Erhöhung der Produktivität in Ungarn um 125 Prozent, in Österreich um 87 Prozent.

An dieser Entwicklung waren die einzelnen Sektoren der Wirtschaft in unterschiedlicher Weise beteiligt. Nach Laszlo Katus trugen vor dem Ersten Weltkrieg zum ungarischen Volkseinkommen der primäre Sektor (Land- und Forstwirtschaft) 56 Prozent, der sekundäre Sektor (Gewerbe und Industrie) 30,4 und der tertiäre Sektor (Handel und Verkehr, aber ohne Dienstleistungen) 13,6 Prozent bei. Im Jahre 1867 lautete die Verteilung 81,1, 13,6 und 5,3 Prozent.

Dem Trend nach verlief die Entwicklung in der österreichischen Reichshälfte ähnlich. Bei Verwertung der von Anton Kausel erstellten Daten und gleicher Zusammensetzung der Sektoren waren zwischen 1870 und 1913 der Beitrag der Landwirtschaft von 46,5 auf 26,6 Prozent zurückgegangen, der der Industrie von 34,8 auf 50,5 und auch jener von Handel und Verkehr von 18,7 auf 22,9 Prozent angestiegen. Obwohl sich in beiden Reichsteilen die sektoralen Anteile in der gleichen Richtung entwickelten, blieb in Ungarn die Landwirtschaft bis zum Ersten Weltkrieg vorherr-

Die Schuckert-Werke in Wien, 1902. Siemens-Archiv

schend; in Österreich ist dagegen die Industrie zur führenden Wirtschaftskraft aufgestiegen. Der Erste Weltkrieg beendete den Aufholprozeß der ungarischen Wirtschaft gegenüber Österreich sowie jenen der Habsburgermonarchie gegenüber den westlichen Industriestaaten.

Wirtschaftliches Wachstum ging jedoch nicht nur mit einer Schwergewichtsverlagerung der Produktivkräfte vor allem zur Industrie einher, sondern auch innerhalb dieses Sektors vollzogen sich markante strukturelle Veränderungen. In der österreichischen Reichshälfte verlor die Textilerzeugung, die 1880 und vermutlich noch um die Jahrhundertwende ein Drittel zur industriellen Wertschöpfung beigetragen hatte, in der Folge schrittweise ihre führende Position; bis zum Ausbruch des Ersten Weltkrieges schrumpfte ihr Anteil auf ein Viertel zusammen, wodurch sie hinter die Nahrungsmittelindustrie zurückfiel. Das stärkste Branchenwachstum verzeichnete der Maschinenbau, der seinen Beitrag zur Industrieproduktion von 4,3 Prozent im Jahre 1880 auf 10,8 Prozent des Durchschnitts der letzten drei Vorkriegsjahre erhöhte. Gereiht nach der Intensität ihres Wachstums sind weiters die chemische Industrie, die Holzverarbeitung und Papiererzeugung sowie die Eisen- und Stahlindustrie zu nennen. Parallel zu diesen strukturellen Veränderungen stieg der absolute Wert der industriellen Güterproduktion nominell auf mehr als das Vierfache an.

In Transleithanien wurde der Aufschwung der Industrie von noch einschneidenderen Verlagerungen in der Branchenstruktur begleitet. So büßte die Mühlenindustrie im Zuge des wirtschaftlichen Aufschwungs vor dem Ersten Weltkrieg ihre beherrschende Stellung ein; neueren Schätzungen zufolge dürften noch in den sechziger Jahren bis zu drei Viertel der industriellen Wertschöpfung auf diesen Zweig entfallen sein, 1911 bis 1913 könnte der Anteil nur mehr gut ein Drittel betragen haben. Von größerer Bedeutung war nun der Eisensektor, der um 1865 nur etwa 30 Prozent des Produktionswertes der Mühlenindustrie repräsentierte. Die im Gegensatz zu Österreich für die Anfänge der Industrialisierung relativ bedeutungslose Textilindustrie erstarkte während des wirtschaftlichen Aufschwungs und trug vor dem Ersten Weltkrieg drei- bis viermal so viel zur Wertschöpfung bei als in den sechziger Jahren. Durch hohe Wachstumsquoten zeichnete sich auch die Zuckererzeugung aus, die zu den führenden Industriebranchen vor dem Krieg gezählt werden muß.

Wachstum und Strukturwandel der Wirtschaft prägten auch die regionale Entwicklungsdynamik in der Habsburgermonarchie. Frühindustrielle Technologien der Güterproduktion, der Energiegewinnung und Wärmeübertragung begünstigten eine dezentralisierte Betriebsstruktur mit kleinen Produktionseinheiten bei „integriertem" Standort, d. h. ausreichender Nahversorgung mit Roh- und Hilfsstoffen sowie Arbeitskräften. Auf diesen Voraussetzungen beruhte bis in das frühe 19. Jahrhundert die Wohlhabenheit der alpenländischen Gewerbe, die in den nördlichen und südlichen Mittelgebirgsregionen Ober- und Niederösterreichs, Kärntens und der Steiermark ihren Standort hatten. In diesen Ländern waren im 18. Jahrhundert etwa drei Viertel der Gesamtkapazität der Eisenerzeugung und -verarbeitung der Monarchie vereinigt; Niederösterreich war durch seine relativ günstige Verkehrslage zum industriereichsten Kronland geworden, das um 1790 die Hälfte aller österreichischen Manufakturen (Fabriken) besaß. Die Nähe zur Residenzstadt Wien, dem größten Konsumzentrum der Monarchie, förderte die Agglomeration von Gewerbebetrieben aller Art.

Um die Mitte des 19. Jahrhunderts trat eine Verlagerung des industriellen Schwerpunktes von den Alpenländern in die böhmischen Länder ein, deren Ursache einerseits in modernen Technologien der Massenproduktion und Energiegewinnung, andererseits in Veränderungen der internationalen Warenströme und Rohstoffmärkte lag. So machte die Erfindung des Thomas-Verfahrens die Verhüttung der ausgedehnten, phosphorhältigen böhmischen Erzlager möglich. Von besonderer Bedeutung war der Übergang zur mineralischen Kohle als dem Hauptenergieträger, über den die böhmischen Länder im Überfluß verfügten. In den Alpenländern gab es keine nennenswerten Steinkohlevorkommen, die vorhandene Braunkohle war wenig zur Verkokung geeignet. Die über die Atlantikroute und den Elbeweg in die böhmischen Industriezentren herangeführten Roh- und Hilfsstoffe waren mit geringeren Transportkosten belastet als jene, die aus den Mittelmeerländern über Triest in die Alpenländer verfrachtet wurden. Gewisse bleibende Vorteile besaßen die traditionellen Industrieregionen auf dem Arbeitsmarkt; das Vorhandensein und der durch ein höheres Lohnniveau stete Zuzug qualifizierter Fachkräfte schufen der alpenländischen Finalindustrie günstige Bedingungen, welche die angeführten Standortnachteile zum Teil wettmachten. So verringerte sich z. B. im Maschinenbau der Anteil der böhmischen Länder an der österreichischen Produktion zwischen 1880 und 1910 nach Schätzungen von Richard Rudolph von 53,5 auf 47,9 Prozent. Im gleichen Zeitraum erhöhte sich der Beitrag Böhmens im Eisenerzbergbau von 10,8 auf 32,9 Prozent und jener der eisenschaffenden Industrie von 36,8 auf 57,9 Prozent. Vor dem Ersten Weltkrieg entfielen auf die Sudetenländer 85 Prozent der Kohleproduktion, 70 Prozent der chemischen Erzeugung, 94 Prozent der Zuckerraffinade und an die drei Viertel der Textilproduktion.

Der um die Mitte des 19. Jahrhunderts sich anbahnende Führungswechsel im Wirtschaftswachstum Cisleithaniens von den Alpen- zu den Sudetenländern schuf auch wesentliche Grundvoraussetzungen für eine Ausbreitung der Entwicklungsdynamik auf die östlichen Kronländer Galizien und Bukowina. Während diese Gebiete bis in die achtziger Jahre auf vorindustriellem Status verharrten, konnten sie in den folgenden drei Jahrzehnten ihren Beitrag zur industriellen Wertschöpfung der österreichischen Reichshälfte von 4,6 auf 8,7 Prozent beinahe verdoppeln.

Budapest, Újpester Kanal, um 1900

Auch die südlichen Länder Krain und die Küstenregionen Görz, Istrien, Triest und Dalmatien wurden etwa ab 1890 von der Ausbreitung des Wirtschaftswachstums in die Randgebiete des Reiches erfaßt; ähnlich den Karpatenländern (Galizien und Bukowina) erhöhte sich auch ihr Anteil an der Industrieproduktion um etwa 100 Prozent.

Ausgeprägte Entwicklungsrückstände und ein zwischen 1880 und 1890 einsetzender Aufholprozeß der Peripherie zeichnen auch die ungarische Reichshälfte der Habsburgermonarchie aus. In den höher entwickelten Regionen Ungarns im Westen beiderseits der Donau und im nördlichen Teil des Donau-Theiß-Beckens um Budapest setzte wirtschaftliches Wachstum bereits um 1840 ein. Von diesen Kerngebieten der Industrie griff es allmählich nach Innerungarn, Kroatien-Slawonien und in die Agrargebiete des Ostens bis nach Siebenbürgen aus. David Good wies darauf hin, daß diese Entwicklung der regionalen Übertragung wirtschaftlichen Wachstums bei zunehmender Führerrolle der Industrie „dem zeitlichen Verlauf der Ausbreitung von Eisenbahn und Kreditapparat" entsprach.

Diese Ausbreitungseffekte, für die weitere Indikatoren (Pro-Kopf-Einkommen, Sparneigung, Schulbildung und berufliche Ausbildung) gefunden werden können, sind aber nicht als Teil oder Folge eines autonom sich vollziehenden ökonomischen Prozesses ausreichend zu erklären. Zugrunde lagen auch wirtschaftspolitische Bemühungen, die eingangs zitierten zentrifugalen Kräfte zu überwinden und die Randgebiete an die wirtschaftlichen und kulturellen Zentren des Reiches zu binden. Nicht selten standen politische Beweggründe am Anfang; so war es die erklärte Absicht von Ministerpräsident Ernest von Koerber, durch Wirtschaftsförderung einerseits den Weg aus dem konjunkturellen Tief der Jahrhundertwende zu finden (siehe das folgende Kapitel), andererseits der im Nationalitätenstreit zu zerbrechen drohenden politischen Einheit eine Stütze zu bieten.

Durch die neuere wissenschaftliche Forschung ist man heute in der Lage, ein ausgewogenes Urteil über die wirtschaftlichen Folgen des Ausgleichs 1867 oder über das Verhältnis der rückständigen Randgebiete des Reiches zu den jeweiligen Zentralregionen abzugeben. Auch wer den verschiedenen politischen Absichtserklärungen und Wirtschaftsprogrammen skeptisch gegenübersteht, wird anhand des sich trendmäßig immer deutlicher abzeichnenden Wachstumsverlaufs und seiner regionalen Ausbreitung die Ende der siebziger Jahre einsetzende und mit der Jahrhundertwende sich beschleunigende wirtschaftliche Integration des Gesamtreiches feststellen. Ein Blick über die Grenzen des Vielvölkerstaates bestärkt diese Vermutung. In bezug auf das vom Nordwesten in den Südosten Europas verlaufende kontinentale Entwicklungsgefälle blieb die Donaumonarchie mit ihrer Wirtschaftsleistung keinesfalls hinter vergleichbaren Nationen zurück; im Gegenteil, es mehren sich die Anzeichen, daß die im Habsburgerstaat vereinigten Regionen teilweise einen Entwicklungsvorsprung gegenüber ähnlich situierten Ländern erzielten. Vor dem Ersten Weltkrieg verzeichneten die höher entwickelten westlichen Kronländer eine den traditionellen Industriestaaten wie etwa Frankreich vergleichbare Leistungsstärke ihrer Wirtschaft und die zuletzt vom Wirtschaftswachstum erfaßten östlichen Provinzen einen deutlichen Entwicklungsvorsprung gegenüber den benachbarten selbständigen Staaten Rumänien, Bulgarien oder Serbien. Die wissenschaftliche Aufarbeitung dieser Probleme ist noch nicht weit genug vorangekommen, um die heikle Frage nach allfälligen Verbindungen zwischen wirtschaftlicher Entwicklung und politischem Zusammenbruch des Habsburgerreiches eindeutig beantworten zu können; der pauschale Verweis auf Rückständigkeit und Strukturmängel ist jedoch nicht mehr zulässig.

DIE WECHSELLAGEN DER WIRTSCHAFT

Wirtschaftliche Entwicklung ist, wie schon die flüchtige Anschauung lehrt, kein steter Prozeß; vielmehr scheinen zyklische Schwankungen, ja Trendabbrüche und -umkehrungen das Merkmal wachsender Volkswirtschaften zu sein. Gerade der Blick auf die vergangenen zweihundert Jahre, in denen sich in Wirtschaft und Gesellschaft die Grundlagen der kapitalistischen Wirtschaftsform ausbildeten und einen in der Geschichte beispiellosen, aber von heftigen Erschütterungen begleiteten Wachstumsprozeß auslösten, bewog viele Historiker, die Ursachen der konjunkturellen Schwankungen im Systemcharakter des Kapitalismus selbst zu suchen. So vermeinte Nikolai Kondratieff, in den „langen Wellen" wirtschaftlicher

Fabriksanlagen in Prag, um 1884

Auf- und Abschwünge Phasen der inneren Krise des Kapitalismus und Phasen ihrer Überwindung zu erkennen. Doch auch ohne Anlehnung an ein vorgegebenes Entwicklungsmodell bemühten sich Theoretiker um die Aufdeckung der im Kapitalismus wirksamen ökonomischen Mechanismen. JOSEPH SCHUMPETER sah in der Unregelmäßigkeit der Erneuerung und Leistungssteigerung der Wirtschaftskräfte das letzthin entscheidende Moment; Innovationen treten schubweise auf und wirken leistungssteigernd. Ihre Wirksamkeit ist jedoch begrenzt, die Erträge werden sinken und die wirtschaftlichen Aktivitäten erlahmen, vielleicht sogar abnehmen, solange, bis durch günstige Voraussetzungen eine neue Welle von Innovationen entsteht und einen neuen Aufschwung herbeiführt.

Obwohl die Anschauung vom langfristig wellenförmigen Verlauf wirtschaftlicher Entwicklung in der volkswirtschaftlichen Theorie umstritten und keineswegs ausreichend begründet ist, fand sie in der historischen Forschung breite Anwendung. Angesichts der ausgeprägten wirtschaftlichen Wechsellagen, denen unschwer Änderungen im politischen System an die Seite gestellt werden können, scheint ihr eine hohe Plausibilität zuzukommen. Aus der Sicht der Habsburgermonarchie entspräche dem folgende Periodisierung:

Das Revolutionsjahr 1848, das die letzten feudalen Hemmnisse wirtschaftlichen Aufschwungs beseitigte, leitete die Epoche der Liberalisierung ein, die in den sieben Jahren der sogenannten „Gründerzeit“ (1866 bis 1873) ihre höchste Entfaltung, aber auch ein jähes Ende fand. Der am „Schwarzen Freitag" an der Wiener Börse eingetretene heftige Kursverlust bei den meisten freiverzinslichen Wertpapieren lähmte die Investoren und hielt in der Folgezeit die Banken vom Gründungsgeschäft ab. Diese Ereignisse hatten tiefe und bis in die Mitte der neunziger Jahre anhaltende Auswirkungen auf die öffentliche Meinung, die sich immer mehr von den so sichtlich diskreditierten Grundsätzen des Liberalismus abwandte; man forderte den aktiven Staat, der schützt, lenkt und kontrolliert. Mit 1896 ist jedoch wieder eine deutliche Belebung der Wirtschaft erkennbar, ausgelöst durch eine neue, von den Banken finanzierte Welle von Investitionen. Betriebserweiterungen und Neugründungen schufen die Grundlagen eines Aufschwungs, der die Habsburgermonarchie dem Entwicklungsniveau der führenden Industrienationen näherbringen sollte. Der Erste Weltkrieg beendete die intensivste der Wachstumsphasen in der Geschichte Österreich-Ungarns. Somit lassen sich drei Perioden der wirtschaftlichen Entwicklung voneinander abgrenzen: die des Aufschwungs von 1848 bis 1873, die der Depression und Stagnation von 1873 bis 1896 und jene des anschließenden abermaligen Aufschwungs.

Vieles an wesentlichen Merkmalen des säkularen Trends findet in dieser Beurteilung Ausdruck. Zur gesamtwirtschaftlichen wie auch einzelwirtschaftlichen Entwicklung verfügen wir heute jedoch über einen Datenbefund, der diese Periodisierung nur bedingt stützt und vor allem hinsichtlich der Trendwendepunkte andere Akzente setzt.

Die erwähnten Ereignisse an der Wiener Börse im Jahre 1873 stehen sicherlich am Beginn nachhaltiger struktureller Änderungen in den Bereichen Produktion, Absatz und Finanzierung. Das Erscheinungsbild der wirtschaftlichen Kontraktion ist jedoch häufig überzeichnet worden. Zu realen Schrumpfungen des Produktionsvolumens kam es nur in einigen Industriebranchen, nicht in der Landwirtschaft, im Handel und Verkehr und nur geringfügig bei den Dienstleistungen. Zudem scheinen diese Einbrüche von vorübergehender Natur gewesen zu sein. Industrie und Gewerbe verzeichneten nach den Berechnungen von Anton Kausel in den siebziger Jahren die zweithöchste Wachstumsrate aller Dezennien zwischen 1850 und 1910/13; nur im Jahrzehnt von 1880 bis 1890 lag die Quote noch höher. Auch in der Entwicklung von Handel und Verkehr liegt die Periode von 1870 bis 1890 an der Spitze. Der primäre Sektor erzielte in den siebziger Jahren das stärkste Wachstum, im achten Jahrzehnt das zweitstärkste.

Demnach ist anzunehmen, daß die wirtschaftliche Leistungssteigerung in den zwanzig Jahren zwischen 1870 und 1890 höher ausfiel als in den zwei Dezennien danach. Diese Grundaussage findet auch in den Schätzungen anderer Forscher ihre Bestätigung. David Good kam bei genauer Justierung der Berechnungen auf die traditionellen Trendperioden zu dem Ergebnis, daß 1873 bis 1896 die Industrieproduktion in der österreichischen Reichshälfte jährlich um 2,9 Prozent (pro Kopf waren es 2,1 Prozent) und 1896 bis 1913 um 2,8 Prozent (bzw. 1,9 Prozent pro Kopf) anstieg. Die Aufschwungsperiode vor dem Ersten Weltkrieg brachte also im Vergleich mit der vorangegangenen Phase der Depression keine Beschleunigung des Wachstums, sondern setzte es mit geringerer Intensität fort.

Wertvolle Hinweise bieten auch die jährlichen Abweichungen vom langfristigen Wachstumstrend, wie sie von David Good für die österreichische Industrieproduktion ermittelt wurden. Das Jahr 1896 tritt nicht als Trendwende hervor. Zwischen 1881 und 1900 liegen die Wachstumsquoten mit Ausnahme der Jahre 1887 und 1892 über dem Trend, in den Jahren 1901 bis 1905 jedoch darunter; danach nimmt die Intensität des Wachstums wieder zu.

Vieles deutet somit auf einen um die Jahrhundertwende eingetretenen Entwicklungsbruch hin, der angesichts der durch ihn hervorgerufenen Trendänderung nicht als vorübergehende Störung abgetan werden kann, sondern deutlich – wie die Jahre nach 1873 – einen Strukturwandel anzeigt.

Anzeichen eines solchen finden sich im politischen, wirtschaftlichen und kulturellen Leben der Zeit nicht wenige. Im Inneren wurde die Donaumonarchie durch eine dramatische Zuspitzung des Nationalitätenkonflikts erschüttert. Sprachenverordnungen und Verwaltungsreformen weckten oder enttäuschten nationale Hoffnungen der verschiedenen Volksgruppen.

Durch die sich immer stärker artikulierenden Interessengegensätze war jede Maßnahme der Regierung zum Scheitern verurteilt, das Jahr 1897 brachte die Schließung des Parlaments und die Anwendung des Notverordnungsrechtes. Die schwebenden Ausgleichsverhandlungen zwischen Österreich und Ungarn lähmten das Wirtschaftsleben, da vielen die Gemeinsamkeit des Zollgebietes bedroht schien. Dazu kamen externe Einflüsse wie ein vom amerikanischen Markt ausgehender Preisverfall, vor allem bei Eisen und Eisenwaren und textilen Rohstoffen. Das Wirtschaftsgebiet der Monarchie geriet unter einen heftigen Importdruck, unter dem viele Kartellverträge zusammenbrachen. Verschärfend wirkten in dieser Situation die schlechte Ernte des Jahres 1900 oder der niedrige Wasserstand der schiffbaren Flüsse, der das Transportvolumen wesentlich einschränkte.

So zeichnet sich um die Jahrhundertwende (insbesondere 1901 und 1902) ein tiefer Einschnitt ab, der die wirtschaftliche Entwicklung in der zweiten Hälfte der Regierungszeit Kaiser Franz Josephs in zwei Perioden trennt. Aus makroökonomischer Sicht wurde hiezu bereits Stellung genommen. Bei Verwertung der Ergebnisse einer Untersuchung österreichischer Industriegesellschaften können aber auch mikroökonomische Belege beigegeben werden.

Tatsächlich scheinen viele der Industrieunternehmen kurz nach 1900 in eine krisenhafte Entwicklung geraten zu sein, die einmalig im gesamten Zeitraum von 1880 bis zum Ersten Weltkrieg sein sollte. Absatzstockung und Preisverfall reduzierten bereits 1900 Einnahmen und Gewinne und führten in den zwei folgenden Jahren zu einem Rentabilitätsschwund von 25 Prozent; ähnlich stark waren die Einbußen an der Finanzierungskraft (gemessen am Ertrag nach Abzug aller Kostencharakter tragenden Aufwendungen), die Zahlungsbereitschaft stand 1901 bei vielen Firmen in Frage. Dies war jedoch in erster Linie eine Folge der hohen Investitionsaufwendungen in den vorangegangenen Jahren. Die Krise brach demnach in einem für die Unternehmen heiklen Zeitpunkt aus, nämlich am Höhepunkt der Investitionstätigkeit. Der reduzierte Geschäftserfolg erzwang schließlich (1902) eine Halbierung des Investitionsvolumens, wodurch der Mechanisierungsgrad (Anteil der Maschinen am Anlagevermögen) um 15 Prozent zurückging. Der Kapitalumschlag verlangsamte sich durchschnittlich um 20 Prozent, im gleichen Ausmaß verlängerte sich die Lagerdauer der Waren- und Materialvorräte.

Zwischen 1903 und 1905 kehrte die österreichische Industrie gemessen an der betrieblichen Leistungserstellung auf den säkularen Wachstumspfad zurück. Ein Vergleich der beiden durch den Konjunktureinbruch 1901/1902 getrennten Perioden läßt jedoch das hohe Entwicklungsniveau um 1900 erkennen, das nur in einigen Bereichen dem vor Ausbruch des Ersten Weltkrieges nachstand. Dahinter verbergen sich allerdings grundlegende strukturelle Veränderungen: Erst nach der Jahrhundertwende kam es zu einer umfassenden betrieblichen Konzentration, der technologische Wandel ermöglichte die Massenproduktion in immer mehr Branchen. Auf Unternehmensebene war es bereits vor der Jahrhundertwende zu Zusammenschlüssen, etwa in der Eisenindustrie gekommen. Die Bereitschaft zu Fusionen stieg nach 1900 noch an, neu war die Tendenz zur diagonalen Konzentration, zur Absicherung auf verschiedenen Gütermärkten. Die Erfahrung der Krise führte auch zu einer neuerlichen Produktionsdifferenzierung im Warensortiment der Betriebe, was jedoch durch technische Weiterentwicklung kostengünstig bewerkstelligt werden konnte. Auch in den Investitionsmotiven läßt sich ein Wandel erkennen. Überwogen vor der Jahrhundertwende Rationalisierungsziele, standen nachher Kapazitätserweiterung und Modernisierung im Vordergrund.

Die wirtschaftliche Entwicklung des Habsburgerstaates vollzog sich nach dem Ausgleich von 1867 nicht ohne Rückschläge, aber – international gesehen – mit überdurchschnittlicher Dynamik, wobei das Wachstum spätestens im ausgehenden 19. Jahrhundert auf die unterentwickelten Länder an der östlichen und südöstlichen Peripherie übergriff und einen Angleichungsprozeß einleitete. Insgesamt kann der ökonomische Bereich nicht als Krisenherd, eher als stabilisierendes Element im Vielvölkerstaat gewertet werden.

Literatur (in Auswahl):

PAUL BAIROCH, Europe's Gross National Product: 1800–1975. The Journal of European History 5 (1976) S. 273–340 – FRANZ BALTZAREK, Die sozio-ökonomischen Bedingungen und Auswirkungen der

Industrialisierung im pannonischen Raum zwischen 1873 und 1929. Österreichische Osthefte 24 (1982) S. 291–312 – IVÁN BEREND und GYÖRGY RÁNKI, Economic Development in East-Central Europe in the 19th and 20th Centuries. New York 1974 – ALOIS BRUSATTI (Hrsg.), Die wirtschaftliche Entwicklung (Die Habsburgermonarchie 1848–1918, Band 1). Wien 1973 – FELIX BUTSCHEK, Der österreichische Wachstumsrückstand. Beiträge zu Wirtschaftspolitik und Wirtschaftswissenschaft 4 (1972) S. 45–59 – DAVID GOOD, Der wirtschaftliche Aufstieg des Habsburgerreiches 1750–1914. Wien–Köln–Graz 1986 – DAVID GOOD, Stagnation and ‚Take-Off' in Austria, 1873–1913. Economic History Review 27 (1974) S. 72–87 – NACHUM T. GROSS, Industrialization in Austria in the Nineteenth Century. Dissertation, Berkely 1966 – NACHUM T. GROSS, Die Industrielle Revolution im Habsburgerreich 1750–1914. In: Die Entwicklung der industriellen Gesellschaften (Europäische Wirtschaftsgeschichte, 4. Band), hrsg. v. KNUT BORCHARDT. Stuttgart–New York 1977 (Taschenbuchausgabe 1985), S. 203–235 – PETER HANÁK, Die Stellung Ungarns in der Monarchie. In: Probleme der franzisko-josephinischen Zeit 1848–1916, hrsg. von FRIEDRICH ENGEL-JANOSI und HELMUT RUMPLER. Wien 1967, S. 79–93 – FRIEDRICH HERTZ, The Problem of the Danubian States. London 1947 – RICHARD KASTNER, Die Entwicklung von Technik und Industrie in Österreich und die Technische Hochschule in Wien. Blätter für Technikgeschichte 27 (1965) S. 1–186 – LÁSZLÓ KATUS, Economic Growth in Hungary During the Age of Dualism 1867–1913: A Quantitative Analysis. In: Social and Economic Researches of the History of East-Central Europe, hrsg. von E. PAMLÉNYI. Budapest 1970, S. 35–127 – ANTON KAUSEL, Österreichs Volkseinkommen 1830 bis 1913. In: Geschichte und Ergebnisse der zentralen amtlichen Statistik in Österreich 1829–1979. Wien 1979, S. 689–720 – JOHN KOMLOS, The Habsburg Monarchy as a Customs Union: Economic Development in Austria – Hungary in the Nineteenth Century. Princeton, N. J. 1983 – JURIJ KŘÍŽEK, Die wirtschaftlichen Grundzüge des österreichisch-ungarischen Imperialismus in der Vorkriegszeit 1900–1914. Prag 1963 – EDUARD MÄRZ, Einige Besonderheiten in der Entwicklung der österreichischen Volkswirtschaft im 19. Jahrhundert. Sozialwissenschaftliche Annalen 1 (1977) S. 87–107 – EDUARD MÄRZ, Österreichische Industrie- und Bankpolitik in der Zeit Franz Josephs I. Wien 1968 – HERBERT MATIS, Österreichs Wirtschaft 1848–1913. Konjunkturelle Dynamik und gesellschaftlicher Wandel im Zeitalter Franz Josephs I. Berlin 1972 – ALOIS MOSSER, Die Industrieaktiengesellschaft in Österreich 1880–1913. Wien 1980 – ALOIS MOSSER, Raumabhängigkeit und Konzentrationsinteresse in der industriellen Entwicklung Österreichs bis 1914. Bohemia 17 (1976) S. 136–192 – GUSTAV OTRUBA, Wachstumsverschiebungen in den Wirtschaftssektoren Österreichs 1869–1961. Vierteljahresschrift für Sozial- und Wirtschaftsgeschichte 62 (1975) S. 40–61 – ERVIN PAMLÉNYI (Hrsg.), Die Geschichte Ungarns. Budapest 1971 – JAROSLAV PURŠ, The Industrial Revolution in the Czech Lands. Historica 2 (1960) S. 183–212 – RICHARD RUDOLPH, Banking and Industrialization in Austria–Hungary. Cambridge 1976 – RICHARD RUDOLPH, The Pattern of Austrian Industrial Growth from the Eighteenth to the Early Twentieth Century. Austrian History Yearbook 11 (1975) S. 3–25 – ROMAN SANDGRUBER, Wirtschaftswachstum, Energie und Verkehr in Österreich 1840–1913. In: Wirtschaftswachstum, Energie und Verkehr vom Mittelalter bis ins 19. Jahrhundert, hrsg. von HERMANN KELLERBENZ. Stuttgart–New York 1978, S. 67–93.

Gerhard Maresch

INDUSTRIE UND TECHNIK

Die zweite Hälfte der Regierungszeit von Kaiser Franz Joseph ist eine aus der Sicht von Industrie und Technik sehr interessante Zeit, da sie eine Periode des Übergangs darstellt. Die Zeit von Dampfmaschine, einfachen Arbeitsmaschinen und Transmissionsantrieb, die die erste Phase der Industrialisierung geprägt hatten, geht dem Ende zu. Die neue Phase der technischen und industriellen Entwicklung, die durch Elektrizität und Verbrennungsmotor sowie deren vielfältige Auswirkungen auf Industrie, Arbeitswelt und Alltag bestimmt sein wird, kündigt sich an. In manchen Bereichen tritt schon jetzt ein tiefgreifender Wandel ein (Eisenhüttenwesen, Beleuchtung), in manchen wird er erst vorbereitet (Verkehr, elektrischer Einzelbetrieb).

Die Dampfmaschine war zu Ende des 19. Jahrhunderts aber noch immer die alles beherrschende Kraftmaschine und erlebte vor dem Ersten Weltkrieg ihre höchste Blüte. Der Trend ging zu immer größeren Maschineneinheiten, die durch verschiedene konstruktive Verbesserungen auch den neuen Anforderungen durch die Elektrizität entsprachen. Eine Neuerung war die Steuerung mit Ventilen, die die Firma Gebrüder Sulzer in Winterthur 1865 erstmals verwirklichte. Große Bedeutung für die Entwicklung und Verbreitung der zwangsweisen Ventilsteuerung erlangte Alfred Collmann, dessen „neue Collmann-Steuerung von 1891" auch für hohe Drehzahlen geeignet war. Wie vorzüglich die Konstruktionen Collmanns waren, beweist die Tatsache, daß 1901 bereits die tausendste Dampfmaschine mit Collmann-Steuerung ausgeliefert werden konnte.

Die große Zeit der schnellaufenden Dampfmaschine, die in den sechziger Jahren in den USA entwickelt wurde, kam in den achtziger Jahren, als für den Antrieb der ersten Dynamos Maschinen mit hoher Drehzahl benötigt wurden. Ihr Wegbereiter in Österreich und in ganz Europa wurde der Professor für Maschinenbau an der Technischen Hochschule in Wien Johann Radinger. Nur durch die rasche Anpassung der Dampfmaschine an die Erfordernisse der Elektrotechnik war deren Ausbreitung und der Siegeszug der elektrischen Beleuchtung überhaupt möglich. Doch auch die Elektrotechnik paßte sich an, man konstruierte langsamere Dynamos, und so verlor die schnellaufende Dampfmaschine schon bald wieder ihre Rolle als ausschließliche Kraftmaschine für die Elektrotechnik. Eines blieb jedoch: sie hatte die Ingenieure veranlaßt, sich intensiv mit der Wirkung der Massenkräfte und den Bedingungen für einen ruhigen Lauf auseinanderzusetzen.

Eine Maschine, der das zugute kam, war die Dampfturbine. Mit der Idee einer Dampfmaschine hatte man sich schon lange beschäftigt, die ersten brauchbaren Bauformen schufen aber erst 1883 Gustav de Laval und 1884 James Algernon Parson. Hauptschwierigkeit bei der Verwirklichung war bisher immer die gegenüber der Dampfmaschine wesentlich höhere Drehzahl gewesen. Erst jetzt verfügte man über die entsprechend hochwertigen Werkstoffe, erreichte die erforderliche große Herstellungsgenauigkeit und beherrschte die dynamischen Verhältnisse und Massenwirkungen bei schnellaufenden Maschinen. Ausschlaggebend war aber, daß erst die Elektrotechnik mit ihren raschlaufenden Maschinen ein weites Anwendungsgebiet für die Dampfturbine eröffnete. In kalorischen Kraftwerken verdrängte die Dampfturbine allmählich die Dampfmaschine. Sie fand aber auch in anderen Bereichen der Industrie Eingang, wie etwa zum Antrieb von Pumpen, Gebläsen und Kompressoren im Berg- und Hüttenwesen und in der chemischen Industrie.

Im Jahre 1902 erwarb die Erste Brünner Maschinen-Fabriks-Gesellschaft das alleinige Ausführungsrecht für Parsonturbinen in Österreich-Ungarn und nahm sogleich die Produktion auf. Sie sorgte für eine rasche Verbreitung der Dampfturbine und konnte bis 1910 bereits Dampfturbinen mit einer Gesamtleistung von etwa 130 000 kW installieren.

Bis zum Ende des 19. Jahrhunderts wurden Wasserturbinen ausschließlich direkt als Antriebsmaschinen eingesetzt und trieben in Fabriken über Transmissionen die Arbeitsmaschinen an. Die zunehmende Bedeutung der Elektrizität bewirkte dann aber eine vollkommene Verlagerung ihres Einsatzgebietes auf den Antrieb von Generatoren in Wasserkraftwerken. Für kleinere Kraftwerke waren auch die herkömmlichen Turbinenformen durchaus geeignet. Als man aber um die Jahrhundertwende damit begann, auch größere Kraftwerke zu bauen, waren diese Turbinen den neuen Anforderungen nicht mehr gewachsen und mußten neuen Bauformen weichen. Als einzige der bekannten Turbinenformen überlebte die Francisturbine. Dazu kamen zwei neue Bauformen. In den USA entwickelte 1880 Lester Pelton aus einfachen Vorläufern die nach ihm benannte Peltonturbine, die auch heute noch in allen Speicherkraftwerken mit geringer Wassermenge, aber hohem Gefälle Anwendung findet. Wichtig wurde jetzt aber auch die Nutzung der großen Flüsse mit ihrem stark wechselnden Wasserdargebot. Die dafür geeignete Turbinenform entwikkelte der 1876 in Mürzzuschlag geborene Viktor Kaplan seit 1910 an der Deutschen Technischen Hochschule in Brünn. 1913 waren die ersten Versuchsmodelle fertig, doch bedurfte es noch vieler weiterer, von zahlreichen Rückschlägen begleiteter Versuche, bis endlich 1919 in Velm bei Wien die erste Kaplanturbine der Welt in Betrieb gehen konnte.

Die Industrie besaß in der Dampfmaschine eine ausgereifte Kraftmaschine zum Antrieb von Arbeitsmaschinen jeder Art und konnte dadurch rasch und billig produzieren. Um gegen diese Konkurrenz bestehen zu können, mußten sich auch Handwerk und Gewerbe, die noch auf Handarbeit angewiesen waren, mechanisieren und Maschinen einsetzen. Voraussetzung dafür war aber eine geeignete, leicht zu handhabende Kraftmaschine. Dieser aktuelle Bedarf war der unmittelbare Anlaß zur Entwicklung verschiedener Kleinkraftmaschinen in der 2. Hälfte des 19. Jahrhunderts. Der 1876 von Nikolaus August Otto als Prototyp fertiggestellte und 1877 patentierte Viertakt-Ottomotor entschied diese Konkurrenz zugunsten des Verbrennungsmotors. Da die ersten Verbrennungsmotoren mit Leuchtgas betrieben wurden, war ihr Einsatz zunächst auf größere Städte mit eigenem Gasnetz beschränkt. Erst die Verwendung von Benzin als Treibstoff machte den Verbrennungsmotor ortsunabhängig.

Otto achtete streng darauf, daß sein Patent von keiner anderen Firma verletzt wurde, was eine Reihe von Patentprozessen zur Folge hatte. Mit der Aufhebung des Ottopatentes im Jahre 1886 war dann der Weg auch für andere Hersteller frei. Mit dem Elektromotor erwuchs dem Ottomotor aber bald ein mächtiger Konkurrent, der ihn als stationäre Antriebskraft für Maschinen allmählich ganz verdrängte. Er fand aber ein neues, weites Anwendungsgebiet als Fahrzeugmotor in Automobilen und Flugzeugen.

Auch in Österreich herrschte reges Interesse an Kleinkraftmaschinen, was die vielen zu diesem Thema veranstalteten Ausstellungen beweisen. 1872 errichteten Langen und Otto in Wien ihre erste Filialfabrik im Ausland und bauten hier kleinere Motoren. Aber auch heimische Konstrukteure wandten sich dem Verbrennungsmotor zu. Wichtigster dieser Pioniere des Motorenbaues war der aus Mecklenburg nach Wien gekommene Mechaniker Siegfried Marcus. Marcus ließ seit 1870 Verbrennungsmotoren nach seiner Konstruktion bei verschiedenen Firmen bauen, wobei er von Anfang an flüssigen Treibstoff (Benzin) verwendete. Marcus war somit einer der ersten, die sich damit befaßten, den Verbrennungsmotor von der lokalen Gasversorgung unabhängig und dadurch beweglicher zu machen. Ein einfacher Vergaser war Marcus bereits 1865, sein Bürstenvergaser 1883 durch ein Privilegium geschützt worden. Auch eine elektrische Zündung stand ihm mit seinem magnet-elektrischen Zündapparat von 1864 zur Verfügung. Waren bisher seine Motoren Einzelanfertigungen gewesen, an denen er seine Konstruktionsideen erprobte, so fand Marcus schließlich in der Firma Märky, Bromowsky und Schulz in Adamsthal bei Brünn ein Unternehmen, das Benzinmotoren nach seiner Konstruktion seit 1887 in Serie herstellte. Ein anderer Pionier des Benzinmotors war Julius Hock, der 1873 in Wien einen einfachen, mit Benzin betriebenen Verbrennungsmotor ohne Verdichtung vorstellte.

Eine andere Bauform des Verbrennungsmotors, die im Gegensatz zum Ottomotor mit hoher Verdichtung und Selbstzündung arbeitet, entwickelte Rudolf Diesel seit 1892. Nach langer Versuchsarbeit war ein Prototyp 1897 endlich soweit, daß er Interessenten vorgeführt werden konnte. Zahlreiche Firmen erwarben nun Lizenzen, doch schwere Rückschläge beim praktischen Einsatz entmutigten bald die Hersteller. Erst zu Beginn des 20. Jahrhunderts waren die Kinderkrankheiten überwunden, und nach Ablauf des Grundpatentes im Jahre 1908 nahmen viele Firmen die Erzeugung von Dieselmotoren auf.

Der erste Dieselmotor in Österreich wurde 1898/99 von Langen und Wolf in Wien für Arthur Krupp in Berndorf gebaut. Bereits 1899 erwarb auch die Grazer Waggon- und Maschinen-Fabriks AG als erster Betrieb in Österreich das Ausführungsrecht auf sämtliche Dieselschen Patente und hatte 1902 den ersten Dieselmotor fertiggestellt. Bis 1909 hatten bereits 240 Dieselmotoren das Werk verlassen.

Eine der wichtigsten technischen Neuerungen des 19. Jahrhunderts war die Nutzung der Elektrizität, die etwa um die Jahrhundertmitte einsetzte. Das eigentliche Zeitalter der Elektrotechnik begann aber mit der Entdeckung des dynamoelektrischen Prinzips, die Werner Siemens, Charles Wheatstone und Samuel Alfred Varley etwa gleichzeitig im Jahre 1866 glückte. Erst durch die praktische Anwendung dieses Prinzips wurde der Bau brauchbarer elektrischer Maschinen möglich. Nur Siemens erkannte die große Bedeutung der Entdeckung und arbeitete an ihrer praktischen Verwirklichung, der sich freilich große Schwierigkeiten entgegenstellten. Die ersten elektrischen Maschinen, die sich auch in der Praxis bewährten, schufen 1872 Zénobe Théophile Gramme und Friedrich von Hefner-Alteneck. In dieser frühen Phase der Anwendung der Elektrizität versorgten die meist von einer Dampfmaschine angetriebenen Generatoren einen Betrieb oder ein Haus. Der ständig steigende Strombedarf für Beleuchtung und chemische Verfahren machte in den achtziger Jahren den Bau größerer Kraftwerke notwendig und förderte damit die Entwicklung und den Absatz elektrischer Maschinen. Die Blockstationen versorgten einen Häuserblock, später auch einen Stadtteil mit elektrischem Strom. Eine Erweiterung des Versorgungsbereiches darüber hinaus war aber nicht mehr möglich, da man ausschließlich Gleichstrom verwendete, der nur über kurze Strecken ferngeleitet werden kann.

Der entscheidende Schritt zur Einführung des Wechselstromes und damit zur beliebigen Verteilung von elektrischer Energie erfolgte in Ungarn. Die drei Ingenieure der Firma Ganz & Co in Budapest, Károly Zipernowsky, Miksa Dévi und Otto Titus Bláthy, schufen hier das Stromverteilungssystem mit parallelgeschalteten Transformatoren und auch gleich die dafür benötigten Transformatoren. 1885 wurde das Verfahren patentiert und im selben Jahr wurden Versuchsanlagen in Wien und auf der Landesausstellung in Budapest vorgeführt. Die Firma Ganz & Co ging auch gleich an die praktische Verwirklichung dieser Idee und errichtete bis 1887 bereits 24 Anlagen, darunter 1886 die Stromversorgungsanlage für die Stadt Rom. Nachdem Michael von Dolivo-Dobrowolsky 1889 den ersten brauchbaren Drehstrommotor geschaffen hatte, der mit dem Gleichstrommotor konkurrieren konnte, markierte die Frankfurter Elektrotechnische Ausstellung des Jahres 1891 den Sieg des Drehstromes. Von einem Kraftwerk in Lauffen am Neckar wurde erstmals Drehstrom über eine Entfernung von rund 175 km zum Ausstellungsgelände geleitet und damit augenfällig demonstriert, welche Möglichkeiten der überregionalen Energieversorgung der Drehstrom anbot. Daraufhin entstanden noch zu Ende des 19. Jahrhunderts die ersten Kraftwerke, die mehrere Ortschaften mit elektrischem Strom versorgten, zwischen 1895 und 1898 wurde in Rheinfelden in der Schweiz das erste große Flußkraftwerk errichtet.

Auch in Österreich gingen in den achtziger Jahren die ersten Kraftwerke in Betrieb wie etwa 1883 das Kraftwerk für die Versorgung der elektrischen Lokalbahn von Mödling in die Hinterbrühl. 1886 nahm das erste öffentliche Elektrizitätsversorgungsunternehmen in Scheibbs den Betrieb auf, 1887 folgte Salzburg, 1889 Wien. In den neunziger Jahren entstanden auch schon die ersten Wechselstromkraftwerke. Als Antriebsmaschinen setzte man noch vorwiegend Dampfmaschinen aber auch schon Dampfturbinen ein. Es gab auch bereits einige Wasserkraftwerke, ein systematischer Ausbau der Wasserkraft setzte aber erst nach dem Ersten Weltkrieg ein.

Um die Jahrhundertwende standen sowohl brauchbare Generatoren und Elektromotoren als auch geeignete Antriebsmaschinen zur Verfügung. Elektrizitätswerke entstanden in rascher Folge und somit waren alle Voraussetzungen für eine umfassende Versorgung mit elektrischer Energie gegeben. Es galt nun, auch entsprechende Anwendungsgebiete zu erschließen. In der Industrie führte der Einzelbetrieb von Arbeitsmaschinen mit Hilfe von Elektromotoren, der zunächst auf Großmaschinen beschränkt war und erst nach dem Ersten Weltkrieg nach und nach auch andere Maschinen erfaßte, zu einer totalen Umgestaltung der Organisation des Arbeitsablaufes. Als Pioniere gingen hier seit den neunziger Jahren die elektrotechnischen Firmen voran, die damit gleich eine Reklame für die Verwendung von Elektromotoren verbanden. Wichtig wurde der Elektromotor auch im Kleingewerbe und Handwerk, wo er als Antriebsmotor den bisher dominierenden Verbrennungsmotor verdrängte. Ein weites Einsatzgebiet fand die Elektrotechnik schließlich im Haushalt, wo sie etwa zum Kochen, Heizen, zum Antrieb von Maschinen und Geräten eingesetzt werden konnte. Waren viele der Anwendungsmöglichkeiten auch erst in Ansätzen erkennbar, so wurden doch in dieser Zeit alle Grundlagen für die spätere totale Herrschaft der Elektrizität gelegt.

Ein Gebiet, auf dem die Elektrizität einen totalen Umsturz brachte, war die Beleuchtung. Im Vergleich zu den einfachen Öllampen und Kerzen hatte das seit Beginn des 19. Jahrhunderts für Beleuchtungszwecke verwendete Leuchtgas einen wesentlichen Fortschritt gebracht. Versuche mit elektrischer Beleuchtung gab es schon vorher, doch erst mit der Jablochkoffkerze von 1876 und der Differentialbogenlampe von 1878 standen erstmals wirklich brauchbare Konstruktionen der elektrischen Bogenlampe zur Verfügung, die auch gleich Eingang in die Praxis fanden. In Österreich wurden schon zu Beginn der achtziger Jahre einzelne Straßen mit elektrischen Bogenlampen beleuchtet wie etwa 1882 in Wien. Als erstes Theater auf dem Kontinent nahm das Brünner Stadttheater 1882 eine elektrische Beleuchtungsanlage in Betrieb. Wie sehr man sich bereits mit elektrischer Beleuchtung beschäftigte, zeigte die Elektrotechnische Ausstellung des Jahres 1883 in Wien, auf der 70 Firmen 57 verschiedene Arten von elektrischen Lampen vorführten, davon 34 für Bogenlicht und 23 für Glühlicht.

Gegenüber der allmählich an Boden gewinnenden elektrischen Beleuchtung verschaffte der 1885 von Carl Auer von Welsbach erfundene Glühstrumpf der Gasbeleuchtung noch einmal einen großen Vorsprung. Der Glühstrumpf, ein mit seltenen Erden getränktes Gewebe, das in der Gasflamme strahlend hell aufleuchtet, war wesentlich vielseitiger einsetzbar als die elektrische Bogenlampe. So beherrschte das Gasglühlicht die Zeit der Jahrhundertwende. In Wien wurde etwa erst 1899 der Auer-Glühstrumpf allgemein für die öffentliche Gasbeleuchtung eingeführt.

Die Antwort der Elektrotechnik auf diese Vorherrschaft war die Glühlampe. Versuche mit Glühlampen gab es schon vor Edison, doch erst Thomas Alva Edison schuf mit seiner Kohlenfadenlampe von 1879 nicht nur eine brauchbare Glühlampe, sondern er entwickelte gleich auch alle weiteren Einzelheiten einer elektrischen Beleuchtungsanlage von der Dynamomaschine über Verteilernetz, Sicherungen und Schalter bis zur Lampenfassung. 1881 arbeitete sein erstes Versuchskraftwerk zufriedenstellend, im Jahre 1882 ging in New York das erste Kraftwerk für Beleuchtungszwecke in Betrieb. Einen wesentlichen Beitrag zur Entwicklung der Glühlampe leistete Auer von Welsbach, dem schon mit dem Gasglühstrumpf eine entscheidende Verbesserung der Gasbeleuchtung gelungen war. Mit seiner Osmiumlampe von 1898 schuf Auer von Welsbach die erste Metallfadenlampe der Welt und leitete damit den endgültigen Siegeszug der elektrischen Beleuchtung ein.

Es lag nahe, den mit Benzin betriebenen und dadurch nicht mehr ortsgebundenen Ottomotor in ein Fahrzeug einzubauen. Doch erst nach der Aufhebung des Ottopatents fuhren 1886 in Deutschland die beiden ersten Automobile, der „Benz-Patent-Motorwagen“ und der Kutschwagen von Gottlieb Daimler und Wilhelm Maybach. Das Land, in dem das Automobil zuerst weitere Verbreitung fand, war aber Frankreich.

In Österreich konstruierte Siegfried Marcus, der sich schon lange mit benzinbetriebenen Verbrennungsmotoren befaßte, das erste Automobil. Nach seinen Plänen und mit seinem Benzinmotor versehen wurde es 1888 von der Firma Märky, Bromowsky und Schulz in Adamsthal bei Brünn gebaut. Das Marcus-Auto blieb aber zunächst ein Einzelstück und hatte keine unmittelbaren Nachfolger. Erst zu Ende des 19. Jahrhunderts begann man auch in Österreich mit dem Bau von Automobilen, wobei die Motoren zunächst noch aus dem Ausland bezogen wurden. So verwendete Ludwig Lohner, der Besitzer der Hofwagenfabrik Jacob Lohner & Cie. in Wien, in seinem ersten, 1897 gebauten Automobil einen aus Frankreich gekauften Motor. Lohner sah die Zukunft aber im Elektroautomobil, das sauber und lautlos war und keine Probleme mit Vergaser, Zündung und Handanlasser bereitete. 1898 war sein erstes Elektroauto, Bauart „Egger-Lohner“ fertig. Für die weitere Produktion engagierte er Ferdinand Porsche und stellte nach dessen Idee Elektroautos her, deren Antriebsmotoren in den Radnaben lagen. Eine andere Konstruktion Porsches war der benzin-elektrische Wagen, bei dem ein von einem Benzinmotor angetriebener Generator den Strom für die Radnabenmotoren lieferte. Der Elektroantrieb, der das Zwischengetriebe ersparte, war einige Zeit sehr verbreitet, konnte aber auf Dauer gegen das Benzinauto nicht bestehen.

1897 begann auch eine andere Kutschenfabrik, die „Nesselsdorfer Wagenbau-Fabriks-Gesellschaft“ mit dem Bau eines Automobils, das 1898 fertig war. Dieses „Präsident“ genannte Auto gab auch gleich eine Probe seiner Leistungsfähigkeit und fuhr aus eigener Kraft nach Wien. Hier war es auf der „Collectivausstellung der Automobilbauer Österreichs“, die auf der Jubiläums-Gewerbeausstellung des Jahres 1898 in Wien erstmals veranstaltet wurde, neben dem Marcus-

Auto sowie dem Benzin- und dem Elektroauto von Lohner ausgestellt. In Nesselsdorf wirkte der zweite große österreichische Automobilbauer, der 1878 in Klosterneuburg geborene Hans Ledwinka. Ihm war es zu verdanken, daß in Nesselsdorf eine Automobilproduktion in Gang kam und die Nesselsdorfer Automobile konkurrenzfähig waren. Die ganz große Zeit Porsches und Ledwinkas als Automobilkonstrukteure kam aber erst nach dem Ersten Weltkrieg. Eine Pionierleistung auf dem Gebiet des Automobilbaues, die der Entwicklung weit vorauseilte, vollbrachten die Gebrüder Gräf in Wien mit ihrem 1898 gebauten Kleinwagen, der als erstes Automobil der Welt Vorderradantrieb mit kardanisch gelenkten Rädern besaß.

Zu Ende des 19. Jahrhunderts ging man daran, den uralten Menschheitstraum des Fluges wie ein Vogel mit Fluggeräten schwerer als Luft zu verwirklichen. Den Anfang machten Versuche mit Gleitfliegern, wie sie etwa Otto Lilienthal 1891 in Berlin vornahm. Da mit dem Verbrennungsmotor nun eine geeignete Antriebsmaschine zur Verfügung stand, folgten bald Versuche mit Motorfliegern, und zu Beginn des Jahrhunderts war es endlich so weit. Im Jahre 1903 glückte den Brüdern Wright in den USA der erste kontrollierte Flug mit einem motorgetriebenen Flugzeug. Weitere Konstruktionen in anderen Ländern folgten bald und das Flugwesen nahm eine rasche Entwicklung.

Zu den ersten, die sich intensiv mit dem Motorflug auseinandersetzten, gehörte Wilhelm Kreß. Er führte in Wien in den siebziger Jahren Modellversuche durch und baute 1877 das erste selbststartende, fliegende und landende Modellflugzeug mit Propellerantrieb und Gummimotor. Sein Versuch mit einem motorgetriebenen Fluggerät, den er im Jahre 1901 auf dem Wienerwald-Stausee durchführte, mißglückte aber. Der Motor war zu schwer, die Schwimmer des Fluggerätes schöpften Wasser und das Flugzeug sank. Geldmangel verhinderte eine Fortsetzung der Versuche. Ein anderer Pionier der Luftfahrt war der Textilfabrikant Igo Etrich in Oberaltstadt in Böhmen. Zusammen mit Franz Wels baute er zunächst einen Gleitflieger, mit dem Wels 1906 als erster Mensch in der Monarchie flog. 1909 entstand in der Wiener Rotunde unter maßgeblicher Mitarbeit des Werkmeisters Karl Illner die Etrich-Taube, die 1910 ihren ersten Start hatte. 1910 stellte auch Alfred Ritter von Pischof, der bereits 1907 in Paris ein Flugzeug gebaut hatte, in Österreich ein eigenes Flugzeug fertig, das sogar in Serie gebaut wurde. Im Jahre 1910 begann schließlich auch die Firma Jacob Lohner und Co in Wien mit dem Bau von Flugzeugen. Zahlreiche andere Konstrukteure und Firmen bauten ebenfalls Flugzeuge, meist als Einzelstücke oder in geringen Stückzahlen. Nur die Konstruktionen von Etrich und Lohner, die auch als Armeeflugzeuge eingesetzt waren, wurden in größeren Serien produziert. Österreich-Ungarn konnte in dieser Anfangszeit der Luftfahrt durchaus mit den übrigen Ländern mithalten und lag bei den Weltrekorden, die mit Flugzeugen in verschiedenen Kategorien aufgestellt wurden, an zweiter Stelle hinter Frankreich.

Der Aufschwung des Eisenbahnverkehrs in der Monarchie in den neunziger Jahren bedingte einen großen Bedarf an immer stärkeren und schnelleren Lokomotiven. Man beauftragte Karl Gölsdorf mit der Modernisierung des Lokomotivbestandes, und seine Konstruktionen verhalfen dem österreichischen Lokomotivbau zu Weltgeltung. Besonderen Erfolg hatte Gölsdorf mit seiner fünffachgekuppelten Güterzugslokomotive, deren erste, dritte und fünfte Achse seitlich verschiebbar waren und damit einen einwandfreien Kursverlauf ermöglichten.

Aber auch die bisher ganz auf Dampfbetrieb eingestellte Eisenbahn griff den Elektromotor als Antriebsmaschine auf. Mehrere Vorteile gegenüber der Dampfkraft waren augenfällig. So ist etwa eine Elektrolokomotive sofort betriebsbereit und benötigt keine lange Anheizzeit, und auch die Versorgung eines Elektromotors mit Energie über das Stromnetz ist wesentlich einfacher und problemloser als die einer Dampfmaschine mit Kohle und Wasser. Voraussetzung für eine Elektrifizierung der Eisenbahn war freilich der Bau von Elektrizitätswerken und der Fahrleitungen.

Erste elektrische Versuchsbahnen waren auf den Ausstellungen von 1880 und 1883 in Wien in Betrieb zu sehen. Im Jahre 1883 nahm auch die erste elektrische Bahn in Österreich-Ungarn, die Lokalbahn von

Mödling in die Hinterbrühl, ihren Betrieb auf. Von den neunziger Jahren bis zum Beginn des Ersten Weltkrieges entstanden eine ganze Anzahl weiterer elektrischer Bahnen, die alle mit Gleichstrom betrieben wurden. Es waren entweder kurze Lokalbahnen oder elektrische Straßenbahnen in Städten. So begann man in Wien 1897 mit der Elektrifizierung der Straßenbahn, nachdem diese in Budapest, Prag, Lemberg und Sarajewo bereits durchgeführt war. Als erste wechselstrombetriebene Eisenbahn in Europa wurde 1904 die Stubaitalbahn eröffnet, der 1910 die Bahnlinie Vácz–Budapest–Gödöllö und 1911 die Mariazellerbahn folgten. All diese frühen elektrischen Bahnen waren aber nur ein erster kleiner Schritt auf dem Weg zu einer wirklichen Elektrifizierung des Bahnnetzes. Die Dampflokomotiven beherrschten noch für lange Zeit den Eisenbahnverkehr.

Das Ende des 19. Jahrhunderts brachte auch auf dem Gebiet des Druckereiwesens einige wesentliche Neuerungen. Um den Druckvorgang zu beschleunigen, mußte das Setzen und Ablegen, das bisher mühsam mit der Hand erfolgte, mechanisiert werden. Erste halbwegs brauchbare Setzmaschinen entstanden seit der Jahrhundertmitte. Die für fast ein Jahrhundert gültige Lösung fand Ottmar Mergenthaler in den USA mit seiner Matrizensetz- und Gießmaschine Linotype, die er 1886 erstmals in Betrieb vorführte. 1894 kam die erste Linotype in Europa zur Anwendung und eroberte bald die großen Druckereien. Eine andere Setzmaschine, die seit 1893 in den USA gebaute Monoline, wurde in Österreich von der Waffenfabrik in Steyr erzeugt. In kleinen Druckereien erleichterte der einfache, mit der Hand zu bedienende Typograph die Setzarbeit.

Wichtig waren die Fortschritte auf dem Gebiet des Bilddruckes. Die 1878 von Karl Klietsch in Wien erstmals angewandte Heliogravüre, ein Tiefdruckverfahren für Halbtonbilder, fand zwischen 1890 und 1910 in der Buchillustration weite Verbreitung. Die auch heute noch allgemein sowohl für Schwarz-weiß- als auch für Farbbilder übliche Autotypie, bei der ein Halbtonbild in verschieden große Rasterpunkte zerlegt wird, entstand ebenfalls in dieser Zeit. Seit 1865 arbeiteten Techniker in verschiedenen Ländern an der Verwirklichung, darunter auch Carl Angerer sowie Moritz und Max Jaffé in Wien. 1881 erhielt Georg Meisenbach als erster ein Patent auf die Autotypie verliehen.

Philipp Reis war bereits 1861 die erste Übertragung der menschlichen Stimme gelungen, doch erst das 1876 patentierte Telefon von Alexander Graham Bell war der Ausgangspunkt für die stürmische Entwicklung der Telefonie. Bereits 1877 nahm die erste Telefonlinie den Betrieb auf. In Wien wurde 1881 die erste Telefonzentrale für 154 Teilnehmer eröffnet, 1882 folgten Graz, Prag und Triest. Wichtig für die Anfänge der Telefonie in Österreich war Otto Schäffler, der nicht nur die erste Telefonzentrale sondern auch viele weitere baute. Von einem unparteiischen Gutachter wurde 1893 das Wiener Telefonnetz als denen von London, Paris und Berlin hinsichtlich Qualität, Geschwindigkeit und Preis überlegen bezeichnet. Die erste Überland-Fernsprechleitung der Monarchie war die 1886 eröffnete Leitung Wien-Brünn. 1890 war die Strecke Wien-Budapest, 1894 die Strecke Wien-Prag-Berlin fertig und zur Jahrhundertwende gab es insgesamt schon 105 Überland-Fernsprechleitungen in der Monarchie. 1914 war die Fernsprechleitung von Bregenz nach Czernowitz mit einer Länge von 1800 km die längste in Europa. Ein großes Hindernis für die Ausweitung des Telefonnetzes war aber zunächst die Unmöglichkeit einer Übertragung über große Entfernungen. Um über das unmittelbare Stadtgebiet hinauszukommen, benötigte man eine Vorrichtung, die die schwach ankommenden Telefonströme in allen Einzelheiten verstärkte. Die endgültige Lösung fand der Wiener Robert von Lieben, der 1906 ein Patent auf die Grundgedanken seiner Elektronenröhre anmeldete. Die 1912 für die praktische Verwendung fertige Liebenröhre war nicht nur ein brauchbares Glühkathodenrelais für Telefonzwecke, das sich im Betrieb voll bewährte, die Elektronenröhre wurde auch später ein wichtiger Bauteil in der Rundfunktechnik.

Heinrich Hertz schuf 1887 mit seinen Geräten zum Senden und Empfangen von elektrischen Wellen die Grundlagen für die drahtlose Telegrafie. 1896 gelang Guglielmo Marconi die erste funktelegrafische Verbindung über eine größere Strecke und im selben Jahr erhielt er in London ein Patent auf die drahtlose Telegrafie. Die weitere Entwicklung ging rasch. Bereits 1901 wurde der Atlantik drahtlos überbrückt und 1905 die transatlantische Funkverbindung aufgenommen. Besondere Bedeutung erlangte der drahtlose Funkverkehr für die Schiffahrt. Wurden zunächst nur Morsezeichen gefunkt, so führte Otto Nußbaumer 1904 in Graz die erste drahtlose Lautübertragung durch. Damit war der erste Schritt zum Rundfunk getan. Eine wesentliche Verbesserung der Funkgeräte brachten die Elektronenröhren wie die 1906 patentierte Liebenröhre und die etwa gleichzeitig entwickelten Röhren von Fleming und Lee de Forest.

Mit dem Bessemerverfahren, das in Österreich seit 1863 angewandt wurde, konnte erstmals flüssiger Stahl in großen Mengen erzeugt werden. Da es aber nur für phosphorarmes Roheisen geeignet war, blieb sein Einsatz für die Alpenländer beschränkt. Erst das Thomasverfahren machte es möglich, auch die großen Lager phosphorreicher Eisenerze im Norden der Monarchie für die Erzeugung von Flußstahl heranzuziehen. Das von Sidney Gilchrist Thomas erstmals 1879 vorgeführte Thomasverfahren wurde bereits im selben Jahr in Teplitz versuchsweise und seit 1881 dauernd angewandt. Bald folgten weiter Thomaswerke in Kladno, Witkowitz und Ternitz. Als zweites Verfahren zur Stahlerzeugung erlangte das Siemens-Martin-Verfahren zu Ende des 19. Jahrhunderts weite Verbreitung. Das SM-Verfahren war bereits 1867 versuchsweise in Kapfenberg durchgeführt worden, die ersten SM-Stahlwerke entstanden seit 1869 in Floridsdorf, Graz und Neuberg. Seit den achtziger Jahren nahm der SM-Prozeß einen raschen Aufstieg, verdrängte die alten Verfahren der Stahlerzeugung und den Bessemerprozeß und machte dem Thomasprozeß Konkurrenz, den er schließlich sogar überflügelte. 1890 gab es in Östereich-Ungarn 37 Konverter und 48 SM-Öfen.

Im Zusammenhang mit der Einführung des Thomasprozesses und der Errichtung der großen Stahlwerke entstand in Böhmen eine bedeutende Hochofenindustrie auf Koksbasis, die das nun in großer Menge benötigte Roheisen lieferte. Der erste Kokshochofen der Monarchie war zwar schon 1831 in Witkowitz angeblasen worden, die weitere Verbreitung dieser neuen Technologie ging jedoch nur sehr langsam vor sich. In den Alpenländern, wo Holzkohle noch immer in genügender Menge zur Verfügung stand, gingen die ersten Kokshochöfen erst in den siebziger Jahren in Betrieb, nämlich in Prävali im Jahre 1870 und 1873 in Schwechat und Zeltweg. In den achtziger und vor allem dann in den neunziger Jahren entstanden die großen Hochofenwerke in Böhmen wie Kladno, Königshof und Trzynietz, aber auch in Ungarn, in Vares in Bosnien, in Servota bei Triest, in Donawitz und in Eisenerz. Die großen Hüttenwerke mit ihrer Massenproduktion von Roheisen und Stahl brachten das Ende für die zahlreichen kleinen Einzelbetriebe und auch für die durch Jahrhunderte so bedeutende Kärntner Eisenindustrie, wo 1908 in Heft der letzte Holzkohlenhochofen ausgeblasen wurde.

Um die Jahrhundertwende wurde auch Elektrizität erstmals zur Stahlerzeugung herangezogen. Erste Elektrostahlöfen bauten Héroult im Jahre 1900 und Kjellin im Jahre 1899. Auch in der Monarchie griff man dieses Verfahren rasch auf, und 1911 erzeugte man etwa in Kapfenberg, Ternitz, Kladno und Witkowitz bereits Elektrostahl. Die Produktion war freilich noch gering und betrug erst etwa 1% der Gesamtproduktion an Stahl.

Der ungeheure Aufstieg der Stahlindustrie zu Ende des 19. und zu Beginn des 20. Jahrhunderts führte auch zu einem ständig steigenden Bedarf an geeigneten feuerfesten Materialien für die Auskleidung der Öfen. Von den dafür verwendeten verschiedensten Materialien erwies sich der Magnesit als bei weitem am besten geeignet. Die Magnesitindustrie nahm von Österreich ihren Ausgang, wo 1881 in Veitsch das erste Magnesitwerk gegründet wurde. Da Vorbilder fehlten, mußten hier erst alle Verfahren der Gewinnung und Weiterverarbeitung erarbeitet werden. Erste Interessenten stellten sich bald ein, und als 1886 der erste brauchbare Brennofen fertig war, begann der rasche Aufstieg der Veitscher Magnesitwerke. 1899 standen bereits 18 Schachtöfen unter Feuer. Mit dem einzigen ernsthaften Konkurrenten, der Magnesit-Industrie AG, Budapest-Bratislava, die ihre Magnesitbrüche und Fabriken in Oberungarn betrieb, einigte man sich auf Zusammenarbeit, und so beherrschten diese beiden Unternehmen 1913 qualitativ unbestritten den Weltmarkt.

Ludwig Hatschek, der seit 1893 eine Asbestwarenfabrik bei Vöcklabruck führte, stellte zwischen 1896 und 1900 zahlreiche Versuche zur Herstellung eines Massenartikels aus Asbest an. Im Jahre 1900 hatte er endlich ein Verfahren gefunden, Asbestfasern mit Zement auf Pappenmaschinen zu Platten zu verarbeiten. Sein unter dem Namen Eternit patentierter Asbestzement fand rasch weite Verbreitung als Material für Dachdeckungen und wetterfeste Verkleidungen von Gebäuden, später auch für Rohre.

1867 und 1878 wurden dem Franzosen Joseph Monier Patente auf das von ihm entwickelte Verfahren verliehen, Zementmörtel durch ein darin eingebettetes Drahtgeflecht zu verstärken. 1884 erwarb die Firma Freytag und Heidschuck die Ausführungsrechte für das 1880 in Deutschland patentierte Verfahren, und 1885 übernahm Gustav Adolph Wayß die Rechte für Süddeutschland. Wayß erkannte als einer der ersten die großen technischen und wirtschaftlichen Möglichkeiten der Stahlbetonbauweise und organisierte die geschäftliche Auswertung in Deutschland und Österreich. 1886 durchgeführte Belastungsversuche, deren Programm Wayß zusammen mit Matthias Koenen festgelegt hatte, erregten durch ihre günstigen Ergebnisse Aufsehen in der Fachwelt. Die 1887 von Wayß unter Mitarbeit namhafter Fachleute herausgegebene Monierbroschüre war das erste grundlegende Werk über Stahlbeton und wurde von großer Bedeutung für die weitere Entwicklung. Bis in die neunziger Jahre fand Stahlbeton nur in Teilbereichen Anwendung, so etwa für Decken und im Behälterbau. Erst als François Hennebique gegen Ende des 19. Jahrhunderts begann, das gesamte Traggerüst von Bauten, also Säulen, Balken und Platten, in Stahlbeton auszuführen, war der Bann gebrochen und nun wurden die ersten Bauten ganz in Stahlbeton errichtet. Auch an der Einführung dieser monolithischen Betonbauweise hatte Wayß, der 1903 nach Wien übersiedelt war und sich von da an nur mehr dem Geschäft in Österreich widmete, wesentlichen Anteil.

Ein anderer Pionier der Stahlbetonbauweise war Friedrich Emperger. Emperger ging 1890 in die USA, wo er 1894 die erste Eisenbetonbrücke Nordamerikas baute. Seine Firma, die ausschließlich Bauwerke aus Eisenbeton herstellte, führte zum Entstehen zahlreicher Zementfabriken und zur Verbreitung des Stahlbetonbaues in den USA. 1896 nach Österreich zurückgekehrt, setzte sich Emperger hier mit zahlreichen Veröffentlichungen für die Verbreitung des Stahlbetons ein. 1901 gründete er die Zeitschrift „Beton und Eisen“ und gab 1907 unter Mitarbeit zahlreicher Fachleute das „Handbuch für Eisenbetonbau“ heraus, das zum Standardwerk jedes Stahlbetontechnikers wurde.

Der international anerkannte Fachmann des Brükkenbaues Josef Melan wirkte über vier Jahrzehnte lang als Professor der Baustatik und des Brückenbaues an den Technischen Hochschulen in Brünn und Prag. Melan entwickelte eine genaue Berechnungsmethode für Bogen- und Hängebrücken, die eine beträchtliche Materialersparnis brachte. Erstmals kam die Melan-Theorie bei der 1910 eröffneten Manhattan-Brücke in New York zur Anwendung. Mit der nach ihm benannten Melan-Bauweise von 1892 lieferte Melan auch einen wichtigen Beitrag zur Stahlbetonbauweise. Die Melan-Bauweise verwendet bei Bogenkonstruktionen selbsttragende Steifprofile anstelle der Rundeisenbewehrung und erspart damit die kostspieligen Lehrgerüste. Sie gelangte bei zahlreichen Bogenbrücken in aller Welt zur Ausführung.

Das wichtigste Problem der Chemie zur Jahrhundertwende war die künstliche Gewinnung von Ammoniak, Salpetersäure und Nitraten aus Luftstickstoff. War zunächst der Bedarf an Düngemitteln die Haupttriebkraft, so gab mit Beginn des Ersten Weltkrieges der Bedarf an Explosivstoffen neue Impulse. 1909 war Fritz Haber die Ammoniaksynthese aus Luftstickstoff gelungen, ein Jahr darauf nahm Carl Bosch die ersten Versuchsöfen in Betrieb und 1914 lief die erste Ammoniaksynthesefabrik in Oppau an. Steinkohlenteer war Ausgangsprodukt für eine Vielzahl von chemischen Produkten. Teerfarbstoffe hatte man schon vorher erzeugt, ein wichtiger Fortschritt gelang aber A. v. Bayer 1880 mit der Synthese von Indigo. Freilich bedurfte es noch langer Versuchsarbeit, bis 1897 der erste synthetische Indigo auf den

Markt gebracht werden konnte. Ein weiterer Meilenstein in der Entwicklung künstlicher Farbstoffe waren die 1901 von René Bohn gefundenen lichtechten Indanthrenfarbstoffe. Steinkohlenteer war aber auch das Ausgangsprodukt für die Herstellung von Heilmitteln wie etwa dem Salvarsan, das seit 1910 erzeugt wurde, und Aspirin, das knapp vor der Jahrhundertwende in den Handel kam. Ein wichtiges Ausgangsmaterial der chemischen Industrie war die Schwefelsäure, deren Herstellung durch das Kontaktverfahren wesentlich verbessert wurde. 1890 lief die erste Kontaktanlage zur Schwefelsäureerzeugung in Ludwigshafen an und wurde Vorbild für zahlreiche ähnliche Prozesse.

Auch in der Monarchie erlebte die chemische Industrie zu Ende des 19. Jahrhunderts einen starken Aufschwung. Besonders die bereits 1856 gegründete chemische Fabrik in Aussig hatte sich unter der Leitung von Max Schaffer als „Österreichischer Verein für chemische und metallurgische Produktion" rasch entwickelt und nahm zu Beginn des 20. Jahrhunderts einen auch international hervorragenden Rang auf dem Weltmarkt ein. Das in Aussig entwickelte Verfahren zur elektrolytischen Gewinnung von Ätzalkalien und Chlor aus Alkalichloriden wurde 1899 in einer großen Anlage praktisch verwirklicht und auch von chemischen Fabriken in Deutschland übernommen.

Im Jahre 1885 ließ sich Graf Hilaire de Chardonnet ein Verfahren patentrechtlich schützen, „kollodiumähnliche" Flüssigkeiten durch feine Röhrchen in eine klare Erstarrungsflüssigkeit austreten zu lassen und so zu fixieren. Die solcherart erzeugte Nitroseide erregte zwar auf der Weltausstellung des Jahres 1889 in Paris Aufsehen, der industriellen Fertigung stellten sich aber durch die leichte Brennbarkeit der Fasern große Schwierigkeiten entgegen. Ein voller Erfolg glückte erst der Rheinischen Glühlampenfabrik Dr. Max Fremery & Co, die 1892 erstmals reine Zellulose zu Fäden verarbeitete. Zur Auswertung des 1897 patentierten Verfahrens wurden 1899 die Vereinigten Glanzstoff-Fabriken Aachen gegründet. Als erste Tochtergesellschaft nahm die 1904 gegründete Erste Österreichische Glanzstoff-Fabrik AG im Jahre 1906 den Betrieb auf. War bisher reine Zellulose das Ausgangsmaterial für die Herstellung von Kunstfasern gewesen, so benötigte man beim 1898 patentierten Viskoseverfahren nur mehr den wesentlich billigeren Holzzellstoff. Dieser große wirtschaftliche Vorteil brachte der Viskoseseide den Sieg über die älteren Verfahren. Zwischen 1911 und 1913 stellte auch die Erste Österreichische Glanzstoff-Fabrik AG ihre Produktion auf das Viskoseverfahren um.

Ein Hindernis für eine weitere Verbreitung der Photographie waren die schweren, zerbrechlichen Trockenplatten aus Glas. Der entscheidende Schritt zur Photographie als Massenware erfolgte in den USA, wo 1887 Hannibal Goodwin den biegsamen und durchsichtigen Rollfilm aus Zelluloid entwickelte. 1888 brachte George Eastman sowohl den Rollfilm als auch die dafür geeignete Box-Kamera auf den Markt und eröffnete der Photographie damit den Amateurbereich und große Verbreitung.

Seit etwa 1880 beschäftigten sich zahlreiche Erfinder mit dem Problem, mit Hilfe der Photographie bewegte Bilder aufzunehmen und wiederzugeben. Die ersten Erfolge stellten sich in den neunziger Jahren ein. Entscheidend für die weitere Entwicklung des Films waren die Arbeiten von Auguste und Louis Lumière, die 1895 ein Patent auf ihren Aufnahme- und Vorführapparat, den sie „Cinematographe" nannten, erhielten. Noch im selben Jahr veranstalteten sie in Paris die erste öffentliche Filmvorführung. Ausschlaggebend für ihren Erfolg war, daß die Brüder Lumière von Anfang an alle Bereiche des Films beachteten und nicht nur die ersten Filme mit Spiel- und Dokumentarszenen drehten und vorführten, sondern ebenso geeignete Apparate schufen und die ersten Kinos gründeten. Bereits 1896 wurde der Kinematograph in Wien Kaiser Franz Joseph vorgeführt. Sofort erkannte man die große Zukunft, die in diesem neuen Medium steckte, und in vielen Ländern ging man daran, Filme zu drehen und Apparate zu bauen. Die ersten Jahre des Films beherrschte dann Charles Pathé, der nicht nur Apparate baute, sondern auch selbst Filme produzierte und von sich sagen konnte, er habe das Kino industrialisiert.

Neben dem Film ist noch ein anderes Unterhaltungsmedium, die Schallplatte, ein Kind des ausgehenden 19. Jahrhunderts. Bisher boten nur mechanische Musikinstrumente die Möglichkeit, Musik zu machen, ohne selbst ein Musikinstrument zu beherrschen. Sie erlebten zu Ende des 19. Jahrhunderts ihre höchste Blüte und wurden in ungeheuren Stückzahlen industriell erzeugt. Zinkenwerke, kleine Werkel verschiedenster Bauart, große Orchestrions, automatische Klaviere, ja sogar Geigenspielapparate versorgten jeden, der es wollte, mit Musik seiner Wahl. Durch austauschbare Lochscheiben und Lochstreifen stand jederzeit ein umfangreiches, stets aktuelles Repertoire zur Verfügung. Für die Wiedergabe all dieser rein mechanisch gespeicherten Musik benötigte man aber auf jeden Fall ein dafür entsprechend gebautes Musikinstrument.

Einen vollkommen anderen Weg beschritt die direkte Aufzeichnung und Wiedergabe von Tönen, bei der die Schallschwingungen reproduzierbar auf Walzen oder Platten festgehalten wurden. Mit seinem ersten, noch sehr einfachen Phonographen gelang es Thomas Alva Edison 1877 erstmals, die menschliche Stimme aufzunehmen und wiederzugeben. Der bald von verschiedenen Firmen für den Verkauf hergestellte Phonograph verwendete Wachswalzen als Tonträger. Dies erwies sich als Nachteil für eine weite Verbreitung, da diese Walzen nicht vervielfältigt werden konnten. Die zukunftsweisende Lösung fand schließlich Emile Berliner in den USA, der erstmals 1887 einen scheibenförmigen Tonträger verwendete und damit die Schallplatte schuf. Die Schallplatte konnte leicht in großen Stückzahlen hergestellt werden, und so stand nun einer raschen Verbreitung der Tonaufzeichnung nichts mehr im Wege. Der Siegeszug der Schallplatte setzte zu Beginn des 20. Jahrhunderts ein, als man die ersten Aufnahmen der großen Sängerinnen und Sänger der Zeit wie Nellie Melba und Enrico Caruso herausbrachte.

Noch zu Ende des 19. Jahrhunderts gelang auch die erste magnetelektrische Tonaufzeichnung. Erste Geräte, die Stahldraht oder eine Stahlscheibe als Tonträger verwendeten, stellte Valdemar Poulsen 1898 unter dem Namen Telegraphon vor. Die Entwicklung eines wirklich brauchbaren Tonbandgeräts erfolgte aber erst in den dreißiger Jahren des 20. Jahrhunderts.

Rückblickend erweist sich die Zeit der Jahrhundertwende als eine auf dem Gebiet der Technik sehr fruchtbare Periode. Sie brachte zahlreiche technische Neuerungen hervor, die das gesamte 20. Jahrhundert bis zur Gegenwart entscheidend prägen sollten. Besonders augenfällig auch im Hinblick auf die Auswirkungen bis in unsere Tage waren die rasche Ausbreitung der Elektrotechnik durch die Möglichkeit der Fernleitung, die Revolution des Verkehrs durch Automobil und Flugzeug sowie der Kommunikation durch Telefon und drahtlosen Funk und schließlich die neuen Massenmedien Film und Schallplatte. Nicht weniger wichtig waren freilich auch Stahlbeton, Kunstfasern, Autotypie und elektrische Glühlampe. So legte diese Zeit die Grundlagen für das rasche Vordringen der Technik in immer weitere Bereiche von Arbeit und Alltag, was schließlich zu der heute unser gesamtes Leben beherrschenden Rolle der Technik führte.

Literatur (in Auswahl):

Blätter für Technikgeschichte, Wien, Heft 10, 12, 13, 18, 20, 22, 23, 24, 28, 35, 41/42/43 – C. W. CERAM, Eine Archäologie des Kinos. Reinbek bei Hamburg 1965 – Der österreichische Verein für chemische und metallurgische Produkte 1856–1906. Prag 1906 – Festschrift Wayß & Freytag AG 1875–1925. Stuttgart 1925 – 25 Jahre österreichische Glanzstoff-Fabrik AG. Wien 1929 – 50 Jahre Eternit. Vöcklabruck 1950 – OTTO JOHANNSEN, Geschichte des Eisens. Düsseldorf 1953 – REINHARD KEIMEL, Österreichs Luftfahrzeuge. Graz 1981 – HELMUT LINDNER, Strom. Erzeugung, Verteilung und Anwendung der Elektrizität. Reinbek bei Hamburg 1985 – GERHARD MARESCH, Wasserkraft – Viktor Kaplan. Wien 1984 – CONRAD MATSCHOSS, Die Entwicklung der Dampfmaschine. Berlin 1908 – DIETER OSTEROTH, Soda, Teer und Schwefelsäure. Der Weg zur Großchemie. Reinbek bei Hamburg 1985 – Österreichische Naturforscher und Techniker. Wien 1950 – CURT RIESS, Knaurs Weltgeschichte der Schallplatte. Zürich 1966 – FRIEDRICH SASS, Geschichte des deutschen Verbrennungsmotorenbaues. Berlin 1962 – HANS SEPER, HELMUT KRAKOWITZER, ALOIS BRUSATTI, Österreichische Kraftfahrzeuge. Wien 1982 – HEINRICH SEQUENZ, 100 Jahre Elektrotechnik in Österreich 1873–1973. Wien 1973 – FRIEDRICH WALTER, Veitscher Magnesitwerke AG 1881–1951. Wien 1951.

Herbert Hofmeister

STAATSHILFE UND SELBSTHILFE

I. EINLEITUNG

Von den Regierungsdaten Franz Joseph I. (1848–1916) her betrachtet repräsentiert das Jahr 1880 die „Mitte“; für das von Franz Joseph I. regierte Staatswesen, dessen Bevölkerung und Wirtschaft ist 1880 hingegen ein Umbruchsjahr, da 1879/80 der größte soziale Umwälzungsprozeß der österreichischen Geschichte seit 1848 einsetzte, dessen Auswirkungen über das Jahr 1918 hinaus bis in unsere Tage fortdauern. Wie groß die um 1880 eingeleiteten Veränderungen tatsächlich waren, wird uns eigentlich erst heute, in einer Zeit der Neuorientierung aller politischen Lager, voll bewußt: die Ära, die 1879/80 mit dem Verlust der politischen Führungsrolle der Liberalen begann, ist bzw. war gekennzeichnet durch den Aufstieg des Sozialgedankens, eine Verlagerung der politischen Macht auf die von breiten Bevölkerungsschichten getragenen Massenbewegungen und – last not least – durch eine fortschreitende Vermehrung des staatlichen Einflusses auf alle Lebensbereiche.

II. DIE POLITISCHEN, SOZIALEN UND WIRTSCHAFTLICHEN VERHÄLTNISSE UM 1880

In der Auseinandersetzung mit dem absolutistischen Regime des Vormärz war dem politischen Liberalismus 1848 ein erster Durchbruch gelungen; nach der Überwindung des sog. Neoabsolutismus wurde das 1848/49 entworfene Modell des liberalen Verfassungsstaates teilweise schon durch das sog. Februar-Patent von 1861, endgültig jedoch durch die Dezemberverfassung von 1867 verwirklicht.

Die Bedeutung des liberalen Verfassungswerkes von 1867 geht nicht zuletzt daraus hervor, daß viele Elemente unserer heutigen Verfassungsordnung, wie etwa der Grundrechtskatalog, die (rechtliche) Ministerverantwortlichkeit, die Rechtsstellung der Richter u. a. m. auf den damaligen Regelungen aufbauen. Freiheit und Gleichheit der Staatsbürger waren die zentralen Verfassungsgrundsätze, auf denen die Dezemberverfassung beruhte. Obwohl die betreffenden Bestimmungen des Grundrechtskatalogs bis heute unverändert in Geltung verblieben, war doch das Grundrechtsverständnis der Liberalen von 1867 in zweierlei Hinsicht ein erheblich anderes als unser heutiges: zum einen waren, als Folge des politischen Kompromisses von 1860/61, die politischen Sonderrechte des Adels in großem Umfang aufrecht erhalten, ja durch die Verfassung selbst zementiert worden (insbes. erbliche Mitgliedschaft im Herrenhaus u. a. m.), zum anderen waren die Unterschichten der Bevölkerung (Arbeiter, Kleingewerbetreibende, Kleinbauern) sowohl auf Reichs- wie auch auf Landes- und Gemeindeebene durch das Kurien- bzw. Dreiklassenwahlrecht vom Wahlrecht und damit von jeder Mitgestaltung am „offiziellen“ politischen Geschehen ausgeschlossen.

Die Liberalen repräsentierten ihrerseits die zahlenmäßig kleine, aber ökonomisch und sozial sehr einflußreiche Bevölkerungsgruppe des Besitzbürgertums und der Intellektuellen; die politische Organisation der Liberalen war die einer auf einige wenige Aktivisten gestützten, in vielen Einzelgruppen zersplitterten „Kaderpartei“ ohne Rückhalt in einer der großen Bevölkerungsgruppen. Die in der Blütezeit (1867–1873, mit kurzer Unterbrechung 1870/71) nahezu uneingeschränkte Herrschaft der Liberalen leitete sich aber keineswegs nur aus dem nach heutigen Begriffen höchst undemokratischen Wahlrecht her: es war auch der Glaube an die Richtigkeit der liberalen Prinzipien, nicht zuletzt auf ökonomischem Gebiet, der allgemein verbreitet war und tief in die unterprivilegierten

DIE „SOZIALE FRAGE“ UM 1880

Maßnahmen der Abhilfe:

GESETZLICHE REGELUNG	=	STAATSHILFE*)
● Kollektivverträge	=	Selbsthilfe
Unfallversicherung	=	*Selbstverwaltung unter Staatsaufsicht*

*) Einschl. kommunale Ebene.

ARBEITER

	Abhilfe durch
SCHLECHTE ARBEITS- U. LOHNVERHÄLTNISSE	
lange Arbeitszeit (12–18^h täglich) -----▶	GESETZLICHE REGELUNG DER ARBEITSZEIT
---------------▶	● Kollektivverträge
gefährliche, ungesunde Arbeit ----▶	GESETZL. VORSCHRIFTEN (GEWERBEORDNUNG, GEWERBEINSPEKTOREN) ● Freiwillige Hilfsorganisationen *Unfallversicherung (Unfallverhütung)*
Schutzlosigkeit besonders gefährdeter Gruppen (Kinder, Jugendliche, Frauen) ------▶	GESETZL. ARBEITSVERBOTE UND -BESCHRÄNKUNGEN GEWERBEINSPEKTOREN
Geringer Lohn -------▶	● Kollektivverträge
SCHLECHTE WOHNVERHÄLTNISSE, HOHE MIETEN ---------▶	SOZIALER WOHNBAU ● Einzelne Privatinitiativen (etwa Berndorf) ● Baugenossenschaften ohne/ MIT STAATL. FÖRDERUNG STAATL. WOHNBAU-FÖRDERUNG (AB 1908/10) MIETENGESETZGEBUNG (1917)
HOHE PREISE F. LEBENSMITTEL, KLEIDUNG ------▶	● Konsumgenossenschaften
HOHE PREISE F. GAS, STROM, TRAMWAY, USW.	KOMMUNALISIERUNG
SCHUTZLOSIGKEIT GEG. LEBENSRISKEN	
Arbeitsunfall --------▶	*Unfallpflichtversicherung (ab 1889)*
Krankheit ---------▶	*Krankenversicherung* ● Selbsthilfe (Vereinskassen, Genossenschaftskassen) *Krankenpflichtversicherung (ab 1889)*
Invalidität, Alter, Tod (Hinterbliebenenversorgung) ------▶	*Pensionsversicherung Pflichtversicherung (Bergleute; Angestellte ab 1906; Arbeiter erst 1939)*
Arbeitslosigkeit ------▶	*Arbeitslosenversicherung (ab 1918)*

KLEINBÜRGERTUM
(Handwerker, Kleinkaufleute)

	Abhilfe durch
SCHLECHTE EINKOMMENS-VERHÄLTNISSE	GEWERBEREFORM BEFÄHIGUNGSNACHWEIS, UM INDUSTRIELLE KONKURRENZ ZURÜCKZUDRÄNGEN
	● Einkaufs- und Verkaufsgenossenschaften
TEURE KREDITE, BEWUCHERUNG	WUCHERGESETZGEBUNG (1881) ● Kreditgenossenschaften KOMMUNALISIERUNG (Z. B. ZENTRALSPARKASSE DER GEMEINDE WIEN)
HOHE PREISE F. GAS, STROM USW.	KOMMUNALISIERUNG
SCHUTZLOSIGKEIT GEG. LEBENSRISKEN	
Unfall	*Unfallpflichtversicherung (erst 1955)*
Krankheit	*Meisterk.k. (ab 1897)*
Alter, Tod	*Pensionsversicherung (geplant ab 1909; verwirklicht 1957/58)*

BAUERN

	Abhilfe durch
SCHLECHTE EINKOMMENS-VERHÄLTNISSE	SCHUTZZÖLLE F. GETREIDE USW. (AB 1879) ● Landwirtschaftliche Genossenschaften
TEUERE KREDITE, BEWUCHERUNG	WUCHERGESETZGEBUNG (1881) ● Kreditgenossenschaften
BODENZER-SPLITTERUNG, BODENVERSCHULDUNG	KOMMASSIERUNGSGESETZ 1883 ANERBENGESETZ 1889
	BODENENTSCHULDUNG (KONVERTIERUNGSGESETZ)
	HÖFERECHT (NUR TIROL, 1900)
ENTFREMDUNG LANDW. BODENS	GRUNDVERKEHRSRECHT (AB 1915)
SCHUTZLOSIGKEIT GEG. LEBENSRISKEN	
Unfall	*Unfallpflichtversicherung (erst 1929/42)*
Krankheit	*Krankenpflichtversicherung (erst 1929/66)*
Alter, Tod	*Pensionsversicherung (erst 1957/71)*

Einige Gräber, die man auf dem Centralfriedhof vermisst hat.

Nachtarbeit von Kindern: In einer armen Familie arbeiten Kinder beim matten Schein einer Petroleumlampe.

Die Straßenexzesse in Favoriten in Wien, August 1893.
Wachleute drängen die Demonstrierenden ab.

DIE ENTWICKLUNG DES ARBEITERSCHUTZES IN ÖSTERREICH

Jahr	Periode	[Reformwunsch] Gesetz	Kinder/Jugendliche Frauen	Arbeitszeit	Sonstiges
1786	Aufgeklärter Absolutismus	Handbillet Josefs II. 20. 11. 1786	Verbesserung der gesundheitlichen und hygienischen Verhältnisse in der Kinderarbeit		
1848	Revolution	Flugblatt „Die Menschenrechte des Arbeiters" (Arbeiter Brunner)		[Generell 10 h]	
1859	Neoabsolutismus (Wirtschaftsliberalismus)	Gewerbeordnung v. 20. 12. 1859	Mindestalter für Fabriksarbeit: 10/12 J.	Für Jugendl. bis zu 14 J.: 10 h Für Jugendl. bis zu 16 J.: 12 h	Arbeitsordnungen, Arbeiterverzeichnisse, Arbeitsbücher
1870	Liberalismus	Koalitionsgesetz v. 7. 4. 1870		Koalitionsfreiheit (Rechtsgrundlage f. d. Bildung von Gewerkschaften)	
1876	Liberalismus	Programm d. Wr. Neustädter Arbeitertages	[Verbot der Kinderarbeit bis 14 J.]	[Frauen, Jugdl. bis 18 J.: 8 h Erwachsene, männl. Arb.: 10 h]	
1883	Eiserner Ring (Taaffe)			Parlaments-Enquete über den Normalarbeitstag (A. v. Liechtenstein u. a.)	
1883	Eiserner Ring (Taaffe)	Gewerbeinspektorengesetz v. 17. 6. 1883			Einführung der Gewerbeinspektoren
1884	Eiserner Ring (Taaffe)	Gesetz v. 21. 6. 1884	Im Bergbau Mindestalter: 14 J. (12 J.) Verbot der Frauenarbeit unter Tags	Im Bergbau Höchstarbeitszeit 10 h für Arbeiter unter Tags	
1885	Eiserner Ring (Taaffe)	2. Gewerbeordnungsnovelle v. 8. 3. 1885	Mindestalter für alle Gewerbebetriebe: 12 J. für Fabriken: 14 J. Verbot der Nachtarbeit für Jugendliche sowie für Frauen in Fabriken	Höchstarbeitszeit in Fabriken: 11 h Sonntagsruhe: volle 24 h	Verbot des Trucksystems
1888/89	Eiserner Ring (Taaffe)	Hainfelder Programm d. Soz. Dem.	[Generelles Beschäftigungsverbot für Kinder unter 14 J. (nicht nur in Fabriksbetrieben)]	[Höchstarbeitszeit: 8 h grundsätzl. Verbot der Nachtarbeit]	
1890	Eiserner Ring (Taaffe)	Beginn der soz.dem. Agitation für den 8 h-Tag			
1896		Programm der christl.-sozialen Arb.Partei	Gänzliche Abschaffung der Frauen- und Kinderarbeit in den Fabriken als Endziel	10 h, für besondere anstrengende oder gefährliche Tätigkeit: 8 h	
1904/05	Ära Koerber	Sonderregelungen für Buchdrucker, Tischler, Schlosser in Wien		9 bzw. $9\frac{1}{2}$ h	
1907		Veröffentlichung d. arbeitsstatistischen Amtes		Tatsächliche Arbeitszeit 10–12 h; nur ganz selten 8 h	
1910		Gesetz v. 14. 1. 1910 betreffend die Arbeitszeit u. den Ladenschluß in Handelsgewerben		11 h bzw. 10 h Ruhepause 20^h Sperre (Lebensmittelhandel: 21^h)	
1918/20	Koalitionsregierung (Ära Hanusch)	1. Achtstundentaggesetz v. 19. 12. 1918	44 h-Woche	8 h, jedoch Abweichungen im Rahmen der 48 h-Woche erlaubt	

DIE SOZIALREFORMER 1880 ff.

■ = SOZIALPOLITISCHE FORDERUNGEN

KONSERVATIVE UND CHRISTLICH-SOZIALE

Ideologische Grundlagen

Vogelsang

Leo XIII

Führende österr. Politiker

Parlament

A. Liechtenstein

Regierung

E. v. Taaffe

christl.-soz. Partei, Kommunalpol.

K. Lueger

■

Kleingewerbe, Kleinkaufleute

Schutzgesetzgebung (1. GewO-Novelle 1883)
Gewerbliche Genossenschaften mit staatl. Förderung
Riskenvorsorge (Meisterkk; SV-Projekt 1909)

Arbeiter

Arbeiterschutz (Gewerbeinspektoren 1883; 2. GewO-Novelle 1885)
Riskenvorsorge (A.versicherungsgesetze 1887–89)

Bauern

Schutzgesetzgebung (Schutzzoll, Wuchergesetz, Anerbengesetz usw.)
Landw. Genossenschaften mit staatl. Förderung
Riskenvorsorge (SV-Projekt 1909 ff.)

Kommunalpolitik

Schaffung von Wohlfahrtseinrichtungen
Kommunalisierung (Gas, Strom, Tramway, Sparkassen)

SOZIALDEMOKRATEN

Ideologische Grundlagen

Marx

Lasalle

Führende österr. Politiker

Soz. dem. Partei

V. Adler

Gewerkschaftsbewegung

F. Hanusch

Arbeiterkassen, soz.dem. Kommunalpolitik

J. Reumann

Arbeiterschutz

8 h-Tag
Schutz (Arbeitsverbote) für Kinder, Jugendliche, Frauen
Verbesserungen der Arbeitsbedingungen

Kampf um den „gerechten Lohn"

Ausbau der Gewerkschaftsbewegung (ab 1890)
Streiks, Demonstrationen
Abschluß v. Kollektivverträgen (insbes. ab 1900)

Riskenvorsorge

Nach anfängl. Ablehnung d. Pflichtversicherung ab ca. 1895 grundsätzlich dafür, jedoch Kampf um bessere Leistungen, geringere Beiträge
Betonung der Arbeiterselbstverwaltung (gegen Staats- und Unternehmereinfluß)

Verbesserung der Wohnverhältnisse

Mietengesetzgebung (Zinsstop, Kündigungsschutz)

SOZIAL-LIBERALE

Ideologische Grundlagen

Schulze-Delitzsch

Engl. Vorbilder*

Führende österr. Politiker

Parlament „Arbeitsbeirat"

J. M. Baernreither

Parlament Kommunalpol. Wissenschaft

E. Philippovich

W. Exner

Für alle Bevölkerungsgruppen Betonung des Selbsthilfeprinzips; jedoch stärkere Zulassung der Staatshilfe als im „klassischen Liberalismus", um soziale Mißstände zu überwinden (Beispiele: Sanierung der Bruderladen, Altersversicherung der Arbeiter)

Gegenüber den antikapitalistischen Tendenzen der Christlich-Sozialen und Sozialdemokraten: Versuch einer Versöhnung zwischen „Kapital" und „Arbeit"

Versuch einer Versöhnung der modernen Produktionsweisen (Technik) mit den Bedürfnissen der arbeitenden Schichten

* "Pioniere v. Rochdale", friendly societies usw.

DIE ENTWICKLUNG DER ÖSTERREICHISCHEN SOZIALVERSICHERUNG

KV = Krankenversicherung
UV = Unfallversicherung
PV = Pensionsversicherung (Invaliditäts-, Alters- und Hinterbliebenenversicherung)
ALV = Arbeitslosenversicherung
( ) = Projekt
* = teilweise Einbeziehung
** = Vorform der Sozialversicherung

Jahr	Bergarbeiter	Fabriksarbeiter	übrige Arbeiter Gesellen, Lehrlinge: Bau	Transport	Sonst.	Eisenbahner	Landarbeiter	Angestellte	Beamte	Selbst. Gewerbetreibende	Bauern
1854	KV** PV**										
1859				KV**							
1883				KV**					PV		
1887/89		UV					UV*				
1888/89	KV			KV			(KV)	KV			
1889/90	PV										
1894/95				UV		UV					
1897										KV**	
1906								PV			
1909/14					(KV·UV·PV)						
1912			UV								
1914/15	UV										
1918	ALV			ALV				ALV			
1920									KV		
1921/25							KV				
1926/27								UV			
1927				(PV)	UV						
1928/30							UV·(PV) ALV*				UV* KV**
1935										KV**	
1938				PV			PV				
1942										UV*	UV
1949							ALV				
1955										UV	
1957/58										PV	PV**
1965/66											KV
1967									UV		
1970/71											PV
1976										KV	

DIE ÖSTERR. SOZIALVERSICHERUNG DER ARBEITER (UND ANGESTELLTEN) VOR 1916 (18)

FINANZIERUNG ▼

Unfallversicherung
(nur Arbeiter)

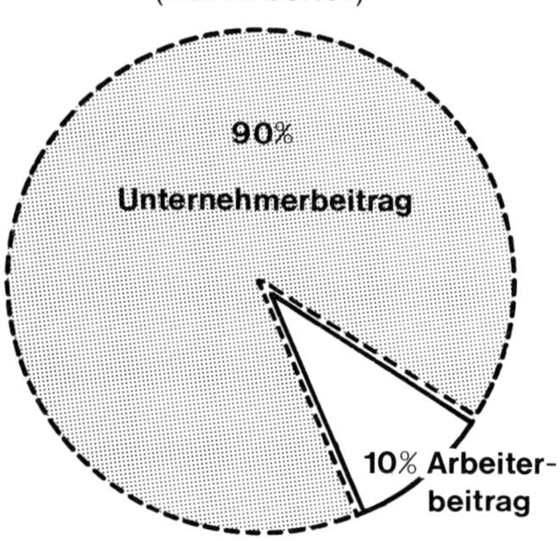

Heute (seit 1917): nur Arbeitgeberbeiträge

Krankenversicherung
(Arbeiter und Angestellte)

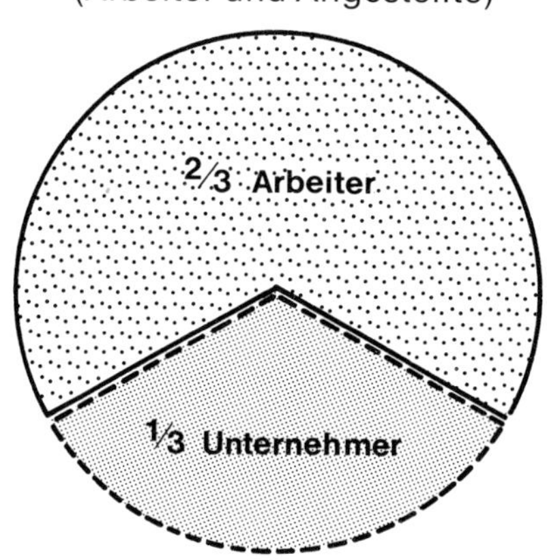

Heute (seit 1938/39):
Arbeitgeber: 1/2
Arbeitnehmer: 1/2

Pensionsversicherung
(nur Angestellte)

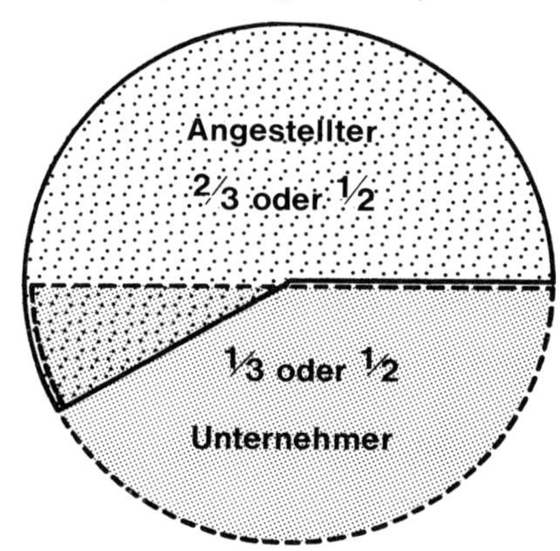

Heute (1985):
Arbeitgeber: 12,45%
Arbeitnehmer: 10,25%

Staatsbeiträge waren der Sozialversicherung vor 1918 unbekannt; auch heute spielen Staatsbeiträge nur in den nach 1918 geschaffenen Sparten der Sozialversicherung (PV der Arbeiter; Sozialversicherung der Gewerbetreibenden und Bauern) eine maßgebliche Rolle.

LEISTUNGEN

Im Jahr 1900

Unfallversicherung (in %)

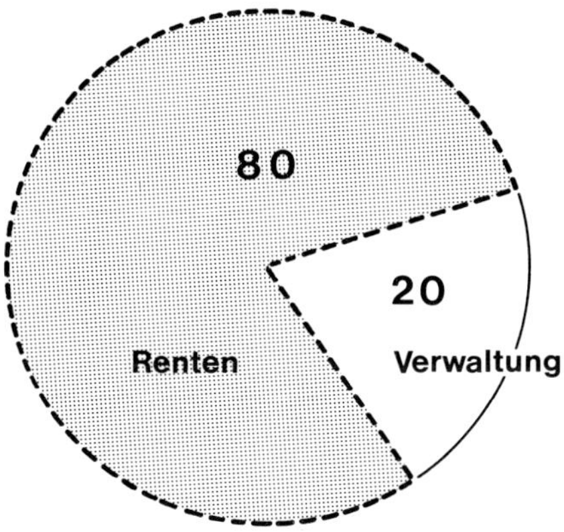

Die alte UV erbrachte keine Sachleistungen (Unfallverhütung, Heilbehandlung etc.), sondern nur Rentenleistungen

Krankenversicherung (in %)

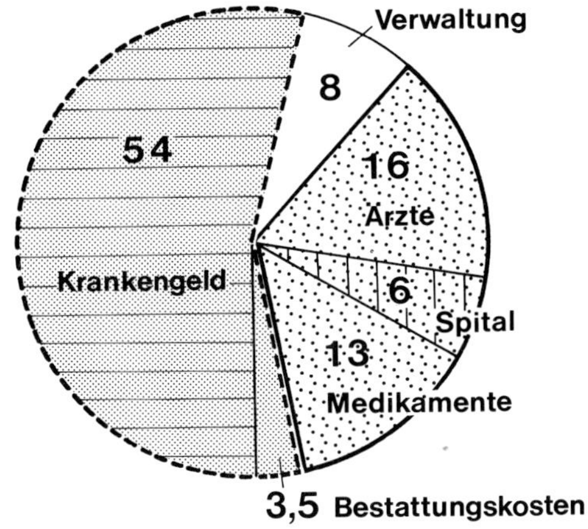

Hauptzweck der KV war der Ausgleich des Einkommensverlustes (durch Krankengelder). Demgegenüber sind vor allem die Spitalskosten auffallend gering

Heute (1985)

Unfallversicherung (in %)

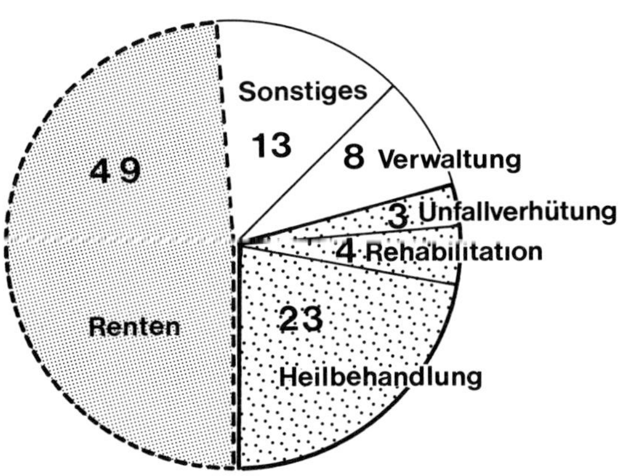

Die Graphik belegt den hohen Stellenwert der Sachleistungen (insgesamt 32%) gegenüber 48% Rentenaufwand in der heutigen UV

Krankenversicherung (in %)

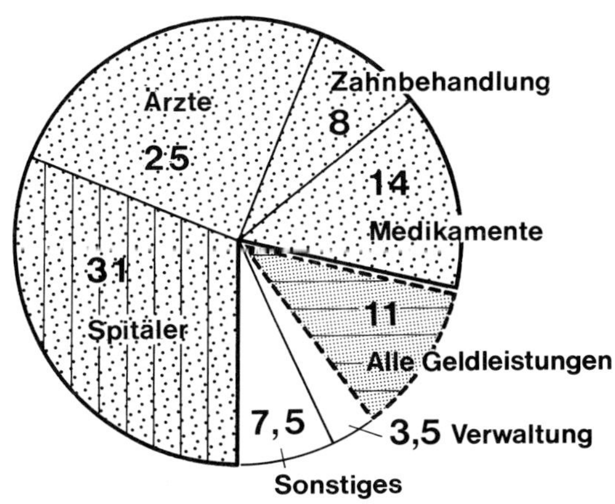

Gegenüber den 11% Geldleistungen (Krankenunterstützung, Mutterschaftsbeiträge, Bestattungskosten) stehen heute die Sachleistungen mit insgesamt 78% bei weitem im Vordergrund; am deutlichsten ist der Anstieg der Spitalskosten von 6% auf 31%!

WIENER KOMMUNALPOLITIK 1880–1919

Jahre	Stadtregierung	Stadterweiterung Energiewesen Städt. Betriebe	Fürsorgewesen, Schulwesen, Wohnbau	Gesundheit, Umwelt	Sonstiges	Finanzen		
						Einnahmen	Ausgaben	Anleihen
1880	LIBERALE			1873 1. Hochquellwasserleitung 1879 Donauregulierung beendet 1881 Zentralviehmarkt				
1895								
1896	CHRISTLICH-SOZIALE							
1897	LUEGER							
1898			1898: Städt. Arbeitsvermittlung					1898: 60 Mio. Kr.
1900		1900: Gaswerk Simmering		1900: Baubeginn 2. Hochquelleitung		112 Mio. Kr.	114 Mio. Kr.	1900: 30 Mio.Kr.
1902		Städt. Tramway 1901/02: Städt. E-Werke		1902: Kinderspital Wilhelminenspital				1902: 285 Mio.Kr.
1904			1904: Lainzer Versorgungshaus					
1905		Eingemeindung von Floridsdorf usw.		Wald- und Wiesengürtel	1905: Städt. Brauhaus			
1907			Mollardschule		Städt. Bestatt.			
1908			Errichtung der 100. Schule					1908: 360 Mio. Kr.
1910				1910: Fertigstell. d. 2. Hochquell-Wasserleitung		209 Mio. Kr.	201 Mio. Kr.	
1911		Gaswerk Leopoldau						1914: 375 Mio. Kr.
1917			Jugendamt der Stadt Wien			1918: Defizit 250 Mio. Kr.		250 Mio.Kr.
1919	SOZIAL-DEMOKRATEN	Elektrifiz. der Stadtbahn	Kommunaler Wohnbau, Ausbau des Fürsorgewesens, „Primat der Jugendfürsorge" (J. Tandler)	Spitalsbauten, Tuberkulose-Prophylaxe, Wöchnerinnenfürsorge		Abgehen von der Anleihe-Finanzierung Budgetsanierung (H. Breitner)		

ANFÄNGE DES SOZIALEN WOHNBAUES/WOHNRECHTS IN ÖSTERREICH

Jahr	Privatinitiativen	Indirekte Förderung (Steuer- u. Gebührenbefreiung)	Direkte Förderung (Wohnbaudarlehen, Zuschüsse)	Neues Wohn- und Siedlungsrecht
	↓			
1892	Krupp Berndorf u. a.	*1. Arbeiterwohnungsgesetz* Steuerbefreiung für Hauseigentümer beim Bau von Arbeiterwohnungen		
1896	Ks. F. J. I.-Jubiläumsstiftung ↓ Bau der Männerheime 20, Meldemannstr. 16, Wurlitzerg.			
1902		*2. Arbeiterwohnungsgesetz* (Ertragsbeschränkung auf 5%) ↓		
1907	Zentralstelle für Wohnungsreform	498 Häuser	*Wohnungsfürsorgefonds für Staatsbeamte* ↓	
1908	Musterstatut f. Gemeinnützige Bau- und Wohnungsgenossenschaften		*Ks. F. J. I-Jubiläumsfonds* ↓	
1910			*Staatl. Wohnungsfürsorgefonds f. Kleinwohnungen*	
1912				BAURECHTSGESETZ 1912 ermöglicht Bauen ohne Grunderwerb
1917				MIETRECHTSNOTVO 1917 Zinsstopp Kündigungsschutz
Bedeutung für die Gegenwart →	Bahnbrechende Initiativen für den gemeinnützigen Wohnbau	Hat sich als **einziges** Mittel der Förderung nicht bewährt, jedoch auch heute noch Bedeutung als **flankierende** Förderungsmaßnahme	Vor allem die Gewährung günstiger Förderungsdarlehen bildet heute noch das Kernstück der Wohnbauförderung (WFG 1984)	**Baurecht:** Anfangs erfolgreich, trat jedoch später im Vergleich zum kommunalen Wohnbau stark in den Hintergrund **Mietrecht:** Trotz Teilliberalisierung nach wie vor Kernstück des sozialen Wohnrechts. Die „dritte Säule“ des sozialen Wohnrechts, das (geförderte) **Wohnungseigentum,** kam erst nach dem zweiten WK (1948) hinzu (jetzt WEG 1975)

DAS GENOSSENSCHAFTSWESEN IN ÖSTERREICH (CISLEITHANIEN)

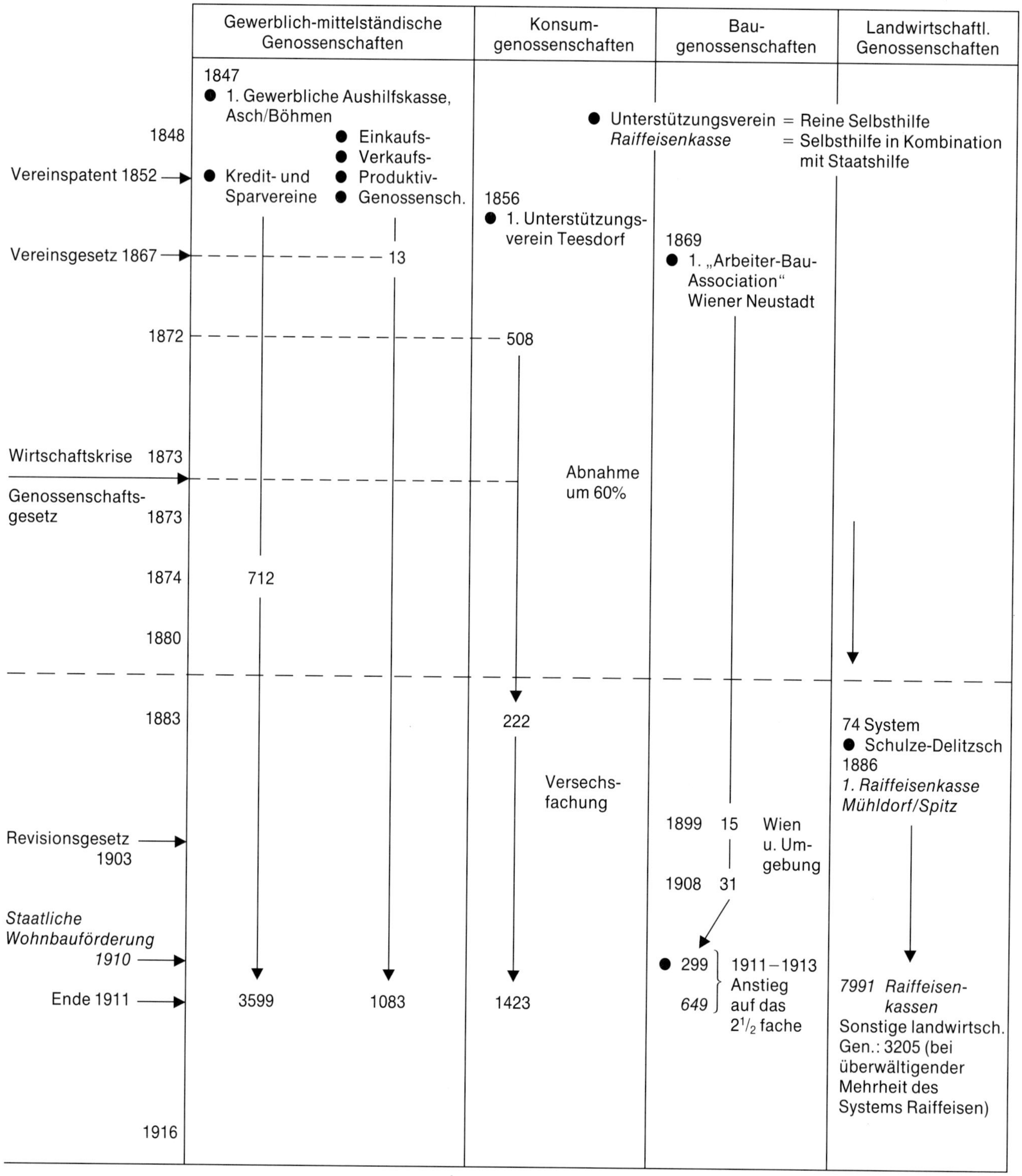

Schichten hineinreichte. Auch der „kleine Mann“ aus dem Bürger- und Bauernstand und selbst eine sehr erhebliche Zahl der Arbeiter (Gruppe um Heinrich Oberwinder) glaubte an die Richtigkeit des liberalen Wirtschaftssystems, das den Kräften des „freien Wettbewerbs“ vertraute, die Möglichkeit einer schweren, lang andauernden Wirtschaftskrise leugnete und jede Art der Staatshilfe für Wirtschaft und Gesellschaft als Einmischung ablehnte.

Mit der 1873 ausgebrochenen Wirtschaftskrise kam der Glaube an die „selbstheilende Kraft“ der liberalen Marktwirtschaft ins Wanken, die von Arbeitslosigkeit und Elend bedrohte Arbeiterschaft wandte sich nun in ihrer überwältigenden Mehrheit der klassenkämpferischen, einer Zusammenarbeit mit dem Bürgertum ablehnend gegenüberstehenden Ideologie des Eisenacher Programms von 1869 zu, das Kleinbürgertum verlangte Schutz gegen die übermächtige Konkurrenz der Industrie und des Großkapitals und schwenkte, als ihm dieser von den liberalen Gewerbepolitikern nicht gewährt wurde, auf eine antiliberale Linie mit unüberhörbar antisemitischen Untertönen ein. Der Bauernstand, in dem die Liberalen trotz des Befreiungswerkes von 1848 nie starken Rückhalt zu finden vermochten, geriet seit der Agrarkrise von 1875 (rapider Verfall der Welthandelspreise für Weizen und andere Agrarprodukte) ebenfalls unter starken wirtschaftlichen Druck, sodaß auch hier der Ruf nach Schutz- und Förderungsmaßnahmen immer lauter wurde.

Noch unter der Herrschaft der Liberalen kam es zu Eingriffen in das marktwirtschaftliche System, die man jedoch bezeichnenderweise nicht als Systemänderung, sondern als Korrekturen räumlich oder zeitlich begrenzter Fehlentwicklungen ansah: so beispielsweise das 1877 (nur) für Galizien erlassene Wuchergesetz, die 1878/79 einsetzende Schutzzollpolitik oder die Sequestration von Privat-Eisenbahnen. Weitblickende Politiker und Beamte des liberalen Lagers arbeiteten, wie die zahlreichen Entwürfe der neuen Gewerbeordnung belegen, auch bereits an Plänen zur Verbesserung des Arbeiterschutzes und des Ausbaus der Unternehmerhaftung bei Betriebsunfällen. Der Ausbau des Arbeiterschutzes, der Unternehmerhaftung, der Schutz der kleinen Gewerbetreibenden und Bauern konnten jedoch, darüber waren sich sowohl die Liberalen als auch ihre Gegner im klaren, nur durch sehr erhebliche ideologische Zugeständnisse einerseits und den Abbau ökonomischer und sozialer Machtpositionen andererseits erzielt werden, d. h. es wäre eine – in der Geschichte höchst selten anzutreffende – „Selbstreform“ der herrschenden politischen Richtung erforderlich gewesen.

Dazu fehlte der liberalen Partei jedoch die innere Kraft und Geschlossenheit: ja, im Gegenteil, der von den verschiedenen Interessengruppen ausgeübte Reformdruck begünstigte noch innere Richtungskämpfe und schwächte, ebenso wie die in Krisenzeiten stets auftretenden Korruptionsaffären, das Ansehen der Liberalen noch zusätzlich. Noch verstärkt und beschleunigt wurde der Niedergang der Liberalen durch das Nationalitätenproblem: obwohl die Dezemberverfassung (Artikel 19 des Grundrechtskatalogs) die „Gleichberechtigung der Volksstämme“ verkündete, hatte das deutschliberale Element seine Macht im Reichsrat gegen die Slawen voll ausgespielt und damit die nationale Basis des österreichischen Liberalismus im wesentlichen auf das deutschsprachige Element eingeengt.

III. DIE „WENDE“ VON 1879

Daß die Ernennung des Grafen Eduard von Taaffe zum Ministerpräsidenten einen tiefgreifenden Wandel der politischen Verhältnisse herbeiführen würde, war zunächst nicht voraussehbar. Mitentscheidend, wenn nicht sogar ausschlaggebend dafür war, daß nur eine kleine Gruppe liberaler Politiker (Stremayr u. a.) bereit war, gemeinsam mit Slawen in die Regierung einzutreten. Durch den Rücktritt Stremayrs (Juli 1880) und das Ausscheiden der zwei letzten liberalen Regierungsmitglieder (Jänner 1881) verwandelte sich die Regierung Taaffe gänzlich in ein Kabinett der „Rechten“, also der konservativ-föderalistischen Gruppierungen im Reichsrat.

Das einigende Band, das diese sehr unterschiedlichen Gruppen zusammenhielt, war deren antiliberale

Gesinnung. Das Ziel, das sich der – die nunmehrige liberale Opposition umschließende – „Eiserne Ring" vorgab, war die Rückgängigmachung aller in der liberalen Ära eingetretenen „Fehlentwicklungen" auf wirtschaftlichem, sozialem und politischem Gebiet. Auch die großen sozialpolitischen Reformen, mit denen sich dieser Beitrag vor allem auseinanderzusetzen hat, wurden weniger als „Fortentwicklung" denn als „Korrekturen" des geltenden liberalen Systems aufgefaßt. Soweit es sich hiebei um Schutzmaßnahmen zugunsten der Arbeiter, des Kleingewerbes und der Bauern handelte, war die politische Ausgangssituation des „Eisernen Ringes" für solche Reformen eine ungleich günstigere als die der Liberalen, da die wirtschaftlichen Lasten nicht von den eigenen Parteigängern und Sympathisanten, sondern von den politischen Gegnern (liberale Kernschichten: Fabrikanten, Privatbanken etc.) zu tragen waren und auch der höhere Staatseinfluß vornehmlich deren Freiheiten einschränkte. Hieraus erklären sich auch die großen Schwierigkeiten, die sich bei der Ausdehnung der sozialen Schutzmaßnahmen auf die Bergleute, Landarbeiter bzw. das kleingewerbliche Hilfspersonal ergaben: deren Arbeitgeber waren nämlich überwiegend den Wählerschichten des „Eisernen Ringes" zuzurechnen.

Die Arbeiterschaft, auf die sich der wohl wichtigste Teil der sozialen Schutzmaßnahmen bezog, war infolge des undemokratischen Wahlrechts von einer Mitsprache auf parlamentarischer Ebene ausgeschlossen. Trotz vereinzelter Versuche des Parlaments, die Wünsche und Forderungen der Arbeiterschaft auf sozialem Gebiet kennenzulernen (insbes. Enquete von 1883) begegnete diese den sozialpolitischen Bestrebungen der Regierung Taaffe zunächst mit großem Mißtrauen. Das berühmte Lob Victor Adlers (1891), Österreich besitze eines der besten Arbeiterschutzgesetze der Welt, war zu Recht begleitet von einer Kritik an der administrativen Durchführung, die sowohl auf dem Gebiet des Arbeiterschutzes (Gewerbeinspektoren) als auch der Arbeiterversicherung große Mängel aufwies. Erst seit Mitte der neunziger Jahre nahm die Arbeiterschaft aktiv an der Weiterbildung des Arbeits- und Sozialrechts teil (s. unten V).

IV. DIE IDEOLOGISCHEN WURZELN DER SOZIALPOLITISCHEN REFORMEN

Schon lange vor 1880 wurden von Denkern ganz unterschiedlicher ideologischer Provenienz soziale Schutzmaßnahmen gefordert; so sind als wichtiger „Vordenker" der christlichen Sozialreform der Mainzer Bischof E. Ketteler, als prominenter Vertreter des Staatssozialismus F. Lasalle sowie schließlich die Gruppe der „Sozialliberalen" (die Kathedersozialisten, Lorenz v. Stein) zu nennen.

Auch die später ergriffenen Einzelmaßnahmen, einschließlich des komplizierten Systems der Sozialversicherung, waren zum Großteil schon um 1870 in den Grundzügen bekannt (insbes. A. Schäffle).

Das Bemerkenswerte an der 1880 einsetzenden sozialen Gesetzgebung ist demnach weniger in ihrer geistigen Originalität als in der scheinbar unwiderstehlichen Kraft gelegen, mit der sie sich binnen kurzer Zeit allgemeine Anerkennung verschaffte und, ohne auf nennenswerten Widerstand zu stoßen, das gesamte öffentliche Leben zu beherrschen begann. Ähnlich wie bei der heutigen Umweltschutzbewegung konnte es sich keine auf breiten Anhang bedachte politische Gruppierung leisten, grundsätzlichen Widerspruch zu üben; selbst die liberale Opposition versuchte (wie eine schon 1882 an das Abgeordnetenhaus gerichtete Resolution belegt), noch auf den „sozialen Zug" aufzuspringen und überbot die konservative Majorität nicht selten mit aufwendigen Vorschlägen. Auch kleinere, von einer allfälligen Regierungsbeteiligung denkbar weit entfernte Gruppen wie insbes. die Schönerianer, taten sich durch besonders weitgehende Verbesserungsvorschläge hervor (Antrag Prade auf Einführung der Arbeits- und Invaliditätsversicherung. 1891).

Ungeachtet der Breite der Anerkennung, die dem Sozialgedanken demnach zuteil wurde, ist doch auf zwei dominierende Strömungen hinzuweisen, die die österr. Sozialgesetzgebung von 1880 ff. geprägt haben: die Ideen der christlichen Sozialreformer einerseits und das deutsche Vorbild der Bismarck'schen Sozialgesetzgebung andererseits:

Ähnlich wie Bismarck verfolgte auch die Regierung Taaffe gegenüber der Arbeiterschaft eine „Doppelstrategie": einerseits wurden Versuche politischer Betätigung mit scharfer Repression bekämpft (deutsches Sozialistengesetz 1878, österr. VO aus 1884, Gesetz aus 1886), andererseits sollte die Arbeiterschaft durch Sozialgesetze mit dem Staat versöhnt werden, ein Gedanke, der vor allem in den Arbeiterversicherungsgesetzen zum Ausdruck kommt und dem ganz deutlich staatssozialistisches Ideengut zugrundeliegt (die geistige Affinität zu Lasalle wurde von Bismarck selbst mehrfach hervorgehoben).

Auch in Österreich spielt der Gedanke der Staatshilfe durch Unterstützung ökonomisch bedrängter, sozial schwacher Bevölkerungsschichten eine bedeutende Rolle (s. unten V). Gleichzeitig aber auch die – im Vergleich zur Bismarck'schen Reformgesetzgebung wohl erheblich stärkere – Tendenz einer Sozialpolitik zu Lasten des Industriekapitals. Hatte Bismarck eine zu starke Belastung der deutschen Industrie wegen befürchteter Wettbewerbsnachteile gegenüber dem Ausland möglichst vermieden und nicht zuletzt auch deshalb höhere Staatsbeteiligung gefordert, so hatte die Regierung Taaffe eher das Konkurrenzverhältnis zwischen Industrie und Kleingewerbe im Auge, weshalb sie die Soziallasten der industriellen Unternehmer auch aus wirtschaftlicher Sicht günstig beurteilte. Bemerkenswerte Abweichungen von der deutschen Entwicklung wie insbes. die frühere Einführung des Normalarbeitstages (Österreich: 1885; Deutsches Reich: ab 1891), aber auch die schleppende Ausweitung der Arbeiterversicherung auf den nichtindustriellen Bereich, können zumindest teilweise aus diesen unterschiedlichen Schwerpunktsetzungen erklärt werden.

Wichtigster „Vordenker" der christlichen Sozialreformer war der Mainzer Bischof Wilhelm E. Ketteler, der schon in den sechziger Jahren die liberale Marktwirtschaft für die Proletarisierung der Arbeiterschaft und die Zerstörung des Mittelstandes verantwortlich machte und das Eingreifen des Staates zum Schutze der Handwerker, Bauern und Arbeiter forderte.

Aufbauend auf Ketteler forderte Alois von Liechtenstein auf dem Wiener Katholikentag von 1877 eine Einschränkung der Gewerbefreiheit zugunsten der Gewerbetreibenden sowie Schutzmaßnahmen für die Bauern und die Arbeiter. Auch sollten alle diese Berufsgruppen in autonomen Verbänden (Genossenschaften) zusammengeschlossen sein.

Ähnliche Gedanken wie Ketteler und Liechtenstein vertrat auch der wohl bekannteste Vertreter der christlichen Sozialreform, Karl von Vogelsang: deutlicher als Liechtenstein, aber m. E. in grundsätzlicher Übereinstimmung mit diesem (vgl. Liechtenstein's Antrag auf Schaffung industrieller Genossenschaften 1891), strebte Vogelsang die Überwindung der Klassengegensätze zwischen Arbeitgebern und Arbeitnehmern durch genossenschaftlichen Zusammenschluß auch in der Großindustrie an, ferner beispielsweise die Ausgliederung des Bauernstandes aus der modernen Geld- und Kreditwirtschaft (durch ein weitgehendes Verschuldungsverbot für Bauerngüter). Während Vogelsang mit der stark antikapitalistischen (und antisemitischen) Ausrichtung seiner Lehren insbes. auf Karl Lueger, den späteren Gründer der christlich-sozialen Partei und Bürgermeister von Wien (vgl. unten VII) Einfluß übte, war A. Liechtensteins Tätigkeitsfeld vor allem im Parlament gelegen. Für Taaffes Regierungspolitik am wichtigsten ist das Ideengut Emil Steinbachs, der zwar von ganz ähnlichen Ansätzen ausgeht wie Liechtenstein und Vogelsang, sich jedoch für das Festhalten am Eigentumsdenken und an der Marktwirtschaft ausspricht, soferne dem Freiheitsmißbrauch durch gezielte gesetzgeberische Maßnahmen wirksam gegengesteuert werde (Sozialpflichtigkeit des Eigentums). Die Überwindung der sozialen Spannungen zwischen Unternehmern und Arbeitern erhofft sich Steinbach von einer Angleichung der Rechtsstellung der Arbeiter an die der Beamten (!); habe der Arbeiter einmal eine derart gesicherte Stellung erlangt, so habe er viel zu verlieren und werde daher Konflikte mit Unternehmern und Staat tunlichst vermeiden. Auf sozialdemokratischer Seite ist wohl Anton Menger als der bedeutendste Theoretiker der Sozialreform anzusehen: Menger verlangte vor allem sehr weitgehende Eingriffe des Staates in das Arbeitsverhältnis durch einen weitgehenden Kündigungsschutz, eine Wiederaufnahmepflicht nach Entlassung und hinsichtlich der Lohnbestimmung. Sahen Liechtenstein und Vogelsang in den genossenschaftlichen Zusammenschlüssen des Mittelalters ihr Gesellschaftsideal, so orientierte sich Menger vornehmlich am Wohlfahrtsstaat des

18. Jahrhunderts, so beispielsweise mit seinen richterliche und administrative Funktionen vereinigenden „Ordnungsbehörden".

Konkrete Vorstellungen bezüglich der sozialen Reformen sind den Parteiprogrammen zu entnehmen. Schon im deutschnationalen „Linzer Programm" aus 1882, dessen sozialpolitische Passagen auf den späteren sozialdemokratischen Parteiführer Victor Adler zurückgehen, findet sich u. a. die Forderung nach „Feststellung einer Normalarbeitszeit" sowie auf Einführung einer staatlichen Unfall- und Altersversicherung. Das Hainfelder Programm aus 1888/89 äußert sich – im Einklang mit der Haltung der deutschen Sozialdemokratie – zur Arbeiterversicherung eher ablehnend, stellt jedoch zum Arbeiterschutz eine Reihe ganz konkreter Forderungen auf, darunter insbes. jene nach Einführung des achtstündigen Maximalarbeitstages.

Von da an blieb der „Achtstundentag" neben dem allgemeinen Wahlrecht das Hauptanliegen der geeinigten sozialdemokratischen Arbeiterbewegung und bildete insbes. auf den Maikundgebungen 1890 ff. einen fixen Programmpunkt. Die Arbeiterversicherung (s. unten V 1) wurde von den Sozialdemokraten zwar sowohl in organisatorischer wie auch leistungsmäßiger Hinsicht als unzulänglich empfunden, seit Mitte der neunziger Jahre jedoch grundsätzlich bejaht (vgl. auch das sozialdemokratische „Wiener Programm" aus 1901, Schlußteil) und nachdrücklich verteidigt, zumal die von den Christlichsozialen betriebene Mittelstandsförderung aus sozialdemokratischer Sicht den weiteren Ausbau der Arbeiterversicherung zu gefährden drohte.

Schon lange vor dem geschilderten Zusammenbruch des liberalen Systems war von einzelnen weitblickenden Vertretern dieses Lagers ein durch stärkere Berücksichtigung sozialer Gesichtspunkte geprägter Reformkurs verlangt worden. Als wichtigster Vertreter dieser Gruppe ist Albert E. Schäffle zu nennen, der schon 1870 einen Mittelweg zwischen „Kapitalismus und Sozialismus" zu gehen versuchte und u. a. die Eindämmung der Börsenspekulation, die Erweiterung des Wahlrechts und – nicht zuletzt – auch die Einführung einer Arbeiter(Pflicht)versicherung forderte. Bedeutende Sozialpolitiker aus der Niedergangsperiode des Liberalismus sind Joseph M. Baernreither und Eugen von Philippovich. Der erstere war von seinem Eintritt in den Reichsrat (1885) an der führende Sozialpolitiker des Parlaments; auf seine Initiative gehen das erste sozialpartnerschaftliche Beratungsgremium, der ständige Arbeitsbeirat (s. unten VI) sowie die Schaffung des Sozialministeriums (1917/18) zurück. Philippovich ist insbes. durch grundlegende Untersuchungen über die Wohnungsfrage hervorgetreten und war die Zentralfigur der „Wiener Fabier". Die „Fabier", die in Anlehnung an ihr englisches Vorbild („Fabian Society") und den deutschen „Verein für Sozialpolitik" eine schrittweise Anreicherung des liberalistisch-kapitalistischen Gesellschaftssystems mit sozialem Gedankengut anstrebten, waren der „brain trust" der Sozialpolitik, an dessen Versammlungen neben Philippovich auch Julius Ofner, Josef Redlich, der spätere tschechoslowakische Präsident Tomas Masaryk und wahrscheinlich auch Heinrich Lammasch, der Philosoph Friedlich Jodl, Victor Adler und der spätere Justizminister Franz Klein zumindest zeitweise teilgenommen haben. Viele Sozialgesetze, bis hin zu den Reformen der Hanusch-Ära, reichen in ihren geistigen Wurzeln in die Fabier-Beratungen der neunziger Jahre zurück. Franz Klein war der Schöpfer der – wegen ihres starken sozialen Gehalts – auch international vielbeachteten und geschätzten österreichischen Zivilprozeßgesetzgebung von 1895/96.

V. DIE WICHTIGSTEN MASSNAHMEN DER STAATSHILFE

1. Arbeiter und Angestellte

Die wichtigsten sozialen Anliegen der Arbeiterschaft bezogen sich zunächst auf das industrielle Arbeitsverhältnis als solches, und hier wieder vor allem auf folgende Punkte:

a. Die oft vierzehn und mehr Stunden, von Arbeitspausen kaum unterbrochene Arbeitszeit,
b. gefährliche und ungesunde Arbeitsplätze,
c. weitgehende Schutzlosigkeit besonders gefährdeter

Gruppen von Arbeitern (insbes. Jugendliche und Frauen),
d. niedrige Löhne, für den Arbeiter nachteilige Folgen der Lohnzahlung (insbes. Truck-System)
e. Schutzlosigkeit gegenüber ungerechtfertigten Entlassungen bzw. Kündigungen.

Die dem liberalen Wirtschafts- und Rechtsdenken angepaßte Urfassung der Gewerbeordnung 1859 betrachtete das Arbeitsverhältnis vornehmlich als „Privatangelegenheit" von Arbeitgeber und Arbeitnehmer und beschränkte sich auf wenige gestaltende Eingriffe; als wichtigste sind das Verbot der Beschäftigung von Kindern unter zehn Jahren (bzw. unter 12, wenn der Gemeindevorstand die Zustimmung nicht erteilte) in Fabriksbetrieben sowie die Arbeitszeitbeschränkung (10 bzw. 12 Stunden) für Jugendliche unter vierzehn bzw. sechzehn Jahren zu nennen. Hinsichtlich der Arbeitszeit der älteren Arbeiter, der Beschäftigung von Frauen oder Fragen der Kündigung und Entlassung sollte die der Aufsichtsbehörde vorzulegende „Dienstordnung" Regelungen vorsehen. Der hiemit bezweckte indirekte Arbeitsschutz war infolge der Untätigkeit der Behörden aber weitgehend ineffektiv. Auch den 1869 geschaffenen Gewerbegerichten kam nicht zuletzt wegen der für die Arbeiter ungünstigen Bestimmungen der Dienstordnung kaum eine nennenswerte Schutzfunktion zu.

Das Motto der gegen diese Mißstände ankämpfenden Gesetzgebung konnte daher nur lauten: Staatseingriff in die Gestaltung des Arbeitsvertrages, gekoppelt mit verstärkter staatlicher Kontrolle der Verhältnisse am Arbeitsplatz; das Arbeitsrecht wird dadurch einem Wesenswandel unterzogen, indem es aus dem allgemeinen bürgerlichen Recht ausscheidet und zum Sonderprivatrecht der unselbständig Erwerbstätigen wird.

Auf der Grundlage einer im Februar 1883 abgehaltenen Parlamentsenquete, zu der auch Arbeiter als Auskunftspersonen beigezogen wurden, kam es zur Erlassung des Gewerbeinspektorengesetzes 1883, des ersten der Arbeiterschutzgesetze. Der Gewerbeinspektor (heute: Arbeitsinspektor) ist ein Kontrollorgan, das durch regelmäßige Inspektion über die Einhaltung des Arbeiterschutzes in den Betrieben seines Sprengels zu wachen hat, also beispielsweise über die Schutzvorkehrungen gegen Betriebsunfälle, die Beschäftigung jugendlicher Arbeiter, die Arbeitszeit, Lohnzahlungen usw. Wenngleich sich der Gewerbeinspektor von 1883 ff. noch durch eine schwächere Rechtsstellung (Unterordnung unter die Gewerbebehörden) und höchst unzulängliche materielle und personelle Ausstattung vom heutigen Arbeitsinspektor unterschied, brachte das Gesetz doch einen enormen Fortschritt in Richtung auf eine höhere Effektivität des Arbeiterschutzes.

Hinsichtlich der materiellen Fortbildung des Arbeiterschutzes bilden das Gesetz von 1884 betreffend den Bergarbeiterschutz und vor allem die zweite Gewerbeordnungsnovelle von 1885 die wichtigsten Meilensteine: für alle Gewerbetreibende wurde ein Verbot von Kinderarbeit bis zum 12. bzw. 14. Lebensjahr sowie Beschränkungen der Beschäftigung von Jugendlichen (Nachtarbeitsverbot etc.) und Frauen ausgesprochen, für Wöchnerinnen eine Schutzfrist von 4 Wochen nach der Niederkunft vorgesehen. Ferner wurde beispielsweise die Pflicht des Gewerbsinhabers zur Schaffung von Sicherheitsvorkehrungen sowie zur Lohnzahlung in Geld (Truckverbot) direkt ins Gesetz aufgenommen. Für Fabriksbetriebe wurde erstmals in Österreich ein Maximalarbeitstag von 11 Stunden (bei sechs Arbeitstagen), ein Arbeitsverbot für Kinder unter 14 Jahren sowie ein Verbot der Nachtarbeit von Frauen normiert.

Durch das Gewerbeinspektorengesetz und die Gewerbeordnungsnovelle von 1885 hatte Österreich zu den besten Arbeiterschutzgesetzgebungen der Welt (England, Schweiz) aufgeschlossen und sogar vorübergehend das Deutsche Reich überholt. Dennoch war man noch weit von der Forderung der Arbeiter (Achtstunden-Tag) entfernt, der erst 1918 in der Ära Hanusch voll entsprochen wurde. Besonders schlecht waren nach wie vor die Arbeitsverhältnisse der Bergleute, die durch das große Bergwerksunglück von Přibram (31. 5. 1892) in das Bewußtsein der Öffentlichkeit traten. Was das Lohnniveau bzw. auch die Arbeitsbedingungen betrifft, so hat die seit Mitte der neunziger Jahre mächtig werdende Gewerkschaftsbewegung durch den Abschluß von Kollektivverträgen bzw. durch Arbeitskämpfe zusätzlich zur günstigen Wirtschaftslage ganz entscheidend zur Verbesserung der Situation der industriellen Arbeiter beigetragen.

So betrug beispielsweise in 80% der von Kollektivverträgen erfaßten Betrieben der metallverarbeitenden Industrie 1906 die tatsächliche Arbeitszeit nur mehr höchstens 9 Stunden.

Während die industriellen Arbeiter demnach vor allem im ersten Jahrzehnt dieses Jahrhunderts einen rapiden wirtschaftlichen und sozialen Aufstieg erlebten, blieben andere Gruppen von Arbeitern – das kleingewerbliche Hilfspersonal und vor allem die Landarbeiter – sowie viele kleine Landwirte und Gewerbetreibende hinter dieser Entwicklung zurück (zu den letzteren vgl. 2 und 3). Zunächst schien dies auch für die damals erst im Entstehen begriffene Bevölkerungsgruppe der Angestellten zu gelten, zumal die Regierung in Verfolgung ihrer Mittelstandspolitik zunächst eine Angleichung des Angestellten- an den Arbeiterschutz ablehnte. Schließlich ist durch das Handlungsgehilfengesetz von 1910, im Sinne der Forderung der Sozialdemokraten und soziallliberalen Reformer (insbes. Franz Klein), das „Eingriffsmodell" des Arbeiterschutzes auf die Angestellten übertragen worden, wobei jedoch auch neue Elemente (so der gesetzliche Urlaubsanspruch) hinzugefügt wurden. Dieses, auch international betrachtet, bahnbrechende Gesetz hatte einerseits weitreichende politische Auswirkungen auf die Angestelltenschaft, andererseits auch Rückwirkungen auf den weiteren Ausbau des Arbeiterschutzes, da sich dieser in der Folge vielfach am Angestelltenschutz als „Schrittmacher" orientierte.

Vom eigentlichen Arbeiterschutz zu unterscheiden ist die Arbeiter(Pflicht-)versicherung, die die Versorgung des Arbeiters und seiner Familie bei Betriebsunfällen, Krankheit und Invalidität bzw. Tod sicherstellen soll. Sowohl in Deutschland als auch in Österreich war in der Schlußphase des Liberalismus beabsichtigt, die Unternehmerhaftung für Betriebsunfälle auszudehnen. Wegen der negativen Auswirkungen der Haftungsprozesse auf das Betriebsklima schwenkte Bismarck jedoch 1881 auf die Linie einer gesetzlichen Unfallversicherung ein; das grundsätzlich Neue daran ist der (von Schäffle schon 1870 geforderte) gesetzliche Versicherungszwang, kraft dessen bereits die Eingehung des Arbeitsverhältnisses die Versicherungspflicht begründet. Durch das Unfallversicherungsgesetz von 1887, das Krankenversicherungsgesetz aus 1888 und das Bruderladengesetz aus 1889 waren alle Arbeiter und Betriebsbeamten (Angestellten) gewerblicher Betriebe krankenversichert, die industriellen Arbeiter überdies unfallversichert; als einzige Gruppe der Arbeiter erhielten die Bergleute auch eine Invaliditätsversicherung.

Sieht man von einzelnen Ausdehnungsgesetzen (etwa 1894 für die Eisenbahner) ab, so folgte der nächste Ausbauschritt erst 1906 mit dem Altersversicherungsgesetz der Angestellten. Die Altersversicherung der Arbeiter (mit Ausnahme der Bergleute) blieb eine bis zum Jahre 1939 unerfüllte Hoffnung. Die zahlenmäßig besonders bedeutsame Gruppe der Landarbeiter erhielt, von wenigen Ausnahmen abgesehen, vor 1918 nicht einmal die Unfall- und Krankenversicherung. Dabei war Österreich (im Sinne Cisleithaniens) knapp vor Ausbruch des Ersten Weltkrieges nahe daran, das fortschrittlichste Sozialversicherungssystem der Welt zu etablieren: schon 1908 hatte die Regierung nämlich das Projekt einer auf Drängen der Christlichsozialen auch die Selbständigen umfassenden Sozialversicherung vorgelegt, das nach langen Kämpfen 1914 endlich Aussicht auf Annahme durch den Reichsrat erlangte, die jedoch infolge des Kriegsausbruchs nicht mehr zustandekam. Wie weitblickend das Projekt, das freilich gerade wegen seiner Größe vielen Detailverbesserungen der Arbeiterversicherung im Wege stand, gewesen ist, zeigt der Umstand, daß die Arbeiter-Altersversicherung erst 1939, die Selbständigenversicherung erst geraume Zeit nach 1945 eingerichtet wurden.

2. Gewerbetreibende

Auf der Grundlage der Ideen der christlichen Sozialreformer, aber auch unter dem Druck der mächtigen Handwerkerbewegung (s. II) ergriff die Regierung Taaffe eine Reihe von Maßnahmen zum Schutze der kleinen Gewerbetreibenden. Als wichtigste ist die erste Gewerbeordnungsnovelle aus 1883 hervorzuheben, durch die einerseits für die sog. handwerksmäßigen Gewerbe (Bäcker, Fleischhauer, Friseure, Schlosser usw.) der Befähigungsnachweis eingeführt wurde, zum anderen die bisherigen Zwangsgenossenschaften der Gewerbetreibenden durch Aufhebung des Beitrittszwangs für Fabrikanten und deren Arbeiter in reine Handwerkerorganisationen umgewandelt und sog. Gehilfenversammlungen als Annexinstitute geschaffen wurden.

Neben dem Schutz der Gewerbetreibenden lag dieser Reform vornehmlich die Absicht zugrunde, die Gehilfen der kleinen und mittleren Gewerbetreibenden (Gesellen und Lehrlinge) dem politischen Einfluß der Arbeiterbewegung zu entziehen und sie im Sinne Liechtensteins und Vogelsangs zum korporativen Denken hinzuführen.

Die Reform von 1883 war allerdings insoweit ein Kompromiß, als gerade die als Hauptkonkurrenz empfundenen fabriksmäßigen Betriebe von den Bestimmungen über den Befähigungsnachweis ausgenommen waren; ein 1891 von Liechtenstein unternommener Vorstoß in Richtung auf Beseitigung dieser Ausnahme blieb erfolglos. Ein wichtiger Teilerfolg wurde dagegen mit dem Ratengesetz von 1896 erzielt: dieses – aus heutiger Sicht als Vorläufer des modernen Konsumentenschutzes bedeutsame – Gesetz sollte seiner ursprünglichen Intention nach vornehmlich dem Schutz des Gewerbes gegen die übermächtige Industrie dienen, die sich mit Hilfe des Abzahlungsgeschäftes neue, bislang dem Gewerbe vorbehaltene Käuferschichten erobert hatte.

Schließlich war die seit 1892 einsetzende staatliche Förderung der gewerblichen Genossenschaften von größter Bedeutung (s. unten VIII).

Auch der Gedanke des genossenschaftlichen Zusammenschlusses von Meistern und Gehilfen war in der Gewerbeordnung 1883 nur unzulänglich durchgeführt, da die letzteren nicht als Vollmitglieder anerkannt und in der Genossenschaftsversammlung bloß mit beratender Stimme vertreten waren. Wenngleich gewisse erfolgversprechende Ansätze eines Meister und Gehilfen vereinigenden korporativen Denkens (insbes. bei gesellschaftlichen Anlässen) nicht zu übersehen sind, belasteten doch zahlreiche soziale und ökonomische Faktoren (Absinken der Zahl der „Wohngemeinschaften“ zwischen Meister und Gesellen; schlechte und ungesunde Arbeitsverhältnisse; schlechte finanzielle Ausstattung der Genossenschaftskassen) das Verhältnis zwischen Meistern und Gesellen bzw. Lehrlingen, was sich insbes. deutlich in der Zunahme des sozialdemokratischen Einflusses in den Genossenschaftskassen bemerkbar machte.

Auf fruchtbaren Boden fiel der Gedanke des korporativen Zusammenschlusses hingegen insoweit, als die Gewerbetreibenden als solche sich – parallel zur Arbeiterschaft und den Bauern – als dritte große soziale Gruppe mit eigenem Selbstbewußtsein zu etablieren vermochten. Auf dem Gebiet der Sozialpolitik kommt diese Entwicklung nicht zuletzt durch das Übergreifen des Gedankens der sozialen Sicherheit in den Selbständigen-Bereich zum Ausdruck (1897: Schaffung der sog. Meisterkrankenkassen; 1907: Ausbau des Versicherungszwanges; ab 1908: Projekt einer auch die gewerblich Selbständigen umfassenden „Sozialversicherung“).

Auf die Gewerbeförderung im Rahmen der Kommunalpolitik wird an späterer Stelle (VII) einzugehen sein.

3. Bauern

Hauptprobleme des in wirtschaftliche Bedrängnis geratenen Bauernstandes (vgl. oben II) waren die steigende Bodenverschuldung, die zunehmende Bodenzersplitterung infolge von Teilungen sowie die Entfremdung bäuerlichen Bodens durch Verkäufe bzw. exekutive Versteigerung an Nichtbauern.

Während der liberalen Ära waren in allen Kronländern mit Ausnahme von Tirol die alten Teilungs- und Verschuldungsbeschrankungen aufgehoben worden; das Fehlen dieser Schutzmechanismen begann sich nun, unter dem Druck der ungünstigen wirtschaftlichen Lage des Bauernstandes, negativ auszuwirken.

Das Anliegen der Regierung bzw. des Parlaments war daher darauf gerichtet, den Bauern durch Eingriffe in die freie Marktwirtschaft, d. h. durch den Aufbau eines neuen bäuerlichen Sonderprivatrechts, vor den skizzierten Gefahren zu schützen.

Im Gegensatz zu den Liberalen, die den Wucher als ein Sonderproblem der Ostgebiete hinzustellen versucht hatten, wurde von der Regierung Taaffe 1881 ein für alle Kronländer geltendes Wuchergesetz ins

Leben gerufen; weitere Maßnahmen gegen die Verschuldung waren das Konvertierungsgesetz von 1888 und vor allem die staatliche Förderung und Unterstützung der Raiffeisenkassen, die den Agrarkredit weitgehend, wie dies Vogelsang gefordert hatte, dem privatkapitalistischen System entzogen und auf völlig neue, genossenschaftliche Grundlagen stellten. Der Bodenzersplitterung bzw. indirekt auch der Bodenverschuldung (Problem der Auszahlung der „weichenden Geschwister") sollten das die Zusammenlegung der Grundstücke regelnde Commassierungsgesetz aus 1883 sowie das 1889 erlassene Anerbengesetz entgegenwirken. Obwohl die Landtage dieses Reichsrahmengesetz nur sehr zögernd zur Ausführung brachten (Tirol 1900, Kärnten 1903, Böhmen 1908), dürfte die auf Erbteilungen zurückgehende Bodenzersplitterung nicht allzu hoch zu veranschlagen sein, da die Anerbensitte von den Gerichten als Gewohnheitsrecht anerkannt wurde. Weit gefährlicher war der Ausverkauf von Bauernland an Nichtbauern (für Jagdreviere etc.), der den Untergang vieler Tausender bäuerlicher Existenzen zur Folge hatte (vgl. P. Roseggers Roman „Jakob der Letzte"). Trotz zahlreicher Initiativen gelang es dem Gesetzgeber zunächst nicht, den – verfassungsrechtlich verbrieften – freien Grunderwerb (Art. 6 StGG) hinsichtlich der Bauerngüter einzudämmen, nicht zuletzt infolge des Widerstands der Agrarier in den Landtagen, die sich nicht durch Verfügungsbeschränkungen die Hände binden wollten und ein Absinken der Beleihungswerte der Grundstücke (zu Recht) befürchteten. Erst durch eine bahnbrechende, für viele Länder Europas vorbildhafte Notverordnung aus 1915 wurde der Erwerb landwirtschaftlicher Grundstücke an die Zustimmung von Grundverkehrskommissionen geknüpft, eine Entwicklung, die über das Grundverkehrsgesetz 1919 bis zu den heutigen Landes-Grundverkehrsgesetzen führt.

Für den Bauernstand gilt im übrigen ähnliches wie für die Gewerbetreibenden: die gemeinsame ökonomische Bedrohung, der Aufstieg des Genossenschaftswesens und das erstarkte politische Engagement hat das in der liberalen Ära in den Hintergrund getretene bäuerliche Standesbewußtsein enorm gefestigt, wobei allerdings die Gegensätze zwischen den Konservativen einerseits und den (aus einer „Stadtpartei" hervorgegangenen) Christlichsozialen andererseits das Jahr 1907 (Zustandekommen der Koalition im Reichsrat) lange überdauerten.

VI. DIE ANFÄNGE DER SOZIALPARTNERSCHAFT

Auch eines der markantesten österreichischen Spezifika, die Sozialpartnerschaft, reicht in ihren Anfängen in die Zeit zwischen 1880 und 1916 zurück; sieht man von den gewerblichen Zwangsgenossenschaften ab, die den Gedanken der Sozialpartnerschaft nur in sehr bescheidenem Umfang verwirklichten, so sind insbes. einzelne Typen der 1888 geschaffenen Arbeiterversicherungs-Träger als frühe Wirkungsstätten der Sozialpartnerschaft anzusprechen: dies gilt für die zu zwei Drittel mit Arbeitern, zu einem Drittel mit Arbeitgebern besetzten Bezirkskrankenkassen (den Vorläufern der heutigen Gebietskrankenkassen) sowie auch, mit Einschränkungen, für die Genossenschaftskrankenkassen und die Unfallversicherungsanstalten, nicht jedoch für die Fabriks- sowie Vereinskassen, da diese beiden letzteren durch ein Übergewicht des Unternehmers bzw. durch eine reine Arbeiterselbstverwaltung gekennzeichnet waren.

Die genannten Arbeiter-Versicherungsträger, später auch die Versicherungsanstalten der Angestellten, wurden zu Recht als „erste Übungsstätte" der Sozialpartnerschaft bezeichnet, da hier Arbeitnehmer und Arbeitgeber gemeinsam die maßgeblichen Entscheidungen trafen.

Als in den Jahren 1895 und 1897 die Reform der Unfall- und Krankenversicherung unter ministerieller Leitung beraten werden sollte, war es naheliegend, die in den Arbeiter-Versicherungsträgern tätigen Arbeitgeber und Arbeitnehmer beizuziehen. Von diesen beiden Enqueten, die die ersten Gesetzesberatungen auf sozialpartnerschaftlicher Basis in Österreichs Geschichte darstellen dürften, war es nur mehr ein kleiner Schritt zu dem 1898 auf Initiative des damaligen Handelsministers J. M. Baernreiter (vgl. IV) eingerichteten sozialpartnerschaftlich besetzten „Arbeitsbeirat“ als ständigem Beratungsgremium für sozialpolitische Fragen.

Daß nicht ein Exponent der Vorläuferorganisationen der heutigen Großparteien, sondern ein Liberaler die Sozialpartnerschaft aus der Taufe hob, hat wohl darin seine Ursache, daß gerade die von einer Verdrängung aus dem Parlament bedrohten Liberalen an einer außerparlamentarischen Gesprächsebene zwischen Unternehmern und Arbeitern besonders interessiert waren. Der Arbeitsbeirat, dem neben Baernreither auch Philippovich, der Sozialdemokrat Verkauf sowie der Christlichsoziale Kienböck angehörten, veranstaltete eine große Zahl von Untersuchungen und Beratungen zu arbeits- und sozialrechtlichen Materien, scheiterte jedoch letztlich daran, daß die insbes. von der christlichsozialen Partei betriebene Mittelstandspolitik seinen Kompetenzrahmen sprengte bzw. das liberale Element infolge des politischen Machtverlustes von 1907 die angestrebte Vermittlerrolle zwischen den beiden Großparteien nicht mehr wahrzunehmen vermochte.

Eine neue, im wesentlichen ausschließlich auf die Sozialdemokraten und Christlichsozialen gestützte Form der Sozialpartnerschaft bahnte sich schon während der Kriegszeit an und bildete bei der Wiederaufbauarbeit vom 30. X. 1918 an ein ganz zentrales Element der Wirtschafts- und Sozialpolitik, so beispielsweise bei der Einrichtung der Arbeitslosenfürsorge.

VII. VERSTAATLICHUNG UND VERSTADTLICHUNG

Wenn die fortschreitende Vermehrung des Staatseinflusses in allen Sozialbereichen zu Beginn (I) als Charakteristikum der Ära von 1880–1916 hervorgehoben wurde, so war damit keineswegs nur die Ebene der staatlichen Gesetzgebung angesprochen: der Staatseinfluß äußerte sich auch in der Verstaatlichung der Eisenbahnen, die zwar bereits in der liberalen Ära einsetzte, jedoch nach 1880 massiv verstärkt wurde (Gründung der Wiener Staatsbahndirektion 1882) und schließlich bis 1909 so weit vorgeschritten war, daß von den insgesamt 22.000 Bahnkilometern der cisleithanischen Reichshälfte bereits 19.000 ins ärarische Eigentum übergegangen waren. Der zunehmende staatliche Einfluß äußerte sich auch in einer verschärften Versicherungs- und Bankenaufsicht, in der Aufsicht über die neugeschaffenen Arbeiterversicherungsträger, in der – Zug um Zug mit dem Ausbau der Gewerbe- und Agrarförderung verstärkten – Staatsaufsicht über gewerbliche und landwirtschaftliche Genossenschaften, später auch in der staatlichen Wohnbauförderung und der hiemit korrespondierenden Aufsicht über die Verwendung der Förderungsmittel u. v. a. m. Eine bisher nie dagewesene Steigerung wurde dem Staatseinfluß in der Zeit des Ersten Weltkriegs zuteil; schon bald nach Kriegsbeginn griff der Staat einerseits durch die Normierung von Höchstpreisen für Nahrungsmittel, Mieten etc. und andererseits durch Beschlagnahme von Vorräten sowie Regelung der industriellen Produktion unmittelbar in die Wirtschaft ein, wobei schon 1916 als Endziel der staatlichen Wirtschaftspolitik die Überführung immer größerer Teile des Wirtschaftslebens in den Zustand planmäßig gelenkter Bewirtschaftung angestrebt wurde. Aus sozialpolitischer Sicht hatte der mit der liberalen Dezemberverfassung in einem tiefgreifenden Spannungsverhältnis stehende „Super-Etatismus“ (J. Redlich) der Kriegszeit insoweit auch positive Seiten, als er lange aufgeschobene Maßnahmen wie insbes. die Grundverkehrsgesetzgebung, das soziale Mietrecht und die Gesetzgebung auf dem Gebiete der Jugendwohlfahrt rasch zur Verwirklichung brachte.

Wenn von Verstaatlichung die Rede ist, so darf der analoge Vorgang auf kommunaler Ebene, also die Verstadtlichung (Kommunalisierung) nicht unerwähnt bleiben, und hier wieder insbes. das Reformwerk des Bürgermeisters Karl Lueger in Wien.

In der liberalen Ära der Wiener Stadtverwaltung (bis 1896) nahm die Kommune nur solche Aufgaben wahr, zu deren Übernahme Private mangels Gewinnaussichten nicht bereit waren (Fürsorgewesen, Bildungseinrichtungen, Wasserversorgung); bei der Gas- und Stromversorgung, der Tramway, Leichenbestattung usw. handelte es sich hingegen um gewinnbringende Unternehmungen, die von privaten (teilweise auch ausländischen) Gesellschaften betrieben wurden, wobei die Mängel des Tramwaybetriebes und der

Gasversorgung schon seit den achtziger Jahren eine Zielscheibe der Kritik bildeten (vgl. etwa die Karikaturen im „Jungen Kikeriki"). Es waren jedoch weniger die bekannten Mißstände oder überhaupt sozialpolitische Motive, die Lueger zu seiner mit großem publizistischem Einsatz geführten Kommunalisierungskampagne bewogen, als vielmehr die Absicht, die von den privaten Gesellschaften erzielten Gewinne in die Kassen der Gemeinde „hinüberzuleiten" und damit wenig lukrative, jedoch sozialpolitisch notwendige Einrichtungen (Spitäler, Schwimmbäder etc.) zu finanzieren.

Die Verstadtlichung der Gaswerke war das erste, gleichzeitig aber auch schwierigste Unternehmen, da nur die für das alte Gemeindegebiet geschlossenen Verträge mit dem englischen Gaswerk 1899 ausliefen, nicht jedoch jene für die Versorgung der Bezirke 11 bis 19. Die überhastet getroffene Entscheidung zum Bau des städtischen Gaswerks in Simmering (1896) bzw. die wirtschaftlich unkluge Zurückweisung des Ablösungsangebots der englischen Gesellschaft (1898) hatten zur Folge, daß die Bezirke 11 bis 19 erst 1911 in die kommunale Gasversorgung einbezogen werden konnten.

Die Kommunalisierung der Elektrizitätsversorgung setzte 1899 mit dem Beschluß über die Errichtung des (1902 eröffneten) Simmeringer Elektrizitätswerks ein und konnte 1914 mit der Einlösung der letzten privaten Gesellschaft abgeschlossen werden. Im Konkurrenzkampf spielte die Gemeinde vor allem ihr Bewilligungsrecht bezüglich der Kabelverlegung in einer vom rechtsstaatlichen Standpunkt höchst bedenklichen Weise zu Lasten der drei privaten Gesellschaften aus.

Bei der Verstadtlichung der Tramway ging die Gemeinde hingegen wesentlich zurückhaltender vor. Noch 1899 wurde mit Siemens & Halske, der Rechtsnachfolgerin der Wiener Tramwaygesellschaft (WTG), ein neuer Vertrag geschlossen, da die Gemeinde die mit der Elektrifizierung verbundenen Risken nicht auf sich nehmen wollte; erst ab Juli 1903 wurde dieses Unternehmen ebenso wie das der „Neuen Wiener Tramway" in den kommunalen Betrieb übernommen.

Als verstadtlichte bzw. städtische Betriebe wurden ferner ins Leben gerufen: eine Lebens- und Rentenversicherungsanstalt (1898), die Zentralsparkasse (1905/06), der Rathauskeller (1898), ein Brauhaus (1905) sowie die Leichenbestattung (1907).

Von den Gaswerken, Elektrizitätswerken und der Tramway erhoffte man sich Einnahmen in Höhe von einem Viertel der städtischen Gesamteinnahmen; 10% waren es wirklich. Nicht zu Unrecht wird darauf hingewiesen, daß sowohl der durch diese Einnahmen ermöglichte Verzicht auf weitere Steuerbelastungen wie auch die Preisgestaltung von Gas und Strom vor allem dem Mittelstand zugute kam, zumal die unteren Schichten über gar keinen Gas- oder Stromanschluß verfügten.

Die von den Sozialdemokraten im Interesse der Unterschichten geforderte zusätzliche Kommunalisierung der Brot- und Fleischversorgung, der Apotheken usw. lehnte Lueger ab, weil er (wie beim Brauhaus) Defizite voraussah und gewiß auch wegen der für das städtische Gewerbe nachteiligen Wirkungen eines solchen Schrittes.

Von den großen Leistungen der Gemeinde unter Lueger sind vor allem die vielen Spitalsbauten, Kirchenbauten, Schulen und Schwimmbäder sowie die erhebliche Verbesserung der Armenfürsorge hervorzuheben. Hingegen kam der kommunale Wohnbau, der Lueger mit den Hausherren in Konflikt gebracht hätte, über bescheidene Anfänge nicht hinaus; auch der Schuldenstand der Stadt war, bedingt durch die Anleihenaufnahmen für die Großprojekte, gegenüber der liberalen Ära kräftig angewachsen. Trotz alledem hat Lueger einen neuen Typus der sozial- und wirtschaftspolitischen dynamischen Kommunalpolitik geprägt, der insoweit Vorbild aller späteren Stadtverwaltungen geworden ist.

VIII. DIE GENOSSENSCHAFTEN ALS SELBSTHILFEORGANISATIONEN – EIN SIEGESZUG MIT KOMPROMISSEN

Von den vier Sparten des Genossenschaftswesens gehen drei in ihren Anfängen weit hinter das Jahr 1880 zurück: so wird als erste gewerbliche Genossenschaft auf dem Gebiet der heutigen Republik Österreich 1851 die Klagenfurter Aushilfskasse errichtet, als erste Konsumgenossenschaft die der Teesdorfer Fabriksarbeiter 1856, als erste Baugenossenschaft 1869 die Wiener Neustädter „Arbeiter-Bau-Association".

Lediglich die landwirtschaftlichen Genossenschaften auf der Grundlage des Systems Raiffeisen, das im Gegensatz zum System Schulze-Delitzsch Staatshilfe nicht ausschließt, gehen auf die achtziger Jahre zurück. Die erste Raiffeisenkasse wurde auf dem Gebiet des heutigen Österreich 1886 in Mühldorf bei Spitz an der Donau gegründet. Die schon an früherer Stelle erwähnte massive staatliche Förderung der Raiffeisenkassen hatte einen ungeheuren Aufschwung zur Folge; 1898 schlossen sich auch die bisher nach Schulze-Delitzsch organisierten landwirtschaftlichen Genossenschaften dem Allgemeinen Verband landwirtschaftlicher Genossenschaften an.

So günstig die Ära Taaffe für die Raiffeisengenossenschaften war, so ungünstig war sie für die Konsumgenossenschaften. Wegen des damals schon starken sozialdemokratischen Einflusses auf die Konsumgenossenschaften beabsichtigte die Regierung das „Sozialistengesetz" (s. oben IV) auf diese zur Anwendung zu bringen, stieß hiebei jedoch auf den massiven Widerstand des „Allgemeinen Verbandes der Genossenschaften". Zu Ende des vorigen Jahrhunderts war das Naheverhältnis vieler Konsumgenossenschaften zur sozialdemokratischen Partei jedoch bereits so stark entwickelt, daß ein Verbleiben im „Allgemeinen Verband", in dem der liberale Geist Schulze-Delitzsch' dominierte, unmöglich erschien. Der bei weitem wichtigere Teil der Konsumvereine schloß sich, nachdem schon 1901 der „Erste Wiener Arbeiterkonsumverein" gegründet worden war, 1904 im „Zentralverband der österreichischen Konsumvereine" zusammen, der der sozialdemokratischen Partei sehr nahe stand, während der Rest von etwa 200 nicht sozialdemokratischen Konsumgenossenschaften beim „Allgemeinen Verband" verblieb.

Auch die Baugenossenschaften machten im Zeitraum zwischen 1880 und 1916 einen grundlegenden Wandel und Aufstieg durch: auch hier hatte sich das reine Selbsthilfeprinzip nicht als durchschlagend erwiesen, erst als die staatliche Wohnbauförderung 1908 bzw. 1910 einsetzte, kam es zu einer stürmischen Aufwärtsentwicklung der gemeinnützigen Baugenossenschaften.

Auch die gewerblichen Genossenschaften wurden durch die nach 1890 einsetzende Mittelstandsförderung erheblich aufgewertet.

Während demnach auch die Genossenschaften von den großen politischen Trends der Zeit nach 1880 keineswegs unberührt blieben, so blieb doch der aus der liberalen Ära bewahrte Selbsthilfegedanke ein tragendes Element der ganzen Bewegung; dies zeigt insbes. das 1903 erlassene Revisionsgesetz, durch welches der Gedanke der Selbsthilfe in der Frage der Kontrolle der Genossenschaften eine eindrucksvolle Bestätigung und Fortbildung erfuhr. In erster Linie zur Kontrolle der einzelnen Genossenschaften berufen sich diesem Gesetz zufolge nämlich die sog. Revisionsverbände, also Eigenorganisationen der Genossenschaften, nur ausnahmsweise (für Genossenschaften, die keinem Revisionsverband angehören) die Landesausschüsse und Gerichte.

IX. ANFÄNGE DES SOZIALEN WOHNRECHTS

Die Mißstände im Wohnungswesen der Städte waren Ende des 19. Jahrhunderts Gegenstand zahlloser wissenschaftlicher Untersuchungen und Reformvorschläge, so beispielsweise des Vereins für Socialpolitik, der Stadtreformer (Damaschke); in Österreich ist vor allem auf die Arbeiten von E. von Philippovich sowie auf die Bestrebungen der „Zentralstelle für Wohnungsreform" hinzuweisen. Unter den frühen Privatinitiativen sei vor allem auf jene der Kaiser-Franz-Joseph-Jubiläumsstiftung hingewiesen, die beispielsweise den Bau des Männerheimes in der Meldemanngasse durchführte.

Die Anfänge der staatlichen Wohnbauförderung liegen bei den – wenig erfolgreichen – Arbeiterwohnungsgesetzen von 1892 und 1902, die für Neubauten von Arbeiterwohnhäusern Steuerbefreiungen vorsahen. Die direkte Förderung setzte erst mit der Gründung des „Kaiser-Franz-Joseph-Jubiläumsfonds" 1908 ein, dem 1910 der „Staatliche Wohnungsfürsorgefonds für Kleinwohnungen" folgte. Beide Fonds förderten den Wohnbau insbes. durch die Gewährung zinsengünstiger, mit langer Laufzeit versehener Darlehen und bilden die Vorläufer der modernen Wohnbauförderung (zuletzt WFG 1984).

Weitere Schritte zum sozialen Wohnrecht waren das auf Franz Klein zurückgehende Baurechtsgesetz 1912, das eine Verbilligung des Wohn- und Siedlungsbaues durch die Einräumung von Baurechtsgründen durch öffentliche Rechtsträger, Kirchen und gemeinnützige Organisationen ermöglichte, schließlich – last not least – die MietrechtsVO 1917 und das Mietrechtsgesetz 1922, durch welche der tiefste Eingriff in das private Wohnungsrecht erfolgte, indem einerseits die Mietzinse auf den Stand des Jahres 1914 „eingefroren" wurden (sog. Zinsstopp) und andererseits die Kündigung eines Mieters nur bei Vorliegen der gesetzlichen Kündigungsgründe für zulässig erklärt wurde (sog. Kündigungsschutz).

Literatur (in Auswahl):

Zu I: Auf den ziemlich genau 100jährigen Phasenwechsel zwischen liberalen und antiliberalen Strömungen im kontinentaleuropäischen Raum habe ich auf dem 16. Internationalen Historikerkongreß Stuttgart 1985, hingewiesen. Vgl. Rapport II, S. 584ff.
Zu II: E. Bruckmüller, Sozialgeschichte Österreichs. 1985 – H. Matis, Österreichs Wirtschaft 1848 bis 1913.
Zu III u. IV: Zuletzt J. Weidenholzer, Der sorgende Staat. 1985 – H. Hofmeister, Ein Jahrhundert Sozialversicherung. 1981, 70ff.
Zu V: K. Ebert, Die Anfänge der modernen Sozialpolitik in Österreich. 1975 – E. Talos, Staatliche Sozialpolitik in Österreich. 1981 – Hofmeister, wie III.
Zu VI: G. Stourzh, (Hrsg.), Historische Wurzeln der Sozialpartnerschaft (Wiener Beiträge zur Geschichte der Neuzeit Bd. 12/13). 1986.
Zu VII: M. Seliger-K. Ukacar, Wien. Politische Geschichte 1740–1934, Teil 2. 1985.
Zu VIII: F. Baltzarek, Die geschichtliche Entwicklung der österr. Genossenschaften. In: Handbuch des österr. Genossenschaftswesens, 1986, S. 3ff.
Zu IX: Zuletzt Baltzarek, wie VIII, S. 81ff.

Peter Urbanitsch

POLITISIERUNG DER MASSEN

In der Geschichte der Habsburgermonarchie galten die achtziger Jahre des vorigen Jahrhunderts gemeinhin als Zeit der „konservativen Wende", als Periode der außen- und innenpolitischen Ruhe und Konsolidierung. Dieses Urteil mag auf den ersten Anhieb zutreffend erscheinen, sollte aber nicht die Tatsache verschleiern, daß es damals in Cisleithanien (die Entwicklung in der ungarischen Reichshälfte muß außerhalb des Rahmens dieser Betrachtungen bleiben) auf vielen Gebieten zu Neuansätzen bzw. zu einer Umorientierung kam, die die Grundlagen für das moderne politische Leben schufen.

Das trifft insbesondere für die Mitwirkung breiterer Bevölkerungskreise am politischen Leben zu, ein Prozeß, der freilich ziemlich langsam und bei weitem nicht linear verlief. Parlamente und andere Repräsentativkörperschaften gab es schon früher, auch Wahlen und andere, zum Teil spontan auftretende Formen der politischen Meinungsäußerung. Doch betätigte sich nur ein relativ kleiner Teil der Bevölkerung politisch. Das lag zum einen an dem doch recht restriktiven Wahlrecht, zum anderen waren offenbar das Interesse bzw. die Einsicht, durch politische Aktionen etwas bewirken und verändern zu können, noch nicht recht ausgeprägt. So gab es beispielsweise bei den Wiener Gemeinderatswahlen des Jahres 1882 13557 Wahlberechtigte im 3. Wahlkörper, doch machten bloß 4025 oder knapp 30% von ihrem Wahlrecht Gebrauch. Um eine stärkere Mitwirkung der Bürger an den Obliegenheiten des Staates zu erlangen, bedurfte es also nicht nur legistischer Änderungen, sondern vor allem einer stärkeren Mobilisierung der Bevölkerung.

Diese Mobilisierung, das heißt die Weckung des Interesses für alles Politische im weitesten Sinn, erfolgte nun über das Vereinswesen, das seit 1867 einen steilen Aufschwung nahm. In diesem Jahr wurde nicht nur eine Reihe von Staatsgrundgesetzen (häufig unter dem Terminus „Dezemberverfassung" zusammengefaßt) erlassen, sondern eben auch ein neues Vereinsgesetz. Dieses behielt die schon früher eingeführte Trennung in „politische" und „nichtpolitische" Vereine bei, wobei freilich, speziell für erstere, eine Reihe von Einschränkungen galten, die insbesondere für oppositionelle Bewegungen beträchtliche Hindernisse bei der Schaffung von „Öffentlichkeit" darstellten. Nichtsdestoweniger stieg die Zahl aller Vereine Cisleithaniens von 4331 im Jahre 1867 auf 18 553 im Jahr 1882, die der politischen von 64 im Jahr 1868 auf 555 im Jahr 1872, sank auf 429 im Jahr 1880, um in den folgenden Jahren wieder kontinuierlich anzusteigen.

Gewiß waren die Vereine überwiegend städtischen Ursprungs, verknüpft mit städtischer Lebensweise, doch dehnte sich dieses Medium vom Stadtbürgertum bald auf die Unterschichten und die ländliche Bevölkerung aus, bei den Deutschen ebenso wie bei der nichtdeutschen Bevölkerung Österreich-Ungarns. Was in diesem Zusammenhang am Vereinswesen interessiert, ist indes nicht die stupende Vielfalt der Zwecke, für die das Vereinsprinzip in Anwendung gebracht wurde. Vielleicht noch wichtiger war es, daß die Bevölkerung in diesen Organisationen Gelegenheit fand, demokratische Verhaltensweisen einzuüben, geregelte Formen der Willensartikulation und des Konfliktausgleichs kennenzulernen. Die Vereine waren, in zeitgenössischer Diktion, eine „gute Vorschule für Staatsbürger". Sie förderten die Bewußtseinsbildung des einfachen Bürgers, andererseits dienten sie der Herausbildung von Eliten. Viele der in führender Position Tätigen waren ausgesprochene „Multifunktionäre" und gehörten z. B. dem Gesangsverein ebenso an wie einem politischen Verein, einem nationalen Schutzverein, dem Gewerbeverein, der freiwilligen Feuerwehr usw. Derartige Mehrfachmitgliedschaften führten zu einer politisch-ideologischen „Vernetzung" der Vereine, die schließlich über den personalen Bereich hinausging und eine relativ homogene und breitgestreute Basis für politische Aktivitäten formte. Auf diese Weise konnten auch Vereine, die ursprünglich ganz anderen Zwecken dienten, für die Politik im engeren Sinn instrumentalisiert werden.

Über das Vereinswesen wurden Bevölkerungsschichten politisch aktiviert, die bis in die achtziger Jahre von der politischen Mitgestaltung in der Regel ausgeschaltet blieben. Und das obwohl sie unter den Folgen der sozio-ökonomischen und ideologischen Umwälzungen bzw. an der Nichtbewältigung der allgemeinen wirtschaftlichen Krise dieser Jahre durch die Politik am meisten zu leiden hatten: die Handwerker und kleinen Gewerbetreibenden, die sich langsam formierende industrielle Arbeiterschaft, die bäuerliche Bevölkerung. Natürlich standen anfänglich an der Spitze dieser Vereine nur vereinzelt Vertreter jener Gesellschaftsschichten, deren Belange gefördert werden sollten. Es dauerte in der Regel bis in die neunziger Jahre, bis Männer wie der Sattlergehilfe Leopold Kunschak Einfluß gewinnen konnten und so die Emanzipation der unteren Schichten von der Bevormundung durch die bisher tonangebenden Honoratioren signalisierten. Zwei Gruppen sind in diesem Zusammenhang besonders anzuführen: der Klerus – vornehmlich, aber nicht ausschließlich, der niedere – und Mitglieder von Studentenverbindungen.

Die Burschenschafter spielten nicht nur deshalb eine große Rolle, weil sie schon seit ihrer Studentenzeit her mit der Lenkung und Leitung von Versammlungen vertraut waren, sondern weil in so gut wie allen frühen Verbindungen und Korporationen ein – wenn auch unterschiedlich stark ausgebildetes – deutschnationales Gedankengut vorherrschte, von dem der Einzelne auch dann in gewisser Weise geprägt blieb, wenn er (wie z. B. Victor Adler, Karl Lueger oder Theodor Herzl) in seinem späteren Leben andere ideologische Positionen bezog. Ein katholisches Verbindungswesen entwickelte sich spät, doch nahm auch bei diesem deutschnationales Gedankengut zu. In der Betonung des Staatspatriotismus lag allerdings auch weiterhin ein prinzipielles Unterscheidungsmerkmal zu den im eigentlichen Sinn deutschnationalen Verbindungen. Nach der Jahrhundertwende spielten die alten Herren der katholischen Korporationen auch in der Politik eine zunehmend größere Rolle. Sie traten innerhalb des katholischen Lagers, das in den zwei, drei Jahrzehnten vor dem Ersten Weltkrieg deutlich erstarkte, neben den Geistlichen in Führungspositionen ein, ohne freilich letztere ganz zu ersetzen.

Die Rolle des Klerus für die Mobilisierung und Sensibilisierung breiterer Bevölkerungskreise kann nicht hoch genug eingeschätzt werden. In den deutschsprachigen Alpenländern, aber auch in den slowenischen Siedlungsgebieten, bei den Polen, nach der Jahrhundertwende auch bei den Kroaten, leisteten die Geistlichen bei der Erfassung der Bauernschaft, ihrer politischen und wirtschaftlichen Schulung und Unterstützung Außerordentliches. Bei der industriellen Arbeiterschaft und anfänglich im städtischen Handwerk und Gewerbe war ihr Einfluß freilich viel geringer.

Dennoch blieben ihre Aktivitäten gerade im ländlichen Bereich nicht ohne Konkurrenz: auch auf liberaler und nationaler Seite bemühte man sich um die Bauernschaft, wobei die Führung in diesen Vereinen mittleren Gutsbesitzern oder auch Großbauern zufiel. Das gilt nicht nur für den 1881 gegründeten „Oberösterreichischen Bauernverein" oder ähnlichen Organisationen in den Alpenländern. Gleiches trifft in vielleicht noch größerem Maße für die tschechische Bauernbewegung zu, deren Proponenten fast ausschließlich Großbauern waren und die in vielem den national-liberalen Jungtschechen nahestanden. Erst nach der Jahrhundertwende kam es auch in jenen alpenländischen Gebieten, in denen die Bauern ihre politische Heimat in den meist von nichtbäuerlichen Personen dominierten katholisch-konservativen Kasinos gefunden hatten, zur Gründung rein bäuerlicher politischer Standesvertretungen (Tiroler Bauernbund 1904, Niederösterreich 1906), die sich in der Regel den Christlichsozialen anschlossen.

Ein ausgebreitetes Pressewesen sorgte dafür, die Aktivitäten und Anschauungen der Vereine und Gruppen weiteren Kreisen bekannt zu machen. Hier ist weniger an die „großen" Tageszeitungen zu erinnern als vielmehr an die sehr zahlreichen lokalen und regionalen Blätter. Diese bildeten angesichts des Fehlens anderer Kommunikationsmittel nahezu die einzige Möglichkeit, regelmäßig mit den Sympathisanten einer bestimmten Richtung Kontakt zu halten. Jeder, der politisch aktiv werden wollte, war daher bestrebt, sich eines Publikationsorgans zu versichern; die Redaktionsstube wurde nicht selten zur eigentlichen Vereins- oder Parteizentrale. Vereins- und Pressewesen trugen also wesentlich zu einer Vertiefung politischer Haltungen bei, sie schufen die psychologischen und organisatorischen Voraussetzungen dafür, daß politisch-ideologische Einstellungen wie beispielsweise der Deutschnationalismus oder der Antisemitismus über einen parteimäßig organisierten engen Rahmen bei weitem hinausgingen und in einem viel größeren Bereich auf Resonanz stießen.

So lange das Wahlrecht nicht im Sinne einer durchgreifenden Demokratisierung reformiert wurde, bestand für die nichtprivilegierten Bevölkerungsschichten kaum eine Möglichkeit der direkten und unmittelbaren Vertretung ihrer Interessen in den Repräsentativkörperschaften. Sie mußten sich bei der Verwirklichung ihrer Wünsche wohl oder übel der schon etablierten, um einen parlamentarischen Klub zentrierten, Parteien bedienen. Allerdings verfügten die parlamentarischen Parteigruppierungen damals noch kaum über organisatorische Verlängerungen in die Wählerschaft. Weil sie sich statt dessen auf einzelne, in irgend einer Hinsicht herausragende Einzelpersonen stützten, bezeichnet man einen solchen Parteientyp als „Honoratiorenpartei". Das Fehlen fester Parteiorganisationen als Instrument kontinuierlicher Einflußnahme auf die politische Meinungsbildung mußte natürlich die Integration weiterer, den zentralen Anliegen dieser Parteien etwas ferner stehenden Bevölkerungskreise auf die Dauer erschweren.

Die ersten, die sich von der „Bevormundung" durch die bisher dominierenden Kreise freizumachen versuchten, waren die Arbeiter. Schon 1867 kam es in Wien-Gumpendorf zur Gründung eines nicht auf eine bestimmte Sparte beschränkten Arbeiterbildungsvereins, dem weitere in allen industriellen Zentren der Monarchie folgten. Doch wurde sehr bald deutlich, daß es der ursprünglich im Sinne Lassalles orientierten sozialdemokratischen Arbeiterbewegung um mehr ging als um die Konzentration auf Bildungsarbeit und die Verbesserung der materiellen Lebensgrundlagen: man peilte eine durchgreifende Änderung der gesellschaftlichen und politischen Struktur des Staates an.

Interne Streitigkeiten, scharfe Repressionsmaßnahmen seitens des Staates, erste Schwierigkeiten mit dem Nationalitätenproblem, aber auch konjunkturelle Einbrüche im Gefolge der „Großen Depression“ der späten siebziger und achtziger Jahre bescherten der sozialdemokratischen Arbeiterbewegung ernste Rückschläge.

Victor Adler erkannte, daß man die Unterdrückung durch den Staat beseitigen und die Gleichgültigkeit des Proletariats überwinden müsse. Am Parteitag von Hainfeld Ende 1888/Anfang 1889 gelang es ihm, „ein lockeres Bündel von sozialdemokratischen politischen Vereinen und Gewerkschaften, deren Mitglieder recht heterogene national- und gesellschaftspolitische Zielsetzungen vertraten, unter einen gemeinsamen Mantel zu bringen“ (R. Ardelt). Mit Absicht vermied Adler ein umfassendes theoretisches Programm; stattdessen stellte er die allen Strömungen gemeinsamen Interessen in den Vordergrund. Die besonderen Umstände der Gründung spiegelt auch die anfangs recht heterogene Struktur der Basisorganisation wider: Gewerkschaftsorganisationen, Arbeiterbildungsvereine, freie Vereine, ja sogar Zeitungsabonnements bildeten die Grundlage der Zugehörigkeit zur Sozialdemokratischen Arbeiterpartei Österreichs. Erst 1912 trat an die Stelle dieser Vielfalt das Organisationsprinzip des politischen Vereins mit der für die Sozialdemokratie seither kennzeichnenden Straßen-, Häuser- und Sektionsgliederung.

Setzte sich auf den unteren Ebenen das Prinzip des „demokratischen Zentralismus“ durch, war diesem auf Gesamtstaatsebene durch die Einwirkung der Nationalitätenfrage kein Erfolg beschieden: schon 1878 war in Prag eine Tschechoslawische Sozialdemokratische Arbeiterpartei entstanden, die sich in nationalen Belangen eher dem staatsrechtlichen Standpunkt der Jungtschechen als dem im Prinzip internationalistischen der Sozialdemokratie näherte. 1897 kam es zu einer Reorganisation der Partei, die fortan „praktisch eine Föderation taktisch und organisatorisch weitgehend selbständiger nationaler Parteien“ (H. Mommsen) war. Neben der Tschechoslawischen – und der Deutschen – gab es nach 1907 auch eine Südslawische (im wesentlichen von Slowenen getragene), eine Italienische und eine Polnische Sozialdemokratische Arbeiterpartei. 1911 zerbrach selbst diese föderative Struktur; im Zusammenhang mit dem Streit um die bislang zentralistisch geführte Reichsgewerkschaftskommission und die Gewerkschaftsbewegung insgesamt verselbständigte sich die Tschechoslawische Partei vollständig.

Titelblatt der Maifestschrift 1897. Wien, Verein für Geschichte der Arbeiterbewegung

Nach Hainfeld lag der Schwerpunkt der Sozialdemokraten zuerst bei der Mobilisierung der industriellen Arbeiterschaft (zu anderen Bevölkerungsgruppen fand man herzlich wenig Zugang) und der „Konstituierung des Proletariats als politisch bewußte Klasse“ (R. Ardelt). Dem diente auch der Ausbau einer „proletarischen Gegenkultur“, wodurch mittels einer großen Zahl von „Vorfeldorganisationen“ alle Bereiche der menschlichen Existenz „von der Wiege bis zur

Bahre" erfaßt werden sollten. Neben diese starke Binnenorientierung traten die „Außenaktivitäten": der Kampf um die Verbesserung der materiellen Verhältnisse der Arbeiter und um die Ausgestaltung der politischen Rechte, in erster Linie der Kampf um das allgemeine und gleiche Wahlrecht, der über den konkreten Anlaß hinaus für die Bewegung ein hohes Maß an integrativer Funktion erfüllte.

Dabei wurde streng darauf geachtet, unbeschadet der marxistischen Terminologie in den theoretischen Äußerungen, der Phrase vom „revolutionären Klassenkampf" in der Praxis abzuschwören und bei allen Aktionen jene, von der Staatsbürokratie noch tolerierbare, Grauzone zwischen Legalität und Illegalität nicht zu verlassen, um so langsam in den Staat, an dessen prinzipielle Reformierbarkeit man glaubte, hineinzuwachsen (nicht ohne Grund verstand sich die Sozialdemokratie in vielerlei Hinsicht als in der linksliberalen Tradition von 1848 stehend). Das gilt auch für die Massenkampagnen, wie die seit 1890 durchgeführten Mai-„spaziergänge" oder die großen Wahlrechtsdemonstrationen, bei denen der Charakter der Sozialdemokratischen Partei als einer Massenbewegung sich deutlich manifestierte. Die Massendemonstrationen waren übrigens sorgfältig geplant und in Szene gesetzt.

Derartige Rituale fanden sich jedoch bei allen Parteien, bei den Christlichsozialen (die durch die Nähe zur katholischen Kirche und ihrem Zeremoniell dafür natürlich besonders prädestiniert waren) ebenso wie bei den diversen nationalen Bewegungen, deren nationale Liturgik eine Reihe von säkularisierten Elementen enthielt. Die Verwendung solcher Elemente war nicht zufällig: empfanden sich die Parteien doch immer mehr als im Besitze „ewiger Wahrheiten", zwischen denen es – wie zwischen den Religionen – keinen Kompromiß geben konnte.

Die andere Gruppierung, die sich in den neunziger Jahren als Massenpartei etablierte, und die ebenfalls aus der Gegnerschaft zu den wirtschafts- und gesellschaftspolitischen Vorstellungen des Liberalismus erwuchs, waren die Christlichsozialen, ursprünglich eine rein großstädtische, rein Wiener Formation. Ihre Wurzeln sind vielfältiger Natur. Zum einen zählen dazu die Wiener Bezirksdemokraten, die den altliberalen Politikern vorhielten, daß die 1861/67 erreichten politischen Rechte und erst recht die von ihnen geübte Praxis weit hinter den Traditionen von 1848/49 zurückblieben. Sie wurden nicht müde, die diversen Korruptionsfälle und unlauteren Praktiken aufzuzeigen, in die ihrer Meinung nach die liberalen Wiener Stadtväter verstrickt waren. Es war im Kreise dieser demokratischen Vereine und Klubs, wo sich Karl Lueger seine ersten politischen Sporen verdiente. Ein zweites Standbein bildete die Gewerbebewegung, die Anfang der achtziger Jahre ein nicht unbeträchtliches Ausmaß erreicht hatte. Die mit der Industrialisierung einhergehenden Transformationsprozesse hatten die Situation der Handwerker und Kleingewerbetreibenden entscheidend verändert; Unsicherheit und Existenzangst waren die Folge. Da den meisten die Einsicht in die komplexen sozio-ökonomischen Zusammenhänge fehlte, suchte und fand man einen anderen, leichter erfaßbaren Sündenbock: die Juden.

Der in erster Linie wirtschaftlich motivierte Antisemitismus der gewerblichen Reformbewegung bildete eine Brücke nicht nur zu den Deutschnationalen sondern auch zum Kreis um Carl von Vogelsang. Dieser versuchte die Situation der Kleingewerbetreibenden und anderer gefährdeter Gesellschaftsschichten zu verbessern, indem er eine Rückkehr zu vorkapitalistischen Verhältnissen forderte. Dieser rückwärtsgewandte Aspekt des Vogelsang'schen Gedankengebäudes erleichterte den Christlichsozialen später zwar die Kontakte zu den mehrheitlich konservativen Bauern der Alpenländer, in der „offiziellen Philosophie" der Partei und mehr noch in der Praxis trat er im Laufe der Zeit immer mehr zurück.

Die durch Vogelsang und andere katholisch-konservative Sozialreformer vermittelte Nähe zur katholischen Soziallehre ermöglichte es ferner, daß zu jenen heterogenen Gruppen, die mangels positiver Gemeinsamkeiten „Antisemiten" genannten wurden (und die sich selbst als „Vereinigte Christen" bezeichneten – nicht weil sie alle die Werte des Christentums als absolut ansahen, sondern weil für sie „christlich" als Gegenteil von „jüdisch" galt), im Laufe der neunziger Jahre auch immer mehr Geistliche stießen. Diese sorgten dafür, daß die bis dato auf das national-liberale

Milieu ausgerichtete und eine generelle Protestmentalität (Antisemitismus, Antiliberalismus, Antisozialismus) artikulierende Bewegung auf jene Bevölkerungskreise ausgriff, bei denen bisher das feudal-katholisch-konservative Milieu dominiert hatte und wo ein organisatorisch gut durchgebildeter Katholizismus fast alle sozialen Lebensäußerungen gestaltete. Darüber hinaus machte die Partei in gewisser Weise einen Prozeß der „Verchristlichung" durch. Ihr ideologisches Profil wurde um einiges deutlicher, was sich nach der Jahrhundertwende u. a. bei der Behandlung kulturpolitischer Belange bemerkbar machen sollte. Vorher freilich war das Verhältnis zur Amtskirche durchaus getrübt. Der Einsatz des niederen Klerus für die „rabaukenhaften Antisemiten" wurde von den konservativen Bischöfen höchst ungern gesehen. Eine 1895 eingebrachte Beschwerde beim Hl. Stuhl hatte jedoch den genau gegenteiligen Effekt: Mit dem Segen des Papstes versehen, konnte Karl Lueger den Kampf mit der Staatsbürokratie und dem Kaiser um den Wiener Bürgermeistersessel aufnehmen. Nach fünfmaliger Wahl durch den Gemeinderat konnte im April 1897 selbst der Kaiser die Bestätigung nicht mehr verweigern.

In Karl Lueger verbanden sich politisches Charisma, Sachverstand und Opportunismus. Nur seiner Person verdankten es die Christlichsozialen, daß sie von einem Sammelsurium von Wiener Cliquen und Grüppchen, die mit der liberalen Wirtschafts- und Gesellschaftspolitik unzufrieden waren, zur stärksten Fraktion des cisleithanischen Reichsrats wurden (nach der Vereinigung mit den Katholisch-Konservativen 1907). Lueger setzte als erster die Demagogie erfolgreich zur Gewinnung der Massen ein; seinem Vorbild und früheren Kampfgefährten Georg von Schönerer war bei dessen deutschnationalen Kampagnen bekanntlich kein organisatorischer Erfolg beschieden. Anders als Schönerer unterschied Lueger doch sehr genau zwischen massenwirksamer Agitation und einer sachbezogenen Politik. Die von ihm und seinen Mitarbeitern angewandten Propagandamethoden waren mitunter recht aggressiv, appellierten an niedere Instinkte (sei es der Antisemitismus, sei es die Betonung einer gewissen, allerdings nicht auf die Christlichsozialen allein beschränkten Intellektuellenfeindschaft) und schreckten vor allem in den Anfangsphasen der Bewegung auch vor Handgreiflichkeiten nicht zurück. Da die anderen Parteien in dieser Hinsicht ebenfalls nicht zurückstanden, ist die Ära der „Massen- und Gassenbewegungen" von einer Verwilderung und Verhärtung des politischen Stils gekennzeichnet, die einem Zusammenwirken der unterschiedlichen Kräfte im Zeichen der Toleranz nicht eben förderlich war.

Die Mobilisierung der Massen diente den führenden Cliquen der Christlichsozialen (bei den übrigen Parteien war es nicht anders) in erster Linie dazu, ihren Anhang im Sinne ihrer eigenen Vorstellungen zu mobilisieren. Seine tatsächliche Teilhabe am politischen Geschehen war sekundär. Nach ihrer Konsolidierung in den neunziger Jahren schufen sich die Christlichsozialen einen hierarchisch gegliederten und gelenkten, umfassenden Parteiapparat, der die echten Entscheidungen dem Parteiführer und der um ihn befindlichen oligarchischen Gruppe vorbehielt. So gesehen war es nicht nur Ausdruck einer geänderten sozio-politischen Situation, daß nach Luegers Tod 1910 die Christlichsozialen in eine arge Krise schlitterten.

Die rasche Integrierung verschiedenster Gruppen in eine schlagkräftige Bewegung wurde auch dadurch erleichtert, daß die Christlichsozialen lange Zeit über kein ausformuliertes Parteiprogramm verfügten, und als ein solches seit 1894 existierte, wurde ihm in der Praxis keine besondere Bedeutung beigemessen. Die Partei „verbürgerlichte" zusehends, an Stelle eines engagierten Eintretens für eine durchgreifende Gesellschaftsveränderung im Sinne einer „ständischen Ordnung" wurde die aus dem Liberalismus übernommene Eigentumsideologie, wurde kapitalistisches Profitdenken mit der Parteidoktrin vereinbar (was auf Grund der ökonomischen Konsolidierung von Handwerkern, Kleingewerbetreibenden und Bauern und ihrer Akzeptanz und Anpassung an die moderne Wirtschaftsweise verständlich ist).

Für sozialreformatorische Anliegen gab es innerhalb der Partei immer weniger Raum. Deshalb ist es auch nicht weiter verwunderlich, daß nach der Jahrhundertwende die christlichsozialen Arbeitervereine zumindest in den höher industrialisierten Gebieten keine große Rolle spielten. Anders lagen die Dinge in ausgesprochen agrarischen Gebieten, wie z. B. in Salzburg, wo vor dem Weltkrieg die christlichsozial organisierten Arbeiter sich zu den sozialdemokratischen wie 2:3 verhielten (in Cisleithanien insgesamt belief sich dieses Verhältnis auf ca. 1:5).

Ähnliches trifft auf die christlichsoziale Bewegung bei den Slowenen zu. Der Geistliche Janez Ev. Krek entwickelte ein umfassendes Programm, das eine berufsständische antikapitalistische Gesellschaftsordnung auf demokratischer Basis vorsah. Krek begann zunächst mit der Organisation der Arbeiterschaft und er war darin insoferne sehr erfolgreich, als bis 1914 die slowenischen Christlichsozialen ungefähr ebensoviel Arbeiter gewerkschaftlich organisieren konnten wie die Sozialdemokraten. Das Hauptverdienst von Krek lag allerdings im Ausbau der bäuerlichen Selbsthilfe, dem (in erster Linie von Landpfarrern geführten) Genossenschaftswesen, wodurch das bäuerliche Element nicht nur wirtschaftlich gestärkt wurde, sondern politisch in der „Slowenischen Volkspartei" die unbestrittene Führungsrolle innehatte. Die Volkspartei etablierte sich als moderne Massenpartei, die sich darüberhinaus auf einen Kranz wirtschaftlicher und kultureller Organisationen stützen konnte. In den Jahren vor dem Ersten Weltkrieg übte sie einen das politische Leben der Slowenen bestimmenden Einfluß aus.

Es läge nahe zu vermuten, daß es bei so vielen strukturellen Ähnlichkeiten zwischen deutschen und slowenischen Christlichsozialen zu einer engen Verbindung oder wenigstens Zusammenarbeit hätte kommen können. In der Tat stand der Plan zur Schaffung einer gesamtösterreichischen christlichsozialen Partei um die Mitte der neunziger Jahre zur Diskussion, doch ließen nationalpolitische Differenzen, vor allem die von deutschnationalen Sentiments nicht unberührte Reaktion der Wiener Christlichsozialen auf die Badenischen Sprachenverordnungen, diese Pläne in nichts zerrinnen. Von einer „Reichspartei", als die sich die Wiener Christlichsozialen gerne selbst stilisierten, kann also nicht die Rede sein. Ja, die Partei war nicht einmal im deutschen Sprachraum gleichmäßig verankert. Wohl gab es organisatorische und persönliche Verbindungen zu Nord- und Südmähren, nordböhmische Aktivisten erlangten ihre große Bedeutung jedoch erst vom Wiener Forum aus, in der engeren Heimat blieben sie weitgehend ohne Resonanz. Und in jenen alpenländischen Gegenden, in denen sich der Nationalliberalismus in den siebziger und achtziger Jahren nicht durchgesetzt hatte, konnten sich die Christlichsozialen auch erst etablieren, nachdem sie ihren konservativen Habitus, ihr auf Statuswahrung bzw. Statusrestauration angelegtes Potential mobilisierten. Daß sie deshalb, von deutschnationalen Sentiments ganz abgesehen, mit den slawischen christlichsozialen Gruppierungen (die allesamt einem progressiven Gesellschaftsbild huldigten) wenig Berührungspunkte fanden, muß daher nicht überraschen.

So wie die Sozialdemokraten bauten die Christlichsozialen ebenfalls ein weit verzweigtes Netz von Organisationen auf, die möglichst allen Bedürfnissen der Sympathisanten innerhalb des eigenen „Lagers" genügen sollten und über den Umweg über „unpolitische" Organisationen dem „Lager" neue Anhänger und Mitglieder gewinnen sollten. Der Begriff „Lagerbildung" weist auf die militante Ausprägung des jeweils eigenen „Wir-Bewußtseins" hin, das zur möglichst totalen Abgrenzung von anderen Gruppen dienen sollte. Parallel dazu entwickelten sich Intoleranz und Aggressivität allen Andersdenkenden gegenüber. Das untergrub die Grundlagen demokratischen Konsenses: eine Entwicklung, die 1934 im Bürgerkrieg kulminierte, fand hier ihren Ursprung.

Die Ausdehnung parteipolitischen Einflusses auf gesellschaftliche Organisationen, die prima vista nichts oder wenig mit Politik im engeren Sinn zu tun hatten, ist ein durchgängiger Zug des seit den achtziger Jahren zu beobachtenden sozio-politischen Strukturwandels. Das Phänomen findet sich auch bei jenen Parteien und Bewegungen, denen – aus welchen Gründen immer – die Schaffung einer in breiten Bevölkerungskreisen fest verankerter Organisation letztlich nicht gelang. Zu diesen zählten unter anderem die Jungtschechen. In den achtziger und in den neunziger Jahren war innerhalb der tschechischen Gesellschaft ein umfassendes Netz von Vereinen, Verbänden, Genossenschaften etc. aufgebaut worden. Deren Funktionäre sollten nun – nach dem Willen der Jungtschechen – mittels dieser Vereine die Bevölkerung für die national-politischen Zielvorstellungen der Jungtschechen motivieren. Dabei erlitt die Partei Schiffbruch:

Wahlrechtsdemonstration der Sozialdemokraten 28. XI. 1905. Wien, Österreichische Nationalbibliothek, Bildarchiv

zu Mängeln der Organisation (im lokalen Bereich stützten sie sich lange Zeit nur auf „Vertrauensmänner") gesellten sich Änderungen der gesamtpolitischen Situation im Gefolge der Badeni-Zeit. Sie bescherten der liberalen Honoratiorenpartei dasselbe Schicksal, das auch ihrem Pendant, den Deutschliberalen widerfahren war: es kam zu zahlreichen Absplitterungen. Die Bauern, kleinbürgerliche Elemente, ein Teil der Intelligenz und die Arbeiterschaft meinten ihre Interessen durch selbständige Gruppierungen effektiver vertreten zu sehen. So wie bei den deutschen Liberalen, wurde auch hier viel vom jungtschechischen Gedankengut (das freilich um einiges radikaler war, als das der „Schwesternpartei") von den „Nachfolgeparteien" weitergeführt, von denen sich einige im Rahmen der tschechischen Gesellschaft sehr wohl zu Massenparteien entwickelten und so etwas wie ein „Lager" bildeten.

Im deutschen Bereich bieten die Deutschnationalen das beste Beispiel für eine unvollständige Lagerbildung. Dabei war dort die Ausgangslage am günstigsten. Das 1882 verabschiedete Linzer Programm durfte sich mit seiner Verbindung eines relativ gemäßigten Nationalismus und konkreter sozialer Reformen des Interesses breiter Kreise sicher sein. Und in Georg von Schönerer stand eine Führungspersönlichkeit zur Verfügung, die vor allem als Demagoge und Agitator einen beträchtlichen Einfluß ausüben sollte. Die Wirkung seiner Mobilisierungskampagnen machte sich auf den Hochschulen, in nationalen Vereinen und in einer Art politischer Grundstimmung bemerkbar, weniger in konkreten politischen Organisationen. Schönerers Alldeutsche erzielten nur einmal, 1901, im Gefolge der Badeni-Wirren, größere Erfolge bei Parlamentswahlen. Die weitaus stärkste Gruppierung war die 1895/96 entstandene deutsche Volkspartei, die deutschnationales Gedankengut mit einem Bekenntnis zum Bestand der Habsburgermonarchie verband. Die Parteigründung markiert eine wichtige Etappe im lange währenden Transformationsprozeß vom Liberalismus zum Nationalismus, sie brachte aber keineswegs die parteipolitische Zusammenfassung aller Deutschnationalen. Denn zum einen gab es immer wieder Neugründungen, andererseits waren nationale Elemente auch in die Ideologie der anderen Parteien eingegangen.

Weder Christlichsoziale noch Sozialdemokraten und andere, von der Unterstützung breiter Bevölkerungskreise getragene Parteien und Bewegungen (wie z. B. diverse Bauernparteien) konnten indes ihre Vorstellungen und Zielsetzungen adäquat realisieren, solange ihnen das Wahlrecht den Zugang zur politischen Arena versperrte. Das im wesentlichen auf Schmerling zurückgehende Wahlrecht folgte dem Grundsatz der Interessenvertretung, das heißt, in den so gewählten Repräsentativkörperschaften sollten in erster Linie die Interessen des liberalen Großbürgertums und der – meist adeligen – Großgrundbesitzer zum Tragen kommen. Das wurde durch die Einteilung in Kurien bzw. Wahlkörper mit der ungleichen Gewichtung der für ein Mandat notwendigen Stimmen, durch eine ausgeklügelte „Wahlarithmetik", durch die Anwendung eines auf Besitz und Bildung fußenden Zensus und durch administrative Vorkehrungen bei der Stimmabgabe erreicht.

Versuche, das in einem vollständig anderen Politikverständnis gründende allgemeine Wahlrecht einzuführen, gab es von seiten einzelner liberaler und demokratischer Abgeordneten (deutscher und nichtdeutscher Provenienz) immer wieder, doch blieben diese Vorstöße erfolglos. Regierung und Parlament konnten sich vorläufig nur zu einer stufenweisen Erweiterung des bestehenden „Interessenwahlrechts" durchringen. Zu einer ersten derartigen Erweiterung kam es 1882, als die konservative Parlamentsmehrheit die Senkung des Zensus in der Wählerklasse der Städte, Märkte und Industrieorte und in der der Landgemeinden auf 5 Gulden Steuerleistung durchsetzte. Die Wahlberechtigung der „Fünfguldenmänner" wurde – wenngleich mit erheblichen zeitlichen und räumlichen Verschiebungen – im Laufe der achtziger Jahre für die Landtagswahlen und die Gemeinden nachgezogen; in manchen Gemeinden bestand allerdings schon von vornherein ein niedrigerer Zensus.

Dem weiterhin von verschiedenen Seiten (darunter den Sozialdemokraten und den Jungtschechen) ventilierten Wunsch nach Einführung des allgemeinen Wahlrechts setzten einige Liberale ihre Vorstellungen entgegen, die Arbeiterschaft via neu einzurichtender Arbeiterkammern (analog zur Vertretung der Handelskammern) in die Parlamente zu integrieren. Manche Christlichsoziale sahen darin eine Vorstufe zu der von ihnen gewünschten berufsständischen Organisierung auch des politischen Lebens, andere lehnten derartige Vorstellungen ebenso ab wie die Sozialdemokraten und die meisten liberalen und nationalen Politiker. 1893 legte Ministerpräsident Graf Taaffe einen Wahlrechtsentwurf vor, der – bei Beihaltung des Kuriensystems – in den Kurien der Stadtgemeinden und den der Landgemeinden das allgemeine Wahlrecht mehr oder weniger verwirklicht hätte. Taaffe fand für seine Vorlage keine Mehrheit und trat zurück, die Idee der Wahlreform verschwand jedoch nicht von der Tagesordnung. Gerade die bisher nicht privilegierten Gruppierungen mußten an einer Wahlreform interessiert sein, die ihnen die Möglichkeit zur Teilnahme an möglichst vielen Wahlkämpfen bot. Denn auch dort, wo eine Wahl nicht gewonnen wurde, erfüllte sie durch die Mobilisierung neuer Bevölkerungsschichten und durch die Propagierung der eigenen Vorstellungen mit allen damals bekannten Mitteln der Agitation ihren Zweck.

1896 brachte die Verwirklichung des – zumindest dem Anspruch nach – allgemeinen Wahlrechts. Ministerpräsident Graf Badeni verband in seiner Wahlreformvorlage das Prinzip der Interessenvertretung mit dem des allgemeinen Wahlrechts, indem er den bisherigen vier Kurien eine weitere anhängte, in der jeder eigenberechtigte männliche Staatsbürger ab dem 24. Lebensjahr, soferne er 6 Monate an ein und demselben Ort seßhaft war, das Wahlrecht besaß. Die Anzahl der Wahlberechtigten zum cisleithanischen

Reichsrat erhöhte sich durch diese Reform von rund 1,7 Millionen auf rund 5,3. Das Wahlrecht war nun zwar allgemein geworden, aber noch lange nicht gleich: in den ersten vier Kurien wählte man zusammen 353 Abgeordnete, in der fünften Kurie waren hingegen nur 72 Mandate zu vergeben, so daß beispielsweise in der ersten und zweiten Kurie 64 bzw. 26 Wahlberechtigte von einem Mandatar vertreten wurden, in der fünften hingegen rund 70 000.

In den meisten Landtagen folgte die Einführung einer allgemeinen Wählerkurie wieder mit erheblicher zeitlicher Verzögerung, vielfach erst um 1906/07/08, zu einem Zeitpunkt also, in dem für den Reichsrat bereits das allgemeine und gleiche Wahlrecht in Diskussion oder schon in Kraft stand. In einigen Ländern – vornehmlich jene, in denen nationale Spannungen jegliche Einigung verhinderten (wie z. B. Böhmen und Galizien) – kam es überhaupt zu keiner Reform der Landtagswahlordnungen. In noch geringerem Maß fand das allgemeine Wahlrecht Eingang in die Gemeinden. Von ganz wenigen Ausnahmen abgesehen, blieb im kommunalen Bereich das alte „Interessenwahlrecht“ in Kraft, wodurch das politische Übergewicht der bisher privilegierten groß- und mittelbürgerlichen Schichten intakt blieb. Es sicherte das Weiterbestehen der alten parteipolitischen Strukturen, trug aber auch dazu bei, daß die Parteien in Gemeinde- und Landstuben anders agierten und taktierten als im Reichsrat und so das Profil der Parteien undeutlich wurde.

Nachdem sich die im Zusammenhang mit den Badeni-Wirren aufgeschaukelten nationalen Emotionen wieder etwas beruhigt hatten, schob sich der Wunsch nach dem allgemeinen und gleichen Wahlrecht erneut in den Vordergrund. Sozialdemokraten, jetzt auch Christlichsoziale, und diverse nichtdeutsche Gruppen und Parteien traten in unzähligen Versammlungen, Petitionen usw. dafür ein. Massendemonstrationen größten Ausmaßes fanden statt, nachdem die Regierung unter dem Einfluß der ungarischen Entwicklung, wohl auch unter dem der Ereignisse in Rußland, ihre Bereitschaft zu Verhandlungen erkennen ließ. Während die Parteien bestrebt waren, die nationalen und sozialen Aspekte des allgemeinen Wahlrechts zur Geltung zu bringen, hoffte die Regierung, sozialen Spannungen und nationalen Wünschen mittels der „Einheit der Urne“ entgegenwirken zu können. Nach langwierigen parlamentarischen Unterhandlungen wurden die entsprechenden Gesetze am 26. Jänner 1907 vom Kaiser sanktioniert.

Damit war im Prinzip das allgemeine, gleiche, direkte und geheime Wahlrecht für Männer (über 24) verwirklicht – die Frauen hingegen verloren jene geringfügigen Rechte, die sie auf Grund ihrer Besitzverhältnisse nach dem alten Wahlrecht gehabt hatten. Und auch bei den Männern gab es eine Reihe von Ausschließungsgründen, deren gravierendster neben dem Erfordernis der Eigenberechtigung (was die unter hausväterlicher Gewalt stehenden Dienstboten ausschloß) die Seßhaftigkeitsklausel war (die in erster Linie die Arbeiter traf). Von einer Gleichwertigung der Stimmen konnte keine Rede sein. Eine penibel ausgedachte Differenzierung nach Kronländern, Nationen und städtischen bzw. ländlichen Wahlkreisen sorgte dafür, daß 1 Abgeordneter auf 39 000 Deutsche, aber auf rund 102 000 Ruthenen entfiel oder daß in Galizien 1 Abgeordneter in einem Stadtwahlbezirk ca. 28 000 Menschen vertrat, in einem ländlichen Wahlbezirk hingegen fast 88 000.

Die noch 1907 nach dem neuen Wahlrecht abgehaltenen Wahlen bescherten selbstverständlich den beiden großen Massenparteien die durchschlagendsten Erfolge, doch eine entscheidende Verringerung des Parteienspektrums trat nicht ein; im Gegenteil: strukturelle Änderungen im Verein mit den Auswirkungen des allgemeinen Wahlrechts führten seit der Jahrhundertwende zu einer weiteren Aufsplitterung der Parteienlandschaft.

Nicht daß die für die frühere Parteibildung konstitutiven Elemente an Bedeutung eingebüßt hätten. Im Gegenteil: der Nationalismus machte sich – gewiß in unterschiedlicher Weise – in so gut wie allen Parteien bemerkbar, das Parteiwesen konnte sich nur mehr im Rahmen nationaler Gesellschaften entfalten; die aus den ersten Anfängen des konstitutionellen Lebens herrührende regional begrenzte Verankerung der Parteien wurde nicht überwunden (so hatten z. B. die Deutschfortschrittlichen ihren Schwerpunkt in Böhmen und Mähren, die Deutsche Volkspartei in den Alpenländern, die Jungtschechen nur in Böhmen).

Auch die ideologischen Gegensätze traten weiterhin deutlich zutage: so kam es in den böhmischen Ländern erst um die Jahrhundertwende zur Ausbildung katholischer Parteien. Von den Jungtschechen, die um die Jahrhundertwende das historische staatsrechtliche Programm der Selbständigkeit der böhmischen Länder erneuerten, wandten sich unter anderem die „Realisten“ ab, die (unter wechselnden Parteibezeichnungen) ein naturrechtliches Programm nationaler Autonomie vertraten.

Neben diese weiter existierenden Elemente trat als neuer Faktor die Vertretung konkreter, auf bestimmte gesellschaftliche Gruppen hin orientierter sozial- und wirtschaftspolitischer Interessen hinzu und verband sich mit den früher genannten auf vielfältige Weise. So wurden die Deutschfortschrittlichen ebenso wie die Jungtschechen zu „typischen“ Vertretern des höheren Besitz- und Bildungsbürgertums bei Wahrung einer national relativ gemäßigten Haltung (was ihnen zwar Widerspruch und Opposition im eigenen nationalen Lager eintrug, dafür aber in Sachfragen manchmal die Zusammenarbeit über die nationalen Schranken hinweg erleichterte). Die „National-Soziale Partei“ der Tschechen verband einen kämpferischen Nationalismus, Antisemitismus und Antimilitarismus mit der ideologischen Gegnerschaft zur Sozialdemokratie und der Wahrung der Interessen sowohl der Arbeiterschaft als auch des Kleinbürgertums. Bei den Deutschen wiederum fühlten sich die Angestellten und die „niedere Intelligenz“ von den Christlichsozialen oder den Deutschnationalen vertreten, je nachdem welche sonstigen ideologischen Präferenzen vorherrschten. Primär interessenorientierte Differenzen waren innerhalb des deutschnationalen Lagers für die Gründung einer eigenen (auf die alten liberal-nationalen Bauernvereine zurückgehende) Deutschen Agrarpartei verantwortlich. Die tschechische Agrarpartei hat sich aus den Jungtschechen bzw. den ihnen angeschlossenen groß- und mittelbäuerlichen Vereinen entwickelt, übernahm deren radikal-demokratische und antiklerikale Züge, öffnete sich nach 1905 den sozialen Forderungen der Kleinbauern und Häusler und wurde sowohl 1907 als auch 1911 zwar nicht zur stimmenstärksten, aber zur mandatsstärksten tschechischen Partei im Reichsrat. Obwohl die beiden Parteien, die deutsche wie die tschechische, agrarisch orientiert waren, konnten sie sich nicht zu mehr als zu gelegentlicher parlamentarischer Zusammenarbeit entschließen.

Betrachtet man die Parteienlandschaft Cisleithaniens vor dem Ersten Weltkrieg, fällt auf, daß trotz Einführung des allgemeinen Wahlrechts die seinerzeit von Schmerling und den Liberalen inaugurierte Idee der „Interessenvertretung“ – freilich vielfach modifiziert – ihren Platz gegenüber dem letztlich auf die Volkssouveränität zurückgehenden Modell einer allgemeinen Volksvertretung behaupten konnte. Die Entstehung von Interessenvertretungen im vor- bzw. außerparlamentarischen Raum steht dazu in scheinbarem Widerspruch. Organisationen zur Vertretung wirtschaftlicher oder beruflicher Interessen der Mitglieder mit Zwangscharakter hatte es schon längst gegeben. Manchen von ihnen, wie den Handelskammern, war eine Beratungsfunktion im Rahmen des politischen Entscheidungsprozesses und sogar die Teilnahme an diesem Prozeß zugestanden worden. Seit den neunziger Jahren vermehrten sich jedoch die auf freiwilligem Beitritt beruhenden Vereinigungen dieser Art ganz rapid. Anfänglich auf einem lokalen oder regionalen Geltungsbereich bzw. auf eine spezifische Wirtschaftssparte beschränkt, folgten sie bald dem allgemeinen Trend und schlossen sich zu überregionalen bzw. branchenübergreifenden Verbänden zusammen. 1914 zählte man allein im Bereich Industrie, Handel und Gewerbe rund 850 freie Interessenvertretungen (von denen hier bloß der 1892 gegründete „Centralverband der Industriellen Österreichs“ genannt sei), wozu aber auch die Gewerkschaften und andere Arbeiterorganisationen hinzugerechnet werden müssen. Auch im agrarischen Bereich war das freie Vereins- und Verbändewesen gut entwickelt. Neben den diversen Landwirtschaftsgesellschaften, den Bauernbünden und zahllosen anderen agrarischen Vereinen war in der Spätzeit der Monarchie die „Zentralstelle zur Wahrung land- und forstwirtschaftlicher Interessen beim Abschluß von Handelsverträgen“ am bekanntesten.

Die Aktivitäten all dieser korporativen Vereine und Verbände spielten sich im wesentlichen in zwei Bereichen ab: zum einen ging es um die Konfliktregelung innerhalb der eigenen Branche oder eines ganzen Wirtschaftszweiges (sei es zwischen Arbeitgebern und Arbeitnehmern z. B. bei lohn- und arbeitsrechtlichen Fragen, sei es zur Interessenabstimmung spezifischer partikulärer Interessen der Unternehmer). Auf der anderen Seite steht die Kooperation zwischen den wirtschaftlichen Interessenvertretungen und dem Staat. Es handelt sich dabei nicht nur um einen Versuch, für die eigene Gruppe möglichst günstige wirtschaftspolitische Rahmenbedingungen zu erzielen, sondern durchaus schon um erste „Ansätze zur Abstimmung gesellschaftlicher und staatlicher Interessen bei der Lösung ökonomischer und sozialer Probleme“ (E. Tálos), mithin um die Anfänge der Sozialpartnerschaft.

Diese Interessenabstimmung erfolgte nun zunehmend im außerparlamentarischen Raum, in Kommissionen und Beiräten, die der staatlichen Verwaltung beigeordnet waren. Die Zahl derartiger Einrichtungen ist seit den neunziger Jahren ungemein angestiegen. Die unlängst geäußerte Ansicht, die Beiräte hätten damals nicht zuletzt deshalb so an Zahl und Bedeutung zugenommen, weil das liberale Besitz- und Bildungsbürgertum angesichts des bevorstehenden Niedergangs ihrer privilegierten Position im Parlament nach anderen Wegen und Mitteln gesucht habe, seinen Einfluß auf die Gestaltung der Wirtschafts- und Sozialpolitik zu erhalten (H. Hofmeister), hat einiges für sich. Aber auch die Lähmung des parlamentarischen Betriebs durch Obstruktion und der nach der Jahrhundertwende deutlich zutagetretende Unwille der Regierenden, auf eine Weiterentwicklung des konstitutionellen Lebens in Richtung einer durchgreifenden Demokratisierung und Parlamentarisierung hinzuarbeiten, haben das Gewicht der Interessenvertretungen erhöht. Anstelle eines Interessensausgleichs im parlamentarischen Rahmen trat immer mehr der Versuch, die Erfüllung der eigenen Bedürfnisse durch direkten Kontakt mit der Regierung und der Bürokratie zu erlangen.

Daß neben dem Ruf nach dem „Ordnungsfaktor Staat“, der sich in der Arbeit der Beiräte manifestierte, die Idee der Selbsthilfe weiterhin florierte, ist am Beispiel zahlreicher deutscher, in erster Linie aber nichtdeutscher Organisationen abzulesen. Es war in diesen Organisationen, die so gut wie alle Bereiche des menschlichen Lebens abdeckten, wo sich die nichtdeutsche Bevölkerung in großem Maße und mit Freuden engagierte und wo man – unbehelligt von einer fremd gebliebenen oder zunehmend fremder werdenden Staats- und Verwaltungsmaschinerie – die durch die Fundamentaldemokratisierung frei werdenden Kräfte nach eigenem Gutdünken zur Lösung anstehender Probleme einsetzte.

Abschließend wird man feststellen können, daß die zwischen 1880 und 1914 stattfindende Politisierung der Massen den Charakter der Politik zweifellos veränderte und breiten Bevölkerungsschichten Möglichkeiten zur Mitgestaltung des politischen Lebens geboten hat, daß dies aber auf eine Weise geschah, die die Identifikation der Bevölkerung mit ihrem Staat nicht in jenem Ausmaß förderte, das im Sinne einer Erhaltung dieses so hochkomplexen Staatswesens in der Mitte Europas wünschenswert gewesen wäre.

Literatur (in Auswahl):

Alfred Ableitinger, Das konservative und christdemokratische Lager. In: Österreichs Erste und Zweite Republik. Kontinuität und Wandel über Strukturen und Probleme, hrg. von Erich Zöllner. Wien 1985, S. 57–80 – Rudolf Ardelt, Die österreichische Sozialdemokratie und der Kriegsausbruch 1914. Die Krise einer politischen Elite. In: Jahrbuch für Zeitgeschichte (1979) S. 59–130 – Rudolf G. Ardelt, Sozialdemokratie und bürgerliche Öffentlichkeit. Überlegungen zum Hainfelder Parteitag In: Politik und Gesellschaft im alten und neuen Österreich. Festschrift für Rudolf Neck zum 60. Geburtstag, hrg. von Isabella Ackerl, Walter Hummelberger und Hans Mommsen. Wien 1981, S. 214–238 – Rudolf G. Ardelt, Friedrich Adler. Probleme einer Persönlichkeitsentwicklung um die Jahrhundertwende. Wien 1984 – Klaus Berchtold (Hrg.), Österreichische Parteiprogramme 1868–1966. Wien 1967 – Karl Bosl (Hrg.), Die Erste Tschechoslowakische Republik als multinationaler Parteienstaat. Vorträge der Tagungen des Collegium Carolinum in Bad Wiessee vom 24.–27. 11. 1977 und vom 20.–23. 4. 1978. München 1979 – John W. Boyer, Political Radicalism im Late Imperial Vienna. Origins of the Christian Social Movement 1848–1897. Chicago 1981 – Ernst Bruckmüller, Sozialgeschichte Österreichs. Wien 1985 – Günther R. Burkert, Österreichische Bauernvereine 1869–1914. Ein Instrument der Sozialdemokratie zur politischen Mobilisierung des bäuerlichen Proletariats? In: Geschichte und Gegenwart 2 (1983) S. 247–281 und 3 (1984) S. 198–224 – Günther R. Burkert, Deutschnationale Beeinflussungsversuche steirischer Bauern 1880–1914. In: Österreich in Geschichte und Literatur 30 (1986) S. 94–108 – Wilfried Daim, Der Mann, der Hitler die Ideen gab. Die sektiererischen Grundlagen des Nationalsozialismus. 2. verb. Auflage. Wien 1985 – Otto Dann (Hrg.), Vereinswesen und bürgerliche Gesellschaft in Deutschland (Historische Zeitschrift, Beiheft 9) München 1984 –

Theodor Faulhaber, Die Vereinigung Österreichischer Industrieller. Wien 1980 – Bruce M. Garver, The Young Czech Party 1874–1901 and the Emergence of a multi-party system. New Haven–London 1978 – Ludwig Gogolák, Wie christlich-demokratisch war die ungarische Volkspartei? In: Christliche Demokratie 4 (1986) S. 175–187 – Heinz Gollwitzer (Hrg.), Europäische Bauernparteien im 20. Jahrhundert (Quellen und Forschungen zur Agrargeschichte 29) Stuttgart–New York 1977 – Leopold Gratz, Karl Lueger. In: Jochen Jung (Hrg.), Österreichische Portraits. Leben und Werk bedeutender Persönlichkeiten von Maria Theresia bis Ingeborg Bachmann. Salzburg 1985, Bd. I, S. 379–397 – Hans Haas, Von liberal zu national. Salzburgs Bürgertum im ausgehenden 19. Jahrhundert. In: Politik und Gesellschaft im alten und neuen Österreich. Festschrift für Rudolf Neck zum 60. Geburtstag, hrg. von Isabella Ackerl, Walter Hummelberger und Hans Mommsen. Wien 1981, S. 109–131 – Diethild Harrington-Müller, Der Fortschrittsklub im Abgeordnetenhaus des österreichischen Reichsrats 1873–1910 (Studien zur Geschichte der österreichisch-ungarischen Monarchie 11) Wien 1972 – Hans Hautmann und Rudolf Kropf, Die österreichische Arbeiterbewegung vom Vormärz bis 1945. Sozialökonomische Ursprünge ihrer Ideologie und Politik. Wien[2] 1976 – Jan Havránek, Soziale Struktur und politisches Verhalten der großstädtischen Wählerschaft im Mai 1907 – Wien und Prag im Vergleich. In: Politik und Gesellschaft im alten und neuen Österreich. Festschrift für Rudolf Neck zum 60. Geburtstag, hrg. v. Isabella Ackerl, Walter Hummelberger und Hans Mommsen. Wien 1981, S. 150–165 – Johannes Hawlik, Der Bürgerkaiser. Karl Lueger und seine Zeit. Wien 1985 – Peter Heumos, Agrarische Interessen und nationale Politik in Böhmen 1848–1889. Sozialökonomische und organisatorische Entstehungsbedingungen der tschechischen Bauernbewegung (Quellen und Studien zur Geschichte des östlichen Europa 11) Wiesbaden 1979 – William Jenks, The Austrian Electoral Reform of 1907. New York 1950 – Karl Kaser, Typologie der politischen Parteien Südosteuropas im 19. Jahrhundert. In: Österreichische Osthefte 27 (1985) S. 331–365 – Rupert Klieber, Zur Vor- und Frühgeschichte der Christlichsozialen Partei Salzburgs: die katholische Arbeiterorganisation von ihren Anfängen bis 1919. In: Mitteilungen der Gesellschaft für Salzburger Landeskunde 125 (1985) S. 775–815 – Reinhold Knoll, Zur Tradition der christlich-sozialen Partei. Ihre Früh- und Entwicklungsgeschichte bis zu den Reichsratswahlen 1907 (Studien zur Geschichte der österreichisch-ungarischen Monarchie 13) Wien 1973 – Helmut Konrad, Nationalismus und Internationalismus. Die österreichische Arbeiterbewegung vor dem Ersten Weltkrieg. Wien 1976 – Helmut Konrad (Hrg.), Die deutsche und die österreichische Arbeiterbewegung zur Zeit der Zweiten Internationale (Materialien zur Arbeiterbewegung 24) Wien 1982 – Gavin Lewis, Kirche und Partei im Politischen Katholizismus. Klerus und Christlichsoziale in Niederösterreich 1885–1907 (Veröffentlichungen des Instituts für kirchliche Zeitgeschichte am Internationalen Forschungszentrum für Grundfragen der Wissenschaften Salzburg II/4) Wien–Salzburg 1977 – Lexikon zur Geschichte der Parteien in Europa, hrg. von Frank Wende. Stuttgart 1981 – Robert Luft, Tschechische Parlamentarier und die Prager Hochschulen (1907–1914). In: Die Teilung der Prager Universität 1882 und die intellektuelle Desintegration in den böhmischen Ländern. München 1984, S. 147–171 – Walter Lukan, Zur Biographie von Janez Evangelist Krek (1865–1917), geisteswiss. Diss. Wien 1984 – Walter Lukan, Die christlich-soziale Bewegung bei den Slowenen bis zum Zerfall der Habsburgermonarchie. In: Christliche Demokratie 4 (1986) S. 149–158 – Andreas Moritsch, Christlich-demokratische Bewegungen bei den Kroaten. In: Christliche Demokratie 4 (1986) S. 159–166 – Parlamentarismus und Demokratie im Europa des 19. Jahrhunderts, hrg. von Hans-Dietrich Loock und Hagen Schulze. München 1982 – Das österreichische Parlament. Zum Jubiläum des 100jährigen Bestandes des Parlamentsgebäudes, hrg. von der Parlamentsdirektion der Republik Österreich. Wien 1984 – Gerhard Popp, CV in Österreich 1864–1938 (Schriften des Karl von Vogelsang-Instituts 2) Wien 1984 – Susanne Preisinger und Fritz Wolfram, 100 Jahre freiheitliche Tradition in Kärnten. Zur Gründung des Kärntner Bauernbundes am 2. März 1886. Wien 1986 – Christian Salmeyer, Kapitalistische Transformation des Handwerks und Politisierung des Kleinbürgertums in Wien, geisteswiss. Diss. Wien 1983 – Walter Sauer, Katholisches Vereinswesen in Wien. Zur Geschichte des christlichsozial-konservativen Lagers vor 1914 (Geschichte und Sozialkunde 5) Salzburg 1980 – Richard Schober, Das Verhältnis der Katholisch-Konservativen zu den Christlich-Sozialen in Tirol bis zu den Reichsratswahlen von 1907. In: Tiroler Heimat 38 (1975) S. 139–173 und 39 (1976) S. 155–193 – Maren Seliger und Karl Ucakar, Wahlrecht und Wählerverhalten in Wien 1848– 1932. Privilegien, Partizipationsdruck und Sozialstruktur (Historischer Atlas von Wien, Kommentarband 3) Wien–München 1984 – Brita Skottsberg, Der österreichische Parlamentarismus. Göteborg 1940 – Harry Slapnicka, Christlichsoziale in Oberösterreich. Vom Katholikenverein 1848 bis zum Ende der Christlichsozialen 1934 (Beiträge zur Zeitgeschichte Oberösterreichs 10) Linz 1984 – Friedrich Steinkellner, Georg Lienbacher. Salzburger Abgeordneter zwischen Konservatismus, Liberalismus und Nationalismus 1870–1896 (Veröffentlichungen des Internationalen Forschungszentrums für Grundfragen der Wissenschaften Salzburg NF 17) Wien–Salzburg 1984 – Arnold Suppan, Christlich-demokratische Parteien bei den Tschechen. In: Christliche Demokratie 4 (1986) S. 137–148 – Karl Ucakar, Demokratie und Wahlrecht in Österreich. Zur Entwicklung von politischer Partizipation und staatlicher Legitimationspolitik. Wien 1985 – Adam Wandruszka, Die Krisen des Parlamentarismus 1897 und 1933. – Gedanken zum Demokratieverständnis in Österreich. In: Rudolf Neck und Adam Wandruszka (Hrg.), Beiträge zur Zeitgeschichte. Festschrift Ludwig Jedlicka. St. Pölten 1976, S. 61–80 – Matthias Weiss, Die Ausbreitung des allgemeinen und gleichen parlamentarischen Wahlrechts in der westlichen Reichshälfte der Habsburgermonarchie, phil. Diss. Heidelberg 1965 – Andrew G. Whiteside, Georg Ritter von Schönerer. Alldeutschland und sein Prophet. Graz 1981.

Peter Urbanitsch

DIE NATIONALISIERUNG DER MASSEN

So unterschiedlich die Definitionen und Erklärungen sind, die von der Wissenschaft für die Phänomene Nationalismus, Nationalbewegungen etc. angeboten werden, gemeinsam ist ihnen allen erstens der Hinweis, daß der Begriff Nationalismus viele verschiedene Facetten umfaßt und zweitens, daß das Nationale in seinen konkreten Erscheinungsformen ohne Rückkoppelung auf das Soziale nicht gut vorstellbar ist. In der Tat bietet die Geschichte der Habsburgermonarchie, im 19. und zu Anfang des 20. Jahrhunderts der Vielvölkerstaat par excellence, reiches Anschauungsmaterial für die diversen Ausprägungen und Wirkungsweisen des nationalen Denkens und Handelns.

Eine vergleichende Untersuchung des Nationalbewußtseins und der nationalen Bewegungen im mittel- und ostmitteleuropäischen Raum läßt verschiedene Phasen dieses Prozesses erkennen: Auf erste Formulierungen nationalen Gedankengutes durch die sog. „Erwecker" (meist Priester oder Intellektuelle aus dem Laienstand) folgt eine Phase der „nationalen Erneuerung", der „Wiedergeburt". Dabei geht man von der Vorstellung aus, daß die eigene „Nation" (was auch immer man konkret darunter versteht) in kultureller und zum Teil auch in politischer Hinsicht auf eine glorreiche Vergangenheit zurückblicken könne und daß man eben nur an diese Vergangenheit anknüpfen brauche, um in Gegenwart und Zukunft zu Größe und Bedeutung zu gelangen. Demzufolge spielte die Beschäftigung mit der Vergangenheit eine große Rolle: Geschichte, Volkskunde, Literatur, Sprachwissenschaft wurden in den Dienst der „nationalen Sache" gestellt und sollten die Bedeutung der nationalen Kultur hervorstreichen. Theater, Geschichts- und andere wissenschaftliche Vereine und deren Publikationen bildeten die organisatorischen Zentren, von denen aus der kulturelle „Risorgimento-Nationalismus" weitere Kreise der Bevölkerung zu erfassen suchte. Dabei ist jedenfalls festzuhalten, daß die Rückbesinnung auf die Vergangenheit in politischer Hinsicht durchaus mit zukunftsorientierten und emanzipatorischen Ansprüchen einherging, nämlich mit dem Anspruch auf kulturelle und politische Gleichberechtigung im Kreise der anderen Nationen.

Freilich markiert die bisher beschriebene Entwicklung keineswegs den Endpunkt in der Geschichte des Nationalismus, noch erfolgte die Entwicklung überall gleichmäßig und im selben Tempo. Während also zu Ende des 19. Jahrhunderts in manchen Gebieten des Habsburgerreiches, z. B. bei den oberungarischen Ruthenen, man sich erst in der Phase der „Erwecker" befand, hatten sich andere Bevölkerungskreise schon längst vom kulturell bestimmten einem alle Lebensäußerungen umfassenden „integralen" Nationalismus zugewandt. Das Auftreten verschiedenster Formen des Nationalismus zu ein- und demselben Zeitpunkt bedeutet – abgesehen von den dem Nationalismus inhärenten Problemen – eine nicht gering zu schätzende Schwierigkeit bei den zahlreichen Versuchen, die divergierenden nationalen Ansprüche untereinander und mit der Existenz eines übernationalen Staatsapparates in Einklang zu bringen.

War der vor allem kulturell geprägte „Risorgimento-Nationalismus" mit seiner Betonung auf Gleichberechtigung und Fortschritt mit anderen Nationalbewegungen und einem über- bzw. multinationalen Staatswesen zumindest im Prinzip nicht unvereinbar (wofür der Kremsierer Verfassungsentwurf von 1849 ein allerdings ebenfalls nur Theorie gebliebenes Beispiel bietet), änderte sich spätestens seit den siebziger Jahren die Situation grundlegend. Bei Deutschen, Magyaren, etwas später auch bei Tschechen und anderen Nationen verfestigte sich das nationale Gedankengut zu einer kompakten Ideologie, die insoferne quasireligiösen Charakter annahm, als sie immer deutlicher mit einem verstärkten Ausschließlichkeitsanspruch auftrat. Dieser richtete sich sowohl gegen andere Bindungen und Loyalitäten, von denen der Einzelne und die „nationale Gemeinschaft" erfüllt waren, als auch gegen andere nationale Gruppen, denen gegenüber die eigene Höherwertigkeit (und vice versa die Minderwertigkeit der anderen) herausgestellt wurde.

Die Ursachen für diesen qualitativen Umschwung sind mannigfaltig; über die konkreten Ausformungen des „integralen" Nationalismus, wie er sich auf dem Boden der Habsburgermonarchie manifestierte, wird noch zu sprechen sein. Als einer der Gründe, die für diese Entwicklung maßgebend waren, wird von vielen Beobachtern die Spannung zwischen Modernisierung, sozialem Wandel und einem Gefühl der Krise, der Unsicherheit, der Bedrohung angeführt. Tatsächlich trifft dies für Deutsche und Magyaren zu, in etwas schwächerem Maße auch für Tschechen und Südslawen. Dabei ist nicht in erster Linie an die Krise des liberalen Wertsystems zu denken oder an die Auswirkungen der Großen Depression, die im letzten Drittel des 19. Jahrhunderts ganz Europa erfaßte. Für den deutschen Nationalismus in der Habsburgermonarchie beispielsweise waren – für sich allein genommen – die (realen oder eingebildeten) Folgen der Niederlage von 1866 gewiß bedeutsamer. Das Bewußtsein, aus Deutschland verdrängt zu sein – und nur für den politischen Bereich spielte 1866 bzw. 1871 tatsächlich eine Rolle, während im Kulturellen diese Ausgrenzung entweder gar nicht stattfand, oder aber als Folge eines langwährenden Prozesses anzusehen ist – trug viel zu jener Identitätskrise bei, die eine knappe Generation später die Deutschen so anfällig für die Losungen des „integralen Nationalismus" machte. Die Magyaren hatten durch das Ausgleichswerk des Jahres 1867 zwar viele, aber eben nicht alle ihrer politischen Wünsche verwirklicht. Es blieben jedoch das nagende Mißtrauen in den Wiener Hof und die Befürchtung, daß man höheren Orts bei „günstiger Gelegenheit" die Konzessionen wieder zurücknehmen könnte – eine Entwicklung, der es in den Augen der Magyaren durch den forcierten Ausbau des ungarischen Nationalstaates gegenzusteuern galt. Dazu kam noch die „Urangst" vor der ethnischen Überfremdung der Magyaren durch ihre slawischen und rumänischen Nachbarn. Dem suchte man einerseits durch forcierte Assimilierung, andererseits durch die Behinderung der freien Entwicklung der anderen im Reiche der Stephanskrone lebenden Nationalitäten entgegenzuwirken. Die Tschechen wiederum sahen sich durch den Ausgleich von 1867 und das Nichtzustandekommen einer föderalistischen Umgestaltung der Monarchie in ihren politischen Entfaltungsmöglichkeiten so entscheidend gehandikapt, daß auch bei ihnen das Gefühl der Frustration stark genug war, um einen günstigen Nährboden für einen aggressiven, intoleranten und exklusiven Nationalismus zu bieten. Im Unterschied zum deutschen und magyarischen Nationalismus, die beide auf die Bewahrung der bisherigen Privilegierung ihrer nationalen Gruppen, ihren „Besitzstand", bedacht waren, strebten die Tschechen (und auch die Südslawen) jedoch nach Veränderung. Auch bei ihnen trat freilich das Nationale gegenüber allen anderen Aspekten des menschlichen Lebens in den Vordergrund, wurden diese Aspekte im Sinne des Nationalismus instrumentalisiert. Durch eine nationale Kraftanstrengung, durch „organische Aufbauarbeit" (um einen Terminus aus der polnischen Geschichte zu variieren) auf allen Gebieten sollte das Gewicht der Tschechen so sehr verstärkt werden, daß ihnen letztlich auch im Politischen die erwünschte Position nicht verwehrt werden konnte. Ihrem Nationalismus lag also eine Vorwärtsstrategie zugrunde; so manches vom emanzipatorischen Gehalt des Risorgimento-Nationalismus konnte so auch unter den veränderten Bedingungen einer Massenbewegung in die Praxis nationaler Aktivitäten hinübergerettet werden.

Denn der Nationalismus hatte nicht nur qualitative Änderungen durchgemacht, er hatte eine ganz entscheidende quantitative Erweiterung erfahren: Waren nationale Anliegen bisher auf einen mehr oder minder kleinen Teil der Gesellschaft beschränkt gewesen (meist Intellektuelle oder einzelne Mitglieder bürgerlicher bzw. kleinbürgerlicher Schichten) und waren viele den nationalen Bestrebungen ferngestanden, so galt es nun im Zeichen des integralen Nationalismus, jedermann mit nationalem Bewußtsein zu infiltrieren. Das konnte selbstverständlich nicht von heute auf morgen und nicht überall mit der gleichen Intensität erfolgen. Der Prozeß der nationalen Bewußtseinsbildung verlief nicht geradlinig und war von einer ganzen Reihe von lokalen, regionalen oder gesamtgesellschaftlichen Faktoren abhängig, so daß im Ergebnis große Unterschiede vorherrschten. Bei den Tschechen Böhmens z. B. hatte sich das Nationalgefühl im Dezennium vor dem Ausbruch des Ersten Weltkriegs schon so gut wie zur Gänze durchgesetzt, bei den Tschechen Mährens hingegen war zum gleichen Zeitpunkt die Zahl der national Indifferenten noch weitaus größer. Dasselbe gilt etwa für Slowenen oder Kroaten, wo der nationale Integrationsprozeß erst im Ersten Weltkrieg oder auch danach zur Vollendung kam. Dennoch sind die drei Jahrzehnte vor dem Ersten Weltkrieg jene Zeitspanne, wo auf dem Boden der Habsburgermonarchie die Ausbildung eines Nationalbewußtseins breitere Gesellschaftsschichten erfaßte, wo es nicht nur zur Politisierung, sondern eben auch zur Nationalisierung der Massen kam. Es formierten sich verschiedene miteinander konkurrierende moderne Nationalgesellschaften, die zumindest in nuce alle sozialen Schichten enthielten, Nationalgesellschaften, die jedoch bis zur Auflösung der Monarchie von einem zunehmend als fremd empfundenen Staatswesen (von dem sie freilich alle mehr oder minder profitierten) überwölbt waren. Das gilt auch für einen Großteil der Deutschen der Monarchie, die sich in steigendem Maße dem Habsburgerreich entfremdeten und „zwischen einem regionalen, einem deutschösterreichischen und einem großdeutschen Bewußtsein" (J. KOŘALKA) schwankten, sieht man einmal von den nicht sehr zahlreichen Anhängern der alldeutschen Ideologie ab. Die „Rückbesinnung auf Österreich", wie sie knapp vor und im Ersten Weltkrieg unter den Deutschen merkbar wurde, kam zu spät, als daß diese zaghafte Haltungsänderung für eine durchgreifende Reform des Staatswesens hätte nutzbar gemacht werden können.

Wie kam es nun zu dieser weitgehenden Nationalisierung des gesellschaftlichen, kulturellen und politischen Lebens? Als Vermittlungsinstrument erster Ordnung ist hier ein weitverzweigtes und zahlreiches Vereins- und Organisationswesen zu nennen. Es waren die „unpolitischen" und prima vista „nicht-nationalen" Organisationen, die Turn- und Sportvereine, die Gesangsvereine, die Genossenschaften und anderen wirtschaftlichen Zusammenschlüsse, die nationales Gedankengut (oft in vergröberter und trivialisierter Form) in den Freizeitbereich und in die wirtschaftlich-berufliche Sphäre trugen. Die Deutschen Turnvereine in Österreich führten schon um 1880 den Arierparagraphen in ihre Satzungen ein. Die 1862 in Prag gegründete und später auch auf südslawische Gebiete ausgreifende Sokol-Bewegung übernahm zwar vieles an Theorie und Praxis der deutschen Turner, instrumentalisierte sie jedoch für ihre eigenen nationalen Zwecke, modifizierte sie ein wenig (so legte man großes Gewicht auf die hussitische Tradition einerseits und auf das Schönheitsideal der Griechen andererseits) und verband sie mit liberalen und demokratischen Tendenzen der tschechischen Gesellschaft. 1912 zählten die Sokoln in den böhmischen Ländern und in Niederösterreich insgesamt rund 120.000 (aktive und fördernde) Mitglieder. Diese Zahl gewinnt an Bedeutung, vergleicht man sie beispielsweise mit denen des Deutschen Sängerbundes, dem um diese Zeit rund 30.000 Sänger aus Österreich angehörten.

In den Jahren vor dem Ersten Weltkrieg erreichte bei verschiedenen nationalen Gruppen die Organisierung eines national geschlossenen Wirtschaftskreislaufes einen hohen Grad. Das von den slowenischen Christlichsozialen aufgezogene Genossenschaftssystem (1912 bestanden 952 slowenische Genossenschaften) kam nicht nur der wirtschaftlichen Entwicklung in den von Slowenen bewohnten Gebieten zugute. Es stärkte auch das nationale Engagement und das Bewußtsein, daß auch in wirtschaftlichen Dingen Entscheidungen nicht allein nach fachspezifischen Kriterien gefällt werden, sondern daß nationale Überlegungen in diesem Entscheidungsprozeß mit eine Rolle spielen. Schon verhältnismäßig früh hatten die Tschechen eigene Banken, Vorschuß- und Sparkassen, Industrie-, Handels- und Handwerkerverbände, Bauernvereinigungen, Gewerkschaften und Konsumgenossenschaften entwickelt. Zwar kam es zu keiner vollständigen Segregation vom traditionell deutsch bestimmten cisleithanischen Wirtschaftsraum, doch akkumulierten die Tschechen immerhin genügend Kapital, um damit auch den südslawischen Nationalbewegungen finanziell unter die Arme greifen zu können. Auch bei den Deutschen, die lange Zeit die ganze

Monarchie oder wenigstens das gesamte cisleithanische Gebiet als ihren Bereich angesehen hatten, zog man sich auf den Rahmen der nationalen Gesellschaft zurück: Organisationen wie der „Deutschnationale Handlungsgehilfenverband" oder der „Reichsverband der deutschen Gewerbevereine Oesterreichs" sind beredte Beispiele dafür.

Ein weiterer Faktor für die Intensivierung und Vertiefung des nationalen Gedankens ist in einer spezifischen, den Bedürfnissen des Nationalismus entgegenkommenden Festkultur zu sehen. Es entwickelte sich ein eigenes Ritual, nach dem die diversen Veranstaltungen abliefen; ein Ritual, das den quasi-religiösen Charakter des Nationalismus deutlich machte, und durch den Appell an das Emotionale die Bindung an die Nation ungemein verstärkte. Spezielle Wirkung zeigten solche Veranstaltungen, wenn sie die Verherrlichung vergangener oder gegenwärtiger Größe der Nation zum Thema hatten. In erster Linie ist hier an die magyarische Millenniumsfeier (1896) zu denken, aber auch an die feierliche Überführung der sterblichen Überreste Franz II. Rákóczis (1906), an das Begräbnis Ludwig Kossuths (1894), an die polnischen Feiern anläßlich der 500. Wiederkehr der Schlacht bei Grunwald (1910), an den 500. Geburtstag von Jan Hus oder an die Feierlichkeiten anläßlich der Grundsteinlegung des Hus-Denkmals in Prag (1903) und ähnliches mehr. Es versteht sich, daß viele dieser Aktivitäten eine unverkennbare Spitze gegen die Monarchie aufwiesen und deutlich machten, daß die Loyalität der Bevölkerung zwischen Staat und Nation schwankte. Ein besonderes Beispiel für solche Loyalitätskonflikte bot das Jahr 1898 in Ungarn, als sich einerseits das 50-jährige Jubiläum der ungarischen Aprilverfassung des Jahres 1848 (mit ihrer Betonung der ungarischen Eigenständigkeit), andererseits die Thronbesteigung Franz Josephs (die entgegen dem Geist und dem Buchstaben dieser Verfassung erfolgte und die sehr bald die Unterdrückung der Eigenständigkeit zur Folge hatte), als Gedenktage anboten. Vor ähnlichen Loyalitätskonflikten stand die deutsche Bevölkerung, die bei jeder passenden und unpassenden Gelegenheit die „Wacht am Rhein" anstimmte, den Sedan-Tag feierte, in zahlreichen Denkmälern und noch viel häufigeren Straßenbenennungen Bismarck ehrte, immerhin einen Mann, der der Monarchie eine empfindliche Niederlage beigebracht und die internationale Stellung der Monarchie ganz entscheidend geschwächt hatte.

Abgesehen von den bisher besprochenen Phänomenen – Vereine, wirtschaftliche Organisationen, Feste, Denkmäler etc. –, die die nationale Mobilisierung sozusagen auf indirektem Wege, aber dafür umso wirkungsvoller vorantrieben, gab es eine Reihe von Organisationen, die nationale Anliegen und Belange direkt thematisierten. Dazu zählten die Schulvereine oder nationale Schutzvereine wie beispielsweise der Verein „Südmark", der „Bund der Deutschen Nordmährens", der „Deutsche Volksrat" und analoge Organisationen auf slawischer, magyarischer, italienischer und rumänischer Seite.

So wirkungsvoll die Tätigkeit dieser Organisationen in nationaler Hinsicht auch war, ihre Agitation schuf andererseits ein Klima, in dem es schwierig wurde, nationale Toleranz und Verständigungsbereitschaft zu üben. Immer geringer wurde die Zahl jener Gruppen und Minoritäten, deren Zugehörigkeit zu der einen oder der anderen Nation strittig war und die „zwischen Völkervermittlung und Irredenta ihr Dasein führten" (J. Kořalka), immer ausgeprägter gestalteten sich die Versuche, sie zu einer eindeutigen Parteinahme für die eine oder die andere nationale Partei zu zwingen. Man würde an der historischen Realität vorbeisehen, wollte man die negativen Begleiterscheinungen der gesellschaftlichen, kulturellen und politischen Nationalisierung negieren. Tatsächlich hat diese Nationalisierung zu einer weitgehenden Trennung, zu einem Nicht-verstehen-wollen anderer als nationaler Werte, zur Auseinandersetzung bzw. zum Kampf zwischen den Nationen geführt. Dieser Mangel an Verständigungsbereitschaft, der Mangel an einer das Nationale überhöhenden Staatsraison und Staatsidee, hat wesentlich – wenn auch nicht ausschließlich – dazu beigetragen, daß die Monarchie schließlich zerbrochen ist.

Überblickt man die nationalen Auseinandersetzungen und Kämpfe in ihren verschiedenen Phasen, ist es nützlich daran zu erinnern, daß diese auf mehreren Ebenen stattfanden: zum einen spielten sich diese Auseinandersetzungen zwischen den einzelnen Nationalitäten ab, zum anderen ging es den nationalen Politikern darum, sich bzw. die von ihnen vertretenen Interessen gegenüber den staatlichen Institutionen durchzusetzen, das Gewicht und den Anteil ihrer Konationalen in den politischen Entscheidungsprozessen und -mechanismen zu verstärken und sich im Bereich der Exekutive, der Beamtenschaft, eine dem zahlenmäßigen Verhältnis ihres „Volksstammes" adäquate Position zu schaffen – wobei sich freilich in der Praxis eine saubere Trennung dieser beiden Ebenen nicht immer vornehmen läßt. So ist ein Gutteil der großen Aufregung, die im Gefolge der Badenischen Sprachenverordnungen entstand, auf den Umstand zurückzuführen, daß die neuen Bestimmungen in den böhmischen Ländern die Tschechen, die viel häufiger zweisprachig waren als ihre deutschen Landsleute, eher begünstigt hätten, und daß es den Deutschen weit schwieriger geworden wäre, Posten im Staats- bzw. Landesdienst zu besetzen. Nun waren die Tschechen ohnehin nur in den oberen und mittleren Rängen der Beamtenhierarchie etwas unterrepräsentiert: eine Umfrage des Ministerpräsidenten Beck (um 1908) ergab, daß innerhalb der Landesbeamtenschaft des Königreichs Böhmen von den 35 Dienstposten der VI. Rangklasse 10 mit Deutschen und 25 mit Tschechen (bzw. genauer mit „der deutschen bzw. der tschechischen Landessprache vollkommen mächtigen Beamten" – wie es in der betreffenden Quelle heißt) besetzt waren. In der X. Rangklasse (Subalterne) hingegen lauteten die Zahlen 20 : 184! Die Frage nach einer gerechteren Zusammensetzung der Beamtenschaft durchzog alle deutsch-tschechischen Ausgleichsverhandlungen wie ein roter Faden; die Unmöglichkeit, in dieser Frage wie überhaupt in der Organisation der öffentlichen Verwaltung dieses Kronlandes einen modus vivendi zu finden, trug viel dazu bei, daß sich die Tschechen dem österreichischen Staatsgedanken immer mehr entfremdeten.

Es ist im Rahmen dieser knappen Skizze unmöglich, einen wenn auch nur kursorischen Aufriß des Sprachenrechtes und der Sprachenpolitik der Monarchie zu geben. In Ungarn hatte man 1868 das Magyarische als Staatssprache gesetzlich festgelegt, auf lokaler Ebene jedoch den Nichtmagyaren die Verwendung ihrer Sprachen in verhältnismäßig großzügiger Weise ermöglicht. Die nachfolgende Entwicklung ging freilich in eine andere Richtung. Sowohl einzelne gesetzliche Bestimmungen (z. B. die berüchtigte „Lex Apponyi", durch die das Magyarische zur alleinigen Unterrichtssprache auch der Volksschulen wurde), mehr noch die alltägliche Praxis haben die Rolle und die Bedeutung der anderen Sprachen im öffentlichen Leben des St. Stephans-Reiches entscheidend eingeschränkt und behindert und leisteten einer forcierten Magyarisierung Vorschub. Versuche der Nationalitäten, bzw. einzelner ihrer Politiker, sich dagegen zur Wehr zu setzen, blieben im wesentlichen ineffektiv.

In Cisleithanien hatte 1867 der berühmte Artikel 19 des Staatsgrundgesetzes über die allgemeinen Rechte der Staatsbürger in seinem 2. Absatz festgehalten: „Die Gleichberechtigung aller landesüblichen Sprachen in Schule, Amt und öffentlichem Leben wird vom Staat anerkannt." Das war nun vorerst nicht mehr als eine allgemeine Norm. Inwieweit diese allgemeine Norm im Einzelfall mit Leben erfüllt wurde, das macht den Inhalt des Sprachenstreites bis zum Ende der Monarchie aus. Die konkreten Ausprägungen, die dieser Grundsatz erfuhr, waren mannigfaltig und recht unterschiedlich: es war nicht ohne Belang, ob es sich um Agenden handelte, die in die Kompetenz der Zentralverwaltung oder in die autonomer (Landes- oder Gemeinde-) Behörden fielen; ob es sich um Angelegenheiten der allgemeinen Verwaltung oder des Justizwesens, um Schulfragen oder solche des Verkehrswesens handelte; ob Regelungen nur den „inneren Dienst" oder den Verkehr mit dem Publikum, („äußeren Dienstsprache") betrafen; ob die entsprechenden Bestimmungen als Reichsgesetze oder – in ihrem Geltungsbereich territorial eingeschränkt – als Landesgesetze, ob sie im Verordnungswege durch die Regierung bzw. einzelne Zentralstellen oder ob sie infolge von Urteilssprüchen der Höchstgerichte erlassen wurden. Die Materien, die sprachenrechtlichen Regelungen unterworfen wurden, nahmen an Zahl ständig zu: Von der Einschreibung der Kinder in den Kindergarten; der Feststellung der Unterrichtssprache in den Schulen; der Aufschriften auf Korrespondenzkarten; der Beschriftung von Eisenbahnstationen (da sich Slowenen und Italiener in Görz nicht über die Aufschrift am Bahnhofsgebäude einigen konnten, unterblieb dort für einige Zeit jegliche Namensbezeichnung); der Ausgabe von Eisenbahnkarten (wenn sie – wie in Klagenfurt – beispielsweise in slowenisch verlangt wurden) reichte der Bogen bis zur Beschriftung von Grabdenkmälern! Eine verwirrende Vielfalt an Bestimmungen war die Folge, wobei festzuhalten ist, daß in manchen Fällen (vor allem, wenn es sich um den staatlichen Bereich handelte) dem Gleichberechtigungsgebot auch dann entsprochen wurde, wenn eine zahlenmäßig recht kleine Minorität einen derartigen Wunsch äußerte. Freilich muß sofort eingeschränkt werden, daß um jede einzelne dieser Bestimmungen erbittert zwischen den nationalen Kontrahenten bzw. zwischen ihnen und der Behörde gerungen wurde und daß viele Regelungen eben erst nach einer langen Zeit der Auseinandersetzungen zustandekamen, so daß so manche dieser, vorurteilslos betrachtet, durchaus großzügigen Regelungen viel von ihrer positiven Wirkung verloren. Es war der tägliche Kleinkrieg um Dinge, die uns heute teilweise ein wenig grotesk erscheinen mögen, der die Atmosphäre prägte, und der dazu beitrug, daß sich in breitesten Kreisen die Vorstellung von der Dominanz nationalpolitischer Aktivitäten gegenüber allem anders orientierten Denken und Handeln durchsetzte.

Spätestens im Gefolge der Badenischen Sprachenverordnungen wurde deutlich, daß der Nationalitätenkonflikt längst kein reiner Sprachenstreit mehr war, kein „Kampf der Nationen" mit und „um den Staat" (K. Renner), sondern eben ein Konflikt der Nationalitäten untereinander um bessere Existenzmöglichkeiten. Dieser Kampf griff daher über das rein Administrative weit hinaus und erfaßte die ökonomischen, sozialen und kulturellen Kräfte der Nationalitäten. Das Konkurrenzdenken erstreckte sich auf jeden Bereich menschlicher Existenz. Es ist für das geistige Klima der Zeit um die Jahrhundertwende, für die Absonderungstendenzen, die damals vorherrschten, bezeichnend, daß man in Wien, Prag oder Budapest von den in mancher Hinsicht sehr verwandten kulturellen Entwicklungen, die sich in den jeweils anderen Metropolen abspielten, kaum Notiz nahm und sich Inspirationen lieber aus dem Ausland denn bei den benachbarten Kunstschaffenden holte. Das gilt nicht nur für die Literatur – wo ein derartiges Verhalten, bedingt durch das Medium Sprache, noch einigermaßen erklärbar wäre – sondern ebenso für alle nonverbalen Kunstformen.

Die Eskalation des Nationalitätenstreits war aber auch an den Formen ablesbar, in denen diese Auseinandersetzungen ausgetragen wurden. Spielten sich die Konflikte anfänglich als ein mehr oder minder akademisch-rhetorischer Schlagabtausch in Parlamenten, Zeitungskolumnen, Pamphleten etc. ab, verlagerte sich die Arena bald in den Bereich des täglichen Lebens. Gesellschaftliche Kontakte zwischen Angehörigen verschiedener nationaler Gruppen wurden reduziert oder überhaupt abgebrochen, wirtschaftliche Boykottaufrufe stießen auf ein immer größeres Echo, Plünderungen von Geschäften und Eigentumsdelikte stellten keine absoluten Ausnahmeerscheinungen mehr dar. Nationale Schutzvereine richteten an Hausbesitzer und Wirtschaftstreibende die Aufforderung, andersnationale Mieter bzw. Arbeitnehmer zu entlassen. Und schließlich fehlte es auch nicht an physischer Gewalt. Zwar war es auch schon in früheren Jahrzehnten zu handgreiflichen Zusammenstößen gekommen, doch nahm das Ausmaß an Gewaltanwendung seit den späten neunziger Jahren bedenklich zu. Die Deutschen konnten sich dabei auf besondere Autoritäten „berufen". Es war niemand geringerer als der weltberühmte, wenn auch damals schon ziemlich betagte, Gelehrte Theodor Mommsen, der den Deutschen Cisleithaniens anläßlich der Badeni-Unruhen geraten hatte: „Seid hart! Vernunft nimmt der Schädel der Tschechen nicht an, aber für Schläge ist auch er zugänglich!" Was wunder, wenn diese Ratschläge auf „fruchtbaren" Boden fielen! Doch sollte keinesfalls der Eindruck entstehen, als ob nur das deutsch-tschechische Verhältnis von exzessiver Gewalttätigkeit gekennzeichnet gewesen wäre. Diese blieb den polnisch-ruthenischen Streitigkeiten ebenso wenig fremd wie den magyarisch-slowakischen Differenzen (vgl. z. B. die Ereignisse von Černova, als bei Demonstrationen anläßlich einer Kircheneinweihung 13 Slowaken durch Gendarmeriesalven starben) oder den Auseinandersetzungen bei den Südslawen. Terroristische Anschläge und Attentate einerseits, repressive Vergeltungsmaßnahmen andererseits erzeugten jene spannungsgeladene Atmosphäre, in der ein Funke genügte, um das Pulverfaß zur Explosion zu bringen: die Ermordung des Thronfolgers Erzherzog Franz Ferdinand und seiner Gemahlin stand auch am (vorläufigen) Ende jener Entwicklung, die von der Nationalisierung der Massen geprägt war.

Literatur (in Auswahl):

PETER ALTER, Nationalismus (Neuere Historische Bibliothek, edition suhrkamp). Frankfurt/Main 1985 – WOLF DIETER BEHSCHNITT, Nationalismus bei Serben und Kroaten 1830–1914. Analyse und Typologie der nationalen Ideologie (Südosteuropäische Arbeiten 74). München 1980 – EMIL BRIX, Die Umgangssprachen in Altösterreich zwischen Agitation und Assimilation. Wien 1982 – ERNST BRUCKMÜLLER, Nation Österreich. Sozialhistorische Aspekte ihrer Entwicklung (Studien zu Politik und Verwaltung 4). Wien–Graz–Köln 1984 – HUGO HANTSCH, Die Nationalitätenfrage im alten Österreich. Das Problem der konstruktiven Reichsgestaltung (Wiener historische Studien 1). Wien 1953 – HANS HATTENHAUER, Deutsche Nationalsymbole. Zeichen und Bedeutung (Analyse und Perspektiven 9). München 1984 – MIROSLAV HROCH, Die Vorkämpfer der nationalen Bewegung bei den kleinen Völkern Europas. Eine vergleichende Analyse zur gesellschaftlichen Schichtung der patriotischen Gruppen. Prag 1968 – ROBERT A. KANN, Das Nationalitätenproblem der Habsburgermonarchie. Geschichte und Ideengehalt der nationalen Bestrebungen vom Vormärz bis zur Auflösung des Reiches im Jahre 1918, 2 Bde. (Veröffentlichungen der Arbeitsgemeinschaft Ost 4 und 5). Wien 1964 – JIŘÍ KOŘALKA, Aufstieg moderner Nationalgesellschaften in Österreich. In: Wien um 1900. Aufbruch in die Moderne, hg. von PETER BERNER, EMIL BRIX und WOLFGANG MANTL. Wien 1986, S. 164–175 – HANS MOMMSEN, Die Sozialdemokratie und die Nationalitätenfrage im habsburgischen Vielvölkerstaat Bd. I. Wien 1963 – HANS MOMMSEN, Arbeiterbewegung und Nationale Frage. Ausgewählte Aufsätze. Göttingen 1979 – GEORGE L. MOSSE, Die Nationalisierung der Massen. Politische Symbolik und Massenbewegungen in Deutschland von den Napoleonischen Kriegen bis zum Dritten Reich. Frankfurt–Berlin 1976 – CLAIRE NOLTE, „Our task, direction and goal". The development of the Sokol national program to World War I. In: Vereinswesen und Geschichtspflege in den böhmischen Ländern, hg. von FERDINAND SEIBT (Bad Wiesseer Tagungen des Collegium Carolinum, München 1986) S. 123–138 – THEODOR SCHIEDER – OTTO DANN, Nationale Bewegung und soziale Organisation. Vergleichende Studien zur nationalen Vereinsbewegung des 19. Jahrhunderts in Europa (Studien zur Geschichte des 19. Jahrhunderts) München–Wien 1978 – FERDINAND SEIBT (Hg.), Vereinswesen und Geschichtspflege in den böhmischen Ländern. Vorträge der Tagungen des Collegium Carolinum in Bad Wiessee vom 25.–27. 11. 1983 und vom 23.–25. 11. 1984. München 1986 – GERALD STOURZH, Die Gleichberechtigung der Nationalitäten in der Verfassung und Verwaltung Österreichs 1848–1918. Wien 1985 – MONIKA STREITMANN, Der Deutsche Schulverein vor dem Hintergrund der österreichischen Innenpolitik 1880–1918. Diss. Wien 1984 – ADAM WANDRUSZKA – PETER URBANITSCH (Hg.), Die Habsburgermonarchie 1848–1918 III: Die Völker des Reiches. Wien 1980.

Peter Urbanitsch

KRISE UND AUFBRUCH

Das große Interesse, das der „Jahrhundertwende" neuerdings entgegengebracht wird, liegt nicht zuletzt in der Tatsache begründet, daß in den annähernd drei Jahrzehnten vor dem Ersten Weltkrieg eine Reihe von recht widersprüchlichen Entwicklungen und Tendenzen Platz griffen, daß neben althergebrachten Bauformen hochmoderne, in die Zukunft weisende Strukturelemente gleichsam unverbunden nebeneinander standen. Die auf dem Gebiet der Habsburgermonarchie besonders ausgeprägte „Gleichzeitigkeit des Ungleichzeitigen", eine Lebens- und Stilpluralität, bildet den besonderen Reiz dieser Epoche, macht es andererseits aber schwierig, für diese ein ganz bestimmtes Charakteristikum anzugeben, das für alle geographischen Räume der Monarchie und alle Bevölkerungsschichten gleich relevant und konstitutiv wäre.

Etwa ab den achtziger Jahren trat ein säkularer Wandel im weltanschaulich-philosophischen Bereich ein. Dieser Wertwandel ist am deutlichsten wohl im Bereich der Künste merkbar, er hat aber auch im Politischen und Sozialen, in der politischen Kultur der Zeit, seine Spuren hinterlassen. Der optimistische Glaube an den Fortschritt (der in der Aufklärung geistig und moralisch konzipiert war und der sich erst später mit naturwissenschaftlichen, evolutionistischen Elementen verbunden hatte) war ins Wanken geraten. Die Rolle der Vernunft, der Ratio, als alles durchdringendes Gestaltungsprinzip wurde in Zweifel gezogen. Nietzsches Philosophie, ein Gefühl der Furcht vor den modernen naturwissenschaftlich-technischen Erkenntnissen (deren „Begreifbarkeit“ sich dem Einzelnen weitgehend entzog) und konkrete Erfahrungen aus dem politisch-sozialen Bereich trugen dazu bei, daß die Atmosphäre der Sekurität schwand. Sie wurde abgelöst durch ein Gefühl der permanenten Bedrohungen, des Pessimismus, von Normenverlust und von Identitätskrisen. Neue „Leitsektoren“ werden zur Richtschnur des geistigen und kulturellen Lebens: neben den bislang herrschenden Realitätsbegriff tritt ein „neuer Individualitätsbegriff, der die tiefe Spannung zwischen Individuum und Gesellschaft betont“. Das rational-aufklärerische Weltbild wird allmählich abgelöst durch eine organologisch-biologistische Betrachtungsweise. Diese verbindet den Glauben an eine naturwissenschaftliche Weltdeutung mit weitgehender Indifferenz gegenüber der Sinnfrage und den herkömmlichen religiösen, philosophischen und ethisch-moralischen Normen. Die Berufung auf das „Recht des Stärkeren“ sollte dabei nicht selten Handlungen legitimieren, die gesetzt wurden, um das pessimistische Krisengefühl, die Stimmung der „décadence“, zu kompensieren.

Parallel zu dieser „Umwertung der Werte“ ereignete sich im wirtschaftlichen und sozialen Bereich eine Wandlung größten Ausmaßes: die Jahre ab 1890 sind nicht nur eine Periode unverminderten Bevölkerungswachstums, sie gelten auch als die Zeit der Hochindustrialisierung in der Habsburgermonarchie (bzw. in jenen Teilen, die überhaupt von der Industrialisierung erfaßt wurden). Jetzt erst setzten sich industriell-kapitalistische Produktionsmethoden auf breiter Basis durch, die Industriearbeiterschaft nahm an Zahl zu. Es kam zu einer wirtschaftlichen Verdichtung und Verflechtung im regionalen, nationalen und internationalen Rahmen. Das Kleingewerbe paßte sich (nicht ohne Mühe) den veränderten Umständen an. Die wachsende Vermehrung bürokratischer Organisationsformen in allen Lebensbereichen führte zur Entstehung und Ausweitung einer neuen gesellschaftlichen Formation, der Angestelltenschaft, die gleichwohl um die Anerkennung und weitere Aufrechterhaltung ihres spezifischen Rollenverständnisses fürchten mußte. Gewiß bedeutet Industrialisierung Wachstum und Bewegung, aber auch Heimatlosigkeit, Entwurzelung, Suche nach neuer Identität. So taten auch wirtschaftliche und soziale Umwälzungen das Ihre, damit „dem Glauben an einen ins Unendliche sich fortsetzenden Fortschritt Furcht und Faszination kommender Untergänge zur Seite“ (M. Stürmer) traten.

Als eine der Folgen des Negierens der Traditionen der Aufklärung und der Wirkung sublimer Verdrängungsmechanismen ist die weite Verbreitung des Antisemitismus in der Habsburgermonarchie anzusehen. Dieser war bekanntlich ja nicht nur auf die Deutschen beschränkt (wenngleich er dort besonders ausgeprägt und ausgesprochen weitverbreitet war), er trat unter anderem auch bei Ungarn und Tschechen in Erscheinung. Spektakuläre Ereignisse wie der Ritualmordprozeß von Polná bildeten nur die Spitze eines Eisberges, der über eine Vielzahl von ökonomisch, später auch rassisch bedingten Einstellungen und Handlungsweisen zu einem weitverbreiteten „latenten“ Antisemitismus hinabreichte, der von Demagogen à la Schönerer (oder auch Lueger) zu verschiedensten Zwecken instrumentalisiert werden konnte.

Die potentielle Gefährlichkeit antisemitischer Einstellungen nahm zu, als sich diese mit rassistischem und sozialdarwinistischem Gedankengut mischten. Beide Strömungen, Rassismus und Sozialdarwinismus, sind ebenfalls als irrationale Antworten auf die Krise des liberalen Wertsystems anzusehen. Zwar wird man die direkte Wirkung der pseudowissenschaftlichen Beschäftigung mit der Rassenfrage (etwa durch Georg Lanz von Liebenfels, dessen „Ostara“-Hefte auch Hitler kannte) für die damalige Zeit nicht allzu hoch veranschlagen dürfen, doch spielten die

Theorien vom „Herrenmenschentum“ in der Praxis der Nationalitätenkämpfe eine nicht unwesentliche Rolle. Sozialdarwinistisches Gedankengut fand darüberhinaus in viele andere Bereiche des menschlichen Zusammenlebens Eingang. So wurde der „Kampf ums Dasein“ auf die Auseinandersetzungen sozialer Gruppen im Wirtschaftsleben ebenso übertragen wie bei vielen, nicht nur Militaristen, der Krieg als „Stahlbad“, als Mittel der Ertüchtigung in einer kraftlos gewordenen Zeit galt.

Den mit der modernen bürgerlichen Entwicklung einhergehenden Identitätsstörungen versuchte man überall in der Monarchie durch die Steigerung des Nationalismus gegenzusteuern. Daß das Resultat dieser nach mehr oder minder ähnlichen Mustern ablaufenden Bemühungen sehr verschiedenartige Resultate zeitigte, ist letztlich auf die inhomogene Struktur der Monarchie und den ungleichen Entwicklungsstand der nationalen Gesellschaften zurückzuführen. Bei ihren oft recht aggressiv geführten Attacken waren die deutschen Nationalisten stets bestrebt, ihre historisch gewachsene privilegierte Stellung in allen Bereichen des öffentlichen und wirtschaftlichen Lebens, den „deutschen Besitzstand“, zu wahren. Den nichtdeutschen Nationen sollte die faktische Gleichberechtigung bzw. Gleichbehandlung verwehrt werden; insoweit kann man den deutschen Nationalismus tatsächlich als „defensiv“ bezeichnen. Demgegenüber verfolgten die nichtdeutschen Nationalbewegungen positive Zielsetzungen. Sie strebten Dinge an, die die Deutschen zum Teil schon hatten, Dinge, für deren bisheriges Fehlen die Nichtdeutschen die ihrer Meinung nach repressive Politik des habsburgischen Staatsapparates verantwortlich machen konnten. In dieser Hinsicht taten sich die Deutschen weit schwerer. Auf der einen Seite sahen sie die Habsburgermonarchie, oder zumindest die westliche Reichshälfte, zum überwiegenden Teil immer noch als „ihren“ Staat an. Auf der anderen Seite stand der Wunsch nach kultureller und politischer Zugehörigkeit zur deutschen Nation. Aus dieser Identitätskrise, die bei den Juden, die sich zur deutschen Kultur bekannten, um eine zusätzliche Dimension erweitert wurde, sahen viele nur die Möglichkeit eines „Auszuges aus der Politik“, einer „inneren Sezession“. Die als Folge der Identitätskrise (und weil man keine positiven Alternativen vor Augen hatte) gewählte politische Abstinenz eines Teils des deutschsprachigen Bürgertums und der Intelligenz (der „Ringstraßengesellschaft“) gilt so nicht zu Unrecht als „historisch-gesellschaftlicher Hintergrund des fin de siècle, des Jugendstils und der Avantgarde“ (P. Hanák).

Zu welchen positiven Leistungen die geistesgeschichtliche Krise des Liberalismus mitsamt ihren politischen Folgeerscheinungen auf dem kulturellen Sektor auch geführt haben mag, auf dem Felde der Politik engten die aufkommenden irrationalen Strömungen im Verein mit der Zunahme eines integralen Nationalismus und dem Eintritt der Massen in die politische Arena den Spielraum für konsensorientierte Konfliktlösungen, für eine an positiven Utopien orientierte Gestaltung des menschlichen Zusammenlebens drastisch ein.

Trotz bedeutsamer positiver Ansätze blieben die vom cisleithanischen Ministerpräsidenten Eduard Graf Taaffe eingeleiteten Maßnahmen zur Lösung wesentlicher Existenzprobleme des Staates nur „kurzfristig angelegte Beruhigungsgesten“ und waren nicht Ausdruck eines umfassenden Reformprogramms. Ein solches hätte freilich der rückhaltlosen Unterstützung durch den Monarchen und die die Außen- und Militärpolitik tragenden Kräfte bedurft, daran mangelte es jedoch auch dem „Kaiserminister“. Erst jüngst wurde wieder darauf hingewiesen, daß die Innenpolitik Taaffes, die wenigstens ihrer Intention nach die Slawen stärker einzubinden suchte, mit dem Abschluß des Zweibundes (mit dem Deutschen Reich) eigentlich unvereinbar war. Ebenso blieben die wegweisenden sozialreformatorischen Maßnahmen ohne konsolidierende Wirkung für Gesellschaft und Politik, „weil die parallel dazu immer stärker geforderte politische Partizipation damit nicht Schritt hielt“ (H. Rumpler). Taaffes Politik stellte letztlich niemanden zufrieden, so daß sie – gewiß entgegen ihren Intentionen – zu einem Aufstieg radikaler Kräfte führte.

Der noch unter Taaffe 1890 gemachte Versuch, einen umfassenden Interessensausgleich zwischen Deutschen und Tschechen in Böhmen zustandezubringen, war gescheitert. Nationale und politische

Spannungen (vor allem im Zusammenhang mit der Wahlrechtsfrage) führten in der Folge sogar zur Verhängung des Ausnahmezustandes über Prag auf die Dauer von fast zwei Jahren. In dieser Situation wollte der neue Ministerpräsident, der aus Galizien stammende Kazimierz Graf Badeni, der tschechischen Nationalbewegung 1897 durch Einführung des Tschechischen als innere Dienstsprache in Böhmen und Mähren und durch Vorschriften bezüglich der sprachlichen Qualifikation der Beamten teilweise entgegenkommen. Badeni, dessen Regierungstätigkeit anfänglich durchaus erfolgreich war, hoffte damit, die bisher oppositionellen liberalen Jungtschechen für eine Zustimmung zu den „Staatsnotwendigkeiten" (insbesondere für die Verlängerung des wirtschaftlichen Ausgleichs mit Ungarn) zu gewinnen. Gegen die Verordnungen erhob sich aber ein Sturm der Entrüstung seitens der liberalen Deutschen (dem sich später auch Christlichsoziale und Sozialdemokraten anschlossen). Er entlud sich nicht nur im Parlament in Form von Schreiduellen, Pultdeckelkonzerten, tätlicher Auseinandersetzung, einem massiven Polizeieinsatz und der Verhinderung jeglicher normaler parlamentarischer Tätigkeit durch das Instrument der „technischen Obstruktion", sondern führte zu einer bislang nichtgekannten Aufschaukelung nationaler Leidenschaften. In vielen Städten Cisleithaniens gab es Massendemonstrationen pro und contra, Schlägereien, Plünderung von Geschäften etc. Die im Gefolge der Badenischen Sprachenverordnungen (und ihrer Rücknahme) auftretenden nationalen Zwistigkeiten – dem „furor teutonicus" standen slawischen Ausschreitungen in nichts nach – gingen längst über sprachenrechtliche Belange hinaus. Wie die nationalen Boykottaufrufe („Kauft nicht bei den Deutschen, . . . Juden, . . . Tschechen" usw.) zeigen, erstreckte sich die Ideologie des „integralen Nationalismus" auf alle Lebensäußerungen der Nation; Ziel war die möglichst totale Abgrenzung der eigenen Gruppe, der Rückzug auf die eigenen Ressourcen und die Schaffung einer nur auf sich selbst gestellten Gesellschaft.

Während Tendenzen zur nationalen Segregation im kulturellen Bereich – vor allem dort, wo das Medium der Sprache dominant war – schon früher auftraten, nahmen Bestrebungen zur Schaffung autonomer nationaler Wirtschaftsräume seit der Jahrhundertwende deutlich zu. Vor allem die Tschechen entwickelten ein dichtes Netz wirtschaftlicher Organisationen und akkumulierten ein beträchtliches Maß an „nationalem" Kapital. Ökonomisches Wachstum im sprachnationalen Rahmen und nationales Bewußtsein verstärkten einander hier. Darüberhinaus spielten die regen Kontakte, wie sie sich durch Vereine und Berufsorganisationen ergaben, eine große Rolle bei der Ausweitung des Nationalbewußtseins. Konflikte mit anderen nationalen Gruppen oder mit Exponenten der Staatsmacht (an denen es in den letzten Jahrzehnten vor dem Weltkrieg wahrlich nicht gefehlt hat) haben die nationale Solidarität entscheidend gefördert, die Identifikation mit der Monarchie hingegen geschwächt. Da eine völlige Trennung von der Habsburgermonarchie damals jedoch keine Chance auf Realisierung hatte, kam es zum „Kampf der Nationen um den Staat", zum Versuch, sich soviel als möglich von der Hülse der nun einmal bestehenden Staatsorganisation anzueignen, um „subcutan" möglichst ungestört den Ausbau des eigenen nationalen Organismus vorantreiben zu können.

Gewiß war weder bei den Deutschen noch bei Tschechen der „integrale Nationalismus" extremster Prägung die vorherrschende Geisteshaltung; dennoch gelang es für Böhmen – trotz einer Reihe von Anläufen – bis zum Weltkrieg nicht, eine allseits befriedigende Kompromißlösung zu finden. Anders in Mähren: hier einigten sich 1905/06 die Vertreter der beiden „Volksstämme" auf die Einführung einer nationalen Autonomie im Bereich des Schulwesens und der politischen Willensbildung. So wichtig (und kompliziert) die konkreten Detailbestimmungen auch sein mochten, wegweisend waren zwei allgemeine Tendenzen: zum einen die schon in der theoretischen Diskussion seit den Badeni-Unruhen vermehrt erörterte Trennung territorial-staatlicher und national-kultureller Belange, zum anderen die Überlegung, nationalitätenrechtliche Regelungen nur nach vorher erfolgter Einigung der „berufenen Vertreter der beteiligten Volksstämme" (G. Stourzh) zu erlassen.

Es ist keine Frage, daß die nationale Sonderung der Entfremdung der Volksstämme untereinander und einer partiellen Abwendung vom österreichischen,

„O du mein Österreich. Ein politisches ABC.“ Wien, Verein für Geschichte der Arbeiterbewegung

habsburgischen Staatsgedanken Vorschub leistete. Bei Deutschen und Nichtdeutschen nahmen im Gefolge der Badeni-Krise die Zweifel zu, ob sie bei Erfüllung ihrer nationalpolitischen Wünsche auf die Unterstützung der Krone, des Staates und seines Apparates bauen konnten. Eine verstärkte Besinnung auf die eigenen Kräfte einerseits, eine intensivere politische und wirtschaftliche Hinwendung vor allem der slawischen Nationen (Tschechen und Südslawen) zueinander andererseits, waren die Folgen. Im Sinne der slawischen Solidarität bzw. des (von den Behörden allerdings überschätzten) „Panslawismus“ richtete sich der Blick zu den slawischen Bruderstaaten jenseits der Grenzen, zu Rußland und Serbien – dem die Hinwendung der Deutschösterreicher zum Deutschen Reich oder die der siebenbürgischen Rumänen zum Königreich jenseits der Karpaten korrespondierte. Die Beschränkung auf den Konsens der Nationen bedeutete darüberhinaus das Eingeständnis, auf eine führende und gestaltende Rolle seitens der Staatsverwaltung verzichten zu wollen, so daß der „einheitliche Staatsgedanke“ gleich von zwei Seiten her unter Beschuß geriet. Es muß freilich eingeräumt werden, daß Regierung und Bürokratie auf andere (wenn auch auf kurze Sicht unwirksame) Weise – nämlich durch wirtschaftspolitische Maßnahmen oder die Einführung des allgemeinen gleichen Wahlrechts – die Brisanz des Nationalitätenproblems zu unterlaufen trachteten.

Das Modell der mährischen Autonomie ist nach 1905/06 noch verschiedentlich angewendet worden: am erfolgreichsten wohl beim nationalen Ausgleich in der Bukowina (1908/10). Dabei ist jedoch in Rechnung zu stellen, daß die spezifische Situation in der Bukowina, wo die große Zahl von nationalen und konfessionellen Gruppen eine eindeutige Mehrheitsbildung nicht zuließ, dem Gedanken des Kompromisses besonders günstig war.

Ob dieses Modell auch in Galizien – wo es ja eindeutige Mehrheitsverhältnisse zwischen Polen und Ruthenen gab – funktioniert hätte, bleibt offen, da die entsprechende Übereinkunft 1914 zwar sanktioniert, aber wegen des Krieges nicht mehr in die Praxis umgesetzt werden konnte. Jedenfalls hatten auch in Galizien die nationalen Spannungen, die wie überall mit sozialen und kulturpolitischen Forderungen verknüpft waren, ein beträchtliches Ausmaß erreicht, wofür die Ermordung des galizischen Statthalters Andrzej Graf Potocki durch einen ruthenischen Studenten symptomatisch war.

Auch Ungarn blieb vom Nationalitätenproblem nicht verschont. In der mehrheitlich liberalen ungarischen Führungsschicht war der nationale Gedanke (dessen spezifische Variante nur tiefenpsychologisch erklärt werden kann, nämlich als panische Angst vor dem drohenden nationalen Untergang) stets latent vorhanden gewesen: die Assimilation an das überlegen gewertete Magyarentum wurde allgemein begrüßt, ja mehr noch: die politische, kulturelle und nationale Unterdrückung der nichtmagyarischen Nationalitäten ging in eine vom Staat geförderte Magyarisierungspolitik über. Einen – zweifelhaften – Höhepunkt erlebte die Unterdrückungs- und Magyarisierungspolitik unter dem Ministerpräsidenten Baron Dezső Bánffy. In diese Zeit fiel nicht nur die von chauvinistischen Ausbrüchen begleitete Millenniumsfeier, sondern auf der anderen Seite auch die Schaffung einer Allianz zwischen den serbischen, rumänischen und slowakischen Nationalbewegungen. Diese Allianz blieb letztlich wirkungslos, „da die jeweiligen nationalen Parteien sich mehr mit dem Wohl ihres eigenen Volkes befaßten als mit dem Aufbau einer starken, übernationalen Organisation“ (K. Hitchins), und weil die Behörden auch nach Bánffy ihre repressiven Methoden beibehielten.

Aus zeitgenössischer Sicht gesehen war die Nationalitätenfrage damals noch nicht das bedrohlichste Problem für die ungarischen Politiker. 1890 bis 1895 stand das Land im Zeichen vehementer kirchenpolitischer Auseinandersetzungen, die ihren Ausgang von der – in einem multikonfessionellen Staat durchaus verständlichen – Einführung der Zivilehe (und der staatlichen Matrikelführung) nahmen, bald jedoch zu einer „Etappe im Kampf zwischen den ewigen Werten des Christentums und dem ‚gottlosen Liberalismus‘ “ (M. Csaky) hochstilisiert wurden. Die liberale Position setzte sich letztlich durch, doch hatten diese Auseinandersetzungen für den Katholizismus den Eintritt in die Parteipolitik (durch die im wesentlichen einer konservativen Grundhaltung verpflichteten „Katholischen Volkspartei“) und verstärktes sozialpolitisches Engagement (verkörpert durch die christlich-soziale Bewegung) zur Folge.

Sieht man von den Nationalitätenparteien, der 1890 gegründeten Sozialdemokratischen Partei, diversen nach der Jahrhundertwende entstandenen Bauernparteien und den bürgerlichen Radikalen ab – die sämtlich durch das geltende Wahlrecht in ihrer Wirkungsweise äußerst eingeschränkt blieben –, war das Parteienspektrum Ungarns so gut wie ausschließlich von staatsrechtlichen Fragen, von der Frage nach dem Charakter der Beziehungen Ungarns zu Österreich bestimmt. Die Liberale Partei stand im wesentlichen auf dem Standpunkt von 1867, d. h. der damals vereinbarten dualistischen Staatsstruktur, wünschte aber die Verlagerung des Schwerpunktes von Wien nach Budapest. Die in zahlreiche Fraktionen zersplitterte Opposition trat für die Ausweitung der ungarischen Unabhängigkeit ein, mindestens aber für die Schwächung jener Institutionen, die mit der anderen Reichshälfte gemeinsam waren (wobei schon diese, die Existenz eines über Österreich und Ungarn stehenden Reiches implizierende Wortwahl von beiden Gruppierungen entschieden abgelehnt wurde).

An der staatsrechtlichen Problematik entzündeten sich denn auch die schwersten Konflikte, die vor allem im Ausland Zweifel an der Existenzfähigkeit der Gesamtmonarchie nährten. Den Anfang machte die nicht termingerechte (1897) Verlängerung des „wirtschaftlichen Ausgleichs" – der alle zehn Jahre die Grundzüge des Zoll- und Handelsbündnisses und die „Quote", den Aufteilungsschlüssel zu den gemeinsamen Ausgaben, regeln sollte. Das rückte die Gefahr (oder in der Diktion der Ungarischen Unabhängigkeitspartei: die Chance) der Auflösung des mehr oder minder einheitlichen Wirtschaftsgebietes in den Bereich des Möglichen. So weit kam es zwar nicht, die dabei eingegangenen Kompromisse führten aber zu einer Eskalierung nationaler Leidenschaften, was das Klima bei der nächsten Krise entscheidend prägte.

Diese brach aus, als 1903 das Wehrgesetz zur Diskussion stand. Die ungarische politische Öffentlichkeit wollte sich die Zustimmung dazu mit der Einführung der ungarischen Kommandosprache und anderer nationaler Konzessionen abkaufen lassen. Franz Joseph, der in der gemeinsamen Armee den letzten Garanten für die Gemeinsamkeit der Monarchie (und damit für die Aufrechterhaltung ihrer Großmachtstellung) sah, blieb hart. Eine neue Regierung unter István Graf Tisza sollte den Widerstand brechen. Die von Tisza durchgepeitschte Änderung der Geschäftsordnung des Parlaments hatte jedoch den gegenteiligen Effekt: die Oppositionsparteien verbündeten sich und bei den wegen der systematisch betriebenen Obstruktion notwendig gewordenen Neuwahlen landete die Koalition einen deutlichen Sieg. Franz Joseph ernannte daraufhin einen Militär, FZM Geza Baron Fejérváry, zum neuen Ministerpräsidenten. Die Koalition reagierte mit einem Aufruf, die Komitate mögen die Verordnungen der Regierung nicht ausführen und vor allem die Steuereintreibung und die Rekrutenaushebung einstellen. Eine umfangreiche Boykottorganisation gegen industrielle Waren aus der westlichen Reichshälfte, die „Tulpenbewegung", sollte die Entschlossenheit der Ungarn unterstreichen. Etwa die Hälfte der Komitatsverwaltungen befolgten den Aufruf der Koalition, soziale Unruhen verschärften die Krise im Land, die in Wien für so gravierend angesehen wurde, daß man im Generalstab eine Studie für den „Kriegsfall U", die militärische Besetzung Ungarns erstellen ließ. Fejérváry und sein Innenminister József Kristóffy schlugen einen anderen Weg zur Brechung des Widerstandes ein: sie spielten mit dem Gedanken der Einführung des allgemeinen Wahlrechts, was mit einem Schlag die Grundstruktur des (partei)politischen Lebens in Ungarn verändert hätte.

Gegenüber solchen Aussichten und dem entschiedenen Auftreten der Regierung steckte die Koalition zurück: sie verzichtete auf die Realisierung ihres staatsrechtlichen Programmes und trat dafür in die Regierungsverantwortung ein. Damit war der Höhepunkt der staatsrechtlich motivierten Krise überschritten, was aber nicht heißt, daß die noch verbleibenden Jahre bis zum Ersten Weltkrieg ruhiger verlaufen wären.

Sowohl die Koalition als auch die bald wieder ans Ruder kommenden alten Liberalen befanden sich auf instabilem Boden. Die Politik hatte sich aus dem altvertrauten, engen Rahmen herausentwickelt. Die politischen Probleme, die nun anstanden, waren nicht in Einklang zu bringen mit dem alten politischen Wertsystem. Die neuen Konflikte waren der traditionellen Politik fremd, so daß die alten Führungsschichten keine passende Antwort fanden. Demgegenüber wollten neue Eliten wie beispielsweise die um die Zeitschrift „Huszadik Század" (Zwanzigstes Jahrhundert) gescharten bürgerlichen Radikalen auf der Basis wissenschaftlicher Analyse und praktischer Erprobung eine neue Art von Politik zum Zweck der Schaffung einer bürgerlichen Demokratie machen, fanden damit bei den Bauern und den Nationalitäten aber nur geringe Unterstützung. Der Einbau dieser und anderer politischer Kräfte (wie der Bauernbewegungen und der Sozialdemokratie) in das politische System gelang jedoch nicht, weil eine umfassende Wahlrechtserweiterung hintertrieben wurde.

Nach langen Verhandlungen wurde 1913 ein neues Wahlgesetz verabschiedet (wegen des Kriegsausbruchs kam es vor 1918 jedoch nicht zur Geltung), das mit seiner Wahlarithmetik, dem „Intelligenzzensus" und anderen Maßnahmen „nur als neuer Beweis für die Furcht der ungarischen Führungsschichte vor der Erweiterung der Rechte der Nationalitäten und der ‚unintelligenten Elemente oder der ausgesprochenen Feinde der jetzigen Gesellschaftsordnung' " (G. Bavany) gelten mußte. Nach dem neuen Gesetz waren ca. 10 Prozent der Gesamtbevölkerung wahlberechtigt, was die ungarischen Reformer umso weniger zufriedenstellen konnte als diesseits der Leitha mittlerweile das allgemeine und gleiche Wahlrecht für Männer eingeführt worden war. Was Wunder also, wenn sich die politischen und sozialen Spannungen – vor allem in Budapest hatte die Zahl der sozialdemokratisch organisierten Arbeiter beträchtlich zugenommen und in verschiedensten Landesteilen war es zu einer Mobilisierung der Landarbeiter gekommen – in einer immer größer werdenden Zahl von Erntestreiks, industrieller Arbeitsniederlegungen, Massenversammlungen und -demonstrationen entluden, die gelegentlich – wie am „Blutroten Donnerstag", dem 23. Mai 1912 – zu Straßenschlachten mit Todesopfern ausarteten.

Die im gesamten Bereich der Länder der Stephanskrone auftretenden nationalen Spannungen nahmen in Kroatien-Slawonien Formen an, die für den Bestand der dualistischen Monarchie besonders bedrohlich waren. Nachdem dort der langjährige, die Serben gegen die Kroaten ausspielende Banus Khuen-Héderváry vor dem Auftreten einer kompakten Volksbewegung kapitulieren mußte, kam es 1905 – angespornt von Entwicklungen in Dalmatien – zu einer Politik des „Neuen Kurses". Diese stellte die kroatisch-serbische Zusammenarbeit in das Zentrum ihrer Bemühungen, schloß aber auch andere südslawische Länder der Monarchie und teilweise darüber hinaus in ihre Überlegungen mit ein, wobei freilich einzelne Gruppen bezüglich des Grades der Verschmelzung und hinsichtlich der Verwirklichung des südslawischen Gedankens in der Praxis erheblich differierten. Es war die Verbindung zu den außenpolitischen Krisenherden der Zeit (Annexion Bosnien-Herzegowinas, Balkankriege), die den innenpolitischen Entwicklungen ihre spezielle Brisanz verliehen, wobei diese „in eine von Hochverratsprozessen, Zensurmaßnahmen, Attentaten, Ausnahmeverfügungen etc. gekennzeichnete Atmosphäre" (A. Suppan) eingebettet waren.

Die im Gefolge der Badenischen Sprachenverordnungen aufgetretenen Skandalszenen im Wiener Reichsrat (denen wenige Jahre später ähnliche im Budapester Reichstag folgten), die häufige Obstruktion in Parlamenten und Landtagen, die in Cisleithanien (nicht in Ungarn) mögliche Regierungstätigkeit durch Dekret (den berüchtigten Notverordnungsparagraphen 14, von dem die cisleithanischen Regierungen nach Badeni in immer ausgedehnterem Maße Gebrauch machten), all das trug wesentlich zu einer Aushöhlung des konstitutionellen Gedankens an sich bei.

„Höheren Orts" kam man immer mehr zur Ansicht, daß (unbeschadet der Einbindung von Parteimännern in das Kabinett) „Regierung von oben" ohne das bislang im Prinzip immer praktizierte Zusammenwirken von Krone und Parlament die einzige, den spezifischen Verhältnissen der Habsburgermonarchie angepaßte Regierungsform sei. Daran konnte letztlich auch die Gewährung des allgemeinen und gleichen Wahlrechts für Männer in Cisleithanien 1906/1907 nicht viel ändern, umso mehr als die führenden Schichten schon bald nachher durchblicken ließen, daß sie an einer weitergehenden Konstitutionalisierung und Demokratisierung nicht interessiert waren. Österreich-Ungarn blieb eben doch ein in äußere Formen eines Rechtsstaates gekleideter Obrigkeitsstaat. Das wird besonders deutlich, wenn man sich das komplizierte politische System der österreichisch-ungarischen Monarchie vor Augen hält, ein „System abgestufter Souveränität" (H. Mommsen), das in der Überschichtung zweier Repräsentativverfassungen durch die für Außenpolitik und Militärwesen zuständigen gemeinsamen Minister, die (an ständische Vorbilder erinnernden) Delegationen und vor allem in der weitgehenden Prärogative des Monarchen bestand. Mangelnde Teilnahme am politischen Geschäft ist jedoch gleichbedeutend mit mangelnder Identifikation und so erscheint es begreifbar, warum gar manchem Zeitgenossen „die Monarchie nichts anderes war als eine öffentlich-rechtlich und verwaltungsmäßig zusammengehaltene staatliche Organisation" (P. Hanák) von mehreren nationalen Gesellschaften.

Andererseits haben die Probleme des Übergangs zur modernen Welt immer stärker den Appell an die Ordnungsmacht „Staat" provoziert, dessen Intervention in wirtschaftlichen, sozialen und geistig-kulturellen Belangen ohnehin eine lange, durch liberale Wertvorstellungen nur kurzfristig unterbrochene Tradition hatte. Es wurde seitens der diversen Bevölkerungsgruppen geradezu zum Hauptinhalt der Politik, die staatlichen Organe zu veranlassen, zugunsten der ei-

Die Obstruktion im ungarischen Reichstag. Budapest, Magyar Munkásmozgalmi Múzeum

genen Interessen, Ziele und politisch-sozialen Wertvorstellungen zu intervenieren. Dabei gerieten die Parteien in direkten Konflikt mit den diversen Interessenvertretungen (die im Zuge einer „ständischen Neuformierung“ der Gesellschaft seit dem Ende des 19. Jahrhunderts entstanden waren). Eine Lizitationspolitik war die Folge, wobei sich die Parteien ebenso wie Regierung und Bürokratie Konzessionen auf einem bestimmten Gebiet durch Nachgiebigkeit auf einem anderen Politikfeld regelrecht erkauften. Insbesondere nationale Belange – oder was man dafür hielt – wurden vorgeschoben, um eine Faustpfandpolitik zu treiben, der gegenüber sachliche Erwägungen in den Hintergrund traten. Die Politik artete „zu einem durch demagogische Tiraden getarnten System permanenter Erpressung“ (H. Mommsen) aus. In den letzten Jahren vor dem Ersten Weltkrieg fehlte ihr der große Zug und höchst notwendige Reformen auf sozialem, wirtschaftlichem und rechtlichem Gebiet kamen nur schleppend und stückweise oder überhaupt nicht zustande. Unzufriedenheit, Resignation und Lethargie waren die Folge. Andererseits ist nicht zu übersehen, daß ein politisches System, das Problemlösungen im Wechselspiel zwischen Regierung, Bürokratie und Interessenverbänden wenigstens ansatzweise zu finden suchte, auch zukunftsweisende Elemente in sich barg (sowohl in positiver wie in negativer Hinsicht).

Ein derartiges System hätte freilich einer starken,

von einer tragfähigen Idee durchdrungenen Exekutive bedurft. Davon kann keine Rede sein. Im Gegenteil: selbst im staatlichen Verwaltungsorganismus traten Tendenzen zur Lockerung des einstmal festgefügten Fundaments des Gesamtstaatsdenkens auf. Die – faktische oder gesetzliche – Einführung der Zweisprachigkeit in einigen Ländern, die Aufnahme einer nicht unbeträchtlichen Zahl prononciert national empfindender Elemente und das Eindringen verschiedenster politischer Strömungen in die Beamtenschaft haben den Charakter dieser sozialen Großgruppe und der Institution als solcher gewandelt: Loyalitätskonflikte der sich nicht der übernationalen Staatsidee verpflichtet fühlenden Staatsdiener (und die wurden vor allem in den niederen und mittleren Rängen immer mehr) haben gewiß auch auf die Effizienz der Verwaltungstätigkeit abgefärbt. Schließlich war nicht zu übersehen, daß die in der Mitte des 19. Jahrhunderts etablierte Verwaltungsorganisation den neuen Aufgaben nicht mehr recht adäquat war. Pläne für eine durchgreifende Verwaltungsreform zählten daher sowohl in Cisleithanien als auch in Ungarn seit den neunziger Jahren zu den „Dauerbrennern" des politischen Alltags. Und wenn auch die Aufhebung der autonomen Landesverwaltung Böhmens 1913 (ebenso wie die Kroatiens ein Jahr vorher) als letzter Ausweg zur Lösung schwelender politischer Konflikte angesehen wurde, die grundlegende Tendenz, die bislang praktizierte Gewichtsverteilung zwischen Selbstverwaltung und zentralisierter Staatsverwaltung zugunsten letzterer zu ändern, ist unübersehbar.

Dennoch wäre es verfehlt, über dieser eher negativen Bilanz die positiven, weiterführenden Aspekte ganz außer acht zu lassen. Hier sind vorweg die von Autoren verschiedenster Lager stammenden Vorschläge zu nennen, die dem Zweck dienen sollten, die Monarchie zu reformieren, insbesondere was das Nationalitätenproblem betrifft. Egal ob es sich um das Brünner Nationalitätenprogramm der Sozialdemokraten von 1899 handelt, um die Schriften Karl Renners oder Aurel Popovicis, um die Triaspläne kroatischer Politiker oder ähnliche Überlegungen, gemeinsam ist ihnen allen, daß sie von dem Wunsch nach dem Weiterbestand der Monarchie ausgingen. Ob freilich der Verwirklichung eines dieser Projekte Erfolg beschieden gewesen wäre, muß angesichts der Häufung politischer, sozialer und nationaler Probleme, mit deren sich die Monarchie konfrontiert sah, offen bleiben. Das gilt auch für die diversen Reformvorschläge Franz Ferdinands und seiner Berater.

Andererseits ist gerade im Zusammenhang mit dem Thronfolger und seinem Kreis, dann aber darüber hinausgehend, eine deutliche Belebung eines „Österreich-Bewußtseins" zu konstatieren. Dieser Staatspatriotismus trat – wenn auch auf deutlich neokonservativer und monarchischer Grundlage – nun in Konkurrenz zu den nationalen Integrationsideologien, die bisher die öffentliche Meinung monopolisierten. Dieses Umdenken, die „Neubesinnung auf Österreich", kündigte sich auch in der Kunst an. In der Architektur beispielsweise stand bei diversen Anlässen die Kreierung eines (künstlerisch gewiß nicht hochwertigen) „Reichsstils" zur Diskussion. In der deutschsprachigen Literatur wäre auf Hugo von Hofmannsthal zu verweisen oder auf Hermann Bahr. Dessen Weg vom deutschnationalen Irredentisten zum „glühenden österreichischen Patriot, gläubigen Katholiken und Direktor des k. k. Hofburgtheaters" (A. WHITESIDE) war jedoch nicht unbedingt typisch für den Entwicklungsgang der Mehrzahl der einstmals deutschnational ausgerichteten studentischen Jugend. Inwieweit sich ähnliche Tendenzen auch bei den Eliten anderer Nationalitäten nachweisen lassen, müssen weitere Forschungen erst noch klären.

Die katholische Kirche hatte in den Nationalbewegungen einzelner Völker eine nicht unwesentliche Rolle gespielt. Demgegenüber machte sich insbesondere bei den Deutschen um 1900 die Rückkehr zu den alten universalistischen Traditionen der Kirche bemerkbar. Diese Rückwendung war eine (aber beileibe nicht die einzige) Antwort auf die Herausforderung durch die Geistigkeit des 19. Jahrhunderts. Gegen das parallel damit einhergehende Wiedererstarken katholischer Kräfte im kulturell-wissenschaftlich-künstlerischen und im kulturpolitischen Bereich setzte sich der weltanschauliche Liberalismus (dem sich neben den „klassischen" Vertretern des Liberalismus nun auch die Sozialdemokratie hinzugesellte) zur Wehr. Kulturpolitische Auseinandersetzungen prägten nach der

Jahrhundertwende wieder zunehmend das Bild der Epoche, es sei nur an den Verein „Freie Schule" oder an die tumultösen Auseinandersetzungen im Zusammenhang mit der „Wahrmund-Affaire" erinnert.

In ganz anderer Hinsicht zukunftsweisend wurde die Frauenbewegung, in der sich seit den ersten Ansätzen 1848 bis zur Jahrhundertwende bereits eine weitgehende ideologisch motivierte Differenzierung ergeben hatte. Neben „bürgerlichen" war es zur Bildung von proletarischen und von katholischen Vereinen und Zusammenschlüssen gekommen. Dabei vertrat die bürgerliche Frauenbewegung gerade im gesellschaftspolitischen Bereich die radikalsten Forderungen, während die beiden anderen nicht selten aus Rücksichtnahme auf die generelle Zielsetzung und Taktik der Gesamtbewegung, der sie sich ideologisch zugehörig fühlten, in mancher Beziehung weniger entschieden auftreten konnten. Selbstverständlich gab es zwischen den drei Strömungen Kontakte, doch zu einer einheitlichen, die Interessen aller Frauen wahrenden „lobby" kam es nicht. Dem standen nicht nur ideologisch motivierte Auffassungsunterschiede entgegen; auch in nationaler Hinsicht fehlte es vielfach an der Zusammenarbeit zwischen den verschiedenen, sich im Rahmen der jeweiligen Sprachnation organisierenden Bewegungen.

Die Frauenbewegung konzentrierte ihre Aktivitäten auf drei Bereiche: auf Ausbildung und Arbeitswelt, auf die Erlangung politischer Rechte und auf jene allgemein-gesellschaftspolitischen Fragen, die die Rolle der Frau in der Gesellschaft tangierten. Hinsichtlich des ersten Problemkreises gab es Teilerfolge. Seit 1878 konnten Mädchen die Matura ablegen, mußten sich aber – da es noch keine Mädchenmittelschulen gab – ihre Kenntnisse durch außerschulischen Unterricht aneignen. 1890 wurde in Prag das erste (Privat-)Gymnasium für Mädchen eingerichtet, 1892 folgte Wien. Die Matura berechtigte freilich lange Jahre nicht zum Besuch der Universitäten; die ersten Akademikerinnen Österreich-Ungarns wurden an ausländischen Universitäten promoviert. Ab 1897 nahmen die philosophischen Fakultäten der österreichischen Hohen Schulen und ab 1900 die medizinischen Studentinnen als ordentliche Hörer auf; in Ungarn waren die entsprechenden Verordnungen schon Ende 1895 ergangen.

Etwas besser stand es um die im engeren Sinn berufliche Aus- und Weiterbildung der Mädchen. Freilich unterlagen die Modalitäten der weiblichen Berufstätigkeit einem prinzipiellen, auch schichtspezifisch bedingten Wandel: für immer mehr Frauen war ihre Berufstätigkeit nicht in erster Linie ein Vehikel ihrer Emanzipation und Selbstverwirklichung, sondern ein unabdingbares Erfordernis für die Sicherung der materiellen Existenz.

Konnten die Frauen hinsichtlich ihrer Bemühungen um höhere Bildung, bessere Arbeitsbedingungen, der prinzipiellen Gleichstellung im Berufsleben und der legistischen Verwirklichung einiger gesellschaftspolitischer Anliegen wenigstens partielle Erfolge erzielen, blieben ihnen diese im Bereich der politischen Rechte völlig versagt. Die Wahlrechtsordnungen der liberalen Ära hatten das Wahlrecht als Akt der Vermögensverwaltung angesehen und daher den Frauen, soferne sie eigenberechtigt waren und über eigenes Vermögen verfügten, die Ausübung dieses Rechts meist stillschweigend zugestanden. Doch kam es sukzessive zu einer Verschlechterung der Position der Frauen, die um die Jahrhundertwende bei Gemeindewahlen häufig überhaupt nicht, bei Landtagswahlen nur mehr in der Kurie des Großgrundbesitzes wahlberechtigt waren. An der Agitation zur Gewährung des allgemeinen Wahlrechts beteiligten sich nach einigem Zögern auch die Frauenvereine. Dabei trat die bürgerliche Richtung ohne Vorbehalte für das Frauenwahlrecht ein, während die sozialdemokratischen Frauen (die ursprünglich zu den frühesten Verfechtern des Frauenstimmrechts gezählt hatten) ihr Anliegen den taktischen Erfordernissen der Gesamtpartei unterordnen mußten. Die 1907 sanktionierte Reichsratswahlordnung sah denn auch das allgemeine, gleiche und geheime Wahlrecht für Männer, nicht aber für Frauen vor, ein Zustand, an dem sich trotz aller Vorstöße seitens der Frauenbewegungen nichts ändern sollte. Und die nach 1907 durchgeführten Novellierungen der Landtagswahlordnungen (die sämtlich dem Prinzip des Kurienwahlrechts und der Interessenvertretung verpflichtet blieben) beseitigten schließlich noch die letzten Reste des auf Besitz und Bildung beruhenden

Frauenwahlrechts. Gegenläufige Tendenzen, wie sie beispielsweise in der 1914 verabschiedeten oberösterreichischen Gemeindewahlordnung enthalten sind, kamen nicht mehr zum Tragen.

Auch in der Friedensbewegung spielten Frauen eine nicht zu unterschätzende Rolle. Zwar legte ein führender Exponent der Friedensbewegung Wert auf die Feststellung: „Weibliches Wesen ist nicht identisch mit Pazifismus" – Tatsache ist, daß der Autor jener Feststellung, gleichzeitig Gründer der österreichischen (1891) und der deutschen Friedensgesellschaft (1892), eine Frau war – Bertha von Suttner. Sie, deren Tendenzroman „Die Waffen nieder!" (1889) das Bewußtsein vieler für die Sache der Friedensbewegung mobilisierte, war von der Gleichwertigkeit aller Menschen überzeugt. Aus dieser humanistischen und liberalen Überzeugung erwuchs ihr Eintreten für die internationale Friedensbewegung. Diese wollte dem „ewigen Frieden" durch eine Reihe von friedenssichernden Verfahren und Organisationen, durch eine Verrechtlichung der Beziehungen der Staaten und Mächte zueinander näher kommen. Primäres Anliegen der „Friedensbewegten", zu denen in Österreich und in Ungarn nur ein verhältnismäßig kleiner Kreis zählte, war es vorerst, die Bereitschaft der politisch Interessierten für eine stufenweise Ersetzung der nationalstaatlichen Souveränität durch eine völkerrechtliche Ordnung zu wecken. Parallel dazu sollte es zu einer substantiellen Verringerung des militärischen Apparates kommen; Bestrebungen, die auch von den Antimilitaristen im engeren Sinn geteilt wurden.

Besonderen Anklang fand der Antimilitarismus unter den Tschechen, wobei sich deren Abneigung in erster Linie gegen die Armee als Instrument einer als fremd empfundenen und den nationalen Interessen zuwiderlaufenden Ordnungsmacht richtete. Ein von der Jugendorganisation der Tschechischen Nationalsozialistischen Partei im September 1907 in Prag organisierter Kongreß galt damals als die größte antimilitaristische Kundgebung ganz Österreichs, der freilich noch weitere folgen sollten.

In den Jahren unmittelbar vor dem Ersten Weltkrieg schaltete sich die Sozialdemokratische Partei in die Kampagne gegen das Militär ein. Hauptangriffspunkt war dabei nicht so sehr die Sorge um die Bewahrung des allgemeinen Friedens, der durch die diversen Krisen inner- und außerhalb Europas immer stärker bedroht schien, als vielmehr die Kritik an den immer schneller anwachsenden Ausgaben des Militäretats. Die Expansion der Rüstungskosten war ein gesamteuropäisches Phänomen. Zum Teil war sie technisch bedingt, d. h. durch die Modernisierung und Anpassung der Streitkräfte an die technische Entwicklung. Sie war aber auch Ausdruck der zunehmenden politischen Spannungen, wobei das Denken in militaristischen Kategorien, verbunden mit sozialdarwinistisch-biologistischen Anschauungen, immer mehr überhand nahm.

Die außenpolitische Situation in Europa hatte sich seit dem Abgang Bismarcks entscheidend gewandelt. Für einen Staat wie Österreich-Ungarn, „eine Großmacht zweiter Klasse" (F. Bridge), war die Konstellation der übrigen, der „eigentlichen" Großmächte von entscheidender Bedeutung bei der Durchsetzbarkeit eigener außenpolitischer Zielsetzungen. Diese lagen für die Habsburgermonarchie auf dem Balkan. Das Miteinander politischer und ökonomischer Triebkräfte bestimmte dabei das Vorgehen der österreichisch-ungarischen Diplomaten und Politiker. Hatte man sich um die Jahrhundertwende im Einvernehmen mit Rußland um eine Ruhigstellung der potentiellen Konfliktzone bemüht (was durch das außereuropäische Engagement Rußlands erleichtert wurde) traten ab etwa 1906/07 die beiden Kaiserreiche wieder in eine Phase der direkten Konfrontation ein. Die Annexion von Bosnien und der Herzegowina (1908) und die beiden Balkankriege (1912/13) markierten signifikante Einschnitte in der Dauerkrise am Balkan, in der neben Rußland und Serbien auch das nominell immer noch verbündete Italien als Kontrahenten der Habsburgermonarchie auftraten. Die Einstellung der führenden Kreise Österreich-Ungarns im Hinblick auf die letztendlichen Erfolgsaussichten der Monarchie in diesem Ringen war von tiefem Pessimismus geprägt. Der Generalstabschef Conrad von Hötzendorf, von der Unabwendbarkeit einer militärischen Auseinandersetzung überzeugt, plädierte für einen scheinbar begrenzbaren Präventivschlag, um den großen Krieg vermeiden und dann doch eine politische Lösung herbeiführen zu können. Demgegenüber standen die Fatalisten, die – unabhängig von den realen Erfolgschancen – den Appell an die Waffen als letzten ehrenhaften Ausweg aus der politischen Sackgasse ansahen. Von Franz Joseph selbst ist der kennzeichnende Ausspruch überliefert: „Wenn die Monarchie schon zugrundegehen soll, so soll sie wenigstens anständig zugrundegehen!"

Literatur (in Auswahl):

Alfred Ableitinger, Ernest von Koerber und das Verfassungsproblem im Jahre 1900 (Studien zur Geschichte der österreichisch-ungarischen Monarchie 12) Wien 1973 – Johann Christoph Allmayer-Beck, Ministerpräsident Baron Beck. Ein Staatsmann des alten Österreich (Österreich-Archiv) Wien 1956 – Rudolf G. Ardelt, Die Krise des Reformismus unter den Regierungen Bienert und Stürgkh. In: Helmut Konrad (Hrg.), Imperialismus und Arbeiterbewegung in Deutschland und Österreich. Wien 1985, S. 65–87 – Michael Behnen, Rüstung–Bündnis–Sicherheit. Dreibund und informeller Imperialismus 1900–1908. Tübingen 1985 – Peter Berner, Emil Brix und Wolfgang Mantl (Hrg.), Wien um 1900. Aufbruch in die Moderne. Wien 1986 – Wilhelm Brauneder und Friedrich Lachmayer, Österreichische Verfassungsgeschichte. Eine Einführung in Entwicklung und Strukturen. Wien[3] 1983 – Konrad Canis, Probleme der Imperialismusentwicklung in Deutschland und Österreich–Ungarn. In: Helmut Konrad (Hrg.), Imperialismus und Arbeiterbewegung in Deutschland und Österreich. Wien 1985, S. 5–26 – Hubert Chr. Ehalt, Gernot Heiss, Hannes Stekl, Glücklich ist, wer vergißt . . .? Das andere Wien um 1900 (Kulturstudien 6). Wien 1986 – Renate Flich, Analytische und empirische Studie über die Zusammenhänge der österreichischen Frauenbewegung und Friedensbewegung. In: Manfried Rauchensteiner (Hrg.), Überlegungen zum Frieden. Wien 1987 – Die Frau im Korsett. Wiener Frauenalltag zwischen Klischee und Wirklichkeit 1848–1920. Katalog der 88. Sonderausstellung des Historischen Museums der Stadt Wien, Hermesvilla, 14. 4. 1984–10. 2. 1985. Wien 1984 – Albert Fuchs, Geistige Strömungen in Österreich 1867–1918. Wien[2] 1984 – Friedrich Funder, Vom Gestern ins Heute. Aus dem Kaiserreich in die Republik. Wien–München 1971 – Lothar Gall, Europa auf dem Weg in die Moderne 1850–1890 (Oldenbourg Grundriß der Geschichte) München 1984 – Péter Hanák, Ungarn in der Donaumonarchie. Probleme der bürgerlichen Umgestaltung eines Vielvölkerstaates. Wien–München–Budapest 1984 – Gernot D. Hasiba, Das Notverordnungsrecht in Österreich (1848–1917). Notwendigkeit und Mißbrauch eines „staatserhaltenden Instrumentes" (Studien zur Geschichte der österreichisch-ungarischen Monarchie 22) Wien 1985 – Ján Havránek, Der tschechische Pazifismus und Antimilitarismus am Vorabend des Ersten Weltkrieges. In: Friedensbewegungen: Bedingungen und Wirkungen, hrg. von Gernot Heiss und Heinrich Lutz (Wiener Beiträge zur Geschichte der Neuzeit 11) Wien 1984, S. 114–135 – Waltraud Heindl, Frau und bürgerliches Recht. Bemerkungen zu den Reformvorschlägen österreichischer Frauenvereine vor dem Ersten Weltkrieg. In: Politik und Gesellschaft im alten und neuen Österreich. Festschrift für Rudolf Neck zum 60. Geburtstag, hrg. v. Isabella Ackerl, Walter Hummelberger und Hans Mommsen. Wien 1981, S 133–148 – Everhard Holtmann, Arbeiterbewegung, Staat und Sozialpolitik in der Spätzeit der Habsburgermonarchie. In: Politik und Gesellschaft im alten und neuen Österreich. Festschrift für Rudolf Neck zum 60. Geburtstag, hrg. v. Isabella Ackerl, Walter Hummelberger und Hans Mommsen. Wien 1981, S 239–254 – Fritz Klein, Weltpolitische Ambitionen Österreich–Ungarns vor 1914. In: Jahrbuch für Geschichte 29 (1984) S. 263–289 – Norbert Leser, Genius Austriacus. Beiträge zur politischen Geschichte und Geistesgeschichte Österreichs. Wien 1986 – Hans Mommsen, Wien – kaiserliche Metropole und Kampfplatz politisch-sozialer Emanzipation zu Beginn der österreichischen Staatskrise. In: Ornament und Askese im Zeitgeist des Wien der Jahrhundertwende, hrg. von Alfred Pfabigan. Wien 1985, S. 9–29 – Helmut Rumpler, Das politische System Cisleithaniens um 1880. In: Christliche Demokratie 2 (1984) S 309–317 – Ernst Rutkowski (Hrg.), Der Verfassungstreue Großgrundbesitz 1880–1899. Briefe und Dokumente zur Geschichte der österreichisch-ungarischen Monarchie unter bes. Berücksichtigung des böhmisch-mährischen Raumes (Veröffentlichungen des Collegium Carolinum 50/1) München 1983 – Theodor Schieder, Europa im Zeitalter der Nationalstaaten und europäische Weltpolitik bis zum I. Weltkrieg (1870–1918). In: Theodor Schieder (Hrg.), Handbuch der europäischen Geschichte VI. Stuttgart 1968, S 1–196 – Carl E. Schorske, Wien. Geist und Gesellschaft im Fin de siècle. Frankfurt/M. 1982 – Maren Seliger und Karl Ucakar, Wien. Politische Geschichte 1740–1934. Entwicklung und Bestimmungskräfte großstädtischer Politik, 2 Bde. (Geschichte der Stadt Wien 1, 2) Wien–München 1985 – James Shedel, Variationen zum Thema Ornament. Kunst und das Problem des Wandels im Österreich der Jahrhundertwende. In: Ornament und Askese im Zeitgeist des Wien der Jahrhundertwende, hrg. von Alfred Pfabigan. Wien 1985, S. 93–109 – Gerald Stourzh (Hrg.), Historische Wurzeln der Sozialpartnerschaft (Wiener Beiträge zur Geschichte der Neuzeit 12) Wien 1986 – Berthold Sutter, Die Badenischen Sprachenverordnungen von 1897, ihre Genesis und ihre Auswirkungen vornehmlich auf die innerösterreichischen Alpenländer, 2 Bde. (Veröffentlichungen der Kommission für Neuere Geschichte Österreichs 46 und 47) Graz–Köln 1960–1965 – Paul Vyšný, Neo-Slavism and the Czechs 1898–1914. Cambridge 1977 – Adam Wandruszka, Österreich–Ungarn vom ungarischen Ausgleich bis zum Ende der Monarchie (1867–1918). In: Theodor Schieder (Hrg.), Handbuch der europäischen Geschichte VI. Stuttgart 1968, S. 353–399 – Adam Wandruszka and Peter Urbanitsch (Hrgs.), Die Habsburgermonarchie 1848–1918, bisher 5 Bde. Wien 1973–1987.

Roman Sandgruber

ALLTAG DES FIN DE SIÈCLE WIENER GLANZ UND ELEND

FRÖHLICHE APOKALYPSE ODER GEBURT DER MODERNE

Das Alltagsleben der Jahrhundertwende und des Jahrzehnts vor Ausbruch des Ersten Weltkriegs ist zum Inbegriff der guten alten Zeit geworden. Auch Robert Musils literarische Analyse der letzten Atemzüge dieses alten Österreich kommt am Klischee der Gemütlichkeit nicht vorbei: „Dort in Kakanien, diesem seither untergegangenen, unverstandenen Staat, der in so vielem ohne Anerkennung vorbildlich gewesen ist, gab es auch Tempo, aber nicht zuviel Tempo... Natürlich rollten auf diesen Straßen auch Automobile; aber nicht zu viele Automobile. Man bereitete die Eroberung der Luft vor, auch hier; aber nicht zu intensiv... Man gab Unsummen für das Heer aus; aber doch nur gerade so viel, daß man sicher die zweitschwächste der Großmächte blieb. Auch die Hauptstadt war um einiges kleiner als alle anderen größten Städte der Welt, aber doch um ein Erkleckliches größer, als es bloß Großstädte sind."

Das Bild vom milden Glanz jenes alten Österreich, das mit der Symbolfigur Kaiser Franz Josephs und mit dem Ersten Weltkrieg untergegangen ist, lebt vom Charme seiner Hauptstadt: Jenes etwas leichtlebige alte Wien, auf das die Deutschen im Norden bisweilen ärgerlich und verächtlich herabzublicken neigten, um dann halb neidisch, halb anbiedernd zuzugeben, daß man hier, wenn schon die Tüchtigkeit und straffe Ordnung fehlte, doch „gut aß, sich an Festen und Theatern freute und dazu vortreffliche Musik machte". Feinschmeckerisch im kulinarischen Sinne, sehr um einen guten Wein, ein herbes frisches Bier, üppige Mehlspeisen und Torten bekümmert, war man hier anspruchsvoll auch in subtileren Genüssen. Wer kennt sie nicht, jene nostalgisch beschönende Sicht der Wienerstadt, die träumt und musiziert. Und die Wohnungsnot? Was solls – So küßt nur eine fesche Wienerin.

Die Vorstellung vom Phäakentum der Österreicher hat weit zurückreichende Wurzeln, die auch noch die Revolutionserwartungen eines Friedrich Engels nährten: „Eine zwar in starker Entwicklung begriffene, aber doch zurückgebliebene Industrie", so charakterisierte er in einem Brief an Victor Adler den gesellschaftlichen Alltag der Monarchie, „ein politisch ziemlich indifferentes, in Phäakentum aufgehendes Philistertum in den Städten, das vor allem seine Ruh' und seine Genüsse haben will, als wirklich herrschende Klasse der Großgrundbesitz." Victor Adler beurteilte die Aussichten nüchterner: Die Arbeiterschaft habe keinen größeren Feind als diese verdammte Gemütlichkeit, meinte der Einiger der österreichischen Sozialdemokratie.

Leichtlebige Genußsucht und saturierte Zufriedenheit, das sind die Pole, um die das Alltagsklischee des Fin de Siècle kreist: Der Stolz auf die „blaue Donau", die Stephansturmbegeisterung und die Lebensanschauung, die man von den Schrammeln gehört hat: „Verkaufts mei G'wand..." Mag sein, daß vom Hausherrn als Inbegriff des Kapitalisten, der den ‚Zins' kassiert, eine direkte Linie zum Renten und Pfründen erwartenden Staatsbürger der Gegenwart hinführt. Die Vorstellung vom wenig unternehmungslustigen Sicherheitsdenken als wesentlicher Komponente österreichischer Mentalität hat jedenfalls eine lange Tradition.

Wohl kaum einer der Zeitgenossen hätte dieses Wien der Jahrhundertwende mit der Geburt der Moderne, mit wirtschaftlichem Fortschritt, mit sozialen Umwälzungen assoziieren wollen. Gerade das Gegenteil, der besondere Charme, der die „Fortschrittlichkeit dieser Stadt" ausmachte, wurde auf ein gewisses Nachhinken zurückgeführt. „Wien schreitet nicht fort. Darauf soll man nicht antworten: ‚Doch. Sondern: leider – und viel zu sehr!'" meinte Werner Sombart, der Historiker des modernen Kapitalismus, der die Frage nach der Hohlheit des Götzen Fortschritt, des Götzen Verkehrs, des Götzen Masse knapp nach der Jahrhundertwende anklingen ließ.

„DIE PROVINZ WIRD IGNORIERT"

Kann man Österreich-Ungarn, den wohl vielfältigsten Staat des alten Europa, überhaupt vom Blick des Zentrums Wien aus adäquat charakterisieren? Die Donaumonarchie, dieser widerspruchsvolle Vielvölkerstaat, mit seinen landschaftlichen, ökonomischen, ethnischen und religiösen Gegensätzen, war dennoch merkwürdig einheitlich. Konservative Adelige der alten Monarchie ähnlich dem Grafen Morstin aus Joseph Roths „Büste des Kaisers" konnten sich, wenn sie kreuz und quer durch das Reich reisten, überall zuhause fühlen: „Überall gab es die gleichen Kaffeehäuser mit den verrauchten Wölbungen". Was konnte nicht alles das Gefühl der Einheit der großen Monarchie vor Augen führen: überall waren die hölzernen Türen der k. u. k. Tabaktrafiken mit schwarz-gelben Diagonalstreifen bemalt... Überall die vertrauten Kaffeehäuser, Bahnhöfe und Finanzämter, die Schulen und Opernhäuser nach gleicher Bauart und von denselben Architekturbüros.

Das altösterreichische Kaffeehaus lebte in Prag, Budapest, Krakau und Czernowitz genauso wie in Laibach, Agram und Triest. Man konnte in Zlotogrod ebenso zu Hause sein wie in Sipolje, wie in Wien, in Olmütz, in Brünn, in Kecskemet, in Szombathely, in Ödenburg, in Sternberg, in Müglitz. Die Schachbretter, die Dominosteine, die verrauchten Wände, die Gaslampen, der Küchentisch in der Ecke, in der Nähe der Toiletten, die blaugeschürzte Magd, der Landgendarm mit dem lehmgelben Helm, der auf einen Augenblick eintrat, ebenso autoritär wie verlegen, und der das Gewehr mit dem aufgepflanzten Bajonett schüchtern fast in den Regenschirmständer lehnte, und die Tarockspieler mit den Kaiserbärten und den runden Manschetten, die sich jeden Tag pünktlich um die gleiche Stunde versammelten: all dies war für Joseph Roths Romanhelden Heimat, stärker als nur ein Vaterland, weit und bunt, dennoch vertraut und Heimat: die kaiser- und königliche Monarchie.

Wien war der glänzende Mittelpunkt, auch wenn es vom Ruß der dampfbetriebenen Stadtbahn eingehüllt war, ein Schmelztiegel, wo das vielfältige Kolorit des Vielvölkerstaates täglich vor Augen geführt wurde. Österreich um 1900, das war Wien. „Die Provinz wird ignoriert", hatte der populärste Autor des Österreich der Jahrhundertwende, Peter Rosegger festgestellt. Hermann Bahr, der selbst aus der Provinz, aus Linz kam, schrieb einen Essay: „Die Entdeckung der Provinz". Auch jene, die von der Heimatkunstbewegung erfaßt wurden, zog es doch alle wie magisch nach Wien: Karl Schönherr hat seine ländlichen Milieus in Wien konzipiert, „meist im ärgsten Gesumme und Gesurre großer Kaffeehäuser an einem der bekannten kleinen Marmortische."

In den Sommermonaten übersiedelte man zwar mit Sack und Pack in die Sommerfrischen. Ging man aufs Land, so doch wieder in die Wiener Außenstellen, nach Abbazia, Ischl, Gastein, Reichenau. Der Semmering wurde zum Balkon der Großstadt. 1000 Meter über dem Dunkel der Stadt. Aber auch hier städtische Künstlichkeit.

Die feinen Städter, die mit ihren Kübelhüten, Spazierstöcken und feinen Schuhen auf die Almen kamen, förderten das Klischee vom hochmütigen, faulenzenden Wiener, begünstigten das Wort vom Wasserkopf Wien, das nach dem Untergang der Monarchie die Runde machte und die Vorurteile der Provinz gegen das „rote" Wien, die alte Haupt- und Residenzstadt, so hartnäckig werden ließ.

SICHERHEIT DER EINEN, UNSICHERHEIT DER ANDEREN

Österreich um 1900 war noch immer ein Agrarstaat, Wien um 1900 aber eine Industriestadt, ein ständiger Anziehungspunkt für die ganze Monarchie, für Tschechen, Ungarn, Südslawen und Juden. Wien wurde zur größten tschechischen Stadt der Monarchie und zur größten jüdischen. Der Anteil der Juden war von 0,3% zu Beginn des 19. Jahrhunderts auf 10% Ende des Jahrhunderts angewachsen.

Der Industrialisierungsschub, der um die Mitte der neunziger Jahre eingesetzt hatte, brachte auch für Wien den Schritt zur Großindustrie, mit Elektroindustrie, Maschinenfabriken, Fahrrad- und Kraftfahrzeugindustrien, Metallverarbeitung, Bekleidungsindustrie, Druckerei, Nahrungsmittelindustrie. Dennoch blieb die Wirtschaftsstruktur der Stadt weiter vorrangig vom Kleingewerbe geprägt. Mit Telephon, Schreibmaschine oder Großkaufhaus entstanden neue Berufsbilder: Sekretärinnen, Telephonistinnen, Verkäuferinnen. Die großbürgerlich-aristokratische Gesellschaft konservierte andererseits jene Berufe, die in der Tradition des Hauspersonals standen: die Dienstboten, Köchinnen, Gouvernanten, Kutscher, Hausmeister, Wäscherinnen, Zugehfrauen.

Die Rationalisierung der Arbeitswelt beschleunigte sich. Um 1900 gab es die ersten Stempeluhren. Die Steigerung des Arbeitstempos und die Verlängerung der Wege zum Arbeitsplatz schienen die beträchtliche Verkürzung der Arbeitszeit aufzuheben. Neben kollektivvertraglichen Arbeitszeitbeschränkungen und ersten Ansätzen einer Urlaubsregelung bestanden in vielen Branchen unregelmäßige und überlange Arbeitszeiten weiter. Für viele Lohnabhängige gab es bestenfalls den freien Sonntagnachmittag, da am Sonntagvormittag vor allem die Dienstleistungsgewerbe zur Verfügung stehen mußten.

Neben den großen Zielen der Arbeiterbewegung, dem Kampf um den Achtstundentag, um das allgemeine Wahlrecht, um eine Anhebung der Löhne stand das alltägliche Gerangel um ein Minimum an hygienischer Ausstattung, um genügend Spucknäpfe, um Toiletten, um Rattengift, damit die zum Arbeitsplatz mitgebrachten Jausenbrote wenigstens bis zur Pause vor dem Anknabbern geschützt waren.

Was aus bürgerlicher Sicht als das „Zeitalter der Sicherheit" erschien, war für die Arbeiter immer noch von höchster Unsicherheit geprägt: von Jahr zu Jahr ein Sorgen und Bangen ohne Ende ... Hohe Berufsmobilität, ständiger Wohnungswechsel, Unsicherheit bei Arbeitslosigkeit, im Alter, bei Krankheit oder Behinderung, vielerlei Abhängigkeiten, vom Arbeitgeber, vom Werkmeister, vom Hausherrn, vom Greißler, bei dem man anschreiben ließ, und immer der Zwang, genau mit jedem Heller rechnen zu müssen, fast ohne Aussicht, Ersparnisse anzulegen, immer von der Hand in den Mund. Ständige Hetzjagd mit der Zeit, zehn bis elf Stunden tägliche Arbeit, die Wege von und zur Arbeitsstätte zu Fuß, kaum Zeit für Besorgungen, kaum Raum für Erholung. Und immer wieder Zusammenstöße: Streiks, Unruhen, und am Ende der Krieg.

Die Sterbequote konnte in Wien zwar von 1895 bis 1913 von 2,3% auf 1,5% reduziert werden, aber die Säuglingssterblichkeit verblieb weiter bei über 20%. Unverändert drohte die Tuberkulose, die „Wiener Krankheit", die Geißel des späten 19. Jahrhunderts. Ihr Anteil an den Todesursachen konnte von 1895 bis 1913 nur geringfügig von 23% auf 20% gesenkt werden. Sie belegte mit Abstand die erste Stelle der Todesursachen. Sicherlich, sie verschonte auch die Oberschichten nicht, sparte selbst den Thronfolger nicht aus, aber in den Arbeiterbezirken Favoriten, Ottakring oder Floridsdorf grassierte sie ungleich stärker. Besonders betroffen waren die Zuwanderer aus den im allgemeinen tuberkulosefreien ländlichen Gebieten.

Das soziale Netz war noch höchst unvollkommen: Zwar war die obligate Krankenversicherung seit 1887 eingeführt, aber nur für die Industriearbeiterschaft. Für die Einrichtung einer Altersversorgung bestanden nur vage Pläne. Erst um die Jahrhundertwende kam es mit der Kommunalisierung der Gaswerke, Elektrizitätswerke und Straßenbahnen zu einer Verbesserung der städtischen Infrastruktur und mit der Einrichtung der städtischen Bestattung, der Zentralsparkasse, der zweiten Hochquellenwasserleitung und zahlreicher Sozialinstitutionen (Spitäler, Waisenhäuser, Pflegeanstalten, Schulen, Bäder etc.) auch zu greifbaren sozialpolitischen Resultaten.

DIE ERNÄHRUNG

Wien war eine Konsum- und Luxusstadt. Der durchschnittliche Fleisch-, Bier- oder Zuckerverbrauch pro Kopf erreichte in der Stadt vor 1914 beinahe den jetzigen österreichischen Durchschnitt.

Der Wiener Phäake, von Joseph Weinheber zynisch liebevoll beschrieben, hätte so seine statistische Bestätigung. Die Unterschiede waren allerdings beträchtlich.

Die Angaben über die Speisezettel der städtischen Arbeiter sind so gleichlautend wie zahlreich: in der Früh Kaffee und Brot, zu Mittag Suppe, Fleisch und Zugemüse, am Abend Reste vom Mittagstisch, Wurstzeug, Käse, Brot. Die Zuspeisen bestanden hauptsächlich aus Kartoffeln, verschieden zubereitet, als Pürree, Sterz, gekocht, mit Salz. Das Gemüse wurde dick eingebrannt: Kohl, Kochsalat, Kraut, Rüben, Bohnen.

Einkommensschwache und kinderreiche Familien mußten sich beim Fleisch einschränken. Je schlechter die materielle Lage der Arbeiter war, umso mehr wurde Kaffee zu einem wesentlichen Bestandteil ihrer Kost. Bei Männern wurde der Kaffee vielfach durch Alkohol ersetzt. Wer sehr sparen mußte, trank morgens und mittags Kaffee, nahm meist ein Stück Brot dazu und aß abends eine Wassersuppe oder Brot, Speck und Wurst. Fleisch gab es dann nur an Wochenenden, und auch dann oft nur Pferdefleisch.

Die 49,3 kg Fleisch pro Jahr, die 1912/13 in Wiener Arbeiterhaushalten als Durchschnitt für einen erwachsenen Arbeiter ermittelt wurden, waren zwar um die Hälfte niedriger als der Wiener Gesamtdurchschnitt, aber doch deutlich höher als das Niveau der Landbevölkerung. Obwohl Fleisch und Wurst zur täglichen Nahrung der meisten Arbeiter gehörten, so konnten die Mengen qualitativ und quantitativ doch kaum entsprechen. Es war vor allem das Gefälle zwischen Männern und Frauen groß: Während die Männer zu Mittag meist Fleisch aßen, hatten die Arbeiterinnen sehr oft fleischarme oder fleischlose Kost, was nicht zuletzt die Folge ihrer viel niedrigeren Löhne war.

Fleisch war in der kargen Welt der Arbeiterfamilien für die Männer, die „Familienerhalter", bestimmt, für die Frauen hingegen das Brot, das mit Zucker, mit Marmelade, mit Kaffee, mit Tee verbessert wurde. „Das billigste war ja immer das Brot. Wir haben hauptsächlich von Brot gelebt. Wir haben schon Freude gehabt, wenn wir Schmalz gehabt haben aufs Brot . . . ", erzählten Arbeiterfrauen. Das war auch der Grund, daß Frauen und Kinder mehr Zucker aßen als die Männer. Bezogen auf den Kaloriengehalt war Zucker im späten 19. Jahrhundert bereits wesentlich billiger als Fleisch und konnte als Substitutionsgut fungieren. Das süße Mädel im Wortsinn.

Was für die Literaten das Kaffeehaus war, das war für nicht wenige Arbeiterinnen der Kaffee: das einzige, das dem Leben ein bißchen Glanz und Menschenwürde verlieh. Manche Arbeiterinnen lebten nur vom Kaffee. Sie gingen in der Früh in die Sechs-Kreuzer-Kaffeehäuser, und mittags auch und abends nahmen sie zu Hause wieder Kaffee. Dem Kaffee haftete selbst noch als Zichorienbrühe der Anspruch des Vornehmen an, der Besuchsmahlzeit, die zudem schmackhafter war als Brei oder hartes Brot. Kaffee stand in der Traditionslinie von Freizeit und Kurzweil. Das mag der Kaffeepause ihre Beliebtheit und beherrschende Stellung im Arbeitsalltag gesichert haben. Eine Tasse Kaffee oder Tee verwandelte, abgesehen von der kurzfristig anregenden Wirkung, eine kalte Mahlzeit in eine warme und war nicht nur billiger, sondern vor allem auch zeitsparender. Kaffee war die Beigabe, die zum Brot die Abwechslung und Anregung bot, wie die Sauce zur Pasta oder die Knoblauchzehe, Tomate oder Marmelade zum Brot, wie der Zucker zur Mehlspeise.

Eine ähnliche Funktion hatte der Alkohol. Dazu trat die Funktion des Wirtshauses als ein Stück proletarischer Gegenkultur, ja Bollwerk der Freiheit, wo die organisierte Arbeiterbewegung ihre ersten Kontakte entfalten konnte. Aus der Perspektive der Arbeiterfrauen sah dies freilich ganz anders aus. Die Abneigung vieler Arbeiterfrauen gegen die politischen Aktivitäten ihrer Männer richtete sich dabei nicht so sehr gegen die Intentionen als gegen den Ort, das Wirtshaus. Andererseits ließen manche Frauen auch erkennen, daß sie vielleicht ganz froh waren, wenn die Männer nicht immer in den ohnehin überfüllten Wohnungen herumsaßen und im Weg standen.

Sowohl der Erwerb als auch die Zubereitung der Nahrung waren für die meisten Arbeiter zum Problem geworden. Die weniger Bemittelten kauften gleichzeitig am teuersten ein, weil sie nur kleinste Mengen einer Ware nehmen konnten. Man lebte viel auf Borg. Die Qualität der Nahrung erfuhr durch geringe Möglichkeiten der Auswahl eine weitere Verschlechterung. Wenn die Frau berufstätig war, lebte die Familie von aufgewärmten Mahlzeiten, oder es wurde überhaupt nie warm gegessen. Frauen, die nach der langen Arbeit noch kochen mußten, waren überfordert. Alles mußte schnell gehen. Dadurch war der Speisezettel beträchtlich eingeengt. Zum größeren Teil waren die Frauen einfach zu müde, um noch zu kochen. Dann wurde eine Portion aus dem Gasthaus geholt und diese mit Brot derart gestreckt, daß zwei bis drei Leute damit satt werden konnten.

Bei der Enge der Wohnräume war die Möglichkeit zum Kochen ohnehin sehr beschränkt. Die Küche diente mehr als Schlafraum denn als Kochgelegenheit: Kleine, kalte Imbisse, Kaffee, der Schluck aus der Branntweinflasche waren der Ausweg.

Kostensparende Vorratswirtschaft konnte in Arbeiterhaushaltungen nicht betrieben werden. Es waren weder die finanziellen noch die räumlichen Möglichkeiten gegeben, günstige Marktangebote auszunutzen und größere Mengen zu kaufen und zu konservieren. Außerdem stellten Vorräte in einer Situation permanenter Knappheit eine Versuchung dar, der nicht so leicht zu widerstehen war. So wandte die Frau eines Wiener Tischlergesellen gegen das Anlegen von Vorräten ein, die Familie sei sparsam, solange nur das täglich Gekaufte verfügbar sei; alle würden jedoch mehr wollen, wenn Vorräte vorhanden seien. Gab man solchem Verlangen nach, wirkte die Vorratswirtschaft kontraproduktiv. Ähnlich war es mit dem Sparen: Die Mutter könne, solange sie Ersparnisse habe, den Bitten von Mann und Kindern nicht widerstehen; dann würde das Gesparte höchstwahrscheinlich leichter und fahrlässiger ausgegeben als bei täglichem Einkauf, meinten die Betroffenen.

Die Miete wurde meist vierteljährlich gezahlt. Das mußte zusammengelegt werden. Die meisten kompensierten die Kurzfristigkeit der finanziellen Planung durch Ratenzahlung. Sparen und Bevorraten waren für proletarische Familien wegen der ständigen Knappheit undenkbare Verhaltensweisen. Selbst das Haltbarmachen und Aufbewahren von Nahrungsmitteln lag bei solch augenblicksbezogenem Lebensstil fern.

Zuwanderer kamen auf jeden Fall, um etwas zu ersparen: „In Böhmen betrachtete man Wien als El Dorado und schickte die Kinder dorthin, damit sie ihr Glück machen ... “ Wenn die Leute vom Lande kamen, waren sie an ein hohes Potential der Selbstausbeutung gewöhnt und versuchten, durch Verzicht im Wohnbereich sich andere Konsumgüter zugänglich zu machen oder sich Ersparnisse zu schaffen. Dies galt vor allem für nicht dauernd sich ansiedelnde Zuwanderer und Saisonarbeiter. Sobald die Saison vorbei oder das erstrebte Sparziel erreicht war, kehrte ein Großteil wieder in die Heimat zurück, sei es um mit dem ersparten Geld die heimatliche Hofstelle zu entschulden oder um ein eigenes Gewerbe aufzumachen.

DAS WOHNEN

Bis 1914 war es zu keiner entscheidenden Verbesserung der Wohnverhältnisse in Wien gekommen. Die rasch steigenden Mieten und das unzureichende Angebot an Kleinwohnungen machten es den Wiener Unterschichten unmöglich, parallel zum Wirtschaftsaufschwung im Gefolge der Industrialisierung und der damit verbundenen Hebung der Einkommen und des Konsumniveaus auch eine allgemeine Verbesserung der Wohnverhältnisse zu erreichen.

In der bürgerlichen Oberschicht wurden etwa 10% des Jahreseinkommens als angemessene Kosten einer standesgemäßen Wohnung angesehen. Für den kleinen Mann stiegen die Wohnungskosten in der Regel auf ⅕ des Einkommens und höher und konnten in manchen Fällen sogar 30–40% des Monatsbudgets erreichen. Die Kleinwohnungen waren in Relation zur Wohnfläche am teuersten.

1900 gab es in 48% der Wohnungen Wiens entweder Untermieter, Bettgeher oder noch beim Arbeitgeber wohnende Dienstboten und Arbeitskräfte. 6,2% der Gesamtbevölkerung der Stadt waren Untermieter, 4% Bettgeher und 9,6% im Hausverband lebende Arbeitskräfte. Gerade in Kleinwohnungen verblieb der Untermieteranteil hoch. Zwischen 1890 und 1910 war zwar der Anteil der Einwohner, die als Untermieter und Bettgeher wohnten, von 14% auf 9% zurückgegangen, was aber die Wohnungswerber hinsichtlich der finanziellen Aufwendungen noch zusätzlich bela-

Werbeplakat für Meteor-Räder. Graz, Landesmuseum Joanneum

stete. Mit einem Untermieter konnte etwa ein Viertel der Miete einer Zimmer-Küche-Wohnung abgedeckt werden, durch einen Bettgeher etwa ein Zehntel.

Trotz der Reduktion des Bettgeher- und Untermieterwesens verblieben die Arbeiterwohnungen beengt genug. Bei mehr als einem Drittel der 119 Wiener Arbeiterhaushalte, die sich in den Jahren 1912/13 zur Führung von Haushaltsbüchern bereit erklärt hatten und die eher der gehobenen Arbeiterschaft zuzurechnen waren, entfielen mehr als sechs Personen auf einen Raum. Die Zimmer waren mit Betten vollgepfercht. Die Küche war Wohn-, Arbeits- und Schlafraum. Für die Kinder bedeutete das, den Großteil des Tages auf der Straße zu verbringen: Gassenkinder erlebten die Freiheit der Gasse gegenüber der Enge der Wohnungen.

Die schlechteste Situation fanden die Zuwanderer vor. 1910 betrug bei den Wiener Tschechen der Anteil der Bettgeher 11,8%, bei deutschsprachigen Wienern nur 3,2%. Für Zuwanderer war ein Platz als Bettgeher in der Regel die erste Station, so z. B. für den jungen Johann Böhm, der mit seinem Vater zur Saisonarbeit nach Wien gekommen war und in der Zimmer-Küche-Wohnung einer Eisenbahnerfamilie mit zwei Kindern Unterkunft fand: „Freilich, unsere gemeinsame Schlafstelle war ein Notbett in der dunklen Gangküche, das abends immer aufgestellt und frühmorgens entfernt wurde . . . “ Es wurde erwartet, daß der Bettgeher nur zum Schlafen die Wohnung aufsuchte: „In der Regel haben wir“, schreibt Böhm, „da Bettgeher zu Hause ja nicht gern gesehen waren, Sonntagsspaziergänge unternommen, wobei ich die Stadt kennenlernte . . . oder aber wir sind – wenn wir müde waren – in Parks herumgesessen.“

Mit dem Einzug in eine eigene Wohnung war das Wohnungsproblem allerdings auch noch nicht gelöst. Die neue Wohnung, über die Adelheid Popp so froh war, in der Größe eines Kabinetts, war insofern besser, als sie nun von der Familie, oder was man dazu rechnete, allein bewohnt wurde: die Mutter, der Bruder, der wiederum einen Freund mitbrachte, und Adelheid.

Der Arbeiterdichter Alfons Petzold war mit seinen Eltern, später mit seiner Mutter in zwanzig Jahren mehr als zwanzigmal umgezogen. Die Statistik der Wohnungskündigungen läßt keinen Zweifel über das ungeheure Ausmaß des Wohnungswechsels und der Umzugshäufigkeit. Im Jahre 1900 kamen in Wien auf etwa 370.000 Wohnungen 130.000 gerichtliche Kündigungen. Abgesehen von den volkswirtschaftlichen Kosten des oftmaligen Umziehens und den sozialen Problemen, die sich daraus ergaben, machte eine derartige Mobilität auch die Erwerbung umfangreicher Fahrnisse unsinnig und unmöglich. Anläßlich der Volkszählung von 1900 war die Wohndauer detailliert erhoben worden: 30% der Wiener Haushalte hatten die Wohnung im vorhergehenden Jahr gewechselt, 14% innerhalb der vorhergehenden zwei Jahre, 11% innerhalb von drei, 22% von sechs, und 10% innerhalb von zehn Jahren. Nur 13% der Befragten lebten seit mehr als 10 Jahren in derselben Wohnung. Oftmaliges Umziehen war eine Strategie jener, die ohnehin nichts mehr zu verlieren hatten. Und das waren eben sehr viele.

Die Ausstattung der Wohnungen ließ um die Jahrhundertwende in sanitärer Hinsicht noch sehr zu wünschen übrig. 42,6% der Wiener Häuser hatten 1900 keine Waschküche, 8,3% der Wohnungen waren 1910 noch ohne Küche, 77% der Wohnungen hatten kein Vorzimmer und 92,9% kein Badezimmer. 1900 hatten nur 18,1% der Wohnungen eine Toilette im Wohnungsverband, 1910 22,8%. 7% der Häuser hatten 1910 den Abort noch außerhalb des Hauses. 1900 hatten nur 12,8% der Wiener Wohnungen Innenwasser, 8,6% einen Gas- und 2,9% einen Stromanschluß.

Der Waschtag, die rußenden Petroleumlampen, der Tratsch an der Bassena, die Werkelmänner im Hinterhof, der Hausherr, der Hausmeister, das war der Alltag des Wiener Wohnens der Jahrhundertwende.

KLEIDUNG

Als unnatürlich, unbequem und unhygienisch kostümierte Narren charakterisierte Stefan Zweig die Mütter, Tanten und Freundinnen seiner Jugendzeit. Die hohen steifen Kragen, die ‚Vatermörder‘, die jede lockere Bewegung unmöglich machten, die schwarzen, schweifwedelnden Bratenröcke und die an Ofenröhren erinnernden Zylinderhüte, die Wespenkorsetts aus hartem Fischbein, die Glockenröcke, die Frisur- und Hutungetüme, die Hände selbst im heißesten Sommer in Handschuhe gestülpt – raschere Bewegung oder gar sportliche Betätigung war auf diese Weise nicht möglich.

Die Veränderungen hatten aber bereits eingesetzt. Eine ganze Generation entschloß sich, jugendlicher zu werden, schreibt Zweig. Jung sein, frisch sein und nicht mehr Würdigkeit wurde die Parole.

Die Arbeiter hatten Sorge genug, für den würdevollen Sonntagsanzug als Grundbestandteil ihrer Garderobe aufzukommen. Geht man von der Konsumerhebung 1912/14 aus, so wurden in Arbeiterhaushalten durchschnittlich 8,5% des Einkommens für Bekleidung, Wäsche und Bettzeug ausgegeben. Mit steigendem Einkommen nahm der Anteil der Ausgaben für Kleidung zu. Daß umgekehrt bei geringerer Wohlhabenheit die Ausgaben für Kleidung in einem überdurchschnittlichen Maß eingeschränkt werden konnten, beruht auf der Möglichkeit, gerade hier durch längere Gebrauchsdauer kurzfristig beträchtliche Einsparungseffekte erzielen zu können.

Hören wir auf Adelheid Popp, wie sie ihre Ausgaben gestaltete, als sie 6 Gulden Wochenlohn erhielt: „Ich kam mir fast reich vor. Ich rechnete, wieviel ich mir im Laufe einiger Jahre ersparen würde und baute Luftschlösser. Da ich an außerordentliche Entbehrungen gewöhnt war, hätte ich es für Verschwendung gehalten, jetzt mehr für die Ernährung auszugeben. Wenn ich nur keinen Hunger verspürte, aus was die Nahrung bestand, kam für mich nicht in Betracht. Nur schön anziehen wollte ich mich. Wenn ich am Sonntag in die Kirche ging, sollte niemand in mir die Fabriksarbeiterin erkennen . . . "

„Mehr als 30 Kreuzer darf ich für Essen nicht ausgeben, wenn ich ein bißchen anständig gekleidet sein will", sagte eine Arbeiterin 1896. Der Rock wurde zum Gradmesser des Existenzniveaus: Lieber Hunger leiden, als schlecht gekleidet zu sein: „Man muß sich halt vom Munde etwas absparen, wenn man sich was kaufen will", antworteten die Arbeiterinnen. „Für uns gibt es kein Vergnügen" – „Machen Sie nicht einmal einen kleinen Ausflug?" – „Ja, ich möchte wissen, womit, wenn man sich etwas kaufen will. Zwei, drei Röcke und für den Sonntag einen Oberrock und ein Paar Schuhe sind alle Kleider."

Neue Kleider wurden hauptsächlich im Abzahlungswege oder beim Hausierer auf Raten gekauft. Ein einfaches Waschkleid kostete um die Jahrhundertwende zirka 8 Gulden, im Abzahlungswege allerdings das Dreifache. Die Selbstversorgung mußte an die Stelle der Kleiderkäufe treten. Durch Stricken, Stopfen oder Ändern konnte eine Hausfrau viel Geld sparen: Wenn junge Fabriksarbeiterinnen 12 Stunden in der Fabrik gearbeitet hatten, nähten sie noch ihre Wäsche, ohne daß sie es gelernt hätten. Sie zertrennten ihre Kleider, um sich nach den einzelnen Teilen ein neues zuzuschneiden, das sie dann in der Nacht oder am Sonntag nähten. Eine Nähmaschine wurde daher zu einem der wichtigsten Ausstattungsstücke der Haushalte, fast immer ebenfalls auf Raten gekauft. „Wenn irgendein verausgabtes Geld sich gut verzinst, so ist es dieses", schrieben die Haushaltsratgeber.

DAUERHAFTE KONSUMGÜTER

Auf dem Handwagen, mit dem die Arbeiter ihre wenigen Habseligkeiten bei den häufigen Wohnungswechseln transportierten, mußten ein Schrank, ein Tisch, Stühle, Petroleumlampen, Spiegel, Bett und etwas Küchengerät Platz finden, zusätzlich vielleicht noch eine Uhr, Öldrucke, Gewürzdosen, Zuckerdose, Kaffeehäferln, Nippsachen, Fotos. Eine Wohnung wirklich einzurichten, wie es sich fortschrittliche Architekten vorstellten oder wie es von wohlmeinenden Institutionen vorgeschlagen wurde, dazu fehlte das Geld.

In den Oberschichten begann bereits der moderne Standard: Eiskästen wurden eingeführt. Fast jeder Haushalt, der sich noch täglichen Fleischgenuß leisten könne, verfüge über einen Eiskasten, schreibt der „Morgen" im Jahre 1915. Etwa seit der Jahrhundertwende war der Besitz eines Eiskastens das Vorrecht der Oberschicht und des Mittelstandes. Das Blockeis wurde vom Eismann auf der Straße an die Hausfrauen verkauft. Der Block wurde in die entsprechende Größe zerhackt und in den Eiskasten oben eingelegt.

Die neuen, auf Elektrizität beruhenden Haushaltsgeräte Staubsauger, Waschmaschine, Bügeleisen, Elektroherd oder Geschirrspüler, obwohl bereits im späten 19. Jahrhundert konzipiert, traten allerdings erst nach dem Zweiten Weltkrieg in größerer Menge auf.

Erstmals schienen um die Jahrhundertwende auch die Massen etwas von den Früchten der industriellen Revolution ernten zu können. Der Zuckerkonsum konnte steigen, ja man konnte sich vielleicht sogar ein Fahrrad, Inbegriff der individuellen Fortbewegung, leisten.

Mit durchschnittlich 18 kg pro Einwohner und Jahr war Zucker 1910 auch in Österreich-Ungarn zu einem wichtigen Massenkonsumgut geworden. Die regionalen Unterschiede im Konsumniveau waren allerdings immer noch beträchtlich. Während in Wien und Niederösterreich 1912/13 bereits 25,3 kg pro Kopf und Jahr verbraucht wurden, entfielen auf Galizien und die Bukowina pro Einwohner nur etwa 6,5 kg. Im Gebiet des heutigen Österreich betrug der Verbrauch vor dem Ersten Weltkrieg im Durchschnitt etwa 20 kg pro Kopf.

Was hätte den Wiener mehr charakterisiert als die Virginier. Sie gehörte zum richtigen, zum „harben“ Wiener, die Uhrkette aus Gold über dem Bäuchlein, die leicht gebogene Zigarre zwischen den Lippen.

An den Rauchusancen der Familie Trotta beschreibt Joseph Roth den Wandel der Zeit: Der alte Hauptmann, der bei Solferino dem Kaiser das Leben gerettet hatte, hielt sich an die lange Pfeife aus weißem, gebräuntem, gelblichem Ton. Ihre Färbung paßte zu dem mächtigen, weißen Schnurrbart des Vaters. Der Sohn, der es zum Bezirkshauptmann gebracht hatte, nahm wie sein Kaiser nach dem Tafelspitz die Virginier. Für Carl Joseph, den Enkel und Offiziersschüler, gehörte die Zigarette zum nervösen Rendezvous mit der Frau des Gendarmeriewachtmeisters Slama.

Die Zigarette verkörperte das neue Zeitgefühl: Eine Zigarettenlänge, wie die neue informelle Zeiteinheit hieß, unterscheidet sich von der Zigarrenlänge wie die Geschwindigkeit des Automobils von der der Postkutsche. Die Zigarette wurde zum Symbol der Moderne: „Die Zigarette zu negieren, hieße die Zeit zu negieren.“ Sie war wie die Zigarre zuerst ein Produkt für die Stadt und die Oberschichten. Für die Arbeiter war sie zunächst kaum erreichbar, im ausgehenden 19. Jahrhundert bestenfalls für den städtischen Facharbeiter.

Zuerst und zuvorderst gehörte die Zigarette in die Lebewelt der Literaten, Künstler und Schauspieler des Fin de Siècle, eines Schnitzler, Hofmannsthal und Paul von Schönthan. „Sie gehört zum Sekt, zu Hasardspiel und Liebe, zum Leichtsinn, zur Sünde, zur Poesie des Genießens . . . Ihr aromatisch duftender, sich in zarten Ringen und Wölkchen verflüchtigender Nebel ist das Parfum der Boudoirs.“

Die dickbauchige Zigarre konnte man noch unbesehen rauchen, als man auch einen „embon point“ noch stolz zur Schau stellen durfte. Die schlanke Zigarette wurde geradezu zum Symbol eines neuen Körperideals der Leichtigkeit, Schlankheit.

Kronprinz Rudolf hatte bei der Eröffnung der Wiener Elektrizitätsausstellung 1883 das Wort vom „Lichtmeer“ geprägt, das nun von Österreich sich über die Welt verbreiten sollte und vom neuen Fortschritt, der daraus hervorgehen möge. Zwar ging in Österreich vieles etwas langsamer. Gerade bei der Elektrizität dominierten bald ausländische Konzerne. Die „Luftzüge, Erdzüge, Untererdzüge, Rohrpostmenschensendungen, Kraftwagenketten, Schnellaufzüge“, der alte Kaiser Franz Joseph mißtraute dem allem. Das kurze Gespräch, das er 1905 anläßlich der Eröffnung der Tauernbahn mit dem Bürgermeister von Gastein führte, ist typisch für den Stil dieses Monarchen: „Es geschieht wohl auch viel, besonders zur Hebung des Kurortes?“ – „Ja, Majestät, voriges Jahr haben wir eine neue Wasserleitung erbaut und dieses Jahr erhalten wir das elektrische Licht.“ – „So, das elektrische Licht auch!“

Ob er ahnte, daß seinesgleichen an dieser neuen Zeit zugrunde gehen müsse: „Wir sind“, läßt Joseph Roth den Grafen Chojnicki sagen, „die Letzten einer Welt, in der Gott noch die Majestäten begnadet und Verrückte wie in Gold machen. Hören Sie? Sehen Sie!“ Und Chojnicki erhob sich, ging an die Tür, drehte einen Schalter, und an dem großen Lüster erstrahlten die Lampen. „Sehen Sie!“ sagte Chojnicki, „dies ist die Zeit der Elektrizität, nicht der Alchimie. Der Chemie auch, verstehen Sie! Wissen Sie, wie das Ding heißt? Nitroglycerin", der Graf sprach jede einzelne Silbe getrennt aus. „Nitroglycerin!" wiederholte er. „Nicht mehr Gold! Im Schloß Franz Josephs brennt man oft noch Kerzen! Begreifen Sie? Durch Nitroglycerin und Elektrizität werden wir zugrunde gehn! Es dauert gar nicht mehr lang, gar nicht mehr lang!..."

Das elektrische Licht war ein in allen Erinnerungen durchschlagendes Erlebnis. „In Berlin angelangt", berichtet Arthur Schnitzler, „stieg ich in dem eben eröffneten Hotel Continental ab, wo ich zum erstenmal ein Zimmer mit elektrischer Beleuchtung bewohnte, die nicht nur für mich, sondern für die gesamte mitteleuropäische Menschheit im Jahre 88 noch etwas ziemlich Neues bedeutete." Man lobte mit Genugtuung den Wegfall der Rauchbelästigung, die Kienspan und Gaslicht verursacht hatten. Vor allem war es die Bequemlichkeit, die die Zeitgenossen in Begeisterung versetzte.

Das Licht des armen Mannes vor dem Weltkrieg war aber immer noch weder Gas noch Elektrizität. Die Zahl der Hausanschlüsse und das Ausmaß der Haushaltselektrifizierung vor 1914 blieb auch in Wien noch gering. Während im 1. Bezirk 1913 pro Wohnung bereits 14,8 elektrische Lampen gezählt wurden, im 4. Bezirk 7, waren es in den Arbeiterbezirken nur durchschnittlich 0,3 Lampen pro Wohnung.

Von den 220 ans Netz angeschlossenen Elektromotoren im Jahr 1898 in Wien betrieben 50 Ventilatoren, 26 Aufzüge, 2 das Riesenrad, 19 Zahnarztbohrer und nur 15 Werkzeugmaschinen. 1913 gab es bereits 33 259 Elektromotoren, der weitaus größte Teil davon in Industrie und Gewerbe. Telefon und Aufzüge stellten um 1900 in Wien noch eine Seltenheit dar. 1913 waren schon mehr als 3000 Häuser mit Aufzügen ausgestattet, 543 öffentliche Telephonsprechzellen eingerichtet und etwa 60 000 Telephonanschlüsse hergestellt.

Das Zeitalter der Automaten kündigte sich an, zuerst spielerisch: 1905 waren in Wien 1328 Automaten aufgestellt, 1909 bereits 2161, davon 774 Musikautomaten und 159 Automaten für „lebende Bilder". Für die neuartige Idee eines Kaffeehauses oder einer Bierhalle, wo kein Personal mehr nötig sei, da der Gast durch Münzeinwurf sich selbst bedient, ohne seinen Tisch verlassen zu müssen, wurden 1909 per Inserat Interessenten gesucht.

Die Photographie war bereits Bestandteil des Lebens: viele Heiratsinserenten verlangten bereits vorsichtshalber eine Photographie. Auch das Zeitalter des Films hatte begonnen. Immerhin gab es in Wien 1909 bereits 62 Kinolokale, wovon drei bis zu 2000 Personen faßten: Am 17. Jänner 1909 spielte das „Graben-Kino-Theater": „Im Morgengrauen. Schauspiel in 2 Aufzügen von Jules Sandeau. Belgische Spitzen, Industrieaufnahme. Fritz mit dem Haarbüschel, Märchen von Perault. Australien, ethnologische Studie. Eine gemütliche Kahnpartie, Schwank. Messina, eine Original-Pathé-Aufnahme. Die olympischen Spiele in London, Sportstück. Wer ist Herr im Haus? Posse." Jeder Wiener besuchte 1908 im Durchschnitt 5 Kinematographenveranstaltungen im Jahr.

Neben den Kinovorführungen gab es immer noch das Panorama. Arthur Schnitzler oder Albert Fuchs besuchten häufig das Kaiserpanorama. Es befand sich auf dem Stubenring, gegenüber dem Stadtpark: „In einem verdunkelten Raum bekam man durch das Stereoskop farbige Landschaftsbilder zu sehen, Spanien, Italien und ganz besonders Bosnien-Herzegowina", das ja eben erst annektiert worden war.

Während schon zahlreiche Pferdebahnen, Omnibuslinien und Mietwagen den Menschenstrom beförderten, legte auch in der zweiten Hälfte des 19. Jahrhunderts der größte Teil der Passanten auch die weiten Strecken immer noch zu Fuß zurück. Die Fahrpreise der städtischen Verkehrsmittel waren in Wien relativ hoch. Bei der Straßenbahn gab es zwar einen Frühtarif bis 7.30 Uhr, wo statt 20 Heller nur 12 Heller verlangt wurden, aber andere Vergünstigungen, wie z. B. Arbeiterkarten oder Streckenkarten gab es nicht. Der Ausbau leistungsfähiger und billiger Massenverkehrsmittel war in Wien lange Zeit nicht entsprechend forciert worden, sei es aus kommunalpolitischen Versäumnissen, sei es wegen der relativ geringen Segregation von Betriebs- und Wohngebieten.

Das Ende des 19. Jahrhunderts stand im Zeichen des Fahrrades. Aus einer viel verspotteten Spielerei einiger versnobter Sportfans war innerhalb weniger Jahre ein Fortbewegungsmittel geworden, das die Entwicklung des individuellen Massenverkehrs zu einem Kultur- und Wirtschaftsfaktor ersten Ranges einleitete. Wenn von den überall aus dem Boden sprießenden Radfahrerjournalen die ‚Cyclisation' als neue, höhere Stufe der Zivilisation gefeiert wurde, so drückt sich jenes Erlebnis der Beschleunigung aus, das mit der Entwicklung der Eisenbahnen und Dampfschiffe am Anfang des 19. Jahrhunderts erstmals verspürt worden war und mit dem Fahrrad, Auto und Flugzeug am Ende desselben Jahrhunderts sich als Leitsektor der nächsten Generation ankündigte.

1887 zählte man etwa 600 Radfahrer in Wien, 1892 1500, 1893 3000, 1894 waren bei der Wiener Polizei bereits 6200 Radfahrer gemeldet, 1895 etwa 10 000 und 1896 13 000. „Durch die Masse der Bicyclisten ist es in den Wiener Straßen kaum mehr auszuhalten", lautete ein zeitgenössischer Bericht. 1900 gab es nach ungefähren Schätzungen in Wien bereits 70 000 Radfahrer.

Eine ganze Kultur knüpfte sich daran, Vereine, Zeitungen. 1910 gab es allein in Wien 329 Radfahrvereine. In der Mitgliederstruktur der Radfahrvereine dominierten die Wirtschaft und das Privatbeamtentum.

Radfahren signalisierte Emanzipation und Selbständigkeit, nicht nur für höhere Töchter, hinter deren Radfahrbegeisterung die Öffentlichkeit vornehmlich die Suche nach einem feschen Radfahrer zu vermuten geneigt war. „Unsere Frauen sollten dem Fahrrad ein Denkmal setzen . . . ", meinten die Radpioniere in ihrer Begeisterung. Auch die Frauenrechtlerin Rosa Mayreder, Mitbegründerin des ‚Allgemeinen Österreichischen Frauenvereins', gab gelegentlich ihrer Ansicht Ausdruck, daß das Radfahren mehr für die Befreiung der Frau geleistet habe als alle Frauenbewegungen zusammen. Korsetts, Sonnenschirme und Schleier verschwanden, die Röcke wurden kurz, denn „ein anderer Rhythmus war in der Welt", schreibt Stefan Zweig.

Das Rad hat uns die Freiheit gegeben, gebt Freiheit auch dem Rade! Das richtete sich gegen die Fahrradfeindschaft der Bürokratie und weiter Teile der Öffentlichkeit. Gewiß, es gab nicht wenige Radunfälle. Hinter der Angst vor dem Fahrrad steckte aber mehr. Für die Kulturpessimisten war die Geschwindigkeit des Rades Ausdruck der zunehmenden Nervosität, die man zu Ende des Jahrhunderts überall bemerken wollte. Für die Politiker erhöhte es die Revolutionsgefahr . . . „weil man ja infolge der Schnelligkeit der Bewegung mit dem Rade, wie Sie ja wissen, in wenigen Stunden die Landesgrenze überschreiten kann", erläuterte Statthalter Graf Kielmannsegg, der an sich selbst zusammen mit seiner Gattin ein begeisterter Radfahrer war, 1897 seine Besorgnisse.

Im ersten Jahrzehnt des 20. Jahrhunderts wurde Radfahren von einem Mittelklassevergnügen zu einer Arbeitsnotwendigkeit, um die größer werdenden Entfernungen zwischen Wohnstätten und Arbeitsplätzen in schnellerer Zeit zurückzulegen. Radfahren und Fußball wurde 1907 bei einer Befragung von vielen Arbeitern als Lieblingsbetätigung genannt. Das Fahrrad half, neben der Eisenbahn, als ‚demokratisches Vehikel', die Großstadt zu verlassen. Hier bot sich tatsächlich ein Weg, um ‚aus grauer Städte Mauern' hinauszukommen. Hinaus ins Grüne: Das bedeutete Flucht vor der räumlichen Enge und Trostlosigkeit der Mietskasernen wie vor dem Drill von Schule, Kirche und Militär. Während die bürgerliche Jugendbewegung des ‚Wandervogel' seit Ende der neunziger Jahre gegen die spießigen Lebensformen ihrer Eltern und Lehrer rebellierte, fanden sich die jugendlichen Arbeiter aus Anlaß physischer und ökonomischer Notwendigkeit zusammen. Vergnügen und Nützlichkeitsbestrebungen gingen Hand in Hand.

Die Bewegungsfreiheit, die das Fahrrad gebracht hatte, schien den Zeitgenossen nur mit der Eisenbahn vergleichbar, aber in einem unendlich vielfältigeren Sinn. Man sprach von der Emanzipation des schwerfälligen Gemeinverkehrs durch die verführerische Leichtigkeit des Rades: In die zahllosen Massen des kollektivistischen Verkehrs bringe es die ungebundene, individuelle Circulation, welche die durch die Eisenbahn verödeten Nebenstraßen wieder belebe.

Im November 1892 erregte das erste Auto, ein Benz Phaethon die Wiener. Der neue Sportzweig, als der das Autofahren zuerst nur angesehen wurde, hatte anfangs größten Widerspruch gefunden. Die Zukunft, argumentierten die Autobefürworter, wird der österreichischen Bevölkerung, deren Tendenz gegenwärtig eine autofeindliche ist, zeigen, daß sie sich einstmals gegen ein neues Verkehrsmittel empörte, das einen bedeutungsvollen Fortschritt in verkehrstechnischer Beziehung bildete. Wenn auch allmählich mehr Automobile auf den österreichischen Straßen rollten, „aber nicht zuviele Automobile", so war man sich noch immer sicher, daß das Pferd durch das Automobil nicht entbehrlich werde.

Obwohl es noch kaum Autos gab, gehörte der Autounfall fast schon zum Alltag. Nicht zufällig läßt Robert Musil seinen Roman „Der Mann ohne Eigenschaften" mit einem solchen beginnen. Jedes dritte Auto war in den Anfangszeiten des Automobilismus pro Jahr in einen Unfall involviert. 1906 gab es in Wien bei einer Gesamtzahl von 1087 Autos 305 Unfälle, 1910 bei 3285 Autos 1242. „Bekanntlich muß in Wien immer erst mindestens ein Hofrat verunglücken, bis ein Unfug abgestellt wird", schrieb das Neue Wiener Journal. 1907 wurde im niederösterreichischen Landtag lebhaft über die „Autopest" diskutiert. Eine Notiz aus der Wiener Montags-Revue über den Verkehr an den Sonntagen im Prater faßte die Situation zusammen: „Mitten durch die Hunderte von Wagen sausen die Automobile der Allernobelsten, daß es einem schwindelig wird... Solche Zustände fordern für die Praterstraße und den Prater im Sommer eine ganz besondere Vorsorge der Polizei. Weniger salutieren und eine schärfere Bewachung der Chauffeure!"

„Der Rhythmus der neuen Geschwindigkeiten hatte sich noch nicht von den Maschinen, von dem Auto, dem Telephon, dem Radio, dem Flugzeug auf den Menschen übertragen, Zeit und Alter hatten ein anderes Maß. Man lebte gemächlicher"... Stefan Zweig erwähnt die Korpulenz der Erwachsenen, die seine Kindheit prägten: sein Vater, sein Onkel, seine Lehrer, die Verkäufer in den Geschäften, die Philharmoniker an den Pulten, die mit vierzig Jahren alle schon beleibte, ‚würdige' Männer waren. Eile und sichtbare Hast, so meint Zweig, galt nicht nur als unfein, sie war in der Tat überflüssig, denn in dieser bürgerlich stabilisierten Welt mit ihren unzähligen kleinen Sicherungen und Rückendeckungen geschah nie etwas Plötzliches.

DER PRATER

Hugo von Hofmannsthal zählt in seinem Tagebuch stichwortartig auf: Praterfahrt, Fronleichnam, kaiserliche Begräbnisse. Erich von Stroheim machte daraus mit seinen Wienfilmen „Prater" und „Hochzeitsmarsch" in Hollywood ein Wienklischee. Man werde diese Formenwelt der Wiener Vorkriegszeit vielleicht einmal den „Praterstil" nennen, wie man Rokoko oder Biedermeier sagt, schrieb Béla Balász 1924 über Stroheims Vorkriegswien.

Die Fronleichnamsprozession wurde von Jahr zu Jahr prächtiger gestaltet: Felix Salten beschreibt Lueger, wie er den Fronleichnamszug des Jahres 1896 in den Dienst seines politischen Handelns stellte und als Vizebürgermeister dem Baldachin voranschritt: „... Die Glocken läuten, die Kirchenfahnen wehen und das brausende Rufen der Menge empfängt den geliebten Mann, der nach allen Seiten dankt, grüßt, lächelt. Er freut sich. Denn der Kaiser, der dem Baldachin folgt, muß den tausendstimmigen Donner hören... Es war Luegers Triumphzug."

Selbst die Begräbnisse fanden begeisterten Zulauf, und es war der Ehrgeiz jedes rechten Wieners, eine ‚schöne Leich' mit prunkvollem Aufzug und vielen Begleitern zu haben; seinen Tod verwandelte ein richtiger Wiener noch in eine Schaufreude für die anderen.

Das Café begann seine große Rolle im gesellschaftlichen Leben der Ringstraßengesellschaft einzunehmen. Den Ring entlang entstand ein neuer Kaffeehaustyp, vornehmer, luxuriöser, weltstädtischer: Der Kaffeehausbummel auf der Ringstraße gehörte um die Jahrhundertwende zur nachmittäglichen Freizeitgestaltung. Promenieren ließ sich auf der Ringstraße, im Volksgarten, Prater, Stadtpark, im Park von Schönbrunn: „Lästeralleen" nannte man solche Wege, weil in den dort geführten Gesprächen kein gutes Haar an den Mitmenschen gelassen wurde.

Zwischen Kärntnertor und Schwarzenbergplatz, an der Sirkecke, jeden Mittag und Abend, bei fast jedem Wetter, fand sich die noble Welt ein zum Flanieren, Promenieren, Plaudern. Lebemänner, schlendernde Müßiggänger bevölkerten diesen Teil der Stadtlandschaft, wo ein Anschein des Lebens in Muße erweckt wurde, dessen Orte das Kaffeehaus, das Theater, der Park waren.

Hier dominierte die von Peter Altenberg so kultivierte Lust am Sehen. Zum visuellen Eindruck für wenig Geld verhalf das Panorama, die wichtigste Massenunterhaltung des späten 19. Jahrhunderts. Riesenräder eröffneten den natürlichen Panoramablick, ermöglichten die Übersicht von oben. Die 1897 nach dem Vorbild des spektakulären Wahrzeichens der Weltausstellung von Chicago 1893 errichtete 67 m hohe Stahlkonstruktion des Riesenrades wurde daher zu einer der Hauptattraktionen Wiens und zum weithin bekannten Wahrzeichen dieser Stadt, populärer fast als der Stephansturm.

Der Prater entsprach der luxuriösen Pracht des Zurschaustellens und den Schaubedürfnissen der Armen. „Wir standen damals alle, Siebzehn- und Achtzehnjährige, vor dem Zaun, um gratis Musik zu hören. Ein junger Militärkapellmeister – wenn ich nicht irre, Großmann mit Namen – spielte Bruchstücke aus Wagner... Für die allermeisten unter uns war es die einzige Möglichkeit, ein bißchen Musik zu hören", berichtet David Josef Bach. Unter den Zaungästen befand sich auch Arnold Schönberg.

Der Prater war einer der Räume, wo man bemüht war, den Anschein eines Lebens in Muße zu geben. Zwar hatte der Praterbummel zu Ende des Jahrhunderts viel von der demonstrativen Bedeutung der ersten Jahrhunderthälfte eingebüßt. Der Prater, der „klassische" Freizeitraum der Jahrhundertwende, war Anziehungspunkt für alle Schichten: Ziel der Ausfahrten der höheren Gesellschaft und Ort der kleinen Vergnügungen für die kleinen Leute.

Der Nobelprater, die Hauptallee vom Praterstern zum Lusthaus, war der sonntägliche Treffpunkt der „high society", aber auch an Wochentagen eine gleichwertige Alternative zum Ringstraßenkorso: Man begegnete sportlichen Reitern und eleganten Kutschen, angefangen vom Thronfolger Erzherzog Franz Ferdinand hoch zu Roß bis zum Fürsten Esterházy mit seinem ungarischen Viererzug, dazwischen die Spaziergänger mit Stock und Schirm, auch schon Radfahrer. Ganz in der Nähe der Hauptallee, in der im vornehmen Stil geführten Meierei Krieau trafen sich der Klavierbauer Bösendorfer, der vierspännig ankam, der Rechtsanwalt des Hofes Dr. Stritzel, der einen Einspänner benutzte, der Schauspieler Thaller und der Maler Josef Engelhart, die per Rad ankamen.

Die Demonstration von Zeitsouveränität und Reichtum kulminierte zu manchen Anlässen, beim Derbykorso und Blumenkorso im nahezu vollständigen Erscheinen der politisch, wirtschaftlich und kulturell einflußreichen „oberen Zehntausend". Sehen und Gesehenwerden war der Hauptzweck.

Der berühmte, von Makart 1879 anläßlich der silbernen Hochzeit des Kaiserpaares arrangierte Festzug, der im Prater zusammengestellt wurde, vermittelte mit den 29 Festwagen und vielen hundert Teilnehmern „ein wollüstiges Gefühl von feudaler Pracht und Herrengröße". Zum sechzigsten Kaiserjubiläum 1908 entschloß sich Wien noch einmal zu einem großen Festzug.

Bis zu einem Viertel der Wiener Bevölkerung soll der seit 1886 jährlich unter der Patronanz der Fürstin Pauline Metternich veranstaltete Blumenkorso in den Prater gelockt haben. 1887 fuhren unter den Klängen des Blumenkorsomarsches von Charles Weinberger Radfahrer in die Rotunde ein. Hierauf folgte der Festzug „Ein Tag in Wien". Da war der „Magen Wiens" zu sehen, Straßenleben, Zeitungswesen, Plakatindustrie, Post, Verkehr, Geschäftsleben, Sport. Der Blumenkorso des Jahres 1895 wurde mit der Luftschiffer- und Athletengruppe des Gemeinderates Silberer bereichert. Am 26. Mai 1897 fand ein Radfahrer-Blumenkorso statt. Für den Blumenkorso 1899 wurde ein secessionistisches Dorf errichtet.

Alljährlich fand zum Geburtstag des Kaisers ein Volksfest im Prater statt, das je nach den Witterungsverhältnissen und der Anwesenheit des Kaisers zwischen dem 17. und 23. August abgehalten wurde. Besonders festlich wurde das Kaiserfest 1903 begangen. Die Hauptsehenswürdigkeit war der Festzug, der in einer langen Reihe von Wagen Bilder aus der Geschichte des Praters zeigte.

Bis zum Ersten Weltkrieg blieb die Hauptallee der herrliche Rahmen prunkvoller Auffahrten und Feste, die der ornamentalisierten Verdeckung der Wirklichkeit und Schaulust der Massen entsprachen.

Der Sonntag war im Wurstelprater hauptsächlich dem Kleinbürgertum und der Arbeiterschaft vorbehalten, gutbürgerliche Kreise bevorzugten den Donnerstag für ein Pratervergnügen. Flucht aus der Realität, das waren die bescheidenen Vergnügen des Praters, bei Astarte, dem Wunder der Luft, beim Meerestaucher, der in einem Faß schmutzigen Wassers seine Künste vorzeigte, bei der Dame ohne Unterleib, bei Zwergen und Riesen. Laterna magica, Wahrsagerinnen, Schießbuden, Karussels, Kuriositäten, das Rasseln der böhmischen Blechmusik und der Musikautomaten, das waren die Illusionen, die die Träume von Pracht erfüllten.

Virginiaraucher und Tschikarretierer, Heurigensänger und Biertrinker, Walzerseligkeit und Hutschenschleuderer, süße Mädel und fesche Soldaten, Ringelspielfahrer und Riesenrad, Damenkapelle und Drehorgel, hier war der Treffpunkt für alle, die fremd waren in dieser riesigen Stadt. Der Wettlauf der Arbeiter mit der Zeit für die bescheidenen Samstagabend- und Sonntagsvergnügungen war bei einem durchschnittlichen Eintrittspreis von 10 kr je Attraktion ohnehin ein vergeblicher.

Um den sozial schlechter gestellten Schichten mit Autodrom, Luftschiffkarussell oder Minibahn wenigstens im Spiel die Illusion des Autobesitzes, der Reise im Luftschiff oder einer Fahrt im Luxuszug nach Konstantinopel oder Paris zu verschaffen, sie auf eine Viertelstunde über die Misere des Alltags hinwegzutäuschen, trat zu Wurstel, Ringelspiel, Haspel und Schaukel die neue Technik: Josef Pils eröffnete 1874 einen Velocipedezirkus, 1902 erfolgte die Umstellung auf elektrischen Betrieb, 1910 auf ein Autokarussell. Das Zeitalter der Elektrizität brachte die Pilzsche Grottenbahn, die erste elektrische Fahrbahn Europas. Phonographen verdrängten die Drehorgeln, Kinematographen das Panorama, die Luftschiff- und Autokarussells das Ringelspiel.

Spazierengehen, Laufen, Galopprennen, Trabrennen, Radrennen, der Prater war das Zentrum neuer Sportarten. 1894 wurde hier das erste Fußballmatch zwischen Vienna und Cricketer ausgetragen. Die Rennbahn des vornehmsten Wiener Sportvereins, des 1866 gegründeten „Jockey-Club", befand sich in der Freudenau; dem Rennen folgte man entweder vom 20 kr-Platz, Guldenplatz, vom Fünf-Gulden-Platz oder vom Sattelplatz. Während Aristokraten, Großbürger und Offiziere häufig gemeinsam mit ihren Damen dem Rennen beiwohnten, beschränkte sich im mittleren und kleinen Bürgertum die Teilnahme auf den männlichen Teil der Bevölkerung.

Es war der Prater, der Schauplatz aristokratisch-großbürgerlichen Müßiggangs und kleinbürgerlicher Illusion, der auch für die organisierte Arbeiterbewegung zum Ort der jährlichen Maidemonstration wurde, die seit 1890 zu den jährlichen kommunalen Großereignissen Wiens gehörte. Der geordnete, fast militärisch organisierte erste Aufmarsch des Jahres 1890 über die Ringstraße in den Prater, wo um 4 Uhr sich etwa 60 000 bis 70 000 Arbeiter mit ihren Führern Kronawetter und Pernerstorfer versammelten, ließ die traditionelle Praterfahrt der bürgerlichen Gesellschaft an diesem ersten Mai nicht recht in Fluß kommen: „Die Soldaten sind in Bereitschaft, die Thore der Häuser werden geschlossen, in den Wohnungen wird Proviant vorbereitet wie vor einer Belagerung, die Geschäfte sind verödet. Das ist die Physiognomie unserer Stadt am Festtag der Arbeiter", schrieb die Neue Freie Presse. Am nächsten Tag allerdings konnte die Zeitung aufatmen: „Der mit ängstlicher Spannung erwartete Feiertag der Arbeiter ist nun vorüber und ... die politische Demonstration mit Würde, Anstand und Achtung vor dem Gesetze vollführt ... Die langen Colonnen wohlgekleideter Männer und Frauen, ... die heute Abend ruhigen Schritts aus dem Prater über die Ringstraße zogen, machten nicht den Eindruck von Arbeiter-Bataillonen, die zum Sturm auf die bestehende Gesellschaftsordnung anrücken, freilich auch nicht den eines ausgebeuteten, an Leib und Seele verkümmerten Proletariats. Diese gesitteten Leute ... scheinen prädestiniert zu sein, einen neuen gesunden Mittelstand im Staate zu bilden und nicht den Umsturz aller gesellschaftlichen Ordnung herbeizuführen."

Mit Umzügen, Spaziergängen, Aufmärschen erreichte die Arbeiterschaft in der Tradition der bürgerlichen Öffentlichkeit die Konstituierung einer eigenen Öffentlichkeit. In dieser Tradition steht auch die Bildwelt der von 1890 bis 1914 jeweils publizierten Maizeitungen, wo der Industrielandschaft mit den rauchenden Schloten und grauen Hallen die Sehnsüchte einer neuen Zeit, der Wochenendausflug, das kurze

Entfliehen in die idyllische, zu Rast und Spaziergang einladende Natur, der Blick in die Ferne, zur aufgehenden Sonne und das Ziel der gesprengten Ketten der neuen Kultur entgegengestellt werden.

Literatur und Quellen (in Auswahl):

Die Arbeits- und Lebensverhältnisse der Wiener Lohnarbeiterinnen. Ergebnisse und stenographisches Protokoll der Enquete über Frauenarbeit. 1896 – JOHANN BÖHM, Erinnerungen aus meinem Leben. 1964 – ERNST BRUCKMÜLLER, Sozialgeschichte Österreichs. 1985 – GERDA BUXBAUM, Die Gesellschaftskritik in den Wiener Modezeitschriften des 19. Jahrhunderts. Diss. Wien 1981 – HUBERT CH. EHALT – GERNOT HEISS – HANNES STEKL (Hrsg.), Glücklich ist, wer vergißt . . . ? Das andere Wien um 1900. 1986 – FRANZ JOSEPH GROBAUER, Fahr' ma, Euer Gnad'n. Vom Kobelwagen zum Straßenkreuzer. 1965 – WILHELM KOCI, Das Leben des kleinen Mannes im Spiegel der Annoncen der Neuen Freien Presse des Jahres 1909. Diss. Wien 1983 – HEDWIG LEMBERGER, Die Wiener Wäscheindustrie. 1908 – GERHARD MEISSL, Minutenpolitik. Die Anfänge der „Wissenschaftlichen" Betriebsführung am Beispiel der Wiener Elektroindustrie vor dem Ersten Weltkrieg. In: Neuere Studien zur Arbeitergeschichte. 1984 – ROBERT MUSIL, Der Mann ohne Eigenschaften. 1930 – BERTA NEUBER, Die Ernährungslage in Wien während des Ersten Weltkrieges und in den ersten Nachkriegsjahren. Dipl. Arb. Wien 1985 – MAGDALENA PAPP, Wiener Arbeiterhaushalte um 1900. Diss. Wien 1980 – ALFONS PETZOLD, Das rauhe Leben. 1979 – ALFRED PFABIGAN (Hrsg.), Ornament und Askese. Im Zeitgeist des Wien der Jahrhundertwende. 1985 – WOLFGANG PIRCHER (Hrsg.), Début eines Jahrhunderts. Essays zur Wiener Moderne. 1985 – ADELHEID POPP, Jugendgeschichte einer Arbeiterin. 3. Aufl. 1927 – Stenographisches Protokoll der im k. k. arbeitsstatistischen Amt durchgeführten Vernehmung von Auskunftspersonen über die Verhältnisse in der Kleider- und Wäschekonfektion. 1899 – JOSEPH ROTH, Die Büste des Kaisers. Kleine Prosa. 1956 – DERS., Die Kapuzinergruft. Romane und Erzählungen. 1975 – ROMAN SANDGRUBER, Die Anfänge der Konsumgesellschaft. Konsumgüterverbrauch, Lebensstandard und Alltagskultur in Österreich im 18. und 19. Jahrhundert. 1982 – DERS., Bittersüße Genüsse. Kulturgeschichte der Genußmittel. 1986 – RICHARD SORER, Auslese und Anpassung in einer Wiener Maschinenfabrik (Schriften des Vereins für Sozialpolitik 135/3/1). 1911 – EVA VIETHEN, Wiener Arbeiterinnen. Leben zwischen Familie, Lohnarbeit und politischem Engagement. Diss. Wien 1984 – STEPHAN ZWEIG, Die Welt von Gestern. Erinnerungen eines Europäers. 1948.

Ingeborg Petrascheck-Heim

DIE MODE

Wenn man das Wort Mode hört, so sind dabei als Assoziation die Wörter Laune und schneller Wandel verbunden. Doch kann man anhand der Formensprache nachweisen, daß bei der Kleider-Mode eine Entwicklung stattgefunden hat. Ja selbst bis in die Zeit der letzten Jahrhundertwende, die hier zur Diskussion steht, ist dieses möglich.

Blättert man in den Modeheften um 1880, so fällt die schmale Linie in der Vorderansicht der Figurinen auf. Eine andere Silhouette als die durch die Breite des Reifrockes bestimmte, wird in den Zeichnungen angestrebt. Sie scheint einen kurzen Anklang gefunden zu haben, denn der Maler Anton Romako zeigt auf dem Bild „Die beiden Freundinnen" die Damen in solchen Kleidern, die sogar den Fuß sehen lassen, was lange Zeit danach nicht erlaubt war. Der Ansatz zu einem Umschwung, zur schmalen Silhouette und einem kürzeren Rock war damit als Vorschlag vorhanden, setzte sich aber nicht als neue Moderichtung durch. Der als spezielle Eigenheit der Mode bezeichnete schnelle Wandel und die damit verbundenen Launen werden nur vom Zeitgenossen registriert. Er entscheidet durch Annahme oder Ablehnung aus meist unbewußten Gründen den Ablauf der Mode. Nur im historischen Rückblick erkennt man die Entwicklung der Kleidungsformen, die bis zur nicht mehr tragbaren Art gesteigert werden können. Neue Ideen setzen sich nur langsam durch.

Dieser Prozeß hat sich nun in den siebziger und achtziger Jahren des vorigen Jahrhunderts folgendermaßen abgespielt. Aus dem weit ausladenden Rock hat sich durch seitliches Einfallen der Rock mit der Tournüre und dem Cul de Paris gebildet. Der Wunsch zur gegenteiligen Tendenz liegt dieser Entwicklung zugrunde. Aber irgendwie – das ist das große Fragezeichen der Modeideen – war sie noch nicht reif zum Umsetzen in die Wirklichkeit. Der Rock der Frauenkleidung gewann nicht nur durch das Cul im Rücken, sondern auch durch Volants, breite Schärpen, Spitzen, Stickereien etc. wieder an Volumen in den achtziger Jahren. Er bildete damit den Tummelplatz des „modischen" – im Gegensatz zum „Mode"-Wandel. Der Oberkörper der Frau wurde durch ein Korsett eingeschnürt und bildete damit einen Gegenpol zu dem bewegten Rock in den achtziger Jahren.

Doch ändert sich dieses um 1890. Zuerst fiel das Cul ein und die Weite des Rockes legte sich gleichmäßig um den Körper, wobei der Stoff, der über der Tournüre lag, eine Schleppe bildete, was sich auch rein schnittmäßig ableiten läßt. Diese wurde aber nicht nur am Abendkleid getragen, sondern auch auf der Straße, wie es Gemälde von dem Korso auf der Ringstraße aus dieser Zeit zeigen. Hierbei wurde sie auch von Zeitgenossen als sinnlos empfunden und von einsichtigen Leuten bekämpft. So erschien 1901 im Simplizissimus unter anderen eine Karikatur von Bruno Paul mit dem Titel „Bekämpfung der Schleppe".

Die Bedeutung des Rockes in der modischen Entwicklung nahm immer mehr ab. Weniger drapierte Stoffteile, Volants, Spitzen etc. werden darauf angebracht. Die Mode suchte sich nun den Oberkörper der Frau aus, um dort ihr Spiel mit vielen Effekten der Stickerei, mit Spitzen und Kragen allerlei Arten zu treiben. Die vorher klein gehaltene Büste der Frau wurde Anfang der neunziger Jahre durch Puffärmel verbreitert. Man kann das Anwachsen der zuerst 1889 nur leicht stehenden Ärmel bis zur übergroßen Puffe 1895–1896 in den Modezeitschriften und anhand von Porträts verfolgen. Es entstehen „Schinkenärmel" wie im Biedermeier der dreißiger Jahre. Diese nehmen danach langsam wieder an Volumen ab und seit 1899 wird wieder der lange enge Ärmel getragen.

Modezeichnung aus La Moda elegante illustrada, Madrid 1892

Nun aber legte man der Büste der Frau eine neue Bedeutung zu. Mit Hilfe eines besonders konstruiertem Korsett, das in der Taillenlinie den Körper sehr eng zusammen schnürte und die Büste hob, erzielte man eine stark betonte Büstenlinie. Diese Einschnürung preßte den Oberkörper stark nach vorn und den Unterkörper nach rückwärts, so daß die Figur der Frau eine Kurvenlinie bildete. Die so stark geschnürte Gürtellinie diente als Aufhängepunkt der Röcke, die immer noch dem Boden auflagen, was nicht nur beim Abendkleid der Fall war, sondern auch an der Tagesgarderobe, wie am damals sehr beliebten Kostüm. Erst um 1909/10 durfte man den kleinen Stiefel oder Schuh zeigen. Da die Kleidform von 1899–1910 verhältnismäßig gleich in Schnitt und formalen Ausdruck blieb, so suchte sich die Saisonmode einen anderen

Modezeichnung aus Le Moniteur de la Mode, 1896

Tummelplatz. Das war der Kopf mit dem Hut. Die Hüte der Damen nahmen überdimensionale Ausmaße an und wurden mit Stoffdrapierungen, Blumen und Federn überladen.

Im ersten Jahrzehnt des zwanzigsten Jahrhunderts setzte ein entscheidender Wandel ein, der auch die persönliche Note des Menschen, seine Kleidung zu beeinflußen suchte. In der Kunst und im Kunstgewerbe gärte es seit den neunziger Jahren. Die damals junge Generation wehrte sich gegen die Imitation der historischen Stile und suchte neue Wege, die im Jugendstil, der Sezession und anderen Gruppen von Künstlern hervortraten. Unter dem Gesichtspunkt, ein Gesamtkunstwerk zu schaffen, wurde das Zusammenwirken von Künstlern und Handwerkern angeregt. Dazu hatte man beschlossen, besondere Werkstätten zu gründen, wo speziell diese Ideen ausgeführt werden konnten. 1903 wurden die Wiener Werkstätten für das Handwerk der Edelmetalle, der Buchbinderei, der Lederverarbeitung und der Lackiererei eingerichtet. Zur Vervollständigung dieser Initiative gehört auch die Erneuerung der Kleidung.

Der Mann hat sich aus seiner ihm anerzogenen Rolle nicht bewegen lassen, dieser neuen Einstellung in bezug auf seine Kleidung zu folgen. Der bis heute gültige Anzug von Hose, Rock und Weste war damals schon Tradition und stammte aus der Mitte des 19. Jahrhunderts. Man trug ihn mal einreihig, mal doppelreihig geknöpft. Das Revers wurde mal schmäler, mal breiter geschnitten. Die Stoffe in den Farben grau, braun, blau und schwarz wechselten wie heute nur die Nuancen und die kleinen Muster. Für den Empfang beim Kaiser gab es die verschiedenen Uniformen des Militärs und der Beamten weiterhin. Gehrock am Tage und Frack am Abend trugen bei offiziellen Anlässen die Herren, die zu keiner dieser beiden Kategorien der Uniformen gehörten. Wohl versuchten die Künstler des Jugendstiles die Kleidung des Mannes bewegter zu gestalten, doch setzten sich all diese Vorschläge nicht durch.

Anders war es bei der Frauenkleidung. Es gab dort ernste Probleme, die auf eine Lösung warteten. Folgt man Hevesi, dem Wiener Kunstkritiker um die Jahrhundertwende, so haben im 19. Jahrhundert immer wieder Reformbewegungen, teils aus gesundheitlichen Erwägungen gegen das Korsett oder aus nationalen Belangen, wie es Karoline Pichler und andere getan haben, stattgefunden. Auch in den späten Jahrzehnten haben Ärzte immer wieder das Korsett bekämpft. Aber nie haben diese Bestrebungen ernsthaft den Ablauf der Mode in jener Zeit beeinflußt, wie man es auch aus der Formensprache ablesen kann. Um die Jahrhundertwende liegen die Aussichten für eine Reform der Frauenkleidung anders. Junge Künstler setzen sich dafür ein und zeichnen Modelle. Im Jahre 1903 hat Paul Schultze-Naumburg diese Ideen in dem Buch „Die Kultur des weiblichen Körpers“ wiederge-

Marcel Dudovich, Der Humpelrock, Zeichnung aus dem Simplizissimus, 1912

geben. Er sagt darin dem Korsett in all seinen Abarten und auch der Befestigung des Rockes in der Gürtellinie den Kampf an. Das Kleid der Frau soll an den Schultern aufgehängt werden und lose den Körper umspielen. Weitere Forderungen sind die gerade und schmale Schnittform und eine sparsame Verzierung. Gerade die letzte Forderung war besonders zu betonen, da noch immer vielerlei Materialien neben Stickerei an den Kleidern verwendet wurde. Tatsächlich fanden sich auch Frauen, die dieses „Reformkleid", wie es genannt wurde, getragen haben, obgleich sie damit von verschiedenen Seiten angegriffen wurden. Diese Formen standen im offenen Gegensatz zu den durch die Modezeitschriften und durch die damals schon vorhandene Konfektion verbreiteten Modellen.

Künstler wie Gustav Klimt, Josef Hoffmann, Koloman Moser und andere setzten sich für diese Bewegung ein und entwarfen Modelle für einzelne Modeateliers, wie zum Beispiel für das Atelier der Schwestern Flöge. Es hat einige Zeit gedauert, ehe man sich entschloß eine Modeabteilung an die Wiener Werkstätten anzuschließen. Es wurde 1909 durchgeführt und 1911 bekam diese auch die Gewerbeerlaubnis. Ein steiniger Weg lag bis zu diesem Erfolg hinter ihnen, nur langsam wurden weitere Kreise als Kunden erfaßt. Da für diese Kleidungsstücke oft die Stoffe angefertigt und selbst bedruckt wurden, waren sie in der Herstellung teuer und nur wenige Frauen konnten sich die Original-Modelle leisten. Trotzdem griff diese künstlerische Bewegung auf dem Gebiet der Mode immer weiter um sich, und kleinere Ateliers führten diese Ideen aus. Sogar das Ausland, vor allem Paul Poiret in Paris, wurde auf den in Wien stattfindenden künstlerischen Wandel aufmerksam. Er kam nach Wien und arbeitete mit den Wiener Werkstätten bis zum Ersten Weltkrieg zusammen. Er kaufte dort Stoffe und Accessoires ein und erörterte persönlich mit Eduard Wimmer-Wisgrill, dem Leiter der Modeabteilung, die laufenden Probleme. Durch diese Zusammenarbeit gewannen die Wiener Werkstätten mehr Ansehen im eigenen Land.

Die Modeabteilung der Wiener Werkstätten hatte ein wechselvolles Schicksal. Seit ihrer Gründung im Jahre 1909 wuchs bis 1916 das angestellte Personal auf 110 Arbeiter und 55 kaufmännische Angestellte, wie es das Handelsregister der Stadt Wien berichtet. Doch blieb es nicht bei diesen Zahlen. Der damals fabriksmäßig angelegte Betrieb wurde in den späten zwanziger Jahren reduziert und immer wieder andere Leiterinnen genannt. Man hatte neben den Werkstätten Verkaufsräume, nicht nur in der Wiener Innenstadt, sondern auch in Karlsbad, dem Mode-Bad der damaligen Zeit. 1932 wurde die Modeabteilung der Wiener Werkstätten aus finanziellen Gründen aufgelöst.

Aber nicht nur die Modeabteilung der Wiener Werkstätten sorgte für die Verbreitung dieser Ideen. Die Kunstgewerbeschule, die k. k. Zentrallehranstalt für Frauengewerbe, der österreichische Werkbund, neben anderen Vereinen und kleinen Kunstgewerbeateliers arbeiteten mit dieser neuen Formenwelt. Ja selbst die Haute Couture von Wien, die k. k. Kam-

E. J. Wimmer-Wisgrill, Entwurf für ein Kleid. 24. 9. 1912. Wien, Hochschule für angewandte Kunst

merlieferanten des Hofes, schlossen sich diesem Trend an, so daß auf der Modeausstellung im k. k. Österreichischen Museum für Kunst und Industrie im Jahre 1916 kaum ein Unterschied zwischen den Kleidern verschiedener Herkunft festzustellen ist, wie es die damals herausgegebene Modellmappe zeigt.

Diese Bestrebungen zur Einfachheit der Form unter Beschränkung des Ornamentalen, wie es in der Baukunst schon im ersten Jahrzehnt von Otto Wagner und anderen Architekten durchgeführt wurde, sind um 1910 auf das Gebiet der Kleider-Mode durchgedrungen und bestimmen ihren Ablauf.

Wie nun äußern sich die konventionellen Modezeitschriften zu diesen Problemen, hervorgerufen durch die Wiener Werkstätten, in Deutschland durch den Werkbund und in Paris durch die Nouveaux Arts? Von 1900–1909/10 zeigen diese Blätter die gleiche Art der Figurinen mit überbetonter Büste. Die damals abgebildeten Kleider haben denselben Grundschnitt und sind nur mit anderem Aufputz und Material geschmückt. Sehr langsam setzt sich daneben das Prinzeßkleid, wie es in den Heften bezeichnet wird, durch. Dieses bringt den Übergang zu der von den Künstlern vorgeschlagenen schmalen Silhouette, die, wie anfangs festgestellt wurde, schon um 1880 zur Diskussion stand, sich aber nicht durchgesetzt hat. Welches die Gründe dafür waren, wird man nie bei einer Mode ermitteln können, weil eine Vielzahl von Trägern und Herstellern entscheidet, was als neue Kleider-Mode getragen werden soll. Werner Sombart weist in seinem Buch „Wirtschaft und Mode“ daraufhin, daß viele Modelle in den Modehäusern liegen geblieben sind, weil sie nicht Mode wurden, das heißt von den Kunden nicht akzeptiert wurden.

Im Gegensatz zu dem ersten Jahrzehnt des 20. Jahrhunderts, das keinen bedeutenden Wandel in der allgemeinen oder Konfektionsmode gebracht hat, wird diese nach 1910 wieder aktiver und startet selbst allerlei Versuche. In Paris und New York kam als Neuheit der Hosenrock für die Dame auf. Diese Idee übernahmen die Wiener Schneider. Wie dieses vor sich ging, schildert sehr anschaulich das Illustrierte Wiener Extrablatt aus dem Jahre 1911: „Das Debut des Hosenrockes auf der Wiener Ringstraße“ prangt als große Überschrift eines langen Artikels: „Der Mittagskorso auf der Ringstraße wickelte sich infolge der neuen Erscheinungen nicht in gewohnter glatter Weise ab. Der Verkehr stockte, alles umdrängte die Hosenrockträgerin und betrachtete sie von vorn, von rückwärts, wie auch von den Seiten. Eine nach hunderten zählende Menschenmenge bildete die Kortege der Debütantin, welche zunächst ruhig ihren Weg fortsetzte, bis sie schließlich doch gezwungen war der höhnenden Menge zu weichen ...“ Die Frage, wer die Dame war beschäftigte noch lange, die sich stauende Menge. Der Berichterstatter des Illustrierten Wiener Extrablattes lüftete das Geheimnis: „Es war eine Probiermamsell einer Wiener Schneiderin.“ Man begnügte sich nicht im März 1911 mit langen Beschreibungen der Exzesse in den Tageszeitungen, sondern fügte auch Karikaturen und eine Zeichnung bei, wie die Dame vor der Menge durch die Polizei gerettet wurde. Auch die Präsentation des Hosenrockes auf der Bühne brachte keinen Erfolg, trotz der in Wien vorhandenen Leidenschaft für das Theater. Ja selbst in Paris und New York wurde er abgelehnt. Schlitz- und Humpelrock riefen ebenso, wie ein zu großer Damenhut 1914, Demonstrationen hervor, bei denen die Polizei einschreiten mußte.

Es ist interessant anhand der Berichte in Mode-, Tageszeitungen und satirischen Zeitschriften festzustellen, wie und warum dieser Wandel von den Zeitgenossen in der Presse beobachtet und verbreitet wurde.

Um 1880 nimmt man in den Modezeitungen kaum Notiz von einem Wandel der Formen. Allgemeine Artikel über die Mode sind darin sehr selten zu finden. Die gezeichneten Modelle werden bis in alle technischen Einzelheiten beschrieben und der oft schon vorhandene Papierschnitt und auch die Herstellungsfirma angepriesen. Wesentlich sind in diesen Heften die Stickereien und andere Handarbeiten als Beschäftigung für die Damen.

Das Neue Wiener Tagblatt, ein politisch orientiertes Blatt, bringt in den Jahren um 1880 keinerlei Modeberichte, noch Kritiken an irgendeiner Kleidungsart. Lange Beschreibungen über Hof- und Faschingsfeste werden darin gebracht, wobei das gesellschaftliche Ereignis mit den darin handelnden Personen dargestellt wird. Gelegentlich werden besonders wertvolle Kleider der Damen beschrieben.

Man scheint mit der Mode in der Damenkleidung so weit einverstanden gewesen zu sein, daß sogar der „Floh“ und der „Figaro“, die humoristischen Wochenblätter, keine Karikaturen über die Mode brachten, was immer ein beliebtes Sujet in allen Zeiten war.

Erst in den neunziger Jahren ändert sich diese Einstellung und man versucht mit Besinnung auf die historischen Stile Änderungen auch in der Mode zu bringen. Man beginnt sich an das Empire- und an das Prinzeßkleid zu erinnern. So schreibt die Illustrierte Frauenzeitung 1892 unter dem Titel „Neue Moden“: ... „Das Empire-Kostüm, das eine tiefgehende Umwälzung der Mode bedeuten würde, erscheint bis jetzt nur als kaprizöse einzelne Laune. Sein Schicksal wird sich erst in der nächsten Gesellschafts-Saison entscheiden.“ Es hat aber noch wesentlich länger als eine Saison gedauert, ehe man es in den Modezeitschriften nach der Jahrhundertwende lanciert hat.

Wie alle diese Entscheidungen von der herrschenden Gesellschaftsschicht abhängig waren, geht aus dem nun wöchentlich erscheinenden Beiblatt Frauenzeitung des Neuen Wiener Tagblattes aus dem Jahre 1900 hervor. Darin wird berichtet, daß eine Mode-Ausstellung verbunden mit einem Bazar vom Wiener Modeclub geplant wurde. Die zu zeigenden Modelle und Modezeichnungen mußten von Patronessen ausgesucht werden, damit sie keinen Anstoß erregten. Wie weit das gehen konnte, kann man aus den späteren Exzessen auf der Ringstraße ablesen. Um 1900 war der Kampf um eine neue Mode schon sehr lebhaft. Nicht nur die Künstler und bewußten Reformer nahmen diesen Kampf auf, sondern auch die humoristischen Blätter, vor allem der Simplizissimus, unterstützten die neue Bewegung zu mehr Freiheit in den Formen.

Die Tageszeitungen aber dienten bis ca. 1914, wie man es aus den eingehenden Darstellungen der Exzesse auf der Ringstraße gegen neue Moden herauslesen kann, der konservativen Richtung, der damals führenden Gesellschaft des österreichischen Adels. Der eigentliche Wandel zu einer praktischen und tragbaren einfachen Mode, die von den Wiener Werkstätten, dem Werkbund und anderen Vereinen gefördert wurde, hat dann während und nach dem Ersten Weltkrieg weitere Bevölkerungskreise ergriffen, als der k. k. Hof aufhörte das gesellschaftliche Leben zu bestimmen.

Allgemein interessant ist noch ein Bericht des Neuen Wiener Tagblattes aus dem Jahre 1913, in dem es um ein Preisausschreiben für das Modell eines Wiener Kleides geht. Es wurde von einem Jung-Wiener-Modekomitee für die Schaffung einer Wiener Damenmode ausgeschrieben. Mit der Künstlerschaft bildeten sachkundige Fachleute die Jury. Dazu bringt die Zeitung eine sehr treffende allgemeine Formulierung für den Mode-Wandel: „Der Künstler strebt dem Schönen zu ohne alle Relativität des Gegenwärtigen und Gestrigen, während der Schneider erfahrungsgemäß weiß, daß sich nur jene Form durchsetzen läßt, die irgendwie organisch aus dem bestehenden abgeleitet werden kann."

Literatur und Quellen (in Auswahl):

Der Bazar. Berliner Illustrierte Damenzeitung. Jg. 1879 – Der Figaro. Satirisches Wochenblatt. Jg. 1879 – Der Floh. Satirisches Wochenblatt. Jg. 1880 – Die Damenwelt. Jg. 1917 – Illustrierte Frauenzeitung. Ausgabe der Modenwelt mit Unterhaltungsblatt. Jg. 1892 – Illustriertes Wiener Extrablatt. Jg. 1911 – La Mode Illustrée. Journal de la famille. Jg. 1881, 1902, 1903 und 1905 – Modejournal Wiener Chic. B. Finkelstein. Jg. 1908/09 – Neues Wiener Tagblatt. Jg. 1880, 1913 und 1914 – Wiener Frauenzeitung. Beiblatt zum Neuen Wiener Tagblatt. Jg. 1900 – Wiener Mode Kunst. Modellalbum 1917. – FRIEDRICH AHLERS-HESTERMANN, Stilwende. Berlin 1941 – GERDA BUXBAUM, Mode aus Wien (1815–1938). Salzburg 1986 – BERNWARD DENEKE, Die Mode im 19. Jahrhundert. In: Studien zur Medizingeschichte des 19. Jahrhunderts. Bd. III (1969) – Finale und Auftakt. Wien 1898–1914. 1962. – TRAUDE HANSEN, Wiener Werkstätte. Mode, Schmuck, Accessoires. Wien 1984 – LUDWIG HEVESI, 100 Jahre Wiener Mode. In: Altkunst – Neukunst. 1909 – Modellmappe aus der Modeausstellung im k. k. Österreichischen Museum für Kunst und Industrie. Wien 1916 (Sonderausgabe der Frauenzeitschrift „Wiener Mode") – INGEBORG PETRASCHECK-HEIM, Die Sprache der Kleidung. Wesen und Wandel von Tracht, Mode, Kostüm und Uniform. 1966 – PAUL SCHULTZE-NAUMBURG, Die Kultur des weiblichen Körpers als Grundlage der Frauenkleidung. 1903 – ANGELA VÖLKER, Wiener Mode und Modefotografie. Die Modeabteilung der Wiener Werkstätte 1911–1932. München 1984.

Eugenie Hanreich

KINDERWELT

Die Welt der Kinder um 1900 ist geprägt von Gegensätzen: Dem Luxus des Adels und Großbürgertums steht die Not der Armen gegenüber. Alle Lebensbereiche der Kinder sind einem starken Wandel unterworfen. Die Grundlagen für unsere heutige Kinderkultur werden in jener Zeit gelegt.

Betrachten wir den Beginn des Lebens der Kinder jener Zeit, so fällt uns die verschiedene Einstellung zur Geburt auf: Die Hausgeburt gilt als normal, eine Spitalsgeburt gilt als Zeichen der Armut, obwohl die Wiener geburtshilfliche Schule große Erfolge hatte – 1877 wurde in der Wiener Gebärklinik der erste glücklich verlaufene Kaiserschnitt durchgeführt – und 1882 ein geburtshilfliches Operationsinstitut eröffnet wurde. Voraussetzung für eine Hausgeburt waren die Hebammen, die in das Geburtshaus kamen. In Österreich-Ungarn wurden in 18 Hebammenlehranstalten über 30 000 Hebammen ausgebildet. Die Rechte der Hebammen waren bereits 1854 festgelegt worden. 1886 organisieren sie sich in einem Hebammenverein und gaben eine Fachzeitschrift „Die kluge Frau" heraus. Der Rückgang der Zahl der Hebammen wird durch die verbesserten Verkehrsbedingungen, den Ausbau des Kommunikationsnetzes und vor allem durch den drastischen Geburtenrückgang bedingt. Diesen ab der Wende zum 20. Jahrhundert mit dem ersten Tiefpunkt in den Jahren der Not des Ersten Weltkrieges muß man in Zusammenhang mit den Veränderungen in der Gesellschaft sehen. Eine große Kinderzahl bedeutete für besitzlose Bürger wie Beamte oder Privatangestellte eine Senkung des Lebensstandards. Auch waren bei Familienunternehmen nicht eine große Zahl von Erben, sondern qualifizierte Kräfte erwünscht. Hingegen waren bei den Proletariern und Bauern Kinder noch am Beginn des 20. Jahrhunderts die wichtigste Form der Altersversorgung. Außerdem trugen diese Kinder schon frühzeitig zum Familienunterhalt bei. Österreich stand zwar 1787 an der Spitze der Kinderschutzgesetzgebung in der ganzen Welt, als Kaiser Joseph II. in einem Hofkanzleidekret bestimmt hatte, daß Kinder vor dem Antritt des 9. Lebensjahres nicht ohne Not zur Fabriksarbeit aufgenommen werden dürften, aber dieses Gesetz wurde nach seinem Tod aufgehoben und erst 1842 wird die Arbeit von Kindern unter zwölf Jahren verboten. 1885 im ersten Gesetz zum Schutz der Fabriksarbeiter wird Kinderarbeit, Nachtarbeit von Frauen und Jugendlichen untersagt und die Höchstarbeitszeit auf elf Stunden je Tag festgelegt. 1895 wird die Arbeit von Kindern unter 14 Jahren verboten. Diese Reihe von Gesetzen zum Verbot der Kinderarbeit sagt eigentlich schon aus, wie oft diese Gesetze nicht eingehalten wurden. Doch nicht nur Kinderarbeit war ein Problem bei den Arbeiterfamilien, sondern auch die Wohnungsnot. Wenn wir uns vor Augen halten, daß in der Ringstraßenzeit ein Drittel der Wohnungen in Wien nur aus 1–2 Wohnräumen bestand und z. B. in Ottakring 1890 26% sämtlicher Kleinstwohnungen (Zimmer und Küche) mit sechs bis zehn Personen belegt waren, so können wir uns die menschlichen und hygienischen Probleme der Menschen vorstellen. Eine Erleichterung für die arbeitenden Frauen brachten die Kinderbewahranstalten, deren Zahl von 1875 bis 1914 von 17 auf 40 und die der dort betreuten Kinder von 30 927 auf 84 267 stiegen. Zahlreiche Asyle, Wärmestuben, Suppenküchen sollten das Elend der Bevölkerung in Wien lindern. Die Wohltätigkeit linderte die tägliche Not, die Ursache beseitigte sie nicht.

Die Sorge um die Gesundheit der Kinder führte vor dem Ersten Weltkrieg zu einer Welle von Spitalsgründungen: das Preyersche Kinderspital 1910, das Zentralkinderheim in Gersthof 1910 und die Reichsanstalt für Mutter- und Säuglingsfürsorge in Glanzing 1914. Die Gemeinde Wien schickte bereits seit 1865 Wiener tuberkulose Kinder in private Hospize nach Bad Hall, Sulzbach und San Pelagion. Die Gemeinde erwarb dann 1905 die Hospize und baute sie aus.

Neben der Verbesserung der medizinischen Versorgung der Kinder hatten vor allem die Erfindungen im Bereich der künstlichen Ernährung den Kindern bessere Überlebenschancen gebracht. Durch Jahrhunderte gewährte die Ernährung mit Frauenmilch den Kindern die einzige wirkliche Möglichkeit zu überleben. Ende des 19. Jahrhunderts gelang es dann der Wissenschaft, die Vorzüge der Frauenmilch wie bessere Verdaulichkeit und Förderung von Antikörperproduktion zu erweisen. In der zweiten Hälfte des 19. Jahrhunderts setzten sich wieder feste Stillzeitenregelungen durch, auch wenn der berühmte Geburtshelfer Boer (1751–1835) bereits gegen die kalten, blödsinnigen Pedanten wetterte, die sich an bestimmte Zeiten beim Stillen hielten. Die Ärzte Czerny und Keller haben, durch eingehende Studien der Verweildauer der Milch im Magen gestützt, folgende Empfehlungen herausgegeben, die wir heute noch in vielen Lehrbüchern in Europa finden: fünfmal Stillen täglich in Abständen von vier Stunden mit einer achtstündigen Nachtpause.

Auch wenn die Muttermilch von Ärzten und Hebammen immer wieder empfohlen wurde, so war das Ammenwesen im 19. Jahrhundert eine so selbstverständliche Institution, daß man in gehobenen Kreisen die Möglichkeit, selbst stillen zu können, gar nicht in Betracht zog. Bequemlichkeit und Sorge um die Linie veranlaßten wohlhabende Mütter, sich eine Amme zu nehmen. Oft war es auch der Wunsch des Nichtverzichtens auf Vergnügen und Repräsentation während der Stillperiode, die sie auf die Suche nach einer Amme gehen ließen. Es gab immer Frauen, die in der Lage waren, zwei Kinder zu stillen, und es war eine Möglichkeit, zusätzlich Geld zu verdienen. Es gab eine Art Ammenmarkt, wo man sich eine Frau zur Betreuung seines Kindes aussuchen konnte. Bei der Wahl einer guten Amme mußten zahlreiche Aspekte berücksichtigt werden. In Wien galten die hannakischen Ammen als besonders empfehlenswert. Noch um die Jahrhundertwende promenierten im Belvederegarten die Frauen in ihrer Heimattracht mit den herausgeputzten Sprößlingen wohlsituierter Familien.

Am Beginn des 20. Jahrhunderts verlor das Ammenwesen aus verschiedenen Gründen seine Bedeutung:

1. waren die Schwierigkeiten bei der Wahl einer Amme groß, vor allem war auch die Furcht vor der Übertragung von Krankheiten gewachsen.

2. wurden in den Städten sogenannte Muttermilchsammelstellen eingerichtet.

3. hatte sich die Qualität der künstlichen Nahrung entscheidend verbessert.

Die Zubereitung der Tiermilch als Ersatz für die Mutter- oder Ammenmilch verursachte, oft durch mangelnde Sauberkeit, beim Kind schwere Verdauungsstörungen. Durch die Erkenntnisse von Robert Koch, der die bakterielle Verunreinigung der Milch nachgewiesen hatte und daraus den Vorschlag entwikkelte, die Milch aufzukochen, konnte man manche Probleme meiden, doch eine wirkliche Sterilisation wurde erst durch den Münchner Chemiker Franz von Soxhlet (1848–1926) erreicht. Er führte 1886 sein Milchkochverfahren vor: Die Flaschen mit der Tagesration wurden mit wohlschließenden Kautschukpfropfen versehen und dann vierzig Minuten im Wasserbade gekocht – die sterilisierte Milch hielt sich dann vier bis sechs Wochen keimfrei. Da der Anschaffungspreis eines Soxhletschen Apparates ein relativ hoher war (14–18 fl um 1890) und die umständliche Handhabung viel Zeit in Anspruch nahm, konnten sich die Anschaffung nur Wohlhabende leisten. Daher wurde die Forderung erhoben, die Milch im Großen nach dem Soxhletschen Prinzip zu sterilisieren und Herr Heinrich Stössler widmete sich 1889 in Wien 1, Teinfaltstraße 1, dieser Aufgabe. Es zeigten sich jedoch bei so ernährten Kindern bald Mangelerscheinungen, und es wurden als Reaktion das Verfahren der Niedrigerhitzung nach Pasteur oder der Genuß der rohen Milch empfohlen.

Justus von Liebig erzeugte 1865 seine berühmte Malzsuppe, für deren Herstellung er das Eiweiß-Kohlehydratverhältnis der Frauenmilch zugrunde legte. Diese Nahrung wurde der Vorläufer der durch den Röstprozeß dextrinisierten Kindermehle (z. B. Nestle), die sich bald größter Beliebtheit erfreuten. Die aufblühende Nährmittelindustrie trug mit ihrer Propaganda ebenfalls zur Minderung des Stillwillens der Frauen bei.

Bis ins letzte Drittel des 19. Jahrhunderts war eine konische Form der Kindermilchfläschchen in verschiedener Ausstattung (bemalt, geschliffen . . .) in Gebrauch. Der uns geläufige Typ der zylindrischen Flasche setzte sich um die Jahrhundertwende in der Produktion der Glasfabriken durch. Der Preis von ca. sieben Pfennig um 1900 war erschwinglich. Trotzdem mußten die Menschen aus den sozialen Unterschichten der Städte alles, was erreichbar war, zum Babyflascherl umfunktionieren. Da wurde auf eine Bier-, Schnaps- oder Limonadeflasche ein Stück Schwamm aufgesetzt, darüber ein Stück Leinen oder Leder gelegt und dieses mit einem Bindfaden festgeschnürt. Diese Art Schnuller barg die Gefahr der Verunreinigung. Besser geeignet waren die Gummisauger, die nach der Erfindung des Kautschuks um 1850 in Amerika auch bald den europäischen Markt eroberten.

Nicht nur die Ernährung, sondern auch die Kleidung gehörte zu den Grundbedürfnissen des Menschen. Die Säuglinge wurden bei den Armen in Tücher geschlagen und mit einem Fatschenband umwikkelt, während hübsch verzierte Garnituren ein Stolz der bürgerlichen Mütter waren. In den achtziger Jahren des vorigen Jahrhunderts verwendete man zur Auszier des Steckkissens mit dem dazu passenden Hemdchen und Jäckchen am häufigsten Loch- und Weißstickerei. Das Tragkleidchen war meist aus Piqué. In den ersten Lebensjahren trugen sowohl Mädchen als auch Buben Kleider, da dies bedeutend praktischer für die Erziehung zur Sauberkeit war. Mit drei Jahren wurden dann die kleinen Buben behost. Besonders beliebt waren zu jener Zeit die Matrosenanzüge, die wie die sonst üblichen Knabenanzüge aus vier Teilen bestanden: einem Leibchen, an welchem die Hose geknöpft war, und einem darüber getragenen Kittel, einer Bluse und einer Jacke. Als Material verwendete man zu jener Zeit sehr gerne den aus England kommenden Trikotstoff, heute auch Jersey genannt. Der Baumwollstoff verdrängte im ländlichen Bereich das selbstgewebte Tuch und das Leinen.

Die feinen Knaben der Gründerzeit trugen an Feiertagen gerne schwarze oder blaue Samtanzüge mit Van Dyck-Spitzenkragen. Zu jener Zeit widmen auch die Modezeitschriften der Kinderkleidung immer mehr Raum. Die „Wiener Mode“ brachte ab 1894 sogar alle drei Monate eine Beilage „Wiener Kindermode“ mit genauen Schnittmustern und nützlichen Hinweisen heraus.

Die wesentlichste Veränderung in der Kinderkleidung brachte das neunzehnte Jahrhundert durch die Konfektion, die fabriksmäßige Herstellung von Standardkleidung. Außerdem kam es im 19. Jahrhun-

Prospekt des Warenhauses Lessner für Kinderkleidung, 1915

dert auch zu einer Auseinanderentwicklung von Stadt- und Landkleidung, da das Bürgertum an Stelle der Aristokratie die Modeführung übernahm. Es entwikkelten sich die regionalen Trachten. Auch die kleinen Kinder, vor allem aber die Mädchen, wurden, sobald sie sich einigermaßen sauber halten konnten, in die Tracht gesteckt. Sie entsprach in Farbe und Form jener der Unverheirateten.

Die feinen Mädchen, die sich nach den Angaben der Modezeitungen kleideten – nach den Fotos zu schließen, ist dies allerdings nicht sehr häufig – tragen im letzten Viertel des 19. Jahrhunderts das „Prinzeßkleid", auch das Kleid mit tiefer Taille genannt. Es ist in durchgehenden Bahnen geschnitten und der Rock besteht nur noch aus ein bis zwei angesetzten Volants.

Die kurzärmeligen Sommerkleider aus Waschstoffen (Baumwolle oder Leinen) gearbeitet, tragen oft weiße oder farbige Stickereien. Die Kleider werden auch mit großen Schleifen aus Baumwoll-Satin oder Taft garniert, welche zum Waschen leicht abgetrennt werden können. Farbige Strümpfe, passend zur Garnitur oder Stickerei gewählt, gehören ebenfalls zu diesen Kleidern. Bunte Strümpfe, geringelt, kariert, durchbrochen oder mit besticktem Zwickel werden in den achtziger Jahren viel getragen. Die langärmeligen Winter- und Festkleider sind immer hoch geschlossen und heißen deshalb auch „hohe Kleider". Sie haben oft den Charakter eines Mantels oder Kostüms und die vordere Mitte ist wie ein Westeneinsatz gearbeitet. Für diesen Mittelteil wird häufig ein glänzender Seidenstoff (Satin, Duchesse oder Damast) verwendet, während für die Kleider selbst Wollstoffe wie Kaschmir, Cheviot, Kammgarn und Tuch an erster Stelle stehen.

Die Reformbewegung um 1900 brachte die Tendenz zu einer praktischen, sportlichen, bequemen Kinderkleidung. Das Gewicht des Kleides wird von der Taille auf die Schulter verlegt. Man lehnt schwere Stoffe und reiche Garnituren ab. Hängekleider und Blusenkleider werden beliebt. Aus England kommt die Smoktechnik, die meist zur Ankrausung der Schulterpartien eingesetzt wird.

Als Stoffe werden waschbare Materialien wie Baumwolle für den Sommer, Barchent und Piqué für den Winter, bevorzugt. In den Verzierungen wird das Gefühl des Jugendstils sichtbar.

Der Kleidungswandel ist bedingt durch ein anderes Angebot an Waren, bzw. anderen Produktionsbedingungen, einer anderen Einstellung zu den Kindern, zum Körper und zur Gesellschaft.

Ebenso gewandelt hat sich das Spielzeug für die Kinder. Der Stand der Technik hat sich geändert und dies zeigt sich auch bei einem Blick ins Kinderzimmer. Um die Jahrhundertwende konnte man getreue Abbilder der großen Eisenbahnen finden mit allen gängigen Antriebsmöglichkeiten: Uhrwerk, Dampf- und elektrischen Antrieb.

Die Spielzeugeisenbahnmodelle, die nach der ersten Bahnfahrt von Fürth nach Nürnberg 1835 erzeugt wurden, waren aus Zinn gegossen. Die Spielzeugindustrie bot (und bietet – man denke nur an die Raketenmodelle) sehr schnell die neuen Erfindungen an. 1885 wurde das Auto erfunden und dreizehn Jahre später produzierte Bing bereits die ersten Spielzeugautos. Auch Luftschiffe und Flugzeuge wurden bald ins Verkaufsprogramm übernommen. Die Knaben sollten die Grundlagen von Naturwissenschaft und Technik bereits früh vermittelt erhalten, während das Mädchen sich vor allem auf ihre Rolle als Hausfrau und Mutter vorzubereiten hatte. Es erhält Nähutensilien, Waschtrog und Rumpel, Puppenhäuser, . . . und kann damit die Tätigkeiten der erwachsenen Frau nachspielen. Dies machten schon immer die Kinder am Lande, die z. B. kleine Holzstücke („Grasochsen") weiden ließen. Sie fertigten meist ihr Spielzeug selbst oder ein Mann aus dem Dorf baute ihnen kleine mechanische Wunder. Auch die Wanderhändler aus den Spielzeugproduktionsgebieten (Erzgebirge, Grödnertal, Berchtesgaden, Viechtau) brachten ihre Waren bis in die entlegensten Landstriche.

Das Bürgertum entwickelte das Christfest zu einem Kindergeschenktag und auch die Feier des Geburtstages und des Namenstages waren ein Anlaß für Geschenke. Die Kindergeburtstage dürften im 19. Jahrhundert aus dem Kränzchenwesen der Oberschichten hervorgegangen sein. Die Protestanten setzten die Feier des Geburtstages dem katholischen Brauch der Namenstagfeier entgegen. Dieser hatte sich erst im Zuge der Gegenreformation durchgesetzt. Seit Ende des 19. Jahrhunderts werden Bildpostkarten mit Wünschen für die Namenstags- oder Geburtstagskinder gedruckt. Ebenso erschienen kleine Bücher mit Gratulationsgedichten und Vordrucke für Geburtstagsbriefe. Der Gugelhupf ist ebenfalls seit Mitte des 19. Jahrhunderts ein Bestandteil der Geburtstagsfeier. Das Wichtigste für die Kinder aber sind die Geschenke.

Eine Welt der Kinder – viele Aspekte könnten hier aufgezeigt werden – nur wenige werden herausgegriffen. Wenn wir aus Gegenständen von Familiensammlungen, aus den im 19. Jahrhundert sehr beliebten Kindheitserinnerungen, aus Warenangeboten und zeitgenössischen Abbildungen ein Puzzle zusammensetzen, wissen wir, daß wir uns historisch der damaligen Wirklichkeit annähern, sie aber nie erreichen können. Wir sollten uns bewußt sein, daß jeder Mensch seine Kindheit erlebt und jedes Ding für ihn eine bestimmte Bedeutung hat.

Literatur (in Auswahl):

PH. ARIES, Geschichte der Kindheit. 1975 – F. BALTZAREK, Wirtschaft und Gesellschaft der Wiener Stadterweiterung. Wiesbaden 1975 – R. FALKENBERG, Kindergeburtstag. Berlin 1984 – M. MITTERAUER – R. SIEDER, Vom Patriarchat zur Partnerschaft – R. MÜNZ, Kinder als Last, Kinder aus Lust. In: Demographische Informationen, Wien 1984 – I. WEBER-KELLERMANN, Der Kinder neue Kleider. Frankfurt 1985 – I. WEBER-KELLERMANN, Die Kindheit. Frankfurt 1979 – I. WEBER-KELLERMANN, Die Familie. Frankfurt 1977 – F. v. ZGLINICKY, Geburt. Braunschweig 1983.

Franz Baltzarek

FREMDENVERKEHR UND SPORT

Mit der industriellen Revolution entstanden für die Menschen völlig veränderte Arbeitsbedingungen. Die Einrichtung des industriekapitalistischen Systems stand unter dem Zeichen der Durchsetzung eines neuen Zeitbegriffs und einer neuen Einteilung der zu verrichtenden Arbeit. Systematisch wurden seit dem Merkantilismus, der Aufklärung und der Frühindustrialisierung die Arbeitszeiten der Menschen verlängert. Diese Wandlung betraf in erster Linie die Lebensweise der nun stark an Zahl zunehmenden Arbeiter in der Fabrik, denen Maschinen und laufende Kontrollen das Arbeitstempo vorschrieben. Aber nicht nur die Arbeiter, auch die übrigen Schichten der Bevölkerung wurden immer mehr von diesem neuen Arbeits- und Zeitbegriff vereinnahmt. Erst der Zerfall des „ganzen Hauses" und die Trennung von Wohnung und Arbeitsplatz haben die Begriffe Arbeit und Freizeit in ihrer heutigen scharfen Polarität ausgeprägt. Jetzt erst wurden Freizeit und Urlaub komplementäre Gegenstücke zur regulierten Arbeitszeit der Menschen, zum wichtigen Ausgleich von einseitiger Belastung des Körpers und der Psyche in der industrialisierten Arbeitswelt. Die Gestaltung des Freiraums im Urlaub, in der Freizeit am Wochenende und an den Wochentagen nach der Arbeit wurde durch die neuen Reglementierungen der Arbeitswelt erst richtig ins Bewußtsein der Menschen gerückt und beeinflußte hinfort die Art und Form des Fremdenverkehrs und der Freizeitgewohnheiten in Sport und Hobby.

Der Fremdenverkehr wurde ursprünglich nur von den adeligen Kavalierstouren, von Bildungsreisen der oberen Stände also, von Wallfahrten, von der Wanderbewegung der Gesellen des Zunfthandwerks, der Studenten und bestimmter Techniker und Spezialisten getragen und war nur zum geringen Teil auch von Kur- und Badeaufenthalten geprägt. Er lebte zum allergrößten Teil von Zweckreisen: Geschäftsreisen der Händler, Verwaltungsreisen der Beamten, Studienreisen der Wissenschaftler und Forscher.

Der Begriff Urlaub stammt aus dem feudalen Hofdienst. Dort war es schon immer üblich gewesen, Hofbedienstete zu beurlauben, wenn die Herrschaft sie nicht mehr unmittelbar benötigte. Dies war vor allem in den Sommermonaten der Fall, wenn sich der Hof und der Adel außerhalb der Residenz auf ihre Landgüter zurückzogen. Seit dem ausgehenden 18. Jahrhundert und im Biedermeier wurde in der sogenannten Sommerfrische das adelig-höfische Leben am Lande von gutsituierten bürgerlichen Kreisen kopiert. Erst ab der zweiten Hälfte des 19. Jahrhunderts öffnete sich allmählich einem weiteren Publikum aus den Mittelschichten – Freiberufler, Rentiers, Industrielle, Beamte und Offiziere – die Möglichkeit des Urlaubs und der Reisefahrten.

Die veränderten Freizeitnotwendigkeiten und -möglichkeiten machten sich unter anderen auch im Bedeutungswandel des Sport bemerkbar. An Stelle der älteren bäuerlichen und bürgerlich-städtischen Spiele etwa zu Kirchweih- und Schützenfesten, sowie an Stelle der adeligen Exerzitien (des Reitens, der Jagd, des Fechtens und Tanzens) traten neue moderne Sportarten. Turnen, Gymnastik und Sport wurden zu Reaktionen auf die Industrialisierung, Urbanisierung und den Bewegungsmangel bzw. Bewegungseinseitigkeiten der einzelnen Berufe. Die seit den späten achtziger Jahren des 19. Jahrhunderts schrittweise Reduktion der Arbeitszeiten begann sich belebend auf Fremdenverkehr und Sport auszuwirken. Die Gewerberechtsnovelle von 1885 brachte den 11-Stundentag für Fabriksarbeiter, im Bergbau wurde 1901 auf 9 Stunden reduziert, ebenso wurde die Sonntagsruhe für gewerbliche Betriebe vorgeschrieben.

DER FREMDENVERKEHR

Wie in anderen Staaten Europas war auch in den österreichischen Ländern in der ersten Hälfte des 19. Jahrhunderts eine gewisse Verbreiterung der Basis des Fremdenverkehrs zu verzeichnen. Die Besichtigung der Haupt- und Residenzstadt sowie der Kronlandshauptstädte, das Aufsuchen der Bade- und Kurorte zur Heilung und Linderung bestimmter Krankheiten, der Besuch von Nahzielen der Städter in der Umgebung bei Landpartien und Sonntagsausflügen und die „Sommerfrische“ hatten sich – begünstigt durch die Einführung der Postkutsche – stärker entwickelt. Vor allem die Verbindung des Schauens von Natur und Kultur hatte in den beiden letztgenannten Fällen eine große Bedeutung. Hier verbanden sich Rousseaus Ideen von der Loslösung des Einzelmenschen von der Gemeinschaft und Vorstellungen der Romantik vom Glück des Einzelnen in der Natur mit dem erwachenden Patriotismus im Gefolge der Napoleonischen Kriege: ein neues Freizeit- und Urlaubsgefühl oberer und gehobener mittlerer Schichten war geboren.

In der von uns hier zu behandelnden Periode ab Mitte des 19. Jahrhunderts bis zum Ersten Weltkrieg wurde der Grundstein zum modernen Fremdenverkehr als Massenerscheinung gelegt. Die Grundvoraussetzungen hiefür waren einerseits die Einführung der Eisenbahnen und andererseits die ersten Ansätze zu einer gesetzlichen Fixierung der Freizeit und des Urlaubsanspruches der arbeitenden Bevölkerung und schließlich auch noch Verbesserungen durch die Beseitigung des alten, umständlichen Paß- und Meldewesens sowie der beschwerlichen Zollformalitäten.

Die Eisenbahn erweiterte den Aktionsradius und die Aktionsmöglichkeiten der Reisenden beträchtlich. Gegenüber dem Pferdewagen und der Postkutsche bedeutete die Eisenbahn vor allem wichtige Zeiteinsparungen für die Reisenden und gleichzeitig auch eine wesentliche Verbilligung der Reisekosten. Obwohl am Vorabend des Ersten Weltkriegs weiten Teilen der Bevölkerung noch größere und zusammenhängende Freizeit und geregelter Urlaubsanspruch fehlten, so hatte sich doch der Kreis derer, die jetzt mehr Freiraum und ein höheres Einkommen besaßen, beträchtlich erweitert: zu den obersten und oberen mittleren Schichten kam nun das gehobenere Kleinbürgertum, sowie der durch den obrigkeitlichen Staat geförderte Beamten- und Offiziersstand. Gerade die Beamten hatten gegenüber den Arbeitern relativ große soziale Vergünstigungen. So wurden etwa 1873 im Deutschen Reich mit dem Reichsbeamtengesetz den Beamten freie, bezahlte Urlaubstage gewährt. Ähnlich war es in Österreich. Hier erhielten die Handelsangestellten als erste Arbeitnehmergruppe 1910 ihr verbrieftes Urlaubsrecht. Seit den ausgehenden achtziger Jahren reduzierte sich die Arbeitszeit ständig.

Die österreichischen Länder boten für den Fremdenverkehr abwechslungsreiche Möglichkeiten, die vom beschaulichen Sommerfrischenaufenthalt, über den Kur- und Bäderbetrieb bis hin zum Meeresaufenthalt an der Adria, vom Alpinismus und Höhenluftkurort bis zum Städtetourismus und der Besuchsmöglichkeit historischer und antiker Stätten reichten. Der

Ausbau des Eisenbahnnetzes hat das Aufsuchen dieser Reiseziele wesentlich erleichtert. Knapp nach 1870 waren die Hauptadern des cisleithanischen Eisenbahnnetzes fertiggestellt, z. T. war man auch schon in die für den Tourismus so verlockenden Nebentäler vorgedrungen und erschloß damit die Naturschönheiten der Alpen, des Böhmerwaldes und der Karpaten.

Wenn wir uns im folgenden beispielhaft auf die Alpenländer beschränken, so erschlossen Bahnlinien schon in den siebziger Jahren das Pustertal und das Salzkammergut, die Linien Selzthal–Bischofshofen und Salzburg–Wörgl waren dem Verkehr übergeben und regten den Fremdenverkehr an. 1882 wurde die Mühlkreisbahn, 1884 die Arlbergbahn eröffnet. Bei der 1886 eröffneten Lokalbahn Salzburg–Hellbrunn–St. Leonhard/Gartenau–Drachenloch/bayrische Grenze kann man bereits eindeutig nachweisen, daß sie in erster Linie aus Erfordernissen des Fremdenverkehrs gebaut wurde. Die Erlauftalbahn brachte den Fremden das Ötschergebiet näher. 1887 fuhr erstmals die Bergbahn auf den Gaisberg bei Salzburg. In Tirol wurde 1889 die Achenseebahn von Jenbach zum Achensee dem Verkehr übergeben, 1891 die Präbichlbahn vom Erzberg nach Vordernberg eröffnet. Die Landesbahn Kapfenberg–Seewiesen brachte dem Touristen Hochschwab und Mariazellergebiet näher. Die Lokalbahn Salzburg–Ischl wurde zwischen 1890 und 1893 fertiggestellt. Eine der landschaftlich schönsten und technisch schwierigsten Lokalbahnen Österreichs war die 1891 eröffnete Strecke Mori–Arco–Riva. Die Schafbergbahn erschloß 1893 als erste eine Alpenregion. 1897 folgte die Schneebergbahn, deren Talstrekke Wr. Neustadt–Fischau–Puchberg mit der Zahnradbahn auf den Schneeberg vervollständigt wurde. Mariazellerbahn und Pielachtalbahn standen nun ebenfalls dem Fremdenverkehr zur Verfügung. Weitere Verbesserungen brachte dem Tourismus der Bau einer zweiten Bahnverbindung nach Triest 1901–1909. Die nördliche Strecke dieser Route erschloß mit der Pyhrnbahn 1906 das Kalkalpengebiet von Windischgarsten, die Tauernbahn aber, 1909 eröffnet, führte von Schwarzach/St. Veit im Pongau durchs Gasteiner Tal. Eine wichtige Touristenstrecke wurde ferner die Pinzgauer Bahn von Zell am See nach Krimml (Wasserfälle, Venedigergruppe).

M. Esterle, Winter in den Beskiden bei Bielitz-Biala. Wien, Graphische Sammlung Albertina

Für den regionalen Nahverkehr von Wien waren Linien bedeutsam, die nach Stammersdorf, Hietzing und Mödling errichtet wurden. Die erste elektrisch betriebene Bahn Österreichs von Mödling in die Hinterbrühl wurde 1883/84 eröffnet, die Badner Bahn und die Bahn Wien–Preßburg noch vor dem Ersten Weltkrieg.

An der österreichischen Adriaküste besorgten zahlreiche Schiffahrtslinien den Verkehr durch regelmäßige Fahrten. Die Passagierdampfer der Donauschiffahrt spielten eine wesentlich größere Rolle als heute. Der innerstädtische Verkehr wurde durch vermehrtes Lohnfuhrwerk und die Straßenbahn verbessert.

Die Eisenbahnen schufen jetzt auch größere Reisebequemlichkeiten. 1876 wurde die Schlafwagengesellschaft gegründet. Schlaf- und Speisewagen wurden auf allen kontinentalen Eilzugsrouten eingerichtet.

Bedeutend für die Ausweitung des Fremdenverkehrs war auch die Eröffnung von Reisebüros. Schon Mitte des 19. Jahrhunderts hatte Thomas Cook in England ein derartiges Unternehmen ins Leben gerufen. Insbesondere die Einrichtung von Gesellschafts-Pauschalreisen wirkte sehr förderlich. Ihr Begründer, der Berliner Louis Stanger, führte z. B. seit 1883 wiederholt Vergnügungsreisen nach Wien. Das System von Pauschalreisen in der Reisegruppe inkludierte die Fahrten, die Gepäcksbeförderung, den Aufenthalt samt Vollpension, den Transfer zu den Bahnstationen sowie die Auslagen für Besichtigungen von Sehenswürdigkeiten.

Die Zunahme des Fremdenverkehrs äußerte sich auch in der „Industrialisierung" des Beherbergungswesens. Hotels, Gasthäuser und Sommerwohnungen wurden neu- und ausgebaut. Schon in den siebziger Jahren war hier ein großer Aufschwung im Zusammenhang mit der Wiener Weltausstellung zu verzeichnen gewesen, eine Reihe großer Hotels war damals in der Ringstraßenzone entstanden. Die Südbahn baute in Toblach an der Pustertalbahn, am Haupteingang zu den Dolomiten 1878 ein Hotel, 1882 folgte das Südbahnhotel am Semmering, 1884 das Hotel „Quarnero" in Abbazia. Auch die Westbahn errichtete Hotels, so ein komfortables Alpenhotel in Zell am See. Seit den achtziger Jahren entstanden in allen größeren Fremdenverkehrszentren Hotels, z. B. in Salzburg das „Hotel de l'Europe" und der „Österreichische Hof". Ein Manager der Witkowitzer Eisenwerke, Paul Kupelwieser, machte aus der malariaverseuchten Adriainsel Brioni ein Ferienparadies.

Besonderen Ausbau erfuhren die Badekurorte. Sie erhielten nicht nur entsprechende Kurrayons; Kuranstalten wurden errichtet, Sanatorien und medizinisch betreute Einrichtungen geschaffen. Gemeindeämter und Kurkommissionen kümmerten sich um den Ausbau der Infrastruktur: eine Kurpromenade mit Denkmälern, Springbrunnen und Sitzbänken, Kasinos, Trinkhallen, ein Musikpavillon mit Kurkapelle sowie ein Kurtheater gehörte zur Ausstattung. Später kamen noch Sportplätze, besonders für Tennis, dazu.

Auch die normale Sommerfrische mit ihren Gasthöfen wurde verbessert. Weitgehend wurden eigene Speisesäle für die Fremden, getrennt von der allgemeinen Wirtsstube, eingeführt. Allmählich setzten sich auch Verbesserungen in der Ausstattung der Fremdenzimmer durch, und es erfolgte der Einbau des englischen Klosetts. Post, Telegraphie und Telefon wurden in diesen Orten verstärkt. Aussichtsstationen, Wanderwege, Zahnradbahnen und Gaststätten vervollständigten das Angebot.

Auch die Organisation des Hotelier- und Gastgewerbes sowie die bewußte Schulung des Personals nahmen ihren Anfang. 1885 fand der erste österreichisch-ungarische Gastwirtetag statt, 1888 wurde der Gastwirteverband gegründet. Zur Instruktion des Personals erfolgte 1908 die Eröffnung des ersten Jahrgangs der höheren Fachschule für Gehilfen von Gastwirten, Hoteliers und Kaffeesiedern in Wien.

Sehr wichtig für die weitere Entwicklung des Fremdenverkehrs war auch die Einrichtung von ständigen Festen, von Ausstellungen und die Abhaltung von Kongressen. Für Salzburg z. B. waren die eigentlichen Gründerjahre im Fremdenverkehr die beiden Musikfeste von 1877 und 1879. Erstmals tauchte dort 1887 der Gedanke an ständige Mozartfeste nach dem Vorbild der 1876 begründeten Bayreuther Festspiele auf, aber bis 1910 gelang es nur acht Musikfeste auf die Beine zu stellen, die Einrichtung der Festspiele blieb der Zwischenkriegszeit vorbehalten. Als wichtiges Beispiel hinsichtlich der Kongresse und Ausstellungen sei auf Wien verwiesen, das bis zum Ersten Weltkrieg zahlreiche bedeutende Veranstaltungen in seinen Mauern beherbergen konnte: 1884 Tagung der deutschen Naturforscher und Ärzte, 1886 7. Ornithologenkongreß, 1887 Österreichischer Städtekongreß, 1889 Anthropologenkongreß, 1890 14. Kongreß für Interne Medizin. An wichtigen Ausstellungen verzeichnete man in Wien z. B. 1892 die Internationale Theater- und Musikausstellung, 1895 die Wiener Kongreßausstellung, 1897 die Schubertausstellung, 1898 die Jubiläumsausstellung, 1899 die 1. Automobilausstellung, 1910 die Internationale Jagdausstellung sowie zahlreiche Kunstausstellungen.

Sommerfrische: Das Alpenhotel – Der Beserlpark. Aus: Glühlichter 23. Juli 1912

Freilich konnte man in vielem noch nicht mit der ausländischen Konkurrenz, vor allem mit der Schweiz und der Riviera, mithalten, aber gewisse Teile des Landes zeichneten sich bereits als prädestinierte Fremdenverkehrsgebiete ab: die böhmische Bäderlandschaft mit den Hauptorten Karlsbad, Franzensbad und Marienbad sowie Teplitz, die Thermenlinie südlich von Wien mit Baden und Bad Vöslau, das Vor- und Zentralalpengebiet des südlichen und südöstlichen Niederösterreich, das Salzburger Land, das Kärntner Seengebiet, die Tiroler Bergwelt und Teile der Adriaküste von Grado bis Abbazia.

Seit den ausgehenden siebziger Jahren des 19. Jahrhunderts bemühten sich zahlreiche Vereine um die Verbesserung der Bedingungen des Fremdenverkehrs. Schon der 1862 gegründete Österreichische Alpenverein, der 1873 mit dem 1869 in München gegründeten Deutschen Alpenverein zusammengelegt wurde, wirkte in diese Richtung, indem er 1876 ein „Komitee zur Hebung des Fremdenverkehrs" einsetzte. Er hatte 1882 rund 10.000, 1894 bereits 30.000 Mitglieder, für die er sich um Fahrpreisermäßigungen bei den Bahnen einsetzte, Wege ausbaute und markierte, Schutzhütten baute und das alpine Rettungs- und Bergführerwesen organisierte.

Besondere Pionierleistungen erbrachte auch der 1869 in Graz gegründete Verein der Gebirgsfreunde. Er bildete ein Fremdenverkehrskomitee für die Steiermark und bestand 1881–1897 als eigener „Verein zur Förderung des Fremdenverkehrs in Steiermark". Er sorgte sich um die bessere Zugänglichkeit für alle historischen Stätten und Sehenswürdigkeiten, Museen und Sammlungen, richtete ein Quartiervermittlungsbüro für Fremde in Graz ein und erstellte mit Hilfe der Polizeidirektion Graz eine Fremdenverkehrsstatistik.

Nach diesem Vorbild kam es in ganz Österreich bald zu zahlreichen ähnlichen Vereinsgründungen. 1888 wurde z. B. die „Gemeinderätliche Kommission für Fremdenverkehr" in Innsbruck gegründet, in Kärnten gab es schon seit 1882 den Landesfremdenverkehrsverband, ebenso in Wien, usw. 1884 fand in Graz auch ein Delegiertentag von Vereinen zur „Förderung des Fremdenverkehrs in den österreichischen Alpenländern" statt. 1885 richtete der sehr rührige Grazer Verein ein Musterfremdenzimmer im Hotel „Zur Goldenen Birn" (heute Parkhotel) in Graz ein.

All diese Vereine versuchten, die Infrastruktur für die Gäste zu verbessern, sie kümmerten sich z. B. um die Einführung von Preistafeln, damit es hinfort nicht mehr vorkam, daß Gastwirte und Hoteliers ihre Kundschaft bei den Preisen nach dem Aussehen einstuften. Sie gaben Fremdenzeitungen heraus, worin die regionalen Sehenswürdigkeiten angegeben waren, die Theater mit ihrem Repertoire, die Vergnügungslokale sowie Festveranstaltungen verzeichnet waren. Von ihnen veröffentlichte Fremdenführer sollten dem Touristen die Orientierung erleichtern.

Allmählich hob sich auch das Interesse von Gemeinden und Ländern an diesen Vereinen und zuweilen gaben sie ihnen bereits Subventionen. Auch Handels- und Eisenbahnministerium beteiligten sich an einer Verbesserung der Bedingungen für den Fremdenverkehr (etwa durch die Herausgabe ganzer Plakatserien). Als nächst höhere Stufe zu den lokalen und regionalen Verbänden kam es dann zur Schaffung von Landesverbänden. Diese beschritten gemeinsam mit den offiziellen Vertretern die Länder, mit den Abgeordneten der Landtage, den Bürgermeistern und anderen von Berufs wegen mit dem Fremdenverkehr Beschäftigten sowie den einschlägigen Ministerialstellen (bes. seit 1908 im Arbeitsministerium) neue Wege der Fremdenverkehrsförderung. 1890 wurde der „Landesverband der vereinigten Cur- und Fremdenverkehrsvereine in Tirol" geschaffen, 1893 folgte ein Vorarlberger Landesverband, 1901 die Dachorganisation für Steiermark, Oberösterreich, Wien und Niederösterreich.

All diese Institutionen versuchten nun, die Fremdenverkehrsbranche in Österreich auf internationales Niveau zu bringen. Allmählich hatte man nämlich erkannt, daß der Tourismus eine wichtige Einnahmsquelle sein kann, ein bedeutender Devisenbringer und Anreger für verschiedene Konsumgütererzeugung und Dienstleistungen: Kunstgewerbe und Juweliere, Optiker und Uhrmacher, Schneider und Schuster, Buchdrucker und Kunstverleger und zahlreiche andere Branchen (Wäschereien, Gastgewerbe, Fuhrwerksunternehmungen, usw.) lebten zu einem nicht unbeträchtlichen Teil von den Fremden. Arbeitskräfte, die sonst nur erschwert oder überhaupt keine Beschäftigung in der Region gefunden hätten und zum Teil vielleicht abgewandert wären, fanden Arbeit, wobei ihr mitunter ganz armseliges Hinterhofdasein sehr vom luxuriösen Müßiggang der werten Gäste abstach (siehe die Sozialreportagen von Max Winter über Karlsbad).

Freiherr Wilhelm Schwarz von Senborn, der Leiter der Wiener Weltausstellung von 1873, verglich 1876 den österreichischen Fremdenverkehr mit der Schweiz und schätzte die Einnahmen unseres westlichen Nachbarlandes aus dem Tourismus mit jährlich 30 Millionen Franken, die Österreichs hingegen mit kaum dem zwanzigsten Teil davon. Ausgebaute Eisenbahnstrekken, gute Straßen, praktisches Post-, Telegraphen- und Münzwesen machte er damals für diesen Vorsprung verantwortlich. Friedrich Fellner berechnete für 1913 den Erlös Cisleithaniens aus dem Fremdenverkehr mit 111,450.165 Kronen. Unter Abzug der von den Österreichern im Ausland ausgegebenen Beträge für Reisen in Höhe von 60,835.185 K ergab sich in dieser ersten und noch sehr einfachen volkswirtschaftlichen Gesamtrechnung für die österreichischen Länder ein Devisenzufluß von 50,614.980 K. Die Ausländernächtigungen machten an den Gesamtnächtigungen in Cisleithanien (ohne Wien) 1913 rund 27% aus, in Wien dagegen nicht ganz 20%. Der größte Teil der Fremden stammte dabei stets aus dem Deutschen Reich.

Mit der Entwicklung des Fremdenverkehrs in Richtung auf eine Massenbewegung läßt sich auch eine Umstrukturierung der sozialen Schichtung der Fremden seit der zweiten Hälfte des 19. Jahrhunderts feststellen. Vor 1850 hatte der Tourismus noch einen durchaus feudalen Einschlag, jetzt waren es gehobenere und mittlere Schichten des Bürgertums, Freiberufler, Rentier, die in den Vordergrund rückten. Eine weitere Gruppe bildeten höhere Beamte und Offiziere. Die soziale Zusammensetzung der Gäste differierte allerdings je nach Urlaubsort stark. Während in den großen Kur- und Badeorten der Monarchie die oberen Schichten dominierten und neben der Prominenz auch zahlreiches Dienstpersonal, Gesellschafter und Reisebegleiter zu verzeichnen waren, Künstler und Schriftsteller sowie andere Dienstleistungsberufe dort nicht nur zur Erholung abstiegen, sondern auch gleichzeitig ihre „Geschäfte" ausübten, war die durchschnittliche Sommerfrische vor dem Ersten Weltkrieg mit ihrer einfacheren Ausstattung vom guten Mittelstand, von Kleinkaufleuten, niederen Beamten und Handwerksmeistern besucht.

DER SPORT

Die ersten drei Viertel des 19. Jahrhunderts waren im Zeichen der Anfänge der bürgerlichen Sportbetätigung gestanden. Die Rolle des alten Brauchtums mit seinen Zielen der Belustigung, Zerstreuung und Unterhaltung wurde zurückgedrängt. Der Ballsaal, der Fechtboden, die Reithalle der adeligen Exerzitien gehörten ebenfalls der Vergangenheit an. Geschwindigkeitsreiten über Land, Fuchs- und Parforcejagden der Adeligen wurden zurückgedrängt vom Turnplatz des Bürgers im Freien.

Die Anfänge des Sports wurden von den deutschen Philanthropen bestimmt. Laufen, Springen, Geräteturnen und Spiele standen dabei im Vordergrund. Den schulischen Rahmen überschritt Friedrich Ludwig Jahn ab 1811, als seine Turngemeinden zu einem Teil der deutschen Nationalbewegung gegen die Franzosen wurden. Auch Metternichs Verbot der Turnvereine bis 1842 konnte die bürgerliche Vereinsbewegung als Basis des Massensports nicht völlig stoppen. Vereine, Schulen und Militär bildeten zunächst die bürgerlichen Ausgangspunkte des modernen Sports. Der militärisch-schulische Drill stand dabei stets im Vordergrund, andere, freizügigere, individuellere Formen wie die von Johann Christoph Freiherr von Guts Muths propagierte Gymnastik († 1839) wurden dadurch verdrängt.

Das letzte Viertel des 19. Jahrhunderts und die Zeit vor dem Ersten Weltkrieg wurden durch den Aufstieg des Arbeitersports geprägt. Schon früh wurde (z. B. durch Johann Heinrich von Pestalozzi, 1807) erkannt, daß Turnübungen gegen die einseitige Körperbetätigung, besonders bei industrieller Arbeit, wichtig sind. Die Kasernierung in der Fabrik und die Ausdehnung der Arbeitszeit bedeuteten nicht nur eine Zurückdrängung der Freizeit, sondern die physische Ausbeutung machte sich auch kräftezehrend bemerkbar. Dazu kam noch, daß in den engen Arbeitervierteln für die Sportausübung praktisch kein Platz vorhanden war. Die arbeitsfreie Zeit von Unterschichten, deren aufgestaute Kräfte sich früher bei Hahnenkämpfen und Hetzjagden entluden, war weitgehend verschwunden.

Seit den späten achtziger Jahren des 19. Jahrhunderts kam es allmählich zu einem Abbau der physischen und psychischen Überbeanspruchung der Arbeiter. Die Erstarkung der Arbeiterschaft und ihrer Organisationen gegen das Ende des 19. Jahrhunderts zu und die Entstehung einer eigenen Schicht von Angestellten mit besserer Rechtsstellung und Entlohnung waren Voraussetzung für neue Möglichkeiten der Sportbetätigung und sind schließlich zur zweiten Wurzel für den Massensport geworden: Arbeiterturnbewegung, Naturfreunde, Arbeiterradfahrer, Arbeiterathleten, usw.

Programm für das Schauturnen des Allgemeinen Turnvereins Wien, 1913. Wien, ASKÖ

Der Sport als Massenbewegung brachte nun eine Verschiebung, weg vom drillmäßigen Turnen zum modernen Sport, der auf Wettkampf und Leistungsmessung angelegt ist. Schwimmen, Motorsport, Leicht- und Schwerathletik, die neueren Sportarten des Wettlaufens, des Ruderns, des Radfahrens, der Schi- und Eissport, ja sogar Tennis – sie alle unterliegen seit damals spezieller Leistungsorientierung, ja teilweise sogar der Gewinnsucht.

Seit 1884 dokumentiert sich dies in den Weltmeisterschaften verschiedener Sportarten und seit 1896 in den seither regelmäßig abgehaltenen Olympischen

Spielen. Von österreichisch-ungarischen Sportlern errang z. B. Paul Neumann 1896 bei der Olympiade auf der 400 m-Strecke eine Goldmedaille; Josef Steinbach war 1904–06 Weltmeister im Gewichtheben, Olympiasieger 1906; Zoltan von Halmay siegte bei den Olympischen Spielen 1904 im Schwimmen über 50 und 100 Yard.

In Meyers Konversationslexikon heißt es 1907: „Die verschiedenen zum Sport gehörigen Tätigkeiten besitzen einen gewissen hygienischen Wert. Da aber in der Regel mit dem Sport ein Wettstreit verbunden wird, der schließlich als das Ziel der gesamten Ausübung des Sports erscheint, so gerät der Sportsmann in die Gefahr, durch übermäßige Anstrengungen bei den Vorübungen für den Wettstreit und Entbehrungen aller Art (Trainieren etc.) seine Gesundheit ernstlich zu schädigen".

Seit damals entwickelte sich der Sport eindeutig getrennt nach Spitzen- oder Hochleistungssport einerseits und Breitensport andererseits. Reste des Drills in der alten Turnbewegung und die neuen Auswüchse des Leistungssports sowie die patriarchalisch geprägte Form des Sonntagsausflugs (als Generationsproblem) veranlaßten schließlich um 1900 die Jugend- und Wanderbewegung zur Reaktion. Sie versuchte, zur Natur, zum Volkstanz, zum Ballspiel ohne Leistungszwang zurückzukehren. Persönliche Freiheit, Wandern in der menschenlosen Natur, Abenteuer und Gefahr, Sprengung konventioneller Fesseln, feste Gemeinschaft Gleichgesinnter führten zur Einrichtung des Jugendherbergewesens. Ausgehend 1901 von Berlin, bildete die Jugendbewegung 1911 in Wien und 1913 in Salzburg ihre ersten Gruppen.

Bei der Besprechung der einzelnen Sportarten soll zunächst auf das Turnen eingegangen werden. Gerade hier zeigt sich, daß Sport immer wieder auch in den Dienst der Politik gestellt wird.

Das Schulturnen wurde durch die 1848 gegründete Wiener Universitätsturnanstalt betreut, die ab 1872 auch die Turnlehrer ausbildete. Um 1884 gab es in Cisleithanien 247 Turnvereine mit fast 28.000 Mitgliedern. Mehr als die Hälfte davon entfiel auf Böhmen, auf dem Gebiet der heutigen Republik bestanden 53 Vereine. Arbeitersport gab es damals fast noch gar nicht, denn die Arbeiterschaft kämpfte noch um ihre nackte Existenz, sportliche Betätigung war für sie damals noch durchaus nebensächlich.

Die ersten Turnvereine entstanden zwar schon in den fünfziger Jahren in Salzburg, Ried, Krems, Asch und Reichenberg, aber erst 1861 wurde der bedeutende „Erste Wiener Turnverein" gegründet als Reaktion auf das Turn- und Jugendfest in Gotha 1860. Bald wurde Österreich der 15. Kreis der Deutschen Turnerschaft. Die Regierung Taaffe (1879–1893) stand der immer stärkeren deutschnationalen Orientierung der Turnvereine ablehnend gegenüber, vor allem als diese 1887 auf Veranlassung von Franz Xaver Kießling den Arierparagraphen in ihre Statuten aufnahmen. Auch die deutsche Turnerschaft kritisierte die antisemitischen Tendenzen ihrer österreichischen Gesinnungsverwandten und schloß sie nach einer „völkischen Turnfehde" daher aus ihrer Vereinigung 1888 aus.

Ausgeprägt national waren unter anderen Vorzeichen auch die Sokolvereine, die die Ideen des Turnvater Jahn zu einer Zeit nachzuahmen versuchten, als man in Deutschland davon bereits wieder abging. 1861 von Miroslav Tyrš und Heinrich Füger in Prag begründet, wurden die sehr rasch anwachsenden Sokol-Turnvereine zum Mittelpunkt einer bedeutenden Bewegung der slawischen Nationalitäten des Reiches. 1882 fand bereits der erste allslawische Sokolkongreß statt und 1908 erfolgte die Gründung des Verbandes der slawischen Sokolschaft. 1910 gab es in Cisleithanien 954 Sokolvereine mit rund 132.000 Mitgliedern.

Neben diesen allgemeinen Turnvereinen kam es immer mehr zu einer Aufsplitterung des Vereinslebens nach den einzelnen Sportarten. Eine Ausnahme bildete nur der 1897 gegründete Wiener Athletiksport-Club (WAC), der in der Begeisterung nach den ersten Olympischen Spielen von 1896 gegründet wurde und allmählich die unterschiedlichsten Sportsektionen besaß: eine Fußballmannschaft, Sektionen für Tennis, Hockey, Leichtathletik, Saalgymnastik, Schwimmen, Wintersport. Der Verein besaß im Prater einen Sportplatz mit Clubhaus und dazu ein Clubheim in der Wiener Innenstadt (Himmelpfortgasse) mit Clubräumen und einem Fechtsaal. 1898 umfaßte er 340 Mitglieder, 1914 780.

Einen eigenen Zweig bildeten die Arbeitersportvereine. Sie trugen wesentlich zur Ausbildung des Massensports bei, indem sie die Alleinherrschaft des Bürgertums im Sport beseitigten. Proletarische Körperkultur wurde zur Kundgebung für die Kampfziele der Arbeiterklasse. Die Voraussetzungen dafür wurden ab den späten achtziger Jahren gelegt. Schon der erste, 1867 gegründete Wiener Arbeiter-Bildungsverein sah in seinen Statuten auch die Pflege des Turnens vor, doch erst ab 1891 konnte er nach mehrfachen Umgründungen auch tatsächlich diesen Sport fördern. Sobald die Gewerkschaften, die Partei und die Konsumgenossenschaften erstarkten, setzte die rasche Entwicklung der Arbeiterturnvereine ein. Als erster wurde 1894 der Allgemeine Turnverein in Wien gegründet, der 1895 sein erstes Schauturnen abhielt. 1897 wurde der Gau Wien des Deutschen Arbeiter-Turn- und Sportbundes ins Leben gerufen. 1910 trennten sich die Österreicher jedoch wieder von den Deutschen und gründeten den Österreichischen Arbeiter-Turnerbund. Die Jahrhundertwende brachte den großen Boom in den Vereinsgründungen. 1905 konstituierten 10 Vereine den Verband der Arbeiter-Turnvereine Österreichs und es entstanden Spezialvereine für Arbeiterradfahrer, Arbeiterschwimmer, Arbeiter-Athleten, für Natufreunde, usw. Die soziale Herkunft der Mitglieder der Arbeiterturnvereine war allerdings sehr oft keine rein proletarische, sondern eine Mischung von Arbeitern und Kleinbürgern. Im Arbeiterturnverein Leopoldstadt in Wien z. B. turnten 1911 neben „echten Proletariern" und Kleinbürgern auch Handelsangestellte, Buchhalter, Kontoristen, Goldarbeiter oder Cafetiers.

Die Ausübung einzelner Sportarten stand gerade in der Periode ihrer Entfaltung in enger Korrelation zum jeweiligen sozialen Status der Sportler. Zu den Sportzweigen, die sich durch Billigkeit und Derbheit auszeichneten, zählten Fußball, Schwimmen, Ringen, Boxen und Athletik. Die exklusiven Sportarten dagegen waren damals – wie heute – Tennis, Golf, der Pferdesport sowie der Ruder- und Segelsport, später auch der Automobilsport. Für diese sportlichen Betätigungen war spezielle Kleidung und Ausrüstung notwendig. Bergsteigen, Radfahren, Eislaufen und Rodeln nahmen hingegen eine Mittelstellung ein.

Stets waren aber fast alle Sportarten ein wichtiger Teil der Frauenemanzipation. Einerseits hatten in der sportlichen Betätigung die Frauen Gelegenheit, zu zeigen, daß sie durchaus zu „männlichem" Verhalten und Tun imstande waren, andererseits glich sich gerade hier die Kleidung der Frau, die immer ein besonderes Attribut ihrer Weiblichkeit war, rasch der Kleidung der Männer an – schon allein aus praktischen Überlegungen, war doch ein langer Rock beim Bergsteigen oder Schifahren eher hinderlich.

Zu den vornehmsten Sportarten gehörte das Trabrennen. Anläßlich der Wiener Weltausstellung von 1873 wurden die ersten Trabrennen in Wien abgehalten. Die Aristokratie, die „haute finance", überhaupt die „zweite Gesellschaft" beteiligten sich rege daran. Im Jahr darauf wurde der Wiener Trabrennverein gegründet. Damals gab es 68 Mitbegründer und 358 Mitglieder. Sein vorrangiges Ziel sollte die Hebung der Landespferdezucht in Österreich-Ungarn sein. Dieser Zweck sollte erreicht werden durch Rennen im Trab, geritten oder ein- bis zweispännig gefahren. 1878 wurde eine eigene Rennbahn auf dem Gelände der Weltausstellung im Prater eröffnet. 1882 fand das „Erste österreichische Traberderby" statt und schon ein Jahr vorher war der österreichisch-ungarische Verband der Trabrennvereine konstituiert worden. 1892 wurde auch in Baden bei Wien ein Verein ins Leben gerufen, der im folgenden Jahr eine eigene Rennbahn eröffnete. 1899 erhielt Karlsbad einen Rennplatz durch den Böhmischen Rennverein. Im selben Jahr wurde auch der Budapester Herrenfahrerbund errichtet, der 1905 durch den Budapester Trabrennverein abgelöst wurde.

Die dem Traben folgende, jüngere exklusive Sportart war das Automobilfahren. 1898 wurde der Österreichische Automobil-Club gegründet – ausschließlich von und für eine kleine elitäre Gruppe. 1905, als die erste behördliche Regelung des Kraftfahrzeugverkehrs in Österreich erfolgte, gab es nur 306 Automobile und 195 Motorräder, 1907 bereits 2.314 Autos und 5.387 Motorräder.

Vor allem im Donaugebiet spielte das Rudern eine gewisse Rolle. Die Mitglieder des 1876 in Stein an der Donau gegründeten Ruderklubs gehörten überwiegend der bürgerlichen Schicht an. Eine erste Regatta wurde 1868 vom Wiener Ruderverein abgehalten. Die seit 1880 von Viktor Silberer herausgegebene „Allgemeine Sport-Zeitung" entwickelte sich bald zum erklärten Zentralorgan des gesamten Rudersports. Im Herbst 1880 stiftete diese Zeitung einen Ehrenpreis (Challenge-Cup) für ein großes Sculler-Rennen um die Meisterschaften auf der Donau. Seit 1881 wurden jährlich internationale Regatten in Wien veranstaltet. Seit dieser Zeit fanden auch auf dem Traunsee und dem Attersee Ruderwettbewerbe statt.

Exklusiv blieben ferner Tennis und Golf. Letzteres fand erst durch den 1901 gegründeten Wiener Golfclub Eingang in Österreich.

Tennis hatte eine längere Tradition. Seit der Gründung des ersten deutschen Klubs in Hamburg 1877 fand diese neue Sportart langsam Verbreitung. 1881 wurde der Wiener Parkclub in der Rustenschacherallee im Prater eröffnet. 1898 fusionierte sich der Lawn-Tennis-Club mit dem WAC. Die Vornehmheit und Konservativität des Tennissports kam auch in der Kleidung der Spieler zum Ausdruck. Die Damen erschienen anfangs oft noch im langen Kleid, die Blusen waren hoch geschlossen und es wurden Hüte und Korsetts getragen. Die Herren spielten mit Jacke, Sweater, langer Hose und hohen Schuhen.

Zum Ausgangspunkt des Massensports hingegen wurden Schwimmen und vor allem Radfahren. Wien erhielt 1842 die erste Schwimmhalle des Festlands und besaß vor dem Ersten Weltkrieg das größte Hallenbecken Europas. 1869 wurden die ersten Schwimmeisterschaften ausgetragen, doch 1874 lehnte die 7. deutsche Turnlehrerversammlung in Salzburg die Einführung des Schulschwimmunterrichts ab. Noch um 1910 konnten laut einer deutschen Untersuchung nur 10% der Leute schwimmen. Den Anfang als Verein machte 1887 der „Erste Wiener Amateurschwimmclub", der 1889 das erste Donauwettschwimmen austrug. 1891 war Wien Schauplatz der ersten Schwimm-Europameisterschaft über eine Meile. Der 1903 gegründete Erste Wiener Donau-Schwimmclub nahm als Mitglieder nur Männer auf. Frauen durften nur als Zuschauerinnen oder Gäste fungieren.

Zur Jahrhundertwende entwickelte sich das Schwimmen zu einer Domäne der Arbeiter. Der Arbeiterschwimmverein Wien zählte bei seiner Gründung bereits 530 Mitglieder. Er kümmerte sich um die Erteilung von Schwimmunterricht und die Schaffung von billigen Badegelegenheiten für Arbeiterschwimmer. 1910–12 wurde das große Arbeiterstrandbad an der Alten Donau errichtet. Lange Zeit dominierte das Brust- und Rückenschwimmen, erst ab 1906 wurde in Europa das Crawlen bekannt. Schwimmbäder und Freiluftbäder kannten ursprünglich eine strenge Trennung der Geschlechter, nicht nur bei den Umkleidekabinen, sondern auch im Bad selbst. Anfänglich ging man noch fast völlig angezogen baden, besonders Damen durften nur in langen Gewändern ins Wasser und das Schwimmen in Rückenlage war für sie als unanständig verboten.

Das Radfahren galt zwar anfangs als Privileg begüterter Menschen, später verwandelte es sich jedoch in einen Massensport. 1883 gründete Eduard Engelmann d. J. den Wiener Cyclistenclub. Sein Eislaufplatz in Hernals diente im Sommer dem Radsport. Damals waren noch die Hochräder in Gebrauch. 1884 erfand Stanley in Coventry jenen Typ des Niederrades, der auch heute noch in Verwendung steht. Zu diesem neuen Radtyp kam 1885 noch die erfolgreiche Erfindung des schottischen Tierarztes Dunlop in Form der Luftreifen. Damit erst war der Grundstein für das Fahrrad als allgemeines Verkehrsmittel und für den Fahrradtourismus gelegt. Die Anschaffung eines Rades war anfangs noch sehr teuer. In den neunziger Jahren des 19. Jahrhunderts kostete ein Rad 500–600 Gulden. Das entsprach etwa dem halben Jahresverdienst eines hochqualifizierten Facharbeiters, ein Durchschnittsverdiener mußte rund 8 Monate arbeiten, um ein Fahrrad kaufen zu können.

1886 fand die erste Semmering-Bergmeisterschaft statt, große Dauerfahrten z. B. 1893 von Berlin nach Wien. 1900 gab es bereits 58 Radfahrvereine in Cisleithanien. 1893 gründeten 12 Arbeiter den Ersten Wiener Arbeiter-Radfahrverein „Die Biene", 1895 folgte der Arbeiter-Radfahr-Verein Favoriten. 1899 traten 11 Vereine mit etwa 1.000 Mitgliedern dem neu gegründeten Arbeiter-Radfahrverband bei, 1900 waren es bereits 32 Vereine mit ca. 17.000 Mitgliedern.

Ein ausgesprochener Vergnügungssport war das Eislaufen. Die Wende, die dem Eislauf das Tor zum Massensport aufstieß, war nach der Mitte des 19. Jahrhunderts die Entwicklung und Einführung von Ganzmetallschlittschuhen sowie die Entstehung eines regen Vereinslebens. 1867 gründete ein adelig-bürgerlicher Kreis den Wiener Eislaufverein, der bis zum Ersten Weltkrieg zu einem Großverein mit nahezu 6.000 Mitgliedern aufstieg. Auf seinem Eislaufplatz gegenüber der Zentralmarkthalle an der Wiener Landstraße wurde neben dem Gesellschaftslaufen mit Abendkonzerten und Kostümfesten auch professionelles Kunstlaufen geboten. Hier zeigte etwa 1868 der Berufsläufer Jackson Haines in Gegenwart des Kaisers seine Künste. Wien wurde damit zum Ausgangspunkt einer eigenen Eislaufschule. 1892 war Wien Schauplatz der Europameisterschaften im Eiskunstlauf, 1897 wurde Gustav Hügel der erste in einer langen Kette österreichischer Eislaufweltmeister. 1871 begann auch Eduard Engelmann mit seiner Eisbahn in Hernals bei Wien. Nach seinen eigenen Plänen, die bald von anderen kopiert wurden, eröffnete er 1909 die erste Freiluftkunsteisbahn der Welt.

Ebenfalls zum Massensport entwickelte sich der Fußball. Dieser Sport war, von England kommend, seit 1875 allmählich am Kontinent vorgedrungen. 1890 wird erstmals in Prag ein Fußballverein gegründet (Slavia Prag), dessen erster Sieg 1905 über eine englische Professionalmannschaft Schlagzeilen machte. In Wien folgte 1892 die „Vienna", die 17 Jahre brauchte, bis sie ihre englischen Lehrmeister besiegen konnte. Der Fußball in Österreich vor dem Ersten Weltkrieg war vom Nationalitätenhader geprägt. Im tschechisch-österreichischen Fußballkonflikt wurde 1903 in Wien, auf der Tagung der „Fédération Internationale de Football Associations" der Boykott des tschechischen Fußballs beschlossen, der damit vom internationalen Spielverkehr ausgeschlossen war. Als Spitzenorganisation des österreichischen Fußballsports wurde 1905 der „Österreichische Fußballverband" gegründet, doch gab es bald Streitigkeiten, als die Arbeiter „überhandnahmen". Die Arbeiterfußballer gründeten hierauf den „Verband der Amateur-Fußballvereine Österreichs".

Eine besondere Stellung erreichte in Österreich der alpine Wintersport und die Alpinistik. Das Bergsteigen hatte zwar in unserer Periode um 1880 die klassische Zeit der Erstbesteigungen schon hinter sich, jetzt begann der Sturm auf zweitrangige Gipfel oder schwierige Wände, z. B. im Karwendel oder im Gesäuse. Immer mehr kam das führerlose Bergsteigen in Mode. Die alpinistische Literatur vermehrte sich stark. Erich Zsigmondi z. B. veröffentlichte 1885 mit „Die Gefahren der Berge" das erste alpine Lehrbuch.

Der 1862 gegründete Österreichische Alpenverein, 1873 mit dem Deutschen Alpenverein zusammengeschlossen, hatte sich zum Ziel gesetzt, die Kenntnis der Alpen zu erweitern, die Bereisung der Berge zu erleichtern und auf die Verbesserung der Unterkünfte, des Bergführerwesens und der Transportmittel hinzuwirken. Er erwarb sich große Verdienste um die Kartographie und Gletscherkunde und gab regelmäßige Schriften und Zeitungen für seine Mitglieder heraus. 1885 besaß der Verein 61, 1889 bereits 191 Schutzhütten. 1862 hatte er mit 625 Mitgliedern begonnen, 1910 waren es 82.000 in 357 Sektionen. Andere wichtige Alpenvereine waren der 1869 gegründete Österreichische Touristenklub (1907 65 Sektionen mit 14.000 Mitgliedern), der Österreichische Alpenklub seit 1878, der Niederösterreichische Gebirgsverein seit 1890 und die Naturfreunde seit 1895.

Spezielle Bedeutung hatte auch der Wintersport errungen. In erster Linie ist Österreich als Pionierland des Schifahrens bekannt geworden. 1874 brachte Julius Payer von seiner Expedition Schi nach Wien mit, 1887 begann Viktor Sohm in Bregenz seine Versuche mit diesen „Schneeschuhen", 1888 durchquerte Nansen auf Schiern Grönland und erregte damit in den Alpenländern großes Aufsehen. Zur selben Zeit fuhr Hauptmann Vorweg im Riesengebirge Schi, wo schon Graf Harrach sein Jagdpersonal mit diesen Geräten ausgerüstet hatte. Der Grazer Schaumweinfabrikant Max Kleinoschegg brachte 1889 nordische Schi nach Mürzzuschlag und unternahm dort mit dem Gastwirt Toni Schruf die ersten Fahrten. Bereits 1893 fand das erste Schirennen des Alpenraumes in Mürzzuschlag statt und im selben Jahr wurde der Verband steirischer Schiläufer gebildet. 1896 wurde das erste Schirennen in Pötzleinsdorf bei Wien veranstaltet und am Stuhleck die erste Schihütte (Nansenhütte) eröffnet. 1900 wurde der Alpenskiverein Wien begründet und Matthias Zdarsky aus Lilienfeld organisierte als Pionier 1901 den ersten Torlauf mit diesem Verein am Sonnwendstein, 1905 den ersten Riesentorlauf am Muckenkogel bei Lilienfeld. Auch am Arlberg setzte starke

Aktivität ein: 1901 wurde der Ski-Club Arlberg gegründet, 1902 der erste Schikurs für Bergführer in St. Anton/Arlberg und in Rauris abgehalten. 1903 wurde das erste Arlberg-Rennen gestartet. 1905 erfolgte auch die Gründung des Österreichischen Skiverbandes und 1907 fand das erste Hauptverbandsrennen in Kitzbühel statt.

Matthias Zdarsky war es, der mehreren Generationen das Schifahren in stark frequentierten Kursen beibrachte. Schon 1897 veröffentlichte er seine „Lilienfelder Skilauftechnik", das erste Schilehrbuch der Welt. Sein Verdienst war es dabei, den für die Befahrung der steilen Alpenhänge wichtigen Stemmbogen eingeführt zu haben. Die Starrheit seiner Einstocktechnik (Bambuslanze ohne Teller) machte ihm jedoch auch viele Gegner. Oberst Georg Bilgeri brach mit dieser Tradition, baute die norwegische Fahrtechnik mit zwei Stöcken und dem Telemark aus und wurde der Pionier des Militärschilaufs. Sowohl Zdarsky als auch Bilgeri waren erfolgreich in der Konstruktion von neuen Schibindungen mit beweglicher Stahlsohle und wurden damit die Väter der neuzeitlichen Tourenbindungen.

Literatur (in Auswahl):

Beckmanns Sport Lexikon A–Z. Leipzig–Wien 1933 – GÜNTHER BURKERT, Der Beginn des modernen Fremdenverkehrs in den österreichischen Kronländern. Föderalistische und nationale Elemente als bestimmende Faktoren (Schriftenreihe der Arbeitsgemeinschaft für Wirtschafts- und Sozialgeschichte). Graz 1981 – Das goldene Buch des Sports. Spemanns Hauskunde, Bd. VIII. Berlin–Stuttgart 1910 – GERHARD HUCK, Sozialgeschichte der Freizeit im 19. und 20. Jahrhundert. Wuppertal 1980 – REINHARD KRAMMER, Arbeitersport in Österreich. Wien 1981.

Walter Weiss

ZUR KULTURGESCHICHTE DER ZEIT FRANZ JOSEPHS IN ÖSTERREICH

1. EIN HAUPTMERKMAL

Ein, wenn nicht das Hauptmerkmal der geistigen Physiognomie der Franz-Josephs-Zeit ist ein komplexes bis widersprüchliches Miteinander von Rückbindung, Beharrung auf der einen Seite, wodurch der Staat Franz Josephs zunehmend zu einem viel kritisierten Inbegriff der Zurückgebliebenheit wurde („das europäische China"), und Modernität, Neuerungen auf der anderen Seite, die denselben Staat als eine der wichtigsten „Versuchsstätten" revolutionierender geistiger Tendenzen und Entwicklungen des 20. Jahrhunderts erscheinen läßt. Dieses janusköpfige Doppelgesicht bestimmt die wichtigsten jüngeren Versuche der kulturhistorischen Analyse und Darstellung dieser Epoche.

Ich greife nur zwei markante Beispiele heraus: Robert Musils „Kakanien", als modellhaftes Spiegelbild der k. u. k., k. k. und k. Monarchie, ist ausgezeichnet durch die ironisch idealisierte Balance zwischen Beharrung und Fortschritt: „Dort in Kakanien, diesem seither untergegangenen, unverstandenen Staat, der in vielem ohne Anerkennung vorbildlich gewesen ist, gab es auch Tempo, aber nicht zuviel Tempo... Natürlich rollten auf diesen Straßen auch Automobile, aber nicht zuviel Automobile!... Aber die Hauptstadt war um einiges kleiner als alle andern größten Städte der Welt, aber doch um ein Erkleckliches größer, als es bloß Großstädte sind... Es war nach seiner Auffassung liberal, aber es wurde klerikal regiert. Es wurde klerikal regiert, aber man lebte freisinnig... Man hatte ein Parlament, das so gewaltigen Gebrauch von seiner Freiheit machte, daß man es gewöhnlich geschlossen hielt; aber man hatte auch einen Notstandsparagraphen, mit dessen Hilfe man ohne das Parlament auskam, und jedesmal, wenn alles sich schon über den Absolutismus freute, ordnete die Krone an, daß nun doch wieder parlamentarisch regiert werden müsse . . ." Negativ und doch auch wieder positiv ist Kakanien der „fortgeschrittenste Staat", „der sich selbst irgendwie nur noch mitmachte" und damit „negativ frei"-setzte für die „große Phantasie des Nichtgeschehenen oder doch nicht unwiderruflich Geschehenen", für den „Möglichkeitssinn" gegenüber einem eingeschränkten „Wirklichkeitssinn".

Carl E. Schorske bringt in seinem Buch „Wien, Geist und Gesellschaft des Fin-de-Siècle" das kompliziert-widersprüchliche Miteinander auf einen Nenner, der sich vereinfacht so wiedergeben läßt: Moderne Botschaften in traditioneller Sprache, in der Gestalt des Überkommenen, Alten, ja Archaischen; u. zw. in der Wissenschaft, der Kunst wie in der Politik, in der politischen Ideologie. Vom interessanten, reizvollen Miteinander bei österreichischen Pionieren des Denkens und der Kunst des 20. Jahrhunderts, wie Hugo von Hofmannsthal, Gustav Klimt, Otto Wagner und Sigmund Freud reicht da der Bogen bis zum bedrohlichen und schockierenden bei dem Alldeutschen Georg von Schönerer, dem Christlich-Sozialen Karl Lueger und dem Zionisten Theodor Herzl, was den Stil ihrer Politik, was die Mischung progressiver und archaischer, zurück- und vorausweisender Elemente in ihren politischen Ideologien betrifft. Die perspektivische Verlängerung führt hin bis zu Adolf Hitler.

Auch Kaiser Franz Joseph selbst ist einbezogen in das Spannungsfeld dieser Zweideutigkeiten. Auf den ersten Blick vertritt er eindeutig den Pol der Beharrung, der Statik. Er ist auf den Thron gekommen im Zeichen der militärischen Niederwerfung der Revolution von 1848, die das Verhältnis des staatstragenden Militärs zu den Intellektuellen, zur Universität noch jahrzehntelang prägen sollte. Veränderungen des restaurierten Absolutismus ließ er nur gezwungen durch die Umstände, vor allem durch die Niederlagen von 1859 und 1866, zu. Er steht für die Beibehaltung des spanischen Hofzeremoniells und die Konservierung der gesellschaftlichen Hierarchie. Sein Mißtrauen gegenüber allen technischen Neuerungen ist bekannt. Von der Verbindung zwischen österreichischer Restauration und österreichischer Aufklärung, die sein zweiteiliger Name verspricht, ist nur wenig zu spüren.

Auf der anderen Seite ließ er manches Abweichende, Moderne zu, wurde er als Instanz jenseits der Parteien geschätzt; nicht zuletzt von den fortschrittlichen Liberalen, besonders den jüdischen Liberalen, im aufkommenden Antiliberalismus und Antisemitismus. Selbst noch prominente Träger der Arbeiterbewegung und der christlich-sozialen Mobilisierung des Kleinbürgertums respektierten den Monarchen als Institution. Dazu paßt die bis zum Ende der Monarchie anhaltende Verbreitung und Beliebtheit der Nobilitierung oder der Aufstieg zum „Hofrat", der selbst noch in der 1. und 2. Republik als skurriles Zeichen franzisko-josephinischer Kontinuität erhalten geblieben ist.

Die folgenden Abschnitte über den Geist der Politik, der Philosophie, der Wissenschaft und der Kunst werden das hier herausgehobene und skizzierte Hauptcharakteristikum im Auge behalten und immer wieder darauf zurückkommen.

2. DER GEIST DER POLITIK

Zu den fortlebenden politisch-geistigen Voraussetzungen und Rahmenbedingungen der Franz Josephs-Zeit gehört der alte Absolutismus, getragen vom Monarchen, von dem an ihn gebundenen Hof und von der übernationalen Aristokratie, von den Konservativen des Habsburgerreiches, die noch einmal 1879–1893 die Regierung stellen sollten und die nur als Föderalisten vom monarchischen Absolutismus abwichen.

Dazu gesellt sich der fortlebende Josephinismus mit seinen Aufklärungstraditionen. Er hatte vor allem in der staatstreuen, zentralistisch gesinnten Bürokratie seinen Rückhalt. An dieser Stelle ist wohl die einzige Annäherung Franz Josephs an den Josephinismus festzustellen. Bei den Intellektuellen ergeben sich fließende Übergänge zum Liberalismus. Das zeigt etwa die bereits im Vorfeld der Revolution von 1848 entstandene kritische „Denkschrift über die gegenwärtigen Zustände der Zensur in Österreich" (1845), die sowohl von alten Josephinern, wie Franz Grillparzer, als auch von jüngeren Protagonisten des Liberalismus, wie Eduard von Bauernfeld, unterzeichnet war.

Wichtige politische, wirtschaftliche und geistige Veränderungen gingen in der Zeit zwischen 1850 und 1879 vom Liberalismus aus. Er führte den Rationalismus der Aufklärung modernisiert fort und schloß so an den Josephinismus an. Mit diesem teilte er auch die zentralistische Gesinnung und die Vorstellung, daß es Aufgabe und Vorrecht der Deutschen der Monarchie sei, den Fortschritt voranzutreiben und zu verbreiten; woraus sich eine bemerkenswerte und folgenschwere Gleichsetzung von gutem Österreichertum und bewußtem Deutschtum ergab. Bestimmender Träger des Liberalismus war aber auch nicht mehr die Bürokratie, sondern das wirtschaftlich aktive Besitzbürgertum und das Bildungsbürgertum. Es strebte nach Befreiung von überkommenen Behinderungen: nach der Freiheit gewinnbringender wirtschaftlicher Betätigung, gegenüber Zukunftschranken und der Bürokratie; nach der Freiheit der wissenschaftlichen Bestätigung („Wissen macht frei"), nicht zuletzt gegenüber der herrschenden Kirche, gegenüber dem Bund von Thron und Altar, den das Konkordat von 1855 noch einmal gefestigt hatte. Es strebte nach der Beteiligung an der politischen Macht in einer konstitutionellen Monarchie: Parlamentarischer Zentralismus anstelle von aristokratischem Föderalismus (SCHORSKE, S. 111).

Diese Ziele wurden, wenn auch keineswegs uneingeschränkt, in den sechziger und siebziger Jahren erreicht. Es begann auf dem wirtschaftlichen Gebiet bereits mit dem Neoabsolutismus des Jahrzehntes nach der Revolution, der nicht nur Reaktion, Repression, sondern auch Modernisierung brachte. Den Weg zur Beteiligung an der politischen Macht eröffneten die Niederlagen des herrschenden Systems 1859 und 1866 („Bürgerministerium" 1867), wobei der österreichisch-ungarische Ausgleich für die zentralistischen Liberalen bereits einen Rückschritt bedeutete. Zur weithin sichtbaren Selbstdarstellung des österreichischen Liberalismus wurde die neue entstehende Wiener Ringstraße, die nicht zufällig der von den Liberalen bestimmten Epoche den Namen geliefert hat: „Ringstraßenzeit". Der politische Abstieg der Liberalen wurde vorbereitet durch Parteispaltungen, eingeläutet durch den Börsenkrach („Schwarzer Freitag") 1873 und besiegelt mit der Ablösung des liberalen Ministeriums durch ein konservatives 1879. Der politische Machtverlust bedeutete nun aber keineswegs zugleich das Ende des liberalen Geistes in der Wirtschaft und in der Kultur. Es sei nur an eine symptomatische Einzelheit erinnert: die weiterhin ungebrochene starke Position der „Neuen Freien Presse".

Nach dieser Skizze kann es nicht verwundern, daß die österreichischen Juden dem Liberalismus zuneigten. Aus seiner Führungsposition verdrängt wurde dieser durch antiliberalistische Massenbewegungen: Sozialdemokraten, Christlich-Soziale, Alldeutsche, Tschechische Nationalisten, Zionisten. Sie organisierten die „kleinen Leute", die Arbeiter und die Kleinbürger, um die sich der Liberalismus nicht gekümmert hatte. Sie kündigten, mit Ausnahme der Sozialdemokraten, dem Rationalismus die Gefolgschaft und arbeiteten dagegen bevorzugt mit dem Irrationalen, mit Emotionen und Mythen. Ihre leitenden Tendenzen waren Sozialismus (bei den Sozialdemokraten, den Christlich-Sozialen, anfänglich auch bei den Alldeutschen, in verschiedenen Ausprägungen), Nationalismus (bei den Alldeutschen, den Tschechischen Nationalisten, den Zionisten und z. T. auch bei den Sozialdemokraten), Antisemitismus (bei den Alldeutschen und den Christlich-Sozialen). Im Anschluß an den Theoretiker Karl von Vogelsang vertraten die Christlich-Sozialen eine eigene christliche Soziallehre, die sie sowohl von den sozial gleichgültigen Liberalen wie auch vom alten Katholizismus abhob. Im Ausbau der sozialen Einrichtungen der Hauptstadt Wien gibt es einen kontinuierlichen Zusammenhang zwischen dem Wirken des christlich-sozialen Bürgermeisters Lueger und der sozialdemokratischen Stadtverwaltung nach dem Ersten Weltkrieg. Der Nationalismus richtete sich nun, im Gegensatz zur liberalistischen Gleichsetzung von bewußtem Deutschtum und gutem Österreichertum, gegen die Einheit und den Bestand des Gesamtstaates. Der Antisemitismus wurde sozial begründet durch die simplifizierende Gleichung Liberalismus = Kapitalismus = Judentum. Dazu kam später bei den Alldeutschen, den Deutschnationalisten, noch die rassische Motivierung. Im Dienste der Mobilisierung der Massen durch gefühlsträchtige Leitbilder verbanden die antiliberalistischen Massenbewegungen, wie bereits erwähnt, Modernes mit Rückgriffen in die Vergangenheit, bis hin zum Archaischen. So griffen die Christlich-Sozialen zurück auf die idealisierte Sozialordnung des ständischen christlich-katholischen Mittelalters, die Alldeutschen auf das vorchristliche Germanentum, die Zionisten auf das jüdische Königtum vor der Diaspora (SCHORSKE, S. 157).

Ernst Krenek schrieb im Rückblick: „die Bürger des 19. Jahrhunderts waren schon Nationalisten, da sie noch Liberale waren" („Von der Aufgabe, ein Österreicher zu sein", 1931). Er lenkt damit den Blick auf eine allgemeinere Erscheinung, die die antiliberalistischen Massenbewegungen untereinander verbindet: daß sie fast alle aus dem Liberalismus selbst hervorgekommen waren. Das läßt sich nicht zuletzt an den Biographien von drei ihrer Führer belegen: des Alldeutschen Georg von Schönerer (1842–1921), des Christlich-Sozialen Karl Lueger (1844–1910) und des Zionisten Theodor Herzl (1860–1904), der Feuilletonredakteur der „Neuen Freien Presse" gewesen war. Alle drei begannen ihre politische Karriere als Liberale. Diese Parallelen in den Ausgangspositionen werden noch dadurch ergänzt, daß der Führer der Sozialdemokraten, Viktor Adler (1852–1918), sich im Protest gegen den Liberalismus zuerst dem völkischen Deutschnationalismus angeschlossen hatte, bevor er sich dann dem Marxismus zuwendete.

3. DER GEIST DER PHILOSOPHIE UND DER WISSENSCHAFT

Das zu Anfang herausgestellte komplexe Miteinander von Beharrung, Rückbindung und Modernität, Fortschritt als Hauptmerkmal der Geistesgeschichte der Franz-Josephs-Zeit gilt nirgends mehr als auf dem Gebiet der Philosophie.

Das hat nicht zufällig zu gegensätzlichen Beurteilungen und Bewertungen Anlaß gegeben. Beurteiler, für die die Philosophie des Deutschen Idealismus nach Kant und/oder die Philosophie des Marxismus das Maß aller philosophischen Dinge sind, fanden die österreichische Philosophie der Zeit Franz Josephs veraltet, überholt oder sprachen ihr überhaupt die Eigenständigkeit ab. Andere, die den Herkünften der analytischen Philosophie und der mit ihr verbundenen modernen Wissenschaftstheorie nachgingen, fanden in dieser angeblich so überholten Philosophie eine besondere wichtige Tradition des heutigen Philosophierens.

Ausgehend von dem „Philosophen Österreichs", Bernhard Bolzano (1781–1848), wurde in den letzten Jahrzehnten eine besondere Traditionslinie österreichischer Philosophie herausgearbeitet (besonders Rudolf Haller, Roger Bauer). Sie ist bei dem böhmischen Philosophen und Theologen rückbezogen auf die katholische Aufklärung, mit der Wiederbelebung der Leibnitz-Wolffschen Philosophie. Sie grenzt sich ab gegen die deutsche Philosophie zwischen Kant und Hegel, setzt ihrem Idealismus einen letztlich auf den Schöpfungsglauben gegründeten Realismus und ihrem Subjektivismus einen logischen und ethischen Objektivismus entgegen. Sie ist empiristisch in der Nachfolge der englischen Aufklärungsphilosophie und nicht spekulativ, wie der Deutsche Idealismus nach Kant. Sie wirkte in der Zeit Franz Josephs über die Bolzanoschüler Graf Leo Thun und Franz Exner auf die Reform der österreichischen Universitäten und Gymnasien zu Anfang der fünfziger Jahre ein (JOHNSTON, S. 288). Sie wurde, zeitlich zusammenfallend mit dem Aufstieg des österreichischen Liberalismus, weitergeführt von dem Philosophen und Extheologen Franz Brentano (1838–1917). Er setzt in einem auf das Altertum, das Mittelalter und die Neuzeit übereinstimmend angewendeten Vier-Phasen-Schema des Aufstiegs und Verfalls der Philosophie die erste Aufstiegsphase der „Forschung" in der Neuzeit von Bacon bis Locke an, ordnet der zweiten Phase der „Skepsis" – der ersten Abstiegsphase – David Hume zu und setzt schließlich die vierte Phase des äußersten Verfalls in Schwärmerei und „Mystik" gleich mit dem Deutschen Idealismus.

Von Brentano führte der Weg weiter zum Wiener Kreis in der 1. Republik sowie zu Ludwig Wittgenstein und Karl R. Popper, zum Neopositivismus, zur analytischen Philosophie und zur modernen Wissenschaftstheorie. Popper schrieb im Zweiten Weltkrieg sein Buch über „Die offene Gesellschaft und ihre Feinde", worin er sich mit den Diktaturen Hitlers und Stalins unter dem Aspekt „Hegel, Marx und die Folgen" auseinandersetzte und auf diese Weise Brentanos Kritik wiederaufnahm und weiterführte.

Man hat jüngst (WERNER SAUER), wohl zurecht, auf Unterschiede zwischen der katholischen Philosophie Bolzanos, Brentanos und den metaphysikfeindlichen, vorwiegend freigeistigen bis sozialistischen Wiener Neopositivisten aufmerksam gemacht; und weiter auf die Differenz zwischen der Kantablehnung, der Wiederbelebung vorkantischer Positionen bei Bolzano, z. T. auch noch bei Brentano, und der Kantanerkennung, der nachkantischen Position des Wiener Kreises oder gar Poppers. Auf derselben Linie einer Problematisierung der behaupteten Kontinuität österreichischer Philosophie vom 19. ins 20. Jahrhundert liegt es, wenn man den österreichischen Anti-Kantianismus und Anti-Idealismus sowie die Wiederbelebung Leibnitz-Wolff'scher Lehren ursächlich verbindet mit der antirevolutionären bürokratischen Eindämmungspolitik der Restaurationszeit (Ernst Topitsch, Eduard Winter und früher schon Otto Neurath). Die Bürokraten der Restauration hätten das aufklärerisch-emanzipatorische Potential bei Kant richtig erkannt, seine Nähe zum gefürchteten Geist der Französischen Revolution.

Es bleibt aber doch die „bemerkenswerte Tatsache, daß sich die Entwicklung der wissenschaftslogischen Philosophie in Österreich ohne einen mit Deutschland vergleichbaren Rückgriff auf Kant, daher ohne vergleichbare neukantianische Schulbildung vollzogen hat" (SAUER, S. 14). Es bleibt die Bolzano, Brentano und Popper verbindende Kritik am Deutschen Idealismus, vor allem an Hegel und weiter die nach außen abgrenzende übergreifende Gemeinsamkeit des logischen und des damit verbundenen ethischen Objektivismus, sei er nun ausdrücklich in der Schöpfungslehre begründet, wie noch bei Bolzano, oder nicht mehr, wie später.

Bolzano gründete traditionsbildend die Logik auf den an sich, unabhängig vom Bewußtsein, geltenden Satz. Noch in der „Phänomenologie" des Brentano-Schülers Edmund Husserl (1859–1938) wirkte dieser Objektivismus nach und prägte Husserls Kritik am Psychologismus seines Lehrers. Der auf das Subjekt des Denkens und Handelns bezogenen Gesinnungsethik Kants stellte Bolzano die Moral des objektiv richtigen Handelns entgegen. Für sie liefert den Maßstab das Gegebene, die Welt, wie sie ist. Dementsprechend lautet Bolzanos Gegen-Satz zum Kategorischen Imperativ Kants: „Wähle von allen dir möglichen Handlungen immer diejenige, die, alle Folgen erwogen, das Wohl des Ganzen, gleichviel in welchen Teilen, am meisten befördert." (zit. nach JOHNSTON, S. 282).

Man wird das alles doch wohl nicht ausschließlich den politischen Rahmenbedingungen der Restaurationszeit zuschreiben wollen, wie Sauers Ausführungen allenfalls nahelegen könnten. Wenn ja, dann wäre das schon ein erstaunliches Beispiel für die fortwirkende produktive Kraft einer zeitlich begrenzten negativen Abwehrmaßnahme.

Der Empirimus und die Metaphysikfeindlichkeit des Wiener Kreises wurden nicht zuletzt durch zwei philosophierende Physiker der Zeit Franz Josephs, Ernst Mach (1838–1916) und Ludwig Boltzmann (1844–1906), vorbereitet. Man durchbrach die Trennwände zwischen Physik und Psychologie. Er arbeitete auf dem Gebiet der Psychologie mit den Methoden der physikalischen Elementaranalyse und ersetzte das als unnütze Hypostasierung abgetane Ich durch kontinuierlich wechselnde Konstellationen von Empfindungen, die gemessen werden können. Damit wurde er, nach Hermann Bahr, u. a. zum „Philosophen des Impressionismus". Boltzmann verwarf den Dogmatismus von Theorien in der Naturwissenschaft und darüber hinaus. Er zeigte, daß scheinbar einander widersprechende Hypothesen einander ergänzen können, und bereitete damit die „strenge Freiheit" (Musil) der Hypothesenaufstellung und Hypothesenkritik vor, die nach Popper den Kern der modernen „Logik der Wissenschaft" ausmacht.

Ein anderes Gebiet der Anwendung der Naturwissenschaften, auf dem Österreich in der Zeit Franz Josephs international führend wurde, war die Medizin. Die Wiener Schule der Medizin gründete der aus Böhmen stammende Anatom Carl von Rokitansky (1804–1878). Ihre weiteste Ausstrahlung ist verbunden mit dem aus Deutschland kommenden Chirurgen Theodor Billroth (1829–1894), der Wien zum „Mekka der Medizin" (Virchow) machte. Die Wiener Schule war streng naturwissenschaftlich ausgerichtet. Wir kommen darauf noch einmal in der Schlußüberlegung zurück.

So wie das technisch nachhinkende Österreich zur Zeit Franz Josephs im technischen Schulwesen und in den Naturwissenschaften samt ihrer Anwendung vorpreschte, so lieferte das wirtschaftlich lange zurückgebliebene und im Zeichen des Liberalismus schnell aufholende Österreich international viel diskutierte Beiträge zu einer modernen Theorie der Ökonomie. Zu nennen sind in diesem Zusammenhang vor allem Carl Menger (1840–1921) und Eugen von Böhm-Bawerk (1851–1914) mit der „Grenznutzenlehre", die den wirtschaftlichen Wert in die jeweilige besondere Bedürfnissituation einbindet (sie bietet damit wohl eine Parallele zur Entdogmatisierung und Relativierung der Theorien/Hypothesen in der Physik durch Boltzmann): „Entscheidend ist nicht die Nützlichkeit, die das Gut ‚als solches' haben mag, sondern die einer bestimmten Quantität des Gutes, die unter Voraussetzung eines bestimmten Bedürfnisstandes geprüft werden soll" (Fuchs, S. 28). Dies forderte ebenso wie der „Empiriokritizismus" Machs die Kritik der Dogmatiker des Marxismus-Leninismus heraus.

Eine weitere Parallelentwicklung zum Neopositivismus, zum Empirismus und zum logischen Objektivismus in der österreichischen Philosophie und Wissenschaftstheorie stellt die noch in der Monarchie entwickelte „reine" Staatsrechtslehre Hans Kelsens (1881–1937), des Autors der Verfassung der 1. Republik, dar. Er brandmarkte Platos Gesellschaftstheorie als antidemokratisch und nahm so Poppers, mit der Hegelkritik verbundene, Platokritik vorweg. Er pries den Relativismus als Weltanschauung der Demokratie (Johnston, S. 111).

In einem weitverstandenen Sinne paßt es in dieses Umfeld, daß die entstehende österreichische Arbeiterbewegung nach einer durch Viktor Adler beigelegten Auseinandersetzung zwischen Gemäßigten und Radikalen sich fortan ein gemäßigtes Programm gab (Hainfeld 1888/89). Es gab zwar die sozialistische Ordnung als Ziel an, wollte aber den Weg dorthin mit Reformen und der Demokratisierung Österreichs gehen. Man kann darüber streiten, ob dieses Programm reformistisch ist oder nicht. Jedenfalls ist es wohl kein Zufall, daß einer der drei bestimmenden Theoretiker des Austromarxismus, Max Adler (1873–1937), Lenins Gleichsetzung der Marx'schen Philosophie mit dem Materialismus angriff und daß er als erster beim frühen Marx Zusammenhänge mit Hegel sowie auch mit Kant bemerkte und positiv vermerkte, die dann erst zwanzig Jahre später, ausgelöst durch die Publikation der sog. Pariser Manuskripte, eine breite und heftige Diskussion entfachten und zur Trennscheide zwischen dogmatischen und nicht dogmatischen Marxisten wurden.

Ein in den letzten Jahrzehnten besonders hervorgehobener und mit Bezug auf Gegenwartstendenzen aktualisierter Aspekt des Denkens der Franz-Josephs-Zeit ist die Thematisierung der Sprache, sowohl bei Philosophen wie bei Literaten. Der von Ernst Mach beeinflußte Fritz Mauthner (1849–1923) ersetzte die Metaphysik durch Sprachanalyse. Er erneuerte damit unter veränderten Umständen die Erkenntnis der alternativlosen Sprachgebundenheit jedes Denkens, die bereits Wilhelm von Humboldt und August Wilhelm Schlegel vertreten hatten. Der Wiener Kreis und Ludwig Wittgenstein schlossen später daran an, wenn sie Sprachanalyse und Sprachkritik als unerläßliche Voraussetzung für jedes Philosophieren und für jede Wissenschaft erklärten. Gleichzeitig mit Mauthner und bereits vor ihm hatten auch Schriftsteller wie Johann Nestroy und Ferdinand Kürnberger ähnliche Einsichten vertreten, auf dem Theater und im Essay. Die Verbindung bis Gleichsetzung von Philosophie und Sprachphilosophie, von Zeitkritik, Gesellschaftskritik, Kulturkritik und Sprachkritik kulminierte bei Karl Kraus (1874–1936) und in anderer Form bei den Philosophen des Dialogs, Martin Buber (1878–1965) und Ferdinand Ebner (1882–1931).

Zur aufklärerischen Sprachanalyse und Sprachkritik gesellt sich da eine Sprachphilosophie, die mystisch-religiös begründet ist und insofern den antirationalen Tendenzen des Zeitalters entspricht. Sie erscheint aber zugleich als Vorläuferin modernster linguistischer Ansätze, die das dialogische Sprechen als nicht zu übergehende Grundvoraussetzung für Sprache wiederentdecken. Der vom ostjüdischen Chassidismus geprägte Martin Buber und der katholische Philosoph Ferdinand Ebner entdeckten unabhängig voneinander das Ich-Du-Verhältnis des Sprechens, das sich immer in bestimmten (konkreten) Situationen ereignet und sich damit abhebt vom situationsenthobenen, abstrakten Sprechen des Menschen über die Dinge, vom „Verworten" der Dinge: „Das nun macht das Wesen der Sprache – des Wortes – in ihrer Geistigkeit aus, daß sie etwas ist, das sich zwischen dem Ich und dem Du zuträgt, zwischen der ersten und der zweiten Person, wie man in der Grammatik sagt", (Ferdinand Ebner).

Neben der österreichischen Richtung der wissenschaftslogischen Philosophie, die durch Emigranten wie Carnap und Wittgenstein die angelsächsische Welt erobert hat, hat vor allem die im Österreich Franz Josephs entwickelte und davon nicht unerheblich mitbedingte Psychoanalyse Sigmund Freuds (1856–1939) weltweite Verbreitung gefunden. Sie stellt mit der Entdeckung des Unbewußten, als Ursache für mannigfache psychische Störungen und als lenkende Macht im Menschen, auch eine theoretisch-diagnostische Entsprechung zur Mobilisierung und Benützung irrationaler Gefühle und archaischer Mythen in der Politik der antiliberalistischen Massenparteien dar. Wohl hat sich Freud, zumindest in seiner frühen und mittleren Zeit, auf die Individualpsyche beschränkt und erst in seinen Spätschriften, wie „Das Unbehagen in der Kultur", die Kollektivpsyche thematisiert. Doch hat Schorske nachgewiesen, daß die eigenen Träume, die Freud in seiner bahnbrechenden „Traumdeutung" analysiert, noch erkennbare, wenn auch zurückgedrängte, politische Züge zeigen. Die Therapie Freuds, das Bewußtmachen des Unbewußten, steht noch in der liberalen Aufklärungstradition und wirkt damit auch der Ausbeutung des Unbewußten entgegen. Darauf hat Thomas Mann mit dem Blick auf Mussolinis Faschismus und Hitlers Nationalsozialismus zurecht aufmerksam gemacht. Mit den österreichischen Vertretern der Thematisierung der Sprache verbindet Freud, daß er in seiner Diagnose wie in seiner Therapie der Sprache eine entscheidende Rolle zuteilt. Folgerichtig hat der französische Psychologe Foucauld daraus die Hypothese vom sprachartigen Aufbau des Unbewußten entwickelt.

Man kann zum Abschluß dieses Abschnitts verallgemeinernd sagen, daß aus dem Österreich Franz Josephs sowohl der moderne Rationalismus als auch die moderne Wissenschaft vom Irrationalen weiterwirkende Anstöße erhalten hat.

4. DER GEIST DER KUNST

In vielen Versuchen, den „Kunstgeist" der Franz-Josephs-Zeit zu charakterisieren, findet man als allgemeinstes, die Kunstgattungen und Kunstrichtungen übergreifendes Merkmal den Ästhetizismus. Er wird zur Charakterisierung der „Ringstraßenzeit" ebenso verwendet wie für den Impressionismus und die formalistische, dekorativ-ornamentale Stilkunst.

Am schärfsten hat Kritik daran Hermann Broch in dem Großessay „Hofmannsthal und seine Zeit", unter dem Titel „Die Kunst und ihr Un-Stil am Ende des 19. Jahrhunderts", geübt. Ein Untertitel dazu, „Die fröhliche Apokalypse Wiens um 1880", stellt den Bezug zur historischen Situation des untergehenden Habsburgerstaates her. Er zielt auf die anspruchsvolle Kunst ebenso wie auf die Phäakenkunst des „dekorativen Amüsements". Er enthält den Vorwurf der Abwendung von der Wahrheit (der Zeit) und den Vorwurf der „Immoralität", der Abwendung von der „ethischen Pflicht" des „künstlerischen Tuns", worin die politische Pflicht inbegriffen ist. Dazu gesellt sich noch der Vorwurf der Musealität: „In Erfüllung seiner Traditionspflicht verwechselte Wien Museumshaftigkeit mit Kultur und wurde ... zum Museum seiner selbst" (Broch, Bd. 9/1, S. 148).

Die folgende Skizze wird den zu pauschalen Befund in einigem korrigieren müssen, wenn er auch mindestens einen Aspekt scharf erfaßt.

Der Stil der Wiener Ringstraße etwa zeigt den von Broch verurteilten historisierenden Eklektizismus „des falschen Barocks, der falschen Renaissance, der falschen Gotik", aber die Verwendung des jeweiligen Stils ist nicht wahllos, sondern motiviert: das Parlament zitiert die griechische Demokratie, das Rathaus das Selbstbewußtsein der mittelalterlichen Stadt, die Universität die Renaissance der Wissenschaften, das Burgtheater die barocke Theatertradition. Diese Zitate sind nicht einfach leer (Broch: „Vakuum"), sondern meinen Traditionen, an denen man sich orientieren wollte, nicht zuletzt im Gegensatz zum Wien des alten „Systems" des „Status quo (Bauernfeld: „Großjährig"). Darüber hinaus repräsentiert die Ringstraße und ihre Architektur auch einen in die Zukunft weisenden Urbanismus.

Und nach den Erbauern der Ringstraße kamen Architekten, die die bloß dekorative Schönheit kritisierten und an ihre Stelle die Schönheit des Unverzierten, Einfachen, Klaren, Funktionalen, Zweckentsprechenenden setzten: Otto Wagner (1841–1918) und Adolf Loos (1870–1933).

Der Repräsentationsarchitektur der Ringstraße entsprach der Maler Hans Makart (1840–1884) am vollkommensten; daher als Entsprechung zur „Ringstraßenzeit" die „Makartzeit". In Makart schien sich der Zeitgeist der Dekoration verkörpert zu haben. Das gilt für den von ihm gestalteten Triumphzug zur Feier der Silberhochzeit des Kaiserpaares Franz Joseph und Elisabeth 1879; das gilt ebenso für seine großformatigen historisierenden Gemälde, die abgemalten Kostümfesten oder gestellten Bildern gleichen; das gilt auch für die von ihm geschaffenen Moden (Makart-Hut, Makart-Strauß usw.).

Aber schon Gustav Klimt (1862–1918), der in der Nachfolge Makarts als dekorativer Freskomaler der Ringstraße begann, entspricht Brochs Pauschalurteil nicht mehr. 1897 gründete er als Anführer der Jungen, die sich gegen die klassizistische Tradition der Väter auflehnten, die Secession. Er verschrieb sich, ähnlich wie Otto Wagner, der unverfälschten Wahrheit, der wahrhaftigen Darstellung des modernen Menschen („Nuda Veritas", 1898), voran seines elementaren Trieblebens. Dies parallel zu Freuds Analyse, der sich dafür ebenso wie Klimt „archäologischer", archaischer Bilder bzw. Mythen bediente. Als dieser entsprechende Fresken für die neue Universität an der Ringstraße schuf, rief er damit nicht nur ästhetische Kontroversen, sondern auch politische Stürme hervor. Nicht ohne scharfe künstlerische Auseinandersetzung mit den übermächtigen Gegnern, unter ihnen Lueger, zog er sich danach resignierend auf eine selbstgenügsame (absolute) abstrakte und symbolische Stilkunst zurück, die collageartig Menschen und mosaikartige Ornamente zusammenstellt. Damit kehrte er scheinbar, in Übereinstimmung mit dem regressiven narzistischen Ästhetizismus der Jahrhundertwende, zu seinen dekorativen Anfängen zurück. Schorske hat diesen symptomatischen künstlerischen und menschlichen Weg einprägsam dargestellt.

Die Musik der Franz-Josephs-Zeit zeigt eine ähnliche Spannung wie die Architektur und die Malerei zwischen beharrenden, konservierenden Kräften, die den Geschmack der gesellschaftlich Tonangebenden repräsentieren oder doch mit ihm harmonieren, und davon abweichenden bis revoltierenden Neuerern, die Verfolgung und/oder Isolierung erfuhren.

Auf der einen Seite finden wir etwa den mächtigen Musikkritiker der „Neuen Freien Presse" Eduard Hanslick (1825–1904), der 1870 Professor für Ästhetik und Musikgeschichte an der Universität Wien wurde. Er erkor sich unter den Zeitgenossen den in Wien lebenden Johannes Brahms (1833–1897) zum Erfüller seiner akademischen musikalischen Leitvorstellungen und Maßstäbe für seine Kritik: „Als Klassizist verachtete Hanslick jede Art von Musik, die emotionelle Tiefen anspricht, und stellte Klarheit über Ausdruckskraft" (JOHNSTON, S. 144).

Auf derselben Seite finden wir aber auch den „Walzerkönig" Johann Strauß (1825–1899), der der Wiener Operette das gesellschaftskritische Salz seines Vorbildes Jacques Offenbach und auch eines Johann Nestroy entzog oder es doch, wie in der „Fledermaus", weitgehend neutralisierte. Er wurde weltweit zum Inbegriff der Wiener Lebenslust, des österreichischen Phäakentums. Broch tut ihn ab als „adäquaten Träger" des „schieren, d. h. des ausschließlich dekorativen Amüsements" (BROCH, Bd. 9/1, S. 152).

Die von Hanslick bekämpften Neuerer haben alle von der kanonisierten Tradition in unterschiedlichem Maß abweichende eigene Tonsprachen geschaffen. Das gilt für Anton Bruckner (1824–1896), Hugo Wolf (1860–1903), Gustav Mahler (1860–1911), Arnold Schönberg (1871–1951). Der Revolutionärste unter ihnen war Schönberg. Er proklamierte „die Emanzipation der Dissonanz" von der Tonalität, von der „hierarchischen" Ordnung der diatonischen (siebenstufigen) Tonskala, mit dem Dreiklang als stabilem Zentralelement. Diese Emanzipation diente für ihn dem wahren Ausdruck des modernen „wilden“ Fühlens, seines persönlichen wie des gesellschaftlichen. Damit erhielt seine musikalische Revolution die politische Mitbedeutung eines Bruches mit der hierarchischen österreichischen Gesellschaft und ihrer zeitgenössischen liberal-rationalen Ordnung.

Vergleichbare Neuerungen fehlen im Theater der Franz-Josephs-Zeit. Hermann Broch formulierte es in seinem kulturkritischen Hofmannsthal-Essay so: „es gab keine österreichische Revolution ... und so blieb für das geistige Leben Wiens und gerade auch für das Theater das höfische Schema intakt ... Eine nach wie vor königlich geartete Schauspielkunst bemächtigte sich des bürgerlichen Raumes ... Eine von unersättlicher Dekorationslust erfüllte Epoche (suchte und fand) ihre höchste Repräsentation . . . in der Oper“ (Broch, Bd. 9/1,, S. 150, 119). Die revolutionäre Oper Schönbergs, „Moses und Aron“, entstand erst nach dem Untergang der Monarchie.

Als Leitform der Literatur hat man in der Epoche Franz Josephs das Feuilleton dingfest gemacht. In der Art, wie es die verschiedensten Themen improvisierend aufgreift und spielerisch leicht behandelt, ordnete man es dem Komfortbedürfnis der ästhetizistischen Kultur zu, der ringstraßenzeitlichen wie der impressionistischen; als ein Produkt der bürgerlichen Massenpresse dem Prozeß der Modernisierung der Technik und der Öffentlichkeit. Stellvertretend für zahlreiche Autoren seien nur Ludwig Speidel (1836–1906) und Daniel Spitzer (1835–1893) genannt, deren literarische Techniken z. T. noch in den Erzählungen Arthur Schnitzlers nachlebten. Daniel Spitzers Nachfolge als Feuilletondirektor der „Neuen Freien Presse“ wurde Karl Kraus angeboten. Der zog es aber vor, zum schärfsten Kritiker des Feuilletons und des Feuilletonismus zu werden.

Doch sollte man die fließenden Übergänge zum stilistisch wie kritisch anspruchsvollen Essay – auch dem antifeuilletonistischen – nicht übersehen. Sie reichen hin bis zum wissenschaftlichen Essay und bis zu dem vielversprochenen Essayismus der österreichischen Vertreter des modernen Romans im 20. Jahrhundert.

Der Feuilletonist Ferdinand Kürnberger (1821–1879) nahm in Grundzügen bereits die Sprach- und Pressekritik eines Karl Kraus vorweg. Hermann Bahr (1863–1934) ist mit seinem Gespür für literarisch-geistige Klimaveränderungen, mit seiner „proteusartigen Wandlungsfähigkeit“ besonders symptomatisch für den Übergang vom impressionistischen Feuilleton zum kritischen Essay. Dieser reicht bis zur wissenschaftlichen Prosa Freuds und zum Essayismus Musils und Brochs. So gesehen wird man sich wohl nicht einer immer noch verbreiteten Geringschätzung des Feuilletons anschließen können, sondern es u.a. als eine der Ausbildungsstätten moderner Prosa anerkennen.

In prominenten Darstellungen des literarischen Realismus im 19. Jahrhundert (z. B. von Georg Lukacs und Erich Auerbach) kommt der österreichische Beitrag, zusammen mit dem deutschen, gegenüber dem französischen, englischen und russischen schlecht weg. Er erscheint als zurückgeblieben und mangelhaft. Zurückgeblieben wegen der Zurückgebliebenheit der gesellschaftlichen Zustände, die Friedrich Engels bereits 1847 in seiner Schrift „Der Status quo in Deutschland“ konstatiert hat und für die er Österreich als „europäisches China“ bezeichnete (vgl. Hanisch); mangelhaft wegen der behindernden Nachwirkung der deutschen Klassik mit ihrer Tendenz zu stilisieren, zu idealisieren, zu harmonisieren: „Bis gegen Ende des 19. Jahrhunderts blieben die bedeutendsten Werke, die überhaupt Gegenstände der zeitgenössischen Gesellschaft ernsthaft zu gestalten suchen, im halb Phantastischen oder Idyllischen ... sie geben das Bild des Wirtschaftlichen, Gesellschaftlichen und Politischen als ein ruhendes“ (Auerbach, S. 420–421). Als zentrales Beispiel dafür erscheint nicht nur hier Adalbert Stifter mit seinen Romanen „Der Nachsommer“ (1857) und „Witiko“ (1865–1867). Schorske hat diese Perspektive in seiner Studie über das Schlüsselmotiv des Gartens in der österreichischen Kunst der Zeit Franz Josephs, verstanden als Ausdehnung der ästhetisch-rationalen Ordnung der Architektur über die Natur, wiederaufgegriffen, erneuert und auf Stifter wie auf Ferdinand von Saar (1833–1906) und das „Junge Wien“, mit Hugo von Hofmannsthal und Leopold Andrian, bezogen (Schorske, S. 265–303). Er hat dabei allerdings auf Veränderungen, Transformationen, geachtet, bis hin zur Explosion im Garten, bei dem expressionistischen Malerdichter Oskar Kokoschka (1886–1980). Waren Haus und Garten bei Stifter noch utopisches Lebensmodell, Gegenentwurf zur zeitgenössischen Wirklichkeit, so wurden sie bei Hofmannsthal und Andrian zum neoaristokratischen Refugium vor dem Leben. Dazwischen ist Ferdinand von Saar angesiedelt, der mit seinem Herzen zwar noch in Stifters Welt lebte, sich aber redlich den andrängenden gesellschaftlichen Konflikten und Veränderungen seiner Zeit, den wachsenden Gegensätzen zwischen Reich und Arm stellte und sie darstellte. Damit näherte er sich, stärker noch als Marie von Ebner-Eschenbach (1830–1916), den englischen, französischen und russischen Realisten des 19. Jahrhunderts. Nach ihm hat besonders Arthur Schnitzler (1862–1931) eine eigene Form der Darstellung österreichischer Verhältnisse seiner Zeit geschaffen, die einerseits den Anforderungen des literarischen Realismus im 19. Jahrhundert entsprachen, andererseits über ihn hinauswiesen. Als wahlverwandter und berufsverwandter Zeitgenosse Sigmund Freuds erfaßte er das Wiener Großbürgertum der Phase des niedergehenden Liberalismus und des Fin-de-Siècle von innen wie von außen, in seinem Unbewußten und Unterbewußten ebenso wie in seinem Bewußtsein, und entwickelte entsprechende literarische Techniken, wie die des inneren Monologs und der Nachbildung des Bewußtseinsstroms, die in der literarischen Moderne des 20. Jahrhunderts Furore machen sollten.

Aber auch mit dem Blick auf Adalbert Stifter, der schon in seinen Pressebeiträgen zum Revolutionsjahr 1848 und dann, geschichtsphilosophisch weit ausholend, im „Witiko" für stetige Entwicklungen gegen gewaltsame Revolutionen eingetreten war, drängen sich Fragen auf: ist denn nicht Österreichs Geschichte seither ohne wirkliche Revolution verlaufen? Man mag das begrüßen oder bedauern (Stichwort „verhinderte Revolution").

Überwiegt denn nicht auch bei den Austromarxisten der Reformsozialismus?

Erscheint so Stifter nicht realistischer als die, die ihm, fest überzeugt vom dialektischen Gang der Geschichte, unrealistische Geschichtsfremdheit vorwarfen (Hebbel) und verwerfen (zahlreiche heutige Kritiker). Und Stifters abstrahierende Stilisierung weist nicht bloß zurück auf ein nicht überwundenes Erbe der deutschen Klassik, sondern auch voraus, wie ein Blick auf die Stifterrezeption der österreichischen Gegenwartsliteratur lehren kann (Weiss, S. 133–143).

Also auch die Literatur in der Zeit Franz Josephs zeigt den zweigesichtigen Januskopf, ähnlich wie die Architektur, die Malerei und die Musik. Das zu Beginn hervorgehobene Hauptmerkmal der Epoche hat sich als durchgehendes „Leitfossil" bewährt.

5. ENTSPRECHUNGEN UND IHRE PROBLEME

Das soeben verwendete Wort „ähnlich" veranlaßt mich zu einer abschließenden methodenkritischen Überlegung, die meinen eigenen Versuch einbezieht. Immer wieder sind wir bei der Musterung des geistigen Österreich Entsprechungen (Analogien) zwischen Politik, Philosophie, Wissenschaft(en), Kunst und zwischen verschiedenen Kunstgattungen begegnet; nicht zuletzt im Anschluß an vorangegangene und herangezogene Versuche zur Geistes- und Kulturgeschichte der Zeit Franz Josphs.

Wenn man von Entsprechungen, Analogien spricht, sollte man immer mitbedenken, daß es sich dabei um Teilübereinstimmungen, Teilidentitäten handelt, die Teilverschiedenheiten voraussetzen und einschließen.

Daraufhin ist das von mir behauptete durchgehende Hauptmerkmal der Epoche zu prufen, oder auch die behauptete Entsprechung zwischen Freuds Psychoanalyse und Veränderungen des Menschenbildes in verschiedenen Künsten, bei verschiedenen Künstlern.

Die von Schorske entdeckten Stilentsprechungen zwischen den Führern, den Ideologien, dem Menschenbild der antiliberalistischen Massenparteien sind z. B. erkenntnisfördernd, weil zugleich Unterschiede herausgearbeitet werden, die eine plane Gleichsetzung behindern. Dasselbe scheint mir für die von mir vorgetragene Entsprechung zwischen Freuds Psychoanalyse und dem Menschenbild dieser Massenbewegungen zu gelten. Sie berücksichtigt den Unterschied zwischen Analyse, Diagnose, daraus abgeleiteter Therapie und politischer Praxis im Dienste der Mobilisierung.

Anders verhält es sich nach meiner Ansicht, wenn Johnston die Zurückhaltung der Wiener Medizinischen Schule in der Theraphie als „therapeutischen Nihilismus" identifiziert und auf ein „durchgehendes" „Charakteristikum des Wiener Lebens" zurückführt (JOHNSTON, S. 230 f). Er übergeht dabei die unterscheidende Besonderheit der streng naturwissenschaftlichen Ausrichtung dieser Schule. Sie würde für eine Erklärung der therapeutischen Zurückhaltung völlig ausreichen. Konnte doch vor der Einführung statistischer Methoden streng wissenschaftlichen Status nur die kausale Ursachenforschung beanspruchen, d. h. aber die Diagnose, nicht die Therapie.

Unter einem anderen Aspekt könnte man Johnstons „Kultur- und Geistesgeschichte" als kritischen Maßstab an meinen Beitrag anlegen, weil er sich zu sehr auf das Zentrum der Monarchie und die Vorgegenwart des heutigen Österreich beschränkt, während Johnston „Gesellschaft und Ideen im Donauraum" behandelt. Für Ungarn und Budapest verlieren z. B. die zuletzt im Zusammenhang mit Stifter angestellten Überlegungen zur „unterbliebenen Revolution" ihre Gültigkeit, und was die ungarische Literatur betrifft, so unterstreicht Johnston zurecht ihr spezifisches politisches Engagement, ihre revolutionäre Tradition, die sie von dem weit verstandenen therapeutischen Nihilismus des Wiener Lebens abheben. Ich müßte diesen Vorwurf einstecken und könnte mich allenfalls auf die Klischee-Entschuldigung mit dem beschränkten Raum zurückziehen. Tatsache ist, daß ich zugunsten eines einigermaßen profilierten Konzepts rund um das „Hauptmerkmal" ausgewählt und verzichtet habe.

Dieser Beitrag ist ein Zweitabdruck. Der Erstdruck erscheint im Jahrhundertwendeband der Österreichisch-ungarischen gemischten Kommission für Literaturwissenschaft (Österreichische und ungarische Akademie der Wissenschaften).

Literatur (in Auswahl):

ERICH AUERBACH, Mimesis. Dargestellte Wirklichkeit in der abendländischen Literatur. Bern [3]1964 – ROGER BAUER, Der Idealismus und seine Gegner in Österreich. Heidelberg 1966 (Beihefte zum Euphorion 3) – HERMANN BROCH, Kommentierte Werkausgabe. Frankfurt am Main 1975 – Denkschrift über die gegenwärtigen Zustände der Zensur in Österreich. In: Der österreichische Vormärz 1816–1847 (= Deutsche Literatur in Entwicklungsreihen. Reihe Politische Dichtung Bd. 4). Leipzig 1931 – MICHEL FOUCAULT, Die Ordnung der Dinge. Eine Archäologie der Humanwissenschaften. Frankfurt am Main [2]1978 – ALBERT FUCHS, Geistige Strömungen in Österreich 1867–1918. Wien 1949 – ERNST HANISCH, Der kranke Mann an der Donau. Marx und Engels über Österreich. Wien-München-Zürich 1978 – RUDOLF HALLER, Studien zur österreichischen Philosophie. Amsterdam 1979 – WILLIAM M. JOHNSTON, Österreichische Kultur- und Geistesgeschichte. Gesellschaft und Ideen im Donauraum 1848 bis 1938. Wien-Köln-Graz 1974 – ERNST KRENEK, Von der Aufgabe ein Österreicher zu sein. In: KRISTIAN SOTRIFFER (Hrsg.), Das größere Österreich . . . , S. 17 ff – GEORG LUKACS, Essays über Realismus. Berlin 1948 – THOMAS MANN, Zur Stellung Freuds in der modernen Geistesgeschichte. 1929 – ROBERT MUSIL, Gesammelte Werke. Reinbek bei Hamburg 1978 – J. C. NYIRI, Am Rande Europas. Ideengeschichtliche Entwürfe. Manuskript – KARL R. POPPER, Die offene Gesellschaft und ihre Feinde II. Falsche Propheten. Hegel, Marx und die Folgen. [6]1980 – WERNER SAUER, Österreichische Philosophie zwischen Aufklärung und Restauration. Würzburg-Amsterdam 1982 – CARL E. SCHORSKE, Wien. Geist und Gesellschaft des Fin-de-Siècle. Frankfurt am Main 1982 – KRISTIAN SOTRIFFER (Hrsg.), Das größere Österreich. Geistiges und soziales Leben von 1880 bis zur Gegenwart. Wien 1982 – WALTER WEISS, Antworten österreichischer Gegenwartsliteratur auf Adalbert Stifter. In: Adalbert-Stifter-Institut. Vierteljahresschrift 32 (1983) S. 133–143

Herbert Zeman

ÖSTERREICHS LITERARISCHE WELT VON DER JAHRHUNDERTWENDE BIS ZUM ERSTEN WELTKRIEG (1880–1918)

Die Fülle und breite Fächerung der geistigen Bewegungen in den habsburgischen Ländern um die Jahrhundertwende schaffen die verwirrende kulturelle Dynamik des politisch zu Ende gehenden Zeitalters, bilden den schillernden Hintergrund eines, die bisherigen vereinheitlichenden („viribus unitis") Kräfte zerbröckelnden, schließlich zersplitternden Umbruchs. Die österreichische Kultur beginnt nun – im positiven wie im negativen Sinn – eine außerordentliche Strahlkraft weit über die Reichsgrenzen hinaus zu entfalten: Je hoffnungsloser sich die staatspolitische Tradition erweist, desto mehr richtet sich die kulturelle Wirkkraft explosionsartig nach außen. Voraussetzung für diese und viele andere geistigen, einander entgegenstehenden Phänomene, die um 1900 kulminierten, waren nicht nur die kulturellen Fluktuationen, die der Vielvölkerstaat ermöglichte, sondern – und zunächst vor allem in deutsch-österreichischen Gebieten – ein neues Ich-Verständnis, ein neues Ich-Bewußtsein, das sich parallel zu den nationalen und gesellschaftlichen Emanzipations- bzw. Kollektivierungsbestrebungen entwickelte und binnen kürzester Zeit in mehreren Etappen auf Kunst und Wissenschaft reflektierte: Es ist nur selbstverständlich, daß dem Positivismus in den Wissenschaften um 1870/80 eine bürgerlich-wirklichkeitsnahe Tendenz der Dichtkunst entsprach; beide geistigen Strömungen begleiteten die Gründerzeit, den Aufstieg des Bürgertums und die Organisation der Arbeiter-Bewegung. Und ebenso selbstverständlicherweise wurde zwanzig Jahre später die Krise der Aristokratie und des (Groß)Bürgertums dichterisch thematisiert. Nun wurde parallel zu den Erkenntnissen der modernen Charakterologie und der Wissenschaft von der Psyche, zu Freuds individualistischer Seelen- bzw. Bewußtseinslehre und zu Ludwig Boltzmanns (1844–1906) oder Ernst Machs (1838–1916) relativierenden Deutungen der Wirklichkeit, ein künstlerischer Stil entfaltet, der die traumhafte Begegnung des Menschen mit der Welt, der die Scheinhaftigkeit der Wirklichkeit und die leisesten Regungen der Seele veranschaulichen oder deuten konnte. So ergibt sich ein literarisches Kontinuum von Traditionsbewahrung und schnellen Ablöseerscheinungen, denen die Schriftsteller selbst kaum zu folgen vermochten; letztlich bedingte dies auch Hermann Bahrs Wechsel der literarischen Lager: von den frühen wirklichkeitsabbildenden Erzählungen Marie von Ebner-Eschenbachs und Ferdinand von Saars bis zu den von schwebenden Bewußtseins- und Seelenlagen bestimmten Dramen oder Erzählungen Hugo von Hofmannsthals, Rainer Maria Rilkes und Arthur Schnitzlers reicht diese, z. T. sprunghafte, in der Residenzstadt Wien kulminierende, aber besonders seit den letzten Jahren des 19. Jahrhunderts auch die anderen Metropolen (Prag, Budapest usw.) und die Provinz einschließende Entwicklung. In den letzten Jahren des Kaiserreichs schließlich kennt die literarische Entfaltung auch – den politischen, sozialen und nationalen Wirrnissen gleichend – den ekstatischen, pathetisch-anklagenden Aufschrei (Kokoschka, Werfel, Kisch, Kaltneker), die phantastisch-groteske Verfremdung der Welt (Strobl, Meyrink, Kubin), die (ironisch-) distanzierte Beobachtung möglicher Wirklichkeits-Konstellationen (Musil) und die beklemmende bis zur Selbsthingabe führende Suche eines Erlösungsethos (Kafka). Freilich, alle diese Strömungen wurden getragen durch die Ordnungsvorgaben eines großen Reiches, in dessen Rahmen sie sich letztlich bis zum äußeren politischen Untergang einfügen, ohne jemals programmatischen Anspruch im Sinne der übrigen deutschen Literatur-Positionen zu erheben. Und selbst als das Reich verloren ist, kommt man von ihm über Jahre hinweg nicht los. Alle Grenzüberschreitungen des öffentlichen und privaten, vor allem des künstlerischen Lebens überwacht der extremste Rationalist unter diesen Schriftstellern: Karl Kraus.

Die hier erörterte Epoche begrenzt die Erscheinungsdaten zweier Anthologien: Das „Deutsche Dichterbuch aus Oesterreich" von Karl Emil Franzos (Stuttgart 1882) und der von Hugo von Hofmannsthal herausgegebene „Österreichische Almanach auf das Jahr 1916" (Leipzig 1915). Am Beginn steht die bewußt mit großdeutscher Absicht gestaltete Sammlung von Franzos (1848–1904); sie vereinigt deutschsprachige Schriftsteller aus allen Teilen der Monarchie: Franz Grillparzer, Friedrich Halm, Eduard von Bauernfeld, Anastasius Grün sind noch vertreten; sie repräsentieren die alte Kunstwelt, die der z. T. antikischen Gestaltung des Wahren, Schönen und Guten im Sinn der harmonischen Bildbarkeit des Menschen zugetan ist oder josephinisch-aufklärerischen Humanitätsvorstellungen folgt; aber schon kündigt sich mit Gedichten Robert Hamerlings ein ästhetizistisches, neues Schönheitsideal an und schließlich weisen die Gedichte Peter Roseggers, Ludwig Anzengrubers, Marie von Ebner-Eschenbachs, Jakob Julius Davids und des Pragers Friedrich Adler in die neue Zeit realistischer und deutsch-nationaler Maximen. Ganz anders präsentiert sich der Almanach Hugo von Hofmannsthals (1874–1929). Mit altüberlieferten, neueren und neuesten – nicht bloß poetischen – Texten versucht Hofmannsthal am Ende der Donaumonarchie ein Zeugnis für Österreich abzulegen, das bezeichnenderweise wie so viele der damaligen Zeugen österreichischer Literatur – in Deutschland erscheint. Hofmannsthal bezieht arrivierte und junge Stimmen der damaligen Gegenwartsliteratur mit ein: Hermann Bahr, Stefan Zweig, Rainer Maria Rilke, Georg Trakl, Felix Braun, Anton Wildgans, Max Mell, Robert Müller, Berthold Viertel, Rudolf Hans Bartsch und andere. Zwar ist diese Auswahl keineswegs ein repräsentativer Querschnitt durch die gesamte österreichische Dichtung der Zeit, aber typisch genug steht sie weitab von dem Franzos'schen Unternehmen: kein deutschpatriotischer Ton klingt an – im Gegenteil, auch slawische Schriftsteller, slawische Themen, kommen zu Wort; der Vielvölkerstaat wird positiv betrachtet; die historisch-gewordene Größe Alt-Österreich im Sinne erinnernder Utopien schafft eine historisierende Atmosphäre, die sich ebenfalls von den meisten auf das Jetzt und Heute bezogenen Gedichten des „Deutschen Dichterbuchs" unterscheidet; bezeichnenderweise fehlt andererseits ein kritisches Bedenken der Gegenwart im Sinne von Musil oder Kafka, fehlt rationalistische Zeitkritik im Sinne von Karl Kraus. Ein leiser christlicher, ferner ein monarchisch-aristokratischer Unterton durchzieht die Sammlung, die von alterworbenen Rechten und Pflichten, Bewährungen und Ordnungen des Kaiserstaates handelt. Welch ein Umschlag des Lebensgefühls, welche historische Entwicklung innerhalb von kaum vierzig Jahren! Schließlich: Die Hofmannsthalsche Sammlung bezieht durch ihre traditionsbetonte Perspektive zugleich Distanz zu allem anderen, dem Vergangenen negativ gegenüberstehenden literarischen Engagement; indirekt macht sie auf die historischen Wandlungen im Längsschnitt ebenso wie auf die große zeitgenössische Spannbreite der literarischen Aussagen und Gestaltungsweisen aufmerksam. Tatsächlich lassen der historische Längsschnitt und die historischen Querschnitte etwa der Jahre 1880, 1890, 1900 und 1910 ein buntes kulturgeschichtliches Panorama entstehen, für dessen letzte Phase nach 1900 bis zum Ende des Ersten Weltkrieges Franz Theodor Csokor das sprechende Wort „Der farbenvolle Untergang" wählte.

Farbenvoll und verwirrend zugleich in den vielen einander widerstrebenden künstlerischen Schattierungen hatte die Epoche um 1870/80 begonnen. Da war zunächst die Operette mit ihren legendären Erfolgen. Wesentlich weniger spektakulär bot sich das Sprechtheater dar: Das Konversationslustspiel des alten Eduard von Bauernfeld (1802–1890) und der jüngeren Nachfolger Eduard Mautner (1824–1889), Roderich Benedix, Julius Rosen (1833–1892) und Siegmund Schlesinger (1832–1918), die historischen Tragödien von Roderich Anschütz (1818–1888), Otto Prechtler (1813–1881) und Faust Pachler (1819–1891) bzw. die Schiller nachempfundenen Dramen Johann Nepomuk Bachmayrs (1819–1864) konnten mit der Beliebtheit der Operetten nicht konkurrieren, und nur das „Wolterdrama", mit der für die Burgschauspielerin Charlotte Wolter geschriebenen Hauptrolle im Zentrum war vorübergehend eine Stadtsensation.

Zu dieser großstädtischen Hochstilkunst gesellte sich die zu einem guten Teil auch auf das Stadtbürgertum gerichtete, doch aus der Provinz wirkende Mundartdichtung eines Johann Gabriel Seidl (1804–1875), Franz Stelzhammer (1802–1874), Anton von Klesheim (1812–1884; „'s Schwarzblattl aus'n Weanawald", 1843–81) und Peter Rosegger (1843–1918; „Zither und Hackbrett", 1870). Gab sich diese Kunst restaurativverklärend, oder urwüchsig-gemütlich-gegenwartsbezogen, so schwelgte Robert Hamerling (1830–1889) – als Philosoph Optimist, als Dichter, widersprüchlich genug, Pessimist – makartisch in antikisierendem, akademischem Ästhetizismus („Ahasverus in Rom", Epos, 1866; „Aspasia", Roman, 1876; „Homunculus", Epos, 1888).

Ganz anders präsentierte sich eine neoempfindsame Kunstströmung, die selbst wieder zu einer neuen Wirklichkeitssicht kontrastiert: Einerseits suchten Richard Wagners österreichische Anhänger bis hin zu Gustav Mahler und dessen Freund Siegfried Lipiner (1856–1911) in den achtziger Jahren nach einem Welt- und Erlösungsmythos, andererseits erlebte in Österreich der literarische Stil der bürgerlichen Wirklichkeitsdarstellung (Realismus) seinen Durchbruch. Um Siegfried Lipiner, der aus einer galizischen jüdischen Familie stammte, scharten sich in Wien junge Künstlernaturen, die allesamt ihre Zukunftsbegeisterung mit revolutionär-marxistischen, radikal-anarchistischen Ideen verbanden: Viktor Adler, Engelbert Pernerstorfer, Gustav Mahler, Richard von Kralik und andere. Richard von Kralik (1852–1934) charakterisierte die Situation der damaligen intellektuellen Jugend rückblickend („Tage und Werke", 1922) so:

> Um 1878/79 glaubte fast alle Welt, das gegenwärtige Gesellschaftssystem könne nicht mehr lange fortbestehen, es müsse entweder mit zerstörender Gewalt oder durch unwiderstehliche Umentwicklung innerhalb weniger Jahre dem Kollektivismus der Schule des Karl Marx weichen. Des Marx Buch über das Kapital war die Bibel der Zeit.

Ähnliches berichtet Hermann Bahr über die junge Generation seiner Freunde aus den frühen achtziger Jahren („Rezensionen", Berlin 1903):

> Es gibt, die ‚Kritik der reinen Vernunft' vielleicht ausgenommen, wohl kein Buch, das einen Jüngling mit einem vermessereneren Hochmut des Geistes erfüllen und vehementer berauschen konnte wie das ‚Kapital' von Marx. Hat er sich durch seine Stricken und Fallen gerungen, so glaubt er, die Schlüssel zu allen Geheimnissen zu besitzen, und alles ist ihm klar [...] die Geschichte der Menschheit ist entzaubert, es gibt keine Rätsel mehr, und es fehlt nur noch an einer hinreichenden Statistik, um für alle Zeit die Zukunft auszurechnen.

Der Weg der Jugend um Lipiner führte dann entweder in den parteipolitisch engagierten Sozialismus (Adler, Pernerstorfer) oder zu jener erwähnten mythischen Erlösungssuche, die Lipiner, christlich verbrämt, versepisch gestaltete („Der entfesselte Prometheus", 1876; „Bruder Rausch", 1883), der Gustav Mahler (1860–1911) empfindsam-pantheistisch mit den Textzusammenstellungen seiner Vokalmusik huldigte, und die Richard von Kralik mit der Begründung eines christlich-katholischen Dramas als deutschbewußtes Fest- und Weihespiel, ja sogar zu einer in solchem Sinne wirkenden, breiten Literaturbewegung, zusammengeschlossen im Gralbund, weiterführte.

Der Materialismus von Marx und der Determinismus von Darwin, Comte und Taine waren neben Schopenhauers und Nietzsches Pessimismus verwirrende Kräfte, die auf die österreichische Kultur des nach außen katholischen Kaiserstaates trafen, so daß sich selbst der neben den freisinnigen Denkern Friedrich Jodl (1849–1914) und Ernst Mach an der Wiener Universität Philosophie lehrende Professor Laurenz Müllner (1848–1911) von seinem katholisch-theologischen Standpunkt als Priester z. B. öffentlich mit dem Darwinismus auseinandersetzte. Andererseits wurde die verwirrende Zeitlage und die neu eröffnete nüchterne Weltsicht ein Erbteil jener Dichter, die gerade Laurenz Müllners geistige Nähe suchten: Marie Eugenie delle Grazie (1864–1931) weist auf die gesellschaftlichen Wurzeln ihrer großbürgerlichen Ära mit dem Revolutionsepos „Robespierre" (entstanden 1884-94) hin; mit schonungsloser Erzähl-Realistik zerstörte Emilie Mataja (1855–1938), die sich Emil Marriot nannte, bürgerliche Illusionen (vgl. die Romane „Egon Talmor“, 1880; „Familie Hartenberg“, 1882; „Der geistliche Tod“, 1884); anders übt Fritz Lemmermayers (1857–1932) ins Mittelalter versetzte Spiegelung der Gegenwart im Roman „Der Alchimist“ (1884) Kritik am zeitgenössischen Materialismus. Das Leiden am Leben wird diesen Schriftstellern zum Erbteil ihrer Kunst; und von hier eröffnet sich der Blick besonders auf die literarischen Anliegen jener drei Frauen, die mit einer neuen Selbstbewußtheit ihres Geschlechts, die Nöte der Zeit darstellten und an die Humanität appellierten: Ada Christens (eigentlich Christiane von Breden, 1844–1901) Lyrik („Lieder einer Verlorenen“, 1868; „Aus der Tiefe“, 1878), Erzählungen („Aus dem Leben“, Skizzen 1876) und Romane („Jungfer Mutter“, 1892) kennzeichnet die gleiche schonungslose Wahrheitsliebe, das gleiche realistische sozialkritische Engagement wie die Romane Emilie Matajas (s. o.) oder die Gesellschaftsromane Bertha von Suttners (1843–1914) – „Ein schlechter Mensch“, 1885; „Einsam und arm“, 1896; die dritte der hier zu nennenden Schriftstellerinnen ist Rosa Mayreder (1858–1938), deren persönliche Überwindung der Schopenhauerschen Lebensverneinung durch eine mitmenschlich-helfende Lebensbejahung ihre Erzählungen (vgl. z. B. den Roman „Idole“, 1899), ihre Essays („Zur Kritik der Weiblichkeit“, 1905; „Geschlecht und Kultur“, „Mensch und Menschlichkeit“, 1928) und ihr Wirken in der österreichischen Frauenbewegung (seit 1893, das heißt von Anfang war sie im Vorstand des Allgemeinen Österreichischen Frauenvereins tätig) kennzeichnet; nicht unbeeinflußt von dieser geistigen Haltung ist Mayreders Libretto für Hugo Wolfs einzige Oper „Der Corregidor“ (1896).

Im Für und Wider um den Materialismus der Zeit, um die gesellschaftliche Zukunftssuche fand Rudolf Steiner, angeleitet durch seinen germanistischen Lehrer Karl Julius Schröer, (1825–1900), beeinflußt vom Kreis um Laurenz Müllner, geprägt von seinen eigenen Bemühungen um die Ausgabe und Deutung von Goethes naturwissenschaftlichen Schriften (1889–1896 arbeitete Steiner im Weimarer Goethe-Archiv) und um Nietzsches aus dem Geist-Mythos erfolgter Naturschau, seinen eigenen Weg, der schließlich zur anthroposophischen Lehre führte. Steiner entwickelte einen Erkenntnisweg, der das Geistige im Menschen durch bildende Entfaltung dem geistigen Prinzip im Weltall anzunähern sucht. Dieses Streben führt weit über die Erfassung und Beherrschung der bloßen Wirklichkeit in metaphysische Bereiche.

Als die moderne Naturwissenschaft hinter die Fassade der sinnlich wahrnehmbaren Wirklichkeit relativierend zu blicken begann, erforderte der Alltag paradoxerweise den realistischen Zugriff manches literarischen Künstlers, der weder gewillt war, sich empfindsamen Stimmungen (vgl. die seit Hermann von Gilm verbreitete Stimmungslyrik), mystischen Welt- und Erlösungsmythen hinzugeben, noch seit Robert Zimmermanns (1824–1898) und Eduard Hanslicks (1825–1904) ästhetischen Forderungen, dem in sich selbst ruhenden Schönen (klassizistischer Prägung) ästhetizistisch dienen wollte. Während die österreichische Presse seit den siebziger Jahren sich immer wieder mit dem west- und osteuropäischen Realismus (Zola, Turgenjew) auseinandersetzte und Henrik Ibsen bei seinem Besuch in Wien und Budapest (1890) gefeiert wurde, entfalteten Ferdinand von Saars (1833–1906) „Novellen aus Österreich“ (seit 1877), Marie von Ebner-Eschenbachs (1830–1916) „Dorf- und Schloßgeschichten“ (1884), Leopold von Sacher-Masochs (1836–1895) „Polnische Ghettogeschichten“, Karl Emil Franzos' „Die Juden von Barnow“ (1877), Ludwig Anzengrubers (1839–1889) Dramen (z. B. „Das vierte Gebot“, 1878) und Romane (z. B. „Der Sternsteinhof“, 1884), Peter Roseggers Erzählkunst (z. B. „Jakob der Letzte“, 1884), Jakob Julius Davids (1859–1906) mährische Dorfgeschichten und die erwähnten Frauen (s. o.) eine bis zu Karl Schönherr (1867–1943) und Anton Wildgans (1881–1932) lebendige Realismus-Tradition.

Um 1890/1900 war das Habsburgerreich in eine seltsame Dynamik geraten. Einerseits wuchsen die nationalen separatistischen Spannungen, andererseits intensivierte sich der wirtschaftliche und kulturelle Austausch, brachten neue verkehrstechnische Möglichkeiten die Menschen enger zusammen. In Wien kulminierte diese Bewegung des Gegen- aber auch des Miteinander, die nicht nur gesellschaftliche Schranken

Café Griensteidl. Das Lesezimmer (Die Schriftsteller-Schwemme). Wien, Österreichische Nationalbibliothek, Bildarchiv

einzureißen begann, sondern auch realistisch nach den alten Stadtmauern (1858) und – für Karl Kraus symbolisch – alte Literatenkaffeehäuser demolierte:

> Wien wird jetzt zur Großstadt demoliert. Mit den alten Häusern fallen die letzten Pfeiler unserer Erinnerungen, und bald wird ein respectloser Spaten auch das ehrwürdige Café Griensteidl dem Boden gleichgemacht haben.

So beginnt die Klage des Essays „Die demolierte Literatur" von Karl Kraus (1874–1936) über die Schließung des Cafés Griensteidl im ersten Wiener Gemeindebezirk, das schon Grillparzer besucht und Hermann Bahr mit seinen jugendlichen Anhängern („Jung-Wien") zum Stammsitz gewählt hatte. Als Karl Kraus sich mit diesem 1896 bzw. 1897 veröffentlichten Essay bedeutsam vernehmen ließ, war die jüngste Generation, angeführt – wie Kraus sarkastisch bemerkt – durch den hyperbetriebsamen „Herrn aus Linz", Hermann Bahr (1863–1934), längst am Werk. Bahr gab ihr mit seinen zahlreichen literaturkritischen Abhandlungen die Richtung. Seit 1891 verkündete er „Die Überwindung des Naturalismus" und damit waren die jungen Herren durchaus einverstanden. Nur weg von der realistisch-geradlinigen Wirklichkeits-Kleinkrämerei und hinein in das Nervenspiel des weiten Landes der schwer zu bildenden, beziehungslos schwebenden Seele. Zeugnis war abzulegen vom Traumland der Seele, von den verfeinerten Gefühlen des Wiener Großstadtmenschen oder von den süßen Mädeln und ihren dekadenten, ritterlich-unritterlichen Kavalieren. Und was man literarisch erfand, hatte man wenigstens einigermaßen – dekadent wie man selber war – durchlebt, durchfühlt, oder man posierte.

Im übrigen war diese in den sechziger und siebziger Jahren geborene Generation durchaus in einer schwierigen künstlerischen Lage. Den Älteren – Bahr, Altenberg, Schnitzler – unter ihnen erschloß sich der literarische Zugriff im Dialog des überlieferten Salontons oder im erzählerischen psychologisierenden Augenblicks-Stil selbstverständlicher als den Jüngeren, unter denen Hofmannsthal mit den späten Lustspielen zum leichten Konversationston auf seine Art zurückfand, während andere wie Leopold Andrian-Werburg (1875–1951) entweder früh verstummten oder ein früh begonnenes fragmentarisch gebliebenes Werk hinterließen wie Richard Beer-Hofmann (1866–1945). Ein besonderes Beispiel ist Hofmannsthals Lyrik: Berühmt waren in den neunziger Jahren die Gedichte des Loris geworden, gefeiert als Genie-Stücke eines frühreifen Talents. Und doch trugen sie von allem Anfang an das Kennzeichen eines vom Verstummen bedrohten Autors. Denn bald danach begann Hofmannsthal unentschieden zwischen der Laufbahn des Literaturwissenschaftlers und des Dichters zu schwanken: Wie er sich nach 1900 der abendländischen Bildungstradition als Spätgeborener verpflichtet fühlte, so spielte er als dichtender Jüngling den altklugen Weisen, dem sich die Verse – aus goethezeitlicher Wahlverwandtschaft mit empfindsamer Seele geschrieben – mühelos einzustellen schienen, der aber damit einer abgelebten, jedoch noch subtil bis ans Ende gesponnenen Gefühlswelt, das klangvoll-zauberhafte Valet sang und danach als Lyriker schwieg. Als Hofmannsthal in Wien verstummte, regte sich, ebenfalls noch an die Tradition gebunden, das eigene Vermögen noch kaum ahnend, in Prag das andere Talent, das auf diesem Gebiet die Zukunft hatte: Rainer Maria Rilke (1875–1926). Die eigene Verssprache Rilkes war hinter den traditionellen Versatzelementen der frühen Sammlungen („Larenopfer“, 1895; „Traumgekrönt“, 1896; „Advent“, 1897) noch nicht zu vernehmen.

Während die Monarchie langsam zerfallend, mit einem alten, vom schweren Schicksal gezeichneten Monarchen dem Untergang zusteuerte, nützte Arthur Schnitzler (1862–1931) die moderne Seelenkunde zu einer satirischen Meisterleistung: Ihm, dem Nervenarzt und Zeitgenossen Sigmund Freuds hatte sich ein Stil eröffnet, der aus der Bewußtseinslage eines Menschen selbst, diesen und die Umwelt psychologisch auf's Nuancierteste zu charakterisieren gestattete; der innere Monolog des „Lieutenant Gustl“ war literarisch eine Novität für den österreichischen Raum und eine ironische Abrechnung mit dem österreichischen Militarismus. Schnitzler hatte wieder einmal für einen öffentlichen Skandal gesorgt; andere literarische Mittel als vorher hatte er eingesetzt; weder der komischironische Charme der frühen Szenenfolge des „Anatol“ (1893), noch das dekadent-tragische Spiel mit dem Leben von „Liebelei“ (1896), weder die oberflächliche Heiterkeit noch die tragische Konsequenz eignen der Novelle und auch die zynische Offenlegung des Trieblebens der Großstädte, die kurz zuvor die satirischen Dialoge des „Reigens“ (1900) zeigten, sind vermieden. „Lieutenant Gustl“ (1901) ist vielmehr die spöttisch-ironische Diagnose einer dem Zerfall und der geistig-seelischen Leere preisgegebenen Gesellschaft. Das positiv-ethische Engagement des Autors bleibt zugunsten der bloßen Beobachtung ausgespart.

Gut dreißig Jahre waren seit Grillparzers und Stifters Tod vergangen. Wohin war die Literatur in dieser kurzen Zeitspanne gelangt? Wo standen diese alten Autoren, und wo hielt die neu heraufgekommene Zeit? Der „Begriff des Ganzen in der Kunst“ (Hofmannsthal: „Poesie und Leben“, 1902) war längst verlorengegangen. Der Schizophrenie der Wirklichkeit entsprach jene der Kunst. Während Hofmannsthal eine verinnerlichte, großbürgerlich-aristokratische, immer wieder metaphysische Bereiche andeutende Kunstaussage empfindsam anstrebte, wandte sich die kulturpolitisch engagierte Wirklichkeitsdarstellung entweder dem deutschnationalen Engagement oder einem revolutionärsozialen Pragmatismus mit Joseph Poppers (1838–1921) „Phantasien eines Realisten“ (1899), der Zeichnung sozialen Unrechts an der Arbeiterklasse mit den Dramen des Brünners Philipp Langmann (1862–1931; „Bartel Turaser“ 1897), des Franz Adamus (d. i. Ferdinand Bronner, 1867–1948; „Familie Wawroch“) und den z. T. agitatorischen Arbeitsliedern des Wieners Andreas Scheu (1844–1927) und des Reichenbergers Joseph Schiller (1846–1897) zu. Als die literarischen Realisten von der milieubedingten Determiniertheit des Menschen einerseits liberalistisch sprachen, rief die erneuerte katholische Literaturbewegung, angeführt durch Richard von Kralik (1852–1934) und dessen Gralbund, andererseits zu katholisch-christlicher Religiosität, engagierte den Laien im christlichen Spiel (seit Kraliks Osterfestspiel „Das Mysterium vom Leben und Leiden des Heilands“, 1895) und formulierte ihre Welthaltung vor allem durch die erzählerischen Werke Enrica von Handel-Mazettis (1871–1955).

Frühreif diagnostizierte ein Dreiundzwanzigjähriger die Versklavung der Sinne und des Geistes: Otto Weininger (1880–1903) veröffentlichte im Jahr 1903 sein, sofort zum Bestseller im leidenschaftlichen Pro und Contra avancierendes Buch „Geschlecht und Charakter“. Typisch für die wissenschaftliche Selbstbewußtheit und persönliche Aggressivität der Zeit verbindet das Werk eine exakte wissenschaftliche Aufbereitung und Analyse des auch dichterisch aktuell-brisanten Stoffes mit leidenschaftlich-polemischer, weltanschaulicher Konsequenz. Es bietet aus des Verfassers extremem Standpunkt eine schonungslose Charakteristik der Zeitlage. Es behauptet die seelisch-geistige Überlegenheit des Mannes gegenüber der Frau und zieht im Zeitalter der großen Emanzipationsbewegungen den Analogie-Schluß, daß das Judentum unter dem Christentum stehe, wie die Frau unter dem Mann: „Das Judentum ist der Abgrund, über dem das Christentum aufgerichtet ist“. Signalisiert Weiningers Buch eine Endzeitlichkeit und den Wunsch nach einem Neuanfang in messianischem Sinn, so war für seinen im Urteil so diabolisch sicheren Autor das Ende bereits gekommen. Im Mai 1903 war sein Buch beim Wiener Verleger Wilhelm Braumüller erschienen und sofort vergriffen; ehe die zweite Auflage des Bestsellers im November 1903 ausgeliefert wurde, beging der Verfasser am 3. Oktober Selbstmord. Die Wirkung des Werkes war enorm und hielt beinahe zwanzig Jahre unverändert an.

War denn wirklich bei aller Erkenntnis der Gegenwart der Weg in die Zukunft verstellt? Vermochte nicht einmal eine erhebende Utopie der Kunst dem Leben eine Hoffnung zu geben? Fast schien es so. Die frühreifen Dichterknaben und jungen Männer, denen Hermann Bahr den empfindsamen literarischen Weg wies, die schwermütig-zarten, dekorativ-verinnerlichten Hofmannsthal, Andrian, Beer-Hofmann, die tändelnd-amüsanten, liebenswürdig-ironischen Schnitzler und Raoul Auernheimer (1876–1948) wußten, daß ihr dichterisches Raffinement das dekadent-abgelebte Lebensspiel ihrer Jugend widerspiegelte.

Nicht nur Hofmannsthals damalige dramatischen Versuche oder die Lyrik verraten diesen Bruch der künstlerischen Existenz, die – wie bekannt – beinahe zugunsten einer literaturwissenschaftlichen aufgegeben worden wäre, sondern auch die frühen Erzählungen. Armut und Reichtum, häßliches Elend und schöner Lebensgenuß bilden bezeichnenderweise den Kontrast von Hofmannsthals modern psychologisierender Prosa, zu der beispielsweise „Das Märchen der 672. Nacht“ oder auch die im Feuilleton der Neuen Freien Presse (25. 12. 1899) erschienene „Reitergeschichte“ über die schimpfliche Exekution des von traumhaften Vorahnungen gelähmten Wachtmeisters Anton Lerch zählt. Die Hauptheldem scheitern am Mangel jener Selbstbewußtheit, die den ethischen Standpunkt finden und vertreten ließe. Noch deutlicher und in autobiographischer Bedeutung spricht diesen Bruch „Ein Brief“, der berühmt gewordene „Brief des Lord Chandos“ (1902) an. Wirklichkeits- und Sprachverlust lassen den Dichter Philip Lord Chandos verstummen. Auf Hofmannsthal bezogen, ist mit dem Chandos-Brief ein Einschnitt gegeben, ab dem eine neue Suche nach dichterischer adäquater Aussage einsetzt und schließlich jenseits des ästhetisierenden frühen Theaters („Der Tor und der Tod“, 1900) zur psychologisierenden Bearbeitung eines antiken Stoffes („Elektra“, 1904), dann aber zum festlichen Sprech- („Jedermann“, 1911; „Das Salzburger große Welttheater“, 1922) und Musiktheater („Der Rosenkavalier“, 1911; „Ariadne auf Naxos“, 1912 etc.) führt.

Das Leben schien zumindest für die bürgerlichen, aristokratischen Stände operettenhaft – endzeitlich zu werden. Dekadent lebte und dachte man allenthalben, „pendelte“ zwischen Tief- und Leichtsinn treibend, hin und her. Was aber diese dekadenten jungen Leute der Großstadt von den Operetten–Barinkays, -Adams, -Danilos und den meisten anderen Operettenfiguren der Zeit unterschied, war das moralische Moment; denn dieses gewährte der Operettenwelt – so plakativ-oberflächlich es sich auch darbieten mochte – doch jene gelöste Heiterkeit, die das reale Leben kaum mehr kannte. Aus der Wiener volkstümlichen Komödientradition wurde der moralische Standpunkt in die Operette übernommen und behauptete sich durchaus. Hier war ein kleiner Rest des Anspruchs zu finden, den das deutsche Singspiel um 1800 zu erreichen suchte, nämlich eine Entkrampfung der Seele, des Gemüts im Kontrast zum unbefriedigenden Alltag. Das war ein Rest dieser in die ferne Gegenwart nachwirkenden aufklärerischen künstlerischen Botschaft, von der Wieland und Mozart ausgegangen waren. Es ist eine völlige Verkennung der kulturgeschichtlichen Voraussetzungen der künstlerischen Intentionen um 1900 zu behaupten, daß die Operette durch Vorgaukeln einer irrealen Welt zu einem falschen Bewußtsein führte. Die Intention war die Zueinanderführung ästhetischer und ethischer Momente; das angestrebte Ziel war die Schaffung einer theatralischen Monarchie-, Völker- und Menschen-Harmonie, die zwar von heutiger Perspektive aus unaktuell, jedoch für das damalige Publikum selbst wünschenswert schien. Daß dann die dargebotenen Werte mitunter trivalisiert, sentimentalisiert, verfremdet, unter Umständen pervertiert zu werden drohten, versteht sich angesichts der unheilvollen historischen Situation von selbst und wäre im einzelnen nachzuweisen. Unter solchen Voraussetzungen jedenfalls ist die Operette tatsächlich vielleicht der einzige künstlerische Beitrag zu einem einenden Staats-, Völker- und – noch bezeichnender – regionalen wie überregionalen Heimatbewußtsein, sieht man vom Ringstraßenstil der Baukunst, von gewissen Formen der Gebrauchsmusik (z. B. Militärmusik) ab.

Nur unter den Voraussetzungen einer gewissen moralischen Integrität, die sich mit leicht und harmonisch ins Ohr gehenden Melodien und Texten verband, verdanken die damals geschaffenen Operetten ihre lange Nachwirkung. Alt-österreichisches Kolorit vom Balkan bis zur Slowakei, von Ungarn bis Wien spiegelt dieses Genre wider, ähnlich den farbenvollen anekdotischen Erzählungen des aus dem kroatisch-slowenischen Raum stammenden Alexander Roda Roda (eigentlich Rosenfeld, 1872–1945). Die regionale und volksmäßige Farbigkeit des Vielvölkerstaates äußert sich nicht zuletzt in der melodienreichen Musik, die zwar nicht dem nationalen bzw. regionalen, pluristischen Sammlerehrgeiz von Originalstücken entsprach, aber eben mit anverwandten Csardás-, Polka- und Walzerklängen auch musikalisch einer völkerverbindenden Gesamtstaatsvorstellung des Donauraums diente.

Auch in Österreichs Provinzen lebte die Dichtung. Schönherr hatte seine ersten Erfolge mit der Tiroler Exlbühne gefeiert, die die Tiroler Spielfreudigkeit fast im gesamten deutschen Sprachraum unter Beweis stellte. Selbst der literarischen Hochstilkunst ebnete man in Tirol den Weg: Ludwig von Ficker (1880–1967) gründete in Innsbruck die Zeitschrift „Der Brenner“ (1910–1954), in der die Dichtung des Triestiners Theodor Däubler (1876–1934) – dessen naturmythologisches Epos „Das Nordlicht“ (1910) dort zum ersten Mal besprochen wurde – ebenso Berücksichtigung fand wie die gottsuchende, hoffnungsvolle und verzweifelte Lyrik des Salzburgers Georg Trakl. Weitab von der Wiener Kaffeehaus-Literatur, die im Café Griensteidl zunächst und nach dessen Demolierung ins Café Central mit dem Wiener Journalismus übersiedelt war, publizierten im „Brenner“ die für die damalige österreichische Kunstszene typischen Doppelbegabungen Oskar Kokoschka, Alfred Kubin (1877–1959) und Albert Paris Gütersloh (1887–1973).

Eine neue Generation war herangewachsen, deren Weltbild sich mit den überlieferten Kulturtraditionen weder im Sinn von Jung-Wien, noch im Sinn der Heimatdichtung identifizieren ließ. Eine neue, leidenschaftlich-existentielle Gottsuche charakterisiert – geht man vom literarischen Angebot des „Brenners“ aus – die Essays von Carl Dallago (1869–1949), Theodor Haecker (1879–1945) und Ferdinand Ebner (1882–1931); ähnlich denken und fühlen die Dichter, und streben sie nicht ins Metaphysische, so suchen sie doch ein neues, wie sie meinen, wahrhaftiges Menschsein, das grundsätzlich die Inhumanität des ausgebrochenen Weltkriegs ablehnt, zu entwerfen; der Leidenschaftlichkeit entspricht ein neues Pathos, das von der geregelten Rede bis hin zum gequälten oder ekstatischen Ausruf gestaltet wird: Auf solche Aussagen und Aussageweisen zielt z. B. Theodor Haecker, bis er letztlich den Krieg als „Sünde vor Gott" bezeichnet (1919), dahin zielen die Veröffentlichungen anderer Autoren des „Brenners", besonders jene Albert Ehrensteins (1886–1950), dessen pazifistisches, aus marxistischen Überzeugungen vorgetragenes lyrisches („Die weiße Zeit", 1913; „Der Mensch schreit", 1916; „Die Rote Zeit", 1917) bzw. sozialkritisch-erzählendes („Tubutsch", 1911 mit Zeichnungen von Oskar Kokoschka; „Selbstmord eines Katers", 1912) Schaffen kennzeichnend ist für jene jungen Autoren, die von der russischen Revolution beeindruckt waren.

Die politischen, d. h. nationalen und sozialen Aggressionen, dazu die altüberlieferten Theorien von der Determiniertheit des Menschen, Freuds Deutung der Motivationen menschlichen Trieblebens, Weiningers Konzeption vom Kampf der Geschlechter und von der Auseinandersetzung zwischen Juden- und Christentum und schließlich das Ringen um eine neue, auch die Kirchen erneuernde Religiosität der modernen Gottsucher lassen Hoffnungen und Verzweiflungen aufeinanderprallen, denen die jüngsten Schriftsteller daher auch leidenschaftlicher, ekstatischer, sprachlich gewaltsamer als die ältere Generation ihre Stimme leihen. Man bezeichnet diese literarische Phase um 1910 in den österreichischen Ländern als expressionistische Bewegung. Die Themen sind charakteristisch wie der Stil: vom Kampf der Geschlechter handeln Kokoschkas Dramen „Mörder, Hoffnung der Frauen" (1909, 1910), „Sphinx und Strohmann" (1907, später erhielt es den Titel „Hiob", 1917) und „Der brennende Dornbusch" (1911); Franz Werfels frühe Gedichtsammlungen „Der Weltfreund" (1911), „Wir sind" (1912) und „Einander" (1915) sind Zeugnisse eines weltbegeisterten empfindsamen Ichs, das den Bruder im Mitmenschen sucht. Robert Müller (1887–1924, Tod durch Selbstmord) schließlich bejaht – wie viele Schriftsteller im Gegensatz zu allen Friedensbewegungen – das endlich angebrochene „männliche" Zeitalter, bejaht den siegreichen Krieg und kündigt – gewissermaßen eine Idee Musils auf seine Art antizipierend – 1917 an: Der Kommende ist der Relativitätsmensch.

Die Abwendung von der Tradition, der existentielle, der soziale, der metaphysische Auf- und Umbruch

Brahms, Salten, Hofmannsthal und Schnitzler auf dem Semmering. Marbach a. N., Schiller-Nationalmuseum

sind in dieser Generation gefragt, die sich freilich kein Sprachrohr ihres künstlerischen Wollens schaffen kann, das vergleichbar wäre mit den Berliner Blättern „Der Strom" und „Die Aktion". Trotzdem gelingt es, einige kurzlebige Zeitschriften zu veröffentlichen: „Der Ruf" (1912/13), vor allem vom späteren Dramaturgen des Wiener Burgtheaters Erhard Buschbeck (1889–1960) mitbetreut, bringt Beiträge von Ehrenstein, Adolf Loos, Berthold Viertel (1885–1953), Trakl, Werfel, Franz Theodor Csokor (1885–1969), Gütersloh und anderen; Karl F. Kocmatas (1890–1941) Blätter „Zukunft" (1913/14) und „Ver" (1917/18) stehen nicht nur österreichischen Beiträgern offen; gleichsam als Mentor seiner österreichischen Gesinnungsgenossen veröffentlichte der Berliner anarchistisch-revolutionäre Schriftsteller Erich Mühsam dort regelmäßig. Noch im Todesjahr des Kaisers konnte Oskar Maurus Fontana (1889–1969) die frühe Ernte dieser jungen Generation mit der Prosa und Verse umfassenden Anthologie „Die Aussaat" (1916) einbringen.

Das literarische Leben um 1900 und kurz danach ist nicht nur kontroversiell: es ist auch vielschichtig. Zwischen den literarischen Lagern etwa entwickelt sich eine Strömung um 1910, die Schriftsteller verschiedenster geistiger Herkunft erfaßt, und die in dieser Dichte im gesamten deutschen Sprachraum ihresgleichen sucht: Es ist die grotesk-phantastische Dichtung. Karl Hans Strobl (1877–1946), deutschnationaler Burschenschafter der deutschen Karls-Universität in Prag, zusammen mit dem sozial-engagierten Dramatiker Joseph Trübswasser (1867–1902) und dem Erzähler Egid von Filek (1874–1949) der mährischen Iglauer Heimat geistig lebenslang verbunden, steht am Beginn: 1901 bringt er Erzählungen „Aus Gründen und Abgründen", 1904 die Erzählsammlung „Die Eingebungen des Arphaxat" heraus. Die geistigen Ahnen dieses literarischen Genres sind zwar E. Th. A. Hoffmann und Edgar Allan Poe, aber nun schwingt das Grauen vor der eigenen Endzeitlichkeit mit. Nach Strobls Anfängen ist es Alfred Kubins (1877–1959) Roman „Die andere Seite" (1909), der in der von Hanns Heinz Ewers betreuten Reihe „Galerie der Phantasten" erschienen, den Ton angibt, unmittelbar gefolgt von Strobls „Eleagabal Kuperus" (1910). Zeitkritik, Satire auf den Spießbürger und Metaphysik gehen bei diesen Autoren gespenstisch ineinander, besonders beim Freund Alfred Kubins, dem später vom Protestantismus zum Mahajana-Buddhismus übergetretenen Gustav Meyrink (1868–1932), am charakteristischsten in der Novellenfolge „Des deutschen Spießers Wunderhorn" (1913) und den Romanen „Der Golem" (1915) bzw. „Der weiße Dominikaner" (1921), die die legendären mystischen Tiefen Prags beschwören. Neben diesen drei wohl bekanntesten Vertretern des Genres hatten unter anderen der Tiroler Paul Busson (1873–1924), der Wiener Arthur Ölwein (1868–1925), der Lemberger, dem polnisch-deutschen Lebensraum angehörende Thaddäus Rittner (1873–1921), der in Budapest geborene Felix Salten (eigentlich Siegmund Salzmann, 1869–1947), der Prager Leo Perutz (1884–1957) und der Mährer, aus Olmütz stammende Franz Spunda (1890–1963) mit grotesken Erzählungen und Romanen Erfolg. Freilich griffen alle diese Autoren über die Gespenster- und Grotesk-Atmosphäre z. T. weit hinaus. Man würde es aus dieser Perspektive kaum erwarten, daß Strobl auch den damals beliebten Studentenroman mit drei wichtigen, das Prager Studentenleben anschaulich zeichnenden Büchern („Die Vaclavbude", 1902, „Das Wirtshaus zum König Przemysl", 1913, „Der Schipkapaß", 1908) bereicherte, ja sogar Anregung dieser Thematik wurde, der sich dann der Mährer Walter von Molo (1880–1958) mit „Als ich die bunte Mütze trug" (1904), der Steirer Rudolf Hans Bartsch (1873–1952) mit „Als Österreich zerfiel" (1905, 1913 unter dem Titel „Der letzte Student" erschienen), Emil Ertl mit „Freiheit, die ich meine" (1909), der Tiroler Heinrich von Schullern (1865–1955) mit „Jung-Österreich" (1910) und der Schlesier Hohlbaum (1886–1955) mit „Der ewige Lenzkampf" (1912) anschlossen. Nicht der phantastisch-grotesken Erzählung steht der Studentenroman nahe, sondern vielmehr dem verklärend-sentimentalisierenden Genre des seit der zweiten Hälfte des 19. Jahrhunderts, um 1900 besonders kulminierenden, heute noch immer existenten historisierenden Künstlerroman, für den Bartschs unerfreulicher Schubert-Roman „Schwammerl" (1912) pars pro toto genannt sei. Auch Felix Salten band sein Schaffen keineswegs bloß an die groteske Spielart. Als gewiegter Kritiker der „Allgemeinen Wiener Zeitung", als Feuilletonist der Zeitschrift „Die Zeit" in Wien schrieb er auch historische Erzählungen und Tierbücher, von denen „Bambi" (1923) schließlich noch ein Welterfolg im Disney-Wunderland wurde. Die grotesk-phantastische Literatur aber hielt sich noch bis in die frühen zwanziger Jahre recht lebendig, was die ihr gewidmete, von Strobl herausgegebene Zeitschrift „Der Orchideengarten" (1919–21) bezeugt; dann war ihr Höhepunkt am Beginn der Republiken überschritten.

Den Übergang vom älteren Realismus-Stil, von Bahrs „Überwindung des Naturalismus" zur gefühlsbetonten Ausdruckskunst „Jung-Wiens" bezeichnen verschiedene Zeitschriften: Eduard Michael Kafkas (1868–1893) und Hermann Bahrs „Moderne Dichtung" (seit 1890) öffnete sich unter Bahrs Einfluß zunächst dem sogenannten norddeutschen Naturalismus, veröffentlichte Beiträge österreichischer Realisten (Anzengruber, Saar, Bertha von Suttner, Adolf Pichler), aber auch einiges von Schnitzler und Salten. Mit der Abwendung Bahrs vom Naturalismus jedoch war das Schicksal des mittlerweile in „Moderne Rundschau“ umgetauften Blattes besiegelt. Dem realistischen Geschmack ebenfalls nahe stand die sozialliberale „Wiener Literatur-Zeitung“ (seit 1890), die später den Übertitel „Neue Revue“ trug und bis 1902 existierte; sie verfolgte ähnliche literarische Ziele wie die 1894 von Isidor Singer, Hermann Bahr und Heinrich Kanner begründete Wochenschrift „Die Zeit“. Sprachrohr von Jung-Wien und der großstädtischen Decadence wurde die Halbmonatsschrift „Wiener Rundschau“ (1896–1901) des Feuilletonisten, Erzählers und Lustspieldichters Rudolf Strauß (1874–19?); dort erschien auch „Die demolierte Literatur“ von Karl Kraus, also die Satire auf jene Literaten, die eben in der „Wiener Rundschau“ publizierten; damit war der Bruch zwischen Kraus und Jung-Wien vollzogen; die Begründung der „Fackel“ war die naheliegende Konsequenz. Zu erwähnen sind noch zwei Publikationsorgane, die sich über rein literarische Ambitionen hinaus allgemeinen künstlerischen Fragen und kunstkritischen Problemen öffneten; das war einerseits „Ver sacrum“ (1898–1900), das Organ der „Vereinigung der bildenden Künstler Österreichs“ – mit Beiträgen von Hofmannsthal, Rilke, Hugo Salus und anderen –, das war andererseits die „Österreichische Rundschau“ (1904–1922), herausgegeben von Karl Gloss und Alfred von Berger, in der hervorragende Gelehrte, Politiker und angesehene Schriftsteller aller Richtungen veröffentlichten.

Nicht nur die Autoren, die literarischen Vereinigungen, die Zeitungen, die Zeitschriften, die Verleger, die Drucker und das Theaterleben bildeten ihre Leser heran, das Lese-Publikum selbst hatte mit den etwa seit 1870 in allen wichtigen Orten gegründeten Volksbüchereien günstige Möglichkeiten seine literarischen Interessen zu fördern. Neben den Volksbildungsvereinen gab es Privatinitiativen: eine der bedeutendsten führte 1899 in Wien zur Schaffung des Vereins Volkslesehalle, aus dem bis 1910 bereits 25 Büchereien in und außerhalb Wiens mit über 800.000 Entlehnungen hervorgegangen waren. Seit 1906 gab es sozialdemokratische Arbeiterbüchereien, 1909 wurde der Katholische Bibliotheks- und Leseverein gegründet. Der gebildete Leser Österreichs vertraute sich der Leihbibliothek des Wiener „Literatur-Instituts Last“, das Albert Last seit 1847 entwickelt hatte und das erst nach dem Zweiten Weltkrieg aufgelöst wurde, an. Mit einer eigenen Versandabteilung erreichte das Lastsche Institut jede beliebige Region der Monarchie und trug so dem Aufschwung des literarischen Lebens in der Provinz Rechnung.

Die allgemeinen Bildungsmöglichkeiten, die schneller und leichter gewordene Kommunikation und die sozialpolitischen Reformbemühungen förderten in Stadt und Land die Intensität des literarischen Lebens, erlaubten sowohl den aus dem „vierten“ Stand der Städte oder aus dem einfachen Bauernmilieu aufsteigenden Schriftstellern ein neues Selbstbewußtsein. Peter Rosegger hatte, anläßlich einer von Hermann Bahr angeregten Umfrage, mit einem Aufsatz „Die Entdekkung der Provinz“ (1899) geantwortet; Roseggers Aufruf „Los von Wien!“ war Friedrich Lienhards norddeutschem Pendant „Los von Berlin!“ nachgebildet: „Ich wünsche Glück zur Entdeckung der Provinz, sie wird dem geistigen Leben der Großstadt eine recht beträchtliche Bereicherung bringen, vor allem aber die Einsicht, daß die Elite der Intelligenz nicht bloß in Großstädten sich aufhält“. So lautete Roseggers Antwort auf Bahrs Rundfrage in der Zeitschrift „Die Zeit“, die selbst wieder angeregt worden war durch das Erscheinen eines selbstbewußt von den Tirolern Hugo Greinz (1873–1946) und Heinrich von Schullern in Leipzig (!) 1899 herausgegebenen Musenalmanachs „Jung-Tirol“. Hermann Bahr propagierte nun die neue Losung und Peter Roseggers Wort von der Elite der Intelligenz, die nicht nur in den Großstädten zu finden sei, konnte mühelos an den jungen Talenten, die sich aus der Provinz zu Wort meldeten, bewiesen werden. Auf Tirol, in dessen Zusammenhang neben den bisher Genannten der Dramatiker Franz Kranewitter (1860–1958) und der Lyriker Arthur von Wallpach (1866–1946) zumindest regionale Bedeutung als deutschnational engagierte Autoren haben und auf die Steiermark, in der neben Rosegger der deutschtumsbegeisterte Lyriker und Vorauer Augustiner-Chorherr Ottokar Kernstock (1848–1928) größte, weit über die Grenzen seiner engeren Heimat Popularität erlangte (vgl. „Die wehrhaft Nachtigall", 1900; „Unter der Linde", 1905, [8]1923; „Steierischer Waffensegen" – gemeinsam mit Rosegger – 1916) wurde schon hingewiesen. Hugo Greinz versuchte mit den deutsch-national geprägten Linzer Monatsheften für Kunst und Leben „Der Kyffhäuser" (1899–1902) auch Oberösterreich ins Spiel zu bringen, das mit Hermann Bahr, aber auch mit Edith Gräfin Salburg (1868–1942), Enrica von Handel-Mazzetti und Hans August von Hammerstein-Equord (1881–1947) profiliert hervortrat. Aus Salzburg meldeten sich viele Stimmen zu Wort, allen voran Georg Trakl, dann Trakls Freund Erhard Buschbeck (s. o.); beide schlugen neue Wege ein, während die ältere Generation des Anton Breitner (1858–1928), der 1890 den österreichischen Scheffel-Bund begründete, und weder von Jung-Wien, noch von expressionistischen Strömungen etwas wissen wollte (vgl. „Breitners Literaturbilder fin de siècle, Randglossen zur deutschen Literaturgeschichte", 1896–1906) traditionell-realistisch gesonnen blieb. In Kärnten gab Anton Gitschthaler (1868–1939) die Zeitschrift „Jung-Kärnten" (1893–1895) heraus, vermochte jedoch nicht darüber hinwegzutäuschen, daß zwischen dem realistischen Erzähler Adolf von Tschabuschnigg (1809–1877) und Josef Friedrich Perkonigs (1890–1959) erzählerischem Werk eher die verdiente Pflege heimatlich-volkstümlicher Kunst vorherrschte, als ein bedeutenderes literarisches Leben. In Krain erschien neben deutschen Zeitungen zwischen 1898 und 1914 die Zeitschrift „Deutsche Stimmen aus Krain und Küstenland" als Beilage des deutschnationalen „Grazer Tagblatts" halbwöchentlich; sie war ein Forum einer literarischen Landschaft, aus der die Mundartgedichte und das von Rudolf Baumbachs „Zlatorog" angeregte Versepos „Schmeidograd" von Eugen Graf Aichelburg (1862–1902), ferner die Tiergeschichten sowie die exotischen und kulturhistorisch-folkloristischen Romane Friedrich von Gagerns (1882–1947) Anerkennung fanden. Vorarlberg schließlich war im Erzähler Joseph Wichner (1852–1923) einem anderen Peter Rosegger, ein volkstümlicher, humorvoller und pädagogisch-ernsthafter Schriftsteller erstanden. Das blühende deutschsprachige literarische Leben Böhmens und Mährens wurde bereits an mehreren Stellen erwähnt und allein die Prager Entwicklungen rechtfertigen eine eigene regional begrenzte Literaturgeschichte. Selbst weit von Wien entfernte Landschaften wie die Bukowina hatten zumindest ihre Heimat- und Mundartschriftsteller, und die Länder der ungarischen Krone brachten so unterschiedliche Autoren wie den von der Zionistenbewegung begeisterten Dramatiker und Erzähler Max Nordau (1849–1923), ferner Ignaz Schnitzer (1838–1921), den Journalisten, Übersetzer (wichtig wurden seine Petöfi-Nachdichtungen, 1919) und Librettisten jüdischer Abstammung, dann den bald nach Eger ins Böhmische übersiedelten Erwin Guido Kolbenheyer (1878–1926), dessen früher Spinoza-Roman „Amor Dei" (1908) damals Aufsehen erregte und den großdeutsch überzeugten Journalisten, Theaterdirektor und Romancier Adam Müller-Guttenbrunn aus dem Banat hervor. In Siebenbürgen wirkte das schriftstellerische Vorbild von Traugott Teutsch (1829–1913) mit historischen Romanen und Michael Alberts (1836–1893) mit Erzählungen heimatlicher Thematik auf eine nacheifernde Schriftstellergeneration. Alexander Roda-Roda schließlich machte auf unverwechselbare humoristische Art seiner Heimat Slowenien alle Ehre. Die Erkenntnis in Grenzländern der deutschen Sprache zu leben, leitete die meisten Autoren in den Provinzen zu betontem Deutschbewußtsein und zum Versuch, in der landschaftlichen oder historischen Heimatbeziehung den ganzheitlichen Blick auf Mensch und Lebensraum zu bewahren. Gleichsam im Gegenzug zum großstädtischen Internationalismus etwa Jung-Wiens oder zu der die Region und den festgelegten historischen Standort überschreitenden Individualitäten Musil und Kafka bestand diese neue Provinzliteratur unter den Auspizien eines deutschnational gefärbten Heimatbewußtseins der Inner- und der Grenzlandösterreicher. Auch in der Großstadt wurde nun eine besondere Neigung zur Heimat gegen den Ersten Weltkrieg zu entwickelt, wurde auch hier ein ganzheitlicher literarischer Zugriff auf Mensch und Lebensraum, freilich aus verschiedenen weltanschaulichen Positionen noch einmal erprobt: Anton Wildgans bekannte sich zu seiner Heimatstadt Wien mit dem Gedicht „Ich bin ein Kind der Stadt“ (1911), der Arbeiterdichter Alfons Petzold (1882–1923) legte bei aller sozialen Kritik ein Bekenntnis zur Heimat Großstadt in Gedichtform und autobiographischer Erzählung („Das rauhe Leben“, 1920) ab und an die heimatliche Anhänglichkeit zur Vaterstadt Wien durch die Feuilletonisten bzw. Verfasser von Wiener Skizzen Schlögl, Pötzl, Chiavacci darf nur nochmals erinnert werden, ja selbst die Satire von Karl Kraus beweist eine seltsame, zwischen Liebe und Haß schwankende Anhänglichkeit zur Großstadt. Allen diesen Schriftstellern, ob in der Provinz oder in der Großstadt fügt sich die Welt noch zu einem Ganzen und besonders jenen, die dem tradierten Glaubensgeist der christlichen Kirchen anhängen. Den anderen war zum ersten Mal die Wirklichkeits- und Welterfahrung im Erlebnis des zu Ende gehenden großbürgerlichen Zeitalters um 1890/1900 zweifelhaft geworden. War ganzheitliches Erfassen der Welt und eine humane Durchdringung des Lebens noch möglich? War das nicht ein Widerspruch in einem Staat, in dem man mit jeweils ähnlicher nationaler Überzeugung zwölf Sprachen pflegte, der Nationalismus die Völker, das Klassen- und Standesbewußtsein die gesellschaftlichen Schichten gegeneinanderstellte, Pazifismus und Demokratiestreben auch das Ende der Staatsform besiegeln wollten? War es nicht ein Widerspruch angesichts eines Staates, der mit sich selbst nicht mehr fertig wurde, aber aus sich die Konzeption eines „Judenstaates“ mit Theodor Herzls Utopie entwickelte, dem Karl Kraus aber sofort mit der satirischen Streitschrift „Eine Krone für Zion“ begegnete. War es nicht ein Widerspruch, das Ganze künstlerisch gestaltend als Ab- oder Nachbild des Wirklichen, des sinnlich Wahrnehmbaren in einer Gegenwart zu erstreben, die mit Photographie und akustischen Aufnahmen die Wirklichkeit wie nie zuvor möglich einfangen konnte, der aber gleichzeitig die Naturwissenschaften und die Psychologie, die Subjektivität und Irrealität sinnlicher Wahrnehmungen bewiesen?

Nur wenigen Autoren ist der Umbruch der Zeitlage so bewußt geworden, daß er ihnen künstlerisch gestaltbar wurde. Robert Musil (1880–1942) war einer der wenigen, der um die Brechungen, die das Bild der Wirklichkeit erfahren hatte, wußte und literarische Konsequenzen zog. Als ausgebildeter Naturwissenschaftler – 1909 promovierte er zum Dr. phil. in den Fächern Mathematik und Physik – und ausgeprägter Rationalist nützte er seine Kenntnisse schriftstellerisch: Noch war die Raum und Zeit relativierende, oder die Dreidimensionalität verwandelnde Ironie des „Manns ohne Eigenschaften“ vor 1918 nicht gefunden, wurde die Analytik der epischen essayistisch-wissenschaftlichen Abhandlungen in den Romanfluß noch nicht gewagt. Aber der 1906 erschienene Roman-Erstling „Die Verwirrungen des Zöglings Törleß“ zeigt Musil doch schon als einen minutiösen, unerbittlichen Natur- und Menschenbeobachter ohne die traditionelle ethische Perspektive, ohne das wertebelastete Gefühl, obwohl er gerade die heimatliche Atmosphäre beschrieb. Als sich Saars in demselben Jahr herausgekommene letzte Novelle „Die Pfründner“ lokalhistorisch-pessimistisch naturalistischer Schreibart annäherte, gestaltete der junge Musil die Überwindung der pubertären Krisen seiner, eigene Kadetten-Erlebnisse voraussetzenden Internatsgeschichte jenseits gesellschaftlicher, heimatlicher oder familiärer Geborgen- und Vertrautheiten. Musils Stil ist kühl und beobachtend, fein nuanciert auf objektive Außenschau-Darstellungen bedacht. Inmitten einer Welt von Aggressionen und Widersprüchlichkeiten hatte Musil als Einzelgänger begonnen, seinen Stil zu finden. Denn das Dagegen-Sein war Mode, mehr noch – Dagegen-Sein schien die einzige paradoxe Möglichkeit der akzeptablen Selbstbehauptung, des künstlerischen Überlebens.

Da meldete sich eine neue, um metaphysische Dimensionen ringende Stimme zu Wort: Die Mystik des galizischen Ostjudentums versuchte Martin Buber (1878–1965) mit vielen philosophisch-theologischen Traktaten und der Übersetzung bzw. Nacherzählung chassidischer Geschichten zu erschließen: „Die Geschichte des Rabbi Nachman“ (1906), „Die Legende des Ballschem“, 1908; „Ekstatische Konfessionen“, 1909. Hier konnte man das verlorengegangene Heil der Welt noch spüren, jenes Heil der Welt, dem – im Nicht-Finden – aus der Bewußtheit des Talmud auch der Prager Franz Kafka (1883–1924), dessen Weg damals begann, aber erst jenseits des Ersten Weltkriegs Vollendung erreichte, nachging. Zu derselben Zeit wie Musil reifte er, der andere auf der Höhe seiner Zeit stehende Prosaist. Nur wenige Jahre nach Musils „Törleß“ erlebte auch Kafka seinen schriftstellerischen Durchbruch: Die Korrespondenz des Jahres 1913 mit seinem Verleger Kurt Wolff in Leipzig konzentriert sich auf die – das spätere Werk in Hinsicht auf die subtil ausgewogene Stilkunst, auf das Erlösungsethos und die traumhaft-psychologisierende Darstellung antizipierenden – Erzählungen „Der Heizer“, „Die Verwandlung“ und „Das Urteil“. Die Wirklichkeit – das zeigen schon diese frühen Erzählungen – ist nie zu begreifen, aber hinter dem dünnen Schleier des Taglebens liegt das Wesentlich-Ewige, das jenen Glanz aussendet, von dem die Parabel „Vor dem Gesetz“ erzählt und nach dem die Sehnsucht des Menschen ausgehen sollte.

Ein Jahr, nachdem Kafka seinem Leipziger Verleger die erwähnten Pläne mitgeteilt hatte, brach der Erste Weltkrieg aus. Der Jammer der Zeit tat sich, getragen vom unausweichlichen Schicksal aggressiver Parteilichkeit auch in den literarischen Lagern der Kriegsdichtung auf: Da waren die Traditionalisten, die die Einheit Österreichs im guten Glauben verteidigten – Wildgans, Däubler, Zerzer, Schaukal, Ginzkey, sogar Petzold, Hofmannsthal und Rilke; da waren Albert Ehrensteins und Egon Erwin Kischs revolutionäre Aufrufe, die einer jungen Generation, der die russische Revolution imponierte – z. B. Otto Basil (1901–1983) und Hans Flesch-Brunningen (1895–1981), Eindruck machten; da waren die Perspektiven eines Glaubens an den sozialistischen Freiheitsstaat, die in der „Fackel“ aufklangen und von Josef Luitpold Stern sozialdemokratisch verkündet wurden. Was blieb, war die Angst vor dem Kriegsende und die Angst vor dem Friedensbeginn. In keiner Dichtung der Zeit wächst diese Angst und das Leiden an der Zeit überzeugender empor als aus der in zeitlicher Nähe zu Kafka und Musils Anfängen stehenden Lyrik Georg Trakls (1887–1914). Sie erwächst aus dem Bewußtsein müder Spätzeitlichkeit und sterbenden Verfalls zur gläubigen Verherrlichung mystisch geschauter Ewigkeiten, um – nach dem Erscheinen der „Gedichte“ (1913) im Kurt Wolff Verlag – im Todesbild des Krieges („Grodek“) zu enden. Zwischen 1912 und 1914 erreichte Trakl seine gestalterische Meisterschaft. Trakls Kunst ist die Poesie einer verlorenen Jugend, die im mystischen Schauen aus extremer Seelenlage Sprachschöpfungen unverwechselbarer Eigenart hervorbringt. In kürzester Reifezeit löst sich der Dichter von den klischierten ersten lyrischen Versuchen und erreicht die Vollendung seiner Gestaltungskraft, deren Bändigung der Sprache weitab steht vom ekstatischen Aufschrei und Gestammel der Ehrenstein, Werfel und Csokor. Am ehesten Trakl nahe steht die Jugendkunst des ebenfalls früh gereiften und jung verstorbenen Hans Kaltneker (1895–1919) aus Temesvar im Banat.

Auch dem – neben Trakl – anderen großen Lyriker dieser Jahre, Rainer Maria Rilke (1875–1926) erschließt sich die Welt zunächst in der Erfahrung spätzeitlicher, empfindsam durchfühlter Existenz. Auch er entfaltet in wachsenden Ringen die Substanz seines lyrischen Schaffens, aber nicht schnell, sondern mit Stufe um Stufe reifender Selbstbewußtheit. Die Kunstwelt und Landschaft Italiens, der Eindruck des russischen Ostens und seiner mystisch-orthodoxen Frömmigkeit auf den mit Lou-Andreas-Salomé unternommenen beiden Reisen (1899/1900), das Kunst-Erlebnis als Bewunderer Cézannes und als Sekretär Rodins bringen jene Seiten zum Erklingen, die vom „Buch der Bilder“ (1902) über das „Stundenbuch“ (1905), die Sammlung „Das Marienleben“ (1913) bis zu den ersten „Duineser Elegien“ den unverwechselbaren Tonfall der gläubigen Bekenntnisse als auch der Stimmungsbilder und Dinggedichte dieser mittleren Jahre ausmachen. Mit dem „Stundenbuch“ setzt Rilkes besondere religiöse Aussprache ein, die ganz Europa faszinierte: Dem werdenden Gotte dienen die Gedichte im zeitbedingten Sinn eines pantheistischen Monismus; sie künden von der Armut menschlicher Existenz und deuten auf den Abschied vom Leben; sie beeindrucken weniger durch das gläubige Bekenntnis selbst als durch die Art der Dynamik der Sprache; sie sind das bedeutendste Zeugnis eines literarischen Jugendstils. Im Jahr 1910 erscheint Rilkes Tagebuchroman „Die Aufzeichnungen des Malte Laurids Brigge“ im Insel Verlag, Leipzig. Er schließt an die Thematik des dritten Teils („Von der Armut und vom Tode“) von Rilkes Stundenbuch an, fußt auf denselben Pariser Erlebnissen, die jedoch nun auf Erzähletappen – an

Stelle einer geschlossenen Romanhandlung – gewendet von der Einsamkeit des Einzelnen sprechen, vom Begreifen des Todes in der Großstadt Paris und in der ländlichen dänischen Heimat der Hauptgestalt. Rilkes Roman bricht mit der Tradition des realistischen Erzählgefüges. Dem Dichter glückt mit dieser erzählerischen Leistung der erste moderne existentielle Ich-Roman.

Man sieht: Die österreichische Literatur lebte weiter, selbst wenn sie sich mit Rilke aus Österreich hinwegbegeben hatte, oder deutsche Verlage – wie Kurt Wolff, Staackmann und dem Insel-Verlag – sie pflegten. Sie war – zum erstenmal – eine tonangebende Stimme in der literarischen Öffentlichkeit Europas und innerhalb des deutschen Sprachraums geworden. Sie konnte – aus dem Schicksal ihrer Situation zwischen 1880 und 1916/18 – Goethes tröstlichen Satz für sich zu Buche schlagen: „Wer vieles bringt, wird manchem etwas bringen". Selbst die alte Heimatstätte vieler Wiener Literaten, das Kaffeehaus, war mit dem Neubau des Café Central moderner wieder erstanden; der neue Bau und dessen Ambiente inspirierten den Rationalisten Alfred Polgar zur witzig-ernsthaften Theorie des Café Central: „Das Wiener ‚Café Central' ist nämlich kein Kaffeehaus, wie andere Kaffeehäuser, sondern eine Weltanschauung, und zwar eine, deren erster Inhalt es ist, die Welt nicht anzuschauen. [...] Das Café Central liegt unter'm wienerischen Breitengrad am Meridian der Einsamkeit". Das klingt sehr nach „farbenvollem Untergang", aber inmitten dieser apokalyptischen Jahre erreichte ein Dichter gerade durch die Gestaltung des Vergänglichkeitsbewußtseins der Zeitunterworfenheit und Einsamkeit des Menschen, eine Öffentlichkeitsswirkung von höchstem, die Gegenwart und Zukunft prägenden Ausmaß: Hugo von Hofmannsthal. Mit der Bearbeitung des alten Everyman-Spiels schuf er das repräsentative Festspiel vom Abglanz des christlichen Abendlandes „Jedermann" (1911); mit Richard Strauss zusammen gelang ihm das Festspiel der intimen Gefühlsregungen im opernhaften Glanz „Des Rosenkavalier" (1911). Beide Stücke waren noch nicht für Salzburg geschrieben, aber beide sollten im Kostüm der Vergangenheit eine gegenwärtige künstlerische Absage repräsentativ inszenieren. Die Apotheose schließlich aus leichtlebigem Partnerschaftsspiel und sublimierter Herzensregung, die die Wahlverwandten, die schwierigen Partner Helene Altenwyl und Hans Karl Bühl beinahe nur zufällig zusammenführt, gelang Hofmannsthal im Lustspiel „Der Schwierige" (1923), das – nach dem Ende der Donaumonarchie vollendet – zugleich eine wehmütige Reminiszenz an die unwiederbringliche, unverkennbare, von Hofmannsthal geliebte Donaumonarchie, an Alt-Österreich ist.

Literatur (in Auswahl):

WILLIAM M. JOHNSTON, Österreichische Kultur und Geistesgeschichte, Gesellschaft und Ideen im Donauraum 1848 bis 1938. Wien 1972 – JOHANN WILLIBALD NAGL – JAKOB ZEIDLER – EDUARD CASTLE, Deutsch-Österreichische Literaturgeschichte, Bd. 3 u. 4. Wien 1930 – HERBERT ZEMAN (Hrsg.), Die österreichische Literatur. Ihr Profil im 19. Jahrhundert (1830/80). Graz 1982.

Walter Obermaier

VON DANIEL SPITZER ZU KARL KRAUS
WITZ UND SATIRE IN DEN LETZTEN DEZENNIEN DER DONAUMONARCHIE

„Es ist schwer, eine Satire nicht zu schreiben – und doch wissen die meisten diese Schwierigkeit zu überwinden“ formulierte Daniel Spitzer sarkastisch – und tatsächlich gibt es in den letzten Jahrzehnten der Monarchie neben allem Gewitzel nur zwei Satiriker von Rang: Spitzer selbst und später Karl Kraus. Von unterschiedlichen Standpunkten ausgehend, mit verschiedenen Stoßrichtungen und moralischen Absichten, waren sie doch die beiden scharfsichtigsten Kritiker ihrer Zeit. Aber Witz und Satire waren – wenn man den Begriff nicht zu eng formuliert – auch anderswo feststellbar. Eingebettet in Unterhaltungsfaktoren aller Art und Qualität finden sie sich auch in der humoristisch-satirischen Presse und in der neuen Kunstform des Kabaretts.

Daniel Spitzer hat in seinen „Wiener Spaziergängen“, die er fast allwöchentlich in der „Neuen Freien Presse“ veröffentlichte, nicht nur die Kunstform des Feuilletons zu neuer Höhe geführt, sondern auch eine Form der zeitkritischen Betrachtung gefunden, die in ihrer Art unerreicht blieb. Es gab kaum ein Gebiet des öffentlichen und kulturellen Lebens, zu dem sich Spitzer nicht äußerte: Innen- und Außenpolitik, Regierung und Parlament, Nationalitätenfrage, Wirtschaftsprobleme, Theater, Musik und bildende Kunst sowie all die kleinen Absonderlichkeiten und Kuriositäten, die gerade das Wiener Tagesgespräch bildeten. Skepsis gegenüber einem blinden Fortschrittsglauben paarte sich dabei mit der Ablehnung konservativ-reaktionärer Tendenzen.

Die Lektüre von Spitzers Feuilletons bringt so neben dem ästhetisch-moralischen Gewinn, den gute satirische Literatur noch allemal abwirft, vor allem ein sehr vielfältiges und lebendiges Bild nicht nur des Lebens in Wien, sondern in der Donaumonarchie überhaupt. Es ist charakteristisch für die Eigenheit der Spitzerschen Satire, die nicht angriff, sondern bloßlegte, daß in einer Zeit repressiver Zensurpraktik die „Wiener Spaziergänge“ nur ein einziges Mal dem Zensor zum Opfer fielen. „Ich habe immer unsere Regierungen zu den leicht zerbrechlichen Gegenständen gerechnet, die man mit der größten Vorsicht angreifen muß, und so ist es gekommen, daß alle die zahlreichen Ministerien, unter denen ich schrieb, glücklich confiscirt wurden, ohne daß mir wegen des Versuches, sie, wie die Spediteure sagen, zu stürzen, jemals die Pforten der Tabaktrafik verschlossen worden wären“ (11. Februar 1883).

Man hat Spitzer manchmal vorgeworfen, daß er – etwa in der Auseinandersetzung mit den Werken Richard Wagners – ungerecht und einseitig gewesen wäre. Und auch, daß seine Feuilletons nicht gesellschaftskritisch im Sinne einer konsequent betriebenen Veränderung der gesellschaftlichen und wirtschaftlichen Verhältnisse gewesen wären. Solche Vorwürfe verkennen allerdings das Wesen der Spitzerschen Satire. Ihr ging es nicht um die möglichst objektive Vermittlung von Tatsachen, sondern um bewußt subjektive und pointierte Über- oder Verzeichnung. Spitzers Ziel ist es, im befreienden, nachdenklichen, entlarvenden oder verschreckten Auflachen Sachverhalte bloßzustellen und Denken zu provozieren. Der Satiriker propagiert hier kein Programm, er verkündet keine neue Moral, sondern sein Anspruch zielt auf einen beim Leser erhofften Bewußtwerdungsprozeß, an dessen Anfang Spitzer eine ver-rückte Welt, einen anderen Blick und damit auch Möglichkeiten für neue Denkansätze setzt. Daß seine Satire auch als bloße Lustigmacherei mißverstanden werden konnte, hatte Spitzer resignierend einkalkuliert: „In meinen Feuilletons kann jeder nach seiner Façon selig werden“.

Nach Spitzers Tod 1893 fand sich kein adäquater Nachfolger, auch wenn sich gelegentlich andere Feuilletonisten der Satire bedienten. Dafür gab es in den rasch an Zahl, wenn auch nicht immer an Qualität zunehmenden satirischen unbd humoristischen Zeitschriften sowie in den mit geringerem Anspruch auftretenden Witzblättern immer wieder Glossen, Aphorismen und Karikaturen, die sich auf satirisch-kritische oder bloß witzige Weise mit den verschiedenen Zeiterscheinungen auseinandersetzten. Unter all diesen Presseerzeugnissen war der „Figaro" (1857–1919) das qualitätvollste Blatt. Karl Sitter redigierte ihn bis zu seinem Tode 1884, dann übernahm kein Geringerer als Ludwig Anzengruber das Amt des Herausgebers, auf den Viktor K. Schembera und Theodor Taube folgten.

Im „Figaro" gab es viel Politik, aber auch Kultur und Sozialkritik, wobei sich das Beiblatt „Wiener Luft" hauptsächlich mit den Zuständen in Wien auseinandersetzte, während das Hauptblatt seinen Blick auf das Geschehen in der gesamten Monarchie gerichtet hatte und auch die Außenpolitik mit einbezog. Der „Figaro" war keiner politischen Richtung verpflichtet und machte vor allem gegen jene Strömungen Front, die den Herausgebern die Hauptübel in Österreich zu sein schienen: reaktionärer Bürokratismus als Charakteristikum und Hemmschuh der Verwaltung, Überbetonung der Armee mit ihrem engstirnigen Kommißgeist, wirtschaftliche Spekulationssucht und ein sich in die Politik einmengender reaktionärer Klerikalismus.

Zu den vielen regelmäßig wiederkehrenden Figuren – schon Daniel Spitzer hatte im „Figaro" von 1862–1870 seinen Itzig Kneipeles aus Nikolsburg Briefe an einen imaginären Freund in Tarnow schreiben lassen – gehörten die Urwiener Kahlenberger und Grinzinger, der bornierte Hausherr Thaddäus Hartriegel, der das Theatergeschehen beobachtende Hofsänger und Harfenist Huber, aber auch die bürgerliche Geburtshelferin Kreszentia Mayer und der alleswissende „Bediente des Herrn Hofrates". Des Schneidermeisters Papličeks „pulitische Räsonnierung" und die Briefe des Szombáth Kálmán vertraten das tschechische und das ungarische Element und in späteren Jahren durfte natürlich auch die muntere Suffragette Eulalia Immermann nicht fehlen. Und gleichsam die Feststellung von Karl Kraus vorwegnehmend, daß „auch Vorgänge an der Sirk-Ecke ... von einem kosmischen Punkt regiert" seien, gibt es auch Gespräche zwischen Thedi und Fredi von diesem Angelpunkt des Wiener Flaneurlebens. – Unter den Zeichnern des „Figaro" ragte Hans Schließmann hervor und unter den literarischen Mitarbeitern Franz Friedrich Masaidek und Vincenz Chiavacci, die sich auch außerhalb des Blattes durch humoristische Schriften einen Namen gemacht hatten. Ab 1907 läßt die Qualität des „Figaro" nach, die stehenden Figuren verschwinden, die politische Kritik verliert an Schärfe und die Satire verkommt zu seichter Witzelei.

1869 erschien als zweites bedeutendes Witzblatt der „Kikeriki" (bis 1933), der in seiner Polemik von allem Anfang an radikaler war und auch vor einer derben Sprache und der Anbiederung an beim Leser nicht zu Unrecht vermuteten Vorurteilen nicht zurückschreckte. War die Stoßrichtung anfangs ähnlich wie beim „Figaro" gegen lähmenden Bürokratismus, arrogantdummen Militarismus und politischen Klerikalismus gerichtet, so artete der „Kikeriki" schon bald in einen alle kirchlichen Bereiche und vor allem den einfachen gläubigen Menschen angreifenden Kirchenhaß und einen blindwütigen Antisemitismus niedrigster Art aus. Es geht gegen „Judenpresse", „Juden-Sozialdemokratie" und „Judäomagyaren" und die Satire wird durch blanke Denunziation ersetzt. O. F. Berg war der erste Herausgeber des „Kikeriki", der 1882 auch noch die Wende zum Antisemitismus mitmachte; zu den Mitarbeitern, die sich freilich nicht alle in gleicher Weise dem angeschlagenen Hetzton verpflichtet sahen, gehörten neben Theodor Taube, Chiavacci und Masaidek noch Benjamin Schier, der Volkssänger Wilhelm Wiesberg und für kurze Zeit auch Ludwig Anzengruber sowie die Zeichner Hans Canon und Ernst Juch. – Die einzige stehende Figur, der „Beschwichtigungshofrat", ist als Begriff bis heute lebendig geblieben.

Das dritte bedeutende humoristische Journal war der 1869 von Josef Frisch gemeinsam mit dem Zeichner Karl Klič gegründete „Floh". Frisch war zuvor schon an dem Budapester Witzblatt „Borsszem Janko" beteiligt gewesen und orientierte sich nun an internationalen Vorbildern, brachte ganzseitige Zeichnungen und vor allem ein farbiges Titelblatt, das zumeist Personen des öffentlichen oder kulturellen

Lebens karikierend wiedergibt. Von den Mitarbeitern sind abermals Wilhelm Wiesberg und die Zeichner Karl von Stur und Theo Zasche zu nennen. Der „Floh" verstand sich als unabhängiges liberales Blatt mit politischer Satire, das auch „unter dem Ministervolke, unter den Exzellenzen, Eminenzen und dergleichen -enzen herumbeißen" wollte. Er übte Kritik, wo er es für notwendig hielt, schonte dabei auch die jüdischen Mitbürger nicht, lehnte aber den Antisemitismus und die Partei, die sich ihm verschrieben hatte, rigoros ab.

Viele stehende Figuren und Szenen waren das Sprachrohr für die satirischen Angriffe. Da gab es den kleinbürgerlichen Wirtshauspolitiker „Meine Herren!" ebenso wie Johann Kniebeiß, den Einsiedler vom Bisamberg, der im antiquierten Predigerton tiefsinnig-dümmliche Literaturbetrachtungen anstellte. Herr von Ängstlich wiederum beklagte furchteinflößende Tagesereignisse von der Cholera bis zur Steuer und die politischen „Buffet-Sitzungen" finden ihre triviale Entsprechung bei den Gesprächen „In der Volksküche". Das Theatergeschehen schließlich kommentiert Fridolin der Verkannte mit Ausrufen wie „Ha, endlich dringt ein klingender Lichtstrahl in die Nacht meiner Tantièmenlosigkeit" und sein Nachfolger, der „Chorist vom Theater und neuen Tempel" Jacques Singerlich sieht sich nur allzuoft zu dem Ausruf „Waanen kennt mer" veranlaßt.

Weiters gab es noch die „Bombe" (1871–1923), die auch gesellschaftliche und politische Satire brachte, ausgezeichnete Theaterbilder bot, aber auch schon jene erotischen Zeichnungen und Witze, die hauptsächlich für den Herrenabend gedacht waren. Gleiches findet sich auch in den „Wiener Caricaturen" (1881–1923), die „aus dem Tagebuch einer Weltdame" pikanten Tratsch auf Bezirksgerichtsniveau verbreiteten. Und in dieselbe Kategorie gehören auch die „Humoristischen Blätter" (1873–1915), die „Wespen" (1870–1914) oder das „Kleine Witzblatt" (1901–1926), in denen nur selten qualitätvoll Satirisches zu finden war. Drei Neugründungen hielten sich aber weitgehend von solchen Trivialisierungen fern: die „Glühlichter", „Der liebe Augustin" und „Die Muskete".

Die „Glühlichter" (1889–1916) waren – wenn man von satirischen Fachzeitschriften absieht – das einzige satirische Blatt der jungen Sozialdemokratie. Bei ständig steigendem Niveau wurde in Glossen, Liedern, Witzen und Zeichnungen auf Mißstände vor allem im sozialen Bereich hingewiesen; die Privilegien der Herrschenden wurden kritisiert und Antisemitismus sowie Klerikalismus bekämpft – wobei die Kritik an Bürgermeister Karl Lueger etwa durchaus zurückhaltender war als die an seiner Partei. Im Weltkrieg ging das Blatt konsequent einen antimilitaristischen Weg und teilte die allgemeine Kriegseuphorie nicht. Im äußeren Erscheinungsbild orientierten sich die „Glühlichter" am Münchner „Simplizissimus". Zu den hervorragendsten Mitarbeitern zählten Emil Kralik, der als „Habakuk" auch satirische Glossen für die „Arbeiter-Zeitung" schrieb, Roda-Roda und Alfons Petzold, dem wohl auch die häufige Aufnahme von Arbeiterdichtung zu danken ist.

„Der liebe Augustin" (1904) war ein literarisch wie graphisch gleich hochstehendes Blatt, das Adam Müller-Guttenbrunn leitete und das „geistig und finanziell völlig unabhängig ... mit den Waffen des Humors und der Satire" kämpfen wollte. Gedichte, Kurzgeschichten, Aphorismen, Jugendstilillustrationen, allegorische Bilder, literarische Parodien und viel zeitgenössische Literatur prägten das Bild der Zeitschrift, die prominente Mitarbeiter hatte: neben dem unvermeidlichen Roda Roda noch Masaidek, Julius Stettenheim, Erich Mühsam, Richard Schaukal, Otto Julius Bierbaum, Gustav Meyrink und Peter Altenberg sowie die Graphiker Theo Zasche, Hans Schließmann, Fritz Schönpflug, Berthold Löffler, Richard Teschner und Alfred Kubin. Trotz alledem überlebte „Der liebe Augustin" das erste Jahr seines Bestehens nicht.

Umso länger bestand die vielleicht bedeutendste Neugründung in diesem Genre, „Die Muskete" (1905–1941). Auch sie orientierte sich stark am deutschen „Simplizissimus", strich aber auch den österreichischen Charakter heraus und stand bei aller Kritik an Kirche, Beamten, Großbürgertum, Arbeiterpartei, Frauenbewegung und Armee gerade dieser Armee positiv gegenüber. „Soziale Satire – Unabhängigkeit – Nie gemein" war die gewählte Devise, die militärische Humoreske spielte eine große Rolle, und der Mitarbeiterstab konnte sich sehen lassen: Roda Roda, Franz Theodor Csokor, Karl Hans Strobl,

Anton Wildgans, Alfred Grünewald und – bis 1913 – auch Egon Friedell; Fritz Schönpflug und Karl Alexander Wilke gehörten zu den bevorzugten Illustratoren. Karl Kraus allerdings konnte der „Muskete" nicht viel Positives abgewinnen, er vermutete sie als „zur Vermehrung der vaterländischen Langweile" in die Welt gesetzt und attestierte der Zeitung, sie sei „jenes zeichnerische und humoristische Grauen, das sich hierzulande für Produktion hält und nicht ahnt, daß es mehr ist, nämlich das österreichische Leben selbst".

Im ersten Dezennium des 20. Jahrhunderts begann sich in Wien und den Hauptstädten der Monarchie eine neue Kunstform zu etablieren, die auch dem literarisch-satirischen Genre Platz bot: das Kabarett. Bodenständige, aus der Volkskomödie und dem Volkssängertum kommende Traditionen hatten den Boden bereitet. Um die Jahrhundertwende florierten in Wien zahlreiche Varietés und Vergnügungsetablissements: Venedig in Wien, Gartenbau, Apollo, Ronacher, Danzers Orpheum und das Budapester Orpheum mit den jüdischen Jargonkomikern Max Rott und Heinrich Eisenbach. Auf diesem Hintergrund und nach französischen und deutschen Vorbildern entstand das Wiener Kabarett. 1901 hatte Ernst von Wolzogen das Berliner „Überbrettl" ins Leben gerufen, das in seinen Darbietungen das qualitätvolle Chanson und literarische Texte bevorzugte. Frank Wedekind und Arnold Schönberg waren die prominentesten Mitarbeiter. Kurz danach entstanden in München die „Elf Scharfrichter" unter der Leitung von Marc Henry und mit der Diseuse Marya Delvard, die ihr Kabarett auch der Sozialkritik öffneten und für die Wiener Kabarettszene von großer Bedeutung wurden.

1901 gründete Felix Salten das „Jung Wiener Theater zum Lieben Augustin", das stark das „Überbrettl" imitierte. Auch hier lieferte Wedekind Beiträge, Kolo Moser gestaltete die Bühne, später trat auch die beliebte Hansi Niese auf, doch verschwand der „Liebe Augustin" wieder nach ganz kurzer Zeit. Entscheidend für das Kabarett in Wien wurde das Jahr 1906, in dem Marc Henry und Marya Delvard von München kommend das „Nachtlicht" begründeten, in dem es artistische Revuenummern, literarische Beiträge nach Art des „Überbrettls", vor allem aber viel spezifisch Österreichisches gab. Carl Hollitzer, Maler, Karikaturist und Sänger in einer Person, Felix Dörmann, Roda Roda, Peter Altenberg, Hermann Bahr und Franz Blei lieferten literarische Beiträge und bei einem Einakter führte sogar Karl Kraus Regie, doch überwarf er sich bald mit Henry. 1907 übersiedelte die Kabarettgruppe in die Kärntnerstraße und eröffnete die „Fledermaus", deren Ausstattung die hervorragendsten Künstler der Wiener Werkstätte übernahmen. Lina Vetter-Loos rezitierte Altenberg, es gab Tanzdarbietungen und vor allem erwies sich Egon Friedell als Allroundkabarettist. Er trug eigene Skizzen und solche von Peter Altenberg vor, wirkte als Schauspieler mit und schuf vor allem ab 1908 gemeinsam mit Alfred Polgar eine Reihe kabarettistischer Szenen, die zu den Glanzpunkten des Programmes gehörten: die Einakter „Goethe" (1908) und „Soldatenleben im Frieden" (1910) suchen an Situationskomik, Sprachwitz und satirischer Realitätsverkehrung ihresgleichen. Oskar Kokoschka trat – wenig beachtet – in der „Fledermaus" auf und schließlich stieß noch Mela Mars zum Ensemble. 1909 wurde Peter Altenbergs 50. Geburtstag mit einer Matinee gefeiert, doch war der Stern der „Fledermaus" schon im Sinken und das Lokal wurde 1913 in die Bar „Femina" umgewandelt. – Die dauerhafteste Kabarettgründung war die des von Egon Dorn ins Leben gerufenen „Simplizissimus", der ein Kommerzbrettl war und als „Bierkabarett" die Varietétradition zu Volkspreisen fortsetzte. Literarische Satire war hier kaum gefragt, wenn man von Fritz Grünbaums eigenen Vorträgen und den Auftritten von Mela Mars absieht.

Auch in Budapest, Prag und Krakau hatte sich eine Kabarettszene gebildet. In Budapest hatte 1906 die „Bonbonniere" den Anfang gemacht, in der Endre Nagy konferierte und Vilma Medgyasszay als literarische Diseuse auftrat. Im gleichen Jahr entstand unter der künstlerischen Leitung von Ferenc Molnár das „Moderne Theaterkabarett" mit betont literarischer Ausrichtung, in dem Molnár selbst konferierte und an das 1908 auch Endre Nagy überwechselte. Um 1910 gab es bereits eine ganze Reihe von Kabaretts und Varietés in Budapest. Zur selben Zeit wurde in Prag das „Montmartre" (1911) von Josef Waltner gegründet, in dem tschechisch, deutsch und jiddisch gesungen, gespielt und vorgetragen wurde. Jaroslav Hašek und Egon Erwin Kisch schrieben satirische Conférencen und Max Brod suchte seine Idee eines „satanischen Varietés" zu verwirklichen. 1914 entstand „Die rote Sieben", ein stärker literarisch und politisch ausgerichtetes Unternehmen mit patriotisch-antiösterreichischer Tendenz. Ihr Initiator war der Lyriker Jiři Červený. Auch hier arbeitete Hašek mit sowie der Komiker Vlasta Burian und der Komponist Bohuslav Martinu. – Damals war Krakaus berühmtestes Kabarett „Grüner Ballon" in der ulica Floriańska schon wieder geschlossen. 1905 hatte es der Lustspielautor Jan Kisielewski initiiert. Der Schriftsteller und Bohemien Stanislaw Przybyszewski war der literarische Mittelpunkt der Kleinbühne und verfaßte Texte in polnischer und deutscher Sprache. 1912 war das Ende für den „Grünen Ballon" gekommen und das polnische Kabarettgeschehen verlagerte sich nun nach Warschau.

In dieser weitgefächerten Kabarettlandschaft hatte Satire auch ihren Platz, aber einen unter vielen, war Kritik an gesellschaftlichen Zuständen möglich, aber nicht notwendig. Notwendig im engsten Sinne, aus einem inneren moralischen Zwang heraus, wurden Kritik und Satire für Karl Kraus. Schon von allem Anfang an war er der Bedingungslose, dem sich die Satire notwendig zur einzig adäquaten Form gestaltete, um ernsthaft gegen den Ungeist der Zeit anzukämpfen. Die Sprache war ihm dabei mehr als Waffe, sie war ihm gleicherweise ein ethisches Anliegen wie ein entlarvendes Medium, in dessen leichtfertigem Gebrauch sich das Menetekel der Zeit wie von selbst an die Wand schrieb. An ihrer Sprache erkannte er sie alle, die seinem selbstgewählten und selbstverantworteten sittlichen Postulat nicht genügten. Und er nahm sie buchstäblich beim Wort. Indem er sie selbst sprechen ließ, zog er ihnen die Maske vom Gesicht. „Denn mir ist ein Engel erschienen, der mir sagte: Gehe hin und zitiere sie" (Fackel 368). Ein Leben lang sah es Kraus als sein Amt an, „die Zeit in Anführungszeichen zu setzen und sie in diesen Klammern ihr ureigenes Gesicht verzerren zu lassen, wissend, daß ihr Unsäglichstes nur von ihr selbst gesagt werden kann" (Fackel 381).

So hielt er es schon in den frühen Artikeln und Feuilletons, in dem satirischen Aufsatz „Die demolierte Literatur" (1896), der sich gegen die „Kaffeehausdekadenzmoderne" der Bahr, Salten, Dörmann, Schnitzler und Hofmannsthal richtete, aber auch in seiner Abrechnung mit Theodor Herzl „Eine Krone für Zion" (1898), in der Kraus freilich den Zionismus als eine Art pathetischen Antisemitismus mißversteht. Und als Kraus 1899 am Scheideweg steht, zögert er nicht. Das Angebot des Chefredakteurs der „Neuen Freien Presse" als Nachfolger Daniel Spitzers das satirische Wochenfeuilleton zu übernehmen, reizt ihn nur kurz. Er, der „nicht die Censur des Staatsanwalts . . . , vielmehr die intimere eines Chefredacteurs" (Fackel 1) fürchtet, geht seinen eigenen Weg. Im April 1899 erscheint die erste Nummer der „Fackel", in der Kraus bis zum Ende seines Lebens sagen wird, was zu sagen ist. In diesem seinem ureigensten Blatt, dessen Motto „kein tönendes ‚Was wir bringen', aber ein ehrliches ‚Was wir umbringen'" war, schuf er sich das Forum für seinen Kampf gegen die „Pressgenossenschaft", mit ihrer Verquickung von Geschäft und Information, und gegen Moralheuchelei. Bis 1914 „die letzten Tage der Menschheit" anbrechen. „In dieser großen Zeit" ist die „Fackel" eine einzige Anklage gegen eine allgemeine geistige Infektion, vor der das Wort verstummt und die nur im Zitat faßbar wird. Der Satiriker ist nicht mehr Aufzeiger, er ist zum Richter einer Zeit und ihrer Menschen geworden, die sich selbst das Urteil gesprochen haben.

Literatur (in Auswahl):

CHRISTINE EICHINGER, Karikatur und Satire im Kampf um die Rechte des Proletariats. In: Jahrbuch des Vereines für Geschichte der Stadt Wien 1982, S. 139–170 – HEINZ GREUL, Bretter, die die Zeit bedeuten, 2 Bde. München 1971 – MURRAY G. HALL – FRANZ KADRNOSKA – FRIEDRICH KORNAUTH – WENDELIN SCHMIDT-DENGLER (Hrsg.), Die Muskete (Auswahl). Wien 1983 – EVA MARIA HAYBÄCK, Der Wiener „Simplicissimus" 1912–1974, phil. Diss. Wien 1976 – MAX KALBECK, Daniel Spitzers Leben und Schriften. In: DANIEL SPITZER, Gesammelte Schriften, hrsg. von MAX KALBECK und OTTO ERICH DEUTSCH, Bd. 1. München-Leipzig 1912, S. 3–54 – NAGL-ZEIDLER-CASTLE, Deutsch-Österreichische Literaturgeschichte, Bd. 3. Wien 1930 – PAUL SCHICK (Hrsg.),

Karl Kraus in Selbstzeugnissen und Bilddokumenten. Reinbek bei Hamburg 1965 – Daniel Spitzer, Wiener Spaziergänge (Neudruck), 7 Bde. Wien 1966 – Daniel Spitzer, Wiener Spaziergänge, hrsg. von Walter Obermaier. Wien 1986 ff. – Daniel Spitzer, Wiener Abstecher, ausgewählt von Wilhelm Bauer. Wien 1923 – Hans Veigl, Lachen im Keller. Von den Budapestern zum Wiener Werkel. Kabarett und Kleinkunst in Wien. Wien 1986 – Hans Weigel, Karl Kraus oder die Macht der Ohnmacht. Wien-Frankfurt-Zürich 1968 – Rudolf Weys, Cabaret und Kabarett in Wien. Wien-München 1970.

Ulrike Riss

THEATERGESCHICHTLICHE ASPEKTE 1880–1916

1. „WOZU DAS THEATER?"

Diese bekannte Frage wird hier sicher nicht umfassend beantwortet werden können. Trotzdem will ich versuchen, einige Aspekte des Theaters im festgesetzten Zeitraum zu beleuchten, um einer Antwort näher zu kommen.

Vor ihrem Untergang wird die Habsburgermonarchie von vielen unterschiedlichen Kräften beherrscht, denn „das Ende eines Weltreiches zeichnet sich im Spannungsfeld von Staatsmacht, Reichtum, von aufbrechender wissenschaftlicher Genialität und teils geplantem, teil unbeabsichtigtem Gesamtkunstwerk ab, das soziale Engagement drängt ... in den Vordergrund." (Benedikt–Johnson, S. 13)

Welche Strömungen und Bewegungen in solch einem Umfeld sind es nun, die das Theater und seinen Betrieb regeln?

Die gehobene Gesellschaft – allen voran der Adel – will unter sich sein. Wie erreicht sie, in „ihrem" Theater ungestört zu bleiben?

Das Bürgertum drängt in das Hoftheater. Auf welche Widerstände stößt es?

Viele Menschen suchen im Theater Zerstreuung und Unterhaltung, um ihre Alltagssorgen zu vergessen. Wie entspricht eine Direktion dieser Nachfrage?

Wohin kann sich der kunstsinnige Bürger wenden, der das – im Maßstab seiner Weltsicht – moralisch Erhebende, geistig Anspruchsvolle und Schöne wünscht?

Die verschiedenen Nationalitäten der Monarchie streben nach Selbständigkeit. Wo artikuliert sich dieser Wille im Bereich des Theaters?

Was schließlich macht ein Künstler, der auf der Bühne eine neue Wirklichkeit sucht, Utopien entwerfen und Gegenwelten erschaffen will?

Wie entspricht die Realität in ihrem Glanz und Elend allen diesen Wünschen?

1.1. Repräsentation – Das neue Burgtheater am Ring

Direktionen:	Adolph Wilbrand 1881–1887
	Adolph von Sonnenthal 1887–1888
	August Förster 1888–1889
	Max Burckhard 1890–1898
	Paul Schlenther 1898–1910
	Alfred von Berger 1910–1912
	Hugo Thimig 1912–1917
Architekten:	Gottfried Semper
	Carl Hasenauer

Obwohl das Hofburgtheater im Zuge der Neubauten entlang der Ringstraße aus der allzu direkten baulichen Verbindung mit der Burg – „es gehörte gleichsam zur Wohnung des Kaisers" (Salten, S. 1) – vom Michaelerplatz ausgesiedelt wurde, diente das im Renaissancestil erbaute Prachttheater weiterhin in hohem Maße Repräsentationszwecken. Als großartiger

Rahmen, um gesehen zu werden, war es gebaut, mit seinen Freitreppen und Logen, und mit dem Zuschauerraum, dessen Grundriß der Form einer Lyra entsprach. Die Anliegen der Kunst mußten da oft auf der Strecke bleiben. Die Freude über das 1888 neueröffnete Hofburgtheater am Franzensring war daher alles andere als ungetrübt. Die Umstellung auf das neue Haus war sowohl für das Publikum als auch für die Schauspieler schwer. Es herrschte äußerer Glanz und Schönheit, das schlicht gesprochene Wort und die einfache Geste – Markenzeichen für die hohe Schauspielkunst der Burgtheatermimen – wurden durch den prächtigen Rahmen und die unglückliche Raumkonstruktion zu greller Übersteigerung gezwungen. Wollte der Schauspieler, wie bisher, „über die Rampe kommen", mußte er wesentlich stärkere Akzente in Tonfall und Geste setzen: den vielgerühmten Kammerton mußte er zum Teil in lautes Gebrüll umwandeln. An eine nuancierte Menschendarstellung war da kaum mehr zu denken. Die polemische Beschreibung des neuen Theaters, die Egon Friedell gibt, mag hier als Illustration dienen: „Aber es ist ein Theater, in dem man nicht Theater spielen kann. In geradezu genialer Weise hat es der Architekt verstanden, die beiden Partner: Schauspieler und Publikum auseinanderzubringen. Das Orchester und die Proszeniumlogen töten jede Intimität, jeden Kontakt, ja jede Akustik. Um in den hinteren Parterrereihen oder gar auf der Galerie gehört oder gesehen zu werden, muß der Darsteller ununterbrochen schreien und fuchteln . . . Denn das wichtigste vermag er ja doch nicht zu übertragen: jenes geheime Fluidum, das den Hauptreiz jeder starken schauspielerischen Persönlichkeit ausmacht." (FRIEDELL, S. 163)

Eine Flut von Beschwerden über die baulichen Unzulänglichkeiten und den dadurch getrübten Kunstgenuß erreichte die General-Intendanz. Schließlich wurde der Druck der Öffentlichkeit so groß, daß 1897 ein Umbau begann.

Neben dem Ruf nach Verbesserung der Sicht- und Hörbedingungen im neuen Haus, waren auch nicht die Stimmen derer zu überhören, die das Burgtheater einer größeren Öffentlichkeit zugängig und finanziell erschwinglich machen wollten. Direktor Max Burckhard, Jurist und Verwaltungsreformer, war theaterfremd – eine unverbürgte Anekdote sagte ihm nach, er sei vor seiner Ernennung zum Direktor nur siebenmal als Zuschauer im Hofburgtheater gewesen – und versuchte diesem Ruf nach Öffnung des Theaters mit der Einführung von Nachmittagsvorstellungen gerecht zu werden. Diese Maßnahme stieß auf heftigen Widerstand des Stammpublikums. Kontroversen gab es aber nicht zuletzt auch um den Spielplan. Burckhard war fest entschlossen, die moderne Dramatik in Wien durchzusetzen. In seiner Ära wird Schnitzlers „Liebelei" erstaufgeführt, als Neuerung kamen Dramen von Henrik Ibsen, Gerhart Hauptmann und Hermann Suderman auf den Spielplan. Diese für Wien revolutionäre Handlungsweise hätte im Hofburgtheater kaum Erfolg haben können, wenn er nicht einen Schauspieler bei der Hand gehabt hätte, dem ein neuer Schauspielstil eigen war: in Friedrich Mitterwurzer (1844–1897) hatte er den geeigneten Partner gefunden. Burckhard überraschte auch mit seiner Gabe, Schauspieltalente aufzuspüren und für das Haus zu gewinnen: Hedwig Bleibtreu, Lotte Medelsky, Adele Sandrock, Otto Tressler. Auf Max Burckhard folgte Paul Schlenther in die Direktion. Zu seinem größten Verdienst gehörte es, daß er die von seinem Vorgänger begonnenen Engagementverhandlungen mit Josef Kainz erfolgreich abschloß und so einen der größten Künstler seiner Zeit an das Haus binden konnte. Josef Kainz interpretierte jede klassische Rolle so unkonventionell, daß sich vor allem die junge Generation daran begeisterte. Trotz aller Bemühungen konnte Schlenther aber in Wien nie recht Fuß fassen. Ein Teil des Ensembles intrigierte gegen ihn, die Presse war ihm auch nicht gut gesinnt. In der Spielplangestaltung versuchte er die „Modernen" fest in das Repertoire zu verankern.

Nach der Jahrhundertwende verstärkte sich der konservative Einfluß auf das Geschehen im Hofburgtheater. Eine gewisse Kulturmüdigkeit war zu bemerken. Die Gesellschaft Wiens bewegte sich in festgelegten Bahnen. Seit der Wahl Karl Luegers zum Bürgermeister intensivierten sich zusehends die Gedanken des „Deutschtums" in Wien. Diese Tendenzen und die politischen Spannungen machten sich auch im Hofburgtheater als Unsicherheit und Uneinheitlichkeit in Stil und Spielplangestaltung bemerkbar: manche Schauspieler ergaben sich immer noch dem Pathos der „alten Schule“, die anderen eiferten Josef Kainz nach, wieder andere strebten nach naturalistischer Darstellung.

Noch immer war es im Hofburgtheater üblich, die rangältesten Schauspieler als Spielleiter abwechselnd zu berufen und mit der Einstudierung der Stücke zu betrauen. So fehlte es an der Regisseur-Persönlichkeit, die die auseinanderstrebenden Kräfte einigen hätte können.

Das Publikum in den Logen wünschte sich leichtere Unterhaltung, Stücke, deren Inhalte durchschaubar und amüsant waren. Es wollte vor allem hohe Schauspielkunst genießen. Die Kunst des Hofburgschauspielers bestand vor allem darin, auch schlechtere Stücke mit soviel Eigenart und Menschlichkeit zu erfüllen, daß „der höchste Kitsch, glanzvoll erschien.“ (FRIEDELL, S. 163)

Nicht goutiert wurden Sozialprobleme auf der Bühne, oder kritische Auseinandersetzung mit den tradierten bürgerlichen Moralvorstellungen. Der Hof, die Kirche und das Militär wachten über die Sittlichkeit des „allerhöchsten Theaters“. Die Absetzung der Aufführung des Dramas „Rose Bernd“ von Gerhart Hauptmann – das Drama wurde nur fünfmal gezeigt, obwohl es von Publikum und Presse wohlwollend aufgenommen worden war – ging auf Intervention der Erzherzogin Valerie beim Kaiser zurück.

Die Beziehungen des Kaiserhauses zum Hofburgtheater beschränkten sich im wesentlichen auf außerkünstlerische Aspekte. Obwohl Kaiser Franz Joseph gerne ins Theater ging, war ein Besuch dort für ihn in erster Linie eine Repräsentationspflicht. In künstlerischen Belangen verließ er sich gerne auf die Meinung seiner engsten Mitarbeiter und seiner Familienangehörigen. Die langjährige Freundschaft mit der Hofburgschauspielerin Katharina Schratt (1855–1940) war wohl die engste Beziehung, die er zum Theater hegte. In den späteren Jahren seiner Regierung galt das Interesse des Monarchen am Hofburgtheater meist den Fragen der Verwaltung.

Das Dilemma, in dem sich die Theaterlandschaft der Habsburgermonarchie – vor allem in Wien – sah, war, daß das Hofburgtheater auf der einen Seite ein Instrument der Machtsphäre des Hofes, des Militärs, des Adels und der Kirche war, auf der anderen Seite die Privattheater als Geschäftstheater durch den harten Konkurrenz- und Existenzkampf jede nur mögliche Form der Unterhaltung und der Sensation dem Publikum bieten wollten. Echter Erneuerungswille war zwar immer wieder da, sobald sich aber der finanzielle Mißerfolg ankündigte, wurden wieder Kompromisse und Zugeständnisse an den Publikumsgeschmack gemacht.

Das Hofburgtheater – heute Burgtheater – stand und steht bis heute immer wieder im Mittelpunkt des Interesses. Soviel Kritik auch an dieser traditionellen Institution geübt wurde und wird, immer wieder zieht es Regisseure und Schauspieler aus aller Welt an dieses Haus.

Was macht dieses Theater so anziehend? Was für eine Faszination geht von ihm aus?

Da es eine so lange Tradition hat, sich so viele Mythen um dieses Haus ranken, fordert es immer wieder Künstler zu neuen Versuchen heraus. „... seine (des Burgtheaters Anm. d. Verf.) großen Zeiten sind immer durch einen Handstreich verübt worden: von einer kleinen Schar beherzter, einem verwegenen Einbrecher zujauchzender Aufrührer, unter allgemeiner Entrüstung ... aus Protest ist es entstanden ... Aufruhr steckt ihm daher im Leibe von Anbeginn und so hat es, sein inneres Gesetz erfüllend, immer aufrührerisch zu sein ...“ (BAHR, S. 4f).

1.2. Unterhaltung

Waren nun dem Burgtheater einige Fesseln in Spielplangestaltung und Darstellungsstil angelegt, versuchten die Privattheater dem Wiener Theaterleben sowohl Unterhaltung als auch Experiment zu bieten. Eine Reihe von Theatergründungen war zu beobachten: 1889 wurde das Deutsche Volkstheater eröffnet, 1893 das Raimundtheater, 1898 das Kaiser-Jubiläums-Stadttheater (heute: Volksoper), und 1908 die wagemutige Neue Wiener Bühne. Daneben gab es die Bühnen der ehemaligen Vorstädte mit ihren langen Traditionen: Das Carltheater (vorher: Theater in der Leopoldstadt), das Theater an der Wien und das Theater in der Josefstadt. Nur wenige Privattheater konnten Unterhaltung und Experiment tatsächlich verbinden. Dem Theater in der Josefstadt unter Direktor Josef Jarno (1866–1932) gelang es, mit spritzig-pikanten französischen Schwänken das Publikum ins Theater zu locken, und gleichzeitig anspruchsvolle, sogenannte „Literarische Abende“ zu veranstalten. Erstere Stücke brachten die finanzielle Basis, letztere machten das Wiener Publikum mit den Werken von Strindberg, Wedekind, Shaw und Schnitzler vertraut. Dem Direktor Jarno mit seinem Ensemble, an der Spitze seine Gattin Hansi Niese, war es zu danken, daß die Wiener in ein und demselben Theater sowohl Boulevard als auch Avantgarde sehen konnten.

Das Theater an der Wien war seit der Direktionszeit Friedrich Strampfers (1862–1875) zur erfolgreichsten Operettenbühne in Wien aufgestiegen, wo die Goldene Wiener Operette, vertreten durch Johann Strauß und Karl Millöcker, ihre Blüte erlebte. Seit 1885 machte sich jedoch der Abstieg dieser Kunstgattung bemerkbar. Den Niedergang der Operette um die Jahrhundertwende konnten auch Stars wie Alexander Girardi oder Julie Kopácsi-Karczag nicht aufhalten. Selbst der Versuch, durch Aufführungen ausländischer Produktionen wie z. B. „Mikado“ von Arthur Sullivan, eine Wiederbelebung der rauschenden Erfolge zu erreichen – wie zu Zeiten Johann Strauß' und Jacques Offenbachs – schlug fehl. Autoren wie Komponisten mußten sich den auf Gewinn programmierten Plänen der Theaterdirektoren unterwerfen. „Die Wiener Operetten sind seit 1900 keine echten Theaterstücke mehr sondern Veranstaltungen, die im Theater stattfinden . . . Die Figuren haben kein eigenes Leben, sie sind zu Klischees erstarrt, Handlung und Musik bedingen und ergänzen einander nicht mehr.“ (WEIGEL, S. 143)

1.3. Bildung

Auf Initiative des kunstgesinnten Mittelstandes wurde das Deutsche Volkstheater gegründet. Vom Anspruch her sollte es einen Platz zwischen Hofburgtheater und Operettenbühne einnehmen. Das liberale Bürgertum begrüßte und förderte die Neugründung eines Theaters, das schöngeistige Inhalte und gehobene Unterhaltung bieten sollte. Dramen sollten aufgeführt werden, die vom Hofburgtheater aus höfischen oder diplomatischen Rücksichten nicht gezeigt werden konnten, von den Privattheatern aber aus Angst vor wirtschaftlichen Mißerfolgen erst gar nicht in den Spielplan aufgenommen wurden. Die Absicht der Gründer war es, künstlerisch-vollendete Darbietungen zu präsentieren. Mit diesem Programm war das Deutsche Volkstheater nahe daran, ein Konkurrenzunternehmen für das Hofburgtheater zu werden. „Das Deutsche Volkstheater ist heute eines der bestbesuchten Theater Wiens, weil es eine Notwendigkeit war und eine solche bleiben wird; aber die Kunstfreunde, nicht zu reden von jenen Idealisten, welche die Schaubühne als eine moralische Anstalt ansehen, sind schwer enttäuscht von demselben.“ (MÜLLER–GUTTENBRUNN, S. 111) Die Bemühungen des bürgerlichen Mittelstandes, ein Sprechtheater nach mehr künstlerischen und weniger nach ökonomischen Gesichtspunkten zu führen, scheiterten an den wirtschaftlichen Notwendigkeiten. Auch im Falle des Deutschen Volkstheaters siegten schließlich materielle Interessen über programmatisch festgesetzten Idealen. (MÜLLER–GUTTENBRUNN, S. 98–101)

Fast alle neugegründeten Theater mußten von ihren Konzepten abweichen oder sich auf andere Gattungen verlegen. Es schien, als ob das Publikum nicht mehr unterhalten, sondern abgelenkt werden sollte. Obwohl einige künstlerische Sternstunden, wie z. B. die Veranstaltungen der Internationalen Musik- und Theaterausstellung Wien 1892, die Zuschauer und die Presse in Begeisterung versetzten, entstanden daraus keine dauerhaften neuen Impulse für das Sprechtheater.

1.4. Politische Agitation

Waren schon die Eingriffe in die Spielplangestaltung des Hofburgtheaters politische Absicht, so setzte man mit der Gründung des Kaiser-Jubiläums-Stadttheaters einen noch offensichtlicheren politischen Akzent. Die christlich-soziale Partei forderte für dieses Theater die Pflege ausschließlich deutscher Dramatik. Der erhoffte Erfolg blieb jedoch aus und so wurde das Theater zu einer Opernbühne umgewandelt. Der Direktor Rainer Simons verstand es nicht nur, ein erstklassiges Repertoire aufzubauen, sondern verfügte auch über ein glänzendes Ensemble; so entdeckte er u. a. Maria Jeritza, Emil Schipper und Josef Schwarz.

Kaiser Franz Joseph I. herrschte drei Generationen lang über zwölf Nationen. Jede Nation in diesem Reich wollte sich von der Herrschaft der Habsburger befreien. Einen wichtigen Ort, wo dieses Emanzipationsstreben öffentlich proklamiert werden konnte, bildeten die Nationaltheater, die in vielen Provinzen des Reiches zu Ende des Jahrhunderts entstanden. Dramatiker schrieben in ihrer Muttersprache und wurden auch in dieser aufgeführt, Komponisten entdeckten die Volksmusik und bauten Elemente daraus in ihre Musikstücke ein, um ihre Zugehörigkeit zu einem bestimmten Volksstamm zu unterstreichen. Friedrich Smetanas Oper „Die verkaufte Braut“ wurde mit großem Erfolg im Rahmen eines Gastspiels des Böhmischen Nationaltheaters Prag bei der Internationalen Ausstellung für Musik- und Theaterwesen 1892 in Wien aufgeführt.

Die meisten darstellenden Künstler an den Wiener Theatern kamen aus den Kronländern der Monarchie. Viele berühmte Künstler verdienten sich ihre ersten künstlerischen Sporen in Prag, Olmütz oder Temésvar. Trotz aller nationaler Strömungen im Kulturbetrieb der Provinzen, blieb Wien Mittelpunkt und Vorbild für das Theaterleben in den Kronländern. Die strengen Zensurbestimmungen unterbanden allzu mutige Angriffe der Nationaldramatiker auf das herrschende politische Geschehen.

1.5. Suche nach der neuen Wirklichkeit

Schon 1866 versuchte der Herzog von Meiningen den Bühnenraum und seine Gestaltung in die Gesamtkonzeption der Inszenierung einzubeziehen, und die Ausstattung und die Kostüme nicht dem Zufall des Fundusangebotes zu überlassen. Er übertrug die Prinzipien der Historienmalerei auf das Theater und ließ Bühnenbilder und Kostüme in Farbton und Form nach historischen Vorbildern herstellen. Die Diskussion um die Erneuerung des Bühnen- und Zuschauerraumes, um die Stellung des Schauspielers, des Bühnenbildners, des Dramatikers und der Musik innerhalb der Inszenierung wurde in der Folge in ganz Europa immer heftiger. Nicht zuletzt zeigte die elektrische Beleuchtung, die an allen großen Theatern damals eingeführt wurde, deutlich die Mängel der Dekorationen. Der Ruf nach Erneuerung des Raumes im Theater war nicht mehr zu überhören.

Adolphe Appia (1862–1928) war einer der ersten Rebellen gegen den Naturalismus auf der Bühne. Seine Bemühungen gingen dahin, die Bühne vom Kulissenzauber zu befreien und die Dekorationen auf einige wesentliche Elemente zu reduzieren: Schiefe Ebenen, Mauern und Treppen, vor allem aber Licht und Schatten werden zu wichtigen Gestaltungsmitteln. In seinen Arbeiten strebte Appia nach immer strengerer Einfachheit, bei der die Form wichtiger wird als der Gegenstand, der Schauspieler zum Mittelpunkt des theatralischen Geschehens. „Wenn der Mensch wirklich, wie Protagoras versichert, das Maß aller Dinge ist, dann ist der Schauspieler das Maß des Bühnenraums.“ (Appia, S. 13)

Zur gleichen Zeit entwickelt der Engländer Gordon Craig (1862–1966) – ein weiterer mit den herrschenden Bühnenzuständen unzufriedener Theaterenthusiast – in seinen „Scenen“ ein System beweglicher Elemente, die vor den Augen des Publikums den Raum verändern konnten. Wie Appia mißt auch Craig den Lichteffekten große Bedeutung zu. Zu seiner Hamlet-Inszenierung 1912 in Moskau meinte er „... während der gesamten Vorstellung ist das Licht entweder zärtlich oder grausam, es fließt oder tröpfelt herab und erzeugt dabei Musik.“ (Gascoigne, S. 273)

Während Appia und Craig das Licht und strukturale Formen für das Theater forderten und die illusionistische Bemalung dort rigoros ablehnten, versuchten andere Künstler das Theater zum Forum für die bildende Kunst zu machen. Das künstlerisch gestaltete Bühnenbild sollte als wichtigster Teil der Inszenierung zusammen mit den anderen Künsten eine Einheit bilden im Sinne des Dramas. So holte Max Reinhardt 1906 den Maler Edvard Munch nach Berlin an die

Kammerspiele des Deutschen Theaters um für die „Gespenster“ von Henrik Ibsen die Bühnenbilder zu entwerfen.

2. DIE WELTGELTUNG DER WIENER OPER

Direktoren: Wilhelm Jahn 1880–1897
Gustav Mahler 1897–1907
Felix von Weingartner 1908–1911
Hans Gregor 1911–1918
Architekten: Eduard van der Nüll
August Siccard von Siccardsburg

Die eigentliche Revolution im Wiener Kulturleben des ausklingenden 19. Jahrhunderts fand auf dem Opernsektor statt. Schon unter Direktor Wilhelm Jahn und seinem ersten Kapellmeister Hans Richter erreichte die Wiener Hofoper hohes künstlerisches Niveau. Die beiden Männer mit ihren unterschiedlich musikalischen Neigungen ergänzten sich in der Praxis ausgezeichnet. Jahn bevorzugte die leichte, graziöse Spieloper, während Richter sich vorwiegend auf die Interpretation von Wagner-Opern verlegte. In den prachtvollen Dekorationen drückte sich der Stil der Ringstraßenzeit und seiner Gesellschaft deutlich aus. Ein glänzendes Ensemble mit Hermann Winkelmann, Theodor Reichmann, Emil Scaria, Amalie Materna und Marie Renard stand dem Direktor zur Verfügung. Das siebzehnjährige Direktorium Jahns brachte Wien stilvolles Operntheater, wenn auch die ideelle Auseinandersetzung mit dem Musikdrama eher im Hintergrund blieb.

Gustav Mahler gelang es dann schließlich, die Oper zu einem musikdramatischen Ereignis zu machen. Zehn Jahre war Mahler an der Wiener Oper als Direktor tätig. In dieser Zeit verwirklichte er dort Wagners Idee vom Gesamtkunstwerk, von der vollendeten Harmonie zwischen Musik, Darstellung und Szenerie. Um jedoch diesen Plan durchzusetzen, bedurfte es der Besessenheit des Genies Mahler, der die Wiener Oper von Grund auf reformierte und sie so zur Weltbedeutung führte.

Mahlers Reformen richteten sich nicht allein auf den musikalischen Bereich. Er führte die völlige Verdunkelung während der Vorstellung im Zuschauerraum ein, räumte mit dem Claquewesen auf und stoppte mit rigorosen Verordnungen die Störungen durch Zuspätkommende.

Von den Sängern forderte Mahler totalen Einsatz von Stimme und Spiel. Sein Wunsch war es, Sänger-Schauspieler auf der Bühne zu haben. Er verlangte von ihnen die geistige Auseinandersetzung mit der Rolle. Jede Form des „Schön-Singens“ war ihm verhaßt, er liebte die spröden, schrillen Stimmen. Zwei Sängerinnen waren es, die Mahlers Intentionen am nächsten kamen: Anna Bahr-Mildenburg, die unter der kundigen Führung Mahlers zur großen Wagnertragödin heranwuchs, und Maria Gutheil-Schoder, deren Stimme und Spiel in der Ausdruckskraft unerreichbar waren. Ihr Repertoire zeigte eine unglaubliche Vielseitigkeit: von der Susanne in „Figaros Hochzeit“ (W. A. Mozart) bis zur Venus in „Tannhäuser“ (R. Wagner), vom Cherubin bis zur Elektra (R. Strauss) reichte ihre Darstellung. Zu diesen Sängerinnen, die hier nur stellvertretend für viele genannt werden können, gesellten sich der dänische Heldentenor Erik Schmedes und Richard Mayr, der bis heute als unübertroffener Darsteller des Ochs von Lerchenau im „Rosenkavalier“ von Richard Strauss gilt.

In der Musik duldete Mahler keine Ungenauigkeiten und Verschleierungen, das Werk des Komponisten sollte werkgetreu wiedergegeben werden. Die üblichen kleinen Schlampereien im Orchesterspiel wurden durch lange und eingehende Proben ausgemerzt; nur so konnten die Werke Mozarts und Wagners, die Schöpfungen der deutschen Romantik und die modernen Musikdramen mit der von ihm gewünschten Präzision zur Aufführung gebracht werden. Vollendet wurde Mahlers Opernreform schließlich durch seine Zusammenarbeit mit Alfred Roller. In der epochalen Neueinstudierung von „Tristan und Isolde“ (R. Wagner) anläßlich des 20. Todestages des Meisters, räumte Roller, Mitbegründer der Wiener Secession und neben Josef Hoffmann und Koloman Moser an der Kunstgewerbeschule in Wien tätig, mit dem illusionistischen Bühnenbild auf. Farbsymbolik zusammen mit subtiler Lichtregie gestatteten eine neue Interpretation des Dramas. In der Oper „Don Giovanni“ (W. A. Mozart) verwendete Roller erstmals die Türme zu beiden Seiten der Bühne, für die er berühmt werden sollte.

Diese Rahmenarchitektur stand während der ganzen Aufführung unverändert auf der Bühne, der Szenenwechsel erfolgte durch schnelles Herablassen und Hinaufziehen von Prospekten.

In der Zusammenarbeit mit Alfred Roller konnte Mahler nun auch in etwas gemäßigter Form in Wien die Forderungen Adolphe Appias und Gordon Craigs verwirklichen.

Hermann Bahr verglich das Erlebnis eines Opernabends unter der Leitung von Gustav Mahler mit einer Verzauberung. Die Präzision der musikalischen Wiedergabe schien wie mit der „Zuverlässigkeit eines Uhrwerks abzulaufen", trotzdem war sie „vollendete Improvisation" (BAHR, S. 83). Mahler verstand es, mit grandiosem Musizieren und mittels seiner starken Suggestivkraft, das Publikum zu begeistern.

3. DER BLICK HINTER DIE KULISSEN UND AUF DIE GALERIE

3.1. Künstlerin oder Dirne?

Trotz mancher Schwierigkeiten im Kulturbetrieb ist zu ersehen, daß das Theater mehr oder weniger funktionierte. Hinter allem Glanz des Spektakels herrschten aber triste Zustände. Zwischen Theaterdirektor und Theaterpersonal bestand ein Mißverhältnis. An der Situation der Frau als Schauspielerin können sehr deutlich die herrschenden Praktiken im Theaterbetrieb aufgezeigt werden. Die Schauspielerin hatte mindestens an zwei Fronten zu kämpfen: um ihre künstlerische und soziale Anerkennung und um ihre Frauenehre.

Nur wenigen Schauspielerinnen war es vergönnt, an eine der großen städtischen, wenn nicht sogar an eine höfische Bühne engagiert zu werden. Der Weg dorthin war beschwerlich, und viele mußten die Hoffnung auf Erfolg enttäuscht und meist verarmt frühzeitig aufgeben. Es erforderte neben der Begabung eine große persönliche Disziplin und Konsequenz, um sich in der vorwiegend von Männern dominierten Theaterwelt durchzusetzen und sein Ziel zu erreichen. Nicht allein Talentlosigkeit war an den Mißerfolgen schuld. Skrupellose Direktoren nahmen oft lieber reiche und schöne Mädchen in ihr Ensemble auf, als arme und begabte. Ohne gesetzlichen Schutz, angewiesen auf die einseitig ausgearbeiteten Verträge, begab sich eine Schauspielanfängerin in die totale Abhängigkeit der Direktoren. Das Übel begann bei der Festlegung der Gagen. Die Theaterdirektoren, die – mit Ausnahme der Hofbühnen – keinen Etat für Kostüme und äußere Ausstattung der Schauspielerinnen hatten, zahlten – wenn überhaupt – so wenig Gage, daß diese kaum zum Leben reichte, ganz zu schweigen für irgendwelche Sonderausgaben (vgl. ENGEL-REIMERS).

„Die Lage der kleinen Mitglieder, zumal der Frauen, ist vielleicht in den großen Städten, wie Berlin und Wien, am schlimmsten. Um die moralische Verurteilung heraufzurufen, bedurfte es nur der genauen Bekanntgabe der Gagen aller Mitglieder. Aber die gerechte Einwendung gegen eine Gage, die nur dem Namen nach eine solche ist (25, ja 20 Mark die Woche) wird dem anständigen Mädchen vom Direktor mit der unverfrorenen Bemerkung beantwortet: ‚Wozu brauchen Sie die Gage? Sie sind ja ein hübsches Mädchen!'" (SCHLENTHER, S. 49). Wie aus der Untersuchung von CHARLOTTE ENGEL-REIMERS hervorgeht, konnten nur wenige gut bezahlte Schauspielerinnen Ersparnisse von ihrer Gage zurücklegen.

Wenn nun eine junge Elevin keine Unterstützung von zu Hause zu erwarten hatte – und das war in den meisten Fällen so, da ja nur wenige Familien den Drang des jungen Mädchens nach der Bühnenlaufbahn begrüßten – blieb ihr oft nichts anderes über, als sich einen reichen Freund zuzulegen, der die Kosten der für ihre schauspielerische oder gesangliche Karriere notwendigen Ausstattung übernahm. „Wer nicht sehr gut rechnen oder eine Rechenmeisterin als Anstandsdame hat, ist bei den Privattheatern entweder aufs Schulden machen oder auf Liebschaften angewiesen." (SCHLENTHER, S. 44). In Deutschland lag der Grund für diese Mißstände in der Einführung der Theaterfreiheit. Die Führung eines Theaters wurde einem Handwerk gleichgestellt, die Konzession wurde nicht lokal begrenzt, sondern galt für den gesamten deutschen Staat. Das führte dazu, daß gewissenlose Direktoren an einem Ort ihr Personal sitzen lassen konnten, um mit neuen Kräften an einem anderen Ort wieder eine Theaterleitung zu übernehmen. Dazu kam, daß die Agenturen immer mehr Macht über die an sie oft verschuldeten Direktoren bekamen. Diese finanziellen Abhängigkeiten wirkten sich natürlich auf das darstellende Personal aus. So manches mittellose Mädchen trat bei einer Agentur ein, um zur Dirne gezwungen zu werden; „denn sie konnten nur mit ihrem Körper verdienen, was sie zum Betrieb ihres Handwerks brauchten." (SCHLENTHER, S. 47).

Diesen üblen Machenschaften wollten Theaterfreunde und verantwortungsbewußte Theaterdirektoren durch ein Gesetz das Handwerk legen. Der Entwurf eines österreichischen Theatergesetzes (1857, revidiert 1903) hatte zwei Ziele: den Schutz der Unternehmer gegenüber der Behörde, und den Schutz der Mitglieder gegen die Unternehmer. Kraft einer Ministerialverordnung von 1850 bedarf es für jede Bühnenproduktion vor ihrer ersten Darstellung der Bewilligung des Statthalters. Diese Bewilligung konnte jedoch ohne Angabe von Gründen jederzeit zurückgezogen und die Aufführung abgesagt werden. Willkürliches Handeln der Zensur sollte durch diese gesetzliche Bestimmung zwar nicht abgeschafft, so doch beschränkt werden.

Die Gefahren für die Mitglieder eines Theaters ergaben sich aus dem Umstand der einseitig – nämlich zugunsten des Direktors – abgeschlossenen Verträge. Die brennendste Frage im ganzen Theaterrecht ist die des Kündigungsrechts. Der Direktor engagierte Mitglieder für ein Jahr, oft ohne sie vorher gesehen zu haben und behielt sich das Recht vor, diesen Vertrag innerhalb der ersten Woche wieder zu lösen. Der Direktor fand es nicht der Mühe wert, vor Vertragsabschluß das Engagement auf seine Zweckmäßigkeit zu überprüfen. Das finanzielle und existenzielle Risiko trug also das zu engagierende Mitglied und nicht der freie Theaterunternehmer. Das war ein System, das den Intentionen der freien Marktwirtschaft nicht entsprach.

Der Entwurf sah weiters vor, daß im Krankheitsfall die Mitglieder wenigstens eine gewisse Zeit ihre vollen Bezüge erhalten sollten und nicht – wie üblich – die sehr niedrige, vom Tageslohn prozentuell bemessene Krankenversicherung.

Eine besondere Bestimmung des Entwurfes suchte das Mitglied gegen künstlerische Schädigung durch den Direktor zu schützen. Es sollte ihm das Recht geben, auf Auflösung des Vertrages zu klagen, falls die vertragsmäßige Zusage hinsichtlich seiner künstlerischen Verwendung nicht gehalten wurde.

Der überwiegende Teil dieses Entwurfes eines Theatergesetzes versuchte in erster Linie Vorkehrungen und gesetzliche Bestimmungen im Interesse und zugunsten der Bühnenangehörigkeit zu treffen.

3.2. Wer kann sich den Theaterbesuch leisten?

Finanziell war es für einen Bürger nicht allzu schwer, sich eine Karte zu kaufen, die Schwierigkeit eines Theaterbesuches lag vielmehr an den Arbeitsbedingungen. Um 1890 betrug die Arbeitszeit immer noch 11 Stunden pro Tag, oft waren es 13. In Gewerbebetrieben arbeitete man bis 21 oder 22 Uhr. Sonn- und Feiertagsarbeit, zumindest vormittags, war üblich (Burgtheater, S. 410). Unter solchen Arbeitsbedingungen war ein Theaterbesuch für einen Lohnabhängigen unter der Woche fast ausgeschlossen, bedenkt man, daß die Aufführungen durchschnittlich um 18.00 Uhr begannen.

Die Betriebskosten des neuen und viel größeren Hofburgtheaters am Ring waren seit der Eröffnung immer mehr gestiegen. Die Folge war, daß sich die Preise der Karten wesentlich erhöhten. Zum Ärger vieler Wiener Theaterenthusiasten wurden gerade die Preise der Plätze – im Parkett und auf der Galerie – um 250% (!) angehoben, die traditionell vom bürgerlichen Publikum eingenommen wurden. Hingegen erfuhren die Logen der Adeligen eine Erhöhung von bloß 30%. „Und dann baut man ein Haus, in welchem man auf die Bequemlichkeit des ‚oberen' Publikums, das sich seinen Einlaß in das Burgtheater nur mit schweren Opfern an Zeit und Geld erkaufen kann, nicht die geringste Rücksicht nahm; und jetzt maßregelte man es abermals durch die Änderung und Verteuerung des Stammsitzabonnements", wetterte Adam Müller-Guttenbrunn gegen die Maßnahmen der General-Intendanz. Die Sonntag-Nachmittagsvorstellungen zu ermäßigten Preisen, gaben zwar auch wenig Begüterten die Gelegenheit eines Besuches im ehrwürdigen Haus am Ring, stießen aber auf den Widerstand des Stammpublikums, die ihre Sitze als persönliches Eigentum betrachteten. Der Direktor Paul Schlenther mußte sich dem Druck des konservativen Publikums beugen, und die Sondervorstellungen absagen, obwohl der materielle Erfolg dieser Nachmittagsaufführungen nicht unbeträchtlich war. Direktor Max Burckhard bezifferte ihn mit 24.000 Gulden pro Vorstellung. (Burgtheater, S. 421).

Auch der Eintritt in die Privattheater, die noch mehr als die Hoftheater gewinnbringend kalkulieren mußten, war teuer. Das deutsche Volkstheater beispielsweise, das doch als Reformbühne mit günstigen Sitzpreisen konzipiert war, konnte die idealen Vorstellungen und Programme nur zum Teil erfüllen. Als Pachttheater mit einer Miete von 40.000 Gulden mußte der teuerste Sitz mit 2 Gulden und einer Vorverkaufsgebühr von 50 Kreuzern festgelegt werden. Ebenso wurde das Garderobengeld mit 10 Kreuzern pro Stück anstatt pro Person geregelt, für den Theaterzettel, der nur ein Personenverzeichnis enthielt, wurden ebenfalls 10 Kreuzer verlangt. Ein Vergleich mit den Eintrittspreisen der anderen Privattheater zeigt aber eindeutig, daß das Deutsche Volkstheater in der Preisgestaltung unter den Werten der anderen lag: im Etablissement Ronacher verlangte man 6 Gulden Eintritt, im Carl-Theater 15 Gulden, im Theater an der Wien 15 Gulden, im Josefstädtertheater 10 Gulden (SEELIG, S. 19).

Die teuerste Karte im Hofburgtheater kostete 15 Gulden, im Hofoperntheater gar 25 Gulden. Die Diskussion über die Eintrittspreise und die Finanzierung der teuren Staatstheater hat sich bis heute nicht gelegt und jeder Burgtheaterdirektor versucht auf seine Weise dem gerechtfertigten Wunsch des Publikums nach angemessenen Eintrittspreisen gerecht zu werden – zumal ja heute der Staatsbürger durch seine Steuergelder die Staatstheater finanziert – und trotzdem anspruchsvolles Theater zu bieten.

Literatur (in Auswahl):
Adolphe Appia 1862–1928. Darsteller – Raum – Licht. Kat. 1982 – HERMANN BAHR, Burgtheater. 1920 – MICHAEL BENEDIKT – LONNIE JOHNSON, Der fröhlichen Apokalypse Abziehbilder. In: Kunst in Wien um 1900. 1968 – HERMANN BROCH, Schriften zur Literatur 1, Kritik. 1975 – MAX BURCKHARD, Ein österreichisches Theaterrecht. 1903 – Das Burgtheater und sein Publikum. 1976 – CHARLOTTE ENGEL-REIMERS, Die deutschen Bühnen und ihre Angehörigen. 1911 – EGON FRIEDELL, Wozu das Theater? Essays, Satiren, Humoresken. 1969 – BAMBER GASCOIGNE, Illustrierte Weltgeschichte des Theaters. 1968 – FRANZ HADAMOWSKY, Wiener Theater zur Zeit Franz Joseph I. 1958 – HILDE HAIDER-PREGLER, Theater und Schauspielkunst in Österreich. O. J. – ADAM MÜLLER-GUTTENBRUNN, Das Wiener Theaterleben. 1890 – FELIX SALTEN, Das Burgtheater. 1922 – PAUL SCHLENTHER, Der Frauenberuf im Theater. 1895 – CARL E. SCHORSKE, Wien. Geist und Gesellschaft im Fin de Siècle. 1982 – LUTZ EBERHARD SEELIG, Ronacher. Die Geschichte eines Hauses. 1986 – HANS WEIGEL, Die sieben Todsünden der Wiener Operette. Zu ihrem hundertsten Geburtstag, zitiert nach: Anatols Jahre. 1982.

Juliane Vogel

AGONIEN, EPISODEN...

Der fünfzigste Geburtstag von Arthur Schnitzler, der 15. Mai 1912, weckt in den Vertretern des zeitgenössischen Feuilletons nachdenkliche Fragen und große Erwartungen. Karl Kraus zitiert Beispiele aus der Jubelpresse, um sie in seiner Polemik ‚Schnitzler-Feier' gegen den Dichter selbst zu wenden. Wird er, Schnitzler, „uns das ersehnte Lustspiel schenken, das zu schaffen er wie kein anderer berufen scheint?", „Vielleicht gibt er uns das reine Lustspiel, vielleicht auch den großen Roman..., das Lustspieltalent reicht auch bei den Berufenen spät und entwickelt sich langsam ... ". Also weidet sich der Satiriker an den Geburtstagsphrasen der Literaturhistoriker. Hier rede man dem Falschen zu. „Das Lustspiel" gibt „man denen nicht, die es wollen, und gibt jener nicht, von denen sie es wollen."

Hugo von Hofmannsthal hat diesem Bedürfnis mit dem „Schwierigen" (1921) noch nach dem Ersten Weltkrieg entsprochen, hat einer literarischen Gattung gehuldigt, die nur innerhalb einer homogenen und beglaubigten Gesellschaftsordnung funktionieren kann oder den Glauben daran voraussetzt. Mit Konversation und Plaudertönen legt er eine Brücke über den aufgerissenen Abgrund, um in einem Balance-Akt Hans Kari, das verquere Menschenkind, in die Harmonie einer überlebten Adelsgesellschaft zurückzuführen. Das Lustspiel findet noch einmal sein poetisch-soziales Auskommen, als seien die „Schreib"-Zeiten des Fin de Siècle, die Zeit des kunstvoll und unaufhaltsam zusammenstürzenden Liberalismus, von geheimer oder auch nur ironischer Harmonie getragen. Schnitzler hat sich dieser Poesie der Sehnsucht verweigert. Wenn das klassische deutsche Lustspiel, etwa Lessings Minna von Barnhelm, seinen Toren eine gewissermaßen zärtliche Behandlung angedeihen läßt, wenn dann Tellheims tragikomisch eskalierender Ehrbegriff durch ‚Menschensinn' und nicht durch bloße Menschenvernunft erlöst werden kann, fehlt dem Dramatiker des Fin de Siècle die Utopie des versöhnenden Lachens und der soziale Bezug zur ‚natürlichen Vernunft'.

Karl Kraus erwartet sich also kein Lustspiel von Schnitzler. Seine Tendenzen seien dünn, sein Talent ermüde sich in der „Abschilderung der Verhältnisse". Die Gratulanten wollen dagegen über den Haus-Dichter eine Gattung zurückgewinnen, die als Repräsentationsform bürgerlichen Selbstbewußtseins Traditionen und Legitimationen schaffen konnte. Ihre Erneuerung hätte die „Habsburger-Bildungskultur" zum tragenden Teil der Ordnung machen können, hätte dem Publikum über die Literatur die Verträglichkeit des Bestehenden oder des Verfallenden gelehrt. Und es kann als eines der wesentlichen Merkmale dieser Epoche gelten, daß sich ihr kulturelles Leben vom politischen gelöst hatte, um in solcher Isolation seine Papierblüten zu treiben. Das Lustspiel wird erwartet wie eine höhere Operette, das Organ des Allerweltslachens. Komik und Witz sollen aber aufgehoben werden im Nimbus des Spätwerks. Das unstillbare Bedürfnis nach Klassizität sucht die Altersweisheit des Dichters, die einen heiteren Abglanz über reifen Früchten verbreitet, sucht sich die stillgestellte Form, die sich mit den Institutionen versöhnt. – An diesem Punkt brechen, wie immer an Geburtstagsfeiern, die Mißverständnisse zwischen Zeitung und Werk auf – dort, wo die Feuilletonisten ihren ‚Traum des Seins' über das Werk stülpen wollen. So sind auch die anderen Schlagworte, die das dramatische Oeuvre Schnitzlers begleiten, falsche Echos von dessen kritischen Gehalt.

Der Wunsch nach Lustspielen ist andererseits einer nach der Rettung des dramatischen Spiels überhaupt. Schnitzler möge durch ein Meisterstück die erste Saison der Wiener Ewigkeit eröffnen, durch Erfüllung des Formgesetzes einer dem österreichischen Leben so notwendigen Institution, dem Theater, zu weiterer Kontinuität verhelfen: ein Spiel, in dem das Tägliche zur großen theatralischen Repräsentation wiedergefunden hätte, zum sinnbildlichen Theatrum Mundi, der festgefügten Metapher sublimierter Unsicherheit, wie man sie durch die Zeiten – in Österreich den Zeiten des barocken Adelsstaates – zurückverfolgen kann. Das prophezeite Drama hätte, wenn schon nicht die Anwesenheit Gottes in der Welt, so doch seine Anwesenheit im Theater oder wenigstens die Stabilität der Monarchie nachgewiesen.

Allen diesen Forderungen wird Schnitzler nicht Genüge tun, seine Dramen arbeiten ihnen vielmehr entgegen. Sicherheitspolitik mit poetischen Gattungen ist ihm ebenso fern wie die Reichsträume der ‚Habsburger Theatermacher'. ‚Im Sinne des Rokoko vom Leben des Tages aus Unvergängliches zu bedeuten' (Emil Staiger) muß Schnitzlers historischer Sensibilität zuwiderlaufen. Und wenn das Rokoko den großen Gesellschaftsspiegel stellt und stehen läßt, wenn ihm Ringtheater gebaut werden, die jeden Abend das vielfarbige, vielgestaltige Spiegelbild der Habsburger Monarchie und ihrer Untertanen inszenieren wollen, dann hat Schnitzler diesen Spiegel in Einzelteile zer-

Moritz Coschell, Cora in Hypnose (Die Frage an das Schicksal), 1899/1900. Wien, Historisches Museum der Stadt Wien

trümmert. Zwar werden auch seine Werke im Burgtheater aufgeführt, zwar bindet ihn hier ein lebenslanges, problematisches Verhältnis, aber diese Probleme bezeichnen nur den Riß, die das Staatstheater von den eigenen Dramen trennt. Es ist auch vornehmlich der ‚Hof', der die „Liebelei" (1894) eines Burgtheaters unwürdig findet, der den Einakter „Der grüne Kakadu" (1898), Revolutions-Farce über die Ereignisse von 1789, absetzen und eine Affaire „Der Schleier der Beatrice" folgen läßt.

Die Bruchstücke des zertrümmerten Spiegels bilden aber die Splitter des Theatralischen im Alltagsleben ab. Sie fangen das Erstarrte auf. Machtspiele, Sprachspiele, Liebesspiele und Sterbespiele locken die Protagonisten der bürgerlichen Gesellschaft mit einer fiktiven vierten Dimension. Aus dem Spektakel hat sich eine Handvoll theatralischer Variablen gelöst, beliebig verwendbar, Instanzen kurzlebiger Verwandlungen der Wirklichkeit, der Monotonien und Mechanismen.

Schnitzlers Biographie umfaßt ihrerseits alle Stadien dieser Entwicklung. Die allseitige Inflation des Spiel-Begriffs breitet sich auch in seinem Leben aus: mit schöner Nachgiebigkeit, mit seinen Zynismen. Vor den Fassaden der Ringstraßenzeit lernt er das Laufen, das Schreiben, das Spielen, das Denken. Die Fenster seiner Kindheit gehen auf das Alte Burgtheater am Michaelerplatz. Im Hause Schnitzlers verkehrt die Erfinderin des Wolter-Schreies (Charlotte Wolter) und ihr Bühnenpartner Adolf v. Sonnenthal, der das Verhältnis von Spiel und Wirklichkeit dahingehend umkehrte, daß er den Wiener Grafen die Kunst des Grüßens und die Wahl der Krawatten durch das Schauspiel vermittelte. Johann Schnitzler, gesuchter Laryngologe (1835–1893) erzog seinen ältesten Sohn nicht zuletzt anhand des Abonnements – hier in der Loge des Theaters machte Schnitzler seine ersten Erfahrungen mit der Illusion. Anläßlich einer Aufführung von Gounods „Margarete" berichtet er in seinen Memoiren „Jugend in Wien": „Wie hätte ich mich nicht auch wundern sollen, wenn in der Gartenszene des dritten Aktes Faust und Mephisto während einer Gesangspause sich hinter einen Busch zurückzogen und von dort aus zu unserer Loge einen deutlichen Gruß mit Händewinken und Verneigen heraufsandten, um sich dann wieder, mitten auf die Szene tretend, mit Gesang und Spiel Margareten und Marthen zu gesellen? Doch bei aller Verwunderung hatte ich keineswegs das Gefühl, auf schmerzliche Weise aus einer Illusion herausgerissen worden zu sein. Ja, dieses kleine Erlebnis mag in all seiner Geringfügigkeit das Seine zu der Entwicklung jenes Grundmotivs vom Ineinanderfließen von Ernst und Spiel, Leben und Komödie, Wahrheit und Lüge beigetragen haben, das mich immer wieder, auch jenseits aller Theaterei ja über alle Kunst hinaus, bewegt und beschäftigt hat."

Sogar an den Ursprung seines dichterischen ‚Triebes', dessen nicht minder ursprüngliche Rohheit er immer wieder belächelt, setzt Schnitzler den Nachahmungstrieb: die Lust, den Dichter zu spielen vor den begnadeten Gästen des Hauses. Diese Kindheit bildet einen ironischen Kontrapunkt zur späteren Lebensgeschichte. Sie versucht sich in Parodien und Anekdoten dort, wo sonst Reflexionen und Perspektiven ein abstraktes Feld bestellen. Dabei hat der Verfasser von „Jugend in Wien" die historischen Bedingungen seiner Entwicklung immer vor Augen – im Gegensatz zu Hofmannsthal, der lange von den selbstgeschaffenen Kindheitsmythen zehrt und die Überwindung solcher wunderbarer Präexistenz als dichterischen Prozeß deutet. Die ‚Ringstraßenjugend', der der 1862 geborene Schnitzler angehört, wächst aber auch zur „Gesellschaft der Jahrhundertwende" (H. Broch). Sie ist das eigentliche Forschungsobjekt Schnitzlers. Ihrer Lebensart und ihren Spielen auf der Spur, wird er ihr Ethnologe. Er nimmt sie bei ihrer beschädigten Wirklichkeit. Im Spiel zeigt er, wie sie spielen, daß die ‚Szene' zum seelischen Habitus des Publikums gehört.

Auch das ‚Spiel im Spiel' hat große Vorbilder und als dramatisches Struktur-Element wird es von Schnitzler radikalisiert werden. Bevor aber nach den ästhetischen Folgen dieser Staffelung für das moderne Theater gefragt werden kann, ist sie ins Licht der Schnitzlerschen Themen zu setzen. Diese sind außerdem geeignet, allzu breit greifende Interpretationen, die „zu tiefen Aufschlüssen über das Puppenspiel des Lebens zu gelangen" (K. Kraus) zumindest zu differenzieren.

Das ‚Als ob' des Spiels schwebt nicht wie ein metaphysischer Trost über den Umgangsformen. Zwar ist es an allen Stellen des Schnitzlerschen Werks gegenwärtig, eine gleitende Vokabel, die immer schon da ist, wenn man, von eigenem Ernst beschwert, ein Problem und seine dramatischen Facetten ventiliert. Das ‚Als ob' ist aber nichtsdestoweniger ein Kalkül. Das meint Doktor Mauer in „Das weite Land" (1910): „... nicht das geringste hätt' ich einzuwenden gegen eine Welt, in der Liebe nichts anderes wäre als ein köstliches Spiel... Aber dann... dann ehrlich bitte! Ehrlich bis zur Orgie... das ließ ich gelten. Aber dies Ineinander von Zurückhaltung und Frechheit, von feiger Eifersucht und erlogenem Gleichmut, von rasender und leerer Lust, wie ich es hier sehe – das finde ich trübsinnig und grauenhaft... Die Freiheit, die sich hier brüstet, der fehlt es an Glauben an sich selbst. Darum gelingt ihr die heitere Miene nicht, die sie so gerne annehmen möchte... darum grinst sie... wo sie nicht lachen will." Was sich hier in dieser für Schnitzler so typischen Versammlung von Fabrikbesitzern, Bankdirektoren, der Gattinnen, der Militärs und der jeunes filles selbstgefällig durch impressionistische Zwischenwelten bewegt, zwischen Schein und Sein, Wahrheit und Lüge, Moment und Ewigkeit, wird hier auf seine Absichten geprüft. Es geht um die Schulden der Spieler. Schnitzlers Stücke entlarven die sich an den Leidenschaften schadlos haltenden Inszenierungen bei möglichst kleinem Risiko, die Maschinen einer bequemen Illusion. Der Blick, der sich fest-sieht an diesen ‚eisigen Spielen des Intellekts', ist melancholisch. Er vermag das historische Gesellschaftsgefüge nur noch in dessen Totenmaske wahrzunehmen. Das Grinsen des Totenkopfes, die Scheintotentänze – in diesen makabren Formeln beschreibt Schnitzler selbst den Grundtyp des Bestehenden: er sieht das Tote an den Spielen, die nur auf scheinbar abgestorbenen Terrains stattfinden. Sie erzeugen Liebe und Schmerzen, die für Sterbemänner wie Anatol nur Phantomschmerzen mit der Aktualität von Erinnerungen sein können. Man errichtet Konstruktionen auf den Trümmern versagter und verlernter Gefühle, um sie mit Stimmungen die mit solchem ‚Gefühl' nichts zu tun haben, zu überlagern. Fritz Lobheimer, jugendlicher Liebhaber in „Liebelei" erholt sich von der strapaziösen Liebesaffaire mit einer verheirateten Dame seiner Gesellschaftsklasse bei Christine, einem Mädchen aus der Vorstadt. Bereits der erste Akt schildert die Bühne, die die jungen Herren Fritz und Theodor für die ‚süßen Mädel' vorgesehen haben. In Fritz' Wohnung wird ein eher parodistisches Fest gefeiert, das in seinem Sonntagspomp die Beziehung zwischen diesem und Christine zum ‚Verhältnis', zum sommerlichen Maskenscherz degradieren muß. Die Blumen, die sie Fritz überreicht, werden zum schwülstigen Tischschmuck. Von der Liebesgabe bleibt nichts. Christine, die die Flüchtigkeit des erotischen Vierer-Arrangements sehr wohl durchschaut und dennoch versucht, die damit gesetzten Regeln zu durchbrechen, scheitert: Fritz weicht ihr aus, bleibt undurchdringlich, bleibt Lohengrin ohne Schwan, ohne Musik. Nicht sollst du mich befragen. Er ist Herr der Regie-Anweisungen: „Schau, das haben wir ja ausdrücklich miteinander ausgemacht: Gefragt wird nichts. Das ist ja gerade das Schöne. Wenn ich mit dir zusammen bin, versinkt die Welt – punktum. Ich frag dich auch um nichts." Fritz ist zwar ein vergleichsweise ungeschickter, d. h. sentimentaler Regisseur seiner Erholung, aber ein typischer.

Auf dem ‚Gürtel' wird die soziale Grenze zum Theatervorhang. Er ist eine Freudenmauer (I. Bachmann) besonderer Art. Hinter ihr finden die Bürger

Moritz Coschell, Emilie vor dem Kamin (Denksteine), 1899/1900. Wien, Historisches Museum der Stadt Wien

des „Ennui" die Kulissen ihrer Lieblingsabenteuer, „irgendeine großartige Abwechslung". „Sich so recht zu encanaillieren" ist der sporadische Wunsch dessen, „der alle Gemeinheit nur in der Seele hat." „Denn bevor Dampfbäder und Parfüms ins niedere Volk gedrungen sind, werde ich mich kaum mit demselben befreunden können" („Kleine Komödie"). „In aller Dekoration, auch in der harmlosesten, schlummert Zynismus" (H. Broch).

Die Vorstadt erlaubt die schnelle Rückkehr in die eigenen tapezierten Räume und läßt trotzdem eine begrenzte Schwärmerei für schlichte Mädchenzimmer zu – das Reich der beschriebenen Phantomschmerzen, das eine Poesie besonderer Art hervortreibt. Hier bietet sich die naive Erotik einer Christine, die freche, resignierte Erotik einer Mizzi. Auch Anatol erzählt

Gabriele, der Heldin des Einakters „Episode“ von der Überschreitung der Innenstadtgrenze zum Zweck einer neuen, rührenden Komödie. Das Ambiente der Geliebten wird Gabrieles Vorstellung anempfohlen: „ein kleines dämmriges Zimmerchen – so klein mit gemalten Wänden – und noch etwas zu licht – ein paar schlechte Kupferstiche mit verblaßten Aufschriften da und dort – Eine Hängelampe mit einem Schirm ...“ Das ist, bis hin zu den Kupferstichen, die Zimmerbühne von Christine Weiring. Es ist ein Zimmer mehr der Vorstellung als der sozialen Gewißheit.

Anatol plant aber nicht nur das Bühnenbild, er plant auch das Gespräch, die im Rahmen der Vorstadt immer fiktive Kommunikation. Es soll durchaus „nichts Spezielles“ sein. – „Dort in der ‚Kleinen Welt‘ gibt's ja keine speziellen Fälle.“ Gesagt wird, „was man in solchen Fällen sagt“ – ein Intermezzo, das sich nur unter dem Aspekt des Typischen, der möglichen Wiederholung und eventuellen Unterlassung zeigt. Wenn Geschichten dieses Genres Folgen haben, ist etwas schief gegangen.

In der Erzählung „Kleine Komödie“ (1893) laden die Mietskasernen ein andermal zum Schäferspiel ein. Ein reicher Jüngling und eine erfolgreiche Lebedame passieren unabhängig voneinander, in Vorstadt-Verkleidung, die Vororte-Linie, um dort eine unschuldige Liebschaft, eine Abwechslung zu suchen. Sie geraten aneinander und belügen sich gegenseitig in den Rollen der mittellos Liebenden. Im proletarisch maskierten Partner sehen sie die Summe ihrer Vorstellungen und Traumbilder, und die Affaire bleibt in den besten Kreisen. Ein zynisches Vexierspiel wird aufgeführt, das das natürliche Leben, das es einfangen will, immer verfehlen muß und die eigenen Projektionen mit den Schmetterlingen verwechselt, die man sonntags in der Vorstadt fangen könne. So zeigt sich das Wunschbild als das Destillat von Konventionen. Außerhalb ihrer sind keine Erfahrungen mehr möglich. Sie kolonialisieren das Unbekannte durch einen abgestandenen Traum, der auch den Selbstmord von Christine Weiring verschuldet. „Die Kleine Komödie“ bedarf diesmal keines Frauenopfers, denn der doppelte Gleichmut verhütet das Schlimme.

Man hat in der Sekundärliteratur vom ‚Ausklamüserten‘ der Schnitzlerschen Fabeln gesprochen. Die „Kleine Komödie“ mag als Beispiel dafür gelten. Viele der Schnitzlerschen Dramen können als Modelle sozialer Konfliktsituationen beschrieben werden, auch sie unterliegen dem ‚Als ob‘. Und so wie die Stücke als ganze zu Versuchsanordnungen werden, zu Präzedenzfällen, so kennen sie auch die Figur des Versuchsleiters, dramatis persona verschiedenster Interessen. Dazu gehört Paracelsus, der Psychagog, der sich mittels der Hypnose an seinem selbstbewußten Nebenbuhler rächt. Wieder ist es eine Frau, deren Seelenleben zum Testgebiet erklärt wird: Justina. An ihr beweist Paracelsus seine Kunst der Manipulation. Auch Anatol ist Hypnotiseur, wie man aus der Cora-Szene (1. Einakter) weiß. Das Seelen-Experiment ist aber nur ein halbherziges Medium der Wahrheit. Als technisches Hilfsmittel nimmt es Anatol noch lange nicht die Angst vor der Klarheit.

‚Fragen an das Schicksal‘ bringen Schnitzlers Lebemänner und Theaterdirektoren also nicht über die Lippen. Auch Paracelsus behält nicht das letzte Wort über die Seele. Am Ende des Versuchs steht immer ein neues Trugbild. Die Konstruktionen sind überlegen, aber die Not der Leere, aus der heraus sie konstruieren, unterminiert ihren Größenwahn. Sie umgeben sich mit der ‚Vielfalt des Immergleichen‘, sie begeben sich durch artifizielle Erlebnis-Reihen, sie sondieren das Typische und sind es selber.

Zu ihrer näheren Bestimmung hat Schnitzler den Typus des ‚vazierenden Gottes‘ geprägt. ‚Sie mischen sich unter die Sterblichen und lassen sozusagen die Unsterblichkeit verfallen, auf die sie eine Anweisung in der Tasche tragen.‘ Es sind die Genies, ‚denen die letzte Inspiration fehlt‘, aus denen sich die Komparserie der Wiener Spieler und Literaten zusammensetzt. In den Tiefen des Einzelnen, des verspäteten Individuums, so hat es Ursula Keller ausgedrückt, trifft man nur auf die nivellierende Signatur des Ganzen, auf ein ‚denkbar raffiniertes Ineinander von Reduktion und Vielfalt‘.

Formales Pendant dieser vergeblichen Selbstbehauptungen im Spiel ist der Einakter, den Schnitzler einmal in Einakter-Zyklen („Anatol“, „Reigen“, „Komödie der Worte“, „Marionetten“), dann in einer Zahl von Einzelstücken für sich fortentwickelt hat.

„Anatol" und „Reigen" legen den Selbstbetrug der ‚vazierenden Götter' offen, ohne ihn zu zerstören. Sie rekonstruieren das Ornament, dem das Erleben der Protagonisten folgt, ohne daß sie wüßten, wie sehr ihre Autonomie, besonders die selbstherrliche der Männer und Regenten des Sozialen, bereits in Frage gestellt ist. Die Einakter dokumentieren die präzisen Methoden der indirekten Entlarvung, die niemals auf ein ‚Erkenne dich selbst' hinauslaufen wird. Es wäre niemand unter dem dramatischen Personal, der zu einer „Enttäuschung im Namen der Wahrheit" bereit wäre – mit Ausnahme derer, die zusammen mit ihrer sehr persönlichen und sehr verletzlichen Wahrheit ihr mißachtetes Leiden von der Bühne tragen. Der Einakter „Die überspannte Person" (1894) stellt die Liebe einer Frau gegen die Ausflüchte ihres Geliebten, der sich von der Verantwortung für ein ungeborenes Kind befreien möchte. Mit dem Verdikt „der überspannten Person" entledigt er sich des Problems und der Frau, froh, einen Terminus technicus populärpsychologischer Verschleierung bei der Hand zu haben. Gerhard Kluge hat hierin die Bedingung der Anatol-Existenz gesehen: Daß ‚die Seele im Erkennen der Wahrheit zugleich eine neue Illusion, welche diese Wahrheit verschleiert, produziere'. So spinnen sich Spiele ohne Ende.

Beschrieben diese Einakter einen zwischenmenschlichen Nullpunkt, der nur durch einen Akt der Selbstaufgabe, des Aufbruchs oder aber durch den Tod verlassen werden kann, so nähern sie sich auf der anderen Seite den Grenzgebieten des Theatralischen. Sie nehmen es auf mit der ‚Schmiere', mit dem Wurstelprater, mit den grellen Farben des Melodrams. Das ‚Spiel im Spiel' präsentiert sich lautstark als ‚Spiel als Spiel' auf dem Jahrmarkt der Formen. Es ist mit dem Auftritt der Marionetten verbunden und soll am Beispiel des „Tapferen Cassian" (1904) ans Ende gesetzt werden – ein blinder Fleck des Absurden. Die vorher auseinandergesetzte Dramaturgie des Indirekten, die immer nur ins Außerhalb eines fragwürdigen Dialogs verweist, wird niedergespielt. Cassians Landsknechtsschicksal, das die Frauenherzen zerbrechen läßt und den Nebenbuhler nach ein paar Fechtschritten zugrunde gehen läßt, entbehrt gänzlich der feinsinnigen Seelenführung. Die Motive, die an anderer Stelle ein komplexes, sozial differenziertes Eigenleben zu führen scheinen: das Duell, der Selbstmord, die Flüchtigkeit werden in einem dramatischen Ausverkauf verschleudert. Der Recke kommt, sieht und siegt sogar über Schwerkraft und Geschwindigkeit. Als sich das Mädel Sophie vor Liebe aus dem Fenster stürzt, fängt er sie, ihr nachstürzend, noch im Fluge auf. Ohne Umstände. – ‚Die Schematik konventioneller Dramaturgie nimmt sich im Zeitraffer der Parodie wie das automatenhafte Agieren von Puppen aus.' (Bayerdörfer) Erst in der totalen Künstlichkeit des Spiels, das auf alle seine Kalküle hin durchsichtig ist, das aus grobianischen Traditionen das Lachen über den starken Hans holt – hier, wo nach dem Verfließen der Wirklichkeiten nicht mehr gefragt wird und die bloßen Spielelemente freigegeben werden, wo keine Illusion mehr Fortsetzungen verspricht, liefert Schnitzler das Drama in die Moderne ein.

Literatur (in Auswahl):

FRIEDRICH ASPETSBERGER, Wiener Dichtung der Jahrhundertwende. Beobachtungen zu Schnitzlers und Hoffmannsthals Kunstformen. In: Studi Germanici 8 (1970) S. 410–451 – HANS PETER BAYERSDÖRFER, Vom Konversationsstuck zur Wurstelkomodie. Zu Arthur Schnitzlers Einaktern. In: Jahrbuch der deutschen Schillergesellschaft 16 (1972) S. 516–575 – URSULA KELLER, Böser Dinge hübsche Formel. Das Wien Arthur Schnitzlers. Berlin 1984 – HARTMUT SCHEIBLE, Arthur Schnitzler. Reinbek bei Hamburg 1976 – REINHARD URBACH, Schnitzler-Kommentar. Zu den erzählenden Schriften und dramatischen Werken. München 1974.

Ulrike Riss

FILM UND KINOWESEN IN ÖSTERREICH ZUR ZEIT KAISER FRANZ JOSEPHS

1. TECHNISCHE ERFINDUNGEN IN ÖSTERREICH

Auf dem Gebiet der kinematographischen Technik gelang es österreichischen Erfindern zwar schon in der Mitte des 19. Jahrhunderts zu bedeutenden Fortschritten in der Entwicklung der Filmwiedergabe zu kommen. Als Beispiel seien Simon Stampfers Stroboskop 1833, Uchatius mit seinen Stroboskopbildern 1845 und Mach mit Filmherstellungs- und Projektionsversuchen 1895 genannt. Während aber in Europa und Amerika am Ende des 19. Jahrhunderts der Film sich bereits eine wichtige Rolle im Kulturleben erobert hatte, steckte der österreichische Film noch in den Kinderschuhen.

Ludwig Döber, ein gefeierter Zauberkünstler, kündigte 1847 für seine Darbietung in der Allgemeinen Theaterzeitung „bewegliche Zauberbilder, die ohne Einfluß der Mechanik, bloß mit Hilfe des Lichtes in's Leben gerufen sind" an. Man könnte meinen, er war der erste Kinounternehmer!

2. BEGINN DES KINOWESENS IN ÖSTERREICH

Am 27. 3. 1896 war es aber in Wien dann endgültig soweit: im Lokal Wien, I. Bezirk, Kärntnerstr. 45 wurden die ersten „Lebenden Bilder" – wie der Film damals hieß – vorgeführt. Damit war der Siegeszug des Films auch in Österreich nicht mehr aufzuhalten. Das österreichische Publikum liebte Sensationen, exzentrische Unterhaltung und scheinbar unwahrscheinliche Darbietungen. Es wundert deshalb nicht, daß im Wiener Wurstelprater, der für solche Unternehmungen geradezu prädestiniert war, die ersten feststehenden Kinogebäude standen. Innerhalb von 55 Jahren waren dann 150 (!) Kinos in Wien entstanden. Neben den feststehenden Kinos gab es auch am Beginn des 20. Jahrhunderts eine Reihe von Wanderkinos, die die Verbreitung des Mediums Film in die Landbezirke und Vororte der Städte förderten.

3. DIE ANFÄNGE DER ÖSTERREICHISCHEN FILMPRODUKTION

Zunächst waren in Wien nur ausländische Produktionen zu sehen. Trotzdem beschäftigten sich sehr bald österreichische Literaten, wie Peter Altenberg, Arthur Schnitzler und Egon Friedell mit dem Phänomen der „bewegten Photographie" als Kunstmittel. Egon Friedell, der sich auch später als erfolgreicher Drehbuchautor betätigte, schrieb über die Ästhetik des Kinos und des Films: „Das Skizzenhafte, Abrupte, Lückenhafte des Films ist im Sinne des modernen Geschmacks ein eminenter künstlerischer Vorteil. Die Erkenntnis der Schönheit des Fragments beginnt sich allmählich in allen Künsten Bahn zu brechen" (FRIEDELL, S. 94).

Auch erfolgreiche Operettenschöpfer wie Oscar Straus, Felix Dörman und Leopold Jacobson erkannten im Film die neue, revolutionäre Form der Unterhaltungsmöglichkeit und begannen als Regisseure, Autoren und Produzenten dort zu arbeiten.

Zwei Namen sind mit der österreichischen Filmgeschichte eng miteinander verbunden: Anton Kolm versuchte zusammen mit seiner Frau Luise und seinem Assistenten Jakob Fleck bereits 1906 mit primitiven Apparaten, kleine Filme zu drehen und 1908 wurde von diesem Team der erste österreichische Spielfilm „Von Stufe zu Stufe" (Regie: Heinz Hanus und Claudius Veltée. Der Film ist nicht erhalten.) produziert; der zweite war Graf Alexander (genannt „Sascha") Kolowrat, der 1912 eine Reihe von längeren Spielfilmen herstellte und dank seiner finanziellen Großzügigkeit die Österreichisch-Ungarische Filmindustrie mitbegründete.

4. INHALTE UND DARSTELLUNG

Die Thematik der Filme war breit gefächert. Zunächst lieh man sich die Dramen der Weltliteratur als Vorlage, später fand man zu eigenen Themenkreisen, die filmgerechter waren. Immer mehr Operettenkomponisten und Autoren arbeiteten für den Film und nur mehr selten für das Theater. Die Erscheinung des Films auf dem Unterhaltungssektor und seine große Beliebtheit bei der Bevölkerung versetzte die Theaterdirektoren in Angst und Schrecken. Der Film wurde zum größten Konkurrenzunternehmen für die Privattheater. Es kam sogar vor, daß Theaterdirektoren ihren Ensemblemitgliedern vertraglich verboten, als Filmschauspieler zu agieren.

Die Palette der Filminhalte reichte von Kriminalgeschichten zu rührigen Familiendramen, von beschwingten Operetten zu historischen Großfilmen.

Die Filmschauspieler – die meisten kamen aus der Theaterbranche – mußten, um die gewünschte Wirkung zu erreichen, auf eine gesteigerte Körpersprache und ausgeprägte Gesichtsmimik und Gestik zurückgreifen, da zu dieser Zeit das gesprochene Wort im Film fehlte. Der erste österreichische Tonfilm wurde 1930 gedreht. Sowohl in der Wahl der Sujets, als auch im künstlerischen Ausdruck griff man bei der Filmproduktion auf die bewährten Mittel des Theaters zurück. Das neue Medium regte die Filmschaffenden zu immer neuen und besseren Methoden im Umgang mit diesem an. Bereits 1911 unterschied J. H. Groß zwischen dem Filmregisseur, „der in die Tiefe, und dem Theaterregisseur, der in die Breite arbeiten soll".

Mit Beginn des ersten Weltkrieges 1914 kam es neben der künstlerischen auch zu einer propagandistischen Zielsetzung im Film. Sehr schnell hatten die Verantwortlichen für den Kriegspropagandadienst die enorme Wirkung des Films auf die Massen erkannt und ausgenutzt. Kriegswerbefilme sollten die Notwendigkeit der Kriegsführung beweisen und eine positive Stimmung unter der Bevölkerung und den Soldaten hervorrufen.

Der Siegeszug des österreichischen Films wurde durch den Zusammenbruch der Monarchie nicht aufgehalten. In den zwanziger und dreißiger Jahren gab es bis zu 140 Filmproduktionen im Jahr. Viele Theaterleute fürchteten, daß die Filme das Schauspiel ganz aus dem Kulturbetrieb drängen und sie dadurch starke finanzielle Einbußen erleiden könnten. Und äußerlich ging der Sieg auch zugunsten der Filmindustrie aus: die Massen suchten zur Unterhaltung die Kinos auf, die Operettentheater blieben meist wenig besucht. Eine Umstrukturierung des gesamten Kulturbetriebes mußte in der Folge eingeleitet werden. Ein vergleichbarer Einbruch in den Kulturbetrieb war das Auftreten des Fernsehens nach dem Zweiten Weltkrieg.

Egon Friedell erkannte schon 1920 die Qualität des Films: „... die Filmkunst scheint jene Kunst zu sein, die den Grundwillen unserer Zeit am vollsten, reinsten und deutlichsten spiegelt. Sie ist die repräsentative Kunst unseres Zeitalters, und nur ein Zeitalter wie das unsrige hat sie hervorbringen können." (FRIEDELL, S. 95).

Literatur (in Auswahl):

EGON FRIEDELL, Wozu das Theater? Essays, Satiren, Humoresken. 1969 – WALTER FRITZ, Entwicklungsgeschichte des Österreichischen Spielfilms. Diss. 1966 – Geschichte des Films in Österreich. Kat. 1966.

Otto Biba

MUSIK

War schon im ersten Teil dieser Ausstellung, als die Zeit von 1848 bis 1880 behandelt wurde, darauf hinzuweisen, daß sich die Musik damals in ihrer Zweckbestimmung und Rezeption endgültig in eine komplexe Vielschichtigkeit aufgespaltet hatte, so kommt für den hier zu behandelnden Zeitraum zwischen 1880 und dem Ersten Weltkrieg zu diesen soziologischen Unterscheidungen und selbständigen Sonderentwicklungen auch noch eine stilistische Mehrschichtigkeit. Es gibt keine musikalischen Gattungen, die für diese Epoche besonders charakteristisch wären, keine dominierenden Träger oder Gestalter des Musiklebens, ja nicht einmal eine kompakte Abgrenzung dessen, was man als Musikleben im engeren Sinne des Wortes bezeichnen soll, keine diesen Zeitraum prägende stilistische Neu- oder Weiterentwicklung und vor allem keinen musikalischen Stil, der für diese Jahre verbindlich oder charakteristisch wäre. Zu viel und zu Verschiedenes beschäftigt in diesen Jahrzehnten Komponisten, Musiker und Publikum. Denn es ist nicht nur eine Zeit der Vielfalt, die uns bis heute erhalten geblieben ist, der Vielschichtigkeit und verschiedener parallel verlaufender Entwicklungen, wie sie uns seither immer wieder und heute immer noch in der Musik beschäftigen, sondern auch eine Zeit des Umbruches und des Wandels, wie sie die Musikgeschichte kaum vorher und sicher nicht mehr nachher erlebt hat. Umbruch und Wandel, Spannungen und Gegensätze, Widersprüche und deren unerwartete Lösungen – all das betrifft keineswegs nur das musikalische Schaffen, sondern auch Organisation und Repertoire und alle weiteren Details der Rezeption der Musik.

Es war die Zeit, in der sich der Publikumsgeschmack endgültig gewandelt hatte, in der neue Musik oder zumindest eine bestimmte Art von neuer Musik nicht mehr das ganze Publikum interessiert hat, sondern nur mehr einen bestimmten, kleinen Kreis. Das Publikum hatte seine Neugierde verloren und Bewährtes stattdessen besonders liebgewonnen. Bewährte, traditionelle Formen des Musizierens – denkt man nun an den „Musikalischen Salon“ im besonderen oder an das Musizieren von Dilettanten im allgemeinen – sind hingegen aufgegeben worden. Neue Formen – wie das völlig neue Selbstverständnis der Orchester oder jenes der Solisten und ihrer plötzlich wichtig gewordenen Agenten und Konzertbüros – haben sich gebildet.

Es war die Zeit, in der man sich über neue Musik oder neue Stilrichtungen in der Musik lustig machte, wie nie zuvor, in der man neuen Instrumentationseffekten oder ungewohnten Klängen Karikaturen widmete, aber andererseits in fast allen Instrumentengattungen den Bruch mit der Tradition vollzogen gehabt hat. Es wurde auf anderen, in der Bauweise und Spieltechnik weiterentwickelten, „modernen“ – oder zumindest umgebauten – Instrumenten gespielt, die überdies lauter waren und die neuen, größeren Konzertsäle besser füllen konnten, was man alles durchaus als Fortschritt ansah; die neuen Möglichkeiten, die diese Instrumente den Komponisten boten, schieden allerdings die Geister.

Es war die Zeit, in der die Musik kommerzialisiert und professionell vermarktet wurde wie nie zuvor, in der unser heute selbstverständliches Urheber- und Aufführungsrecht sich durchzusetzen begann, Verwertungsgesellschaften gegründet wurden und nicht mehr nur Musikalien, sondern auch die Musik an sich zu einer Ware wurde. Diese Ware wurde damals erstmals mechanisch aufgezeichnet und dadurch jederzeit und für jedermann reproduzierbar. Musik war nun zugänglich und verwertbar wie nie zuvor und dennoch begann sie – etwa im Bildungsideal, als gesellige wie gesellschaftliche Komponente, als aktive Freizeitbeschäftigung – manches Terrain zu verlieren.

Schließlich war es die Zeit, da regionale Sonderentwicklungen oder Charakteristika in der Musikpflege

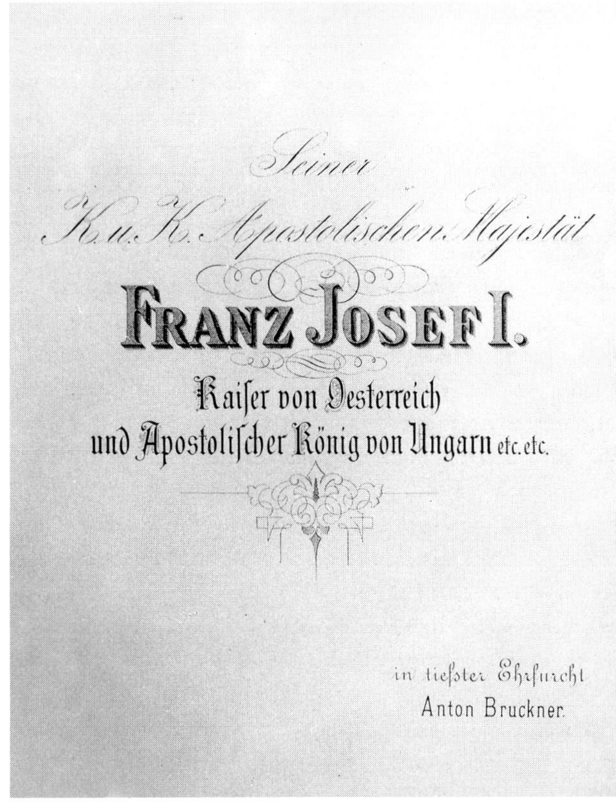

Anton Bruckner, 8. Symphonie. Erstausgabe der Partitur, 1892 (mit Widmung an Kaiser Franz Joseph I.), aus dem Besitz von Johannes Brahms. Wien, Archiv der Gesellschaft für Musikfreunde

bedeutungslos geworden waren. In der musikalischen Stilistik erlebten aber nationale Schulen ihre Höhepunkte, ja die Musik – deren Verlagsrechte etwa nun immer mehr international geachtet und vertreten wurden, die mit relativ einfachen technischen Mitteln überregional verbreit- und reproduzierbar wurde, für die man sich sogar um eine international einheitliche Stimmtonhöhe bemühte – wurde gleichzeitig ein wesentliches Element der nationalen Trennung und des nationalen Selbstbewußtseins.

Manches von all dem hat seine Wurzeln vor dem von uns zu beobachtenden Zeitraum, manches kam erst nach ihm zur vollen Entfaltung, aber für die Vielschichtigkeit, ja Vielgesichtigkeit dieser Jahre ist dies alles von charakteristischer Bedeutung.

DIE STILISTISCHE VIELFALT

Es ist hier nicht der Platz, musikalische Stilgeschichte zu betreiben und stilistische Entwicklungen musikalisch zu erklären. Vielmehr gilt es, stilistische Phänomene aufzuzeigen, die diese Zeit geprägt haben bzw. aus dieser Zeit stammen.

Die schon lange vor 1880 begonnene Parteienstellung der sogenannten Brahmsianer und Brucknerianer ist jedem Interessierten vertraut. Diese Personalisierung ist unglücklich, denn im wesentlichen ging es um den Gegensatz zwischen jenen, die – wie etwa Johannes Brahms – auf eine kontinuierliche Weiterentwicklung der Musik setzten, und jenen, die – wie Richard Wagner oder Anton Bruckner – zwar keinesfalls mit der Tradition brachen, aber radikaler neuere Wege gingen. In der nächsten Generation gaben diese verschiedenen Auffassungen schon keinerlei Grund mehr zu einer Auseinandersetzung, sie bestanden vielmehr als zwei anerkannte Möglichkeiten nebeneinander. Die einen pflegten weiterhin das, was wir mit musikalischer Romantik umschreiben, und führten dies fort zu einer Spät-Romantik, die sich mit impressionistischen Zügen oder Interessen verbinden konnte. Den anderen gefiel es auf den formalen, harmonischen, instrumentationstechnischen oder sonstigen neuen Wegen. Je konsequenter diese beiden Richtungen verfolgt wurden, umso rascher muß zu erkennen gewesen sein, daß diese Wege nicht endlos zu beschreiten sind.

Daher hat eine junge Komponistengeneration einen Neubeginn gesucht, der freilich auch nicht im luftleeren Raum entstand, sondern durch die Ausweitung des tonalen Empfindens bei den beiden erwähnten Stilrichtungen vorbereitet wurde: Die Kompositionsweise in Zwölftontechnik, also nicht gebunden an Tonarten, an Harmonien, an Ganz- und Halbtonschritte, sondern mit zwölf innerhalb einer Oktave völlig gleichberechtigten Tönen. Arnold Schönberg schrieb 1908/09 seine ersten tonartenfreien Werke, 1911 entwickelte Joseph Matthias Hauer sein Grundprinzip der Zwölftonmusik. Die Frage nach der Priorität, nach dem tatsächlichen „Erfinder" der Zwölftonmusik braucht uns hier nicht zu beschäftigen. Es ist vielmehr charakteristisch für diese Zeit des Umbruchs, des Wandels und der Vielfalt, daß zwei Komponisten unabhängig voneinander eine völlig neue Stilrichtung begründeten und in der Folge dafür zwei Schulen nebeneinander bestanden.

Nebeneinander bestanden auch die nationalen Schulen, die mit dem musikalischen Material der Neudeutschen oder der Romantiker arbeiteten, aber lokale und regionale Unterschiede, wie sie etwa von der Volksmusik bekannt sind, in eine national geprägte Kunstmusik transferieren wollten und das als ihr eigentliches Stilcharakteristikum ansahen. Gleichzeitig wurde auch die Volksmusik nationalem Denken untergeordnet. Sie wurde zu einem Mittel nationaler Selbstbestätigung und Selbstbehauptung.

Schließlich gab es auch starke historische Tendenzen. Der bis in die zweite Hälfte des 19. Jahrhunderts hineinreichende Klassizismus war vorbei, ein Fortleben älterer Traditionen ist auch bei den kleinsten Epigonen kaum mehr zu erkennen. Aber ein bewußtes Anknüpfen an alte Vorbilder oder ein inspirierendes Aufgreifen von Wertvollem aus abgeschlossenen Stilepochen war nun wieder interessant geworden. Besonders deutlich ist dies in der Chor- und Kirchenmusik zu erkennen, aber auch in der Instrumentalmusik lassen sich Beispiele dafür finden.

In erster Linie gefällig und erst in zweiter Linie traditionsverbunden, zeitgemäß oder national (nie aber zukunftsweisend oder experimentell) sollte eine Art bzw. Zweckbestimmung von Musik sein, die mit dem Wachsen der politischen Probleme der Donaumonarchie immer wichtiger wurde: die patriotische Musik. Schon hundert Jahre zuvor, zur Zeit der napoleonischen Kriege, hat man mit der Musik das Vaterlandsbewußtsein, den Patriotismus gestärkt, politische Ereignisse kommentiert, Siege gefeiert und sich nach Niederlagen getröstet. Gelegenheitskomponisten hatten ein reiches Betätigungsfeld. All das gab es nun wieder als eine Art von politischer Gebrauchsmusik in verschiedenen Gattungen, die uns heute als historisch erscheinen kann, aber ohne solche Tendenzen gedacht war und aus höchst aktuellen Gründen entstanden ist.

Eigene musikalische Gesetze herrschen im Theater. Gibt es nun einmal eine stilistische Vielfalt, so nimmt in dieser auch das musikdramatische Theater eine Sonderstellung ein. Die Operette war bereits so sehr zu einer eigenen Spezies geworden, schon so weit von Singspiel und Spieloper entfernt, daß 1892 Johann Strauß' Versuch, mit dem „Ritter Pásmán" von der Operette zur Oper überzuwechseln, scheiterte. Die Operette war ein Wiener Phänomen, wenn auch ein Teil ihrer Wurzeln nach Frankreich führt und in der ersten Generation der hier wirkenden Operettenkomponisten mit Franz von Suppé ein gebürtiger Dalmatiner eine wichtige Rolle gespielt hat. Diese erste Generation starb kurz vor der Jahrhundertwende. In die zweite Generation waren mit dem aus Tábor in Böhmen stammenden Oskar Nedbal, mit Leo Fall aus Olmütz in Mähren und Franz Lehár aus Komorn in Ungarn bereits die Kronländer stark eingebunden. Aus Wien kam in dieser sogenannten silbernen Ära der Operettengeschichte Edmund Eysler, aus Graz der dem engsten Wiener Brahms-Kreis zuzuzählende Richard Heuberger. Daß man Heuberger heute zu den Operetten-Komponisten zählt, ist ein weiteres bemerkenswertes Phänomen dieser vielschichtigen und vielgesichtigen Zeit. Er selbst hat sich mit Orchester- und Kammermusikwerken, mit Chören und Liedern als Komponist der „Ernsten Musik" gefühlt, sein erfolgreichstes und einziges bis heute lebendig gebliebenes Werk war aber „Der Opernball" – eine Operette.

Die in dieser Zeit erstmals im Musikleben wirklich zum Tragen kommende und charakteristische Vielfalt der Möglichkeiten, verbunden mit einem Wandel des Selbstverständnisses, ist besonders deutlich an der Oper zu erkennen. Der Opernbetrieb an sich hat sich gewandelt, es entstand – freilich erst an den großen Opernhäusern – so etwas wie ein gepflegtes Repertoire im heutigen Sinn. Szene und Regie begannen nun eine eigenständige künstlerische Bedeutung zu erlangen – keineswegs nur an der Wiener Hofoper, von wo Gustav Mahlers und Adolf Rollers Wirken beispielhaft ausstrahlte. Das war nicht zuletzt auch Richard Wagner zu verdanken, der mit seinem Schaffen nicht nur den Spielplan, sondern auch eine junge Komponistengeneration prägte. Freilich waren Wagners Opernideal und die Wagner-Adepten nur eine Möglichkeit. Neben der Pflege des italienischen und französischen Repertoires finden wir unter den Uraufführungen dieser Jahre immer noch Nachfahren bzw. neue Formen der deutschen Spieloper und die von Richard Strauss gebrachte neue Form der deutschen Oper, Spielarten eines deutschen Verismo und eines deutschen Impressionismus, das was man slawische und ungarische Nationalopern nennen darf und immer neue, wenn auch kleine, behutsame, vorerst fast unmerkliche Ansätze zu einer In-Frage-Stellung, ja Auflösung der traditionellen Opernform an sich. – Sinngemäß gilt alles dies auch für das Ballett. Endgültig begann nun das historische Opernrepertoire gewichtiger zu werden als das zeitgenössische: für uns heute eine gewohnte Selbstverständlichkeit, nicht aber für das 19. Jahrhundert. Dieses historische Repertoire umfaßte bald nicht nur die Erfolgsopern. Wie man – noch – eine gesunde Neugierde für das neue Opernschaffen hatte, so entwickelte man auch eine Neugierde gegenüber vergessenen Werken, die mit den allgemein zu beobachtenden historistischen Tendenzen im Musikrepertoire zusammenhängt. So kam es zu den ersten – freilich meist stark bearbeiteten – Wiederaufführungen damals vergessener Werke der Opernliteratur.

Ave Maria, Text nach einem Gedicht Kaiserin Elisabeths, 1898. Wien, Archiv der Gesellschaft für Musikfreunde

DIE ORGANISATORISCHEN FORMEN

Für das 19. Jahrhundert war es ebenso selbstverständlich wie charakteristisch, daß Konzerte von Interpreten, Komponisten oder Interessensgemeinschaften des Publikums veranstaltet wurden. Letztere waren für die ganze österreichisch-ungarische Monarchie beispielhaft repräsentiert durch die Gesellschaft der Musikfreunde des österreichischen Kaiserstaates, später K. k. Gesellschaft der Musikfreunde in Wien, gegründet 1812. Sie veranstaltete mit ausübenden und unterstützenden Mitgliedern Abonnementkonzerte, die in erster Linie wieder für die Mitglieder bestimmt waren, fallweise Musikfeste in größerem Rahmen und in der zweiten Jahrhunderthälfte immer öfter auch außerordentliche Konzerte. Ganz konkret nach ihrem Vorbild entstanden nach und nach in Provinzial-Hauptstädten und Provinzstädten ähnliche Gesellschaften. Eine ältere vergleichbare Einrichtung gab es nur in Laibach, doch hatte sie – trotz aller Erfolge im lokalen Bereich – keine überregionale Ausstrahlung.

Gegen Ende des Jahrhunderts traten die ersten erfolgreich agierenden Konzertunternehmer auf den Plan. Sie organisierten nach kommerziellen Gesichtspunkten Konzerte und Künstlertourneen, vertraten und vermittelten Künstler als deren Agenten. Damit waren sie auch für den Opernbetrieb wichtig, der – mit wenigen großen Opernhäusern als Ausnahme – immer noch vom jeweiligen Direktor auf dessen Risiko als Privatunternehmen geleitet wurde. Die Agenten und Agenturen kommerzialisierten das Konzert- und Opernleben zu dessen Vor- und Nachteil. Sie verdrängten nicht die alten musikveranstaltenden Gesellschaften und änderten nichts an der privatwirtschaftlichen Form des Theaterbetriebes. Die Vielzahl dieser auch in kleineren Städten bestehenden Opernbühnen oder Opernensembles an gemischt bespielten Bühnen, deren Existenz vom Können und Glück des Direktors und vom Interesse des Publikums an seinem Spielplan und an den von ihm engagierten Interpreten abhing, sorgte ebenso wie die Vielzahl der musikalischen Gesellschaften bis in kleinstädtische Verhältnisse für eine breite Rezeptionsmöglichkeit der sogenannten Kunstmusik, während das Wirken der konzertveranstaltenden Agenturen naturgemäß auf Großstädte beschränkt blieb.

Die bestehenden musikalischen Gesellschaften haben ihre Konzerte längst nicht mehr nur oder vorwiegend für ihre Mitglieder veranstaltet. Größere Konzertsäle haben mehr Interessenten Zutritt ermöglicht, aber auch die Mitgliederstruktur der Gesellschaften hat sich geändert. Die ausübenden Mitglieder haben – dem hat man sich auch durch Statutenänderungen angepaßt – nach und nach an Bedeutung verloren. Das Dilettantenmusizieren war zumindest in den Großstädten nicht mehr gefragt. Der Begriff Dilettant galt nun nicht mehr einem ausgebildeten, aber nicht berufsmäßig tätigen Musiker, sondern er wurde negativ belastet – wie er es bis heute ist. Orchester wurden nun nicht mehr für Konzerte mehr oder weniger ad hoc zusammengestellt, sondern in allen größeren Städten gab es Bemühungen, neben oder aus den reinen Theaterorchestern Orchester von Berufsmusikern für Konzerte zu installieren, die selbständig wirken, von Gesellschaften oder von Agenturen engagiert werden konnten.

Die Agenturen waren verständlicherweise kommerziell orientiert, wenn auch nicht immer kommerziell erfolgreich. Die großen Gesellschaften mußten ein breites Interessensspektrum des Publikums abdecken, die oft immer noch selbst Konzerte veranstaltenden Interpreten mußten auf ihren eigenen künstlerischen Erfolg bedacht sein. Um der zeitgenössischen Musik – besonders dann, wenn sie aus stilistisch extremen Randgebieten kam – Publizität zu verschaffen, entstanden daher neue musikalische Vereinigungen und Formen: So kam es etwa in Wien 1904 zur Gründung der von Arnold Schönberg initiierten „Vereinigung schaffender Tonkünstler“, während sich in Prag für jene Art zeitgenössischer Musik, die von anderen Konzertveranstaltern gemieden wurde, ein Amateur-Orchester („Orchestervereinigung“ genannt) annahm. Damit wurden dort sogar alte, scheinbar überholte Formen für die neueste Musik aktiviert: Eine Gesellschaft, die Konzerte in ihrem speziellen, eigenen Interesse veranstaltete, war eine Spezies der biedermeierlichen Musikpflege; dasselbe gilt für die Amateure (nun nicht mehr Dilettanten genannt), die dort wieder ihre anerkannte Daseinsberechtigung erhielten, wo sie die von ihren berufsmäßigen Kollegen belassenen Lücken füllten.

Zahlreiche Laienchöre, Musikvereine und Amateur-Orchester waren in jenem weiten Gebiet tätig, das zwischen dem sogenannten großen öffentlichen Konzertleben und der Hausmusik lag: sicherlich auf unterschiedlichstem Niveau, aber sicherlich für die

Musikrezeption an sich von großer Wichtigkeit. Das in engerem Sinn private Musizieren hat damals freilich an Bedeutung verloren gehabt. Den Musikalischen Salon des Biedermeier und seine Spätformen gab es längst nicht mehr. War er einst Träger der Kammermusikpflege und des Liedgesanges – in diesen Gattungen also erster Adressat der Komponisten und Musikverleger – so waren die nun komponierten Kammermusikwerke und Lieder weitgehend für den Konzertsaal bestimmt. Die uns heute vertraute Form der Kammermusik-Konzerte und Liederabende hat sich damals entwickelt und durchgesetzt. Die Hausmusik war nicht mehr ein gesellschaftliches, sondern bestenfalls ein familiäres Ereignis. Sieht man von einigen Ausnahmen ab, so stand sie in ihrer Gesamtheit einerseits auf einem bescheideneren künstlerischen Niveau, andererseits hat sich ihr Repertoire von der zeitgenössischen Musik (zumindest der Mehrzahl ihrer stilistischen Möglichkeiten) abgewandt. Das lag nicht nur an den Hausmusik betreibenden Dilettanten oder Amateuren, sondern auch an den Komponisten und Musikverlegern. Denn damals entstand jene bis heute bestehende, ganz unglückliche Zweiteilung des zeitgenössischen Musikschaffens in leichtere und schwerere, faßlichere und weniger leicht faßliche, für Laien und für Profis bestimmte Werke bzw. ihre Werke bestimmende Komponisten. So haben zum Beispiel Alexander Zemlinsky und Arnold Schönberg um 1903/04 für das Laienmusizieren vierhändige Klavierauszüge von Werken Mozarts, Lortzings, Rossinis und Schuberts gesetzt. Was sie damals selbst komponiert haben, war von ihnen für Berufsmusiker bestimmt. Novitäten-Soireen in Privathäusern gab es nicht mehr; wurde etwa von einem Mäzen dazu geladen, so verpflichtete er ein Ensemble von Berufsmusikern für diesen Abend.

Bis nach der Jahrhundertmitte haben Komponisten ihre Werke für Musiker ohne jede weitere Unterscheidung geschrieben. Die Verleger haben diese verlegt. Die Musiker haben daraus das ihnen Adäquate, das sie Ansprechende und künstlerisch Überzeugende ausgewählt. Nun gab es – neben der stilistischen Vielfalt, wie sie bereits beschrieben wurde – auch auf dem musikalischen Markt eine Vielfalt. Werke für Profis und Dilettanten (im neuen, negativen Sinne des Wor-

Der aus Mähren gebürtige und damals in Wien lebende Ralph Benatzky besingt den „alten Herrn" in Schönbrunn, 1914. Wien, Archiv der Gesellschaft für Musikfreunde

tes), „Unterhaltungsmusik" und „Ernste Musik", Musik älterer abgeschlossener Stilepochen in neuen Ausgaben, neue Musik in verschiedenen Stilrichtungen.

Wenn nun einmal Komponisten, Verleger und Publikum mit der Trennung der aktiv Musizierenden in Berufsmusiker und Liebhaber rechneten, so hatte dies noch weiterführende Konsequenzen: Die Komponisten stellten an ihre Interpreten – nicht nur an Solisten, sondern vor allem auch an Orchester- und Kammermusiker – immer größere technische Anforderungen. Das machte einen immer größeren Probenaufwand notwendig; in den Proben ging es nun nicht mehr nur um die Verständigung der Ausführenden untereinander, sondern es konnte auch notwendig sein, das Werk mit allen seinen technischen Anforderungen gemeinsam zu studieren. Andererseits hatte dies auch Auswirkungen auf den Musikunterricht. Früher sollte der Musikunterricht – ob bei einem Musiklehrer oder an einem Konservatorium – zur Beherrschung eines Instrumentes führen. Beherrschte man es, konnte man noch künstlerische Interpretationsfragen erarbeiten. Die neue Entwicklung führte dazu, daß man auch beim Unterricht unterscheiden mußte, ob der Auszubildende ein Berufsmusiker werden wollte oder nicht. Der Privatunterricht und der Unterricht in den vielen kleinen privaten Musikschulen, die allenthalben entstanden waren, galt bald nur mehr der Ausbildung von Liebhabern. Die großen, von musikalischen Gesellschaften getragenen Musikschulen in den Provinzhauptstädten deckten den lokalen Bedarf an Berufsmusikern. In Budapest wurde 1875 die erste Musikakademie der Monarchie, also die erste staatliche Musikschule auf Hochschulrang gegründet. In Wien bemühte sich die Gesellschaft der Musikfreunde laufend und mit immer höherem Aufwand und Einsatz, dem Ruf ihres Konservatoriums als führende musikalische Ausbildungsstätte der Monarchie gerecht zu werden und diesen zu wahren. Als sie sah, daß dies bei den immer steigenden Anforderungen an den Unterricht und an die Absolventen einer privaten Gesellschaft auf die Dauer nicht möglich ist, bemühte sie sich, das Konservatorium in staatliche Leitung zu übergeben: 1909 wurde es in die K. k. Akademie für Musik und darstellende Kunst umgewandelt. Am Prager Konservatorium – ebenfalls von einem Verein getragen und mit dem Gründungsjahr 1811 das älteste der Monarchie – bestand ein solches Interesse nicht; sein Ruf entsprach auch nicht dem des verwandten Wiener oder jenem des Budapester Instituts.

Spricht man von Berufsmusikern, so darf man freilich nicht nur an Oper, Theater und Konzert denken. Tanzkapellen, Unterhaltungskapellen, Kaffeehauskapellen, die ersten Kino-Orchester – sie alle benötigten Musiker, für die in den meisten Fällen die Musik den Lebensunterhalt bot. Was hier mit vier Begriffen angesprochen und in einen Zusammenhang gebracht ist, war freilich in sich höchst verschiedenartig. Darunter gab es Orchester auf höchstem künstlerischen Niveau mit bestqualifizierten Mitgliedern, Ensembles, deren Mitglieder noch dem alten Musikantenstand zuzuzählen waren und alle Zwischenformen, also ein reiches Spektrum von studierten, über gelernte bis zu angelernten Musikern. Ähnliches gilt für das Repertoire dieser zwischen E- und U-Musik angesiedelten ganz eigenen musikalischen Welt, das von der Kunstmusik bis zur Volksmusik praktisch alles berücksichtigen konnte und Originalwerke wie Bearbeitungen gleich pflegte.

Schließlich sind auch die auf eigene Faust, höchstens zu zweit oder zu dritt musizierenden Musikanten zu nennen, die ebenfalls eine eigene Species darstellten und auch einen Bedarf des Musiklebens abdeckten: in den Straßen und Höfen, in Gaststätten, als Instrumentalisten oder als Volkssänger, mit einem Instrument, das sie beherrschen mußten, oder einer Drehorgel, die sie nur zu bedienen hatten. Sie waren ein musikalisches, manchmal auch ein soziales Phänomen, für das es keinen Wandel und keine neue stilistische Vielfalt gab, weil sie immer schon als Individualisten für ein vielfältiges Spektrum ihrer Art von Musikpflege gesorgt haben.

Für den Schluß dieses Überblicks über die organisatorischen Voraussetzungen und die Formen des Musizierens mußten die Militärkapellen aufgespart bleiben, weil sie gegen Ende des 19. Jahrhunderts zu einer Bedeutung gelangt waren, die weit über ihre ursprünglichen Aufgaben hinausging. Die wohlbesetzte Militärmusik war der Stolz jeder Garnisons-Stadt. Sie sorgte nicht nur für die musikalischen Notwendigkeiten des Militärs, sie half nicht nur – wie schon immer üblich – in der Kirchenmusik oder wo es sonst notwendig war aus, sondern sie hat im Laufe der Zeit viele Formen des Musizierens und der Musikpflege an sich gezogen. Militärkapellen waren ebenso billige wie beliebte Orchester für Ballveranstaltungen, für Promenadenkonzerte oder für den Frühschoppen und machten so den einschlägig arbeitenden privaten Kapellen eine große Konkurrenz. In Kleinstädten besorgten sie auch die Pflege der symphonischen Musik in von ihnen veranstalteten Konzerten, weil sie ja nicht nur mit Bläsern, sondern auch mit Streichern besetzt und auch eine Art von Berufsorchester mit entsprechendem technischen Niveau waren. Sie waren weit über das, was wir heute mit Militärmusik assoziieren, hinaus unentbehrlich für die Musikszene dieser Städte. Welche Stellung ein solcher Militärkapellmeister in einer Stadt mittlerer Größe haben und wie ihn diese gesellschaftlich und künstlerisch befriedigen konnte, wenn er einmal weit über den militärischen Bereich hinaus in der Musikszene Fuß gefaßt hatte, ist mit einem Beispiel an dem zwischen 1883 und 1912 in Krakau wirkenden Kapellmeister des 13. Infanterieregiments Johann Nepomuk Hock zu belegen, der dort geradezu einen legendären Ruf erworben hatte, weil er ein hervorragender Interpret symphonischer Werke, ausgezeichneter Geiger, versierter Organisator von Orchesterkonzerten und privaten Kammermusikvereinigungen – und auch ein beliebter Kapellmeister seiner Militärkapelle war. Als er für die Position eines Generalinspekteurs über alle Militärkapellen in der Monarchie ausersehen war, bat er, von dieser Berufung abzusehen; die in Krakau erarbeitete Stellung gab ihm mehr Befriedigung.

In einer einzigen musikalischen Sparte gab es in dem hier zu behandelnden Zeitraum weder große stilistische, noch organisatorische Neuerungen, keinen Wandel und keinen Umbruch, sondern die Wahrung und Pflege des Bestandes: in der Kirchenmusik. Für die evangelische und orthodoxe Kirchenmusik ist die Pflege der Tradition ein Charakteristikum. Für die katholische Kirchenmusik war damals eine Epoche des Umbruchs eben vorüber. In stilistischer und künstlerischer Hinsicht betraf sie die Wahl des Repertoires, die seit den sechziger Jahren aktuelle Auseinandersetzung zwischen den Cäcilianern, die ausschließlich Werke der altklassischen Polyphonie bzw. neue Werke in diesem Stil gelten lassen wollten, und jener Gruppe, die alles, was künstlerisch wertvoll ist, für den Gottesdienst geeignet hielt. Beide Anschauungen bestanden nun nebeneinander. In organisatorischer Hinsicht lag eine Zeit des Wandels noch etwas länger zurück: In Biedermeier und Vormärz begannen sich dort, wo die Kirche selbst nicht mehr im notwendigen Ausmaß für die Finanzierung und Organisation der Kirchenmusik sorgen konnte, Kirchenmusikvereine zu bilden, also musikalische Gesellschaften mit ausübenden und unterstützenden Mitgliedern, die sich ausschließlich der Kirchenmusik an einer bestimmten Kirche widmeten. Im Laufe des Jahrhunderts wuchs die Zahl dieser Vereine, manche fanden zu einer Bedeutung, die überregional ausstrahlte – wie etwa der Kirchenmusikverein an der Wiener Peterskirche oder jener am Preßburger Martinsdom – und da sich die Form bewährte, während sich die Aufgabenstellung für die Kirchenmusik nicht änderte, brauchte es keinerlei Neuerungen zu geben. Es ist lediglich interessant zu beobachten, wie diese Kirchenmusikvereine – ursprünglich ein großbürgerliches Phänomen – im Laufe der Zeit auch im klein- und vorstädtischen Milieu, ja auch in den neuen sogenannten Arbeiterbezirken Fuß faßten. Wo die Kirche selbst noch von sich aus für eine anspruchsvolle Kirchenmusik sorgen konnte, existierten aber die alten Formen weiter. An vielen Stifts- und Domkirchen bestanden bis in die Jahre des Ersten Weltkrieges Sängerknabeninstitute und zumindest ein Grundstock von besoldeten Sängern und Instrumentalisten. Besonders die Sängerknaben funktionierten als Institution immer noch in einer wirklich jahrhundertelangen Tradition, die schon an den Uniformen der Knaben ersichtlich war und neben der musikalischen immer noch eine große soziale Bedeutung hatte; viele Karrieren aus kleinstem Milieu begannen mit der Aufnahme des Buben in ein Sängerknabenkonvikt, dem ersten Schritt zu einem höheren Bildungsideal und in eine dem Elternhaus fremde „große“ Welt. Charakteristisch für das Fortbestehen bewährter und durch nichts zu ersetzender Organisationsformen in der Kirchenmusik ist auch die Tatsache, daß sie eine anerkannte Domäne des Laienmusizierens, der öffentlichen Musikproduktion durch Amateure oder Dilettanten im alten Sinne des Wortes blieb: in ausschließlicher Weise dort, wo es sich um ausübende Mitglieder von Kirchenmusikvereinen bzw. – besonders an kleinen Stadtkirchen und vor allem im ländlichen Bereich – um Mitglieder von Kirchenchören (samt Orchester) handelte, in ergänzendem Zusammenwirken dort, wo noch eine gewisse Anzahl von durch die Kirche besoldete Kirchenmusiker vorhanden war, die für kleine Aufgaben ausreichten, für notwendige größere Besetzungen aber ein solches Zusammenwirken suchen mußten.

SOZIALE UND WIRTSCHAFTLICHE ASPEKTE

Die beschriebene Kommerzialisierung des öffentlichen Musiklebens ließ etwa im letzten Viertel des 19. Jahrhunderts Musiker zu einem eigenen, bisher in dieser Art nicht bekannten Berufsstand werden. Zuvor war der Berufsmusiker eine in vielfältiger Form sich mit der Musik beschäftigende Person. Nun war es ein sozusagen „normaler" bürgerlicher Beruf geworden, Instrumentalmusiker zu sein, weil neben die Opern- und Theaterorchester auch Orchester für den Konzertbetrieb traten, weil sich die verschiedensten Kapellen und Ensembles etablierten – man darf nicht immer nur an die Kapelle Strauß denken –, die ein breites Repertoirespektrum von der Tanzmusik bis zum Unterhaltungskonzert, von der Kurmusik bis zur Musikbegleitung des Stummfilms abdeckten, und weil sich die Militärmusik so weit von ihren ursprünglichen Aufgaben entfernt und weil sie so viele neue Aufgaben übernommen hatte, daß man dort sozusagen Berufsmusiker im Dienste des Militärs werden konnte. Mit all dem hat sich der im Ensemble spielende Instrumentalmusiker zu einem Berufsstand emanzipiert.

Der Solist – als Vokal- oder Instrumentalmusiker – begann damals dank der Agenturen, die sich seiner annahmen, zum reisenden Künstler zu werden, wie wir ihn heute kennen. Sein Künstlerstatus ist nicht gestiegen, denn seine Anerkennung konnte nicht mehr steigen; zugenommen hat sein Tätigkeitsbereich.

Mindestens seit Brahms war der freischaffende, nur für sein und von seinem Schaffen lebende Komponist keine Ausnahme mehr. Die Verleger fanden einerseits zu billigeren Produktionsmethoden und andererseits zu höheren Absätzen. So konnten auch die Honorare steigen. Dazu kamen etwa um die Jahrhundertwende erste erfolgreiche Bemühungen um Aufführungsentgelte oder Verkaufsbeteiligungen. All das war freilich nur für Komponisten interessant, die einen entsprechenden Bekanntheitsgrad und beim Publikum Erfolg hatten; die anderen brauchten weiterhin Mäzene oder einen (nach Möglichkeit musikalischen) Brotberuf. Daneben gab es weiterhin die komponierenden Kapellmeister, wie etwa Gustav Mahler, der seines großen Talents wegen aus Iglau an das Konservatorium der Gesellschaft der Musikfreunde nach Wien und dann über Engagements in Bad Hall, Laibach, Olmütz, Kassel, Prag, Leipzig, Budapest und Hamburg 1897 als Direktor an die Wiener Hofoper kam; er hätte nie „nur" Komponist sein wollen oder können.

Mit den neuen organisatorischen Formen für die diversen Orchester und Instrumentalmusikensembles und der umfassenden und endgültigen Emanzipation des Instrumentalmusikers war nicht nur den Dilettanten – im öffentlichen Konzertleben –, sondern auch den Musikanten – in der Tanzmusik – ein Betätigungsfeld genommen. Auch in einfachsten Verhältnissen spielte zum Tanz nicht mehr eine Gruppe Musikanten (im kleinstädtischen und ländlichen Bereich nicht mehr der Turnermeister mit seinen Gesellen) auf, sondern eine Kapelle. In der Stadt waren dies professionelle oder semiprofessionelle Kapellen, auf dem Land kam es zu den ersten Gründungen von Musikkapellen, wie sie uns dort heute noch vertraut sind; als gut organisierte Vereinigung von Musikamateuren stehen diese an der Grenze zwischen Volksmusik und professioneller Gebrauchsmusik. Die Volkssänger und Volksmusikanten starben als Einzelindividuen aus, in Ensembles fanden sie zu einer neuen Blüte. Spricht man von der neuen Macht des professionellen Ensemblemusizierens und der Emanzipation des Instrumentalmusikers, so muß man auch die Damenkapellen als Phänomen dieser Zeit erwähnen, die Unterhaltungsorchester im besten Sinne des Wortes waren.

Musikanten gab es aber weiterhin. Man engagierte sie nicht, um sie zum Tanz aufspielen zu lassen, sondern sie kamen von selbst, von Haus zu Haus, von Hof zu Hof, von Straße zu Straße: Hofmusikanten, Straßensänger, Bettelmusikanten, Nachfahren des von Franz Grillparzer verewigten „Armen Spielmannes" und dennoch nunmehr typisch für diese Zeit. Gestrandete Existenzen, versehrte Veteranen, Arbeitslose fanden im Musizieren einen (wenn auch den bescheidensten) Lebensunterhalt. Es dürften mehr gewesen sein als je zuvor. Auch das war eine neue Form oder zumindest ein neuer Inhalt des Musizierens, hervorgerufen von den sozialen Problemen einer neuen Zeit.

Das Aufblühen der vielen kleinen Kapellen und die für viele bestehende Möglichkeit, als Berufsmusiker tätig zu sein, war freilich nur ein relativ kurzes Aufblühen. Schon in der nächsten Generation wurde die Zahl der Berufsmusiker wieder dezimiert. Für die Kino-Orchester wurde die Kino-Orgel zur Konkurrenz: ein Musiker ersetzte damit ein ganzes Ensemble. In Kaffeehäusern, Restaurants und Bars konnte die Kapelle durch pneumatisch bediente und von Lochstreifen „bespielte“ Musikautomaten ersetzt werden. Nur wenige Jahre nach dem von uns zu behandelnden Zeitraum kam das elektrische Klavier auf. Der Fortschritt der Technik erwies sich als musikfreundlich, er verdrängte aber die Musiker wieder aus einem Teil ihres noch gar nicht lange etablierten Berufslebens.

Welche Veränderungen die Schallplatte dem Musikleben bringen sollte, war damals noch nicht abzusehen. Fürs erste war sie ein sich langsam entwickelndes, bewundertes Phänomen. Die Wachszylinder waren noch eher eine technische Spielerei, die Schallplatte war nun auch künstlerisch ernstzunehmen. Mehr war vorerst dazu noch nicht zu sagen, von ihr nicht zu erhoffen und nicht zu befürchten.

Fürwahr, in diesen Jahren – kaum mehr als eine Generation – hat sich in der Musikszene viel getan.

Literatur (in Auswahl, unter Verzicht auf monographische Darstellungen für einzelne Komponisten):

JOSIP ANDREIS, Hravatski glazbeni zavod kroz 125 godina svog postojanja. Zagreb 1952 – E. AXMAN, Morava v české hudbě XX. stoletί. Praha 1920 – J. BRANBERGER, Das Konservatorium für Musik in Prag. Prag 1911 – Cinque secoli di stampa musicale in Europa. Napoli 1985 – DRAGOTIN CVETKO, Zgodovina Glasbene Umetnosti na Slovenskem, 3 Bde. Ljubljana 1958–1960 – CARL DAHLHAUS, Die Musik des 19. Jahrhunderts (Neues Handbuch der Musikwissenschaft 6). Wiesbaden 1980 – STANA DJURIĆ-KLAJN, Muzika i muzičari. Belgrad 1956 – RUDOLF FLOTZINGER–GERNOT GRUBER (Hrsg.), Musikgeschichte Österreichs II. Vom Barock zur Gegenwart. Graz–Wien–Köln 1979 – FRANZ HADAMOWSKY–HEINZ OTTE, Die Wiener Operette. Wien 1947 – OTAKAR HOSTINSKÝ, Česká hudba 1864–1904. Praha 1909 – DESZÖ KERESZTURY–JENÖ VÉCSEY–ZOLTÁN FALVY, A Magyar Zenetörténet Képeskönyve. Budapest 1960 – ROBERT LACH, Geschichte der Staatsakademie und Hochschule für Musik und darstellende Kunst in Wien. Wien–Prag–Leipzig 1927 – Musikbuch aus Österreich, 9 Jge. 1904–1912 – ZDENKO NOVÁČEK, Hudba v Bratislava. Bratislava 1978 – Die österreichisch-ungarische Monarchie in Wort und Bild, 24 Bde. Wien 1886–1902 – RICHARD VON PERGER–ROBERT HIRSCHFELD, Geschichte der k. k. Gesellschaft der Musikfreunde in Wien. Wien 1912 – RUDOLF QUOIKA, Die Musik der Deutschen in Böhmen und Mähren. Berlin 1956 – JAN RACEK, Česká hudba. Praha[2] 1958 – EMIL RAMEIS, Die österreichische Militärmusik – von ihren Anfängen bis zum Jahre 1918, ergänzt und bearbeitet von EUGEN BRIXEL (Alta Musica 2). Tutzing 1976 – ERICH SCHENK, 950 Jahre Musik in Österreich. Wien 1946 – PAUL STEFAN, Neue Musik in Wien. Wien 1921 – ERNST TITTEL, Österreichische Kirchenmusik. Wien 1961 – TOMISLAV VOLEK, Dějiny české hudby v obrazech. Praha 1977.

Walter Frodl

DER AUFBRUCH ZUR MODERNEN DENKMALPFLEGE IN ÖSTERREICH

Von „moderner“ Denkmalpflege in einem Staatswesen kann man dann sprechen

- wenn es über Gesetze verfügt, die den Verlust von Kulturgut, soweit es sinnvoll ist, unterbinden helfen,
- wenn es eine Organisation von Fachleuten besitzt, die personell und materiell so ausgestattet ist, daß sie diese Gesetze zu handhaben vermag,
- wenn diese Organisation auf einem geistigen und theoretischen Fundament steht, das sie befähigt, die Grundgedanken der Denkmalpflege, die sich auf ihre praktische Tätigkeit, also auf jegliche Art von Erhaltungsmaßnahmen beziehen, so zu inter-

pretieren, daß die historische und künstlerische Substanz des jeweils betroffenen Denkmals oder die Einheit historischer Bau-Ensembles keinen oder möglichst wenig Schaden erleiden,

- wenn sie sich ferner bei der pfleglichen Behandlung der Denkmäler überprüfter und überprüfbarer Verfahren bedient und das, was mit dem Denkmal geschieht gewissenhaft dokumentiert, und schließlich
- wenn sie die unerläßliche Voraussetzung der Pflege, nämlich die Erforschung der Denkmäler, die Klarstellung ihres Werdens und Bestehens als Basis ihrer Tätigkeit betrachtet.

Das sind nur die wichtigsten Forderungen, die an die Denkmalpflege heute gestellt werden.

Bis zum Tode des Kaisers Franz Joseph waren lediglich einzelne dieser Voraussetzungen und zwar auch nur teilweise erfüllt und erst zu Beginn unseres Jahrhunderts vollzog sich auf wissenschaftlichem, organisatorischem und auf dem Gebiet der Praxis jener Wandel, der die Ansätze zur modernen Denkmalpflege in Österreich schuf.

Als vor nunmehr 137 Jahren der Vorgänger des heutigen Bundesdenkmalamtes, die „k. k. Central-Commission für die Erforschung und Erhaltung der Baudenkmale" auf Grund der kaiserlichen Entschließung vom 31. Dezember 1850 gegründet wurde, hatte dieser Akt Gesetzeskraft; der Charakter eines Gesetzes kam auch den „Instruktionen" aus dem Jahr 1853 zu, die die Aufgaben der ehrenamtlich fungierenden Kommission, ihrer über das ganze Reich verteilten Konservatoren und Korrespondenten festlegten. Darüber hinaus aber gab es nur Erlässe verschiedener Ministerien an die Statthalter und Gouverneure der Kronländer mit der Aufforderung alles zu tun, um die Zerstörung von Denkmälern zu verhindern, sich für deren Erhaltung einzusetzen und die Bestrebungen der Kommission zu unterstützen. Es bestand zwar ein Gesetz aus dem Jahre 1818, das unter dem Eindruck der Verluste an Kunstwerken, die einesteils die Säkularisierung der kirchlichen Güter, andernteils die napoleonischen Kriege mit sich gebracht hatten, die Ausfuhr von Kunstwerken aus dem Staatsgebiet erschwerte. Aber es gab kein Gesetz, das generell den Schutz der Denkmäler geregelt und deren Eigentümern gegenüber die Interessen der Denkmalpflege vertreten hätte. Die „Zentral-Kommission" besaß keine behördlichen Befugnisse. Ihre Wünsche mußte sie den Landesbehörden oder auch den kirchlichen Oberbehörden bekanntgeben, denen es oblag, sie an die Betroffenen weiterzuleiten. Als Kollegialorgan konnte die Kommission nur unverbindliche Ratschläge erteilen, Empfehlungen und Bitten aussprechen und wenn es sich um Restaurierungen handelte auch nur dann, „wenn sie darum angegangen wurde".

Obwohl seit dem Ende des vorigen Jahrhunderts die Entwürfe für ein Denkmalschutzgesetz im Herrenhaus vorlagen und diskutiert wurden, ist zu Lebzeiten des Kaisers ein solches Gesetz nicht zustande gekommen; das oben geschilderte Verfahren blieb grundsätzlich bestehen, bis in der Republik 1923 das Denkmalschutzgesetz verabschiedet werden konnte, dem als Reaktion auf Krieg, Unruhen und drohenden Ausverkauf 1918 ein generelles Verbot der Ausfuhr von Kunstgegenständen vorausgegangen war.

Von Anfang an lag der Schwerpunkt der Tätigkeit der Zentral-Kommission – wie es auch in ihrem Titel zum Ausdruck kam – auf der „Erforschung" der Denkmäler. Diese Aufgabe hat sie mit einer bewundernswerten räumlichen und inhaltlichen Spannweite und mit Ausdauer in einer Weise erfüllt, daß wir in der Rückschau darin ihre eigentliche, auch heute noch gültige Leistung erblicken können. Ihre Publikationsorgane, die „Mitteilungen der Zentral-Kommission" und das „Jahrbuch" (beide ab 1856) sind eine wichtige Stütze für unsere Kenntnis der Denkmäler des alten Kaiserstaates geblieben.

Da aber auch die „Erhaltung" der Denkmäler zu ihrem Programm gehörte, geriet sie in den sechziger Jahren in den Sog der „großen europäischen Welle der nicht nur defensiven, sondern auch offensiven Denkmalpflege". Das heißt, sie ergab sich jener Methode, die nach den an der Restaurierung der gotischen Kathedralen und Monumentalbauten in Frankreich von dem Architekten Viollet le Duc entwickelten Lehre, sich nicht auf Erhaltungsmaßnahmen beschränkte, sondern nach dem Prinzip von „Stileinheit und Stilreinheit" die Denkmäler – vorzüglich die Kirchenbauten – vollkommen erneuerte. Als treibende Kraft wirkte selbstverständlich auch der Historismus, dessen Hochblüte in diese Zeit fällt. Barocke Ausstattungen und Einrichtungen mittelalterlicher Kirchen wurden also radikal entfernt und durch entsprechende neugotische Formen ersetzt, barocke Zwiebelhelme zum Beispiel abgetragen und an deren Stelle gotische Spitzhelme aufgesetzt, usw. Vertreter dieser Richtung in Österreich war der Dombaumeister von St. Stephan in Wien, Friedrich von Schmidt (1825–1891), der gleichzeitig als prominentestes Mitglied der Zentral-Kommission bedeutenden Einfluß auf die Restaurierungstätigkeit im ganzen Lande gewann. Seine Projekte lagen u. a. den „Renovierungen" der Burg Karlstein in Böhmen (beendet 1910), des Domes in Agram (Zagreb; beendet 1885), der Kathedrale in Fünfkirchen (Pécs; beendet 1891), der Stiftskirche von Klosterneuburg (beendet nach 1890) zugrunde; sein grandios wirkender Entwurf für den Ausbau des Nordturmes von St. Stephan gelangte aus technischen, finanziellen und schließlich auch denkmalpflegerischen Gründen freilich nicht zur Ausführung. Bewahrte Schmidts Künstlerschaft ihn vor trivialen Lösungen, so war solchen Tür und Tor geöffnet, als Stillehren, Vorlagenbücher und die zunehmende Routine der Architekten, Baumeister und Handwerker, nicht zuletzt die fabriksmäßigen Verfahren der Kirchenrestaurierfirmen die Stilnachahmung förderten und natürlich verflachen ließen. Bis in unser Jahrhundert hielt der Klerus fest an der „alleinseligmachenden Gotik" und war „von dem Wahne befangen, daß nur in den Formen der mittelalterlichen Stile die Kirchlichkeit in einem höheren Grade als in den Ausdrucksformen der späteren Epochen zur Geltung komme".

Unter den von der Zentral-Kommission geförderten Restaurierungsunternehmungen, in die im Laufe der Jahre auch beträchtliche Geldmittel investiert wurden, seien noch der Vollendungsbau des St. Veitsdomes in Prag (1872–1929) und vor allem der Palast des Diokletian in Spalato (Split) genannt, um dessen Erhaltung sich die Kommission seit ihrem Bestehen intensiv bemüht hatte. Der Ausbau des Campanile zum Dom (beendet 1908) – dem ursprünglichen Mausoleum des Imperators – wäre freilich besser unterblieben.

Alois Riegl. Wien, Österreichische Nationalbibliothek, Bildarchiv

Manche dieser Restaurierungen läßt die Aufwertung des Historismus, die in den letzten Jahrzehnten erfolgte, in einem besseren Licht erscheinen. Die unzähligen „Renovierungen" mittelalterlicher Kirchen in den Dörfern und Städten der Monarchie indessen, die oft genug darin bestanden, ihnen ein neues, aus der Konfektion besorgtes Stilkleid überzuziehen, wird man vom Standpunkt der Denkmalpflege auch heute nicht gutheißen können. Man darf jedoch nicht ungerecht sein. Viele Denkmäler wurden durch dergleiche Operationen vor dem Verfall bewahrt. Von ihrem künstlerischen und historischen Wert und von ihrer Würde ist freilich oft nicht viel übrig geblieben.

Der Präsident der Kommission Alexander Freiherr von Helfert, der dieses Amt 47 Jahre ausübte

(1863–1910), hatte noch im ersten Reichsrat 1848 gewirkt, war zweimal als Staatssekretär im Unterrichtsressort tätig gewesen und, nachdem er dort überzählig geworden, vom Kaiser zum Präsidenten der Zentral-Kommission ernannt worden; ein Zeichen, wie hoch diese Position eingeschätzt wurde. Helfert hat sich hohe Verdienste erworben. Als Jurist (und Geschichtsfreund; zahlreiche Publikationen zur Zeitgeschichte) lag ihm besonders am administrativen Ausbau der Organisation (mehrere Reformen, darunter das Statut von 1899), die schließlich in ungefähr 120 Verwaltungsbezirken wohl über mehr als die doppelte Anzahl von Vertrauensleuten, Konservatoren und Korrespondenten verfügte. Ebenso war er um das Zustandekommen eines Schutzgesetzes bemüht. Für den fachlichen, den denkmalpflegerischen Bereich fühlte sich Helfert nicht zuständig. So positiv sich das konstante Element ausgewirkt haben mag, das die ein halbes Jahrhundert währende Präsidentschaft Helferts für die Organisation bedeutete, der Denkmalpflege hätte, etwa von den achtziger Jahren an eine in erster Linie am Fachlichen interessierte und darin bewanderte Leitung vielleicht den Niedergang erspart, der seit diesen Jahren einsetzte und das Vertrauen in die Kommission erschütterte.

In diese Zeit fallen auch die Diskussionen um die Anerkennung der Kunst des Barock („Unverständlich, daß gerade in unserem Vaterlande der Clerus in dem Renaissance- und Barockstyle etwas Unkatholisches erkennen kann . . . wo doch der Barockstyl in artibus das Katholischste vom Katholischen ist“ – 1885), die stellenweise nach der Jahrhundertwende noch fortgeführt werden mußten, – aber auch die Übermalung romanischer Fresken mit Ölfarbe (!), weil dies für die beste Methode angesehen wurde, sie auf Dauer zu erhalten.

Daß die Zentral-Kommission an derartigen Methoden festhielt, die auf den überholten Kenntnissen und Anschauungen einiger Künstler beruhten, sich vom Prinzip der Erneuerung und der „stilistischen Restaurierung“ nicht zu lösen vermochte, daß sie danach und lediglich nach ästhetischen Erwägungen ihre Gutachten abfaßte, kurzum, daß sie, die in den ersten zehn Jahren ihrer Existenz ein europäisches Vorbild gewesen war, angesichts neuer Einsichten und Anforderungen versagte, weil ihre personelle Struktur auf Voraussetzungen beruhte, die nicht mehr galten: das brachte sie gegen Ende des Jahrhunderts in Gegensatz nicht nur zu einem Teil der öffentlichen Meinung, sondern vor allem zur professionellen Kunstgeschichte. Seit den siebziger Jahren hatte sich diese von den ästhetischen Kunstbetrachtungen abgewendet und auf dem Wege über die Geschichtswissenschaften zu einer strengen, historisch-philologischen Quellenkritik gefunden. Die Ergebnisse, die sie, nun zur „Wissenschaft“ geworden, daraus gewann, hatten auch für die Denkmalpflege grundsätzliche Bedeutung. Das „Denkmal als Quelle der Forschung“, als „Urkunde, die nicht verfälscht werden darf“, verlangte ein Umdenken aller, die mit Denkmälern zu tun hatten. Insbesondere von den Auftraggebern und Restauratoren forderte es eine Einstellung zum Gegenstand, die von der bisher üblichen durchaus abwich.

Beim ersten „Tag für Denkmalpflege“ in Dresden 1900 hatte Georg Dehio (der Begründer des Dehio-Handbuches der Kunstdenkmäler in Deutschland) seine Meinung in dem Satz zusammengefaßt: „Konservieren nicht restaurieren!“ Dieses Schlagwort spaltete die deutsche Denkmalpflege in zwei Lager. Das eine, das sich dazu bekannte und das andere, das seine konservative Haltung nicht preisgeben wollte.

So hart prallten die Gegensätze bei uns nicht aufeinander, auch wenn sie sich in einem gewissen Widerstand, vor allem der kirchlichen Kreise, noch nach 1920 äußerten. Die Entwicklung verlief ruhiger und zwar auf den Wegen, die Eduard von Eitelberger, Theodor von Sickel, Moritz Thausing geebnet hatten und über das „Institut für österreichische Geschichtsforschung“ zur „Wiener Schule der Kunstgeschichte“ Franz Wickhoffs und damit zu Alois Riegl führten.

Riegl (1858–1905), Ordinarius für Kunstgeschichte an der Wiener Universität, dessen Werke der Disziplin ganz neue, weittragende Erkenntnisse vermittelten, übernahm 1901 die vakant gewordene Stelle des Redakteurs der „Mitteilungen der Zentral-Kommission“. Er war, so sagt sein Schüler Max Dvořák von ihm „eine viel zu tief veranlagte Natur, als daß er diese Aufgabe als eine rein geschäftliche aufgefaßt hätte“

und so hat er „die letzten drei Jahre seines Lebens der Reorganisation der Zentral-Kommission gewidmet". Was seine Haltung in der Denkmalpflege betrifft, so stimmte er überein mit den Thesen, die John Ruskin schon 1849 in seinem Buch „The seven lamps of architecture" aufgestellt hatte. Die Verurteilung jeglicher Restaurierung und die Forderung die Denkmäler einfach „in Schönheit sterben" zu lassen, gingen freilich zu weit und hatten, schon gar zur Zeit, als das Buch erschien, keine Aussicht, ernst genommen zu werden. Um die Jahrhundertwende jedoch förderten sie die Diskussion und damit die Theorien, die in den letzten Dezennien des 19. Jahrhunderts als Reaktion auf die Viollet le Duc'schen Lehren zu entstehen begannen. (In Italien Camillo Boitos „Carta del restauro" von 1883).

Als Riegl daran ging, einen neuen Entwurf für ein Denkmalschutzgesetz zu verfassen, setzte er diesem unter dem Titel „Der moderne Denkmalkultus" eine Einleitung voran, in der er die Eigenschaften untersuchte, die ein Gegenstand haben muß, damit er als Denkmal begriffen werden kann und die Werte, die einem Denkmal innewohnen, bzw. die wir in das Denkmal hineindenken.

Diese „Wertskala", die auch psychologischen Überlegungen folgt, trägt viel zur Klärung des Begriffes „Denkmal" und damit des Wesens der Denkmalpflege überhaupt bei.

Max Dvořák. Wien, Österreichische Nationalbibliothek, Bildarchiv

Im allgemeinen konnte (und kann sich noch immer) die denkmalpflegerische Praxis auf diese Werte stützen, wenn es darum geht, die Art und Weise einer Restaurierung zu bestimmen. Wenn aber Riegl den „Alterswert" als markantes Merkmal der Denkmäler besonders unterstreicht und dessen Schonung fordert – hier macht sich die Erinnerung an Ruskin geltend – so schließt er im Grunde genommen jegliche Restaurierung aus, die den optisch so auffälligen Alterszustand einschränkt oder gar aufhebt. Die Erhaltung dieses Zustandes sei jedoch wichtig, weil gerade durch ihn das Denkmal als Produkt der Vergangenheit erkennbar und auch dem Laien durch das Gefühlserlebnis, das der Alterswert ausstrahle, Geschichte bewußt gemacht wird. So richtig und wichtig diese Feststellung auch ist: leider gibt es kaum eine Restaurierung oder auch nur Sicherung, die bei allem Raffinement der Verfahren diesen emotionellen Wert, der zu den wichtigsten der Skala gehört, uneingeschränkt zu erhalten vermöchte. In diesem Fall kann die Praxis der Theorie beim besten Willen nicht folgen. Riegl hat dann auch die Restaurierung zugestanden, aber die äußerste Schonung des Alterswertes verlangt.

Immerhin ist mit Riegls Schrift zum ersten Mal in der Geschichte der Denkmalpflege der Komplex Denkmal so gründlich durchleuchtet worden. Ihre Bedeutung, die nicht zuletzt in den Hilfen liegt, die sie ungeachtet ihrer zeitlichen Gebundenheit gewähren kann, ist längere Zeit nicht erkannt worden; in Deutschland wurde sie sogar als „ein merkwürdiges Büchlein" bezeichnet (P. Clemen). Erst in jüngerer Zeit ist sie wieder hervorgeholt und m. W. auch ins Italienische und Französische übersetzt worden.

Die geringe Auflage, ein relativ kleiner Interessentenkreis, Riegls Tod nur zwei Jahre nach dem Erscheinen der Schrift mögen dazu beigetragen haben, diese für eine Weile untergehen zu lassen. Inzwischen auch zum Generalkonservator ernannt, hegte Riegl große Pläne zu einer gründlichen, vor allem fachlichen Fundierung der Denkmalpflege. Er dachte an eine „Denkmalbehörde", die die Zentral-Kommission ersetzen sollte, an ein „Staatsdenkmalamt" und „Landesdenkmalämter". „Aber", so lautet der Seufzer Max Dvořáks, „ich muß mich ja nicht verbreiten, wie schwer es in Österreich ist eine gesetzliche Regelung für eine Institution herbeizuführen ... welche große finanzielle Opfer erfordert" und so blieb der Erfolg diesem Konzept zunächst versagt.

Es gab in der Kommission noch immer retardierende Kräfte; sie wurden aber durch die Riegl'schen Ideen einfach überholt. Diese plötzlich einsetzende Entwicklung läßt sich deutlich in den „Mitteilungen ... " verfolgen, die „aktueller" wurden, weit mehr als früher auf Fragen der Denkmal-Erhaltung und -Restaurierung eingingen. So trat auch die Bewahrung des Stadtbildes, die den Konservatoren schon in den Instruktionen von 1875 ans Herz gelegt worden war, zusehens in den Vordergrund, und es fehlte auch nicht an scharfen Worten, wenn etwa der Wiener Stadtregulierungsplan als „Denkmalzerstörungsplan" bezeichnet wurde.

In diesem Zusammenhang sei daran erinnert, daß in das Jahr 1903 die Gründung des „Bundes Heimatschutz" in Deutschland fällt. Seine Zielsetzungen – etwa vergleichbar denen des heutigen „Umweltschutzes", jedoch wesentlich auf das Ortsbild, auf das volkskundliche und den Landschaftsschutz ausgerichtet – fanden in Österreich rasch Zustimmung und lösten auch hier eine starke Bewegung aus. Da ihre Bestrebungen einander ergänzten, kam es 1911 („Erste gemeinsame Tagung für Denkmalpflege und Heimatschutz" in Salzburg) zu einer lockeren Liäson von „Bund" und Denkmalpflege, die sich zwei Jahrzehnte später bewährt, als die prekäre finanzielle Lage der jungen Republik Österreich 1924 dazu nötigte die „Mitteilungen ... " einzustellen. Die Verbindung mit dem „Bund" ermöglichte jedoch 1926 ihre Weiterführung als „Zeitschrift für Denkmalpflege", so daß die Kontinuität der Tradition gewahrt blieb.

Die Jahre von 1901 bis 1911 sind für die österreichische Denkmalpflege ein denkwürdiges Dezennium. In diesem kurzen Zeitraum wurde nicht nur die ideelle sondern auch die organisatorische Grundlage für ihre weitere Entwicklung, d. h. für den Weg zur „modernen" Denkmalpflege geschaffen.

Es waren zwei Umstände, die sich auf das Glücklichste auswirkten: Max Dvořák (1874–1921), Kunsthistoriker von Format, folgt Riegl nicht nur im Ordinariat an der Universität sondern auch als Generalkonservator in der Zentral-Kommission. Er übernahm das Erbe seines Lehrers, das er im Rahmen der gegebenen Möglichkeiten mit bewundernswerter Sicherheit ausbaute. Das wäre wahrscheinlich nicht gelungen, hätte sich nicht – und das ist der zweite glückliche Umstand – der Erzherzog-Thronfolger Franz Ferdinand für die Denkmalpflege so interessiert, daß er „mit größter Sachkenntnis und der größten Energie sein Machtwort in die Waagschale legte, wo es galt den Forderungen der Denkmalpflege Geltung zu verschaffen" (Dvořák). Als er schließlich vom Kaiser zum „Protektor" der Kommission ernannt wurde (1910), kam sogar ein militärischer Zug in den Betrieb, denn der Erzherzog ließ seine oft sehr detaillierten Anweisungen durch seine Militärkanzlei ergehen. Aber auch schon vor der Ernennung hatte er sein Interesse bekundet, so daß Dvořák, der das „Generalkonservatorat" mit dem Kunsthistoriker Prof. Neuwirth und dem Architekten Deininger teilte, neue Persönlichkeiten, „die sich um Kunst und Wissenschaft verdient gemacht" hatten, in die Kommission berufen und auch – was es bisher nicht gab – einige fachlich geschulte Beamte einstellen konnte. Die alte Zentral-Kommission „versandete" (Dvořák) und machte fast unmerklich der neuen, im Aufbau begriffenen Organisation Platz.

Besonderes Gewicht legte Dvořák darauf, die „wissenschaftliche Bedeutung der Kommission" wieder zu heben. Das geeignete Mittel dazu sah er in der systematischen Durchforschung Österreichs, durch die Erarbeitung einer „Kunsttopographie", in der „an Stelle des einfachen Inventarisierens ... nach und nach die Entwicklung der Kunst in Österreich dargelegt" werden sollte. Um diese Aufgabe erfüllen zu können, schuf er im Rahmen der Zentral-Kommission ein

„Kunsthistorisches Institut“, dem er überdies „die große Mission (zudachte) geeignete Kräfte ... für den praktischen Denkmalschutz in Österreich zu erziehen“. Dieses Institut trat umgehend in Aktion und hat, dank der umfassenden Kenntnisse und der Arbeitskraft des Dvořák-Schülers Hans Tietze (1880–1954) in kurzer Zeit und trotz des 1914 ausbrechenden Krieges bis 1918 nicht weniger als 12 Bände der „Österreichischen Kunsttopographie“ herausgebracht. 1982 ist es durch eine „Abteilung für Denkmalforschung“ ersetzt worden. Des traditionsreichen und verpflichtenden Titels entkleidet, entspricht es nun besser den Vorstellungen der Bürokratie.

In diesem denkwürdigen Dezennium hat Dvořák mit des Erzherzogs Rückenstärkung aber auch die Organisation von Grund auf umgewandelt. Das Büro der Zentral-Kommission wurde zum „Staatsdenkmalamt“ und in den Landeshauptstädten sollten künftig je zwei hauptberuflich tätige Fachleute amtieren: einander gleichberechtigt der eine für die kunsthistorischen, der andere für die technischen Agenden (A. h. Entschließung vom 31. 7. 1911). Das System der ehrenamtlichen Konservatoren und Korrespondenten wurde beibehalten, einesteils der Tradition halber, andernteils, weil man auf diese Hilfe nicht verzichten konnte. Die Zentral-Kommission verkümmerte in diesem Neubau, bis sie mit dem Untergang der Monarchie sang- und klanglos aufhörte zu bestehen.

Der Krieg hat dieses reife, auf die denkmalpflegerische Realität der Zeit zugeschnittene Konzept nur zum geringen Teil ausführen lassen. Anzumerken ist, daß auch der Posten des Präsidenten nach dem Ableben Helferts mit einem Fachmann, dem Kunsthistoriker (und Juristen) Dr. Fortunat von Schubert-Soldern besetzt wurde. Aus der Geschäftsstelle „Staatsdenkmalamt“, die den Kern der Institution gebildet hatte, ging im Sinne der in Österreich seit je zentral gelenkten Denkmalpflege das „Bundesdenkmalamt“ hervor (1920; Bundesverfassung: Denkmalschutz ist in Gesetzgebung und Vollziehung Angelegenheit des Bundes), das nach Erlaß des Denkmalschutzgesetzes nun auch den Charakter einer Behörde erhielt.

Zum Schluß stellt sich die Frage, ob bis zu diesem Zeitpunkt die eingangs angeführten Voraussetzungen erfüllt waren, an die eine „moderne“ Denkmalpflege gebunden ist. Sie waren es zwar noch immer nicht zur Gänze, aber der „Aufbruch“ Riegls und Dvořáks hat die Grundlinien so festgelegt, daß man ihnen nur zu folgen brauchte, um den Stand zu erreichen, den – am internationalen Maßstab gemessen – die Denkmalpflege heute einnimmt. Die Bedeutung der Naturwissenschaften, zumal der Chemie, für viele Konservierungs- und Restaurierungsvorgänge auf so breiter Basis, wie sie heute gegeben ist, war nicht vorauszusehen und auch an so leistungsfähige Restaurierwerkstätten, Laboratorien, Photoateliers usw., wie sie der Denkmalpflege nun zur Verfügung stehen, wird man kaum gedacht haben. Neben allen wissenschaftlichen und organisatorischen Stärkungen der Denkmalpflege wurde, da um diese Zeit ein Schutzgesetz noch fehlte, aber auch der Aufklärung und der Erziehung zur Idee der Denkmalpflege großes Gewicht beigemessen. Dvořáks „Katechismus der Denkmalpflege“ (1916) ist ganz diesem Zweck gewidmet; leider ist auch dieses Buch im Trubel der Nachkriegsjahre kaum an die Öffentlichkeit gelangt, für die es bestimmt war.

Der Prozeß, dessen Ablauf auf diesen Seiten in sehr vereinfachter Form skizziert wurde, deckt sich zeitlich mit der Regierung des Kaisers Franz Joseph. Alle Phasen, angefangen von der Gründung der Zentral-Kommission 1850 über die Reformen von 1873, 1892 usw. bis hin zu den einschneidenden Veränderungen im Jahre 1911 sind durch a. h. Entschließungen eingeleitet worden. Viele der ehrenamtlichen Mitarbeiter haben ihre Tätigkeit in der Denkmalpflege als „kaiserlichen Dienst“ aufgefaßt.

Literatur (in Auswahl):

MAX DVOŘÁK, Denkmalpflege in Österreich. Stenographischer Bericht der gemeinsamen Tagung für Denkmalpflege und Heimatschutz. Salzburg 1911 – DERS., Katechismus der Denkmalpflege. Wien 1916 – WALTER FRODL, Die Einführung der staatlichen Denkmalpflege in Österreich. In: Das Zeitalter Kaiser Franz Josephs. Von der Revolution zur Gründerzeit. Grafenegg 1984, Beitragsband. Wien 1984, S. 395 ff – WILFRIED KIRSCH, Denkmalschutz. Kommentierte Ausgabe der Gesetze und Verordnungen auf dem Gebiete des Denkmalschutzes etc. Wien 1927 (bes. Kap. 1, Geschichte der Gesetzgebung, Organisation S. 1–17) – K. k. Zentralkommission für Kunst- und Historische Denkmale. Festschrift anläßlich ihres fünfzigjährigen Bestehens. Wien 1903 – ALOIS RIEGL, Der moderne Denkmalkultus, Wien 1903.

Ernő Marosi

DENKMALPFLEGE IN UNGARN

DIE TÄTIGKEIT DER LANDESKOMMISSION FÜR DENKMALPFLEGE 1872–1919

Die ersten Initiativen zur Institutionalisierung des Denkmalschutzes in Ungarn gehen auf die Ungarische Akademie der Wissenschaften zurück, die im Sinne der im sog. „Reformzeitalter" geläufigen Ideen der nationalen Erneuerung und des Anschlusses an die zivilisierten Völker 1847 zur Pflege der Denkmäler ausrief. Entsprechende Gesetze wurden gleich nach Einsetzung der unabhängigen Regierung 1848 vorbereitet, jedoch von den Ereignissen des Freiheitskrieges in den Hintergrund gedrängt. In der Zeit der absolutistischen Regierung wurde Ungarn zwischen 1853–1861 der Organisation der k. u. k. Zentralkommission untergeordnet, deren wirkungsvolle Forschungs- und Verwaltungstätigkeit 1861 infolge der Aufhebung der absolutistischen Maßnahmen durch das Oktoberdiplom Kaiser Franz Joseph unterbrochen wurde. Seit 1858, als das Archäologische Komitee der Ungarischen Akademie der Wissenschaften gegründet werden durfte, wurden Stimmen für eine nationale Organisation der Erforschung und der Pflege der Denkmäler wieder laut. In diesem Gelehrtenkreis, zu dem die Begründer der ungarischen Kunstgeschichte und Archäologie – Imre Henszlmann, Arnold Ipolyi, Flóris Rómer – zählten, kristallisierten sich sowohl Prinzipien als auch organisatorische Maßnahmen für ein selbständiges Denkmalschutzwesen heraus. Nach dem Ausgleich von 1867 wurde 1869 mit den Vorbereitungen eines Denkmalschutzgesetzes begonnen. 1872 kam es zur Gründung der Provisorischen Kommission für Kunstdenkmäler aufgrund einer Verordnung des ungarischen Ministers für Religions- und Unterrichtswesen unter Leitung von Henszlmann. Durch das Denkmalschutzgesetz von 1881 wurde die Landeskommission für Denkmäler ins Leben gerufen, deren Tätigkeit in Registrierung und Bestandsaufnahme, in Beratung sowie in Überwachung der Restaurierungen der hervorragendsten Denkmäler in organisatorischer Hinsicht bestand und bis zum Ende des Ersten Weltkriegs unverändert blieb.

Der Landeskommission als einem zentralen Organ wurden alle die Kunstdenkmäler von Ungarn betreffenden Angelegenheiten anvertraut; ihre Referenten und Architekten nach allen Teilen des Landes zu Studienreisen und zu denkmalpflegerischen Maßnahmen an Bauten, die aus staatlichen Fonds instandgesetzt wurden, ausgesandt. Zur Unterstützung der in Budapest tätigen Fachleute bildete sich allmählich ein Kreis von Korrespondenten aus der lokalen Intelligenz heraus, die besonders an der Inventarisierung großen Anteil hatten.

Die Prinzipien der ungarischen Denkmalpflege waren in der ersten Zeit des Bestehens der Landeskommission wesentlich von der romantischen Tradition der ungarischen Kunstgeschichte bestimmt, wofür der prägende Einfluß des ersten Referenten Henszlmann bis zu seinem Tod 1888 sorgte. Das Hauptgewicht lag sowohl auf Veröffentlichungen und Klassifizierungen der Denkmäler als auch auf der Restaurierung von Kunstwerken aus den Blütezeiten der Nation – Arpadenzeit, Anjouzeit, sowie aus der Epoche des nationalen Königtums unter Matthias Corvinus. Diese patriotische Gesinnung fand in der historisierenden Tendenz zur Bereicherung des Denkmälerbestands durch möglichst reine Rekonstruierungen der mittelalterlichen Baustile ihren Ausdruck, wodurch stark purifizierende Eingriffe gerechtfertigt wurden. Im Mittelpunkt des Interesses standen außer der mittelalterlichen Hauptstadt Buda, deren archäologische Erschließung jedoch noch nicht begann, das mittelalterliche königliche Stift und die Nekropole von Székesfehérvár, die Residenz der späten Arpaden und der Anjous

I. Steindl, Entwurf für die Westfassade der St. Elisabethkirche von Kaschau, 1898. Budapest, Országos Müemleki Felügyelőseg zu Visegrád, das Stammschloß der Hunyadis zu Vajdahunyad u. a. Eher rein wissenschaftliche Interessen galten den Kathedralen von Pécs und Kalocsa aufgrund ihrer Bedeutung für die Geschichte der romanischen Architektur, der Abteikirche zu Ják, in der das wichtigste Denkmal des ungarischen „Übergangsstils" erblickt wurde, sowie dem Dom zu Kaschau, den Henszlmann aufgrund des Grundrisses (dem Typ nach mit St-Yved von Braine verwandt) und aufgrund der Entdeckung des Hüttenbuchs des Villard de Honnecourt, in dem eine Ungarnreise Villards erwähnt wird, für einen hochgotischen Bau hielt.

Während die früher tätige Generation der Restauratoren besonders von geistlichen Auftraggebern beschäftigt wurde (etwa Joseph Lippert in Preßburg, Győr und Esztergom; Franz Storno d. Ä. in Sopron, Leutschau, Pannonhalma u. a.), eröffnete die Landeskommission durch die Beschäftigung von „wissenschaftlich" geschulten, archäologisch gebildeten Architekten eine neue Epoche der historisierenden Denkmalpflege in Ungarn. Um 1870, als die Organisierungsarbeit begann, genoß besonders die Wiener Bauhütte Friedrich von Schmidts hohes Ansehen. Ihm persönlich wurde die Domrestaurierung zu Pécs anvertraut (1882–1891), seine Schüler erhielten führende Stellen und wurden vielfach beschäftigt.

Ferenc Schultz erhielt den Auftrag, das Schloß zu Vajdahunyad (Hunedoara) wiederherzustellen, und er war dort zwei Jahre (1868/70) lang bis zu seinem Tode tätig. Sein Nachfolger wurde Imre Steindl, der in den siebziger Jahren Pläne für eine umfassende Regotisierung der Burg und für eine Verwendung als königliches Schloß erstellte (1870/74). Steindl wurde 1869 zum Professor des Polytechnikums in Budapest ernannt und spielte durch seine Restaurierungen ebenfalls eine wichtige Rolle (Mariasdorf 1882–84, Dom zu Kaschau 1877–1903). Parallel mit Steindl begann Frigyes Schulek seine Tätigkeit 1871 als Professor der Kunsthochschule und 1872 als Architekt der Provisorischen Kommission der Denkmäler. Er leitete eine Anzahl von Restaurierungen wichtiger Denkmäler: Ruinen der Burg zu Visegrád 1871/81, Liebfrauenkirche zu Buda 1874/96 und der historisierende Ausbau der Fischerbastei daselbst, Abteikirche zu Ják u. a. Eine Anzahl dieser Restaurierungen hängt mit der Millenniumsfeier der Landnahme der Ungarn zusammen, die 1896 mit großer Pracht begangen wurde. Die Millenniumsausstellung, in der eine Gruppe von Kopien von Baudenkmälern den Rahmen für die historische Ausstellung bildete, bedeutete für die puristische Denkmalpflege auch den Höhepunkt ihres Ansehens und bot eine Gelegenheit für die Zurschaustellung ihrer Ergebnisse. Der puristische Historismus in der Denkmalpflege blieb auch weiterhin, bis nach dem Ende des Ersten Weltkriegs, vorherrschend.

Mit dem Auftritt einer jüngeren, sich dem Programm des Positivismus zuwendenden Generation begann erst allmählich eine Verschiebung auch in der Denkmalpflege. Im Rahmen der Landeskommission folgte Péter Gerecze am folgerichtigsten der Tendenz zu einer Abrechnung mit den wissenschaftlichen Ansichten und den Methoden der Generation der Gründer der ungarischen Kunstgeschichte. Er überprüfte Henszlmanns Theorien durch Anwendung strenger archäologischer und Stilkritik (vgl. für die romanische Bauskulptur seine Studien über Pécs und Somogyvár), widmete sich einer Tatsachenforschung und schuf die ersten Ansätze für eine Topographie der Kunstdenkmäler Ungarns durch seine kritischen Verzeichnisse. In diesen Verzeichnissen kommt bereits eine Veränderung der Denkmalwerte zum Ausdruck, indem der Denkmalbegriff nicht mehr nur auf das Mittelalter angewandt wurde. Ein anderer Vertreter derselben Generation, László Éber, setzte sich folgerichtig mit dem Problem der Denkmalwerte bereits in Kenntnis der Schriften Riegls auseinander, und schlug neue Wege durch Studien über Denkmäler der Renaissance und des Barocks bzw. über mittelalterliche Ikonographie ein.

Die theoretische Arbeit ist in dieser Hinsicht der Praxis der Denkmalpflege vorausgegangen. István Möller als Architekt der Landeskommission war der erste, der mit den Methoden seiner Vorgänger abrechnete, als er bei der Konservierung des Schlosses Vajdahunyad zu einer Auseinandersetzung mit Steindl gezwungen war (ab 1907). Seine konservatorische, auf Zutaten verzichtende Haltung bei der Restaurierung der Kirchenruine zu Zsámbék wurde von den Zeitgenossen für eine mustergültige Lösung im Sinne der neuen Methode betrachtet. Diese Methode vertrat in der Landeskommission auch sein Schüler Kálmán Lux. Zu einer ausgedehnteren Anwendung dieser methodischen Grundsätze kam es erst in der Zwischenkriegszeit, zumal die Praxis der ungarischen Denkmalpflege durch den Ersten Weltkrieg wesentlich beeinträchtigt wurde.

Literatur (in Auswahl):

B. Borsos, A „magyarországi Müemlékek Ideiglenes Bizottságá“ -nak müködése és a gyüjtemények kialakulásának kezdete (Die Tätigkeit der Provisorischen Kommission der Kunstdenkmäler in Ungarn und der Anfang der Ausbildung der Sammlungen). In: Magyar Müemlékvédelem 1967–1968 (Budapest 1970) S. 43–63 – Ders., A magyar müemlékvédelem hivatala és gyüjteményei az 1881. évi törvény megjelenésétől Henszlmann haláláig (Das Amt und die Sammlungen der ungarischen Denkmalpflege vom Gesetz von 1881 bis zum Tod Henszlmanns). In: Magyar Müemlékvédelen 1971–1972 (Budapest 1974) S. 23–28 – Gy. Forster. A Magyar Tudományos Akadémia és a müemlékek védelme (Die Ungarische Akademie der Wissenschaften und die Denkmalpflege). Budapest 1928 – Ders., A müemlékek védelme a magyar kormány visszaállítása óta (Die Pflege der Kunstdenkmäler seit der Wiedereinsetzung der ungarischen Regierung) 1867–1902. In: Magyarország Müemlékei 1 (Budapest 1905) S. 3–59 – Die ungarische Kunstgeschichte und die Wiener Schule 1846–1930. Kat. Collegium Hungaricum Wien 1983 – E. Marosi, Das romantische Zeitalter der ungarischen Kunstgeschichtsschreibung. In: Annales Universitatis scientiarum Budapestinensis de Rolando Eötvös nominatae, Sectio Historica VII (1965) S. 43–78.

Burkhardt Rukschcio

DIE JAHRHUNDERTWENDE IN DER BAUKUNST DER MONARCHIE

I. EINLEITUNG

Das Bauen war von Anbeginn der Überbegriff jeglicher von Menschenhand gefertigten Struktur auf der Erdoberfläche. (Die Schaffung unterirdischer Räume kann wohl mit Einschränkung hinzugezählt werden, entstanden ihre Volumina doch hauptsächlich durch Materialentnahme und nicht durch Materialanhäufung.) Die Mehrzahl der im Laufe der Jahrtausende unserer bekannten Menschheitsgeschichte entstandenen Gebäude gehörte jener Kategorie an, die wir heute als „anonyme“ Architektur bezeichnen. Es sind dies Räume für Wohn- oder wirtschaftliche Nutzung ohne besonderen Anspruch in bezug auf baukünstlerische Durcharbeitung.

Die Ausführung oblag meist den unmittelbaren Nutzern, wodurch künstlerische oder technische Extravaganzen von vornherein auf die eigenständigen Fähigkeiten des (ungelernten) Errichters beschränkt waren.

„Architektur“ im späteren Sinn war für jene andere Kategorie vorbehalten, die religiöse, imperiale oder kulturelle Aussagen zu vermitteln hatte, neben der eigentlichen Funktion diese dabei oft überproportional in den Hintergrund drängend.

Bis in die jüngere Zeit der europäischen Architekturgeschichte hin blieb die erste Kategorie auch weiterhin größtenteils eine anonyme, sowohl hinsichtlich ihrer Benützer als auch ihrer geistigen Schöpfer; im Gegensatz dazu besitzen wir diese Informationen durchaus schon von zahlreichen Bauwerken mit den oben geschilderten „höheren“ Ansprüchen, Gebäude die schon mehrere tausend Jahre alt sind oder sogar bereits mehrere tausend Jahre nicht mehr stehen.

Die Würdigung der öffentlichen Bauten sowie ihre konservatorische Behandlung hat also Tradition und erst langsam werden sich die Denkmalpflege und die Architekturgeschichte bewußt, daß ihre Aufmerksamkeit nicht proportional dem aktuellen oder einmaligen Bestand verteilt wurde.

Der Anteil von, sagen wir ruhig, öffentlichen Gebäuden – ruht doch das öffentliche Interesse verstärkt auf ihnen – am gesamten Baugeschehen war immer schon ein aussagefähiger Indikator für die gesellschaftliche, wirtschaftliche, religiöse und künstlerische Zusammensetzung, um nur die wichtigsten Faktoren zu nennen, eines nationalen oder kulturellen Raumes.

Die österreichische Monarchie der zweiten Hälfte des 19. Jahrhunderts war diesbezüglich ohne Beispiel, da es im städtischen Bereich fast nur „öffentliche" Bautätigkeit gab: nach dem betont schlichten Josephinismus und Biedermeier wurde nun auch jedes noch so kleine Wohnhaus mit einem Dekorum versehen, als wäre es der Palazzo eines bedeutenden Fürsten.

Der Bau der Ringstraße in Wien brachte uns nicht nur den „Ringstraßenstil", sondern auch eine Neustrukturierung des Baugeschehens zumindest im Zentrum der Monarchie mit ausstrahlender Beispielwirkung in die Kronländer. Derart umfangreiche Maßnahmen wie die Errichtung der Ringstraßenbauten oder der Stadtbahn sind bereits in ihrer prinzipiellen Formulierung der Ausdruck einer in der Hand weniger vereinten, zentralen, herrschenden und wirtschaftlich wirksamen Macht. Demgemäß unterliegt auch die Planung und Ausführung jenem Geist, der derartige Unterfangen in die Welt gesetzt hat. Großzügige städtebauliche Projekte, die noch dazu innerhalb einer Generation realisiert werden, sind nicht und nirgendwo demokratischen Ursprungs.

Nachdem Wien nach der zweiten Türkenbelagerung sein mittelalterliches Gesicht verloren hatte, ging es nun mit der Schleifung der Stadtmauern auch seiner jahrhunderte alten Fassung verlustig, deren Festlegung noch die Babenberger vorgenommen hatten.

Die Bautätigkeit im weiteren Sinn – während des letzten Viertels des vorigen Jahrhunderts mehr noch als während des dritten Viertels – stellte ohne Zweifel die notwendige Grundlage dar, die einem künstlerisch und geistig revoltierenden Wien eine führende Rolle in der Architektur, und nicht nur dort, der Zeit um die Jahrhundertwende gab.

II. DIE ARCHITEKTURSZENE IN WIEN

1880 war die große Zeit des Ringstraßenbaus fast vollendet: Ferstels Votivkirche war ein Jahr vorher fertiggestellt worden, die Börse und die Akademie der bildenden Künste, beides noble Werke des Theophil von Hansen, drei Jahre zuvor.

Das Künstlerhaus stand mitten in der Fertigstellung. Es war das erste derartige Gebäude in der Monarchie: ein offiziell die Kunst beherbergendes materialisiertes Symbol. Es sollte sich aber zeigen, daß die Künste sich zwar gerne bei den Mächtigen einquartieren, dabei aber ihre Freiheit nicht freiwillig aufgeben.

An großen Baustellen gab es noch einige Jahre jene des Burgtheaters zu sehen, es ist Gottfried Sempers Entwurf und wurde 1888 vollendet, weiters Hansens Parlament, fertiggestellt fünf Jahre vorher, Friedrich von Schmidts neues Rathaus, weiters Ferstels Universität (1873–1884) sowie die beiden Hofmuseen, an denen Semper noch bis 1891 tätig war. Diese Aufzählung gibt auch den Überblick über die offiziell verfügbaren Stilrichtungen der Baukunst: griechisch, gotisch, Renaissance, Barock, wobei auch mehrere dieser Vorbilder gleichzeitig an einem Bauwerk Verwendung fanden. Dieses Historisieren ist Ausdruck einer Geisteshaltung, die sich eben kein Experimentieren erlaubt und durchaus nicht auf die österreichische Monarchie allein beschränkt war. Der Historismus ist hier nur viel prägender im heutigen Straßenbild vorhanden als anderswo, besonders in der Haupt- und Residenzstadt Wien. Die Bevölkerungsexplosion – zwischen 1870 und 1890 stieg die Einwohnerzahl um 60% – bescherte uns hier eine besonders intensive Bautätigkeit, der in ihren Ausdrucksmitteln geringerer Spielraum gestattet wurde als in anderen, noch dazu weniger rasant expandierenden europäischen Großstädten.

Es war die Zeit der Dominanz der Baukunst durch einige wenige, große Architekten, die wiederum ihrerseits immer mehr von den finanzkräftigen Auftraggebern abhängig wurden. Der Architekt drohte vom künstlerischen Ratgeber zum abhängigen Erfüller einer großspurig sich gebärdenden Wirtschaftsmacht zu werden.

Prunk und applizierte Steingußdekorationen sollten nicht nur an den Fassaden und in den Entrées und Stiegenhäusern vom Wohlstand der Erbauer und Bewohner künden. Der Architekt bemächtigte sich auch zusehends des Innenraums. Das „Gesamtkunstwerk" hinterließ seine Spuren auf jedem noch so unbedeutenden Gebrauchsgegenstand.

Das Diktat des gültigen, offiziellen Geschmacks war derart, daß nur ein paar wenige sentimentale Dichter über das Verlorene weinten. Dem Triestiner Camillo Sitte sollte es vorbehalten bleiben 1889 Kritik an der künstlerischen Qualität des Geleisteten zu üben. „... in technischer Beziehung wurde tatsächlich viel, in künstlerischer aber fast nichts geleistet..." formulierte er in der Vorrede seiner grundsätzlichen Untersuchung „Der Städtebau nach seinen künstlerischen Grundsätzen". Er war wohl tatsächlich ein Berufener die unmenschliche, unsensible, also unkünstlerische Gestaltung unserer Städte aufzuzeigen. Da er am Menschen selbst Maß nimmt, ist seine Abhandlung zeitlos, trotz des symptomatischen Entstehungsjahres, mitten in der Bauphase des „fünfstökkigen Mährisch Ostrau" der Ringstraße, wie Adolf Loos den Stubenring im Gegensatz zum früheren, qualitätvollen Park- oder Kärntnerring empfand.

Otto Wagner, der Schüler von Siccardsburg und Van der Nüll und Mitarbeiter Heinrich v. Försters und Theophil v. Hansens, vollzog sein Debüt als Architekt inmitten dieser Szenerie. Es ist kein Wunder, daß seine ersten Miethäuser durchaus als Kinder dieser Zeit anzusprechen sind. Ihre Vaterschaft allerdings wurde in den Publikationen Wagners geleugnet, wie dies so oft mit Frühwerken bei eigenen Werkmonographien der Architekten vorkommt.

Doch Otto Wagner ist mehr Künstler als Geschäftsmann, wenngleich er den Usancen folgend viele seiner Miethäuser als Architekt *und* Bauherr errichtet. Sein 1894 vollendetes Ankerhaus am Graben in Wien wirkt moderner als es die drei Jahre tatsächlich ausmachen, vergleicht man es mit dem 1891 fertiggestellten Palais Equitable am Stock-im-Eisen-Platz, nur einige Meter weit von ersterem entfernt. Wagners vorgehängte Glasfassade des unteren Geschäftsdoppelgeschoßes sollte Schule machen.

Die Gestaltung der Wiener Stadtbahn (1898–1901) war als Aufgabenstellung in idealer Weise auf Wagner zugeschnitten. Das Ergebnis stellte sich dann auch als ein derart perfekt arbeitendes, technisch funktionelles Ensemble dar, daß es lange nicht als künstlerisches Meisterwerk erkannt und auch weitgehend demoliert wurde.

Das Jahr 1894 schließlich stellte sich als für die moderne Architektur von besonderer Bedeutung heraus: Otto Wagner folgte seinem verstorbenen Lehrer Hasenauer als ordentlicher Professor und Leiter einer Spezialschule für Architektur an der Akademie der bildenden Künste in Wien. Er übernahm damit jene der beiden Spezialklassen, die traditionell die Kenntnis der Renaissancearchitektur vermitteln sollte, während sich die andere der Gotik widmete. Seine Antrittsvorlesung belehrte alle eines besseren über seine zukünftigen pädagogischen Intentionen und soll alle wie ein „Blitz aus heiterem Himmel" getroffen haben.

Damit kam, neben seinen Fähigkeiten als Künstler und Unternehmer, seine dritte herausragende Begabung als Lehrer zum zukunftsweisenden Tragen. Der Begriff der „Wagner-Schule" ist inzwischen in die Architekturgeschichte eingegangen, wenngleich in ihm hauptsächlich *sein* Einfluß auf seine Schüler enthalten ist, ohne gebührende Würdigung der Impulse, die auch der Lehrer von seinen Studenten und Mitarbeitern erhielt. Auch für Otto Wagner selbst war der ständige Kontakt mit der Jugend von Bedeutung. Die Akademie am Schillerplatz wurde fortan bekannt als Träger progressiven Kunstschaffens im Gegensatz zur konservativen Vermittlung der Architekturlehre an der Technischen Hochschule in Wien unter Carl König. Wagner war von sich aus bereits allem Neuen gegenüber aufgeschlossen. Ja, seine Experimentierfreudigkeit mit neuen und daher auch unerprobten Baumaterialien brachte ihm zuweilen ernste Rückschläge. Sein 1902 errichtetes Aluminiumportal des Depeschenbüros „Die Zeit" dürfte nicht zuletzt infolge des Oxydationsfraßes, der durch Elektrolyse zwischen Eisen und Aluminium bei Feuchtigkeit entsteht, nach ein paar Jahren wieder vom Straßenbild der Kärntnerstraße verschwunden sein. Trotzdem verwendete Wagner dieses Material weiter mit Vorliebe, aber in verbesserter Weise.

Otto Wagner holte sich die besten seiner Studenten, die sein Ruhm als Künstler und Lehrer aus der ganzen Monarchie nach Wien führte, in sein eigenes Atelier. Hier war er einer der ganz wenigen, die ihren Mitarbeitern weitestgehende Freiheiten ließ, ja sie zu diesen geradezu aufforderte. In seinem Werk läßt sich demnach auch deutlich die Mitarbeit z. B. Olbrichs oder jene von Max Fabiani nachvollziehen. Seine Nähe zur stürmenden Jugend dokumentierte er überdies mit seinem 1899 erfolgten Beitritt zur Secession.

Die Bedeutung der Wagner-Schule entstand nicht zuletzt durch ihre theoretischen Überlegungen, die sämtliche Grundlagen der Architektur zur Diskussion freigab. Diese Forschung geschah im Einklang mit ihrem deklarierten Ziel „die Architektur an die Bedürfnisse und Erfordernisse der Zeit anzupassen, jedoch unter strengster Berücksichtigung der traditionellen Gepflogenheiten" (Marco Pozzetto). Die Anwendbarkeit dieser traditionellen Gepflogenheiten wurde aber nach der Jahrhundertwende von den Schülern zusehends in Frage gestellt.

Wagners progressives Gedankengut trug ihm zwar uneingeschränken Respekt und Vertrauen seiner Schüler ein, bewirkte aber parallel ein wachsendes Mißtrauen der offiziellen sowie anderer, Aufträge vergebenden Stellen. Sosehr seine Bedeutung als Theoretiker und Lehrer stieg, so nahm seine Bautätigkeit, besonders im Bereich von öffentlichen Repräsentationsbauten, ab. Dem entsprechend kann ähnliches von der Schule behauptet werden, die in ihren theoretischen Publikationen zwar stark präsent, aber wenig praxisorientiert war. Bereits diese zeitgenössischen Veröffentlichungen firmierten unter dem Oberbegriff „Wagner-Schule".

Zwanzig Jahre pädagogischer Arbeit auf hohem Niveau stellten für die Architektur der Monarchie einen gewaltigen Einfluß dar. Wagners Studenten kamen, wie bereits erwähnt, nicht nur aus dem Stammland. Besonders viele Schüler zog es aus Böhmen, Mähren und Österreich-Schlesien zu ihm nach Wien, gefolgt von Krain, Siebenbürgen, Ungarn, Galizien, Dalmatien und Bosnien. Tatsache ist, daß nur ein Bruchteil der Bewerber um die Aufnahme dann tatsächlich zu den schließlich fast 200 von ihm ausgebildeten Architekten zählten.

Als kurze Anmerkung zur über viele Jahrzehnte anhaltenden Wirkung der Lehre Otto Wagners sei hier erwähnt, daß seine Methode nicht das einseitige, traditionelle Dozieren war, sondern die allseitige, oft bis zum Streit heftige Diskussion. Es waren die meist sehr kontroversiellen Ansichten, geäußert bei den regelmäßigen Diskussionen, die nicht nur die Studenten formten, sondern auch ein ständiges Mitentwickeln des Lehrers mit seinen Schülern und der laufenden Zeit hervorrief.

Die Bedeutung der Wiener Architekten im europäischen Raum bereits zur Jahrhundertwende wäre jedoch ohne Existenz von qualitätvollen Fachzeitschriften nicht denkbar gewesen.

Die von Ferdinand Fellner Ritter von Feldegg, einem der Partner der Theaterarchitekten Fellner und Helmer herausgegebene Zeitschrift „Der Architekt", verdient in dieser Reihe eine besondere Würdigung.

Das enge Zusammenarbeiten der Zeitschrift mit der Schule Otto Wagners ist ebenso bezeichnend für die offene Einstellung des als Architekt konservativ bauenden Fellners, wie die 1898 erfolgte Ausschreibung eines Aufsatzwettbewerbes über die „alte und neue Architektur", wobei auch hiebei Max Fabiani die vermittelnde Person darstellte. Den ersten der drei Preise, deren Beiträge im Heft IV, 1898 p. 29 ff veröffentlicht wurden, gewann Josef Freiherr v. Dahlen. Fabiani, der Initiator des Wettbewerbes und einer der drei Juroren, vermittelte kurz darauf dem Gewinner des zweiten Preises die Einrichtung eines Caféhauses in Wien. Sie sollte eine der ersten und aufsehenerregendsten Arbeiten des bislang nur aus Zeitungsartikeln bekannten Adolf Loos werden.

In diesem Zusammenhang ist es interessant festzustellen, daß erst der dritte Preis einem Wagner Schüler, nämlich Leopold Bauer, zuerkannt wurde. Er war einer jener Studenten, die Wagner von Hasenauer übernommen hatte. Bauers frühe Arbeiten verdienten starke Beachtung; seine Villa Haupt in Brünn wurde als eines der ersten modernen Bauwerke der Monarchie angesprochen. Seine persönliche Freundschaft mit Loos zu dieser Zeit kann durchaus im Zusammenhang mit der Tätigkeit seiner Frühzeit gesehen werden.

Bald geriet er aber in eine gegensätzliche Stellung zu Otto Wagner und dessen Schülern, wobei nicht gesagt werden kann, ob Bauers sich entwickelnde Vorliebe zu historisierenden Fassaden, vornehmlich in einem schweren Neobiedermeier, diesen Gegensatz bewirkte. Seine Kompromißbereitschaft in stilistischer Hinsicht half ihm ohne Zweifel 1913 dabei den Auftrag zur Errichtung der Nationalbank zu erhalten. Es darf nämlich nicht angenommen werden, daß der Historismus mit der Jahrhundertwende plötzlich an Bedeutung verloren hätte. Bis zum Ende der Monarchie trug die Mehrzahl der errichteten Bauten, sowohl öffentliche wie private, dieses offizielle Kleid. Auch der so fortschrittliche Architekt Max Fabiani, der für die Einrichtungsfirma Portois & Fix 1898 einen der modernsten und bemerkenswertesten Bauten Wiens schuf, der die etwa gleichzeitigen Wienzeilehäuser Wagners in seiner Modernität bei weitem schlug, kehrte im Jahre 1909 wieder zu einem historisierenden Fassadendekor für die Urania zurück Die wenigsten Bauherren besaßen die Eigenständigkeit und den Mut etwa einer Künstlervereinigung Secession, eines Zacherl, Viktor Zuckerkandl, oder eines Leopold Goldman, die Architekten wie Olbrich, Plečnik, Hoffmann oder Loos einschränkungslos beauftragten.

Natürlich verursachten die Secession, das Zacherlhaus und das Sanatorium Purkersdorf große Aufmerksamkeit oder sogar beispiellose Skandale wie das Loos-Haus am Michaelerplatz. Es waren aber doch Einzelbeispiele einer Baugesinnung, die heute leicht den Eindruck erwecken, im Wien um 1900 gab es nur Revolutionäres, sei es in der Malerei, Bildhauerei, Musik, Dichtung oder eben Architektur.

Von öffentlichen Bauträgern ist bekannt, daß sie das neue Kriegsministerium oder das etwa gleichzeitige Technische Museum nicht als Auftrag an die Avantgarde vergaben. Das wurde bereits durch die Jury der Wettbewerbe verhindert, aber auch die meisten privaten Miet- und Geschäftshäuser wurden nicht von Fabiani oder Loos, die meisten Villen nicht von Olbrich und Hoffmann etc. errichtet.

Es kann daher durchaus als sensationell gewertet werden, daß der Neubau der Postsparkasse 1904 dem wichtigsten Exponenten der neuen Architekturszene, nämlich Otto Wagner, übertragen wurde. Dadurch erhielt Wien wenigstens ein öffentliches Gebäude das nicht historistisch gestaltet wurde. Im übrigen weist das Straßenbild der Stadt, neben den konservativen Repräsentationsbauten viele der unaufdringlichen Vertreter eines historisierenden Jugendstils auf, deren Datierung für den Betrachter kaum mit einiger Genauigkeit vorzunehmen ist.

Das Anknüpfen an Stilelemente des Biedermeier war für die Architektur der Jahrhundertwende eine durchaus übliche Gepflogenheit, wie die Ausstellung „Moderne Vergangenheit" vor einigen Jahren deutlich zeigte. Allerdings waren davon hauptsächlich Möbel und Gebrauchsgegenstände betroffen, die ihre betonte Schlichtheit aus den Anfängen des vorigen Jahrhunderts bezogen.

Aus den Anleihen wurde zu ihrer Zeit auch kein Geheimnis gemacht. Loos erklärte sogar öffentlich, daß er mit dem Café Museum – ob seiner funktionellen Sachlichkeit „Café Nihilismus" genannt – bewußt einen Innenraum der Zeit um 1830 schaffen wollte.

Die anfangs zögernde Bereitschaft der Auftraggeber sich für ihre Häuser Entwerfer zu bedienen, die nicht dem höfischen Stil huldigten, kann als eine der Ursachen dafür angesehen werden, daß die Architekten sich wieder verstärkt dem Innenraum zuwandten. Hier, in den eigenen vier Wänden, war es offensichtlich leichter den überkommenen Ballast abzuwerfen. Die perfekt durchgestaltete Wohnung war für manche Bevölkerungskreise ein wichtiges Mittel, sich aus der Plüschzeit herauszuheben und dem Freundeskreis vorzuführen, wie modern man eingestellt war. Gleichzeitig konnte man dann auch die wichtigsten Blickwinkel der neu entstandenen Einrichtung in der Zeitschrift „Interieur" bewundern. Die Inneneinrichtung und ihre sorgfältige Präsentation in Fachzeitschriften und auf Ausstellungen entwickelte sich zu einer anspruchsvollen Kunstrichtung, die in der 1903 erfolgten Gründung der Wiener Werkstätte ihre umfassende Formulierung erfuhr. Hier gesellte sich noch die Gestaltung von Gebrauchsgegenständen hinzu, so daß das Kunsthandwerk auf hohem Niveau Anschluß an die Inneneinrichtung und weiters an die Architektur fand.

Die Trennungen zwischen den einzelnen Kunstrichtungen verwischten sich, ja es scheint, daß manche

Künstler unbedingt die Bedeutung des Universalgenies der Renaissance suchten: Maler dichteten, Dichter agierten auf der Bühne, Schauspieler musizierten und Komponisten versuchten sich in der Malerei. Demgemäß könnten manche von Josef Hoffmann entworfene Schatullen in vergrößerter Form als Haus gelten, wogegen einige seiner Häuser in verkleinertem Maßstab richtige Schatullen wären. Nach vielen Jahrzehnten einer einzigen und offiziell bekanntgegebenen Stilrichtung war alles Kunst. Ein Löffel etwa war in den Augen einiger plötzlich unmodern, er mußte nunmehr ganz anders, neu aussehen, wenn auch bei stark beeinträchtigter Funktion. Dort setzte dann auch die Kritik eines Adolf Loos ein, der den Jugendstil und die übertriebene Beeinflussung des Handwerkes durch den Architekt als Fortsetzung des Historismus mit anderen Stilmitteln bekämpfte. „Nur ein Papua und ein Verbrecher tätowieren ihre Körper und verzieren jeden erreichbaren Gegenstand".

Es war das Verdienst einiger weniger Künstler, daß die Wiener Architekten der Jahrhundertwende nicht einfach als Jugendstilarchitekten angesprochen werden können. Die ganz spezifische Erscheinungsform ihrer Werke unterscheidet sich erheblich von jener der zeitgleichen Baukunst der Nachbarländer trotz intensiven Kontaktes und Ideenaustausches mit ihnen. Noch in den späten neunziger Jahren sah es so aus, als würde die florale, europaweite Auffassung auch in Wien und Österreich die Architektur der nächsten zehn oder zwanzig Jahre bestimmen. Josef Olbrich, seit 1893 Mitarbeiter im Atelier Wagners war hauptverantwortlich für den bewegten Dekor der Wagner-Bauten dieser Zeit. Seine eigenen Entwürfe zeigten sich noch weitaus üppiger (Villa Friedmann) und auch sein Secessionsgebäude war als wesentlich bewegtere Erscheinung gedacht. Erst Klimts Einfluß bewirkte die ruhigere Ausführung dieses enthusiastisch errichteten Kunsttempels. Ein Großteil der Wagnerschüler, voran Josef Hoffmann, huldigte noch kurz vor der Jahrhundertwende der Arbeit mit dem ästhetizierenden Kurvenspiel. Adolf Loos rühmt sich seinen ehemaligen Schulfreund Hoffmann von dieser Entwurfsmanie abgebracht zu haben und zwar durch die Beispielwirkung seiner eigenen puristischen Innenräume. Tatsächlich kann der Wandel von Hoffmanns Apollokerzengeschäft (1899) zur Einrichtung des Hauses Henneberg (1900) nur mit dem Einfluß einer starken Persönlichkeit erklärt werden, die Loos zweifelsohne war. Die gleiche Kehrtwendung machten die Ausstellungen der Secession mit. Kaum schenkt man der Realität glauben, daß die Gestaltung der vierten Ausstellung, die am 18. März 1899 ihre Pforten öffnete und die der achten (Beginn 3. November 1900) von derselben Hand stammte. Ab der 12. Ausstellung (1901) dann hatten diese in der internationalen Kunstszene vielbeachteten Ereignisse ihre endgültige klare Linie gefunden.

Natürlich bestand die fortschrittliche Architektur in Wien nicht ausschließlich aus dem Wagner-Umkreis und Adolf Loos, doch waren die Absolventen der Technischen Hochschule Exponenten einer weniger spektakulären Stilauffassung und Gestaltungsweise. Hervorragende Werke von Oerley, Ohmann, Frank und Strnad, um einige zu nennen, zeugen noch immer vom Können ihrer Schöpfer. Doch ihre Hauptschaffenszeit war meist nicht so sehr die Jahrhundertwende, sondern die späteren Jahre, kurz vor Ausbruch des Weltkrieges oder aber sogar danach.

III. ARCHITEKTUR IN PRAG

Prag ist eine universitäre Ausbildungsstätte mit langer Tradition, wodurch eine gewisse Eigenständigkeit auch in der Architekturlehre des späten 19. Jahrhunderts vorhanden war. Besonders die gleichzeitige Existenz sowohl einer tschechischen wie auch einer deutschen Technischen Hochschule entwickelte infolge der doch zutage tretenden Konkurrenzsituation ein beachtliches Niveau in der Ausbildung.

Trotzdem galt es als die Krönung der Ausbildung nach dem lokalen Studienabschluß nach Wien zu Otto Wagner zu gehen. (Anton Engel, Josef Chochol, Jan Kotera, Bohumil Hübschmann, Paul Janak, Franz Roith etc.) Weiters unterrichtete Ohmann an der Kunstgewerbeschule in Prag, so daß eine Vielfalt von Auffassungen die Architekturdiskussion lebendig hielt.

Allerdings fehlte eine dominierende Erscheinung, wie sie in Wien Wagner darstellte. Erst mit dem

Auftreten Jan Koteras nach seinem Studium bei Wagner und seiner anschließenden Romreise (1898) an der Kunstgewerbeschule als Nachfolger Ohmanns und ab 1911 an der Akademie der bildenden Kunst in Prag besaß auch die Prager Szene eine lokale Autorität vergleichbaren Ranges. Er bildete zwei Generationen tschechischer Architekten aus und kann als Promotor einer eigenständigen Architektur von europäischem Rang angesprochen werden. Voraussetzung dafür war die Lösung der Künste aus der Dominanz der Residenzstadt Wiens, deren verbindliches Vokabular nur in den Werken einiger Architekten – trotz der um 1910 einsetzenden kubistischen Architektur – auch weiterhin feststellbar ist. Die Arbeiten Hübschmanns sind in diesem Zusammenhang anzuführen, dessen Haus der Begräbnisbrüderschaft Chewre Chadische (1910–1911) unverkennbar der zu dieser Zeit bereits traditionellen Wagnerschule angehört.

Das Wagnerische Element hielt bereits früh Einzug in die tschechische Architektur, wodurch der auch hier den Historismus ablösende florale Jugendstil ein zwar längeres Leben als in Wien führen konnte, doch nicht vergleichbar etwa den romanischen Ländern oder Budapest, um ein Beispiel aus der Monarchie zu nennen.

Wie in Wien lebte auch in Prag ein eklektischer, historisierender Jugendstil parallel bis zum Weltkrieg fort, hauptsächlich in öffentlichen Gebäuden. Das Werk Antonius Balsaneks sei hierfür stellvertretend erwähnt.

Jedoch schon früh setzte die Revolte der jungen Architektengeneration ein, deren hervorragendste Exponenten aus der Schule Koteras stammten. Wagners Methodik der schöpferischen Diskussion ermunterte auch in der Anwendung durch seine Schüler in Prag zu bahnbrechenden Ergebnissen. Die Zusammenarbeit mit fortschrittlich eingestellten Bauherren ermöglichte auch in Prag die Entstehung richtungsweisender Bauwerke, deren Qualität und Bedeutung weniger breite Würdigung erfahren, weil sie sich kompromißloser dem Funktionellen verschrieben haben als ihre Wiener Pendants, die trotz allem der Ästhetik der Form und des Materials einen gewissen Vorrang vor jener der Funktion allein einräumten. Dem daraus resultierenden Charme erliegt die Architekturkritik bis heute.

Betrachtet man Gočars 1909 in der ostböhmischen Stadt Jaromer errichtetes Kaufhaus Wenke, so liegt die Vermutung nahe, hier hätte auch das gleichzeitige Michaelerhaus von Loos keinen Skandal entfesselt. 1911 schließlich konstituierte sich der Kubistische Verein „Skupina umělců výtvarných" (Gruppe bildender Künstler), dessen Gründungsmitglieder u. a. Josef Chochol und Paul Janak waren. Bemerkenswert stellt sich uns Chochols Miethaus in Prag-Vyšehrad von 1913–1914 dar, dessen kubistische Durchbildung keine zeitliche Parallele in der übrigen Monarchie findet. Gočars Haus „Bei der schwarzen Mutter Gottes" in der Prager Altstadt gilt überhaupt als das erste kubistische Gebäude in Böhmen. Das eben dort eingerichtete Café weist dieselben Stilmerkmale auf, nur noch wesentlich prononcierter. Auch hier kann bewiesen werden, daß die Moderne von innen nach außen durchdrang. Gočar und Janak waren in ihrem Kreis führend im Entwurf von Möbeln und Inneneinrichtungen, wobei Janak, dem Beispiel Hoffmanns folgend, auch Beachtliches im Kunstgewerbe schuf.

Aus Deutschland wirkten Muthesius' Lehren ebenfalls nach Böhmen. Damit wurde hier auch die Arts-and-Crafts-Bewegung weitaus deutlicher spürbar als im österreichischen Stammland, sicherlich begünstigt durch die traditionelle Holzbaukunst der Gegend der mährisch-slowakischen Grenze. Dušan Jurkovic verband diese Einflüsse zu einem einheitlichen Werk, dessen allgemeine Gefälligkeit ihm große nationale Popularität eintrug.

Als Koteras Hauptwerk kann die Bedeutung und das Werk seiner Schule angesprochen werden, die noch in den zwanziger und dreißiger Jahren zur absoluten europäischen Avantgarde zählte. Es war überdies Kotera, der Plečnik den Auftrag zur Restaurierung des Schlosses auf dem Hračin vermittelte, nachdem dieser infolge der Streitigkeiten bezüglich seiner Hl.-Geist-Kirche in Wien verließ. Diese Leistungen allein würden genügen, seinem Ruf gerecht zu werden. Ohne seine eigentlichen Arbeiten als ausübender Architekt jedoch wäre sein Einfluß auf seine Schüler und Zeitgenossen nicht erklärbar. Wie Wagner ermutigte er sie zu Neuem und ohne seine Förderung hätte der Kubismus in seinem Umkreis wohl nicht derart wirken können. Auch Koteras Architekturstudien zeigen viel von Wagners städtebaulichem Gedankengut, einer Disziplin, der nur wenige Architekten in humanen Dimensionen gewachsen sind.

Er reiste viel, und seinen Entwürfen kann manche der dabei aufgenommenen Eindrücke abgelesen werden. Schon früh begann er sich mit dem englischen Siedlungswesen zu beschäftigen, wodurch 1909 seine beispielhafte Anlage für Eisenbahnangestellte in Lauen entstand.

Kotera widmete sich, wie viele seiner Zeitgenossen, Möbelentwürfen und dem Kunsthandwerk. Seine Arbeiten sind verbindlicher als jene schweren und kubistischen Janaks, wie überhaupt in allen seinen Entwürfen die Schule Otto Wagners immer für das äußere Erscheinungsbild und den inneren Gehalt spürbar bleibt.

Nicht unerwähnt schließlich muß das Wirken Friedrich Ohmanns in Prag bleiben, das seiner frühen Schaffensperiode, unmittelbar nach seiner Ausbildung in Wien an der Technischen Hochschule (Ferstel und König) sowie an der Akademie (Friedrich v. Schmidt) entspricht. Seine gemäßigt historisierenden Jugendstilfassaden in Prag in den späteren neunziger Jahren sind durch Wiener Produkte, deren Beispiel dem Wirken seines Nachfolgers Kotera den Boden durch Zurückdrängen des Historismus aufbereitete.

IV. ARCHITEKTUR IN KRAKAU

Krakau stellte das umfangreichste Gesamtmonument polnischen Kulturschaffens nationaler Eigenständigkeit dar, trotz traditioneller wirtschaftlicher und kultureller Verbindungen zum ost- und mitteleuropäischen Raum. Künstlerische Zeugen dieser kulturellen Öffnung finden sich allerorts im heutigen Stadtbild, angefangen mit Werken Veit Stoß' bis Thorwaldsen oder des Wiener Architekten Peter von Nobile.

In den letzten 200 Jahren jedoch gestalteten sich die Beziehungen zu Österreich intensiver: Krakau wurde 1795 das erste Mal (bis 1809) und 1846 zum zweiten Mal der österreichischen Monarchie angeschlossen. Die politische Zugehörigkeit zum österreichischen Donauraum hat dem Stadtbild ihr spezifisches Aussehen verliehen, da in der Mitte des 19. Jahrhunderts ein relativer Wohlstand die Bautätigkeit intensivierte. Krakau war, gemeinsam mit Galiziens Hauptstadt Lemberg, eines der Zentren des gesellschaftlichen, wirtschaftlichen und kulturellen Lebens der Provinz. Die zugestandene Autonomie sicherte Krakau eine beschränkte Eigenständigkeit der Entwicklung zur Drehscheibe des nationalen polnischen Denkens. Die 1866 errungene Selbstverwaltung der Stadt hatte ein weitreichendes Investitions- und Bauprogramm zur Folge, das verantwortlich zeichnete für das Heranwachsen zu einem modernen hauptstädtischen, urbanen Organismus. Die Durchführung des von Wien veranlaßten Programmes dauerte bis zur Jahrhundertwende an und stellte Krakau in den Rang einer geistigen Hauptstadt Polens. So finanzierte die Monarchie 1883 bis 1887 den Ausbau der Universität durch die Errichtung des Collegium Novum nach dem Entwurf von Felix Ksiezarski, dem kurz vor dem Ersten Weltkrieg weitere Institutsgebäude folgten. Die Akademie der Bildenden Künste, die Gewerbeschule, die Handelsakademie sowie mehrere Gymnasien und Schulen stellten den gebauten Teil eines Regierungsprogrammes zur Entwicklung Krakaus dar. Die damit verbundene Bevölkerungslawine verursachte weitere Impulse für die Bautätigkeit. Hinzu kamen zahlreiche Neubauten von Klöstern und Kirchen, teilweise besiedelt von, im russisch besetzten Polen, verfolgten Orden.

Der einsetzende Denkmalschutz und die damit ausgelöste Renovierung historischer Monumente und Denkmale war Teil der durchaus auch von Wien gewünschten nationalen Identifizierung. Die Wawel-Kathedrale verdankte ihre glanzvolle Wiedererstehung dieser Zeit wie eine Reihe anderer Kirchen auch. Es schien, als vollzöge sich in Krakau eine verkleinerte Ausgabe der Wiener Gründerzeit, die es zu einem modernen kulturellen und wirtschaftlichen Zentrum Galiziens wandelte. Auch Museen und Kunstgalerien wurden errichtet, und 1891–1893 entstand schließlich das neue Stadttheater unter dem Architekten Jan Zawieski. Die Investitionsprogramme hielten bis zum Weltkrieg an und bewirkten einen Bevölkerungsanstieg von 50.000 (1870) auf 180.000 (1915) Einwohner.

Damit wuchs Krakau zur viertgrößten Stadt der Monarchie.

Die meisten dieser neu errichteten Gebäude entstanden nach Entwürfen einheimischer Architekten, die meist in Wien oder im Ausland, Berlin, Zürich oder Paris geschult waren. Manche von ihnen, wie Karol Borkowski oder Julian Niedzielski kehrten aus Wien nicht mehr in ihre Heimat zurück.

Zawieski, der Architekt des Stadttheaters, trat nach seinem Studium bei Ferstel an der Technischen Hochschule in dessen Atelier ein, wo er 1880–1882 tätig war, u. a. am Bau der Wiener Universität. 1885 kehrte er nach Galizien zurück und wirkte in Krakau von 1900–1922 als Stadtarchitekt. Die Verbindung mit Ferstel blieb prägend für Zawieskis gesamtes Schaffen und seine offizielle Stellung bewirkte bedeutenden Einfluß auf das Erscheinungsbild der Neubauten. Die italienische Renaissance blieb bis in die achtziger Jahre die vorherrschende Stilrichtung in Krakau und im galizischen Raum überhaupt. (Z. B. Gebäude der Feuerversicherungsgesellschaft „Florianta" von Thomas Prylinski oder zahlreiche Villen im Kleid der Neorenaissance von Thadäus Stryjenski.) Die Krakauer Architektur des Späthistorismus zeigte erst nach 1900 die Wirkung des anderswo längst praktizierten Jugendstils, nachdem noch vorher, in den neunziger Jahren, starker Berliner Einfluß in Form deutscher Neorenaissance importiert wurde. Geltung verschafften ihr Karl Zaremba und Slawomir Odrzywolski nach ihrer Rückkehr aus Berlin. Dagegen richteten sich um die Jahrhundertwende starke Pariser Einflüsse, ebenfalls von heimkehrenden Studenten sowie reisenden polnischen Architekten mitgebracht.

Floraler Jugendstil oder Secession fanden in Krakaus Architektur auch zwischen 1900 und 1914 nur spärlichen Widerhall. Der Drang nach Prunk und üppigem Dekor war auch durch Ausdrucksmittel des Historismus besser zu befriedigen und findet sich in allen „modernen" Gebäuden Krakaus wieder: im Kunsttempel der Gesellschaft der Kunstfreunde von Franz Maczynski (1901), im Haus der Krakauer Technischen Gesellschaft von Slawomir Odrzywolski (1906) aber auch im 1912 errichteten Wohnhaus Federowitz von Theodor Hoffman.

V. ARCHITEKTUR IN BUDAPEST

War in Krakau der Historismus das geeignete Stilmittel um den gewollten Effekten und Stimmungen in der Baukunst Ausdruck zu verleihen, so scheint in Ungarn der vom Orient beeinflußte florale Jugendstil als das sehnlichst erwartete Darstellungsmittel gegolten zu haben. Zweifellos trug hier die jahrhundertalte Verbindung zum Nahen Osten und die davon inspirierte und vorhandene, traditionelle Volkskunst, die ja noch immer starken orientalischen Einschlag aufweist, zur Akzeptanz der dem Alten so verwandten neuen Baukunst bei. Das immer vorhanden gewesene „Los von Wien" Bedürfnis erleichterte die Abkehr von der während der zweiten Hälfte des 19. Jahrhunderts von Wien ungemein stark beeinflußten Architektur der Hauptstadt Budapest.

Schon 1893 schuf Ödön Lechner mit seinem Kunstgewerbemuseum eine orientalische Zeltstadt mit viel Majolika und sehr bunten Inneren wie Äußeren. Akos Morawansky berichtet, daß Lechner in England seine erste Bekanntschaft mit der östlichen Kultur machte: persische Keramikgefäße beeindruckten ihn im South Kensington Museum ebenso wie die indische Kolonialarchitektur der Engländer. Ist bei Lechners Kunstgewerbemuseum die äußere Gestaltung moderner als die räumliche Konzeption, die durchaus traditionellen historischen Usancen entspricht, so ist es beim kurz vorher (1891) entstandenen „Café New York" in Budapest, entworfen von Alajos Hausmann gerade umgekehrt. Die Einrichtung, die Wanddekorationen atmen reines 19. Jahrhundert in der Ausdrucksform des überladenen, üppigen Neobarocks. Als räumliche Disposition hingegen stellt sie eine beispiellose Meisterleistung dieser Zeit dar. Das Café mit L-förmigem Grundriß erstreckt sich hauptsächlich in einem hallenartigen Raum auf insgesamt drei verschiedenen Niveaus mit jeweils verschiedenen Raumhöhen. Das „Erdgeschoß" dieses Hauptarmes erreicht in der Mitte die größte Höhe, vergleichbar dem Mittelschiff einer Basilika mit zwei ungleich hohen seitlichen Galerien oder „Seitenschiffen"; dadurch entstehen drei Einraumcafés, ineinandergeschachtelt und verbunden durch kurze, perfekt angelegte Stiegenläufe und mit interessanten, gekonnt inszenierten Durchblicken.

Der vom Eckeingang her Eintretende hat es schwer, sich für den wirkungsvollsten Sitzplatz zu entscheiden, da erst nach längerem Studium die komplexe räumliche Anlage erfaßt werden kann. Ansatzweise finden sich ähnliche räumliche Erlebnisse in Ferstels Café Central, doch die in Budapest verwirklichte Anlage erinnert frappierend an spätere Raumplanschöpfungen eines Adolf Loos, dem Meister der Volumensproportionierung und Anordnung, sowie der beziehungsvollen Durchblicke.

Die Ausstattung ist trotz ihres überschwenglichen Reichtums gediegen; vorherrschend sind roter Marmor (Boden und Säulen), Vergoldungen, Eichenholz und ein großes Deckengemälde.

Lechner baute relativ viel in Budapest bis 1902, und seine Arbeiten waren auch bedeutsame Aufträge. Das 1899 errichtete Institut für Geologie und die 1899 bis 1902 entstandene Postsparkasse verfeinern seinen orientalisierenden Dekor und lassen einer gewissen graphischen Vereinfachung etwas mehr Spielraum, wenn auch die Freude am lebenslustigen Jugendstil kaum einen Quadratmeter freie Wandfläche zuläßt.

Ein gemeinsamer Einfluß prägte Bela Lajtas Arbeiten, wenngleich diesen eine insgesamt wesentlich strengere Auffassung zugrundeliegt. Für das 1905–1908 entstandene Blindeninstitut holte sich der Architekt Anregungen eher aus England denn aus dem nahen Wien und das Gebäude des Vergnügungslokals Parisiana (1908–1909) versucht das Flair des französischen Jugendstils einzufangen. Sein reifstes und sachlichstes Werk ist aber ohne Zweifel das Wohn- und Geschäftshaus Rozsavölgyi von 1911–1912. Hier dringt eine gewisse rationale Auffassung durch, die ein nobles, großstädtisches Gebäude hervorbringt.

Wenngleich insgesamt von der ungarischen Architektur der Jahrhundertwende gesagt werden kann, daß sie sich eher an Paris oder England orientiert denn an Wien, so ist doch das Wirken Otto Wagners und seiner Schule nicht ohne Folgen für die ungarische Hauptstadt. Nicht zuletzt trugen die ungarischen Studenten Wagners Lehren nach Hause, außerdem war Wien nahe genug, um auch durch direktes Beispiel zu wirken.

In den Arbeiten Joseph Vagos oder Stephan Medgyaszays kommt dies am deutlichsten zum Ausdruck. Vago scheut sich sogar nicht, die Nieten-Plattenkonstruktion der Wiener Postsparkasse am Geschäftshaus für das Spielwarengeschäft „Arkaden Bazar“ wieder zu verwenden.

In Bela Malnai haben wir einen Vertreter der kleinen Gruppe von Ornamentgegnern unter den Architekten der ungarischen Metropole. Schon 1910 weisen seine Miethäuser einen überproportional hohen Anteil an glatten Wandflächen auf und machen Vergleiche mit den Fassaden von Adolf Loos naheliegend. In den Werken Malnais erleben wir, wie bei Loos, bewußt eingesetzte Zitate aus der klassischen Formensprache wie Figurenfries oder Tympanon.

VI. ARCHITEKTUR IN AGRAM

Das Wechselspiel zwischen der Wiener und der einheimischen Baukunst verdient gerade in Kroatien des späten 19. und frühen 20. Jahrhundert eine nähere Betrachtung. Die Voraussetzungen waren nicht zu vergleichen mit der Situation von Prag, wenn auch Agram in Viktor Kovacic eine mit Kotera vergleichbare Architektenpersönlichkeit besaß.

Die angehenden Architekten Kroatiens und ganz Jugoslawiens mußten sich um Studienorte außerhalb ihrer unmittelbaren Umgebung umsehen. Agram erhielt erst 1919 eine Ausbildungsstätte für Architektur, an der zuerst Viktor Kovacic und ab 1924 sein Mitarbeiter und Kompagnon Hugo Ehrlich wirkten.

Mangels einschlägiger Publikationen ist wenig über die Entwicklung der Architektur Agrams vom Historismus zur Moderne bekannt. Nicht unähnlich dem Schicksal Krakaus, setzte hier seit der Jahrhundertmitte eine von Wien aus forcierte Modernisierung ein, verbunden mit einem wirtschaftlichen Entwicklungsprogramm. Konsequenterweise erreichte auch in Agram die räumliche Expansion ein beachtliches Ausmaß. Der Stadterweiterungsplan von 1865 sowie ein allgemeiner Regulierungsplan des Jahres 1887 legten die planerischen Grundlagen für den Wandel zur regionalen Hauptstadt.

Der Plan von 1887 sieht bereits eine U-förmige, parkartige Ringstraßenzone vor, ähnlich dem Wiener Vorbild, auch hier das Altstadtzentrum einrahmend. Ausgeführt wurde dieses ringförmige Gartensystem bis 1914. Der Schöpfer sowohl der Gesamtkonzeption wie der Detailprojekte ist anonym geblieben. Der Architekturforscher Alexander Laslo vermutete kürzlich in einem Vortrag, daß möglicherweise Hermann Bolle, der Bauleiter Friedrich von Schmidts in Agram bei der Domrenovierung, an diesem Projekt beteiligt war.

Agram war, vielleicht mehr noch als andere Städte der Monarchie, Expositur der Wiener Großarchitekten, die nach Zurückgehen der Aufträge in der Metropole nunmehr Ersatz in der Provinz suchten und fanden. Für die wenigen lokalen Architekten mit Erfahrung in große Bauvolumen der öffentlichen Hand, stellten sie vorderhand eine übermächtige Konkurrenz dar. Um nur einige der solcherart realisierten Bauten anzuführen, seien erwähnt: Landestheater 1894, Kunsthalle 1896 (beide Fellner und Helmer, wobei die Kunsthalle eine nach Agram transferierte Stahlkonstruktion ist. Sie diente ursprünglich ein Jahr in Budapest zur Ausstellung kroatischer Kunstwerke und historischer Denkmale bei der Millenniumsschau.), Jugoslawische Akademie der Wissenschaften, 1878, Friedrich von Schmidt.

Einheimische Architekten, die meisten von ihnen in Wien an der Technischen Hochschule ausgebildet, kamen mehr bei den zahlreich benötigten Wohnbauten zum Zuge (in den letzten 50 Jahren des 19. Jahrhunderts stieg die Bevölkerungszahl von 15.000 auf 60.000 Einwohner).

Die erste Generation der jungen kroatischen Architekten stand naturgemäß bei ihren frühen eigenständigen Projekten stark unter Wiener historistischem Einfluß. Schließlich wurden sie sowohl in Wien als auch im Geist des späten 19. Jahrhunderts ausgebildet. Josef von Vancas, ein Schüler Schmidts, errichtete 1898–1900 das Geschäfts- und Wohnhaus der ersten kroatischen Sparkasse. Es wurde ein Passagenhaus ganz nach Ferstel'scher Auffassung von der inneren Konzeption her und starken Ähnlichkeiten zu Fellner und Helmers Berliner Vorgänger, was die äußere Gestaltung betrifft.

Der bereits erwähnte Hermann Bolle, ein gebürtiger Kölner, ließ sich in Agram nieder und entwarf bemerkenswerte eigene Bauten (Zentralfriedhof 1883–1914); er gründete die Baugewerbeschule, deren neues Haus und Museum von ihm 1888–1892 errichtet wurden. Als Leiter war er maßgeblich an der Ausbildung der Studenten beteiligt und widmete sich tatkräftig dem Aufbau einer Fachbibliothek internationalen Standards. Bereits durch seine Arbeiten am 1880 durch ein Erdbeben beschädigten Dom lernte er den Steinmetz Viktor Kovacic kennen, der in Graz an der Baugewerbeschule in seinem Fach Ausbildung erhielt. Bolle veranlaßte ihn nach Wien zu gehen, um Architektur an der Technischen Hochschule zu studieren, nachdem er dessen Talent während der folgenden Zeit als Mitarbeiter im eigenen Atelier kennengelernt hatte. Kovacic bevorzugte aber die Klasse Otto Wagners an der Akademie, an der er von 1896–1899 inskribierte. Während seiner Wiener Studien lernte er auch den um vier Jahre älteren Adolf Loos kennen und schätzen, dem er später öfters eigene Entwürfe zur Begutachtung übersandte. Spätestens 1902 kehrte er nach Agram zurück, wo er mit Josef Markovic ein eigenes Atelier betrieb. 1906 gründete Kovacic den Klub kroatischer Architekten, in dessen Statuten der Schutz historischer Zentren speziell verankert wurde. Sogleich wandte er sich diesbezüglich an Loos um Hilfe für seine vergebliche Aktion gegen den Abbruch der alten Festungsmauern um den Dom.

Kovacic errichtete bis 1916 zahlreiche Villen und Wohnhäuser und schuf viele qualitätvolle Interieurs. Seine Entwürfe bauten auf seiner Ausbildung bei Wagner auf, waren aber entschieden auch durch die Arbeiten Loos' geprägt. Immer wieder begegnen uns bei Kovacic Einrichtungsgegenstände die Loos entworfen oder aber in eigenen Entwürfen zu Wohnungen selbst verwendete. Seine Vielfältigkeit im Entwurf verdeutlicht eines seiner Hauptwerke. Die 1910–1913 errichtete St. Blasius Kirche, deren Projekt Kovacic ein Jahr vorher den ersten Preis beim Wettbewerb eintrug, stellt sich von außen als ein italienisch orientierter Baukörper dar; für das Innere ist die Kirche am Steinhof deutlich Pate gestanden. Ab 1910 bis 1914 teilte Kovacic sein Atelier mit Hugo Ehrlich, der in

Wien an der Technischen Hochschule studierte und der kommerzielle Teil der Partnerschaft werden sollte.

Ehrlichs Arbeiten waren äußerst anpassungsfähig, mehrere seiner von ihm in Publikationen reklamierten Bauten waren Fertigstellungen von Entwürfen anderer (Villa Karma nach Loos, Agramer Börse nach Kovacic, dem er auch ab 1924 als Lehrer an der Technischen Hochschule in Agram nachfolgte). Sein 1912 errichtetes Grabmal in Vrbovec für den emigrierten Oberhofmeister der Kaiserin Eugenie findet sich bereits ein Jahr vorher unter den Skizzen von Kovacic. Unter diesen Gesichtspunkten fällt es einem leichter, an der Villa Karma die Trennungslinie zwischen dem Wirken von Loos und seinem eigenen zu ziehen, da überdies anzunehmen ist, daß ein überwiegender Teil der Inneneinrichtung in von Loos gezeichneter Form bereits vorlag, als Ehrlich 1908 die zwei Jahre vorher von seinem Vorgänger abgebrochene Arbeit aufnahm.

Als weiteren Wagner-Schüler, der für Agram maßgeblich tätig war, kann Alois Bastl, ein gebürtiger Böhme, angesprochen werden. Er verließ 1902 die Akademie in Wien und war seit 1906 freischaffend in Agram tätig, doch konnte er hier schon 1902 das Handels- und Gewerbemuseum, ganz im Sinne Otto Wagners, entwerfen. Mit dem Café Corso schuf er 1905 ein helles, freundliches Interieur mit der Ausstrahlung empireartiger Leichtigkeit. Den Hauptraum unterteilte er mit einer L-förmigen Galerie, von wo auch dem Besucher ein emporenartiger Ausblick ermöglicht wurde.

Der meistbeschäftigte Agramer Architekt der Jahrhundertwende sollte aber der gebürtige Ungar, Aladar Baranyai werden, einer der ersten Absolventen der neugegründeten Baugewerbeschule in Agram. Seine selbständige Tätigkeit begann er teilweise bereits ab 1900, seit 1906 führte er mit Slavko Benedik ein gemeinsames Atelier in Agram (bis 1933). Baranyais frühe Arbeiten knüpfen bei Olbrich an (Villa Tischof 1900, Villa Golik 1901), doch entwickelt er in den folgenden Jahren einen strengeren, an die Wagner Schule angelehnten Entwurfsstil, der ähnlich jenem Hoffmanns oder Kovacics (dieser bereits 1910) schon kurz vor dem Weltkrieg als ausgereiftes Art Deco bezeichnet werden muß.

Diese vorzüglichen Arbeiten, die die genannten Vergleiche durchaus nicht zu scheuen brauchen, hindern Baranyai aber nicht bei zeitgleichen Entwürfen zu Miethäusern, sie in das kommerzielle Gewand eines stark historisierenden Jugendstil zu stecken. Es ist dies, bei aller Qualität, die auch diese Häuser auszeichnet, wohl die Konzession, die ein vielbeschäftigter Architekt macht oder machen muß, um viel beschäftigt zu sein.

Eine noch so kurze Darstellung jugoslawischer Architektur wäre unvollständig ohne Erwähnung, wenn auch nur ansatzweise, der nach Wien und Prag dritten Wirkungsstätte von Josef Plečnik. Seine Wanderung ist geradezu symbolhaft für die herrschenden und existierenden gemeinsamen Wurzeln, wenn man auch von Plečniks eigensinniger Architektur nicht zu viel Beispielwirkung erwarten darf. 1921 kehrt er in seine Geburtsstadt Laibach zurück, wo er bis 1956 als Lehrer am Polytechnicum wirkte. In seiner Heimatstadt konnte er wesentliche Akzente durch seine Arbeiten mit städtebaulichem Charakter setzen. Plečnik leistete für die Entwicklung der slowenischen modernen Architektur Vergleichbares mit Kovacic' Einfluß auf die jungen Architekten in Kroatien. Beide Schüler der Wiener Akademie konnten somit ganz wesentlich die Architektur Jugoslawiens der Zwischen- und Nachkriegszeit prägen und ihren international gültigen Leistungen die Beispielwirkung der künstlerischen Freiheit mitgeben.

Literatur (in Auswahl):

Josef Maria Olbrich. Darmstadt 1967 – Moderne Vergangenheit 1800–1900. Künstlerhaus Wien 1981 – Max Fabiani 1865–1962, Bauten und Projekte in Wien. Palmers Zentrale Wien 1982 – Die Kunst des Otto Wagner. Akademie der bildenden Künste Wien 1984 – Tschechische Kunst 1878–1914. Auf dem Weg in die Moderne. Mathildenhöhe Darmstadt 1984/85 – Einfach bauen. Künstlerhaus Wien 1985 – Jože Plečnik Architecte 1872–1957. Centre Pompidou Paris 1986.

Paul Asenbaum, Peter Haiko, Herbert Lachmayer, Reiner Zettl, Otto Wagner. Möbel und Innenräume. Wien 1984 – Sondernummer Viktor Kovačic, čovjek i prostor 21 (Agram 1974) Nr. 259–260 – Lelja Dobronić, Zagrebacki Arhitekti Hönigsberg i Deutsch. Agram 1965 – Zarko Domljan, Hugo Ehrlich. Agram 1979 – Heinz Geretsegger, Max Peintner, Otto Wagner, 1841–1918. Salzburg 1964 – Otto Maria Graf, Die vergessene Wagnerschule. Wien 1969 – Imre Kathy, Istvan Medgyaszay.

Budapest 1979 – Arnold Karplus, Neue Landhäuser und Villen in Österreich. Wien 1910 – Aleksander Laslo, Architecture Parlante, CIP 29 (Agram 1982) Nr. 9 (354) – Aleksander Laslo, Arhitekt Viktor Kovačic 1874–1924, čovjek i prostor 10. Jg. 31 (Agram 1984) Nr. 379 – Akos Moravansky, Tendenzen in der ungarischen Architektur des 20. Jahrhunderts. Bauforum 16 (Wien 1983) Nr. 99/100 – Lajos Nemeth (Hrsg.), Magyar Muveszet 1890–1919. Budapest 1981 – Wilfried Posch, Die Wiener Gartenstadtbewegung. Wien 1981 – Marco Pozzetto, Die Schule Otto Wagners 1894–1912. Wien 1980 – Damjan Prelovšek, Josef Plečnik, Wiener Arbeiten von 1896–1914. Wien 1979 – Jacek Purchla, Wien–Krakau im 19. Jahrhundert. Wien 1985 – Burkhardt Rukschcio, Roland Schachel, Adolf Loos, Leben und Werk. Wien 1982 – Eduard Sekler, Josef Hoffmann. Wien 1982 – Renate Wagner Rieger, Wiens Architektur im 19. Jahrhundert. Wien 1970

Gerbert Frodl

DIE MALEREI

KÜNSTLERHAUS – SECESSION – HAGENBUND

Die bildende Kunst einer Epoche innerhalb einer im wesentlichen historisch orientierten Großausstellung überblicksweise und in knappster Form darstellen zu sollen, ist ein Unternehmen, das von vornherein nur geringe Chancen hat, dem Publikum einen richtigen Eindruck zu vermitteln. Da es sich um die für die weitere Entwicklung im 20. Jahrhundert entscheidenden Jahrzehnte zwischen 1880 und 1910 handelt, in einer allgemeinen Übersicht jedoch neben dem Zeitgemäßen auch die beharrend-konservativen Elemente berücksichtigt werden müssen, wird die Aufgabe nahezu unlösbar. Das Bemühen muß also dahin gehen, mit Hilfe einzelner charakteristischer Beispiele anzudeuten, welch große Vielfalt die Wiener Kunst damals auszeichnete, welche Traditionen wirksam waren, wo sich Ausblicke in die Zukunft auftaten und wo die Vergangenheit dominierte.

Viele vertraut gewordene -ismen der klassischen modernen Kunst haben sich in diesen Jahren entwikkelt, Höhepunkte erreicht und überschritten, ihre Vollendung erfahren: Impressionismus, Expressionismus, Fauvismus, Kubismus, Futurismus...

Freilich stellt sich die Sache, auf Österreich bzw. auf Wien beschränkt, einfacher dar und trotzdem können etwa drei Dutzend Bilder und Skulpturen nur auf die einzelnen Richtungen hinweisen, Beispiele sein und als Stellvertreter für vieles andere dienen.

Gemessen an den Hauptströmungen der europäischen Kunstentwicklung dieser Zeit hat Österreich keinen wesentlichen, in die Zukunft weisenden Beitrag geleistet, der über die lokalen Grenzen hinaus hätte wirksam sein können.

Wie überall anders und zu jeder Zeit hat es auch in der Wiener Kunst jener Tage konservative und fortschrittliche Kräfte gegeben. Die lokalen Traditionen waren jedoch außerordentlich stark. Daß auch die Jungen davon nicht so leicht loskamen hat u. a. seinen Grund in der Tatsache, daß die Wiener Künstler Anregungen aus dem Ausland nur sehr zögernd (wenn überhaupt) aufgenommen haben. So hatte zum Beispiel Emil Jakob Schindler (1842–1892), der große Neuerer der Landschaftsmalerei in der „Makartzeit", bei der Wiener Weltausstellung des Jahres 1873 Bilder der französischen Vorimpressionisten (Corot, Daubigny, Rousseau u. a.) gesehen, ohne darin mehr zu erkennen als eine Bestätigung seines eigenen Weges. Und seine etwa gleichaltrigen Kollegen, die Landschaftsmaler Rudolf Ribarz (1848–1904) und Eugen

Jettel (1845–1901) lebten jahrzehntelang in Paris, ohne in ihre sehr reizvolle und persönliche Stimmungsmalerei eine Spur dessen aufzunehmen, was sich gerade um 1880/1890 an der Seine tat.

Die bildende Kunst Wiens vom Ende des 19. und Beginn des 20. Jahrhunderts zeigt jedoch, wie eine Hochblüte auch auf einem starken Seitenast des großen Baumes entstehen und auch besonders kostbare Blüten hervorbringen kann.

Die erste Hälfte der Regierungszeit Kaiser Franz Josephs I. fällt mit der Ringstraßenzeit zusammen, deren hervorragendste Künstlerpersönlichkeit Hans Makart (1840–1884) der Zeit den heute noch vielfach gebrauchten Namen gab. Die bildende Kunst der zweiten Hälfte wurde ebenfalls von einem dominierenden Künstler geprägt, nämlich von Gustav Klimt (1862–1918). In einer gewissen Weise – vor allem in seinem vor-secessionistischen Werk – kann Klimt der direkte Nachfolger Makarts genannt werden. Zusammen mit seinem Bruder Ernst (1832–1892) und mit Franz Matsch (1861–1942) hatte er eine „Malercompagnie" gebildet, die zwischen 1882 und 1892 eine Reihe von monumentalen Raumausstattungen geschaffen hatte. (Gustav Klimt war im Jahr 1890 der erste Empfänger des neu geschaffenen Kaiserpreises, vgl. G. Frodl 1978/79.)

So wie „Ringstraßenzeit" oder „Makartzeit" zu einem Stilbegriff wurde, der etwa mit „Historismus" gleichgesetzt wird (es ist noch nicht allzu lang her seit diese Worte ihres negativen Beigeschmacks entkleidet wurden), so ist dies auch mit „Zeit der Secession" oder mit „Zeit um 1900" geschehen. Dieses „um 1900" ist zu einem Schlagwort geworden, dessen Klang und dessen Wertbeständigkeit zu untersuchen, hier nicht der Ort ist. „Ringstraßenzeit" bezeichnet Kunst und Kultur einer großbürgerlichen Gesellschaft, die in einer Zeit extremer wirtschaftlicher Expansion zu Geld gekommen war, „Secession" Kunst für eine intellektuelle Elite (erst die „Wiener Werkstätte" hat dies seit 1903 programmatisch zu ändern gesucht). Beide Aussagen sind richtig und falsch zugleich, denn die Begriffe und deren Aussage decken nur einen Teil des künstlerischen Schaffens der jeweiligen Zeit ab. In den siebziger und achtziger Jahren mehr, danach weniger. Für die Zeit um 1900 haben die Schlagworte „Secession", „Stilkunst um 1900", „Jugendstil" etc., die pauschalierend zur Charakterisierung des Ganzen gebraucht werden, nur für einen Teil dessen Bedeutung, was Künstler, Kunsthandwerker und Architekten hervorbrachten. Diese allzu sorglose Verwendung von Begriffen vermittelt ein Bild, welches die „Secession" vielleicht zu sehr in den Mittelpunkt rückt.

Zur Zeit der Thronbesteigung Kaiser Franz Josephs I. wurde das Wiener Kunstleben im überwiegenden Maß von der Akademie der Bildenden Künste bestimmt. Das hing mit ihrer Monopolstellung im Ausstellungswesen zusammen aber auch damit, daß sie bis dahin viele Jahrzehnte lang den Rang einer Kunstbehörde innegehabt und damit sehr viel Einfluß ausgeübt hatte. Eine Änderung begann sich mit der Gründung der „Genossenschaft Bildender Künstler Wiens – Künstlerhaus" (1861) abzuzeichnen. Keine geringe Rolle spielte auch das wachsende Unabhängigkeitsstreben der Künstler. Bis zur Gründung der „Vereinigung Bildender Künstler Österreichs – Secession" (1897) blieb nun das „Künstlerhaus" dominierend. Fast jeder offiziell mehr oder weniger anerkannte bildende Künstler im Wien dieser Jahre war Mitglied. Zunehmender Mißbrauch dieser Position, der sich unter anderem auch auf die Abwicklung von Ausstellungsvorbereitungen auswirkte, war ein Übel, das schließlich zum Auszug vieler Künstler aus dem „Künstlerhaus" und zur Gründung der „Secession" führte. (Die Chronik dieses Auszugs ist in den vergangenen Jahren so oft beschrieben worden – s. Lit.-Verzeichnis –, daß wir hier nicht darauf einzugehen brauchen.)

Mit diesem magischen Jahr 1897 brach nun für die Wiener Kunst und das Wiener Kunstleben eine neue Epoche an, ohne eine wirkliche Zäsur zu bilden: Weder das „Künstlerhaus" noch andere konservative Kräfte haben in diesem Jahr ihre Tätigkeit eingestellt. Die „Ringstraßenzeit" war 1897 resp. „um 1900" nicht zu Ende, sie fand auch nach 1900 ihre Fortsetzung (vgl. W. Kitlitschka 1981). Man darf nicht vergessen, daß die Gründer der „Secession" und jene Mitglieder, die erst in den nächsten Jahren dazu stießen, von verschiedenen Wiener Maltraditionen abstammten – vom Neobarock Makart'scher Prägung

Wien, Internationale Kunstausstellung im Künstlerhaus 1894. Wien, Österreichische Nationalbibliothek, Bildarchiv

bis zur neo-klassizistischen Rahl-Schule oder dem Stimmungsimpressionismus. Alle diese Künstler hatten ein Wesentliches gemeinsam: den Willen zur Erneuerung, zur Öffnung nach außen – schlicht, das Verlangen nach frischer Luft. Vom künstlerischen Standpunkt aus gesehen gab es Secessions-Mitglieder der ersten Stunde, deren Arbeiten keineswegs „modern" im Sinne des „Stils" waren. („Stil" hier als die damals gebräuchliche Bezeichnung für die neue, linear-ornamentale Formensprache verwendet.) Bildeten um 1870 akademische und nicht-akademische Künstlerkreise zwei Lager, so waren es um 1900 die „Secessionisten" und die „gemäßigteren" Künstler des „Hagenbundes", die gegen den etablierten Kunstbetrieb des „Künstlerhauses" und die von einem Teil der hohen Beamtenschaft und gewissen Hofkreisen geförderten Kunst auftraten. Mit einem Wort: Die Wiener Kunst um 1900 wurde weder von der „Secession" noch vom „Hagenbund", noch von beiden zusammen geprägt, sondern auch wesentlich von den akademisch konservativen Kräften, die so lebendig waren, daß man – von diesem Gesichtspunkt aus gesehen – versucht sein könnte, die Wiener „Ringstraßenzeit" erst mit dem Jahr 1918 enden zu lassen, was im Prinzip ja auch für die Architektur gilt. Nicht unwesentlich erscheint, daß auch jene Künstler, die um 1880/90 zu den „modernen", unakademischen gehörten – in der Hauptsache Schüler und Schülerinnen Emil Jakob

Schindlers –, als eine weitere, von allen neuen Strömungen allerdings unberührt gebliebene Kraft im Ausstellungsbetrieb nach 1900 eine nicht unwesentliche Rolle spielten (z. B. Tina Blau, Olga Wisinger-Florian, Maria Egner).

Um der Notwendigkeit zu entgehen, all diese unterschiedlichen Kräfte in der bildenden Kunst der späteren franzisko-josephinischen Zeit auf engem Raum zeigen zu müssen und damit das Gegenteil dessen zu erreichen, was von einem geordneten Überblick erwartet wird, entstand der Gedanke, die Ausstellungen eines Jahres in den drei erwähnten Wiener Künstlervereinigungen miteinander zu vergleichen. Die Wahl fiel – nicht ganz zufällig – auf das Jahr 1903.

Die „Secession" stand in ihrem siebenten Jahr und hatte wohl den Gipfelpunkt ihrer künstlerischen und organisatorischen Leistungsfähigkeit erreicht. In diesem selben Jahr gründeten die Mitglieder der „Secession", Josef Hoffmann, Koloman Moser und der Industrielle Josef Waerndorfer die „Wiener Werkstätte", was Mißstimmigkeiten innerhalb der Künstlergemeinschaft, die unterschwellig bereits vorhanden waren, an die Oberfläche brachte. Bis dahin hatte die Notwendigkeit, nach außen stark und einig aufzutreten, sich gegen jede erdenkliche Art von Angriffen zu schützen und zu wehren, die Zusammengehörigkeit der Künstler gefestigt. Einen gehörigen Aderlaß erlitt die „Secession" im Jahr 1905, als ihre wichtigsten Mitglieder (auch aus damaliger Sicht die wichtigsten), Gustav Klimt, Koloman Moser, Josef Hoffmann, Carl Moll und andere (die sogenannte „Klimt-Gruppe") aus der Vereinigung austraten. Damit war die große Zeit dieser Gemeinschaft vorbei.

Im Jahr 1903 bestand der „Hagenbund" erst seit drei Jahren. In dieser kurzen Zeit hatte er bereits eine reiche Ausstellungstätigkeit entfaltet, deren Stil – grob gesagt – zwischen der fortschrittlichen „Secession" und dem konservativen „Künstlerhaus" lag. Nach 1905, das heißt, nach der Aufsplitterung der „Secession" gewann diese an Mitgliedern relativ kleine Vereinigung zunehmend an Bedeutung. Die „gemäßigte", dem Publikum leichter zugängliche Linie des „Hagenbundes" trug dann vor allem in seiner weiteren Entwicklung nach 1918 Früchte.

Das „Künstlerhaus" schließlich befand sich 1903 in keiner sehr guten Situation. Der Exodus vieler seiner Mitglieder sechs Jahre zuvor war noch nicht verkraftet, noch dazu, da 1900 auch die Mitglieder des „Hagenbundes", die ihre Aktivitäten zunächst innerhalb des „Künstlerhauses" abgewickelt hatten, ausgezogen waren. Wenn diese Institution auch nach wie vor das Wohlwollen offizieller Stellen genoß, so war die Schwächung – auch im Hinblick auf das internationale Renommée – beträchtlich. Nach wie vor war das „Künstlerhaus" die Künstlervereinigung mit den meisten Mitgliedern. Es vertrat eine allgemein konservative Richtung, deren Wurzeln sehr weit zurücklagen. Durch den Gegensatz zu „Secession" und „Hagenbund" erscheint heute das „Künstlerhaus" noch konservativer und beharrender als es wirklich der Fall war. Auch wenn die Bedeutung so manchen Malers des „Künstlerhauses" dieser Tage nicht großartig ist und viele Namen, die in den damaligen Katalogen auftauchen, heute so gut wie vergessen sind, darf die Institution bei Betrachtung und Beurteilung der „Kunst um 1900" in Wien nicht beiseite geschoben werden.

Im Frühjahr des Jahres 1903 veranstaltete die „Genossenschaft bildender Künstler Wiens – Künstlerhaus" ihre 30. Jahresausstellung. Die 510 Ausstellungsstücke stammten von in- und ausländischen Mitgliedern und von Gästen (unter ihnen auch 13 Künstlerinnen, fünf davon aus Österreich). In den zwanzig Sälen des Hauses waren hauptsächlich Ölbilder zu sehen, daneben aber auch Plastiken, Aquarelle, Zeichnungen, Architekturentwürfe und sogar einige Photographien. Keinesfalls darf man pauschalieren und alle Mitglieder des „Künstlerhauses" als altmodisch abtun. Den Kaiserpreis des Jahres 1903 erhielt Albin Egger-Lienz (1868–1926) für sein Bild „Nach dem Friedensschluß 1809" (Wien, Österreichische Galerie, als Leihgabe in Schloß Bruck, Lienz). Freilich gab es die sogenannten Feinmaler, die auf altmeisterliche Weise Genreszenen aus dem dreißigjährigen Krieg oder aus der Zeit des Rokoko malten wie Johann Hamza und Alfred von Friedländer; Carl Duxa etwa pflegte das altniederländische Genre. Diese Maler folgten eher einem Publikumsgeschmack als einer heimischen Tra-

1.
Wilhelm List, Kaiser Franz Joseph I., 1904/06 (Wien, Postsparkasse)

2.
Franz Matsch, Huldigung der deutschen Bundesfürsten, 1908/10 (Wien, Schloß Schönbrunn)

3.
Rudolf Alt, Selbstporträt, 1890 (Privatbesitz)

4.
Gustav Klimt, Die Goldfische, 1901/02 (Solothurn, Kunstmuseum)

5.
Gustav Klimt, Dame mit Hut und Federboa, 1909 (Wien, Österreichische Galerie)

6.
Egon Schiele, Sitzender männlicher Akt, 1910 (Wien, Sammlung Prof. Dr. Rudolf Leopold, Werkkat. Nr. 145)

7.
Richard Gerstl, Selbstbildnis als Akt in ganzer Figur, 1908 (Wien, Sammlung Prof. Dr. Rudolf Leopold)

8.
Oskar Kokoschka, Stilleben mit Hammel und Hyazinthe, 1909 (Wien, Österreichische Galerie)

9.
Kostüm des Othello, getragen von Leo Slezak, 1909 (Wien, Theatersammlung der Österreichischen Nationalbibliothek)

10.
Alfred Roller, Bühnenbildentwurf zu Richard Wagner, Lohengrin, 1906 (Wien, Theatersammlung der Österreichischen Nationalbibliothek)

11.
Ofen, Entwurf: Robert Obsieger, Ausführung: Rudolf Sommerhuber, Steyr, um 1910 (Wien, Museum für angewandte Kunst)

12.
Schreibschrank für Berta Waerndorfer, Entwurf: Kolo Moser, Ausführung: Wiener Werkstätte, 1903/04 (Wien, Museum für angewandte Kunst)

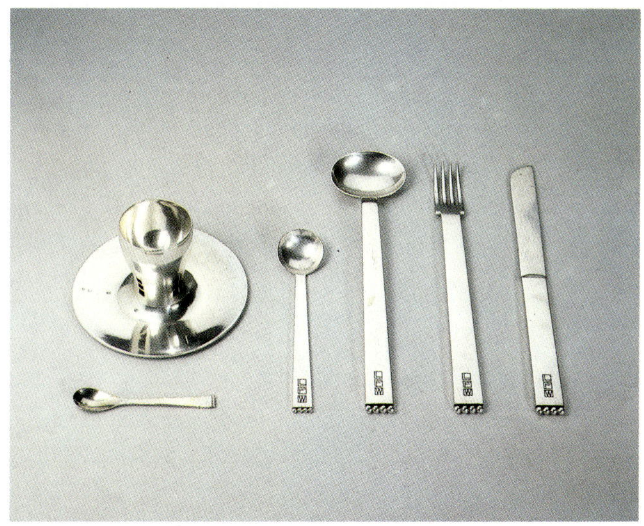

13.–16.
Teeservice, Entwurf: Eduard J. Wimmer-Wisgrill, Ausführung: Wiener Werkstätte, 1912 – Serviertasse, Entwurf: Kolo Moser, Ausführung: Wiener Werkstätte, um 1904 – Leuchter, Bürstenfassung und Deckelschale, Entwurf: Josef Hoffmann, Ausführung: Wiener Werkstätte, um 1908 – Teile eines Besteckservices für Lilly und Fritz Waerndorfer sowie Eibecher mit Löffel, Entwurf: Josef Hoffmann, Ausführung: Wiener Werkstätte, um 1905 (alle Abbildungen: Wien, Museum für angewandte Kunst)

17.
Carl Otto Czeschka, Collier, 1905 (Wien, Museum für angewandte Kunst)

18.
Kolo Moser, Anhänger, 1903 (Wien, Museum für angewandte Kunst)

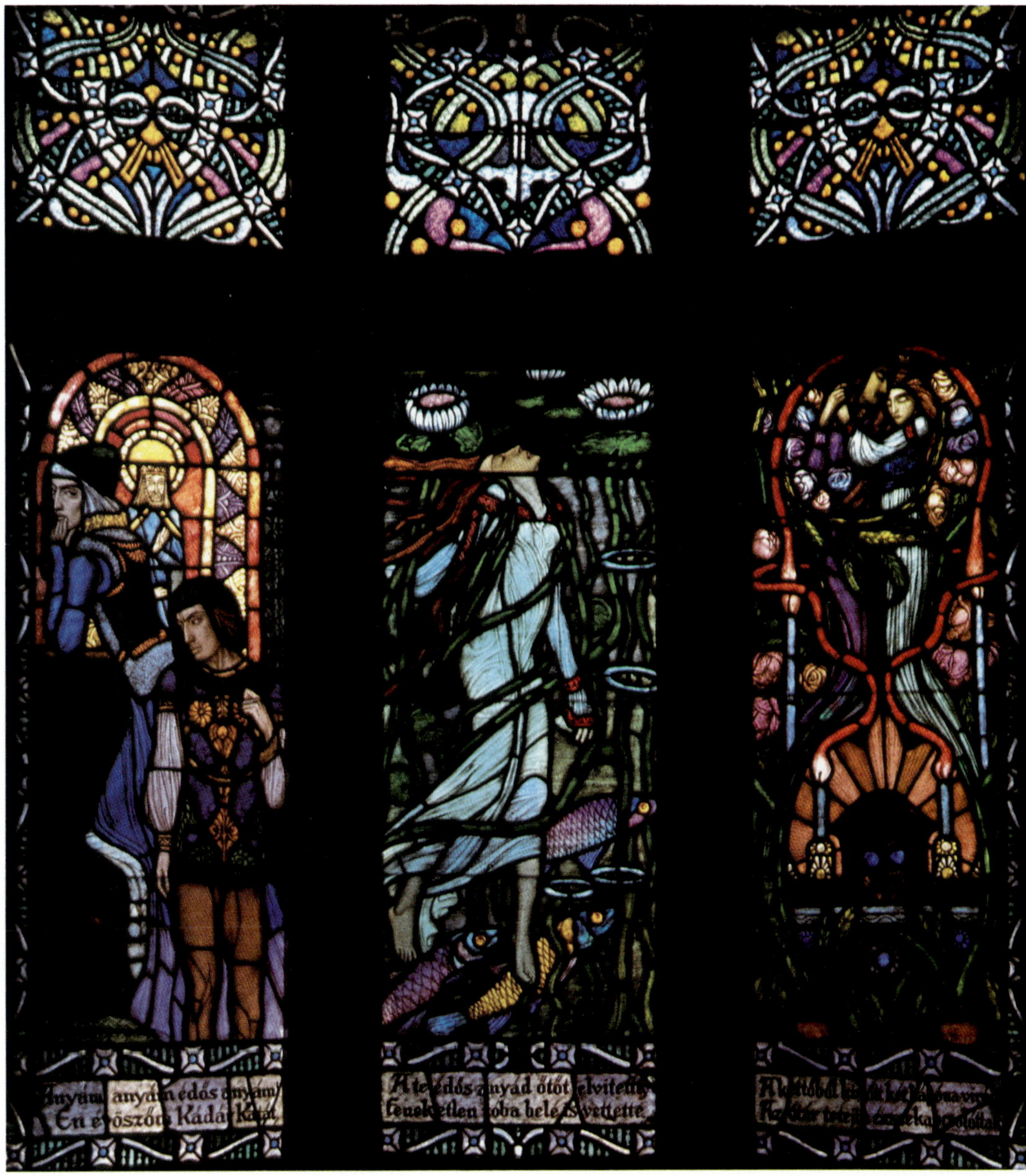

19.
Sándor Nagy, Ballade der Kata Kádár, 1913 (Marosvásárhely/Tirgu Mures, Rumänien)

20.
Josef Olbrich, Secessionsgebäude in Wien, 1898

21.
Otto Wagner, Stadtbahnstation Karlsplatz, 1898/99

22.
Otto Wagner, Stadtbahnstation Karlsplatz (Detail)

23.
Ivan Grohar, Frühling, 1903 (Ljubljana, Mestni Muzej)

24.
Károly Ferenczy, Die drei Könige, 1898 (Budapest, Magyar Nemzeti Galéria)

Ausstellungsraum der Wiener Secession, 16. Ausstellung 1903. Wien, Österreichische Nationalbibliothek, Bildarchiv

dition. Andere setzten die Malerei der Ringstraßenzeit, der sie selbst angehört hatten, ohne Unterbrechung fort und waren damit die „echten" Konservativen: Hans Temple, Sigmund L'Allemand, August Schaeffer von Wienwald oder Anton Hlavacek. Und wieder andere „adaptierten" ihre Kunst zumindest oberflächlich an die neue Zeit (Eduard Veith). Die große Masse der Aussteller – zumeist Landschaftsmaler – vertrat jedoch eine Art „zeitloser" Malerei, deren Wurzeln in der Stimmungsmalerei Emil Jakob Schindlers zu suchen sind, oder, in einem größeren Zusammenhang gesehen, in der Schule von Barbizon, dem französischen Vorimpressionismus. Viele der so angesprochenen Maler verbanden Stimmungswerte, wie sie Schindler und dessen Schülerinnen und Schüler gelehrt hatten zu sehen und zu empfinden mit Kennzeichen der pompös-heroischen Alpenmalerei, die seit Jahrzehnten von der Akademie und vom Publikumsgeschmack getragen und gefördert wurde. Diese Verbindung zweier einander entgegengesetzter Auffassungen ist das Charakteristische der zum Teil reizvollen Allerweltslandschaften, die im „Künstlerhaus" ausgestellt waren (Hugo Charlemont, C. Kaiser-Herbst, Hugo Darnaut). Adolf Ditscheiner und Ro-

Ausstellungsgebäude des Hagenbundes, Wien I, Zedlitzgasse 6. Wien, Historisches Museum der Stadt Wien

bert Russ gehörten der Altersstufe Schindlers an, waren seine Studienkollegen an der Akademie gewesen und wuchsen mit der Zeit in die Weise dieser wenig engagierten Malerei hinein. Rudolf Ribarz war eine Ausnahme und wohl durch den langjährigen Aufenthalt in Paris dem Wiener Kunstleben nur am Rande verpflichtet. Beim Durchblättern des Künstlerhaus-Kataloges stößt man auch auf die Namen einiger Maler, die, betrachtet man ihre Werke, eher in den Mitgliederverzeichnissen der „Secession" oder des „Hagenbundes" zu erwarten gewesen wären. Stefan Simony, Alfred Zoff, Eduard Zetsche und vor allem Ferdinand Brunner werden heute ohne weiteres als zeitgemäße Maler der „Zeit um 1900" akzeptiert. Weder Maltechnik noch Kompositionsweise entsprechen dem altmodischen „Künstlerhaus"-Image. Maler wie diese bilden eine Brücke zum „Hagenbund" und zu den weniger progressiven Mitgliedern der „Secession". Resumé: Diese Ausstellung bot viel Verschiedenes, wobei konservative Kräfte das Feld eindeutig beherrschten. Aber auch jene Künstler kamen zum Zug, die sich zu neueren Ausdrucksformen hingezogen fühlten, ohne sich jedoch wirklich zu deklarieren.

Ausstellungstechnisch bot die Jahresausstellung 1903 noch nichts Neues – es fehlte vor allem die einheitliche Raumgestaltung, die für „Secession" und „Hagenbund" damals schon eine Selbstverständlichkeit geworden war. Anders die Ausstellungen des „Aquarellistenklubs der Genossenschaft bildender Künstler Wiens" (eines Vereins im Verein), die sich der Tatsache nicht verschlossen hatten, daß Ausstellung und Ausstellungstechnik seit 1898, seit die „Secession" im eigenen Haus ausstellte, eine Einheit bilden sollte. Noch ist der Künstlerhauskatalog vom Frühjahr 1903 von seiner Gestaltung her uninteressant. Nach Sälen geordnet werden die ausgestellten Werke in Listenform aufgezählt. Davor, wie in jedem Katalog des „Künstlerhauses", die Namen jener noch lebenden Künstler, die bisher Preise und Medaillen erhalten hatten; Preis- und Namensverzeichnis sowie Inserate vervollständigen die Broschüre. Nur im Inseratenteil hat der „Stil" zaghaft Einzug gehalten – pikanterweise ist die einzige Annonce im „reinen" Jugendstil ein Entwurf Koloman Mosers, des prominenten Mitglieds der „Secession".

Zur gleichen Zeit, vom März bis Mai 1903, fand die XVII. Ausstellung der „Vereinigung bildender Künstler Österreichs – Secession" im eigenen Gebäude der „Secession" statt. 288 Kunstwerke – Skulpturen, Ölbilder, Druckgraphik, Zeichnungen und kunstgewerbliche Arbeiten –, geschaffen von Mitgliedern und Gästen (unter ihnen acht Frauen) waren zu sehen. Wie immer in der „Secession" (das war eines ihrer ganz großen Verdienste) wurde die Ausstellung einheitlich gestaltet; in diesem Fall von dem Team Josef Engelhart, Josef Hoffmann und Koloman Moser. Die Räume wurden so zu Werken einer neuen Ausstellungskunst: Raum und Kunstwerk sollten gemeinsam auf den Besucher wirken, dabei hatte das Kunstwerk in seiner Bedeutung stets vor dem Raum zu rangieren (die alten Fotos aus den Räumen der „Secession" bestätigen dies). In dieser Hinsicht war sicherlich die berühmte Beethoven-Ausstellung von 1902 ein Höhepunkt. Das Kunstwerk, auf das die ganze Ausstellung abgestimmt war, war die monumentale Figur des thronenden Beethoven von Max Klinger. Klimt schuf seinen Beethoven-Fries für diese Ausstellung. Heute ist der Fries wieder in der Secession, allerdings nicht im ursprünglichen Raum, zu sehen. Dem Gestaltungskonzept lag dort ein die ganze Ausstellung beherrschendes Thema zugrunde.

In der XVII. Ausstellung, die wir als Beispiel gewählt haben, spielte weder ein Thema, noch ein einzelner Künstler eine dominierende Rolle – wir haben es hier sozusagen mit dem künstlerischen Alltag der „Secession" zu tun. In unserem Zusammenhang ist das interessant, weil fast alle wichtigen Mitglieder der Vereinigung mit Werken vertreten sind. Besonders deutlich wird dabei, daß innerhalb der „Secession" verschiedene Kunstauffassungen zu finden waren, daß Künstlernamen im Katalog aufscheinen, die von der allgemeinen „Wien um 1900" - Euphorie der letzten Jahre nicht erfaßt worden sind. Denn ins Bewußtsein des heutigen Ausstellungs- und Museumspublikums sind nur Namen wie Gustav Klimt, Koloman Moser und Carl Moll gedrungen. Das ändert jedoch nichts an der Tatsache, daß im Jahr 1903 die „Secession" der Mittelpunkt der Wiener bildenden Kunst war und im Brennpunkt des Interesses der wichtigen intellektuellen Minderheit stand.

Diese neunzehn Künstler, die im Frühjahr 1897 aus dem „Künstlerhaus" ausgezogen waren, um eine eigene Vereinigung zu gründen, hatten eines gemeinsam: Die Unzufriedenheit mit den herrschenden, lähmenden Zuständen (für die das „Künstlerhaus" repräsentativ war) – vor allem im Hinblick auf den Ausstellungsbetrieb – und die Überzeugung, eine Änderung herbeiführen zu müssen „. . . um den Schlendrian in der Kunst zu bekämpfen" (Ludwig von Hevesi). Abgesehen von diesem gemeinsamen Ziel waren diese Künstler und die anderen, die später hinzu kamen, sehr unterschiedliche Menschen und Künstler, die auch nicht mehr sehr jung waren (Klimt war 35 Jahre alt, Moll 36): Die Gründung der „Secession" war keine Revolution der Jungen. Das als Wahlspruch auf der Fassade des neuen Ausstellungsgebäudes zu lesende Motto „Der Zeit ihre Kunst – Der Kunst ihre Freiheit" galt als gemeinsames Ziel und war damit eine

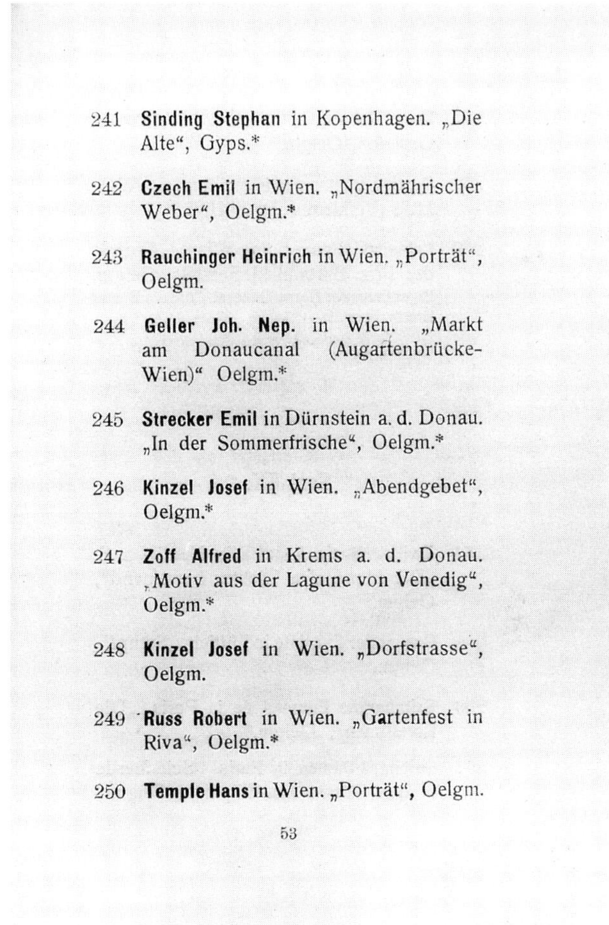
241 **Sinding Stephan** in Kopenhagen. „Die Alte", Gyps.*

242 **Czech Emil** in Wien. „Nordmährischer Weber", Oelgm.*

243 **Rauchinger Heinrich** in Wien. „Porträt", Oelgm.

244 **Geller Joh. Nep.** in Wien. „Markt am Donaucanal (Augartenbrücke-Wien)" Oelgm.*

245 **Strecker Emil** in Dürnstein a. d. Donau. „In der Sommerfrische", Oelgm.*

246 **Kinzel Josef** in Wien. „Abendgebet", Oelgm.*

247 **Zoff Alfred** in Krems a. d. Donau. „Motiv aus der Lagune von Venedig", Oelgm.*

248 **Kinzel Josef** in Wien. „Dorfstrasse", Oelgm.

249 **Russ Robert** in Wien. „Gartenfest in Riva", Oelgm.*

250 **Temple Hans** in Wien. „Porträt", Oelgm.

53

Katalog der XXX. Jahresausstellung im Künstlerhaus, März 1903

tragfähige Basis für das Zusammenleben. Naturgemäß stand diese Künstlergruppe der ausländischen Kunst offener gegenüber als die im „Künstlerhaus" zurückgebliebenen Kollegen, einfach, weil man davon überzeugt war, daß eine weitere Abkapselung der bildenden Kunst in Österreich nur schaden, daß sie eine fruchtbare Entwicklung so gut wie unmöglich machen müsse. Einige, wie Max Kurzweil oder Franz Jaschke, hatten sich schon recht intensiv mit der französischen Malerei beschäftigt: der eine tiefer, der andere oberflächlicher, ohne daß von einer wirklichen Verarbeitung die Rede sein kann. Kurzweil z. B. stellte Bilder aus der nordfranzösischen Stadt Concarneau aus.

J. Hoffmann OM.

34

CANCIANI ALFONSO Wien. OM. ■ SAAL IX
Raumgestaltung Leop. Bauer OM.
94 Porträtbüste. Marmor.
JASCHKE FRANZ Wien. OM.
95. Laura
MÜLLER KARL Wien. OM.
96. Brandung.
97. Palmenhaus in Schönbrunn.
98. Vom Quarnero bei Abbazia.
AUCHENTALLER J. M. Grado. OM.
99. Die tönenden Glocken.
JASCHKE FRANZ Wien. OM.
100. Studie.
MÜLLER KARL Wien. OM.
101. Vom Quarnero bei Abbazia.
KÖNIG FRIEDRICH Wien. OM.
102. Amazonen

35

Katalog der XVII. Ausstellung der Secession, März–Mai 1903

Einer der unermüdlichsten Kämpfer für einen Exodus aus dem „Künstlerhaus", der Maler Theodor von Hörmann, der schon 1895, vor der Erreichung des Ziels, gestorben war, hatte jahrelang in Paris gelebt und er war jener österreichische Maler, der dem französischen Impressionismus am nächsten stand. Für alle jene, die die Isolierung des Wiener Kunstlebens nicht länger ertragen wollten, war die Öffnung nach außen eines der Hauptanliegen, das ja auch in den Statuten der Vereinigung verankert wurde. Diese Öffnung, die neue internationale Kontakte mit sich brachte, kam Künstlern und Publikum gleichermaßen zugute. Bedeutende Ausstellungen gleich in den ersten Jahren der „Secession" vermittelten den Wienern zum Beispiel die Kunst der Impressionisten und Nachimpressionisten (unter ihnen Van Gogh, Februar 1903) aber auch jener Maler, die schon vor 1897 einen gewissen Einfluß ausgeübt hatten – in erster Linie auf Gustav Klimt: Fernand Khnopff, Jan Toroop. Zurück zur XVII. Ausstellung: Der Kritiker und Kunstschriftsteller Ludwig von Hevesi, einer der Wortführer der „Secession", Verfasser des Leitsatzes auf der Fassade des neuen Ausstellungsgebäudes, schrieb vor der Eröffnung: „Heute ist Vernissage in der Sezession. Die XVII. Ausstellung der Vereinigung ist durchwegs von österreichischen Künstlern bestritten und von ungewöhnlicher Mannigfaltigkeit. Die Mitglieder lassen alle ihre Künste spielen und einige treten sehr lebensvoll hervor. Es war ein glücklicher Gedanke, diesen Künstlern eigene abgeschlossene Räume zur Verfügung zu stellen, wo sie ihre neuesten Arbeiten selbst inszenieren und ein Gesamtbild ihrer Leistung zusammenstellen konnten. Natürlich ist die Raumgestaltung auch jetzt wieder neuartig, dem Ausstellungsstoff durchaus angemessen. Man sieht Räume von noch ungesehener Form." Sodann folgt eine Beschreibung der einzelnen Räume und der Kunstwerke. Über ein Aquarell von Rudolf von Alt (1812–1905), Ehrenpräsident der „Secession", geriet Hevesi ins Schwärmen: „Wahrhaftig, der Meister hat unter dem Datum 1903 noch ein großes Bild des Kitschelten Eisenhofes gemalt . . . und was für ein Bild! Man traut seinen Augen nicht" (aus: Acht Jahre Secession. Wien 1906, Artikel „Secession" vom 27. 3. 1903). Die Verehrung und Bewunderung, die die Secessionisten dem Meister entgegenbrachten, galt nicht nur seiner virtuosen Ma-

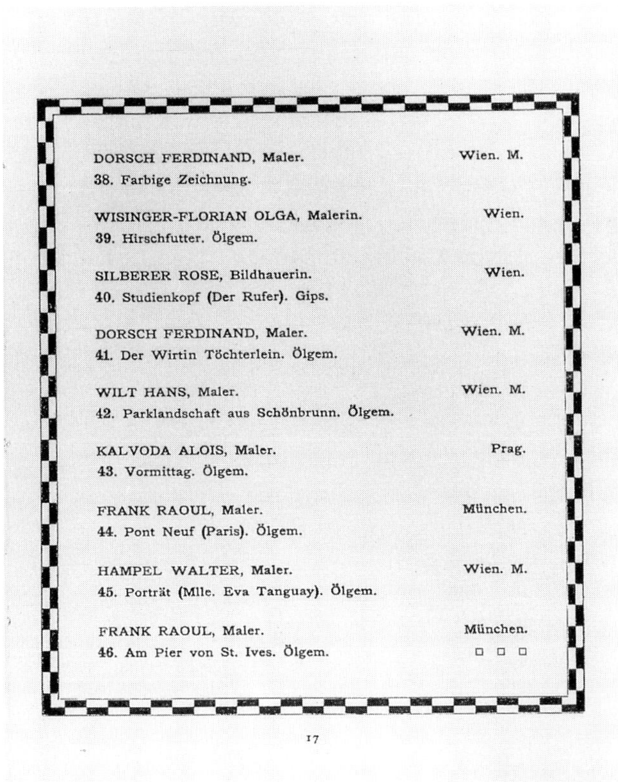

DORSCH FERDINAND, Maler. Wien. M.
38. Farbige Zeichnung.

WISINGER-FLORIAN OLGA, Malerin. Wien.
39. Hirschfutter. Ölgem.

SILBERER ROSE, Bildhauerin. Wien.
40. Studienkopf (Der Rufer). Gips.

DORSCH FERDINAND, Maler. Wien. M.
41. Der Wirtin Töchterlein. Ölgem.

WILT HANS, Maler. Wien. M.
42. Parklandschaft aus Schönbrunn. Ölgem.

KALVODA ALOIS, Maler. Prag.
43. Vormittag. Ölgem.

FRANK RAOUL, Maler. München.
44. Pont Neuf (Paris). Ölgem.

HAMPEL WALTER, Maler. Wien. M.
45. Porträt (Mlle. Eva Tanguay). Ölgem.

FRANK RAOUL, Maler. München.
46. Am Pier von St. Ives. Ölgem. □ □ □

17

Katalog der VIII. Ausstellung des Hagenbundes, April–Mai 1903

lerei, sondern noch viel mehr seiner Einstellung der Kunst gegenüber: nicht stehen zu bleiben, sondern offen zu sein, Neues nicht abzuweisen, sondern zu verstehen trachten.

Das heute gängige „Wien um 1900“-Bild orientiert sich an Schlagworten „Secession“, „Wiener Werkstätte“, „Gustav Klimt“, „Egon Schiele“ – das sind auch die zentralen Bezugspunkte. Daß die bildende Kunst gegenüber dem Kunstgewerbe in der heutigen Wertschätzung den Kürzeren zieht, hat seine Ursache in dessen außerordentlichen Leistungen, deren Breitenwirkung sich auch heute immer wieder bestätigt. Man denke nur an die zahllosen Nachahmungen und Nachempfindungen oder daran, daß verschiedene Muster und Modelle einfach immer noch erzeugt werden. Malerei und Plastik haben es schwerer. Der charakteristische Klimt'sche Frauentypus, dieses „Rätselwesen, sinnlich und seelisch zugleich“ (Bertha Zuckerkandl, 1908) ist zu einem Leitmotiv geworden, an dem alles einigermaßen Vergleichbare gemessen wird. Die Porträts eines Wilhelm List, Friedrich König, Josef Engelhart oder Max Kurzweil und anderer stehen – durchaus verständlich – in seinem Schatten. Gleichviel: Die „Secession“, und zwar in der Gesamtheit ihrer Mitglieder, hat in Wien ein neues Gefühl, ein neues Interesse für die bildende Kunst geweckt. Von diesem Interesse hat die weitere Entwicklung ungemein profitiert.

Die Kataloge der Secessions-Ausstellungen waren kleine, gedruckte, einheitlich gestaltete Kunstwerke, Kostbarkeiten für sich. Der Einbandentwurf der XVII. Ausstellung stammt von Leopold Bauer, innen erscheinen kleine Vignetten von der Hand verschiedener Künstler: sie bilden mit der jeweils gegenüber liegenden Seite eine optische Einheit. Sie standen damit der Zeitschrift „Ver Sacrum“, dem Sprachrohr der Vereinigung würdig zur Seite. Das Katalogvorwort zu dieser Ausstellung beginnt mit den Sätzen: „Unsere XVII. Ausstellung will zeigen, unter welchen Bedingungen sich auch mit dem mobilen, nicht für den betreffenden Platz eigens hergestellte Kunstwerke dekorative Innenraumwirkungen erzielen lassen. Zu diesem Zwecke wurde eine Reihe zimmergroßer Räume geschaffen und jeder derselben einem oder mehreren Künstlern zur Ausschmückung mit ihren vorhandenen Werken überwiesen.“

„Der Hagenbund wurde als fortschrittliche Künstlervereinigung gegründet, als Gegenpol zu der immer noch allmächtigen Künstlergenossenschaft doch auch gegen die „Secession“, die anfangs progressiv war und in die eine Reihe von Malern und Bildhauern nicht aufgenommen worden wäre, obwohl sie dies gerne gewollt hätten“ (R. Waissenberger 1972).

In den ersten Jahren seines Bestehens stand der „Hagenbund“ ganz im Schatten der „Secession“. Es fehlte wohl die zentrale, bedeutende Künstlerpersönlichkeit (die die „Secession“ in Gustav Klimt hatte), außerdem war für eine zweite progressive Künstlervereinigung in Wien doch fürs erste zu wenig Raum. Die Gründung des „Hagenbundes“ folgte einer neuerlichen Abspaltung vom „Künstlerhaus“; der Grund war, wie schon drei Jahre zuvor der Konflikt zwischen Konservativismus und Neuerungswillen und in einem gewissen Sinn auch zwischen Alt und Jung. Neben der „Secession“ war der „Hagenbund“ weniger fortschrittlich, er vertrat eine „gemäßigte“ Moderne. Erst nach 1905, nach dem Auszug der Klimt-Gruppe aus der „Secession“, änderte sich dies, und endgültig, als der Verein junge Künstler wie Egon Schiele oder Oskar Kokoschka unterstützte.

Die VIII. Ausstellung des „Hagenbundes“ im Frühjahr 1903 war, wie die gleichzeitig stattfindenden Ausstellungen der „Secession“ und des „Künstlerhauses“, eine normale Veranstaltung der Vereinigung, wie immer mit einigen Gästen, jedoch ohne allgemein verbindliches Thema oder speziellen Anlaß. Mit 119 ausgestellten Werken war sie die kleinste Schau dieses Frühjahrs. Ölbilder waren – wie auch bei den Ausstellungen der anderen Vereinigungen bei weitem in der Überzahl, im übrigen waren einige Plastiken, Zeichnungen, Radierungen und Pastelle zu sehen.

Unter den ausstellenden Künstlern ist keiner, der als Exponent des „Stils“ bezeichnet werden könnte, keiner zählt zu den heute international bekannten (d. h. bedingt international bekannten) Künstlern der Wiener Epoche um 1900. Die bekanntesten Aussteller waren Ludwig Ferdinand Graf, Walter Hampel, Hans Wilt, Max Suppantschitsch und Olga Wisinger-Florian (letztere als Gast). In der Malerei der Hagenbündler spielen Stimmungswerte eine bedeutende Rolle. In diesen ersten Jahren des „Künstlerbundes Hagen“ bezogen sich dessen Maler direkt auf den Stimmungsimpressionismus Emil Jakob Schindlers, ähnlich wie das verschiedene Maler des „Künstlerhauses“ zur gleichen Zeit taten. Allerdings war man beim „Hagenbund“ malerisch und technisch freier. In den Landschaftsdarstellungen suchte man nicht Dramatik oder die Wiedergabe eines hervorragenden Motivs, sondern das faszinierende Erscheinungsbild eines Augenblicks in einer vertrauten Umgebung. Darstellungen von Wasseroberflächen finden sich häufig (Hans Wilt), Landschaften im Abendlicht oder im Mondschein, Herbstbilder, Nebelstudien. Mit einem Wort, die Maler des „Hagenbundes“ bevorzugten stimmungsträchtige Motive und Themen. Es ist sicher kein Zufall, daß die Malerin Olga Wisinger-Florian, Schülerin Emil Jakob Schindlers und legitime Fortsetzerin seiner Kunst, hier ausstellte. Von den Stimmungsausschnitten so manchen Bildes aus dem „Hagenbund“ zu den Atterseelandschaften Gustav Klimts ist der Abstand nicht allzu groß – betrachtet man alles unter dem Gesichtspunkt der gemeinsamen Ahnen, nämlich der Stimmungsmalerei Schindlers und letzten Endes der Schule von Barbizon noch ein Menschenalter früher. Freilich hebt die künstlerische Kraft Gustav Klimts seine oft geradezu stillebenhaften Landschaftsausschnitte auf eine andere, höhere und allgemeingültige Ebene.

Die Kataloge des „Hagenbundes“ gelten heute wie die der „Secession“ als bibliophile Raritäten. Die Gestaltung des Innenteils ist jedoch etwas einfacher und kommt mit der durchgehenden Verwendung einer Rahmenleiste für jede Seite aus. Der Entwurf für den Umschlag des Kataloges der VIII. Ausstellung wurde von Gustav Bamberger geschaffen.

In diesem Zusammenhang ist noch zu bemerken, daß auch der „Hagenbund“ seine Ausstellungen in einem eigenen Gebäude präsentieren konnte und zwar in einer von dem Architekten Josef Urban umgebauten Markthalle, der Zedlitzhalle.

Es bleibt noch festzustellen, daß die Aufnahme von Jugendstilmotiven in die Wiener Kunst nicht mit dem Gründungsdatum der „Secession“ zusammenfiel. Das Jahr 1897 war nicht zugleich der Start für eine umfassende Einführung des „Stils“ in Wien. Die Zwickelbilder im Gewölbe des Stiegenhauses des Kunsthistorischen Museums von Gustav Klimt (1891) verraten bereits Einflüsse aus Westeuropa, die die kommende Entwicklung andeuten und einleiten. Es war Gustav Klimt, der auf seinem Weg vom hochverdienten Maler der Ringstraßen-Ära zum Mitbegründer und ersten Präsidenten der „Secession“ Einflüsse aufgenommen hat, die auch für seine Malerkollegen und Freunde Bedeutung erlangten. Vieles macht Klimt zur bedeutendsten Künstlergestalt Wiens „um 1900“, unter anderem das Faktum, daß er in seinem Werk der neunziger Jahre die weitere Entwicklung vorgezeichnet hat. In verschiedenen Künstlerkreisen (z. B. „Hagengesellschaft“, 1880 gegründet, „Siebenerklub“, 1895) hatten sich einzelne Künstler sehr wohl bereits vor

1897 mit den Zeichen auseinandergesetzt, die am westlichen Horizont standen. Dabei brauchte man gar nicht nach Frankreich oder Schottland blicken (was man sehr wohl tat), sondern „nur“ nach München, das seine „Secession“ bereits 1892 gegründet hatte und das mit der Zeitschrift „Die Jugend“ ein Organ besaß, das sehr viel zur Verbreitung des „Stils“ in Mitteleuropa beitrug. Im Frühjahr 1897 nahmen die Schwierigkeiten mit der Leitung der „Künstlergenossenschaft“ derartige Formen an, daß selbst die Zauderer für einen Austritt waren. Wir haben es bereits gesagt: das war keine Protestbewegung, sondern die lang und wohlüberlegte Aktion zur Befreiung künstlerischer Schaffenskraft. In Gustav Klimt hatte man jenen Mann, dessen „Persönlichkeit die treibende Kraft [war], mit welcher er seiner Kunst Umwertungen auf[zwang]“ (B. ZUCKERKANDL), der aber auch menschlich und künstlerisch eine bedeutende Vorbildfunktion ausübte.

Literatur (Auswahl, keine Monographien):

H. BAHR, Secession. Wien 1900 – M. BISANZ-PRAKKEN, Gustav Klimt. Der Beethovenfries. Salzburg 1977 – O. BREICHA–G. FRITSCH (Hrsg.), Finale und Auftakt, Wien 1898–1914. Salzburg 1964 – R. FEUCHTMÜLLER–W. MRAZEK, Kunst in Österreich 1860–1918. Wien 1964 – G. FRODL, Begegnung im Theater. Hans Makart und Gustav Klimt. In: Mitteilungen der Österreichischen Galerie, Jg. 22/23 (197879) Heft 66/67, S. 9 ff. – L. VON HEVESI, Österreichische Kunst im 19. Jahrhundert. Leipzig 1903 – L. VON HEVESI, Acht Jahre Secession. Wien 1906 (Reprint, Klagenfurt 1984) – H. HUTTER, Die Wiener Secession. Chronik einer Künstlervereinigung. In: Wien um 1900. Kunst und Kultur. Wien 1985, S. 35ff. – F. ENDLER, Das k. u. k. Wien. Wien 1977 – W. KITLITSCHKA, Die Maler der Wiener Ringstraße. Band X der Reihe: Die Wiener Ringstraße. Bild einer Epoche. Wiesbaden 1981 – Chr. M. NEBEHAY, Ver Sacrum 1898–1903. Wien 1975 – N. POWELL, The Sacred Spring. The Arts in Vienna 1898–1918. London 1974 – R. SCHMIDT, Das Wiener Künstlerhaus. Eine Chronik 1861–1951. Wien 1951 – C. SCHORSKE, Fin-de-Siècle Vienna. Politics and Culture. New York 1981 – J. SHEDEL, Art and Society. The New Art Movement in Vienna 1897–1914. Palo Alto 1981 – P. VERGO, Art in Vienna 1898–1914. London 1975 – R. WAISSENBERGER, Die Wiener Secession. Wien–München 1971 – DERS., Hagenbund 1900–1938. In: Mitteilungen der Österreichischen Galerie. Jg. 16 (1972) Heft 60 – DERS. (Hrsg.), Wien 1890–1920. Fribourg 1984 – DERS. (Hrsg.), Wien 1870–1930. Traum und Wirklichkeit. Salzburg 1984 – G. WUNBERG (Hrsg.), Die Wiener Moderne. Literatur, Kunst und Musik zwischen 1890 und 1910. Stuttgart 1981 – B. ZUCKERKANDL, Zeitkunst Wien 1901–1907. Wien–Leipzig 1908

Ausstellungskataloge:
Vienna 1900. Vienna, Scotland and the European Avant-Garde (P. VERGO). Ausst. Kat. National Museum of Antiquities of Scotland. Edinburgh 1983 – Le Arti a Vienna dalla Secessione alla Caduta dell Impero Asburgico. Ausst. Kat. Palazzo Grassi. Venedig 1984 (Deutsche Ausgabe: Wien um 1900. Kunst und Kultur. Wien 1985) – Traum und Wirklichkeit. Wien. 93. Sonderausstellung des Historischen Museums der Stadt Wien. Künstlerhaus Wien 1985 – Vienna 1880–1938, L'Apocalypse Joyeuse. Ausst. Kat. Centre Pompidou Paris 1986 – Vienna 1900. Art, Architecture, Design. Ausst. Kat. Museum of Modern Art New York 1986

Patrick Werkner

AUFBRUCH IN DIE MODERNE

„MODERNE“ UND „FRANZ JOSEPH“ – UNVEREINBARE BEGRIFFE?

Der „Aufbruch in die Moderne“ und das „Zeitalter Kaiser Franz Josephs“ erscheinen auf den ersten Blick wie die Bezeichnungen zweier miteinander unvereinbarer historischer Abschnitte. Tatsächlich fand, was die Kunst betrifft, der Aufbruch in die Moderne in Österreich weitgehend ohne, ja sogar gegen den Hof statt. Die Rahmenbedingungen der Wiener Moderne sind jedoch in weiten Teilen identisch mit denen der spezifischen kulturellen Situation Wiens zur Jahrhundertwende; zu ihnen gehört naturgemäß auch die imperiale Struktur der Stadt. Die Moderne in Österreich verdankt ihre Entstehung ja auch der Anziehungskraft der Reichshaupt- und Residenzstadt Wien, die das

Ziel vieler kreativer Kräfte aus allen Teilen des Reiches war. Die ethnische, politische und kulturelle Pluriformität Wiens war maßgeblich an seiner schöpferischen Atmosphäre beteiligt. Wien als der Mittelpunkt eines Vielvölkerstaates von 54 Millionen Einwohnern verdankte seine Bedeutung somit nicht nur dem genius loci, sondern auch seiner davon nicht trennbaren zentralistischen Stellung im Donauraum. Mit dem Zerbrechen der Monarchie wurde der Stadt denn auch ein Großteil ihrer kreativen Fermente entzogen. Ihre Prosperität und die finanziellen Mittel, die hier zur Verfügung standen – und mit ihr Auftraggeber, Sammler und Mäzene – gehören gleichfalls zu den Bedingungen der Wiener Moderne; man denke nur an das prominente Beispiel des Industriellen Karl Wittgenstein, dessen Spende die Errichtung von Joseph Maria Olbrichs Secessions-Gebäude innerhalb eines Jahres möglich machte. Träger der Moderne in Wien war nicht der Hof oder die Aristokratie, sondern das liberale (Groß)bürgertum. Seit der Gründung der Secession 1897 bot es ihren Künstlern die ideelle und materielle Grundlage für die Verwirklichung der neuen künstlerischen Ziele. Wesentliche Hilfestellung leisteten dabei die fortschrittlicheren unter den Wiener Kritikern, die in nicht zu überschätzender Weise an der Blüte des „Heiligen Kunstfrühlings" Anteil haben – besonders Ludwig Hevesi, Berta Zuckerkandl und vor allem Hermann Bahr, der es sich geradezu zur Mission gemacht hatte, für Wien ein Mittler der Moderne zu werden. Vielfach war es aber auch die Reibung an den konservativen, wenn nicht reaktionären Kräften des Hofes, von der die Ausprägung der Moderne in der Habsburgermetropole mitbestimmt wurde. So sind die beiden historischen Abschnitte des „Aufbruchs in die Moderne" und des „Zeitalters Kaiser Franz Josephs" nicht nur durch ihre zeitliche Überschneidung miteinander verbunden.

Eine etwaige antithetische Haltung der „Modernen" gegenüber dem Hof zeigt sich dabei weniger im direkten politischen Agieren, als vielmehr in ihren künstlerischen Manifestationen. Durchaus kulturkämpferisch gemeint ist das 1909 bis 1911 von Adolf Loos errichtete Haus am Michaelerplatz, unmittelbar gegenüber dem im Geist des Historismus fertiggestellten Michaelertrakt der Hofburg. Die imperiale Repräsentation zelebrierende Hofburg und das Loos-Haus, das die „Modernität" geradezu zu seinem Programm macht, sind in ihrer Erbauungszeit lediglich eineinhalb Jahrzehnte voneinander getrennt. Ihr Kontrast dokumentiert jedoch das Aufeinanderprallen zweier Epochen. Bezeichnend, auch falls sie historisch nicht belegbar ist, erscheint die gerne tradierte Anekdote, Kaiser Franz Joseph habe nach der Errichtung des Loos-Hauses das bleibende Schließen der Vorhänge im Michaelertrakt der Burg befohlen, um das neue Haus nicht sehen zu müssen. Bezeichnend für die Haltung des Hofes ist auch die mit dem Loos-Haus zeitlich zusammenfallende Errichtung des Kriegsministeriums am Ring in dem pompösen Stilgemisch Ludwig Baumanns. An der Ausschreibung für das Gebäude hatten sich unter anderem Otto Wagner und Adolf Loos beteiligt, die auch bei anderen großen öffentlichen Projekten nicht zum Zug kamen.

Wagner war allerdings 1894 mit der architektonischen Gestaltung des zukunftsweisenden Stadtbahnnetzes betraut worden, das bis heute für Struktur und Funktionalität der Stadt Wien in weiten Teilen bestimmend geblieben ist. Mit Wagners Bauten für die Stadtbahn, mit der Postsparkasse und der Kirche am Steinhof hielt die Moderne auch in der Wiener Architektur ihren Einzug – nicht ohne die hier so geschätzte Preziosität zu verleugnen, die erst Adolf Loos zum „Verbrechen" stempelte.

Diese Preziosität und der am Beginn der Wiener Moderne ganz und gar nicht abrupte Bruch mit dem Historismus begünstigten es auch, daß der Kaiser den neuen künstlerischen Bestrebungen zunächst durchaus wohlwollend begegnete. Dies zeigt sich etwa daran, daß er 1898 der Einladung der Secession zum Ausstellungsbesuch Folge leistete; dazu trug wohl auch die Ernennung des 85jährigen Rudolf von Alt zum Ehrenpräsidenten der Secession bei, womit die Künstlervereinigung in den Augen der Öffentlichkeit ein Bekenntnis zur Kontinuität abgelegt hatte. Im gleichen Jahr hatte Wagner innerhalb der Stadtbahntrassierung einen Hofpavillon vor Schloß Schönbrunn zu errichten, dessen Benützung ausschließlich der kaiserlichen Familie vorbehalten war. Allerdings wurde er nur ein einziges Mal von Kaiser Franz Joseph, zur Eröffnung einer Teilstrecke, benutzt.

Die anfängliche Verwurzelung Wagners im Historismus und seine Schmuckfreudigkeit legitimierten ihn in Wien auch für repräsentative Aufträge und für eine Professur an der Wiener Akademie der bildenden Künste. Loos war hingegen stark von der neuen funktionalistischen Architektur Amerikas geprägt, die er mit der ihm eigenen Radikalität im Künstlerischen verband. Eine solche forderte Wagner zunächst in stärkerem Maß verbal – "artis sola domina necessitas", 1892 – als er sie in seinen Bauten auch tatsächlich verwirklichte. Joseph Maria Olbrich, Josef Hoffmann, Max Fabiani, Josef Plečnik und andere Architekten, durch deren Schaffen die Wiener Architektur der Moderne mitgeformt wurde, wirkten zunächst in Wagners Atelier. Wagners direkter und indirekter Einfluß strahlte durch diese und eine Vielzahl weiterer Mitarbeiter und Schüler auf die gesamte Donaumonarchie aus. Josef Hoffmann, bald selbst Lehrer an der Wiener Kunstgewerbeschule, Mitbegründer der Wiener Werkstätte, höchst erfolgreicher Architekt und Entwerfer von verfeinertem Kunstgewerbe, kann – die Komplexität seines Werks hier vereinfachend – als Vertreter jener sensualistischen Ästhetik stehen, die für die Wiener Moderne so kennzeichnend ist – während Loos' im Vergleich puritanische Bauweise sich nie in diesem Maße durchsetzen konnte.

Diese Charakterisierung gilt mit Einschränkungen auch für das Kunstgewerbe. Mit der im breiten Spektrum erfolgenden Präsentation der entsprechenden neuen europäischen Strömungen trugen die Secessions-Ausstellungen wesentlich zur Entstehung eines modernen Kunsthandwerks auch in Österreich bei. Am Anfang stehen dabei die stärker geschwungenen vegetabilen Formen, die vom französischen und belgischen Art Nouveau beeinflußt sind. Im weiteren Verlauf wurde die ornamentlose, funktionelle Form Hoffmanns und Kolo Mosers, wie sie sich bald herausbildete, dominanter. Sie fand wenig später ihre Bestätigung durch die gleichfalls innerhalb der Secession präsentierte strengere Linie des schottischen Künstlerehepaares Mackintosh. Parallel dazu wurden auch die Qualitäten des Biedermeier-Kunstgewerbes, das in Österreich hundert Jahre zuvor seine Blüte erlebt hatte, wiederentdeckt. Der Erfolg des neuen Kunstgewerbes trug dazu bei, daß Hoffmann und

Hermann Bahr. Wien, Österreichische Nationalbibliothek, Bildarchiv

Moser 1903 die Wiener Werkstätte ins Leben riefen; als „Productivgenossenschaft von Kunsthandwerkern in Wien" wurde sie in allen Bereichen des Kunstgewerbes tätig. Die Kühnheit der Wiener Werkstätte in der Reduktion ihrer Schöpfungen auf geometrische Gebilde ist dabei nicht immer funktional bedingt, die scheinbare Askese der Form wird oft durch kostbares Material wieder aufgehoben. In der Serienproduktion hatten hingegen schon zuvor die billig herstellbaren Bugholzmöbel der Firmen Thonet, Kohn und anderer die Möbelproduktion revolutioniert.

Die besondere Bedeutung des Kunstgewerbes innerhalb der österreichischen Moderne dokumentiert auch die damals sehr einflußreiche und zukunftsorientierte Stellung des Österreichischen Museums für

Kunst und Industrie, das durch seine Präsentationen gleichfalls wichtige Impulse gab. Letzteres gilt im noch stärkeren Maß für die mit dem Museum verbundene Kunstgewerbeschule. Nicht nur lehrten an ihr etliche Künstler der Secession, sondern studierte auch eine Reihe junger Talente, die dann die folgende Künstlergeneration mitbestimmte. Der Aufgeschlossenheit und auch Experimentierfreudigkeit der noch jungen Kunstgewerbeschule steht zur gleichen Zeit an der altehrwürdigen Akademie der bildenden Künste eine wesentlich konservativere Ausrichtung gegenüber. Auf sie übte der Hof in Person des für alle monarchischen Kunstfragen zuständigen Thronfolgers Erzherzog Franz Ferdinand erheblichen Einfluß aus. So wurde etwa die Berufung Klimts an die Wiener Akademie durch sein Votum verhindert.

Gustav Klimts künstlerische Entwicklung ist derjenigen Otto Wagners insofern vergleichbar, als auch er zunächst im Historismus wurzelt – wobei er sich als glanzvoller Makart-Adept unter Beweis stellte – und bestens geeignet erschien, an der Ausgestaltung der Repräsentations- und Monumentalprojekte der Metropole mitzuwirken. Mit seiner weiteren Entwicklung erteilte er dem „schönen Schein" jedoch jene Absage, die ihm die erbitterte Gegnerschaft bisheriger Verehrer eintrug. Als dem Maler der Fakultätsbilder, des Beethovenfrieses und der „Goldfische" war ihm die Verweigerung einer Professur am obersten Kunstinstitut des Reiches gewiß. Freilich gab es auch an der Akademie aufgeschlossene Lehrer – wie ja auch die vom Kollegium vorgeschlagene Berufung Klimts beweist – und nicht zuletzt die Architekturschule Otto Wagners.

Erst recht mußte die auf Klimt folgende, ihm viel verdankende Generation der österreichischen Expressionisten von Kaiser und Thronfolger abgelehnt werden. Von Franz Joseph wird denn auch ein Ausspruch während der Besichtigung der Wiener Internationalen Jagdausstellung 1910 überliefert, als er vor eine weibliche Aktdarstellung Egon Schieles geführt wurde: „Das ist ja ganz entsetzlich!" (FISCHER, S. 4.). Und Erzherzog Franz Ferdinand soll anläßlich des Besuchs einer Ausstellung mit Werken Kokoschkas 1911 diese als „Schweinerei" bezeichnet haben (SCHWEIGER, S. 195).

Die bildende Kunst nimmt im Wien der Jahrhundertwende im Vergleich zur angewandten Kunst und zur Architektur verhaltener die Anregungen aus der europäischen Moderne auf. Sie bleibt in ihrer Formauflösung – mit Ausnahme Richard Gerstls – wesentlich zurückhaltender als andere Kunstzentren, gelangt nie zu deren Freiheit des Farbeinsatzes und auch später nicht zur abstrakten Malerei – wiewohl gerade Gerstl nur noch einen Schritt von ihr getrennt zu sein scheint, in den Texten Hermann Bahrs die Möglichkeit einer abstrakten Kunst gegeben, ja gefordert ist, und Kubin eine solche sogar in seinem 1908 geschriebenen Roman „Die andere Seite" schildert – ohne allerdings in seinem eigenen Schaffen mehr als Tendenzen in diese Richtung zu entwickeln.

ANSPRÜCHE UND WIDERSPRÜCHE IN DER WIENER MODERNE

„Die Schönheit und die Kunst (sind) nicht eine Verzierung..., sondern... die einzige wahre Form des Lebens selbst... Wir sollen uns nicht mit schönen Dingen putzen, sondern wir sollen auf eine schöne Weise da sein, rings von Zeichen unserer Schönheit so umgeben, daß wir uns an ihnen aufrichten und nicht mehr ins Schlechte versinken können." Hermann Bahr schrieb dies 1899, in seiner Rezension der vierten Secessions-Ausstellung (BAHR, S. 125). Der Glaube, die Ästhetisierung des Lebens sei gleichbedeutend mit der ethischen Verbesserung des Menschen, bildet eine der Grundthesen der Wiener Secession (zum folgenden vgl. WERKNER, passim).

Die Rettung der Kunst als Rettung der Welt: dieser Gedanke war auch bei der Gründung der Zeitschrift „Ver Sacrum", dem Organ der Secession, im Jahr 1898 ausschlaggebend. In ihrem ersten Heft begründete Max Burckhard entsprechend pathetisch die Wahl des „Heiligen Frühlings" als Titel der Zeitschrift: „Wenn aber eine Gefahr dem Vaterland drohte, dann weihte das gesamte Volk alles Lebende, das der nächste Frühling brachte, den Göttern als heilige Frühlingsspende – Ver Sacrum..." (Ver Sacrum 1898, H. 1, S. 2).

Die Anfänge der Secession waren von einem deutlichen sozialreformerischen und volksbildnerischen Impuls geprägt. Gleichfalls im ersten Heft von „Ver Sacrum“ wurde die Frage „Weshalb wir eine Zeitschrift herausgeben?“ damit beantwortet, daß deren Fehlen „es bisher den Künstlern unmöglich (machte), ihre Bestrebungen in weitere Kreise zu tragen.“ (Ver Sacrum 1898, H. 1, S. 5). Die pädagogische Motivation kam insbesondere auch bei der angestrebten Reform des Kunsthandwerks zum Ausdruck. Der volksbildende Ansatz der englischen „Arts and Crafts“-Bewegung war eine der Triebfedern bei der Gründung der Zeitschrift. Berta Zuckerkandl veröffentlichte im siebten Heft des ersten Jahrgangs einen Aufsatz über „Die neue Volkskunst“. Sie schrieb darin, man müsse „Menschen erziehen, die ein unpersönliches, kahles Zimmer unerträglich finden, denen schlecht gestimmte Farben, häßliche Proportionen direkt körperliches Unbehagen verursachen. Sie werden dann – besonders die Frauen mit ihrem ebenso ästhetischen als praktischen Sinn – Forderungen stellen, aus denen sich der wirklich künstlerische Gebrauchsgegenstand entwikkeln wird. Billig, logisch und dem Auge gefällig. Denn vorläufig ist das Kunstgewerbe noch zu sehr Zier. Es muß erst urwüchsiger werden, durch die tägliche Gemeinschaft, in der Familie.“ (ZUCKERKANDL, S. 8) Im gleichen Heft erschien Adolf Loos' Aufsatz „Die potemkinschen Dörfer“, in dem er gegen die protzige, „lächerliche“ Architektur der spätgründerzeitlichen Wiener Zinshäuser zu Felde zog. In ihrer vorgespielten Feudalität erblickte er „eine unmoralische Handlung, einen Schwindel.“ (LOOS, S. 16). Die künstlerische Wahrhaftigkeit als Forderung bei Loos, der Glaube an die Wechselwirkung von „Erziehung“, menschlicher Mündigkeit und künstlerischer Qualität bei Zuckerkandl: sie spiegeln das Bewußtsein von der gesellschaftlichen Verantwortung des Künstlers in der frühen Secession.

Der zunehmende Ästhetizismus der Secessionskünstler verdrängte jedoch bald diese Impulse. Einige Jahre später geißelte Loos – dabei deutlich auf die an der Kunstgewerbeschule lehrenden Kolo Moser und Josef Hoffmann zielend – die „indianische Verzierungswut der staatlich angestellten Kulturbarbaren.“ (RUKSCHCIO, S. 110). In der Sprache Karl Kraus' hieß es später über die secessionistisch eingerichteten Wohnungen: „Den Schmutz der Gasse haben sie zuhause,

Ludwig Hevesi. Wien, Österreichische Nationalbibliothek, Bildarchiv

und selbst der ist von Hoffmann.“ (Die Fackel Nr. 384/85, 13. 10. 1913, S. 4).

Loos formulierte gerade unter dem Eindruck der Kunstschau von 1908, die die Wiener Werkstätte auf einem Höhepunkt ihrer Produktion präsentierte, sein Traktat „ornament und verbrechen.“ Bei der Eröffnung dieser Ausstellung hatte Klimt einmal mehr die Gleichung von Schönheit und Fortschritt verkündet. Er sprach seine Überzeugung aus, daß im Vermehren „der Schönheit dieser Erde ... und ... der immer weiter fortschreitenden Durchdringung des Lebens mit künstlerischen Absichten der Fortschritt der Kultur gegründet ist.“ (KLIMT). Tatsächlich waren die Secessionisten im Lauf ihrer Entwicklung jedoch nicht der

Gefahr entgangen, vielfach den Dekor zum Selbstzweck zu erheben.

Daß diese Entwicklung bereits in den Anfängen der Secession angelegt war, zeigen damalige Äußerungen Hermann Bahrs, der kurzfristig wie eine Art „Chefideologe" der Künstlervereinigung wirkte. 1898 schrieb er über seine Vorstellungen von einem idealen Haus: „Über dem Tore wäre ein Vers geschrieben: der Vers meines Wesens, und das, was dieser Vers in Worten ist, dasselbe müßten alle Farben und Linien sein und jeder Stuhl, jede Tapete, jede Lampe wären immer wieder derselbe Vers. In einem solchen Haus würde ich überall meine Seele wie in einem Spiegel sehen. Dies wäre mein Haus. Hier könnte ich mir leben, mein eigenes Antlitz anschauend und meiner eigenen Musik lauschend." (BAHR, S. 37). Diese Mischung von Narzißmus und Ästhetizismus – mit der Gefahr des Totalitarismus (vgl. WAGNER, S. 152 ff) – blieb für Bahrs weitere Entwicklung zwar nicht charakteristisch, wohl aber für große Bereiche der Secessionskunst. Dies wird etwa daran deutlich, wie die Wiener Werkstätte George Minnes frühe Jünglingsskulpturen rezipierten: Eines ihrer Werbefotos zeigt einen reich gedeckten Eßtisch mit ihren Erzeugnissen, verziert von üppigen Girlanden, wobei gleichsam als Krönung des Arrangements in dessen Zentrum eine Marmorskulptur Minnes postiert ist. Die Figuren, die für den frühen österreichischen Expressionismus von beträchtlicher Wirkung werden sollten, erscheinen dabei als dekorative Versatzstücke.

Daß es in Klimts Beethovenfries von 1902 gerade die „feindlichen Gewalten" waren, die ihren Urheber zur Zielscheibe der Kritik machten, war kein Zufall. Die Darstellung von „Krankheit, Wahnsinn, Tod, Wollust, Unkeuschheit und Unmäßigkeit" in dieser realistischen Form brach mit den Normen von Schönheit und Harmonie. Ihr Auftritt war lediglich in einer allegorischen Verkleidung erlaubt, die niemanden zu beunruhigen vermochte. Die Einführung des Häßlichen und Krankhaften, die ungeschminkte Darstellung auch der dunklen und bedrohlichen Seiten des Lebens, wie sie auch in Klimts Fakultätsbildern erfolgte, wurde im Wien der Jahrhundertwende nicht geduldet. Die Unterdrückung der negativen Aspekte, die stets unter dem Schleier der Stilisierung verborgen bleiben sollten, spiegelt eine essentielle Angst vor dem Leben in seiner Ganzheit.

Aus Selbstschutz zieht es der Arzt in Schnitzlers Schauspiel „Der einsame Weg" vor, die Menschen nie ganz kennenzulernen – sonst würde man „toll vor Mitleid oder Ekel oder Angst." Musil läßt die Figur des Josef in seinen „Schwärmern" sagen: „Man hat nicht soviel Gefühl zu haben; oder höchstens für das Große und Erhabene, wo es nicht schaden kann". Verdrängte Gefühle und die in der österreichischen Moderne so oft thematisierten Bereiche Tod und Sexualität fanden nicht zufällig in den Grundthesen Freuds ihren Niederschlag. „Die schlecht verdrängte Sexualität hat manchen Haushalt verwirrt; die gut verdrängte aber die Weltordnung", schrieb Karl Kraus 1911 (Die Fackel, Nr. 315/316, 26. 1. 1911, S. 31). Die Reaktion auf diese Verdrängung von Beunruhigendem, von Leid und von menschlichen Grenzsituationen führte mit zum österreichischen Expressionismus; er beantwortete sie geradezu zwangsläufig mit einer Gewichtsverlagerung „von der Fassade zur Psyche." (COMINI, S. 1 ff).

Es ist auch bezeichnend, welche Gewichtungen die europäische Moderne in den entsprechenden Wiener Ausstellungen erfuhr. Die insgesamt 23 durch die Secession vor dem Austritt der Klimt-Gruppe organisierten Ausstellungen, auf denen tausende von Objekten gezeigt wurden, besitzen erheblichen Anteil an der Blüte des „heiligen Kunstfrühlings". Auf dem eigenwilligen Wiener Boden entwickelten sich dabei ganz bestimmte Vorlieben, wie gleichermaßen das Desinteresse an anderen Strömungen auffällt. „Daß die Leute in den Khnopff und Segantini vernarrt sind", berichtete Bahr schon 1898. (BAHR, S. 71). Bereits das Dezemberheft des ersten Jahrgangs von „Ver Sacrum" war Fernand Khnopff als Sondernummer gewidmet. Ebenso wurden Rodin, Klinger und Böcklin wiederholt gezeigt. In ihren symbolistischen Inhalten trafen sich diese Künstler mit Giovanni Segantini, dessen divisionistische Malweise in Verbindung mit seinem Natursymbolismus einen tiefen Eindruck hinterließ. Die erstaunliche Wirkung Segantinis beruhte auch darauf, daß er in Österreich noch vor den Impressionisten umfangreich gezeigt wurde. Er war dabei inhaltlich und formal nicht zu revolutionär, um nicht

Ludwig Baumann, Kriegsministerium, 1909–1913, Wien I, Stubenring 1

auch breitere Kreise anzusprechen (LEHNE, S. 1 ff.). Theo van Rysselberghes in Wien ebenfalls sehr großer Erfolg und die Wirkung seiner pointillistischen Gemälde ist im gleichen Zusammenhang zu sehen. Der Gleichgültigkeit in bezug auf das Werk Munchs steht etwa die frühe Aufnahme George Minnes gegenüber, oder der Erfolg Ferdinand Hodlers. Auch Toorop wurde wiederholt gezeigt, während die große französische Impressionistenschau des Jahres 1903 von staatlicher Seite ebensowenig wie von privaten Sammlern wahrgenommen wurde. Wie man den Aufschrei Munchs – der zweimal in Secessions-Ausstellungen gezeigt wurde – nicht wahrnahm, konnte man sich auch nicht mit der „bürgerlichen" Malerei der Impressionisten identifizieren. Sie ermangelte wohl der verfeinerten Eleganz des Wiener Jugendstils, des Pathos und des Allegorischen. Geschätzt wurde vor allem eine preziöse Mischung aus Symbolismus und Jugendstil. Wo der Künstler jedoch begann, die Normen des „guten Geschmacks" zu verlassen, wie dies Klimt in seinen Fakultätsbildern und im Beethovenfries getan hatte, wurde dagegen von der Öffentlichkeit Sturm gelaufen.

Die Gauguin- und van-Gogh-Ausstellungen in der Galerie Miethke 1906 und 1907 etablierten diese beiden Künstler in Wien als Fixpunkte der Kritik, was die künstlerische Gegenposition zur Stilkunst betrifft. Ludwig Hevesi verteidigte Gauguin dabei gegen den Vorwurf eines gesuchten Primitivismus: „Es gibt keine Barbarei. Es gibt wieder Ausbrüche von Natur, mitten durch die dicksten Kulturschichten." (HEVESI, S. 518). Hingegen erblickte er bei van Gogh „Formen, die ein ewiges Suchen sind und sich niemals finden. Schauerlicher Lyrismus eines Stimmungsmalers von morgen, der schon heute zugrunde gehen muß, an der Unfaßbarkeit seiner Vision, die den Boden der dingfesten Dinge mit krampfhaftem Fußtritt hinter sich gelassen hat." Letztlich blieb Hevesi van Goghs Vision fremd, ihre Erregung unverständlich: „In Arles und Auvers-sur-Oise, wo die gemütlichen Heuschober unseres Jettel stehen, malte er solche verzweifelte Dinge. Er hätte sich auch im Paradies erschossen." (HEVESI, S. 527 ff). In van Gogh und Gauguin erblickte man denn auch die künstlerischen Ahnherren, als wenig später einzelne junge österreichische Künstler mit der Wiener Stilkunst brachen. Für Franz Servaes war „der blutjunge Oskar Kokoschka ein noch arg verwildertes Talent, das auf den Bahnen van Goghs und Gauguins sich weiter tastet und von einem Extrem ins andere taumelt. Hier wird alles auf die Gewinnung von Selbstzucht ankommen..., auf daß er aus seinem barbarischen Häßlichkeitstaumel zu einem gereinigten Formgefühl erwache." (SERVAES, S. 587 ff).

Von den jährlich hunderten Werken, die damals in Wiener Ausstellungen die neue Kunst Europas vorstellten, wurden etliche durch die neugegründete staatliche Moderne Galerie erworben oder dieser durch Stiftungen vermacht – wobei allerdings eine sehr konservative Ankaufspolitik vorherrschte. Die Sammlung bot neben bedeutenden Werken wie Klingers „Urteil des Paris", Böcklins „Meeresidylle", Monets „Koch (Monsieur Paul)" und Segantinis „Die bösen Mütter" eine bunte Mischung von sehr unterschiedlicher Qualität. Gemälde, die österreichischen Künstlern Beispiele der europäischen Ausdruckskunst vermitteln hätten können, wurden erst spät in die Moderne Galerie einbezogen. Van Goghs „Ebene von Auvers", die die Secession 1903 gestiftet hatte, bildet die einzige Ausnahme. Die frühesten Erwerbungen Munchs und Corinths erfolgten 1916, Toulouse-Lautrecs oder Ensors erst in den vierziger Jahren. Einige Gemälde französischer Impressionisten wurden noch im ersten Jahrzehnt des Jahrhunderts erworben. Bei der Gründung der Modernen Galerie gingen die Behörden entsprechend halbherzig vor. Im Mai 1900 beschloß der Kunstrat des Kultusministeriums die Einsetzung eines Komitees zur Errichtung einer Modernen Galerie, drei Jahre später erfolgte deren provisorische Einrichtung in den Räumen des Schlosses Belvedere, aber erst 1909 wurde in Friedrich Dörnhöffer ein Direktor bestellt, womit die Sammlungstätigkeit systematischer erfolgte (vgl. HAMMEL, S. 24 ff).

„EINBRUCH DES CHAOS IN DAS NOCH-NICHTETWAS"

An die Stelle der „Zeichen unserer Schönheit", die noch für das Frühwerk Schieles und Kokoschkas charakteristisch waren, trat in ihrem Schaffen bald die Gestaltung der „feindlichen Gewalten". Ihre Präsenz in den neuen Bildern wurde als Bedrohung empfunden. Bereits vor den auf der Kunstschau 1908 gezeigten und vergleichsweise noch dekorativen Werken Kokoschkas warnte der einflußreiche Kritiker der „Neuen Freien Presse", Adalbert Franz Seligmann: „Menschen von Geschmack sind hier einem Nervenchoc ausgesetzt." (SCHWEIGER, S. 68). Die aggressive Ablehnung, die der Impressionismus und insbesondere die expressionistischen Strömungen bei der konservativen Kritik hervorriefen, war jedoch nicht der Ausdruck eines secessionistischen Ästhetizismus. Sie beruhte auf einer auf Naturalismus und Realismus beharrenden, rational-positivistischen Weltanschauung. Schieles 1909, anläßlich der „Neukünstler"-Ausstellung geschriebenes Manifest setzt ihr ostentativen Subjektivismus entgegen; er verbindet sich mit dem Bewußtsein des genial Schöpferischen und des heroisch Einzelnen. Seine Position befindet sich aber auch im Gegensatz zur schönheitstrunkenen Secession, die immer wieder von ihrem weltverbessernden Auftrag spricht – deren Verbesserung sich allerdings immer mehr auf die Welt ihrer Anhänger- und Kundenschaft reduziert hatte. In diesem Sinne stehen Adolf Loos und Karl Kraus dem ethisch verabsolutierten Individualismus von Schiele, Kokoschka oder Gerstl nahe und teilen den schöpferischen Subjektivismus bei Schönberg, dem jungen Gütersloh oder auch Kubin.

Albert Paris Gütersloh, ein glühender Vorkämpfer

Adolf Loos, Goldman & Salatsch, 1909–1911, Wien I, Michaelerplatz des österreichischen Expressionismus, wies 1911 auf den „polemische(n) Charakter jeder Neukunst" hin, deren Künstler „mehr einen Feind entdeckt (hatten), gegen den, als einen Freund, für den sie schufen." Gütersloh betonte vor allem den antirationalistischen Aspekt der „Neukunst": „Denn die wissenschaftlich aufgeklärte Menschheit sucht sich vor dem Eindringen des Mystischen durch ‚l'art pour l'art' zu schützen", wodurch „die Wirkungen des Künstlers, die den fortgesetzten Einbruch des Chaos in das Nochnichtetwas darstellen, paralysier(t) werden sollen." (GÜTERSLOH, S. 3).

Der kulturkämpferische Charakter von Güterslohs frühen Texten entspricht dem Motto der „Fackel", das Karl Kraus in der ersten Nummer seiner Zeitschrift verkündet hatte: „Kein tönendes W a s w i r b r i n g e n, aber ein ehrliches W a s w i r u m b r i n g e n." (Die Fackel, Nr. 1, April 1899). Für Kraus konnte die Kunst „nur vom Absagen kommen. Nur vom Aufschrei, nicht von der Beruhigung. Die Kunst, zum Troste gerufen, verläßt mit einem Fluch das Sterbezimmer der Menschheit." (Die Fackel, Nr. 360/61/62, 7. 11. 1912, S. 22) Kraus paraphrasierte damit einen Aphorismus Arnold Schönbergs, der gleichzeitig auch die Auseinandersetzung mit den verdrängten „feindlichen Gewalten" fordert: „Kunst ist Notschrei jener, die an sich das Schicksal der Menschheit erleben ... Die nicht die Augen abwenden, um sich vor Emotionen zu behüten, sondern sie aufreißen, um anzugehen, was angegangen werden muß." (SCHÖNBERG, S. 220). Nur zu deutlich zeigt sich in diesen Zitaten, wenn man sie mit Secessions-Proklamationen vergleicht, die Gewichtsverlagerung zu einer subjektivistischen Ausdruckskunst, die nichts mehr von einer Glücksverheißung durch Schönheit weiß.

Die Inhaltsverschiebung in den Programmen der Secession, wie sie sich im Verlauf ihrer Entwicklung ergeben hatte, spiegelt den Rückzug der Künstler aus jener gesellschaftlichen Verantwortung, die anfangs zu den hauptsächlichen Motivationen bei der Gründung der Vereinigung gehört hatte. Die Kulturblüte der österreichischen Jahrhundertwende erfolgt im „hortus conclusus", in jenem abgegrenzten Garten, den man als Metapher für den von der politisch-sozialen Realität abgewandten Ort dieser Kultur verwendet hat (SCHORSKE). Die erstickende Schönheit dieses Gartens verwandelte der Expressionismus in eine Wildnis, um wieder atmen zu können.

An die Stelle des Ästhetizismus der späteren Secession tritt im österreichischen Expressionismus ein metaphysisch begründeter und schaffenspsychologisch untermauerter Subjektivismus des Schöpferischen. Er vertauscht die auf dem Wege der Verschönerung erhoffte Verbesserung der Welt (später des Einzelnen) mit einer subjektivistischen Weltaneignung auf dem Wege der Introspektion.

Auch der Expressionismus unterscheidet sich in Österreich deutlich von den entsprechenden Strömungen in den anderen europäischen Ländern. Zu seinen spezifischen Charakteristika gehört unter anderem das vergleichsweise stärkere Beharren auf den Erscheinungsformen der Wirklichkeit und im besonderen des menschlichen Körpers. Die äußeren Erscheinungsformen dienen jedoch zur Veranschaulichung eines in ihnen entdeckten oder ihnen unterlegten geistig-seelischen Gehalts. Dies unterscheidet viele Bilder österreichischer Künstler von denen der Fauves oder der deutschen Expressionisten mit ihrer wesentlich stärker abstrahierenden Formensprache, mit ihrer Orientierung an den Urformen der Kunst und den Schöpfungen der Primitiven, und mit ihrem revolutionären Lebensentwurf. Dazu gehört auch das elementare Erlebnis der Farbe in Frankreich und Deutschland, dem in Österreich das Erbe der farblichen Preziosität von Secession und Wiener Werkstätte entgegensteht. Auch der Symbolismus hat für den österreichischen Expressionismus eine wesentlich stärker prägende Bedeutung: mit der Betonung der subjektiven Stimmungs- und Empfindungswelt, die sich in Figur und Gegenstand ausdrücken kann, mit der verstärkten Auffassung des Bildes als eines Trägers geistiger Mitteilung; mit seinem Rekurs auf Irreales, Traumwelt und Mystisches. Der Bezug zum Metaphysischen ist mit der Gruppe des „Blauen Reiter" gemein. Der Hang zum Kultischen und Mystischen und zu den Inhalten des Unbewußten verbindet sich allerdings mit einer halluzinatorischen Tendenz. Sie schließt vielfach Selbstaussage und Selbstdarstellung mit ein, die dabei narzißtische und pathologische Züge annehmen kann. Die Beschäftigung mit der eigenen, aber auch der fremden

Körperbefindlichkeit bildet dabei einen Hauptwesenszug (wie man ihn an abgewandelter, jedoch nicht minder ausgeprägter Form auch in der jüngeren österreichischen Kunst seit den fünfziger Jahren antrifft). Sexualität und Tod bezeichnen das Spannungsfeld für einen Großteil der bildnerischen Gestaltung, die gleichzeitig Faszination und Entsetzen spiegelt. In Frankreich und Deutschland steht dem häufig eine viel vitalere und freiere, weniger selbstquälerische Auseinandersetzung mit der Sexualität gegenüber. Angst, Alptraum, Wahnsinn scheint die Stimmung vieler früher expressionistischer Schöpfungen auszudrücken. In der weiteren Entwicklung weicht sie vielfach einem – wenn auch tragischen – Humanismus und einer deutlicher realistischen Auffassung.

Im europäischen Kontext gesehen, zeigt die österreichische Moderne eine „Verspätung" von einigen Jahren. Sie betrifft die Gründergeneration der Secession, die die Neuerungen der „Arts-and-Crafts"-Bewegung und des Art Nouveau in Österreich rezipiert hatte; sie betrifft ebenso den Durchbruch zum Expressionismus, zieht man etwa das für den deutschen Expressionismus und die Fauves so wichtige Jahr 1905 zum Vergleich heran. Dies gilt in geringerem Maß für die in Österreich vergleichsweise isolierte Kunst Richard Gerstls. Das vielfache Beharren auf Gedankenbild und Symbol in der Malerei der österreichischen Moderne – wobei Gerstl ebenfalls die Ausnahme bildet – und das dezidiertere Ausgehen von den Erscheinungsformen der Wirklichkeit stehen allerdings dem klassischen Moderne-Begriff entgegen, ebenso die spätzeitliche Stimmung vieler entsprechender österreichischer Schöpfungen, die noch dem Fin de Siècle zu entstammen scheint. Die andersgeartete Ausprägung der österreichischen Moderne sollte jedoch davor bewahren, sie einer bereits brüchigen Vorstellung von diesem Begriff zu opfern.

„MODERNE" IN GRAFENEGG UND INTERNATIONALE WIEN-REZEPTION

Im Vordergrund der Ausstellungsabteilung „Aufbruch in die Moderne – bildende Kunst" steht das Schaffen jener Künstler, die auf den Errungenschaften der Gründergeneration der Wiener Secession aufbauen konnten, dabei aber auch in Antithese zu ihr gerieten und die man später als Expressionisten bezeichnet hat. Diesem Ausstellungs-Konzept gemäß präsentiert sich der „Aufbruch in die Moderne" in Grafenegg nur zum Teil in der gleichnamigen Abteilung; weitere wesentliche Äußerungen dieses Aufbruchs sind an anderen Stellen zu sehen.

Die Überlegungen zur Objekt-Auswahl konzentrierten sich bald darauf, für diese Abteilung eine Darstellung der Schlüsseljahre 1908/9 zu versuchen. Damit wäre die eruptive Frühphase jener österreichischen Ausdruckskunst im Zentrum gestanden, die den Bruch der neuen Künstlergeneration mit dem Ästhetizismus des Jugendstils bedeutet: die späten Werke Richard Gerstls, die ihn als eine Art Vorläufer des abstrakten Expressionismus charakterisieren, die Gemälde und Graphiken Kokoschkas und Schieles, die ihre Emanzipation von der Wiener Stilkunst signalisieren, entsprechende Schöpfungen von Oppenheimer, Gütersloh, Kubin und anderen. Auch die zahlreichen Grenzüberschreitungen bildender Künstler zur Literatur und zum Drama – beziehungsweise Schönbergs zur Malerei – besitzen ja in diesen Schlüsseljahren eine gewichtige Markierung.

Die internationale Ausstellungsinflation zum Thema „Wien um 1900" zeigte jedoch bald, daß diesbezügliche Kompromisse unumgänglich sein würden. Bestimmte Hauptwerke gerade Kokoschkas und Schieles waren bereits durch andere Ausstellungen gebunden, manche Museen oder Sammler wollten sich nicht zum wiederholten Mal von ihren Beständen trennen, einzelne Objekte konnten aus konservatorischen Gründen nicht entliehen werden. Dennoch vermag die nunmehrige Auswahl, das Schaffen der neuen Künstlergeneration in einer Reihe von sehr eindringlichen Werken deutlich zu machen. Sie werden ergänzt durch einzelne Objekte von Künstlern aus den Kronländern; diese entsprechen ihren jeweiligen, meist anders als in Wien gelagerten Ausprägungen der Moderne, über die an anderer Stelle die Rede ist.

Die gegenwärtige Rezeptions-Euphorie für die Wiener Jahrhundertwende trägt allerdings mit dazu bei, ihre Kultur vereinheitlichend und harmonisierend als ein glänzendes spätzeitliches Amalgam zu betrachten. Wenn eine Porträtphotographie von Karl Kraus mit der Untertitel „Vienna – the Heart of Europe" dazu verwendet wird, für das neue Wiener Konferenzzentrum zu werben, wenn Kokoschka- und Schiele-Reproduktionen zur Zierde von Hotelbars angebracht werden, so drückt sich darin eine Umpolung aus, die einer ganzen Gruppierung innerhalb der österreichischen Moderne ihren Stachel nimmt. Die Widersprüche und Gegensätze innerhalb dieser Moderne werden dadurch verwischt, ihre Kontraste verschliffen. Die Popularisierung der Wiener Jahrhundertwende läuft Gefahr, dem Geschäft ihren Gehalt zu opfern.

Literatur (zitiert):

Hermann Bahr, Secession. Wien 1900 – Max Burckhard, Ver Sacrum. In: Ver Sacrum, 1898, H. 1, S. 1–3 – Alessandra Comini, Egon Schiele's Portraits. Berkeley-Los Angeles 1974 – Johannes Fischer (?), In memoriam Egon Schiele, Manuskript. Wien, Albertina, Egon-Schiele-Archiv, Nr. 340 – Albert Paris Gütersloh, Neukunst. In: Pester Lloyd. Morgenblatt, 59. Jg. Nr. 3, Budapest 4. 1. 1912, S. 1–3 (freundliche Mitteilung Werner J. Schweiger) – Gabriele Hammel, Janus lacht. Neue Galerie des Kunsthistorischen Museums – kurze Bemerkung zu einer längeren Geschichte. In: Parnass 4 (1984) H. 2, S. 24–29 – Ludwig Hevesi, Altkunst – Neukunst: Wien 1894–1908. Wien 1909 (Reprint Klagenfurt 1986) – Gustav Klimt, Vorwort zum Katalog Kunstschau Wien 1908 – Andreas Lehne, Zur Rezeption Segantinis. In: Mitteilungen der Gesellschaft für vergleichende Kunstforschung in Wien 34 (1982) S. 1–5 – Adolf Loos, Die potemkinschen Dörfer. In: Ver Sacrum 1898, H. 7, S. 15–17 – Burkhard Rukschcio – Roland Schachel, Adolf Loos. Leben und Werk. Salzburg-Wien 1982 – Arnold Schönberg, Frühe Aphorismen. In: Die Musik IX (1909/10) – Carl E. Schorske, Wien – Geist und Gesellschaft im fin de Siècle. Frankfurt/M. 1982 – Werner J. Schweiger, Der junge Kokoschka. Wien 1983 – Franz Servaes, Streifzug durch die Wiener Malerei. In: Kunst und Künstler 8 (1909/10) S. 587–598 – Manfred Wagner, Der Jugendstil als Zukunftvision. In: Peter Berner – Emil Brix – Wolfgang Mantl (Hrsg.), Wien um 1900. Aufbruch in die Moderne. Wien 1986, S. 152–156 – Patrick Werkner, Physis und Psyche. Der österreichische Expressionismus. Wien 1986 – Berta Zuckerkandl, Der Dilettantismus – Die neue Volkskunst. In: Ver Sacrum 1898, H. 7, S. 5–8.

Peter Vergo

DIE ANGEWANDTE KUNST DES FIN DE SIÈCLE IN WIEN

Eine umfassende Geschichte der angewandten Kunst in Wien gegen Ende der Herrschaft Kaiser Franz Joseph würde bei weitem den Rahmen dieser Schrift überschreiten. Doch ist es auch innerhalb des beschränkten Umfanges eines Aufsatzes möglich, einige Hauptimpulse hervorzuheben, die einen Anstoß zur Entwicklung von Dekorkunst und Design in dieser Zeit gaben. Einer der ersten Anstöße kam aus Industrie und Gewerbe. Einige der Haupterzeuger in der Möbel- und Textilbranche, sowie Glas- und Keramikindustrie, wie z. B. Kohn und Backhausen oder Bakalowits und Böck, trugen entscheidend zur Entstehung der neuen Kunstrichtung, die ihren Höhepunkt nach 1900 erreichte, bei. Zur Jahrhundertwende erfreuten sich viele solcher Firmen eines Weltrufs: der „Wiener Sessel" z. B. war untrennbar mit dem Namen Thonet verbunden, obwohl diese Familie aus Deutschland und nicht aus Österreich stammte. Auch andere große Unternehmen dieser Zeit, die eine ähnlich bedeutende Rolle spielten, waren nur dem Namen nach Wiener Firmen oder hatten hier ihre Hauptbüros oder Verkaufsniederlassungen, während ihre Fabriken jedoch außerhalb der Grenzen des heutigen Österreichs nahe den Rohstoffquellen lagen. So hatten z. B. die Brüder Thonet 1857 ihre erste Fabrik in Koritschan errichtet, nahe den mährischen Buchenwäldern, und Loetz' Witwe hatte ihre Hauptniederlassung in Böhmen, wo sich die meisten Glasmanufakturen angesiedelt hatten, in Klostermühle bei Unterreichenstein. Loetz hatte nicht einmal eine eigene Handels-

oder Verkaufsniederlassung in Wien, sondern wurde hier von der Fa. Bakalowits & Söhne vertreten. Geschichtlich gesehen liegt auch die Gründung dieser Firmen vor dem hier behandelten Zeitraum; im Falle der Bakalowits liegt sie zwischen 1840/50, bei Lobmeyr und Böck sogar noch etwas früher, um 1820. Auch Thonet hatte schon gegen 1820 bei Boppard im Rheinland an der Herstellung von Schicht- und Bugholzmöbeln experimentiert, kam aber erst gegen Ende der vierziger Jahre, auf Einladung Metternichs, nach Wien. Die Blütezeit für alle diese Unternehmen setzte jedoch erst nach 1880 mit einer kontinuierlichen Expansion der Aktivitäten und zunehmendem wirtschaftlichen Erfolg ein.

Während viele Erzeuger von Möbel-, Keramik und Glaswaren ihren alten Vorstellungen von der Nachahmung bestehender Stilrichtungen treu blieben, und so dem dominierenden Geschmack des Hofes und des gehobenen Bürgertums gehorchten, wagten sich doch zumindest einige auf neues Terrain und suchten nach unkonventionellen Designern, die ihrerseits wieder bereit waren, ihre Entwürfe jenen Herstellern anzuvertrauen, die Interesse und Engagement für die neuen Strömungen zeigten.

Als Beispiel für diesen neuen Entwicklungsprozeß seien zwei Produktionszweige angeführt, die um 1900 zum „Aufleben" der modernen Kunst in Österreich führten, wie es ein englischer Kritiker formulierte, nämlich die Bugholz- und Glasindustrie. Zwei Jahrzehnte lang wurde die Bugholzmöbelindustrie von einer Firma, der Fa. Thonet, beherrscht: Michael Thonet hatte seit seiner Ankunft in Wien, dank der Förderung seitens aristokratischer Kreise, wie Liechtenstein und Schwarzenberg, stark profitiert. Bei der ersten Großausstellung in London 1851 zeigte die Firma mit großem Erfolg erlesene Möbelstücke, die mit ihren verspielten Kurven und der dem Bugholzstil eigenen Leichtigkeit hervorragend zum damals ‚modernen' Neo-Rokoko paßten.

Thonets ungeheurer Erfolg leitete sich jedoch nicht aus der Nachahmung anderer Stile ab, sondern aus der Herstellung von Gebrauchsmöbeln für den Alltag, was mit einem Auftrag zur Lieferung von Sesseln für das Café Daum 1850 begann und im berühmten Sessel No. 14 seinen Höhepunkt fand, von welchem an die 50 Millionen Stück zwischen seiner Einführung im Jahre 1859 und dem Zweiten Weltkrieg erzeugt wurden. Und obwohl diesen schlichten Modellen ursprünglich nicht derselbe künstlerische Wert wie dem eher massiven Möbelstil dieser Zeit, der sich in Wien auch in den achtziger und neunziger Jahren behauptete, zugebilligt wurde, vereinten sie doch Qualitäten wie Leichtigkeit, Eleganz und Einfachheit der Konstruktion, die die Förderer der modernen Kunstrichtungen einfach bestechen mußten. Dies soll nicht etwa bedeuten, daß die schlichte Eleganz von Thonets Möbeln je außer Mode gekommen wäre, sondern vielmehr, daß die neue Generation von Designern, die zu Beginn des 20. Jahrhunderts heranreifte und eine Rückkehr zum Biedermeier als nachahmenswertes Vorbild für das Schaffen moderner Einrichtungen befürwortete, in den schlichten und kostengünstigen Thonet-Produkten den Inbegriff ihrer den historisierenden Strömungen entgegengesetzten Idealen sah. Sogar in den zwanziger Jahren dieses Jahrhunderts konnte der französische Architekt und Designer Le Corbusier über Thonets Sessel noch behaupten: „Nie ist Besseres an Eleganz der Konzeption, Exaktheit der Ausführung und Zweckmäßigkeit geschaffen worden", und er verwendete fortan Thonet-Möbel für die Innenausstattung seiner Gebäude. Bezeichnenderweise wählte auch ein anderer großer Pionier des modernen Designs, Adolf Loos, im Jahr 1899 ein Thonet-Sesselmodell für die Ausstattung seines ersten wichtigen öffentlichen Projekts, das Café Museum in Wien. Der Café-Museum-Sessel, obwohl er den Thonet-Standardmodellen wie z. B. dem Sessel No. 56 sehr ähnlich ist, unterscheidet sich in kleinen Details und wurde daher aller Wahrscheinlichkeit nach auf Grund einer Absprache zwischen Designer und Hersteller eigens entworfen. Loos selbst machte später nur selten Gebrauch von Bugholzmöbeln und zog bei der Innenausstattung original Biedermeiermöbel, wenn möglich, vor oder auch Kopien englischer Chippendale-, Sheraton- oder Liberty-Modelle.

Für die Generation um 1900 müssen Thonets Bugholzmöbel als Verkörperung der Ideale von Zweckdienlichkeit, Materialentsprechung und Produktionsmitteln gegolten haben, die als die Leitprinzipien der modernen Architektur vom ‚Altpapst' der Wiener Modernen, Otto Wagner, formuliert worden war. Daher ist es auch kein Zufall, daß Wagner bei der Ausstattung der k. k. Postsparkasse 1904–06 die Ausführung seines Entwurfes für einen Lehnsessel mit Flecht- oder Furnierholz-Sitzfläche für den Konferenz- und Bürobedarf Thonet anvertraut hat. Die Firma produzierte in der Folge mehr als ein Jahrzehnt lang Varianten des Postsparkasse-Sessels mit großem Erfolg.

Zur gleichen Zeit gab Wagner auch andere Möbelstücke für das Gebäude, wie Bücherregale und Stühle, bei einem anderen Wiener Hauptproduzenten von Bugholzmöbeln, der Fa. J. & J. Kohn in Auftrag. Kohn konkurrenzierte Thonet bei der Herstellung von Bugholzmöbeln, seit dessen Patente 1869 abgelaufen waren, und konzentrierte seine Arbeit auf die möglichst breite Ausnutzung der hohen Anpassungsfähigkeit des Materials, was zur Kreation von „geschwungenen Elementen, rechteckigen Profilen, Hohlprofilen, Schnitzprofilen, . . ." führte. Damit war die Schaffung „aufwendigerer und eleganterer Möbelstücke und die Nachahmung von Zeitstilen wie Barock, Renaissance, Gotik . . ." auf höchstem Niveau möglich.

Kohn war es auch, der um 1899 als erster einen „modernen" Designer, Gustav Siegel, einen Schüler Hoffmanns, zum künstlerischen Berater ernannte und sich damit nicht nur die Dienste des Schülers für die Firma sicherte, sondern auch das Interesse und die Beratung des Lehrmeisters. 1900 wurde eine komplette Inneneinrichtung Siegels bei der Pariser Weltausstellung mit dem Grand Prix ausgezeichnet, und ebenfalls unter der Leitung Siegels war die Firma im darauffolgenden Jahr für die Schaffung der Ehrenhalle anläßlich der österreichischen Ausstellung in Glasgow verantwortlich. Hoffmanns Zusammenarbeit mit Kohn begann 1901 mit der Produktion eines Sessels, der bei der Winterausstellung des Österreichischen Museums für Kunst und Industrie als Teil einer Speisezimmereinrichtung gezeigt wurde; während einige Modelle, die Hoffmann für Kohn entwarf, wie z. B. der Stuhl für das Speisezimmer des Sanatoriums in Purkersdorf, nicht lange in Produktion blieben, waren andere, wie z. B. der schwarz-weiße Café-Sessel für das Kabarett Fledermaus und die berühmte ‚Sitzmaschine' von 1908 bis mindestens 1916 noch lieferbar.

Auch die Geschichte der Glasindustrie in Österreich nahm gegen Ende des 19. Jahrhunderts einen ähnlichen Verlauf. Das Gegenstück zur Führungsrolle Thonets auf dem Bugholzsektor bildete die Fa. J. & L. Lobmeyr auf dem Sektor der Glaserzeugung, obwohl Lobmeyr im Gegensatz zu Thonets ‚Konsummöbeln' seinen Ruf und beruflichen Erfolg hauptsächlich durch die Erzeugung von ausgefallenen Glaswaren höchster Qualität erzielte, die zum Großteil für aristokratische und königliche Kunden im In- und Ausland bestimmt waren: Tafelgeschirr für den Kaiserhof und das neue Wiener Rathaus, Kronleuchter für die Hofburg und das Schloß Schönbrunn, sowie für das Schloß Herrenchiemsee des Bayernkönigs Ludwig und für die Königsresidenzen in Dresden und München. In den siebziger und achtziger Jahren gelang es Lobmeyr einige der berühmtesten Architekten und Künstler seiner Zeit als Designer zu gewinnen, wie z. B. Theophil Hansen, mit welchem ihn bald eine enge Freundschaft verband und der das Dekor für Lobmeyrs Wiener Wohnung entwarf, weiters Friedrich Schmidt, Architekt des Wiener Rathauses, Josef Storck, Professor für Architektur und späterer Direktor der Kunstgewerbeschule des Österr. Museums für Kunst und Industrie usw. Trotz aller Vorliebe für historisierende Strömungen hielt Lobmeyr auch mit den neuesten technischen Entwicklungen durchaus Schritt. So verwendete er z. B. Edisons Glühbirne für die Herstellung des ersten elektrischen Kronleuchters, der bei der ‚Ersten elektrischen Ausstellung' 1883 in Wien gezeigt wurde. Dennoch fällt auf, daß die Firma um 1900 nur relativ geringes Interesse an der Anwerbung progressiver Designer zeigte, was möglicherweise seine Erklärung darin findet, daß Lobmeyr nur wenig Geschmack am neumodischen Jugendstil-Kunstglas fand, welches mit seinen individuellen, bunten oder irisierenden Kreationen typisch für die Zeit des Art Nouveau war. Die Führungsrolle in Design und Produktion von modernem Glas blieb daher Firmen wie Loetz und Bakalowits vorbehalten; vor allem Bakalowits entwickelte sich zum Hauptträger des neuen Trends. Beginnend mit der Winterausstellung des Österreichischen Museums 1897 präsen-

Saal X der VIII. Wiener Secessionsausstellung mit der Kollektion Charles Rennie Mackintosh und Margaret McDonald-Mackintosh, 1900. Wien, Österreichische Nationalbibliothek, Bildarchiv

tierte er häufig modernes Glasdesign. Der Ausstellungskatalog von 1899 nennt unter seinen Produkten einen ‚Leuchter aus Kristallglas nach Entwurf Olbrichs', und die Firma zeigte auch bei der Pariser Weltausstellung 1900 Glaswaren von Olbrich und Kolo Moser.

Die Pariser Ausstellung wurde auch Ausgangspunkt für eine enge Geschäftsverbindung zwischen Bakalowits und Moser, der bis 1910 anhielt. Einige Schüler Mosers aus der Kunstgewerbeschule, wie z. B. Jutta Sika, lieferten in dieser Zeit Entwürfe für Bakalowits.

Während um 1909/10 eine neue Generation von Art Nouveau-Designern wie Emil Hoppe und Otto Prutscher Tafelgeschirr für Serienproduktion entwarfen, arbeiteten andere Absolventen der Kunstgewerbeschule, wie Maria Kirschner, Anfang des 20. Jahrhunderts für Loetz. 1906 gelang es der Firma, Josef Hoffmann zu engagieren, und zwischen 1908/10 begann auch die Zusammenarbeit mit anderen modernen Designern wie Prutscher und Leopold Bauer. Obwohl die ursprüngliche Firma Loetz 1911 in Konkurs ging, stellte auch das neuerrichtete Unternehmen Glaswaren nach Entwürfen von modernen Designern, wie Nechansky, Hoffmann, Powolny und Peche, bei der Kölner Werkbundausstellung 1914 aus. Im Gegensatz dazu begann erst 1910 Lobmeyr eine Zusammenarbeit mit Hoffmann und Oskar Strnad, die in der Produktion einer beschränkten Anzahl von Serien einfachen Tafelgeschirrs, deren besondere Merkmale schlichte Eleganz und zurückhaltendes Dekor waren, ihren Niederschlag fand.

Ein zweiter Hauptanstoß zur immer schneller werdenden Ausbreitung des Modernismus kam aus der Reformbewegung bei der Kunst- und Designerziehung im 19. Jahrhundert. Wiederum ist der Beginn dieser Entwicklung schon vor der Zeit, mit welcher sich dieser Aufsatz beschäftigt, anzusetzen. Ihren Ursprung findet man in den Reaktionen österreichischer Beobachter auf die ersten großen internationalen Ausstellungen von Design und Gewerbe, wie z. B. die Londoner Großausstellung im Crystal Palace von 1851 und 1862, die die Errichtung des Österreichischen Museums für Kunst und Industrie 1864, das dem Londoner South Kensington Museum nacheiferte, zufolge hatten.

Im Gegensatz zu traditionellen Museen, deren Hauptzweck die Pflege und Präsentation von bestehenden Sammlungen war, bestand das in den Statuten festgelegte Ziel des Österreichischen Museums für Kunst und Industrie darin, Industriedesign zu fördern und gleichzeitig die Reform des öffentlichen Geschmacks zu unterstützen, indem es Sammlungen von studierens- und nachahmenswerten Objekten anlegen sowie Speziallaboratorien und andere Hilfsmittel der Industrie zur Verfügung stellen sollte. Die erzieherische Funktion des Museums wurde noch durch die Gründung einer angegliederten Schule für angewandte Kunst im Jahre 1867 verstärkt. Beide, Schule und Museum, sollten in einem neuen, zweckentsprechenden Gebäude untergebracht werden, welches vom Architekten Heinrich von Ferstel entworfen worden war. 1871 konnte das Museum schließlich aus seiner ersten Übergangsbleibe, dem Ballhaus, in das neue elegante Gebäude im Neo-Renaissancestil am Wiener Stubenring übersiedeln. Das Ereignis wurde mit einer Ausstellung gewürdigt, die den jüngsten Entwicklungen der zeitgenössischen angewandten Kunst in Österreich gewidmet war. Im Jänner desselben Jahres wurde die erste kunstgewerbliche Fachschule, die zum Vorbild eines landesweiten Fachschulennetzes wurde, in Hallein (Salzburg) mit dem Titel „K. k. Fachschule für Holzbearbeitung" eröffnet. Bereits 1877 existierten nicht weniger als 77 solcher Schulen in der gesamten Monarchie, die alle Aspekte von Design und Produktion bei den verschiedensten Materialien wie Holz, Keramik, Metall und Glas umfaßten. Ursprünglich zur Hebung des Produktionsstandards und damit der materiellen Situation in weniger entwickelten Gebieten gedacht, zeigten die Lehrpläne der Fachschulen seit der Schulreform von 1882, als die Fachschulen, die ursprünglich dem Handelsministerium unterstanden, unter die Kontrolle des Unterrichtsministeriums gestellt wurden, viel umfassendere Erziehungsfunktionen.

Um die Mitte der achtziger Jahre umfaßte der Lehrplan neben rein technischen Material- und Produktionsmethoden auch eher ‚theoretische' Fächer wie Arithmetik und doppelte Buchführung. Diese weitere Unterrichtsperspektive fand z. B. auch im Lehrplan von 1885 der „K. k. Fachzeichen- und Modellirschule für Thonindustrie" in Teplitz – einer Stadt, deren Hauptindustrie in der Keramikproduktion bestand – Anwendung: „... durch theoretischen und praktischen Unterricht jenen jungen Leuten, welche in keramischen ... Fabriken beschäftigt sind oder sich diesem Industriezweig zuwenden wollen, die für ihren Beruf notwendige Ausbildung zu gewähren und auf die Veredelung der Geschmacksrichtung hinzuwirken". Zwischen 1880 und 1890 wurden regelmäßig Erzeugnisse der regionalen Fachschulen im Österreichischen Museum ausgestellt, und durch das Museum auch bei internationalen Ausstellungen im Ausland. Bei der Jubiläumsausstellung zum 25. Gründungstag des Museums 1889 in Wien wurden Arbeiten von rund 35 dieser Regionalfachschulen gemeinsam mit Erzeugnissen der Staatsgewerbeschulen in Innsbruck, Graz und Salzburg und der Wiener Kunstgewerbeschule gezeigt.

Die Beziehung zwischen den Regionalschulen einerseits und dem Museum und der Kunstgewerbeschule andererseits war alles andere als einseitig. Es

Diverse Römer mit Bronzitdekor, Ludwig Heinrich Jungnickel und Schüler der Klasse Michael Powolny. Wien, J. & L. Lobmeyr

breitete sich nämlich ein ununterbrochener Informationsstrom von Anleitungen und Ideen, von Lehrern und Demonstrationsobjekten von Wien bis in den letzten Winkel der Provinz aus. Das Museum diente als Quelle für Demonstrationsobjekte, die zu Studien- und Ausstellungszwecken geliehen werden konnten und führte spezielle Wander- oder Filialausstellungen ein.

Eine der Reformen, die Arthur von Scala, seit 1897 Direktor des Österreichischen Museums, durchgeführt hatte, betraf den weiteren Ausbau der „Wanderausstellungskollektion mustergültiger Objekte" und die Errichtung eines Zeichenstudios unter der Leitung von Architekt Rudolf Hammel, dessen Absicht es war, Entwürfe für den Versand an die verschiedenen Schulen zu verfertigen, die auch Journale und andere Publikationen regelmäßig erhielten. Auch die Kunstgewerbeschule hielt zu den Regionalschulen ständigen Kontakt und verbreitete Muster und Entwürfe zur Nachahmung sowie alle Arten von Lehrmaterial. Solchermaßen beeinflußte sie die Lehrpläne der Schulen erheblich, aber auch ganz einfach durch die Tatsache, daß ein Großteil des Lehrpersonals an den Fachschulen Absolventen der Wiener Kunstgewerbeschule waren. Zweifelsohne funktionierte dieses System, das in mancher Hinsicht dem allerdings 30 Jahre früher entstandenen staatlichen Designschulen-System in England glich, besser als geplant und besser auch als in England selbst dank der stärker zentralisierten österreichischen Bürokratie und der direkten Beziehung zwischen Fachschulen, der Wiener Kunstgewerbeschule und dem Museum. 1901 zeigte eine unter Direktor Scala durchgeführte Sonderschau des Österreichischen Museums, die ausschließlich den ‚Arbeiten k. k. Kunstgewerblicher Fachschulen' gewidmet war, sehr deutlich den bemerkenswerten Beitrag der

Unterrichtsreformbewegung zur Förderung des Industriedesigns in Österreich und den Provinzen.

In einem wichtigen Punkt jedoch waren das Museum und seine angegliederten Schulen dennoch stark in der Imitationswut des 19. Jahrhunderts befangen: Der eigentliche Zweck der Errichtung von Kollektionen seitens des Museums war es, eine Sammlung nachahmenswerter Beispiele anzulegen; während aber die Eröffnung einer Bibliothek und eines ‚offenen Zeichensaales' die Anfertigung von Zeichnungen und Skizzen nach den Vorlagen der Kollektion ermöglichten und die Entwicklung einiger Gewandtheit im Kopieren förderten, trug das Museum kaum zur Förderung von Originalität und Eigenständigkeit im Design bei.

Adolf Loos, ein scharfer und manchmal auch zynischer Beobachter der Vorgänge im Museum zur Zeit von Scalas Amtsantritt als Direktor, läßt in einem Artikel unter dem Titel ‚Das Scala-Theater in Wien' einen ‚kleinen Handwerker' zum neuen Direktor sagen: „Lieber kopieren, Herr Hofrat, wenn ich bitten darf, selber machen trau ich mich noch gar nichts, später wirds vielleicht schon gehen". Kopieren war keine Schande. Ganz im Gegenteil: das ganz offensichtliche Plagiieren der Arbeiten anderer Designer fand sogar ausdrücklichen Beifall in Fachzeitschriften und Journalen. Es wundert daher nicht, daß diese ‚Imitationsästhetik' den bis Ende des 19. Jahrhunderts dominanten Historismus auch noch erheblich unterstützte. Bei allem technischen Fortschritt zeigt eine Studie der bei den alljährlichen Ausstellungen des Museums und des Kunstgewerbevereins gezeigten Objekte, unter welchen nahezu alle namhaften zeitgenössischen Hersteller vertreten waren, wie hartnäckig der Historismus seine dominante Rolle auch in den achtziger und neunziger Jahren beibehielt. Lediglich Jakob von Falkes Ausstellung mittelalterlichen Hausrates im Jahre 1892 und die Wiener Kongreßausstellung 1896, die zum ersten Mal die Aufmerksamkeit auf die zurückhaltende Eleganz des frühen Biedermeiers lenkte, nahmen dem Neo-Barock und Neo-Rokoko ein wenig von ihrer Dominanz, die selbst 1898 noch bei der Sonderausstellung des Museums zum 50. Regierungsjubiläum Kaiser Franz Josephs die Mehrzahl der gezeigten Stücke beherrschte.

Die Bestellung des Orientalisten und Anglophilen Arthur von Scala zum Direktor des Museums am 1. August 1897 war der Auftakt zu einer Serie von weitreichenden Reformen des Museums und der Kunstgewerbeschule. Eine seiner ersten Handlungen war die Verbannung des Kunstgewerbevereins, welcher nach 1883 eine Reihe von Jahresausstellungen eingerichtet hatte und eine Zeit lang sein Quartier im Museum selbst hatte, wo er stellvertretend für die jährliche Weihnachtsausstellung der Organisation seine eigenen Ausstellungen zeitgenössischen Designs unter dem Titel ‚Winterausstellung', um sie von jener des Vereins zu unterscheiden, betrieb; sein Hauptakzent lag vor allem bei modernen wie altenglischen Stilen, sowie bei Möbeln in Chippendale-, Sheraton- und Hepplewhite-Manier. Dennoch bestanden auch Scalas Winterausstellungen zum Hauptteil aus Kopien englischer Originale und es ist interessant, daß Josef Hoffmann, der eben an die Kunstgewerbeschule berufen worden war, die fortdauernde Kopierwut als eines der Hauptübel bezeichnete, die er und seine Kollegen von der vorgegangenen Generation ererbt hatten: „Nichts als Vorschriften und gebundene Marschrouten ... Man hat jede individuelle Lehrbegabung niedergedrückt und alles in der Schablone zu ersticken gewußt. Es fällt, wie in allen Fächern, auch im Zeichenunterricht nur wenigen ein, auch das geistige, schöpferische Talent zu wecken, sondern man geht von Anfang an gleich an das Kopieren lächerlich schlechter Vorlagen ... ".

Hoffmanns Bestellung war in der Tat Teil einer weitreichenden Reorganisation der Kunstgewerbeschule, die nach der Pensionierung des angesehenen und konservativen Direktors der Schule, Architekt Josef Storck im Februar 1899, einsetzte. Nachfolger Storcks war der Secessionist Felician von Myrbach, ein Maler, der in Paris gelebt hatte und mit den jüngsten Entwicklungen der europäischen Avant-garde durchaus Schritt hielt. Myrbach brachte unverzüglich eine Reihe prominenter Mitglieder der neugegründeten Wiener Secessionsbewegung in den Lehrkörper dieser Institution: 1899 Hoffmann, 1900 den Bildhauer Arthur Strasser, 1901 Kolo Moser und Alfred Roller. „Die Kunstgewerbeschule", schreibt der Kritiker Ludwig Hevesi in Ver Sacrum, der Zeitschrift

Musselingläser und Krug, Entwurf: Oskar Strnad, 1916. Wien, J. & L. Lobmeyr

der Secession, „vor einigen Monaten noch eine Bastille Wiens, die für uneinnehmbar galt, ist über Nacht gestürmt; nein, sie hat sich ergeben, und sucht sich einen neuen Kommandanten, eine neue Besatzung aus dem Lager der gestern noch verhöhnten Secession." Mit der festen Absicht, das sture Bestehen auf der Präsentation von Kopien bloßzustellen, begannen Myrbach und Hoffmann gegen Ende 1899 mit der Planung einer Ausstellung, die im kommenden Herbst in der Secession gezeigt werden und den zeitgenössischen Tendenzen in angewandter Kunst und Design gewidmet sein sollte, mit dem Hauptaugenmerk auf britische Kunst und Handwerk, einschließlich der Werke von Charles Robert Ashbees „Guild of Handicrafts". Hoffmann empfahl Myrbach, der eine Studienreise zu Vorbereitungszwecken für die Ausstellung plante, auch Ashbees Werkstatt zu besuchen: „Es wäre der Mühe wert, in Wien einmal wirklich das echte englische Kunstgewerbe zu zeigen, es würde dem Museum einen harten Schlag versetzen". An der Ausstellung nahmen auch andere britische Künstler teil, unter ihnen die sogenannten „Glasgower Vier": Charles Rennie Mackintosh, seine Frau Margaret, ihre Schwester Frances und deren Gatte Herbert MacNair.

Hoffmann war offensichtlich über Fritz Waerndorfer, einem reichen jungen Industriellen, Mäzen der Secession und später Mitbegründer der Wiener Werkstätte, mit Mackintosh in Kontakt gekommen. Waerndorfers Englischkenntnisse und seine zahlreichen Geschäftsreisen ins Ausland machten ihn zu einem idealen Mittelsmann. Als Ergebnis dieser Kontakte kamen schließlich Mackintosh und seine Frau im Herbst 1900 als Gäste der Secession nach Wien, wo sie, einem Bericht zufolge, von den Schülern der Kunstgewerbeschule in einem offenen Karren durch Wien gezogen wurden.

Diese 8. Secessionsausstellung, die vom 3. November bis 27. Dezember 1900 in Wien stattfand, sollte einige wichtige Folgen für die Wiener Kunst und das Design haben. Vor allem das ‚schottische Zimmer' mit seiner schlichten Ausstattung – einfach weiß ausgemalt und spärlich möbliert – hatte einen unmittelbaren Einfluß auf die nachfolgenden Ausstellungen der Vereinigung: es ist dabei sehr aufschlußreich, die 2. Ausstellung (1899), die in vieler Hinsicht den überladenen Stil des akademischen Salons des 19. Jahrhunderts nachahmt, mit der 9. Secessionsausstellung zu vergleichen, die von Alfred Roller eingerichtet worden war und deren Klarheit und Sparsamkeit im Design dem Betrachter sofort ins Auge springen. Desgleichen läßt sich auch ein unmittelbarer Einfluß der schottischen Arbeiten, die bei der Ausstellung 1900 gezeigt wurden, feststellen; so gab es z. B. ganz offensichtliche Berührungspunkte zwischen Mackintoshs langgezogenen, rechteckigen Entwürfen für Möbel und Silbergeschirr und Hoffmanns Arbeiten aus dieser Zeit. Auch für Mackintosh sollte die Ausstellung wichtige Konsequenzen haben, von welchen die bemerkenswerteste ein Ausstattungsauftrag für das Musikzimmer in Waerndorfers Währinger Villa war. Dieser Auftrag blieb aber auch die einzige bedeutende Arbeit des Schotten auf dem Kontinent.

Das Allerwichtigste an diesen Aktivitäten aber war, daß die Ausstellung von britischen Arbeiten im Jahr 1900, sowie auch die Kontakte mit Mackintosh und seinem Kreis, Hoffmann und Moser im Sommer 1903 den Anstoß für die Gründung der Wiener Werkstätte gaben, einer Handwerkergruppe, die stark an den englischen Richtlinien festhielt und sich für eine Wiederbelebung des echten Handwerkertums in der angewandten Kunst einsetzte. Die Geschichte der Anfänge der Wiener Werkstätte ist inzwischen so bekannt, daß sich eine weitere Wiederholung hier erübrigt. Erwähnenswert ist jedoch, daß die Wiener Werkstätte, abgesehen von unmittelbaren künstlerischen Vorbildern wie Ashbee oder Mackintosh, auch der Theorie der englischen Kunsthandwerkbewegung und insbesondere Schriftstellern wie William Morris viel zu verdanken hatte. Ebenso, wie die Gründung des Österreichischen Museums für Kunst und Industrie in den sechziger Jahren ohne das Beispiel der englischen Designreformbewegung undenkbar gewesen wäre, so zeigt auch das Gründungsmanifest, das sogenannte „Arbeitsprogramm" der Wiener Werkstätte, das im Frühjahr 1905 in der Zeitschrift „Hohe Warte" veröffentlicht wurde, ein unverkennbares Bekenntnis der Gruppe zur „Arts & Crafts"-Ästhetik und zu den „Idealen von Ruskin und Morris". Hoffmann, den man als Autor dieses Manifests erkannt hat, muß ganz offensichtlich die theoretischen Schriften Morris' gekannt haben, vor allem dessen „Lectures on Socialism" vom Jahre 1883. Hoffmanns Sehnsucht nach „echter" Kunst, nach einer Kunst, deren Ausgangspunkt die „Gebrauchsfähigkeit" sein sollte, und deren „Stärke in guten Verhältnissen und in guter Materialbehandlung" bestehen müßte, erinnert sofort an Morris' Definition der Kunst als „Ausdruck des Menschen für seine Freude am Schaffen" sowie an seine Auffassung von der Ehrlichkeit gegenüber Material und Techniken.

Hoffmanns Standpunkt, daß der „Umgang mit schönen Dingen uns selbst verschönt", erscheint uns wie ein Widerhall der Morris'schen Feststellung von dem „humanisierenden Einfluß, den der tägliche Anblick von schöner Handwerkkunst auf den Menschen ausübt... Intelligente Arbeit, die wahrhaftige Kunst produziert, macht Freude und der Mensch wird dadurch weder belastet noch erniedrigt". Hoffmann betonte auch das erzieherische Ziel der Wiener Werkstätte und erklärte, daß es ihre ausdrückliche Absicht sei, „das Interesse der breiten Masse an einer kultivierten, echten, nicht nachahmenden Arbeit" zu wecken. Wiederum erinnert dies an Morris' Ausspruch: „Welches Recht haben wir überhaupt auf Kunst, wenn nicht alle daran teilhaben können?", und an seine Zornesausbrüche über Künstler, die „Träume von Griechenland und Italien" hegten.

Bei der Annahme der zentralen Lehrsätze einer „Arts & Crafts"-Ästhetik hatte die Wiener Werkstätte jedoch auch einige ihrer Widersprüchlichkeiten mitübernommen. Dies zeigt sich z. B. in ihrer Haltung gegenüber maschinellen Methoden und industrieller Produktion. Es gibt zahlreiche Stimmen, die die Folgen der „Massenproduktion" und die Art und Weise, wie „die Hand von der Maschine und der Handwerker vom Geschäftsmann" verdrängt wurden, beklagten. Das „Arbeitsprogramm" gab nur ungern zu, daß „mit Hilfe von Maschinen ein erträglicher Massenartikel geschaffen werden kann" und warnte gleichzeitig, daß die Möglichkeit der Massenproduktion nur zu leicht „eine geringere Verantwortlichkeit" mit sich bringen könnte. Aber genau wie Morris selbst schon um 1870 höchst erfolgreiche Entwürfe für Maschinenteppiche geliefert hatte, sahen die Gründer der Wiener Werkstätte offenkundig keinen Widerspruch darin, daß sie einer Firma Bakalowits oder Böck Entwürfe für kommerziell erzeugte Glaswaren oder Keramik anvertrauten.

Desgleichen wurden auch zwangsläufig größere Mengen an gemusterten Tapeten und Stoffen maschinell erzeugt. Die Gefahren der Maschine hielten sie aber auch nicht davon ab, die modernsten technischen Neuerungen in ihren Werkstätten in der Neustiftgasse auszunützen, wie von zahlreichen Besuchern berichtet wird, obwohl sich J. A. Lux beeilte, in Anlehnung an Morris festzustellen, daß die Maschine „keine Herrscherin oder Tyrannin" sei, „sondern die willige Dienerin und Helferin".

Morris' Ansichten über Massenproduktionsmethoden waren in der Tat nicht ganz einseitig. Indem er feststellte, daß „eine Veränderung stattfinden muß, wenn die Kunst die Massen berühren soll", war er auch bereit, einzugestehen, daß „maschinelle Arbeit nötig ist für eine konkurrenzfähige Wirtschaft" und es war ihm ebenso klar, daß seine enorm arbeitsintensiven Vorstellungen von Kunst schon wegen der Kosten für „die breite Masse", für die sie eigentlich gedacht war, unerschwinglich wäre. Dies war ein Problem, das die Wiener Werkstätte geerbt hatte, und das sie nie befriedigend löste. Im Grunde genommen kümmerte sie sich auch nie wirklich darum. Während es Morris gequält hatte, dem „ekelerregenden Luxus der Reichen" zu dienen, richtete sich das „Arbeitsprogramm" ganz bewußt an den bürgerlichen Mäzen, der, in den Fußstapfen der Fürsten und Adeligen getreten, nun seine „künstlerische Aufgabe" zu erfüllen hatte. Hoffmann brachte in einem frühen Aufsatz unter dem Titel „Einfache Möbel" seine Zweifel zum Ausdruck, ob es überhaupt noch möglich sei, „die Massen zu bekehren. Dann aber ist es umso mehr unsere Pflicht, die Wenigen, die sich uns zuwenden, glücklich zu machen. Sie dürfen um keinen Preis getäuscht werden". Schließlich brachten das Bestehen auf höchstes handwerkliches Niveau und der Gebrauch nur der teuersten Materialien eine völlige Abkehr von irgendwelchen kommerziellen Erwägungen mit sich: Hoffmann betrachtete es nicht als ihre Aufgabe, „mit der Billigkeit wetteifern" zu müssen. Die sprichwörtliche Kostspieligkeit von Produkten der Wiener Werkstätte, vor allem in späteren Jahren, führte jeden Anspruch auf eine „für alle erreichbare Kunst" ad absurdum.

Diese Kritikpunkte wurden auch bald von einigen der frühesten Kritiker der Wiener Werkstätte wahrgenommen. Ein Rezensent, der über die bei der Frühlingsausstellung von 1905 in der Galerie Miethke gezeigten Bucheinbände und Vorsatzpapiere schrieb, stellte fest, daß die verwendeten Materialien „viel zu kostbar und teuer" waren, „als daß man ihnen wirkliches Durchgreifen und allgemeine Verwendung versprechen könnte". Ein anderer Kritikpunkt bestand darin, daß ihre Erzeugnisse unnötig teuer, weil unnötig kompliziert seien. Im „Arbeitsprogramm" hatte Hoffmann erklärt: „Wir gehen vom Zweck aus, die Gebrauchsfähigkeit ist uns erste Bedingung"; aber während jedoch wohlgesinnte Kritiker wie Hevesi die „Logik" der Hoffmannschen Entwürfe priesen, stellte ein Rezensent der Magdeburger Zeitung anläßlich der Wiener Werkstätte-Ausstellung Herbst 1904 im Kunstgewerbehaus Hohenzollern in Berlin die Frage: „Ist das aber eine Kunst für's Volk, vorausgesetzt selbst, daß ihre Erzeugnisse auch außerhalb der Millionärskreise Absatz finden könnten? Gibt sie sich dazu nicht viel zu originalitätssüchtig und viel zu wenig auf den Stil der Zweckmäßigkeit bedacht?"

Das Problem, genügend Käufer zu finden, existierte tatsächlich. Von allem Anfang an hing die Wiener Werkstätte, mehr absichtlich als zufällig, von einer sehr kleinen, extrem reichen und in mancher Hinsicht sehr launenhaften Käuferschicht ab, deren Bestellungen weder ausreichend regelmäßig noch umfangreich genug waren, um eine gewisse finanzielle Stabilität zu gewährleisten. Moser berichtete, als er sich an die Gründe für seinen Austritt aus der Gruppe im Jahre 1906 erinnerte, von den „unmöglichen Wünschen der Kundschaften ... meines Erachtens wurde (unsere) Tätigkeit allerdings eine zu vielseitige und allzu sehr vom Geschmack der Besteller abhängig. Und dabei wußte das Publikum meistens gar nicht genau, was es eigentlich wollte". Die Schwierigkeiten entstanden zum Teil daraus, daß die Arbeitsweise der Werkstätte auf Auftragsproduktionen beruhte (dies war ironischer Weise ursprünglich Mosers Idee gewesen), und damit kaum Raum ließ, den Spontankäufer augenblicklich mit einem Feuerwerk an Beispielen, die man lagernd hatte, zu überraschen. Dieses Problem unterstrich Waerndorfer als Geschäftsführer der Wiener Werkstätte in einem Brief an Hoffmann vom Juli 1906, in dem die schwierige Finanzlage, selbst zu diesem frühen Zeitpunkt, deutlich wird: „Der neue Raum muß ein hundsgemeiner Verkaufsraum werden, wo vor allem Sessel-Typen stehen mit fixen Preisen, was ein Sessel in Leder, und was er in Stoff kostet, und was eine Garnitur etc. etc. kostet. Es kann heute kein Fremder bei uns kaufen, weil er erstens nichts sieht, und dann weil wir ihm keine Auskünfte geben können ... "

Die Ironie des Schicksals war es nun, daß trotz der löblichen sozialen Idealen der Wiener Werkstätte die Arbeiter schließlich die ersten waren, die darunter zu leiden hatten. In einem Schreiben an Moser verweist Waerndorfer auf die Notwendigkeit einer „starken Reduktion" ihrer Aktivitäten sowie der Entlassung der damit überflüssigen „armen Teufel", was auf ein Defizit zu dieser Zeit in einer Höhe von ca. 200.000 Kronen schließen läßt. Im Juni 1908 erfahren wir aus einem Brief an Carl Otto Czeschka, daß Waerndorfer Gobelinentwürfe Kokoschkas aus der Kunstschau um 200 Kronen gekauft hatte, nicht aber über das Geld für ihre Ausführung verfügte.

Danach scheint alles nur noch immer schlimmer geworden zu sein. In einem Brief vom Juli 1909 an Hermann Bahr berichtet Waerndorfer, daß 300.000 Kronen Anleihe zurückgezahlt werden müssen, weil die Österreichische Bank die Verfallserklärung über die Wiener Werkstätte ausgesprochen hatte, und alle ehemaligen Sponsoren weitere Kredite abgelehnt hatten. Dann taucht Waerndorfer ganz plötzlich in London auf und versucht dort die Wiener Werkstätte als gutgehendes Unternehmen an der Londoner Börse anzubieten, jedoch erfolglos.

Die Produktion wurde im Herbst 1913 schließlich eingestellt. Die inzwischen angelaufenen Schulden waren auf 1,5 Mill. Kronen geklettert. Im Mai 1914 emigrierte Waerndorfer ohne einen Groschen im Sack in die Vereinigten Staaten. Er hatte sein ganzes Geld wie auch einen beträchtlichen Teil des Familienvermögens in dieses nunmehr gescheiterte Abenteuer investiert. Zurück blieben seine Frau und die Kinder, sein Haus mit seinen bemerkenswerten Sammlungen und Mackintoshschem Musikzimmer, sowie jede Verbindung zur Wiener Werkstätte – ein tragisches Ende für das erste Kapitel und das erste durchwegs moderne Experiment auf dem Gebiet der angewandten Kunst in Wien.

Literatur (in Auswahl):

OLE BANG, Thonet. Geschichte eines Stuhls. Stuttgart 1979 – VERA J. BEHAL, Möbel des Jugendstils. Sammlung des Österreichischen Museums für angewandte Kunst in Wien. München 1981 – GEORGES CANDILIS u. a., Bugholzmöbel. Stuttgart 1979 – ALAN CRAWFORD, Charles Robert Ashbee. London 1985 – R. FEUCHTMÜLLER–W. MRAZEK, Kunst in Österreich 1860 – 1918. Wien 1964 – GOTTFRIED FLIEDL, Kunst und Lehre am Beginn der Moderne. Die Wiener Kunstgewerbeschule 1867–1918. Salzburg 1986 – Gebogenes Holz. Konstruktive Entwürfe. Wien 1840–1910. Kat. Wien 1979 – 100 Jahre Österreichisches Museum für angewandte Kunst. Kunstgewerbe des Historismus. Kat. Wien 1984 – SIMON JERVIS, Furniture of about 1900 from Austria and Hungary in the Victoria & Albert Museum. London 1986 – Moderne Vergangenheit. Wien 1800–1900. Kat. Wien 1981 – WALTRAUD NEUWIRTH, Das Glas des Jugendstils. München 1973 – DIES., Österreichische Keramik des Jugendstils. Sammlung des Österreichischen Museums für angewandte Kunst in Wien. München 1974 – DIES., Loetz Austria 1900. Wien 1986 – JOHN PHYSICK, The Victoria & Albert Museum. London 1982 – WERNER J. SCHWEIGER, Die Wiener Werkstätte. Wien 1982.

Ilona Sármány-Parsons

DIE KUNST DER JAHRHUNDERTWENDE IN UNGARN 1896 – 1914

Zu Beginn der neunziger Jahre herrschte in Ungarn in allen Disziplinen der Schönen Künste noch der akademische Historismus vor. Die großen Aufgaben z. B. in der Malerei konzentrierten sich auf die 1896 abgehaltene Millenniumsfeier, die wie die vorherrschende Geschichts- und Kulturauffassung historisierenden Charakter besaßen. Der wichtigste Mäzen in Ungarn war noch immer der Staat, und er erwartete, daß sich die Künstler seiner Kulturpolitik gegenüber loyal verhielten und daß die Kunst die ihr in der Ausformung einer nationalen Kultur zugedachte, moralisch didaktische Aufgabe erfüllte. Daneben hatte die Kunst die Rolle zu erfüllen, der staatlichen Repräsentation Glanz und Schönheit zu verleihen. Diese beiden Aufgabenstellungen erklären, warum vom Staat in erster Linie die Historienmalerei und die traditionelle allegorische Malerei gefördert wurde.

Für die künstlerische Entwicklung bedeutet dies, daß nur der von der Münchner Historienmalerei beherrschte akademische Stil von den staatlichen mit Kunstförderung befaßten Institutionen als angemessen anerkannt wurde. Dessen Repräsentanten, z. B. Gyula Benczur und seine Schule, verfügten über die meisten Aufträge und besaßen de facto das Monopol auf dem Kunstmarkt. Ein noch unterentwickeltes bürgerliches Mäzenatentum bedeutete beschränkte finanzielle Möglichkeiten für Künstler, die nicht der offiziellen Stilrichtung folgten. Daher fanden bis zur Mitte der neunziger Jahre neue Stilrichtungen in Ungarn kaum finanzielle oder ideelle Unterstützung. Fördernd griffen nur einige wenige Aristokraten- und Bürgerfamilien ein. In der Hierarchie der Künste nahmen die bildenden Künste in Ungarn eine untergeordnete Stelle ein: im ungarischen Geistes- und Kulturleben rangierte die Literatur an erster Stelle.

Die neue Künstlergeneration, die sich in der Mitte der neunziger Jahre für eine Autonomie der Schönen Künste einsetzte, stellte sich die Aufgabe, das Ansehen der bildenden Künste zu vergrößern und bewußt zu machen, daß eine Notwendigkeit zur Schaffung einer modernen, zeitgemäßen ungarischen Kunst bestehe. Diese umfangreiche Zielsetzung beinhaltete vielfältige Aufgaben: die neuesten künstlerischen Strömungen sollten in Ungarn eingebürgert werden; parallel dazu sollte ein kunstverständiges Publikum erzogen werden, das Mäzenatentum sollte erweitert und neue Formen der Künstlerausbildung geschaffen werden.

Zum selben Zeitpunkt wie in Wien wurden in Budapest die modernen europäischen Stiltendenzen fühlbar, nämlich um 1896/97; sie verursachten hier wie dort einen Aufruhr im Kunstleben, aber aufgrund der unterschiedlichen Voraussetzungen, des andersartigen künstlerischen Klimas und der unterschiedlichen Verankerung im gesellschaftlichen Leben entwickelten sich die neuen Stiltendenzen andersartig. In beiden Hauptstädten der Monarchie hatte die künstlerische Avantgarde die Aufgabe, die Vorrangstellung der künstlerisch überholten akademischen Malerei zu brechen. In Wien hatte die Secession diese Aufgabe schnell und erfolgreich erfüllt; in Ungarn hingegen konnte die Avantgarde der Malerei, die Pleinair-Schule von Simon Hollósy, die im Sommer 1896 von München nach Nagybánya übersiedelte, diese Aufgabe nur langsam und schrittweise verrichten.

Bis 1896 lebte die Schule von Simon Hollósy (1857–1918) in München, weit weg von den heimischen Kulturkämpfen; nach ihrer Übersiedlung wählte sie nicht die schnell wachsende Hauptstadt, die damals im Taumel der Millenniumsfeier lag, als Wohnsitz, sondern das stille Bergwerkstädtchen Nagybánya, am Rande Siebenbürgens gelegen. Die landschaftliche schöne Umgebung hielt zahlreiche Themen für die jungen Maler bereit, die beinahe alle im Bann des Naturalismus von Bastien Lepage standen und versuchten naturgetreu pleinair zu malen. Diese „Schule von Nagybánya" erfüllte innerhalb der ungarischen Malerei, wie die Secession in Wien, die historische Rolle als Gegner des Akademismus. Schon der zeitgenössischen Kritik war bewußt, daß die Schule von Nagybánya in die ungarische Malerei die Freiheit des schöpferischen Individuums und die ungehemmte Suche nach modernen Ausdrucksmitteln als künstlerisches Wollen einbrachte, obwohl ihr Stil nur teilweise – in erster Linie in ihrer Graphik – vom zeitgenössischen Art nouveau berührt war und mehr einen koloristischen pleinair-Naturalismus verkörperte. Wenn sich die Maler von Nagybánya auch in den ersten Jahren noch mit den Sujets der Historienmalerei auseinandersetzten – z. B. hat Simon Hollósy den „Rákóczi-Marsch" (1898) mittels Pleinair-Licht- und Farbeffekten skizziert – , so war ihr Hauptthema die Natur und der Mensch.

Besonders in den Werken des tonangebenden Künstlers Károly Ferenczy (1862–1917), der in Nagybánya Hollósy ablöste und der künstlerische Führer der Gruppe wurde, ist der Mensch organisch in die Landschaft eingefügt. In seinen Hauptwerken, z. B. „Die drei Könige" (1898), wurde die harmonische Symbiose von Mensch und Natur durch die sensible und zugleich sensualistische Harmonie der Farbenwerte formal umgesetzt. Die mystische Stimmung der Szene, hervorgerufen durch die grünen Lichtreflexe, spricht die Seele an; der geheimnisvolle Zug der kaum erkennbaren drei Reiter in der Tiefe des Waldes strahlt eine pantheistische Andachtshaltung gegenüber der Schöpfung aus. Ferenczys traumartige Komposition gehört zu den schönsten Beispielen des Natursymbolismus in der Malerei der neunziger Jahre. Seine berühmte Definition aus dem Jahre 1903 „koloristischer Naturalismus auf synthetischer Grundlage" bezieht sich gleichermaßen auf die Naturverbundenheit, die keineswegs naturalistisch, sondern optisch naturtreu ist, wie auch auf die angestrebte Synthese von Lichterscheinungen und Farblichteffekten, wodurch der Dualismus von Mensch und Natur im Einklang der Farbtöne aufgehoben wird (z. B. im Gemälde „Oktober", 1903).

Es dauerte gut sechs Jahre, bis der Stil der Schule von Nagybánya und ihr kühner Versuch, die Malerei von jeglichem literarischen oder historischen Themenzwang zu befreien, endlich das ungarische Publikum eroberte. Erst im Herbst 1903 fand Ferenczy auf seiner Retrospektive ungeteilten Beifall.

Der Durchbruch der modernen Künstler wurde auch dadurch erschwert, daß die um eine Reform ringenden Künstler – im Gegensatz zur Lage in Wien – voneinander isoliert kämpften; bisweilen erkannten sie das Gemeinsame ihrer Interessen und Ziele nicht einmal. Die zeitgenössische Kunstkritik und Kunstpolitik war zwar gezwungen, sich mit der Herausforderung durch die Schule von Nagybánya auseinanderzusetzen, aber die als Bahnbrecher des Jugendstils auftretenden Einzelgänger konnte man leicht außer acht lassen. Zwei von ihnen zählen in der internationalen Chronologie des Art nouveau zu den ersten Vertretern: János Vaszary (1867–1935) studierte in München und Paris und experimentierte mit allen neu auftretenden Stilrichtungen. Durch seine brilliante technische Virtuosität und Einfühlsamkeit war es ihm möglich, in jedem Stil ausgereifte Werke zu schaffen. Als er z. B. mit dem Münchner Jugendstil in Kontakt kam, malte er „Das goldene Zeitalter" (1898). Mit diesem Gemälde gab er eher eine dekorative Synthese der damals modernen Lebensphilosophie als eine überzeugende Behandlung der menschlichen Existenzfragen mit philosophischer Tiefe. Die mystisch transzendenten Themen des Symbolismus waren ihm fremd, aber auch so konnte er mit einer bravourösen Stilübung auf diese Herausforderung antworten. Seine menschliche und künstlerische Grundhaltung, sein sanguinisches schöpferisches Temperament hinderten ihn daran, einen eigenen Stil von innerer Folgerichtigkeit zu finden. So blieb er stets unterschiedlichen Einwirkungen ausgeliefert und brachte in jeder Stilrichtung Werke von hoher Qualität hervor, ohne jemals zu einer großartigen stilistischen Synthese zu gelangen. Im Grunde blieb er französisch ausgerichtet wie József Rippl-Rónai (1861–1927), der unermüdliche Bahnbrecher für die neueste Pariser Stilrichtung der neunziger Jahre. Er lebte 12 Jahre lang in Paris, war Mitglied der „Nabis" und fand noch in den frühen neunziger Jahren in Frankreich seine eigene Formensprache. Doch wie so viele in Paris lebende Künstler, die patriotisch gesinnt waren, träumte er davon, in

Károly Kernstok, Reiter am Wasserufer, 1910. Budapest, Magyar Nemzeti Galéria

seiner Heimat eine führende Rolle in der künstlerischen Entwicklung zu spielen. Als er 1897 durch Graf Tivadar Andrássy beauftragt wurde, ein Eßzimmer in dessen Palais im Stil des Art nouveau als Gesamtkunstwerk zu schaffen, kehrte er nach Ungarn zurück. Rippl-Rónai besaß die Begabung dazu, mit malerischen Effekten und Dekorationen in raffiniert zarten floralen Formen eine neue Umwelt zu schaffen, allerdings fehlte ihm das notwendige Wissen und Gefühl für Materialgerechtigkeit und die funktionalen Regeln des kunstgewerblichen Designs. Das 1899 ausgestellte Ensemble erzielte bei den Kritikern trotz seiner verfeinerten Eleganz keinen Erfolg. Die technischen Schwierigkeiten, die sich bei der Ausführung des Projektes ergaben, entzweiten den Künstler und die Handwerker so sehr, daß an eine weitere Zusammenarbeit nicht mehr zu denken war. Ein gestickter Wandteppich, die „Junge Frau mit Rose“, blieb vom Andrássy-Eßzimmer erhalten; er stellt eines der schönsten Beispiele ungarischer Art-nouveau-Teppichkunst dar. Nach seiner endgültigen Heimkehr aus Paris 1901 lebte Rippl-Rónai in seiner Heimatstadt Kaposvár; in dieser Periode begann sein dekorativer, aber erlesener „schwarzer Stil“ (z. B. „Dame in Schwarz“, 1896) koloristisch zu werden. Das Hauptthema wurden Szenen aus dem Kleinstadtleben in

Tivadar Csontváry-Kosztka, Selbstporträt, 1900. Budapest, Magyar Nemzeti Galéria

Kaposvár: gemütlich, manchmal melancholisch, bisweilen zart humoristisch, aber Rippl-Rónais Stil war so raffiniert ästhetisch, daß er nie auf das Niveau einer narrativen Genremalerei hinabstieg. Anerkennung von Seiten des Kunstpublikums erlangte Rippl-Rónai erst anläßlich einer Ausstellung im Februar 1906.

Auf dem Gebiet des Kunstgewerbes boten die Arbeiten für internationale Ausstellungen die Gelegenheit, formale Versuche anzustellen. Hierbei wurde aber im Interesse einer nationalen Repräsentation und einer Demonstration nationaler Eigenständigkeit ein ungarischen Nationalcharakter zum Ausdruck bringender Stil gefördert. Kritik und Kunsttheorie diskutierten über die beiden möglichen Alternativen, eine international „moderne Stilkunst" zu verfolgen, um zeitgemäß zu sein, oder einen eigenen Nationalstil zu entwickeln, um patriotische Gesinnung zu demonstrieren.

Die Bestrebungen, einen ungarischen Ornament-Stil zu schaffen, reichen in die Epoche des Historismus zurück und hatten auch in der Architektur namhafte Vertreter gehabt. Die Vaterfigur der modernen ungarischen Architektur, Ödön Lechner (1845–1914) versuchte bereits Anfang der neunziger Jahre einen Nationalstil in der Baukunst zu schaffen. Sein erstes ausgereiftes Werk war das „Museum für Angewandte Kunst", an dem er zwischen 1891 und 1896 arbeitete, also zu einem Zeitpunkt, zu dem er noch nicht von ausländischen Art-nouveau-Gebäuden beeinflußt werden konnte. Die östliche Herkunft der Ungarn spielte damals eine bedeutende Rolle bei der Formung einer neuen nationalen Identität, und daher wandte sich Lechner der persisch-indischen Formenwelt zu. Für die farbigen Majolikaplatten, die bei Zsolnay hergestellt wurden, verwendete er Blumenornamentik aus der ungarischen Volksstickerei. Seine späteren wichtigsten Werke, das „Institut für Geologie" (1899) und die „Postsparkasse" (1899–1901) zeigen ihn bereits frei von historisierenden Reminiszenzen und weisen eine reiche individuelle Formensprache auf, die eine Schule von begabten Nachfolgern ins Leben rief.

Ödön Lechner war keineswegs ein Architekt des Jugendstils, nur im weiteren Sinn kann man ihn zu den zeitgenössischen modernen Stilströmungen rechnen, in dem Sinn, in dem der Kampf um individuelle künstlerische Freiheit und freies Experimentieren mit Formen bereits zur sezessionistischen Bewegung gehören.

Bis 1902 waren in Ungarn Kritiker und Künstler gleichermaßen unsicher, was das Verhältnis zwischen Experimente im National-Stil und Jugendstil betrifft. Diese beiden, noch nicht völlig ausgereiften Stiltendenzen existierten in Architektur und Kunstgewerbe mehr oder weniger nebeneinander. 1902 wurde das

Schicksalsjahr für die modernen Stilströmungen in Ungarn – in diesem Jahr wurde das modernste Gebäude, das Postsparkassengebäude in Budapest, errichtet. Sein Stil war allerdings den offiziellen Behörden zu modern und unorthodox. Der ungarische Kultusminister Gyula Wlassics beurteilte anläßlich einer Rede im Parlament alle sezessionistischen Stilströmungen als negativ und identifizierte auch den sogenannten „ungarischen Stil" mit einer Spielart der Sezession. Sezessionistischer Stil und ungarischer Stil (oder Nationalstil) wurden durch die konservative Opposition zusammengeschmiedet, und ab diesen Zeitpunkt arbeiteten die Repräsentanten beider Kunstrichtungen miteinander.

Im politischen Leben Ungarns verschärfte sich die Krise ab 1903; das ambivalente Verhältnis zum Wiener Hof verstärkte das ungarische Nationalgefühl. Dies führte auch auf dem Gebiet der Kunst zu einer Abkapselung gegenüber dem Stil der Wiener Secession und der Wiener Werkstätten. Die Frage eines ungarischen Nationalstils trat wieder in das Rampenlicht.

Die Kunsttheorie versuchte in allen bedeutenden Kunstwerken die Wirkung des Nationalcharakters herauszuarbeiten, und so wurde die im Vergleich zum französischen Impressionismus nüchterne „erdgebundene" Naturanschauung der Schule von Nagybánya gelobt. In allen Kunstgattungen verstärkte sich das ethnographische Interesse, besonders im Kunstgewerbe wurden auch von staatlicher Seite Versuche, einen Stil ungarischer Prägung zu entwickeln, unterstützt. (Dies zeigt z. B. die Repräsentation ungarischen Kunstgewerbes auf den internationalen Ausstellungen in Mailand, 1906, und Turin, 1911). Großen Erfolg hatten etwa der auf die alten Goldschmiedetechniken zurückgreifende Emailschmuck von Samu Hibjan (1864–1919) oder die Halas-Spitzen, deren volkstümliche Ornamentik dem Jugendstilgeschmack angepaßt wurde.

Die Vertreter der utopische Lebensformen anstrebenden Theorie eines Jugendstilgesamtkunstwerkes sammelten sich in Gödöllő ab 1902 um den Maler Aladár Körösfői Kriesch (1863–1920). Die letzten Impulse zur Gründung einer Künstlerkolonie gab das Kultusministerium selbst, als es, um die ungarische Webewerkstatt zu „retten", die Webstühle der Kolonie in Gödöllő schenkte. Die Weberinnen sollten dort unter Leitung von Körösfői Kriesch Teppiche, Gobelins etc. nach Entwürfen namhafter Künstler (Vaszary, Körösfői Kriesch) ausführen. Die meisten Bestellungen kamen vom Staat selbst für die internationalen Kunstausstellungen in Turin (1902), St. Louis (1904), Mailand (1906) und wieder Turin (1911). Durch diese Ausstellungen erzielte die kunstgewerbliche Textilproduktion internationale Erfolge und wurde bis zum Ersten Weltkrieg der am meisten geschätzte Zweig des ungarischen Kunstgewerbes. Neben der berühmten irisierenden Zsolnay-Keramik mit Eosin-Glasur stellten diese Wandteppiche die eigenständigsten Beispiele für ungarisches Jugendstilkunsthandwerk auf hohem Qualitätsniveau dar.

Lajos Tihanyi, Selbstporträt, 1912. Budapest, Magyar Nemzeti Galéria

Innerhalb des Stilpluralismus, der die Tätigkeit der Gödöllőer Künstlerkolonie charakterisierte, wurde

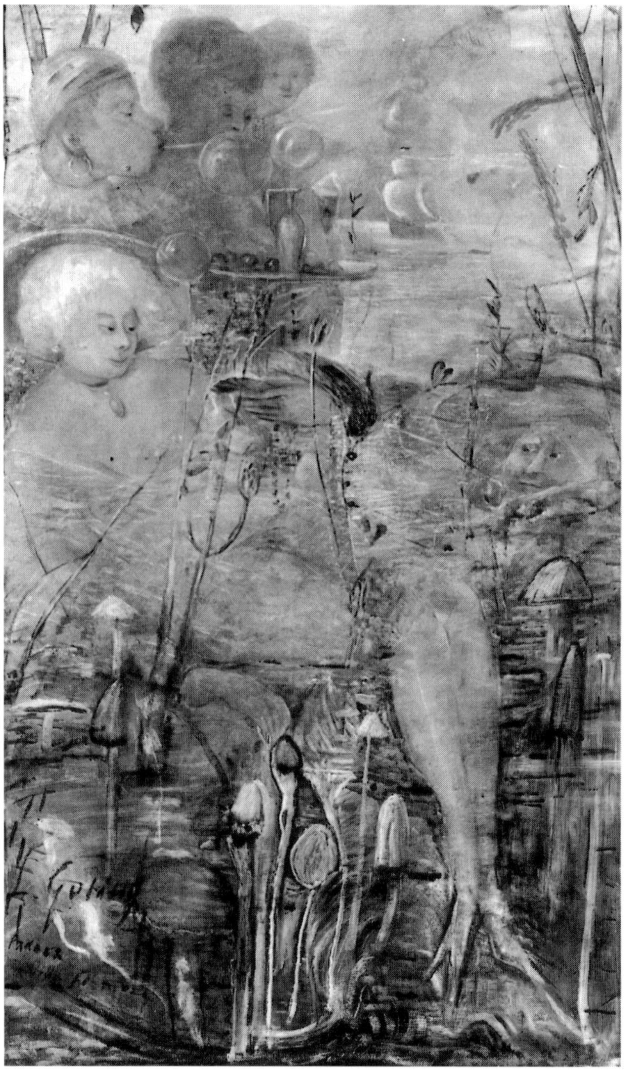

Lajos Gulácsy, Traum eines Opiumsüchtigen, 1913. Privatbesitz

die in Richtung Volkskunst orientierte Stilrichtung die wichtigste. Ethischer Ästhetizismus und prophetisches Sendungsbewußtsein unterschieden sie von den anderen ungarischen Künstlergruppierungen dieser Zeit. Von einem durch Lehren Ruskins, Morris' und Tolstois inspirierten romantischen Antikapitalismus erfüllt, wandten sie sich der ungarischen, im besonderen der siebenbürgischen Bauernkunst der Gegend um Kalotaszeg zu. Die zu dieser Gruppe gehörenden Künstler sammelten Material für ethnographische Prachtbände, wie „Die Kunst des ungarischen Volkes I-V" (Dezső Malonyai war Herausgeber, der erste Band erschien 1907). Die Künstler waren am längsten Vertreter eines Jugendstils der weichen, welligen Linienführung, obwohl Körösfői Kriesch bereits ab 1907 auch vom finnischen national-romantischen Stil und dessen eher eckigen Formenschatz beeinflußt wurde (z. B. Cassandra 1907). Nach der politischen Machtübernahme der nationalen Koalition wurde Gödöllő vom Staat laufend unterstützt und erhielt bemerkenswerte offizielle Aufträge. Die von der Volkskunst inspirierten Interieurs, Glasfensterentwürfe und Fresken dekorierten eines der spätesten Jugendstil-Gesamtkunstwerke, den „Kunstpalast" in Marosvásárhely (Tirgo Mures). Die dort erhaltenen, Balladen darstellenden Glasfenster von Sándor Nagy (1869-1950) und Ede Thorockai Wiegand (1864–1945) sind die schönsten Beispiele dieses Genres in Ungarn (z. B. Kádár Kata, 1912).

Der große Aufbruch in die Moderne begann in Budapest um 1907/08, also zur selben Zeit wie in Paris, München und Wien. Die der ersten Welle angehörenden Bahnbrecher moderner Kunst in Ungarn (Nagybánya, Rippl-Rónai, Vaszary, in der Architektur Lechner) hatten die Aufgabe, die Autonomie der bildenden Künste gegenüber der Kulturpolitik einzubürgern. Man wählte aus dem europäischen Stilpluralismus jene Strömungen aus, welche dem in Ungarn beherrschenden Weltbild und Lebensgefühl nahestanden. Sehr wenige Künstler konnten sich von dieser Determiniertheit lösen. Es gab jedoch zwei außergewöhnliche Künstlerpersönlichkeiten, die sich aufgrund ihres exzentrischen Wesens und ihrer Individualität von den allgemeinen Kunsttendenzen isolierten. Lajos Gulácsy (1882–1932) war ein in seinem Formenschatz noch integrierter Einzelgänger, der melancholische ungarische Abkömmling praeraffaelitischer Träume. Seine esoterische Phantasiewelt war von Figuren des italienischen Mittelalters, Clowns oder „femme fatales" belebt. Seine beunruhigenden psychischen Traumbilder entwickelten sich später in surrealistischen, latent grausamen Visionen einer bedrohten Seele, zu deren Dämonen wir bis heute keinen Schlüssel haben (z. B. „Traum der Opiumsüchtigen", 1914).

Der andere große Meister war Tivadar Csontváry Kosztka (1853–1919); er strebte überdimensionierte Synthesen an. Während seiner kaum ein Jahrzehnt andauernden künstlerischen Tätigkeit malte er auf riesigen Leinwandflächen unvergleichliche suggestive Naturvisionen. Sein mehr als exzentrisches überspanntes Wesen isolierte ihn völlig von seinen Zeitgenossen; seine Werke wurden als Kunst nicht anerkannt. Erst retrospektiv entdeckte ihn die Kunstgeschichtsforschung. Sein Oeuvre ist eine vielfältige malerische Synthese, in der den zu seiner Zeit so virolenten individuellen und gesellschaftlichen Existenzfragen Ausdruck verliehen wird. Sein Stil war eine äußerst individuelle Variante, in der Merkmale der Pleinairmalerei, des Expressionismus und des Symbolismus miteinander verschmolzen. Dabei war er in seiner esoterischen Phantasiewelt kein Stileklektiker. Er verarbeitete zahlreiche Impulse, war kein Autodidakt, für den er in der älteren Kunstliteratur gehalten wurde und war zahlreichen zeitgenössischen Strömungen und Theorien gegenüber offen. In seinem prophetischen, überspannten Wesen verschmolzen diese Einflüsse zu einer höchst esoterischen, utopischen Weltvision, welche mit der zeitgleichen Umwelt wenig zu tun haben schien. Er war erfüllt von einer Sehnsucht nach einem kollektiven Mythos.

Die expressionistischen, überhöhten Farbkontraste und die dynamische Pinselführung weisen auf einem seiner frühesten Meisterwerke, „Sturm über Groß-Hortobágy“ (1903), auf symbolisch-assoziative Inhalte. Sein exaltierter Patriotismus, der von einem auserwählten Sendungsbewußtsein erfüllt war, findet seinen Niederschlag in der dramatischen Vision der Landschaft um die Brücke der Hortobágypuszta. Csontvárys spätere Werke – die riesigen Ölgemälde mit naturgetreu wiedergegebenen exotischen Orten, wo erhabene Natur in Symbiose mit den größten Momenten der Menschheitsgeschichte lebt – sind gleichzeitig kosmische Visionen von menschlicher Einsamkeit und Sehnsucht nach der reinen Welt.

Um 1905 kann man innerhalb des ungarischen Kunstlebens eine Umgruppierung beobachten. Das langsam sich vermehrende, künstlerisch interessierte Publikum gewöhnte sich an die von literarisch-historischen Sujets befreite „reine Malerei“ und an den Stil der Nagybánya-Schule wie auch an die dekorativen Sezessions- und Jugendstilvarianten. Die Schule von Nagybánya, die gegenüber dem konservativen Akademismus radikal auftrat, war – was ihre Kunstauffassung betrifft – der ungarische Vertreter des l'art pour l'art. Ab den ersten Jahren des neuen Jahrhunderts kann man bereits eine gewisse Zurückhaltung gegenüber neuer Stilströmungen, etwa dem Expressionismus, feststellen. Die zwei führenden Meister, Károly Ferenczy und István Réti, beharrten auf ihren natura-

Józzef Nemes Lampérth, Weiblicher Akt, 1916. Budapest, Magyar Nemzeti Galéria listischen Stilprinzipien. 1905 erhielten sie einen Ruf an die Kunsthochschule in Budapest und wurden damit „institutionalisiert"; ihr Stil und ihre Kunstanschauung wurden zur neuen Norm. Die jungen Maler orientierten sich allerdings an anderen Vorbildern. Innerhalb der Schüler von Nagybánya formierte sich eine oppositionelle Gruppe, die „Neo-Gruppe", die sich hauptsächlich nach Paris orientierte. Mehrere junge Künstler reisten zum Studium in die französische Hauptstadt und brachten nach wenigen Jahren Impulse einer neuen Stilwelle nach Ungarn, deren Leitsterne Matisse und Gauguin waren. Ab diesem Zeitpunkt dominiert die Orientierung nach Paris in der ungarischen Malerei, eine Dominanz, die in der Literatur ihre Entsprechung findet (Endre Ady).

Der große Aufbruch in die Moderne fand in Budapest um 1907/08 statt, also zur selben Zeit wie in Wien. In Budapest manifestierte sich dies in der Gründung der Künstlervereinigung MIENK (Kreis der ungarischen Impressionisten und Naturalisten), 1907, eine Vereinigung gegen das noch immer konservative Künstlerhaus. Ihre erste Ausstellung, an der alle wichtigen Bahnbrecher in der ungarischen modernen Malerei teilnahmen (Nagybánya, Szinyei-Merse, Rippl-Rónai, Vaszary, Gulácsy), bedeutete den endgültigen Sieg über den Akademismus. Es hatte zehn Jahre gedauert, bis dieser Durchbruch schrittweise gelungen war. Bald darauf zersplitterte dieser zu heterogene Verein.

Die jüngere, d. h. die Schülergeneration, war jedem Stilexperiment gegenüber aufgeschlossen. Als Folge der Desillusionierung durch die Politik der an die Macht gekommenen National-Opposition reagierte die kulturelle Sphäre mit verstärkter Politisierung. Sogar in den bildenden Künsten fand eine Umorientierung der Zielsetzungen statt: Die Künstler versuchten für die aktuellen gesellschaftlichen und allgemein menschlichen Probleme eine adäquate Formensprache zu finden, die neu und modern, d. h. kühn-avantgardistisch zu sein hatte. Die Künstler öffneten sich gegenüber allen neuen Stiltendenzen. Ab diesen Jahren kann man wieder ein verstärktes Interesse am Kunstschaffen in Wien feststellen (z. B. in der Graphik).

Die revolutionärsten Maler bildeten unter der Leitung Károly Kernstocks (1873–1940) die Künstlergruppe „Acht" (Nyolcak). Die Gruppe konnte nun bereits mit aufgeschlossenen Kennern und Mäzenen rechnen; ihr Auftreten fiel in dasselbe Jahr wie der große Aufbruch in der modernen Literatur und Musik. In der allgemeinen politischen Radikalisierung fanden die Künstler modern gesinnte Verbündete auf allen Gebieten der ungarischen Kultur.

Die neue Welle von Stilexperimenten in Architektur, Malerei und Kunstgewerbe wurde von modernen soziologischen und gesellschaftstheoretischen Denkweisen befruchtet. In der Malerei repräsentierte die „Acht" aus kunsthistorischer Sicht ein Auftreten gegenüber der impressionistisch-naturalistischen Stimmungsmalerei, wie man damals die ungarischen Freilichtmalerschulen bezeichnete. Einen tief einschneidenden stilistischen Impuls bedeutete für diese Gruppe die große Ausstellung französischer postimpressionistischer Maler (Budapest 1907), auf der zahlreiche Werke Cezannes und Gauguins zu sehen waren. Auch die Malerei der älteren Generation (z. B. Rippl-Rónai, Iványi-Grünwald) wurde von dieser sensationellen Ausstellung beeinflußt, was eine expressive Anwendung der Farben, großzügige Stilisierung und eine dekorative Ausrichtung zur Folge hatte.

In den Werken der Maler, die der Gruppe „Acht" angehörten, wurden die kühnen Deformierungen jedoch nie in leidenschaftliche expressionistische Visionen umgewandelt. Sie zählten ihre Stilexperimente zur „forschenden Kunst", welche für sie die „Kunst der Ratio" bedeutete, die anstelle der überwundenen „Kunst der Gefühle" (Kernstock) getreten war. In ihren theoretischen Zielen bemühten sie sich eine künftige neue Weltordnung zu schaffen. Ihre großen figürlichen Kompositionen wurden von einer distanzierenden Verallgemeinerung beherrscht, von einem optimistischen Menschenbild, das aber abstrakt und weltfremd war (z. B. „Reiter am Wasserufer" 1911). Viel ausgereifter waren ihre Landschaften und Porträts. Erstmals bezogen sie die moderne Großstadt als Thema in die Landschaftsmalerei mit ein; in der Porträtmalerei erreichten manche ihrer Mitglieder psychologische Tiefe und seelische Ausdruckskraft in kräftigen Farben und wuchtigen Formen. Unterstützt wurden sie durch die besten Vertreter der modernen Literatur, den Kreis um die Literaturzeitschrift Nyugat, und deren enthusiastischen Kritikern. Ihre Mäzene standen in enger Verbindung mit der bürgerlichen radikalen Intelligenz; sogar der junge Georg Lukács und sein Kreis schwärmten für sie.

Die Gruppe versuchte verkrampft die großen Erwartungen von Seiten ihrer Anhänger und Mitkämpfer zu erfüllen, einen monumentalen, synthetischen Stil der zukünftigen demokratischen ungarischen Gesellschaft noch vor deren Geburt vorwegzunehmen. Doch dies gelang ihnen aus äußerlich bedingten und auch persönlichen Gründen nicht. Einer der begabtesten dieser Gruppe war Lajos Tihanyi (1885–1938), der den kubistischen Stilexperimenten Cezannes am nächsten stand; er malte eine Reihe meisterhafter Porträts aus seinem Freundeskreis. Sein Selbstporträt (1912) stellt einen Höhepunkt der Kunst der „Acht" dar und zeigt Merkmale, die seine Art der Menschendarstellung in Verbindung zum Expressionismus setzen. Die Gruppe wurde 1912 aufgelöst, ein Parallelereignis zu dem politischen Zurückweichen der progressiven Bewegungen in Ungarn. In den Jahren unmittelbar vor dem Krieg traten viele junge Künstler in Erscheinung, die schon von Avantgarde-„ismen" berührt waren. Der früh verstorbene József Nemes Lampérth (1891–1921), der zu den Aktivisten gehörte, schuf expressive, brutal zusammengefügte dramatische Kompositionen, welche die überhitzte, bedrohliche Atmosphäre der Zeit mit leidenschaftlicher Aufrichtigkeit widerspiegelt (z. B. „Aufbahrung" 1912). Das Erlebnis des Krieges konnte Nemes Lampérth nervlich nicht ertragen. Er beendete sein Leben in der Irrenanstalt.

Gleichzeitig mit dem Avantgarde-Aufschwung in der Malerei erlebte die Architektur in den letzten Jahren der Monarchie den Durchbruch in die Moderne. Obwohl bei allen führenden Architekten bis zum Ersten Weltkrieg der Wunsch nach Schaffung eines nationalen Stils vorherrschte, veränderte sich die Architekturtheorie ab ungefähr 1906 grundlegend. Statt Stilfragen wurden soziale Funktion, rationelle Planung und ökonomisch-organisatorische Belange in den Mittelpunkt gestellt. Diese Umorientierung hängt in erster Linie mit der neuen liberalen Stadtverwaltung in Budapest zusammen, die für eine neue Städteplanung und Baupolitik eintrat. Die Förderung der Bau-

Ödön Marffy, Selbstporträt. Budapest, Magyar Nemzeti Galéria

konjunktur und der urbanen Städteplanung, die sich auch auf den Vorstadtgürtel erstreckte, gab der jungen Architektengeneration die Möglichkeit, auf dem Gebiet des Kleinwohnungsbaues zu experimentieren. Die ungarischen Vertreter der frühen modernen Richtung können nicht als einheitliche Gruppe betrachtet werden. Zwei von ihnen, Béla Lajta (1873–1920) und der Otto-Wagner-Schüler István Medgyaszay (1877–1959) schufen mit ihren einfachen, individuellen Lösungen und rationellen Entwürfen hervorragende Beispiele für damalige Verhältnisse kühner Modernität. Béla Lajtas Haus Rózsavölgyi (1811) stellt mit seinem einfachen klaren Grundriß, der klaren Tektonik und der Reflexion der funktionellen Gliederung auf die Fassade eine vollkommene Lösung des mit Wohnungen kombinierten Geschäftshauses dar. István Medgyaszay errichtet außer den frühen Stahlbetonbauten (in erster Linie Theater und Kirchen) die ersten puritanisch modernen Künstlervillen für zwei Gödöllőer Künstler. Die Villenarchitektur stellte das weite Experimentierfeld für die Architekten dar und führte in der Sezession zu zahlreichen individuellen Lösungen. Die in Ungarn ab 1906/07 Fuß fassende Gartenstadtbewegung mit ihren zahlreichen neuen Einfamilienhaustypen war eine beliebte Aufgabe für eine Gruppe von jungen Architekten, die eine national-romantische Stilrichtung vertraten. Ihr Traum war ein bodenständiger, moderner ungarischer Stil, der auf die Formen der mittelalterlichen siebenbürgischen Architektur und der davon abstammenden konstruktiven bäuerlichen Architektur zurückgriff, diesen Formenschatz jedoch im Sinne der englischen Arts- and Crafts-Bewegung interpretierte. Finnische und auch Wiener Vorbilder verschmolzen in dieser Richtung (z. B. Aladár Árkay, Reformierte Kirchen in Budapest, 1913), die im Geist der sezessionistischen Konzeption vom Gesamtkunstwerk auch die Gestaltung der Interieurs umformte.

Die in graphisch erlesenen Zeitschriften (z. B. A HÁZ, Das Haus, 1908/11) publizierten Ensembles des ungarischen national-romantischen „Brettstils" blieben eigenartige Beispiele der wenigen Künstlerheime, die vor 1914 errichtet wurden; im allgemeinen Kunstbewußtsein repräsentierten sie allerdings typische, echt-ungarische Interieur-Kunst. Der Stil mit seiner an die siebenbürgische Bautradition anknüpfenden Bauart ist eigentlich die ungarische Version des in Mitteleuropa aufblühenden „Heimatstils".

Wenn wir versuchen die eigenständigen Charakterzüge der Kunst um die Jahrhundertwende gegenüber den anderen Nationen in der Monarchie herauszuarbeiten, so müssen wir festhalten, daß, abgesehen von vereinheitlichenden Tendenzen bei Gegenständen der „Massenkultur" (z. B. öffentliche Gebäude, kunstgewerbliche Massenprodukte etc.), auf der Ebene der Hochkultur die Künstler um eine deutliche Abhebung von der Kunst der Nachbarländer bemüht waren. Von zwei Wünschen war die ästhetische Kultur in Ungarn erfüllt: man wollte einerseits einen ausgeprägt ungarischen Charakter entwickeln, träumte von einem Nationalstil, andererseits wollte man modern sein, sich auf dem höchsten europäischen Niveau der Avantgarde bewegen. Meist lebten beide Ziele in Symbiose miteinander, doch einmal standen die national gefärbten Intentionen im Vordergrund, ein anderes Mal der Drang avantgardistisch zu sein. Die dominierende und nur langsam an Bedeutung verlierende Bastion des konservativen historischen Akademismus haben die modernen Kunsttendenzen in zwei Wellen durchbrochen. Die erste war von Stilexperimenten in Pleinairmalerei und Jugendstil gekennzeichnet und von einem pantheistisch-mystischen Symbolismus begleitet. In dieser Periode dominierte die Gesinnung der l'art pour l'art, und man versuchte die Reformen begrenzt auf dem Gebiet der Kunst durchzusetzen. Auch in der Architektur standen vornehmlich Fragen des ungarischen Baustils und der Ornamentik im Vordergrund.

Nach den Krisenjahren 1903/05 trat eine neue Generation in Erscheinung, die sich in größerem Maße auch sozio-kulturellen Fragen widmete. Sie war nicht nur künstlerisch, sondern auch politisch engagiert und ihre avantgardistischen Stilexperimente waren für sie von symbolischer Bedeutung: sie wollte damit eine neue Gesellschaft, eine neue Welt verkünden. Diese neue Künstlergeneration suchte in der Pariser Modernen ihre Vorbilder und war der Vertreter der ersten expressionistischen, kubistischen Stilexperimente, doch behielt sie viel vom Weltbild und von den Träumen der sezessionistischen Ästhetik bei (z. B. eine unermüdliche Suche nach ästhetischer Totalität, nach Stilsynthese). In der Architektur war ihr eine für die neuen sozialen Probleme aufgeschlossene verantwortungsbewußte Denkweise eigen; mit dieser ging eine patriotische Verantwortung – neben kühnen technischen konstruktiven Experimenten – eine individuelle, nur schwer künstlerisch einzuordnende Synthese (Lechner, Lajta, Kós) ein. Ihre Werke konnten historische emotionelle Assoziationen erwecken; für eine dünne Schicht der ungarischen Intelligenz bedeuteten die Experimente dieser drei Architekten die Verkörperung von nationaler Tradition und Mode, ein Verschmelzen von Bodenständigem mit Europäertum.

In dieser Spätzeit des Dualismus brachen auch in Ungarn in allen Bereichen der Kultur Quellen an Talenten und schöpferischen Kräften auf, zu denen spätere Generationen mit Bewunderung und Nostalgie zurückkehren konnten, um aus ihnen neue Inspiration und Hoffnung zu schöpfen.

Literatur (in Auswahl):

TIBOR BAKONYI – MIHÁLY KUBINSZKY, Lechner Ödön. Budapest 1981 – MÁRIA BERNÁTH, Rippl-Rónai Jószef. Budapest 1976 – LAJOS FÜLEP (Hrsg.), A magyarországi művészet története. Budapest 1970 – L'anima e le forme 1890–1919. Ausstellungskatalog Mailand 1981 – Lechner Ödön. Ausstellungskatalog Budapest 1985 – Lélek és forma. Magyar Művészet 1896–1914. Ausstellungskatalog Budapest 1986 – AKOS MORAVÁNSZKY, Die Architektur der Jahrhundertwende in Ungarn und ihre Beziehungen zu der Wiener Architektur der Zeit. Wien 1983 – LAJOS NÉMETH, Csontváry Kosztka Tivadar. Budapest 1981 – DERS. (Hrsg.), Magyar művészet 1890–1919, 2 Bde. Budapest 1981 – KRISZTINA PASSUTH, A nyolcak festészete. Budapest 1967 – ISTVÁN RÉTI, A nagybánai művésztelep. Budapest 1954 – JUDITH SZABADI, Jugendstil in Ungarn. Budapest 1982 – JÚLIA SZABÓ, A magyar aktivizmus művészete 1915–1927. Budapest 1981 – BÉLA SZÍJ, Gulácsy Lajos. Budapest 1979 – FERENC VÁMOS, Lajta Béla. Budapest 1970.

Katalin Sinkó

DIE MILLENNIUMSFEIER UNGARNS

„Die Landnahme wurde vor 1000 Jahren beendet. Sie ist gut ausgegangen. Die ungarische Nation hat sich selbst gefunden, ihr Herz stimmt mit dem Kopf überein. Sie hat die kämpferischen Eigenschaften gewahrt und entfaltet, doch sieht die Welt in der Nation den Wächter des Friedens. Da sie ihrem Vaterland und ihrer Krone treu und freiwillig dient, fürchtet sie sich vor der Sklaverei nicht mehr. Sie kämpft nicht gegen fremde Nationen, sondern steht mit ihnen im Wettkampf; sie ist nicht umringt von Feinden, sondern von Verbündeten." Diese optimistischen und rhetorischen Zeilen schrieb Mór Jókai im Schlußwort des umfangreichen historischen Werkes, welches anläßlich des Millenniums erschien. Da aber dieser von Jókai deklarierte Einklang zwischen „Kopf" und „Gliedern" bei weitem nicht so ungestört war, könnte man meinen, daß die Klarsicht des beliebten Schriftstellers vielleicht eben durch den Glanz der pompösen Millenniumsfeierlichkeiten etwas getrübt wurde. Überall sieht man Zeichen der Uneinigkeit; seit Jahren verzögerten sich die Debatten über die „gemeinsamen Angelegenheiten" im Abgeordnetenhaus, wo die Opposition oft auch mit der Waffe der Obstruktion kämpfte; die liberale Regierungspartei konnte sich die Mehrheit im Parlament nur sehr schwer mit Werbepraktiken sichern. Der Unwille der Nationalitäten wuchs immer mehr und auf ihrem in Budapest 1895 veranstalteten Kongreß protestierten sie gegen das ethnische Supremat der Ungarn und forderten die Weiterentwicklung des Ausgleichs im föderalistischen Sinne. Die Industriearbeiterschaft und der arme Bauernstand kamen in Bewegung.

Trotz der drohenden Probleme und Krisen waren die Zeichen des Fortschritts überall sichtbar. Dem Ausgleich folgte ein mächtiger wirtschaftlicher Aufschwung und eine starke Industrialisierung; alle wurden von einem Baufieber gepackt, auf dem Lande waren Anzeichen der Verstädterung zu verzeichnen. Innerhalb weniger Jahrzehnte entwickelte sich Budapest zu einer Weltstadt. Nach der Wirtschaftskrise von 1873 gelang es – gerade zum Zeitpunkt des Millenniums – den ungarischen Staatshaushalt ins Gleichgewicht zu bringen, den auch die großangelegten Bauvorhaben nicht mehr gefährdet haben. Am stärksten zeigte sich das Baufieber in der Hauptstadt, die an zahlreichen großartigen öffentlichen Gebäuden reicher geworden war. Aus der Vielzahl der zum Millennium in Budapest ganz oder teilweise errichteten Ge-

Das Millenniumsdenkmal in Budapest

bäude und Einrichtungen seien hier nur die bekanntesten genannt: zwei Donaubrücken, das mächtige Gebäude des Parlaments, das Kunstgewerbemuseum, die restaurierte Krönungskirche, die Kunsthalle, die Markthalle und die Untergrundbahn. So entstanden das Eiserne Tor (Donaukanal „Vaskapu"), die Donaubrücke bei Preßburg, 400 Volksschulen, u. a. m.

War es nun der berechtigte Stolz auf die großen Erfolge in der wirtschaftlichen Entwicklung, die den Anlaß dazu gaben, die Millenniumsfeiern so pompös zu gestalten, oder waren es die im Staat anstehenden Probleme und die verstärkte Unzufriedenheit der Nationalitäten, die die Machthaber zu dieser so prachtvollen Demonstration der Einheit angeregt hatten? Beides mag zutreffen. Die Millenniumsfeiern waren eine Würdigung der Landnehmer vor 1000 Jahren, für Árpád und seine Stammesführer, und waren gleichzeitig der tausendjährigen Existenz des Staates gewidmet. Obwohl die Nation nur durch die Christianisierung und die Krönung des Heiligen Stephan in einen „modernen" christlichen Staat umgewandelt worden war, berief man sich in der offiziellen Geschichtsschreibung und Publizistik des öfteren auch auf das „historische" Recht der Landnehmer. Das historische Recht – die „Waffe", die die Völker der österreichisch-ungarischen Monarchie oft auch gegeneinander gerichtet haben – war zur Jahrhundertwende eine wichtige Grundlage der ungarischen Nationalideologie. Árpáds Landnahme und der damit verknüpfte Kult boten ideologische Stützpfeiler für die führenden Schichten der ungarischen Gentry nicht nur gegenüber den – oft ebenfalls auf illusorischen historischen Theorien beharrenden – Forderungen der Nationalitäten, sondern auch gegenüber den Reichstheorien der Habsburger. Nach den Thesen des für die Traditionen des ungarischen Adels tonangebenden Tripartitum von Werbőczy ist nämlich die königliche Macht letztlich auf die Konstitution der heidnischen Stammesführer, auf das Recht der freien Königswahl der ungarischen Adelskommunität zurückzuführen. Darum stehen im Mittelpunkt des Millenniumsdenkmals die sieben Stammesfürsten als Repräsentanten der alten ursprünglichen demokratischen Konstitution, über denen – als ein Siegeszeichen – Erzengel Gabriel mit der Krone in der Hand schwebt.

Nicht nur die in Budapest errichteten Denkmäler sollten die tausendjährige Geschichte des ungarischen Staates ins Gedächtnis zurückrufen, sondern auch die sieben Monumente an den Staatsgrenzen (Munkács, Zimony, Nyitra, Dévény und auf dem Czenkberg bei Brassó) sowie in der Mitte des Landes (Pusztaszer und Pannonhalma), die auf die Initiative des Historikers Kálmán Thaly errichtet worden waren. Das Árpád-Denkmal in Brassó wurde schon zu der Zeit seiner Errichtung das Opfer eines „Attentats", während die anderen im Sturm der Geschichte zum Teil verschwanden.

Wenn man die Debatten liest, die zu dieser Zeit hinsichtlich der Millenniumsfeierlichkeiten im Parlament geführt wurden, wird klar, daß hauptsächlich die Unabhängigkeitspartei oder die Partei der „48er" immer stärker darauf bestand, den Árpád-Kult und die hegemonische Staatsmacht Ungarns feierlich zu demonstrieren.

Das war auch der Grund dafür, daß Árpád in der bildenden Kunst eine zunehmende Rolle zu spielen begann. Unter den unzähligen Árpád-Darstellungen war das Rundpanorama von Árpád Feszty zweifellos das prunkvollste. Statt des Árpád-Kults hatte die liberale Partei, den Traditionen entsprechend, eher für den Kult des Heiligen Stephans plädiert und versucht, das in der Einheit der Heiligen Krone zum Ausdruck kommende politische Ideal des ungarischen Vielnationalitätenstaates – zumindest in Worten – zu popularisieren. Den Zwist zwischen den Parteien wollte Graf

Der Haupteingang Nr. 2 zur Millenniumsausstellung im Stadtwäldchen. Budapest, Történeti Múzeum

Albert von Apponyi mit seinem Antrag „Treuga dei" (Gottes Frieden) schlichten, der einen Waffenstillstand für die Dauer des Festjahres vorsah. Diese Waffenruhe ist mehr oder minder verwirklicht worden.

Die zu dieser Zeit bekannt gemachte Entdeckung, wonach in den Adern von Franz Joseph auch das Blut der Árpádendynastie fließen sollte, und er von Béla III. und Anna von Antiochien abstammen sollte, wollte die Schärfe den Bemühungen der Unabhängigkeitspartei nehmen. Zur Symbolisierung der Verbindung zwischen dem Haus Habsburg und den Árpádenkönigen ließ Franz Joseph aus eigenen Mitteln

Pavillon des Steinkohlenbergbaues der Aktiengesellschaft Urikány-Zsilvölgy. Budapest, Történeti Múzeum

in der Budaer Krönungskirche seinen Urahnen aus dem Árpádenhaus eine Krypta errichten, in der auf einer Marmortafel diese Blutsverwandtschaft von Árpád bis Franz Joseph inschriftlich verewigt wurde. Er selbst wurde bei den Millenniumsfeierlichkeiten in vielen Reden als Árpád II., der neue Staatsgründer, gefeiert.

Die Präponderanz der historischen Gesichtspunkte hat sowohl der Millenniumsausstellung wie auch den Feierlichkeiten ihren Stempel aufgedrückt. Zweifellos war die Ausstellung das wichtigste Ereignis des Millenniumsjahres. Im Parlament traten viele Abgeordnete auch für eine Weltausstellung ein, aber die vernünftigeren Stimmen und die Meinung von Gábor Baross gewannen schließlich die Oberhand, und man einigte sich lediglich auf eine Landesausstellung. Die Wahl des Ortes fiel auf das Stadtwäldchen, in dem schon die riesige Industriehalle stand. Der Lageplan der Ausstellung war an die örtlichen Gegebenheiten des Stadtwäldchens angepaßt; zwischen schattigen Bäumen zogen sich die verschiedenen, durch gewundene Wege miteinander verbundenen Pavillons hin und bildeten einen Kreis um den See des Stadtparks. Die verschiedenen Wirtschaftszweige – Industrie, Landwirtschaft, Maschinenbau, Papierindustrie, Metallurgie, Mühlenindustrie, u. a. – stellten ihre neuen Errungenschaften in Sonderpavillons aus, wobei die großen Firmen – Ganz, Mauthner, Apollo-Ölraffinerie, Nobel-Dynamit, Steinkohlenbergbau Urikány-Zsilvölgy, Gebrüder Thonet, Eisenmöbelfabrik Berger und Buchwald, Zement- und Betonfabriken Miska Krámer und Robert Wünsch, Sektfabriken Törley und Willibald Hölle – sowie die Landwirtschaftsbetriebe der Erzherzöge Joseph und Friedrich, des Herzogs von Coburg, des Grafen von Batthyány, u. a. ihre Ausstellungen in selbständigen Pavillons zur Schau stellen konnten. Mit einigen Ausstellungen nahmen auch Kroatien und Bosnien wie auch die Armee als Vertreter der gemeinsamen Angelegenheiten an der Schau teil.

Den größten Beifall ernteten jedoch nicht diese Pavillons, sondern die Ausstellungen der historischen Hauptgruppe. Ihren Platz fanden diese auf der Széchenyi-Insel in der Mitte des Sees in einem Gebäudeensemble verschiedener historischer Baustile. Dieses sich in dem See widerspiegelnde Bauwerk mit seinen gefälligen Silhouetten – eine Schöpfung von Ignác Alpár und Zoltán Bálint – sollte zum Symbol der Millenniumsausstellung werden. Das über eine kleine Brücke zugängliche, aus drei Gebäuden bestehende Ensemble bildete ein „Kompendium“ der charakteristischen Elemente der schönsten ungarischen Kunstdenkmäler und symbolisierte verschiedene historische Bauperioden. Im Bauteil romanischen Stils hatten die Kunstdenkmäler und Kunstobjekte aus der Zeit der Árpádenkönige, im gotischen Flügel die aus der Zeit der Anjou-Könige stammenden Exponate und in der Renaissancegruppe diejenigen aus der Epoche der Habsburgerdynastie ihren Platz gefunden. Die historische Ausstellung hat den bedeutendsten Teil der ungarischen Kunstgegenstände, ca. 20.000 größtenteils zum Privatbesitz des Adels oder Hochadels gehörende Exponate, umfaßt. Es war das Ziel der Ausstellung, die stetige Entwicklung des ungarischen nationalen Lebens zu veranschaulichen, weshalb die einzelnen Objekte nicht nach ihren Eigentümern, son-

Pavillon der Urfischerei. Budapest, Történeti Múzeum

dern nach ihren Entwicklungsstufen vorgeführt wurden. Den Höhepunkt der Ausstellung bildete jedoch der für die Habsburger-Herrscher im Obergeschoß des Renaissanceflügels ausgestattete Kuppelsaal mit dem hierher gebrachten Thronsessel König Franz Josephs, auf dem der Monarch den Ausgleich abgeschlossen hatte. Neben den imposanten historischen Gebäuden war über dem Seespiegel auf Pfeilern der bescheidene Pavillon der „Urbeschäftigungen", eine von Ottó Herman zusammengetragene Sammlung, errichtet worden. Die Darstellung der Urbeschäftigungen – Fischfang und Jagd – wiesen durch ihre Aufnahme in die historische Ausstellung auf einen Wandel in der Denkweise hin, wonach die ethnologischen Objekte zu den „nicht geschriebenen Quellen" der Geschichte zählen. Dieser Ausstellungsabschnitt und insbesondere die von Eugen von Zichy in der Kirche des Ausstellungsdorfes gezeigten urungarischen Andenken – die er von einer Expedition aus dem Osten mit nach Hause gebracht hatte – haben die Zeitgrenzen der historischen Ausstellung um mehr als 1000 Jahre – in die Zeit der Völkerwanderung – vorverlegt. Der ethnographische Teil nahm in der Millenniumsausstellung einen viel größeren Raum ein, als es bei den europäischen Ausstellungen gleicher Art üblich war; es war ein ganzes Dorf mit 26 aus verschiedenen Gegenden Ungarns stammenden Bauernhäusern samt ihren Nebengebäuden und Höfen aufgebaut. Dieser Teil der Ausstellung erzielte auch auf internationaler Ebene einen wissenschaftlichen Erfolg. Der Plan stammte von dem Ethnographen János Jankó, der die Bauweisen in den verschiedenen Gegenden originaltreu reproduziert hatte. Von diesem Dorf gelangte der Besucher über eine kleine Brücke zu dem sogenannten „Ősbudavár“, einem Vergnügungsviertel, wo er neben Weinschenken, Bierstuben und Restaurants auch ein Pariser Vergnügungslokal fand, wo mannigfaltige Bilderschaubuden, ja sogar Puppentheater für das Publikum aufgebaut worden waren und es jedem freistand, sich in ein reich verziertes Gedenkbuch, in das in einem Sonderpavillon aufgelegte sogenannte „Goldene Buch“, einzutragen.

Unter den zahlreichen Einweihungsfeiern, Ausstellungseröffnungen, feierlichen Tedeums und Theatervorstellungen war jedoch zweifellos die „Feier der Krone“ am 8. Juni das attraktivste Ereignis des Millenniumsjahres. Es waren Pläne entworfen worden, nach denen bei dieser Gelegenheit ein aufwendiger historischer Umzug sowie Triumphwagen die Geschehnisse der letzten zehn Jahrhunderte demonstrieren sollten. Für den prächtigen Volkstrachten- und Kostümumzug hatte der Maler Pál Vágó gemeinsam mit anderen Künstlern die Skizzen entworfen. Mit der Organisation des Umzugs selbst war die neue Künstlergesellschaft, der „Nationale Salon“, beauftragt worden. Leider kam der Umzug in der geplanten Form nicht zustande und an seiner Stelle veranstalteten die Banderien der Komitate einen Festzug mit alten Trachten und Uniformen. Anstatt der bürgerlichen Repräsentation des historischen Umzugs hatte das Abgeordnetenhaus letztlich den Antrag von Gyula Dókus, dem Obernotar des Komitats Zemplén angenommen, der davon ausging, daß die Herkunft der Banderien auf die Landnahme zurückzuführen sei und daß die Komitate – so schrieb er in der Millenniumszeitung – „eigentlich die Nachkommen von Árpáds Heer seien, denn Fürst Árpád hätte sein Heer nach der Landnahme auf die Burgen verteilt, und dieses Heer solle nun nach tausend Jahren, wenn auch nicht in seiner ganzen Stärke, so doch zumindest in repräsentativer Zahl in Ős-Budavár gesammelt werden, um die Leibgarde des Königs zu bilden“.

So versammelten sich am 8. Juni die Vertreter der Komitate auf dem Vérmezo (Blutfeld) und zogen zur Burg, wo sie dem König ihre Ehrenbezeigung leisteten. Von dort aus schwenkt der Zug in die Krönungskirche ein. Hier wurde die Heilige Krone auf eine prachtvolle verglaste Equipage gesetzt. Mit diesem Festzug wurde die Krone nach Pest gebracht, wo das Millennium „in Gegenwart der Krone“ kodifiziert wurde. Der feierliche Akt fand seinen Abschluß mit einer Huldigung vor dem König in der Burg. Zu diesem Huldigungszug schuf der Maler Franz Eisenhut in knapp zwei Jahren ein großartiges Rundpanorama.

Die Ereignisse des Millenniums, die Feierlichkeiten, Veranstaltungen, die historische Ausstellung wie auch der Huldigungszug beleuchteten die Eigenart des ungarischen Historismus. Die Millenniumsfeierlichkeiten dienten als Mittel für eine rituelle Lösung der Spannungen zwischen realer Situation und historisierender Ideologien. Die Quellen dieses Historismus nehmen ihren Anfang in der traditionsgebundenen Geschichtsbetrachtung des Adels, sie kommen aber auch in der historischen Weltanschauung des Liberalismus zum Ausdruck.

Im Grunde genommen spiegelten die Ereignisse des Millenniums eine romantische Geschichtsauffassung wider, die mit ihren eigenen Mitteln die Existenz einer „zweiten Wirklichkeit“ zu suggerieren berufen war; einer „zweiten Wirklichkeit“, die sich gegenüber den Realitäten des spannungsvollen wirklichen Lebens als geeignetes Mittel zur Lösung der Konflikte im Rahmen der konservativen Weltanschauung erwies.

Literatur und Quellen (in Auswahl):

Ignác Alpár, Az ezredéves kiállítás történelmi főcsoportjának épületei (Das Gebäudeensemble der historischen Hauptgruppe der millenaren Landesausstellung). Budapest 1897 – Albert von Apponyi, Emlékirataim. Ötven év. (Meine Memoiren, Fünfzig Jahre). Budapest 1922 – Az 1896–iki ezredéves országos kiállítás történeti főcsoportjának programja és hivatalos katalógusa (Das Programm und der offizielle Katalog der historischen Hauptgruppe der millenaren Landesausstellung von 1896). In: Mitteilungen der Millenniumsausstellung von 1896. 7. Juni 1893 – Zoltán Bálint, Die Architektur der Millenniumsausstellung. Wien 1897 – Bericht über den am 8. Juni 1896 anläßlich des Millenniums gehaltenen Huldigungszug (ungarisch). Budapest 1896 – Raoul Chélard, La Hongrie millennaire. Paris 1896 – Béla Czobor – Imre Szalay, Magyarország történeti emlékei (Ungarns historische Monumente) Bd. I–II. Budapest 1897–1901 – Mór Gelléri, Az ezredéves Magyarország multjából és jelenéből (Aus der Vergangenheit und Gegenwart des tausendjährigen Ungarns). Budapest 1896 – Péter Hanák, 1898, a nemzeti és állampatrióta értékrend frontális ütközése a Monarchiában (1898 – frontale Kollision der nationalen Wertordnungen mit den staatspatriotischen innerhalb der Monarchie). In: Medvetánc (1984) Nr. 2–3, S. 55–72 – Mór Jókai, Utószó, A magyar nemzet története. (Schlußwort. Geschichte der ungarischen Nation) Hg. von Sándor Szilágyi. Bd. 10. Budapest 1898

– LÁSZLÓ KOVÁRY, A millennium lefolyásának története és a milleniáris emlékalkotások (Die Ablaufsgeschichte des Milleniums und die Millenniumsdenkmäler). Budapest 1897 – WILHELM KUNOSSY und Sohn, Das tausendjährige Ungarn und die Millenniumsausstellung 1896 (Eine viersprachige Publikation) Bd. I–II. 1896 – Magyarország közgazdasági és közmüvelődési állapota ezeréves fennállásakor és az 1896. évi ezredéves kiállítás eredményei (Der Zustand der Nationalökonomie und der allgemeinen Bildung in Ungarn zur Zeit dessen tausendjährigen Bestehens und die Ergebnisse der Millenniumsausstellung von 1896). Hg. von SÁNDOR MATLEKOVITS. Bd. 9. Budapest 1898 – Schriften des Abgeordnetenhauses im Parlament in den Jahren 1892–1897, Bd. 17 – KATALIN SINKÓ, A valóság története, avagy a történelem valósága. A millennium ünnep historizmusa (Die Geschichte der Wirklichkeit, oder die Wirklichkeit der Geschichte. Historismus der Millenniumsfeier). In: Lélek és Forma (Seele und Form). Ausstellungskatalog Budapest 1986 – DÁNIEL SZABÓ, A millenniumi ünnepségek (Die Millenniumsfeierlichkeiten). In: Világosság (1978) S. 500–506 – NÁNDOR SZMOLLÉNY – Károly LIPTAI, Magyarország ezredik éve (Ungarns tausendstes Jahr). Szeged 1896 – LÁSZLO TARR (Hg.), Az ezredév. Magyar tallózó (Das Millennium. Ungarische Nachlesen). Hg. von LÁSZLO TARR. Budapest 1979 – KÁLMÁN THALY, Az ezredévi országos hét emlékoszlop története (Die Geschichte der sieben nationalen Millenniumsdenksäulen). Pozsony (Preßburg) 1898 – GRAF JENŐ VON ZICHY, Emlékirat a millennium nemzeti megünneplésére (Erinnerungsschrift zur nationalen Befreiung des Millenniums) Budapest 1890 – DERS., Országos, vagy világkiállitás kell e nemzetünk ezeréves ünnepére? (Soll das Millennium unserer Nation mit einer Landes- oder einer Weltausstellung gefeiert werden?). Budapest 1891.

Jiři Kotalik

DIE TSCHECHISCHE KUNST DER JAHRHUNDERTWENDE

Für die tschechische Kunst an der Wende vom 19. zum 20. Jahrhundert ist eine Dialektik bezeichnend, die sich oft in gegensätzlichen, aber dennoch untrennbar verbundenen Aspekten äußert: Zum einen trägt sie grundsätzlich zur Verbreitung internationaler bildnerischer Ausdrucksformen bei, trotzdem ermöglicht sie auch eine schöpferische Entfaltung nationaler Traditionen. Zum anderen ist sie programmatisch um ihre gesellschaftliche Verankerung und Wirkung bestrebt, gleichzeitig setzt sie einen persönlichen und individuellen Ausdruck voraus. Darüber hinaus autonomisiert sie durch Fläche und Linie Formelemente, betont jedoch auch den Bedeutungsinhalt in Malerei, Plastik und Kunstgewerbe. Schließlich verwendet sie in besonderem Maße charakteristische Details und ausgefallene Materialien, wobei die Einheit der verschiedenen Gattungen bildender Kunst vorausgesetzt und verwirklicht wird.

Unter allen Gattungen der bildenden Künste wurde die Malerei zum richtigsten und richtungsweisenden Faktor. Die bisher führende und außerordentlich geschätzte Monumentalmalerei, die in Fresko, Mosaik, Sgraffito etc. an architektonischen Wandflächen gebunden war, beginnt infolge durchdringender Veränderungen und Verschiebungen in der Sozialstruktur der Nation ihre einstige gesellschaftliche Basis sowie ihre feudal-kirchliche Auftraggeberschicht zu verlieren. Außer wenigen Gelegenheiten zu großzügigen öffentlichen Aufgaben, die überdies im Laufe der Zeit abnehmen, stoßen wir daher auf Versuche einzelner Künstler, die an die Architektur gebundene monumentale Malerei zeitweise durch Bilder riesigen Ausmaßes zu ersetzen, aus denen die religiöse Thematik nahezu ganz verschwindet und gesellschaftlich wirkungsvollen historischen Themen weicht.

Die Bedeutung der „Generation des Nationaltheaters" wurde 1913 von F. X. Salda in einem Artikel über Mikolaš Aleš mit pathetischen Worten gewürdigt: „Du stehst knapp vor der Vollendung des Nationaltheaters, und die tschechische Widergeburt ergoß sich gleichsam mit ganzer Kraft in den Bereich der bildenden Kunst; hier sprießt und gärt es, hier steigt der Lebenssaft nach Jahrhunderten zum ersten Mal wieder aus den Wurzeln in den Stamm. Hier, auf diesem

Feld, verwirklicht sich das geheimnisvolle Geschehen der Geburt und das Wachstum einer ganzen Generation... erst die Männer des Nationaltheaters gaben den nebeligen und tastenden Sehnsüchten ihrer unmittelbaren Vorgänger eine gesetzliche und reife Form". In der europäisch orientierten Gruppe der „Generation des Nationaltheaters" steht Vojtech Hynais (1854–1925) im Vordergrund, der nach seinen ersten religiösen, unter dem Einfluß seiner Studien in Wien und Italien entstandenen Bilder in der Pariser Atmosphäre die Vorzeichen der neuen Zeit zu begreifen begann. Freilich führte dies nicht zu einem Verständnis des schöpferischen Mutes der Impressionisten, sondern eher zur Salonmalerei. Sein Interesse an der Vibration der Licht- und Farbimpressionen und an Kompositionsprinzipien dekorativer Wirkung äußert sich jedoch bereits während der 80er Jahre, wie der Vorhang des Nationaltheaters (1883) und einige spätere Genrebilder aus dem Stadtleben bezeugen. Am Ende des 19. Jahrhunderts hat Vojtech Hynais durch seinen luministischen Verismus und die malerische Noblesse zeitweilig die junge Generation beeinflußt. Einige Studien zum „Urteil des Paris" (1891/93) verraten in der flächigen Betonung der Details und in der koloristischen Leuchtkraft Anklänge an symbolistisch-jugendstilhafte Empfindungen; das Plakat für die Volkskundliche Ausstellung (1894) hat bei uns die Geburt eines neuen und zeittypischen Zweiges der bildenden Kunst eingeleitet.

Zu der Gruppe von Künstlern mit ausgeprägten individuellen Streben, deren Werk schwer auf einen gemeinsamen Nenner zu bringen ist, gehört an erster Stelle Hanuš Schwaiger (1854–1912), eine außerordentlich komplizierte und scheinbar zwiespältige Persönlichkeit. Er galt als eingefleischter Individualist und Sonderling, ohne deutliche Zugehörigkeit zu seiner Generation, weil er an keinem der Wettbewerbe für die Dekoration des Nationaltheaters teilgenommen hat und während seiner langjährigen Studien in Wien zuerst außerhalb der tschechischen Kunst aufwuchs. Die Bilder Hanuš Schwaigers werden oft mit den Erzählungen Zikmund Winters verglichen. Beide stimmen in der Meisterschaft überein, Erzählungen der Vergangenheit getreu wiederzugeben und schöpferisch zu interpretieren. Doch lag der Schlüssel zur Persönlichkeit des Malers und seines Werkes vor allem in den Beziehungen zu aktuellen Entwicklungsproblemen und in deren frühzeitiger Erkenntnis. Unter der Maske der Liebe für das Alte, die er halb aus Ironie, halb als Schutz seiner inneren Welt zur Schau trug, verstand Hanuš Schwaiger seine Zeit, ihre Gedankenkollisionen und ihr schöpferisches Streben. Schwaigers Anteil an der Orientierung unserer Malerei zum Impressionismus ist im Prinzip gut belegt: in der von Sonne und Luft gesättigten goldenen Tönen seiner Studien aus der näheren Umgebung Prags ebenso wie von seiner ersten Reise nach Belgien und Holland oder aus Dörfern der Mährischen Slowakei und Mährischen Walachei (1888–1892). Aber ich sehe in ihm vor allem einen Vorläufer des Symbolismus; sind doch seine Bilder und Zeichnungen aus alter Zeit und aus der Märchenwelt in Andeutungen persönlicher Träume und Bekenntnisse oft Metaphern des Schicksals des Künstlers.

Auch Maximilian Pirner (1854–1924) war lange ein unbekannter und in Vergessenheit geratener Künstler. In seinem Werk verwirklicht sich der direkte Übergang neoromantischer Tendenzen zu den Vorstellungen des Symbolismus und zu den Kompositionsprinzipien des Jugendstils. Unmittelbare Nachklänge der Romantik – vor allem aus dem Umkreis der deutschen Kultur, die den Künstler inspirierte – vereinen sich hier mit den für den Geist des Fin de Siècle kennzeichnenden Vorstellungen und Stimmungen. Dies gilt bereits für die Illustrationen des jungen Pirner für die Wiener Editionen G. E. Lessings, Nikolaus Lenaus und Heinrich Heines (1882–1887). Der Schwerpunkt von Pirners Bedeutung liegt ohne Zweifel in seinem bislang nur in Bruchteilen veröffentlichten malerischen Werk. Mehr als die vollendeten Bilder, die unter akademischer Glätte und melodramatischer Sentimentalität leiden, fesseln seine Pastelle und Kohlezeichnungen, deren Folge vom Ausgang der 80er Jahre bis zum Tod des Kaisers reicht. Düstere und verklärte Visionen – in den Gestalten von Nixen und Waldnymphen, von Rittern in voller Rüstung und geflügelten Rossen – haben oft den Charakter persönlicher Reflexionen über den Sinn des Lebens. Linien winden sich geschmeidig und fließend, rollen sich mit Schwung ein oder erstarren zu ornamentalisierten Mustern; eine persönliche und einsame, doch für die Zeit charakteristische Welt.

Die tschechische Malerei der 90er Jahre stand zu Recht stets im Vordergrund des kunsthistorischen Interesses. Wir treten hier wahrscheinlich „in eine stürmische Zeit, da die Gewässer der Ideen und der Phantasie rauschen" (Petr. Bezruč). Die Vorstellung dieser Generation der 90er Jahre knüpfte aber nicht an die Ideale im monumentalen Stil der „Generation des Nationaltheaters" an. Auch die anekdotisch mitteilsame Darstellung der am Ende der 80er Jahre vorerst noch beliebten Genremalerei wurde wesentlich revidiert. Wichtigstes Ziel dieser Malerei war, im Bild die Realität, gefiltert durch das individuelle Erlebnis, zu veranschaulichen. Sowohl in der Genre- als auch in der Landschaftsmalerei. Dabei hatten die klassenbedingten, gesellschaftlichen, politischen und ideologischen Differenzen und Kämpfe, die seit dem Beginn der 90er Jahre so nachhaltig das tschechische öffentliche Leben veränderten, auch im Bereich der bildenden Kunst eine Aufspaltung und Differenzierung der Bestrebungen und Zielsetzungen zur Folge. Bei der Interpretation der Malerei der 90er Jahre kann man sich daher nicht mit einem nur auf eine Richtung eingestellten Begriff oder mit der Suche nach einer Dominante begnügen, die damals im Impressionismus erblickt wurde.

Den unmittelbaren Einfluß aus dem Ausland übte München, Zentrum der sachbezogenen Pleinairmalerei, aus. Die positiven sowie negativen Prinzipien dieser Malerei wurden übereinstimmend von Figuren- wie Landschaftsmalerei geteilt. Vieles wurde häufig von Frankreich übernommen, aber eher in einem akademisch angelegten Fachbereich, wie er im Rahmen der Salons zur Geltung kam. Hand in Hand mit der Zuwendung eines Teiles der tschechischen bildenden Kunst zu den Manier der westeuropäischen Malerei, in Übereinstimmung mit der Einstellung unserer Bourgeoisie, die den Geschmack der Wiener, Münchner, Pariser und Londoner Salons bevorzugte, wuchs die Gefahr einer effektvollen, aber inhaltsleeren Malersprache, wie sie sich vor allem im Bereich der Porträtkunst zeigte. Im Vordergrund steht hier die durch die Wirklichkeiten des damaligen Lebens inspirierte Genremalerei, mit einer besonderen Vorliebe für das Stadtmilieu. Diese Orientierung findet ihren brillianten Ausdruck in den Bildern Luděk Marolds, angefangen mit dem „Eiermarkt", der noch an der Akademie der bildenden Künste im Atelier Maximilian Pirners entstand, als der Maler 23 Jahre alt war. Maróld hatte damals bereits die ersten Studienjahre in Prag und an der Akademie in München (1881–1887) hinter sich, wo er alsbald die Laufbahn eines geschickten und vielgesuchten Illustrators einschlägt. Er war nicht nur ein virtuoser Maler und Zeichner, den die flüchtigen Reize und der häufig auch trügerische Glanz des Großstadtlebens fesselte... sondern auch ein Künstler mit durchdringendem Sehvermögen für Bewegung, Licht und psychologische Nuancen.

Als bedeutendste Erscheinung ist Joža Uprka untrennbar mit dem Leben und den Landschaften Südmährens verbunden. Sein Werk entstammte seiner engeren Heimat, der Mährischen Slowakei. In seinem jugendlichen Werk mit dem reifen Beispiel des Realismus in Harmonie mit seinem impressiv veranlagten Sinn für Farb- und Lichtnuancen erblickte man mit Recht einen authentischen Ausdruck der wahrhaft gesehenen und erlebten Wirklichkeit. Von den ersten robusten, ziemlich dunklen Arbeiten gelangte Uprka über den Zyklus aufgehellter Aquarelle aus den Jahren 1889–1890 zu einem eigenständigen und malerisch energischen Ausdruck: dieser äußert sich in einigen Motiven über schwere Landarbeit, die dem engen Zusammenleben des Künstlers mit der dortigen Bevölkerung entsprangen („Straßenarbeiter beim Schottern" 1898 oder „Der Steinklopfer" 1895), in vielen Bildern des volkstümlichen Rituals oder in der farbenfrohen Schönheit der Volkstracht, auch in einigen stimmungsvollen Szenerien mit Feldarbeitern. Am stärksten konnte sich die überschäumende Farbenfreude der Palette Uprkas in großformatigen Figuralkompositionen ausleben.

Der vierte Strom des Kunstschaffens an der Wende vom 19. zum 20. Jahrhundert wird von Tendenzen dekorativer Art bestimmt, die übereinstimmend Bilder, Figuren, Zeichnungen und Graphik, ebenso wie alle Bereiche der angewandten Kunst bestimmen. Die führende Persönlichkeit ist hier ohne Zweifel Alfons Mucha, dessen Hauptwerke mit Paris verbunden sind, wo er eine Reihe von Jahren lebte und arbeitete.

Alfons Mucha wurde während seines Aufenthaltes in Paris zu einem getreuen Dolmetscher des Geschmacks seiner Zeit in einem Zyklus von Plakaten (1894–1895) für das „Theatre de la Renaissance" der berühmten Schauspielerin Sarah Bernhardt. Mucha wird mit einem Schlag allgemein beliebt und erhält eine Reihe von Aufträgen für Plakate. Er macht Buchillustrationen und Buchumschläge, verschiedene und gelegentliche Arbeiten dekorativer Bestimmung, entwirft Schmuck. Alle Arbeiten Alfons Muchas sind gekennzeichnet durch einen rhythmisch linearen Entwurf und helle Farbgebung durch poetische Anmut, deren persönliche Melodie die Atmosphäre der Zeit um 1900, die Zeit der Weltausstellung in Paris mitbestimmt. Der Künstler bewahrte sich dabei seine beständige Beziehung zur tschechischen Kultur. Davon zeugt nicht allein seine umfassende Ausstellung in Prag 1887, sondern auch eine Reihe von Entwürfen und Realisierungen von Plakaten für verschiedene Kultur- und Wirtschaftsaktionen in Prag und in kleineren Städten.

Neben den Hauptströmungen machte sich auch eine Reihe von Teiltendenzen geltend, oft in Kombination mehrerer Aspekte, mit dominantem Nachdruck auf die Realität des Sehens und der Mitteilung. So bilden in der vielseitigen Aktivität eines Ludvík Kuba (1863–1956) folkloristische Motive eine wesentliche Komponente, ohne daß es jedoch möglich ist, ausschließlich aus ihnen den Charakter der Bestrebungen des Malers zu erklären. Sie sind als organische Begleitung des bewunderungswürdigen und seltenen Werkes entstanden, das er im Laufe seines Lebens als Sammler von Volksbildern der Slawen realisierte. Der Musiker, Schriftsteller und Maler edler Qualitäten prägt sich durch eine Reihe reifer Bilder fest in die Geschichte der tschechischen bildenden Kunst ein. Von ihnen sind die lebendig und frisch gesehenen und temperamentvoll gemalten Landschaften erwähnenswert oder die meisterhaft beherrschten Bildnisse, vor allem aber große Figurenkompositionen und Interieurs, die die richtige Atmosphäre und Intimität des Familienglücks hervorrufen, in einer großzügigen, ausgewogenen und verinnerlichten malerischen Darstellung.

Um 1910 war es offensichtlich, daß sich in der tschechischen Kunst eine Reihe junger Künstler zu Wort meldete. Wie üblich hat auch diese Generation in der Geschichte der tschechischen modernen Kunst keine gemeinsame und verbindliche Bezeichnung. Sie hatte nicht einmal in den prinzipiellen Zügen ein einheitliches Programm, das in einer durch äußere Ereignisse aufgewühlten Zeit auch gar nicht entstehen konnte. Wir könnten von der Generation des Expressionismus und des Kubismus sprechen – in Hinsicht auf die ausgeprägtesten und kampflustigsten Tendenzen, die die Richtung der Entwicklung bestimmten und den Ausgangspunkt mancher Maler abgrenzten. Ein ausgeprägter Markstein für den Antritt dieser Generation waren die Jahre 1907–1908. Bei den Spitzenpersönlichkeiten liegt die Zeit der höchsten Reife ihrer Anschauungen bereits zwischen 1911–1914. Der Erste Weltkrieg war für die ganze Generation – eine erschütternde Erfahrung, ein Verlust der erworbenen Sicherheiten und nicht selten auch eine gewaltsame Unterbrechung des schöpferischen Weges.

In der Malerei reflektieren die Künstler der Gruppe „Acht" die neuen Tendenzen am eindringlichsten. Sie führten vom expressionistisch-fauvistischen Weg zum Kubismus. Unter ihnen war Emil Filla (1882–1953), dem sein markantes Malertalent und seine ungewöhnliche theoretische Übersicht eine Spitzenposition unter seinen Altersgenossen sicherte. Von den ersten Bildern kam Emil Filla mit seinem innerlichen Pathos und der gestaltenden Lösung über die plastisch behandelte Komposition im Geiste Daumiers 1910–1912 zum Kubismus, den er zunächst in seiner eigenen dramatischen Konzeption annahm. Während seines Aufenthaltes in Amsterdam ab 1914 steigert sich in Fillas Stilleben eine analytische Eingenommenheit im Sinne der Prinzipien Picassos und Braques.

Einen hohen Anspruch und gute Kenntnisse brachten viele der Künstler mit, die sich vorwiegend der Zeichnung und Graphik widmeten. Während sich František Kysela gleichmäßig auch den einzelnen Zweigen angewandter Kunst widmete, in direktem Anschluß an die Formenlehre der Secession, entstanden auch die satirischen Zeichnungen und Illustrationen des Malers und Dichters František Gellner. Wenn man über Treue zu den heimischen Traditionen spricht, bei Betonung der allgemeinen Mitteilsamkeit des bildnerischen Ausdrucks, dann muß man unbedingt an das Werk Josef

Ladas erinnern. Den anfänglichen Dekorativismus übertrifft er bald durch fest konstruierte und treffende Linien, in denen die illustrationsmäßig pointierten Geschehnisse in Bildgestaltungen übergehen – als ein eigenartiger Wert, der allerdings unwiederholbar an den persönlichen Blick des Künstlers gebunden ist.

Die Architektur der Neorenaissance war anfangs auf die aktive Zusammenarbeit mit der Plastik angewiesen. Doch konnten nicht überall die wirklich schöpferischen Werte zur Geltung gelangen, häufig tritt billiger Dekor und eine allgemeine Produktion in den Vordergrund. Eine zweite Quelle der Inspiration für die Plastik waren die Aufträge für Denkmäler, die damals als Zeichen ideeller und politischer Absichten manchmal mit einem Hang zu äußerer Phrase errichtet wurden. Doch allmählich blieben die öffentlichen Aufträge aus. Gemeinsam mit der Trennung von der Architektur führte das zu einer Überschätzung der Intimität kleinformatiger Figuren, vielsprachiger Genres oder repräsentativer Porträts.

Josef Vačlav Myslbek (1848–1922) ist in der „Generation des Nationaltheaters" in der Tat eine beherrschende Erscheinung. Sein Werk basiert auf einer großzügigen Synthese klassischer, romantischer, gegenständlicher Vorstellungen und Prinzipien, deren Ziele auf Heroisierung und Monumentalisierung gerichtet sind. Hiermit füllte der Künstler bewußt die Lücke an Tradition, an der es in Böhmen seit Ende des Barocks mangelte und die weder durch intim konzipierte Anläufe der Bildhauer des tschechischen Klassizismus und Empires noch durch die kalte Glätte der Nazarener ersetzt werden konnte. Darum erscheint das Werk J. V. Myslbeks im Vergleich zur Entwicklung der europäischen Plastik bisweilen unzeitgemäß.

Doch zeigt sich in den Quellen des Künstlers sowie vor allem durch den Einfluß der französischen Plastik des beginnenden Impressionismus und Symbolismus in seinen Arbeiten schon seit Beginn der 80er Jahre eine Auflockerung der Massen und der Umrisse. Am beredtesten zeugen davon in der brillanten und inpressionistischen Modellierung, in der geschmeidigen und kontinuierlichen Silhouette und in der ungewohnten Betonung der flächigen Lösung einiger Variationen der „Musik" (1882–1895). Hier stand J. V. Myslbek seinen damaligen Schülern am nächsten. Früher und nachdrücklicher als sie begriff er die Tendenzen des Jugendstils und des Symbolismus.

In der kunstgeschichtlichen Würdigung der tschechischen Plastik des 20. Jahrhunderts hielten sich lange jene Thesen aufrecht, die deren Entwicklung vor dem Ersten Weltkrieg einbahnig nur auf die Wirkung J. V. Myslbeks und der Mitglieder seiner Schule begrenzten und Abweichungen von dieser Auffassung als abwegig erklärten. Infolgedessen wurde der Beginn der modernen Plastik bei uns erst in der Zeitspanne zwischen 1902–1909 gesehen, zwischen den Marksteinen der Prager Ausstellungen Auguste Rodins und E. A. Bourdelles. Die 90er Jahre in Böhmen sind eine Zeit, in der auch in der Bildhauerkunst neue, in die Zukunft weisende Kräfte erstehen und zeitbedingten Konventionen entgegen wirken. Einzelne Künstler der jungen Generation wenden sich gegen die belastende Tradition. Sie lehnen entschieden die Unmenge naturalistischer Weitschweifigkeiten ab, die äußerlich durch Effekte bravouröser Modellierung oder durch dekoratives Beiwerk verschönert wird.

Dies beweist vor allem das Werk František Bileks, der zu den originellsten Erscheinungen der tschechischen Plastik im Laufe der 90er Jahre und zu den bedeutendsten Persönlichkeiten seiner Generation gehört. Seine Kunst reifte in ihren Quellen und in ihrem Werdegang, im Charakter und in den Mitteln unabhängig vom dominierenden Einfluß J. V. Myslbeks. Zwei sehr bekannte Werke „Golgatha – Schädelstätte" und „Das Ackern ist unserer Sünde Strafe", 1892, kennzeichnen ihn plötzlich trotz seiner Jugend als reifen und eigenständigen Bildhauer. Diese beiden Werke zertrümmern die Prinzipien des Statuarischen im Geiste der Antike und Renaissance, die bislang in der tschechischen Plastik dominierten. In der Betonung des inneren Geschehens und der geistigen Vorstellung, des Gefühlserlebnisses und der symbolischen Mitteilung arbeiten sie mit ungewohnten Mitteln expressiver Gebärden und erweiterter Handlung. Nach seiner Rückkehr aus Paris nach Böhmen, wo er auf wenig Widerhall oder gar auf Mißverständnis stieß, schuf er sich in seinem Geburtsort bescheidene Arbeitsbedingungen. Im holzgeschnitzten „Gleichnis des großen Untergangs der Tschechen" 1898, kehrt er zur räumlichen Plastik zurück. Der Mythos von Tragik und Schmerz wird durch die zusammengesunkene Gestalt auf dem terrassenförmigen Sockel zu Füßen einer Riesenerscheinung ausgedrückt. Die Werke Bileks sind eine Synthese religiöser Vorstellungen von Katholizismus und Protestantismus, von Nachklingen philosophischer Lehren der Neuzeit sowie der alten Mythen des Orients, des Erlebnis moderner Literatur sowie von Erfahrungen von Volkstradition.

Bohumil Kafka (1878–1942) wurde an der Schwelle des 20. Jahrhunderts mit allen Vor- und Nachteilen einer der markantesten Repräsentanten des Jugendstils, darum verzeichnete seine Entwicklung oft Unausgeglichenheit in Auffassung und Qualität. Dabei verwirklichen sich in seinem Schaffen auch die stilbildenden Vorstellungen des Jugendstils in der Synthese mit den Modellationsprinzipien des Impressionismus sowie mit der Vieldeutigkeit des Symbolismus. Die Jahre 1904–1908 verbrachte Bohumil Kafka in Paris mit offenem Blick für das reiche Geschehen um ihn, dabei in ständiger Verbindung zu Prag und dessen Kunstlebens. Dies zeigte sich bald in Inhalt und Qualität seiner Arbeiten aus den Jahren 1905 bis 1906. Auch damals war Kafkas Werk nicht ausgeglichen und homogen. Es wurde parallel und wechselseitig von mehreren unterschiedlichen Tendenzen bestimmt, vor allem vom Einfluß Rodins. Wo sich der Künstler von verbindlichen Vorbildern loslöste und sich auf seine frischen Sinne verließ – namentlich in einigen Tierstudien – entstanden spontane Arbeiten des reinsten Impressionismus, begründet auf scharfer Wahrnehmung und Modellationsvermögen wie z. B. bei „Reh mit Kitzchen", 1905.

Der Bildhauer Otto Gutfreund (1889–1927) gehört zu jenen tschechischen Künstlern, deren Werk, nicht nur im einheimischen Milieu, sondern auch in den internationalen Zusammenhängen eine Gültigkeit besitzt. Und zwar weil er sich im vollen Ausmaß der aktuellen Problematik der europäischen Plastik in der entscheidenden Situation der Entwicklung bewußt war und fähig war, zu ihrer Lösung einen eigenen unverwechselbaren Beitrag zu leisten. Einige Jahre verbrachte Gutfreund in Bechyne (Südböhmen) an der Keramischen Schule. Während seines Studiums an der Kunstgewerbeschule in Prag 1906–1909 besuchte Gutfreund Paris (1909–1910). Nach seiner Rückkehr arbeitet er schnell und intensiv. Er bemühte sich um eine Dramatisierung der Plastik durch geometrische, an der Oberfläche bewegte Formen, etwa beim „Don Quijote", 1911. Gutfreunds Plastiken von 1912–1913 zeichneten sich durch die Durchdringung und Bindung vertikaler, horizontaler und diagonaler Kraftlinien in gegenseitigen Interaktionen aus. Es ist die Zeit, in der es der jungen Kunst nicht nur um die Lösung der formalen Probleme geht, sondern im gleichen Maß um eine erforschende Analyse der Gesellschaft und der Zeit, um eine Zeugenaussage individueller Trauer und Schmerzen, um das treue Bild der menschlichen Unsicherheiten und Desillusionen. Die Kunstgewerbeproduktion in Böhmen wurde nur in einigen Ausnahmen vom individuellen Schaffen der Prager bildenden Künstler beeinflußt. Die Glas- und Keramikproduktion orientierte sich an dem neuen Stilausdruck größtenteils schon am Ende der 90er Jahre. Die Fabriken arbeiteten vorwiegend für den Export und verfolgten aufmerksam vor allem die westeuropäische Entwicklung mit dem Ehrgeiz, auf ihrem Gebiet eine eigene Position zu gewinnen. Dies gilt hauptsächlich für die böhmische Glasindustrie, die so auffällig durch gemeinsame Charakterzüge gekennzeichnet war, daß man vom böhmischen Jugendstilglas als von einem Phänomen sui generis sprechen kann. Die einzelnen führenden Glashütten und Glasgebiete brachten ihre charakteristischen Qualitäten ein: die südböhmischen Glashütten entwickelten eine Skala neuer farbiger Glasmassen und Hüttendekors, die nordböhmischen Glasraffinerien im Gebiet von Haida-Schönau wandelten die Form ihrer gravierten, gemalten und geschliffenen Dekors. Schon im Verlauf der 80er Jahre und 90er Jahre wurde in einigen führenden Glashütten, z. B. in der Harrachschen Glasfabrik in Neuwelt oder bei Loetz in Klostermühle, durch die Glaserzeugung mit japonisierendem Charakter der Boden für die Aufnahme des Jugendstils, seines Formenkanons und seiner vegetabilen Ornamentik vorbereitet. Eine wichtige Rolle bei der Ausprägung eines außerordentlich einheitlichen Profils des böhmischen Jugendstilglases spielte die Glashütte Jan Loetz-Witwe in Klostermühle im Böhmerwald, die Max Ritter Spaun leitete. Ihre Hinwendung zum farbigen Tiffany-Glas mit Fadendekor und undurchsichtiger Iris richtete sich zweifellos gegen die Tradition des böhmischen Glases. Um 1900 griff auch Kolo Moser in die Gestaltung des Tiffany-Glases der Glashütte Loetz ein und mit ihm seine Schüler an der Wiener Kunstgewerbeschule, vor allem auch die Wiener Firma Bakalowits. Die Produkte der Spaunschen Glashütte fanden in den dynamischen Formen und Dekoren ihres Glases Ausgeglichenheit und Harmonie. Die k. k. Fachschulen in Haida und Steinschönau hatten in ihrem Lehrplan drei Hauptlehrfächer: Gravieren, Glas- und Porzellanmalerei sowie Fachzeichnen und somit Einfluß auf die bildnerische Gestaltung. Erwähnenswert für diese Zeit ist die Gründung der Werkstätte für handgewebte Gobelins in Zašova-Valašské Meziříčí. Ihr Gründer, der Maler Rudolf Schlattauer, verfolgte dabei das Ziel einer kunsthandwerklichen Renaissance als auch die wirtschaftliche Hilfe für eine ärmliche Gegend.

Literatur (in Auswahl):

Tschechische Kunst 1878–1914. Auf dem Weg in die Moderne. Katalog 2 Bde. Darmstadt 1984.

Piotr Krakowski

DIE POLNISCHE KUNST IM ZEITABSCHNITT DER SEZESSION

Die in die Zeit des Jugendstils oder der Sezession fallende polnische Kunst wird von den polnischen Forschern – ähnlich auch von der damaligen Literatur – als eine Schöpfung der Periode des Jungen Polen bezeichnet und fällt in den etwas willkürlich festgesetzten Rahmen von 1890–1918, obwohl das aktive Schaffen der mit dieser Periode verbundenen Künstler vom Ausbruch des Ersten Weltkriegs unterbrochen wurde.

Die Periode des Jungen Polen unterscheidet sich in ihren philosophischen und künstlerischen Voraussetzungen von den vorhergehenden Zeitabschnitten, andererseits knüpfte sie aber stark an der früher geformten Tradition an. Daher hat auch die Kunst des Jungen Polen im Vergleich zur europäischen Kunst ihre Besonderheiten beibehalten und weist gleichsam zwei Antlitze auf: einerseits war das eine deutliche Wendung in Richtung subjektiver Elemente in der Kunst, ihrer metaphysischen und psychologischen Wurzeln, andererseits wieder wurde weiterhin die schon in der Romantik herausgebildete patriotische Einstellung beibehalten, die hauptsächlich mit den Problemen des nationalen Befreiungskampfes verbunden war. Schließlich kann jedoch gesagt werden, daß sich ähnlich wie in der Literatur dieser Periode in der jungpolnischen Kunst die Überlegenheit der Ideologie über künstlerische Angelegenheiten und den Kult der reinen Schönheit abzeichnete. Daher ist auch in der Periode des Jungen Polen das Bild unserer Kunst divergierend: Impressionismus, Symbolismus, Expressionismus, Realismus und in der Endphase auch Neoklassizismus machen sich bemerkbar. Üppig entwickeln sich Architektur, Malerei, Graphik, Bildhauerei und das Kunstgewerbe. Strömungen der Dekadenz, des künstlerischen Aristokratismus und des Ästhetizismus verbinden sich mit dem Gedanken der nationalen Solidarität, mit der damals sowohl in der Literatur wie auch in der Kunst so populären Schwärmerei für das ländliche Leben, mit dem gesellschaftlichen und patriotischen Unabhängigkeitsgedanken. Besonders stark tritt ein Streben nach Integration der Künste in Erscheinung, sowohl in den viele Bereiche abdeckenden Schöpfungen einzelner vielseitig begabter Künstler, wie auch in einer Zusammenarbeit von

Stanisław Wyspiański, Polonia, 1894

verschiedenen Kunstdisziplinen repräsentierenden Künstlern, was in der Folge in Gesellschaften und Institutionen seinen Ausdruck findet, wie z. B. in der im Jahre 1901 in Krakau entstandenen „Gesellschaft für polnische Angewandte Kunst“, die besonderen Nachdruck auf einen heimischen Charakter in der polnischen Architektur und der angewandten Kunst legte und nach der Schöpfung eines „volkstümlichen“ Stils trachtete, der die Errungenschaften der Sezession und der Volkskunst, mit historischen Traditionen verbinden sollte. Erwähnt werden müssen auch die dank der Initiative von W. Jastrzębowski seit dem Jahre 1911 bestehende und sich deutlich zu einer Synthese der Künste hinneigende Vereinigung ARMIR (die polnischen Anfangsbuchstaben von Architektur, Bildhauerei, Malerei und Gewerbe) oder die von demselben Künstler im Jahre 1912 nach dem Vorbild der „Wiener Werkstätten“ gegründeten „Krakauer Werkstätten“. Es wuchs das unmittelbare Interesse an der Volkskunst. Davon zeugt die Konzeption des Zakopaner Stils von Stanisław Witkiewicz.

Das Interesse an Volkskunst und ihre Benützung als Inspirationsquelle – vor allem auf thematischem Gebiet – lassen sich gleichermaßen in der damaligen polnischen Malerei erkennen. Diese populäre Erscheinung, „Bauernschwärmerei“ genannt, die aus der Ideologie der nationalen Solidarität hervorging, aus dem Wunsch, das Dorf „märchenhaft bunt“ zu zeigen, korrespondierte mit den unter den Malern verbreiteten modernen koloristischen Tendenzen impressionistischen Ursprungs und gleichzeitig mit der in der polnischen Malerei tief verwurzelten genrehaften oder auch landschaftsrealistischen Tradition. Einerseits handelte es sich also um ein rein „visuelles“ Verhältnis zum Dorf, andererseits wieder bestanden konkrete politische Hintergründe, der Wunsch, die politisch erwachende Bauernschaft für das Adels-Intelligenz-Milieu zu gewinnen. Sowohl in der Literatur als auch in der Kunst wurde der Bauer heroisiert, der „Piasten-Charakter“ des polnischen Bauerntums wurde hervorgehoben, suggeriert wurde die Farbenpracht und „Saftigkeit“ eines polnischen Dorfes. Künstler ehelichten Bäuerinnen; sie unterstrichen die patriotische Spektakularität der Krakauer „Banderien“ (Reiterabteilungen), die übrigens besonders vor dem Kaiser präsentiert wurden. Neben der Podhaler Kunst wurden auch aus den Krakau umgebenden Dörfern Motive geschöpft; besonders modern war in der Periode des Jungen Polen die Volkskunst aus der Gegend von Pokucie, die Eingang in das Schaffen der sog. „Huzulen“ fand (Sichulski, Pautsch, Jarocki). In der angewandten Kunst und im Kunstgewerbe trachtete man nach einer Polonisierung der Sezessions-Ornamente mittels der Einführung heimischer Volksmotive. Elemente der Volkskunst, sowohl ornamentale als auch inhaltliche, wurden in der Wandmalerei angewandt (Mehoffer, Bukowski, Uziębło).

Die Kunst der Periode des Jungen Polen spielte in unserer Kunstgeschichte eine besondere Rolle: in dieser Zeit vollzogen sich ungemein radikale Wandlungen in den ästhetischen Anschauungen. Im Jahre 1895 vollzieht Fałat eine Reform der Kunstschule, die im Jahre 1900 den Status einer Akademie erlangt. Es kommt zu einem Bruch mit der Tradition Matejkos und dem Akademismus. Als Professoren an der Krakauer Akademie führte Fałat junge Maler ein, die an den neuen Anschauungen in der Kunst interessiert waren; ein weit verstandener Kolorismus und Tendenzen zur Dekorativität traten auf. Unter den Professoren befanden sich Künstler wie Wyczółkowski, Pankiewicz, Mehoffer, Wyspiański, Axentowicz, Malczewski, Stanisławski, Laszczka, Weiss, Ruszczyc und Dębicki.

Zur gleichen Zeit kristallisieren sich in den theoretischen Aussagen neue ästhetische Anschauungen. Die polnischen Theoretiker stützen sich hauptsächlich auf die Philosophie von Schopenhauer und Nietzsche, benutzen die Anschauungen der französischen Ästhetiker und bedienen sich englischer Erfahrungen, die noch bei den Präraffaeliten ihren Anfang nahmen. Einen zweifellos wegbereitenden Charakter hatte die von Miriam (Z. Przesmycki) im Jahre 1891 in den Spalten der Zeitschrift „Świat“ (Die Welt) veröffentlichte Skizze über Maeterlinck, in der die theoretischen Voraussetzungen des Symbolismus dargelegt wurden. Miriam war ein entschiedener Anhänger der Konzeption der reinen Kunst, des künstlerischen Individualismus, Aristokratismus oder auch des Elitarismus. Eine wesentliche Rolle spielte auch S. Przybyszewski, der anfangs mit der Berliner-skandinavischen Boheme verbunden war. Einen weiten Ruf erlangte seine Konzeption der „nackten Seele“, der Versuch einer metaphysischen Vertiefung des Wesens des Seins auf dem Wege des Handelns des geschlechtlichen Instinkts, die Erreichung des Unterbewußtseins durch intuitive Erkenntnis und emotionales Erleben. In seinen Manifesten und Artikeln wie „Confiteor“ oder „Auf den Wegen der Seele“ wird er, ähnlich wie Miriam, zu einem Verfechter der Losung „Kunst für die Kunst“. Eine wichtige Rolle bei der Gestaltung der jungpolnischen ästhetischen Anschauungen spielte Edward Abramowski, vor allem durch seine sich Tolstoj entgegenstellende Studie „Was ist Kunst“ (1898). Von der psychologisch verstandenen „experimentalen Metaphysik“ ausgehend, legte er u. a. Nachdruck auf die Rolle des Unterbewußtseins bei der Gestaltung der Anschauung der Welt. Die Kunst behandelte er als die intuitive „Kontemplation des Schönen“, liebte sie un-

Stanisław Wyspiański, Bildnis des J. Stanisławski, 1904

abhängig vom Intellekt und jeglichen Erkenntnischarakters ermangelnd, als eine Art „vorgedanklichen Gefühls", als eine gleichzeitig individuelle und absolute Schönheit. Schließlich muß noch Stanisław Brzozowski erwähnt werden, ein in dieser Epoche berühmter Philosoph und Kulturtheoretiker. Anfangs repräsentierte Brzozowski den sog. „unbedingten Individualismus", der den Anschauungen von Nietzsche und Przybyszewski nahe stand. Später unterlagen

Stanisław Wyspiański, Mutterschaft, 1905

seine politischen und gesellschaftlichen Anschauungen einer deutlichen Radikalisierung. Er begann sich den dekadenten und ästhetizierenden Tendenzen der modernen Kunst entschieden zu widersetzen und verkündete die von Fichte abstammende „Philosophie der Tat". Seiner Meinung nach sollte die Kunst sich mit dem Leben verbinden, ein Muster für dieses bilden und gewissermaßen seine „Antizipation" sein. Er legte Nachdruck auf die „Tat", das moralische Interesse der Schaffenden, er kritisierte die dem Leben entfremdeten kulturellen Erscheinungen, indem er von der „großen Verantwortung" der Kunst sprach, aber indem er sie als „Bereich der weitreichendsten Befreiungen" behandelte, war er bemüht, die jungpolnischen mit den positivistischen Anschauungen auszusöhnen.

Nichtsdestoweniger dominierte in den jungpolnischen Anschauungen allgemein die Überzeugung von einem Widerspruch zwischen den moralischen und ästhetischen Werten, von der Unmöglichkeit ihres Nebeneinanders auf derselben Ebene. Dagegen stützte sich die Kritik dieser Epoche auf die Eindrucks- und Intuitionserkenntnis. Eine solche Haltung vertraten auch die Künstler. Józef Mehoffer widersetzt sich in seinen „Bemerkungen über die Kunst" dem Realismus, er spricht von der Stimmung, von der Notwendigkeit einer Umgestaltung der Natur durch das Prisma der künstlerischen Reflexion, von der Vereinfachung und Synthese der Form, von der Linie und Farbe als den hauptsächlichsten Motiven des Bildes; er verwirft das Prinzip einer „gedankenlosen Nachahmung der Natur und der Schaffung einer Täuschung für das Auge". Die oben angeführten Erörterungen waren das Ergebnis einer allgemeinen Tendenz, die damals sowohl in der Literatur als auch in der Kunst herrschend war. Diese Tendenz wurde von Ignacy Matuszewski deutlich präzisiert. Er wurde zu einem tätigen Theoretiker und zum Herold des Jungen Polen in Warschau. In seinen Artikeln „Rückschrittlichkeit oder Reaktion" (1894), „Subjektivismus in der Kritik" (1897) oder „Kunst und Gesellschaft" (1899) trat er als Verteidiger der „reinen Kunst" auf, behauptete den subjektiven Charakter jedes Erkennens und postulierte die Notwendigkeit einer Rückkehr zur Metaphysik.

Die Malerei des Jungen Polen war – wie man bemüht war, nachzuweisen – von komplizierten, ökonomischen, politischen, gesellschaftlichen und kulturell-wissenschaftlichen Bedingungen abhängig, mußte sich daher in einer komplizierten Struktur präsentieren, mit einem besonderen Reichtum an Variationen und Schattierungen; nichtsdestoweniger können drei prinzipielle Einstellungen mit Leichtigkeit ausgesondert werden: die erste Einstellung, die eine Fortsetzung der realistischen Haltung in der Kunst bringt und ihren endgültigen Ausdruck im Impressionismus findet; die zweite repräsentiert den Symbolismus, Psychologismus und Mystizismus. Mit den beiden erwähnten Trends korrespondiert die „Stil"-Malerei, die an die damals aktuelle Bewegung in Architektur und Kunstgewerbe anknüpft und nach der Schaffung einer neuen Gebrauchskunst strebt und sich dem bisher herrschenden historischen Pseudostil, entgegenstellt. Hauptsächlich kam es zu jener Zeit zu einer

Jacek Malczewski, Der polnische Hamlet (Bildnis des A. Wielopolski), 1903

Kreuzung von symbolistischen Strömungen mit abstrakt-dekorativen Neigungen zur Anpassung der Malerei an Architektur und Gebrauchskunst.

Das Schaffen der einzelnen Maler oszillierte zwischen jenen drei Hauptströmungen und schuf verschiedene Spielarten, abhängig vom Grad des Realismus (Naturalismus) oder Idealismus, sowohl auf der formalen als auch auf der Inhaltsebene. Man kann also von einem Übergewicht des realistischen Faktors auf beiden Ebenen sprechen. Es wird dies eine naturalistisch-impressionistische Malerei mit größeren oder kleineren Abweichungen in Richtung kritischen Realismus sein. Hierzu kann die Landschaftsmalerei von Stanisławski gezählt werden, das Schaffen von Dębicki, Axentowicz, Podkowiński und der Boznańska, impressionistische Perioden von Wyczółkowski, Podkowiński und Pankiewicz, die „bauernschwärmerischen" Schöpfungen von Tetmajer, einige Landschaften von Czajkowski. Einen Naturalismus des Inhalts bei gleichzeitiger krasser Stilisierung der Form beobachten wir bei Mehoffer, in einigen Werken von Wyspiański, in ausgewählten Arbeiten von Sichulski, Pautsch und Jarocki. Es wird deutlich sichtbar, wie in den Schöpfungen dieser Künstler die Form einen flachen ornamentalen Stil zur Vermittlung der real beobachteten Themen aufweist (z. B. bei Porträts, Innenräumen, Genremalerei, Landschaften oder Stilleben). Deutlich idealisierter Inhalt bei realistischer Formgebung tritt im Schaffen von Malczewski und seiner Nachahmer auf. Selbstverständlich handelt es sich hier um die spätere Etappe im Schaffen Malczewskis, schon nach seiner „sibirischen" Periode, eine Etappe, in der der Maler eine Kunst betreibt, die ein interessantes Konglomerat von inhaltlichem Symbolismus, einer skulpturhaft empfundenen Form und einer impressionistischen Farbenskala ist. Schließlich kann man hier von einer Malerei sprechen, in der eine semantische Schicht, voll metaphorischer Bezüge sich mit einer deutlich stilisierten oder schon expressionistisch überzeichneten Form verbindet. Hierzu zählt auch das sich zur Dekadenz und Expressionismus neigende Schaffen von Wojtkiewicz. Aus dem Versuch einer Systematisierung der Malerei des Jungen Polen wird ersichtlich, daß Impressionismus, Symbolismus und Sezessionismus die Hauptrolle spielen.

Die impressionistische Episode in der polnischen Malerei fängt, wie bekannt, um das Jahr 1890 an und äußert sich vor allem in dem postpariser Schaffen von Pankiewicz und Podkowiński sowie dem ukrainischen Zeitabschnitt von Wyczółkowski. Es muß jedoch bemerkt werden, daß die polnische sog. impressionistische oder besser Freilichtmalerei im allgemeinen eine gewisse Art von subjektiven, lyrischen Naturalismus herausarbeitet und von den französischen Experimenten in diesem Bereich bedeutend abweicht.

Was den neuen jungpolnischen Symbolismus betrifft, so war dies eine Kunst, die auf eine Erweckung von Stimmungen, ein Erschaffen der ungebundenen Möglichkeit zum spontanen Entstehen von Bildern im menschlichen Ich, auf das Hervorrufen künstlerischer Suggestionen abzielte. Diese Modernisierung symbolistischer Tendenzen resultierte in bedeutendem Grad, wenigstens bei einigen Künstlern, aus dem Verwerfen ethischer Kunstformen, aus rein subjektiven Empfindungen, aus dem Aufzwingen einer individualisierten Sprache von Symbolen und verborgenen Bedeutungen, aus der Unklarheit und einer erschwerten Perzeption, oft auch aus dem Suchen nach einer ungesunden Sensation und nach erotischer Perversität. Gleichfalls ein wesentliches Kennzeichen des jungpolnischen Symbolismus war die sachliche Wirklichkeit: der äußere, sichtbare Teil des Symbols war in der Mehrzahl der Fälle ein konkretes, der Welt der Sinne entnommenes Bild. Der jungpolnische Symbolismus beruhte auf einer Wiedergabe der Wirklichkeit in ihrer wörtlichen Bedeutung, er machte ihren gewöhnlichen Sinn sichtbar und erst irgendwo im Innern verbarg er die tiefere Bedeutung.

Ein drittes, sehr wesentliches Element der jungpolnischen Kunst war – wie wir schon bemerkten – der Sezessionismus, der übrigens mit dem Symbolismus gut korrespondierte und starke Bindungen zu ihm aufwies, wie auch zu dem in der polnischen Kunst entstehenden Expressionismus, der so deutlich im Schaffen von Wyspiański, Wojtkiewicz oder Ruszczyc sichtbar ist. Man könnte auch von der Koexistenz der sezessionistischen Formen mit dem malerischen Kolorismus sprechen, mit der gesamten impressionistischen Tradition. Darauf weist sowohl das Schaffen Tetmajers wie das von Mehoffer hin, und in einer gewissen Phase auch das von Wyspiański. Das ging in einem bedeutenden Grade aus dem Sichlossagen von der amorphen französischen Malerei hervor, aus der Anerkennung der physischen Materie der dargestellten Wirklichkeit, aus dem Versuch einer gelungenen Aussöhnung des Realismus mit dem Impressionismus, was sich so deutlich insbesondere bei Wyczółkowski, Fałat oder in der Landschafts-Schule von Stanisławski abzeichnet. Das soll natürlich nicht bedeuten, daß die Sezession in ihrer reinen Gestalt nicht auch in Polen auftrat. Im Gegensatz zu anderen künstlerischen Trends, die in unserer Kunst mit einer wesentlichen Verspätung auftauchten, machte sich die Sezession schon früher, nämlich schon zu Beginn der neunziger Jahre des vergangenen Jahrhunderts bemerkbar und hielt sich verhältnismäßig lang, vor allem in der Wandmalerei, der Glasmalerei und der Gebrauchsgraphik.

Das wichtigste Zentrum der polnischen Sezession war natürlich Krakau, wo sich die einzige polnische Kunstakademie befand, wo das künstlerische Leben in allen seinen Erscheinungen üppig blühte, in Literatur, Theater und Musik. Auf die polnische Sezessionskunst übten verschiedene europäische Zentren ihren Einfluß aus, obwohl ohne Zweifel – soweit es sich um Krakau handelt – die Kontakte mit Wien am stärksten waren. Die Werke Krakauer Künstler (z. B. Wyspiańskis) wurden im „Ver sacrum" reproduziert, polnische Maler und Bildhauer waren Mitglieder der Wiener Secession: Axentowicz, Biegas, Dębicki, Fałat, Malczewski, Mehoffer, Stanisławski, Szymanowski, Tetmajer, Wyczółkowski und Wyspiański.

Ferdynand Ruszczyc, Die Winterfabel, 1904

Die Gesellschaft „Sztuka“ (Die Kunst) hatte in den Jahren 1902, 1906 und 1908 Ausstellungen in Wien. Eine wichtige Rolle spielte zu jener Zeit schließlich – was die Ausbildung polnischer Künstler betrifft – die Wiener Kunstgewerbeschule, deren Schüler u. a. der hervorragende polnische Bühnenbildner Karol Frycz war, der Schöpfer der Innenausstattung der bekannten Krakauer Konditorei „Jama Michalikowa“ (Michalik-Höhle). Eine andere Sache ist es, daß die polnischen Künstler diese Verbindungen ableugneten, sowie sie auch gern ihr verächtliches Verhältnis zu der Bezeichnung „Secession“ selbst zur Schau trugen – wie z. B. Wyspiański. Aber gerade Wyspiański war einer der hervorragendsten Vertreter der Sezessionskunst in Polen, obwohl in seinem Schaffen französische Einflüsse entschieden überwogen. Dabei war er ein sehr vielseitiger Künstler; er betrieb Staffel- und Wandmalerei, schuf Entwürfe für Kirchenfenster, Innenräume, Möbel, Stoffe und befaßte sich mit Gebrauchsgraphik. Schließlich war er ein großer Dichter, Dramaturg, ein Reformer des Theaters und ein hervorragender Bühnenbildner. Ein vielseitiger Künstler war auch Józef Mehoffer und in seiner Malerei, seinen Buchillustrationen, Kirchenfenstern und Innenräumen bemerkt man gleichfalls den dominierenden Einfluß der Sezession. Merkmale der Sezessionskunst finden wir in den der Schule von Pont-Aven verpflichteten Gemälden von Władysław Ślewiński, in den dekadent-expressionistischen Kompositionen von Witold Wojtkiewicz, in den Zeichnungen von Mieczysław Jakimowicz, im Schaffen von Jan Rembowski, Vlastimil Hofman, Tymon Niesiołowski, Leopold Gottlieb, in den Werken vieler damaliger Bildhauer wie Konstanty Laszczka, Wacław Szymanowski, Xawery Dunikowski, Stanisław Ostrowski oder Jan Szczepkowski.

Auch in der Bildhauerkunst der Periode des Jungen Polen finden wir im Prinzip alle jene Tendenzen, die die damalige Malerei gestalteten. Man kann also von Impressionismus, Symbolismus, Sezessions-Dekoration und auch von einer spezifischen Volkstümlichkeit sprechen. Man kehrte sich von den bisher verpflichtenden akademischen Regeln ab. Selbstverständlich kann man nicht sogleich bei allen polnischen Bildhauern jener Zeit eine Abkehr von dem Akademismus des 19. Jahrhunderts feststellen, der auch seine guten Seiten besaß, hauptsächlich wegen seines Widerstandes gegen die Amorphie, die ein krasses Merkmal der neueren Bildhauerei war, die aus den Voraussetzungen des Impressionismus und der Sezession hervorwuchs. Wie bekannt, wurde der Lehrstuhl für Bildhauerei an der Krakauer Kunstschule im Jahre 1897 von Konstanty Laszczka übernommen, der sich in die von Fałat vorgenommene Reform der Krakauer Kunstschule einreihte. Um das Jahr 1900 tauchen in der polnischen Bildhauerkunst Merkmale des Impressionismus auf, ziemlich starke Einflüsse Rodins machen sich bemerkbar. Sie sind sowohl bei Laszczka als auch bei seinen Schülern bemerkbar, vor allem aber bei Xawery Dunikowski, der zweifellos der hervorragendste polnische Bildhauer jener Zeit war; die impressionistische Episode fällt jedoch auf das Anfangsstadium seines Schaffens. Später vereint er Elemente der impressionistischen Bildhauerei mit einer synthetisch behandelten, symbolischen und sezessionistisch-dekorativen Skulptur. Das ist eine ziemlich allgemeine Erscheinung bei Bildhauern jener Zeit. Neben Laszczka und Dunikowski ist sie auch bei Wacław Szymanowski zu finden, dem Schöpfer des „Zugs auf den Wawel", der im Jahre 1911 in Wien ausgestellt wurde, oder bei Kazimierz Ostrowski, der sich nach seinen Studien in Krakau in Italien weiterbildete. In seinen zahlreichen Porträtstudien ist viel von dem damals modernen jungpolnischen Psychologismus enthalten: „malerische" Effekte, fließende wellenförmige, an die Sezession anknüpfende Konturen. Einen entschiedenen Impressionismus, die Anwendung extrem malerischer Effekte, demonstrierte Anastazy Lepla an seinen Skulpturen. In die Richtung des Impressionismus zielte auch das Schaffen des talentierten Tierbildhauers Ludwig Puget sowie von Jan Biernacki. Der Symbolismus, der das Schaffen von Laszczka und Dunikowski charakterisierte, machte sich in den stark erotisch gefärbten Skulpturen von Franciszek Flaum bemerkbar und auch im Werk des sowohl in Polen als auch in Paris zu sehr überschätzten Bolesław Biegas, oder schließlich bei Elie Nadelmann, der zuerst in München weilte, später in Paris und im Jahre 1914 nach New York reiste. An der Grenze von Akademismus, Symbolismus und auch Sezession müssen die Werke von Stanisław R. Lewandowski eingereiht werden, eines in Wien ausgebildeten und auch dort seßhaften Bildhauers.

Nach einem Zeitabschnitt der deutlichen Dominanz von impressionistischen Tendenzen machte sich gegen Ende der Periode des Jungen Polen in der Bildhauerkunst eine antikisierende Haltung bemerkbar. Wir haben es hier, ähnlich wie in der westeuropäischen Bildhauerei, mit der erneuten Erscheinung eines Neoklassizismus zu tun, der in einem hohen Grade von den Schöpfungen Maillols inspiriert wurde. Zu den Künstlern dieser Art muß Stanislaw Getter gezählt werden und vor allem Edward Wittig, der sich zuerst an der Wiener Akademie und später in Paris ausbildete. In der frühen Phase seines Schaffens unterlag er noch den Einflüssen Rodins, die er mit Symbolismus, Realismus und gewissen Einwirkungen der Sezession in Einklang brachte. Seit 1913 begann er sich immer deutlicher dem Klassizismus zuzuwenden, wovon u. a. seine von S. Apollinaire hoch geschätzte Skulptur „Eva" (1913/14) einen Beweis bietet. In dieser Strömung könnte man neben Wittig Tadeusz Breyer, Henryk Kuna sowie Włodzimierz Konieczny erwähnen. Im allgemeinen kann man sagen, daß die Entwicklung des neuen polnischen Klassizismus in die Richtung von schweren, synthetisierenden, statischen Formen zielte, die bewußt vereinfacht, nicht selten

Witold Wojtkiewicz, Die Trennung, 1908

archaisierend und zu gleicher Zeit neuzeitlich bündig waren. Allmählich läßt sich in der damaligen polnischen Bildhauerei eine immer deutlicher werdende Vorliebe für eine Rhythmisierung bemerken, Versuche zu einem Hervorbringen dekorativer Werte, die im allgemeinen aus der Sezession stammten.

Die Architektur der Periode des Jungen Polen verharrte einerseits noch tief im Historismus des 19. Jahrhunderts, andererseits wieder wies sie modernistische Tendenzen auf, von denen eine der wichtigsten Erscheinungen zunächst die Annahme der Sezession, später eines vereinfachten Klassizismus von postsezessionistischen Charakter war. In jeder dieser Haltungen machen sich Versuche einer Nationalisierung der polnischen Architektur bemerkbar, das Hervorheben ihrer heimischen Merkmale. Einer dieser Versuche war die Schaffung einer neuen Architektur, die sich auf die volkstümliche Bauweise stützte (der „Zakopaner Stil" von Stanisław Witkiewicz), später wieder auf die Formen von Adelshöfen aus dem 18. Jahrhundert (der sog. „Edelhof-Stil", der an die englische Cottage-Architektur anknüpfte).

Neben Formen, die aus der volkstümlichen Bauweise geschöpft wurden, erscheinen in der damaligen polnischen Architektur Elemente, die für die polnische Renaissance charakteristisch sind – z. B. in den Entwürfen und Realisierungen des Warschauer Architekten Stefan Szyller. In Krakau unternahmen die Architekten Versuche, sezessionistische Architektur mit historischen Motiven zu verbinden. Besondere Beachtung verdient das neue Bahnhofsgebäude in Lemberg (1899–1904), welches das repräsentativste sezessionistische Gebäude in Lemberg war, errichtet nach einem Entwurf des Architekten Władyslaw Sadłowski unter Mitarbeit der Bildhauer A. Popiel und P. Wojtowicz. Dieses Gebäude bildet den Versuch, den Historismus mit der Sezession in Einklang zu bringen, die Formen der Renaissance mit der Ornamentik der Sezession zu verbinden. Ohne Zweifel wirkte dieser Bahnhof auch auf Bauaufgaben dieser Art in anderen Städten Galiziens. Davon zeugen die neu erbauten Bahnhöfe in Tarnow, Neusandez und Bochnia. Zu einem charakteristischen Beispiel für eine Verbindung des Historismus mit der Sezession wurde in Krakau das sog. Czynciel-Haus (1907/8), eine Schöpfung von Rajmund Meus und Ludwik Wojtyczko. Dieses Gebäude – das übrigens im Kabarett „Grüner Luftballon" verspottet wurde – bildet eine schon fast groteske Verbindung von Sezessionsformen mit solchen der Neorenaissance. Formen der Neorenaissance treten u. a. bei Gebäuden auf, die von Henryk Lamensdorf, Władysław Ekielski, Teodor Hoffmann entworfen wurden.

Nach Galizien wurde die sezessionistische Architektur vor allem aus Wien verpflanzt. Doch dürfen auch aus Paris, Deutschland und England stammende Einflüsse nicht übersehen werden. Letztere machten sich hauptsächlich bei Lösungen bemerkbar, die den Konzeptionen von E. Howard verwandt waren. Zu Beginn des 20. Jahrhunderts entstehen in Krakau, Lemberg, Warschau, Lodz und Posen ganze Gebäudekomplexe, die den sezessionistischen Stil vertreten.

Neben Gebäuden, die bestrebt waren, Elemente der heimischen Volkskunst sowie solche national-historischer Natur mit der Sezession zu verbinden, erscheinen auch Objekte von kosmopolitischem Charakter, die sich ausschließlich auf fremde Vorbilder stützten. In der sakralen Architektur wurde danach getrachtet, Elemente der modernen Architektur mit einem entsprechend vereinfachten Neoromanismus in Einklang zu bringen. Davon zeugen Bauten wie die Jesuitenkirche in Krakau auf der Wesoła (1909, Arch. Tadeusz Stryjeński und Fr. Mączyński), die Kirche der Karmeliterinnen in der Łobzowska-Straße (1905, Arch. Tadeusz Stryjeński und Fr. Mączyński) sowie die Warschauer St. Jakobskirche (1909/11, Arch. Oskar Sosnowski). Ein gutes Beispiel einer deutlich kosmopolitischen Architektur ist das Gebäude der Gesellschaft der Kunstfreunde in Krakau (1901, Arch. Fr. Mączyński). Im Sezessionsstil wurde auch das Gebäude des Alten Theaters überarbeitet (1903/5, Arch. T. Stryjeński, Fr. Mączyński), das sich auf dem Szczepański-Platz befindet, der in Krakau ein Zentrum der sezessionistischen Architektur bildet. Ein gutes Beispiel für sezessionistische Architektur bildet auch das Gebäude der Technischen Gesellschaft in der Straszewski-Straße (1905, Arch. Sławomir Odrzywolski). Man könnte die Beispiele von sezessionistischer Architektur in Krakau vervielfachen, wie übrigens auch in Lemberg, Warschau oder Lodz.

Im Warschauer wie auch im Lodzer Milieu erfreute sich Dawid Lande als Planer von sezessionistischen Gebäuden einer großen Popularität. In diesem Stil bauten in Warschau auch Karol Jankowski, Franciszek Lilpop, Ludwik Pankiewicz und Mikołaj Tołwiński, der früher in Odessa tätig war. Letzterer projektierte gemeinsam mit Henryk Stifelman in der Służewska-Straße eines der für Warschau charakteristischen sezessionistischen Gebäude. Eine bedeutende Anzahl von sezessionistischen Gebäuden hat sich in Lodz erhalten, wo zu jener Zeit hauptsächlich zwei Architekten arbeiteten – der schon erwähnte D. Lande sowie Gustaw Landau-Gutenteger. Sezessionistische Bauten befinden sich in Lodz hauptsächlich in der Piotrowska- und Narutowicz-Straße, aber auch in der Sienkiewicz-, Kościuszko- und Wólczańska-Straße.

Nach der Periode der sensu stricto sezessionistischen Architektur, die durch asymmetrische Fassaden, Korbausschnitte der Tür- und Fensteröffnungen und fließende, skulpturhafte Dekorationen charakterisiert wird, nach der Faszination, die der reiche Sezessionsstil durch seine stromlinienförmigen, organisch-biologischen Formen ausübte, zeichnet sich im Schaffen der polnischen Architekten eine Beruhigung ab, eine Rückkehr zur Symmetrie; die Einwirkung des erwachenden, neuen, vereinfachten Klassizismus macht sich bemerkbar; vertikalbetonte Lisenengliederung und Giebelfelder fangen zu überwiegen an usw. Gute Beispiele davon sind in Krakau: das Gebäude des Gewerbe-Technischen Museums (1910/14, Arch. T. Stryjeński, F. Mączyński, J. Czajkowski), das Gebäude der Landwirtschafts-Gesellschaft (1909, Arch. S. Odrzywolski); in Warschau verdient das Haus „Zu den Adlern" besondere Beachtung (1910, Arch. Jan Heurich jun.). Gewissermaßen eine Zusammenfassung der sezessionistisch-modernistischen Architektur ist das stattliche Ziegelgebäude der Gewerbeschule in Krakau (1912, Arch. S. Odrzywolski), das eine deutlich malerische Strömung repräsentiert, jedoch bei Beibehaltung der Merkmale von Symmetrie und Monumentalität. Der Autor dieses Entwurfes versuchte hier Fragen der Materialgerechtigkeit mit einer gewissen, in Polen immer noch lebendigen Tradition des Historismus sowie mit „volkstümlichen" dekorativen Elementen zu vereinen.

In der Periode des Jungen Polen erfolgte gleichfalls eine außergewöhnliche Entwicklung des Kunstgewerbes und der angewandten Kunst. Die Angelegenheit einer Besserung und Nobilitierung des Kunstgewerbes wurde zu einem Problem, das die Aufmerksamkeit von Reformern und Künstlern auf sich zog. Die im Jahre 1904 in Warschau eröffnete Kunstschule war entschieden auf Gebrauchskunst eingestellt. Polnische Künstler entwarfen Möbel und ganze Innenausstattungen, wobei sie vor allem Erfahrungen westeuropäischer sezessionistischer Schöpfer mit heimisch-volkstümlichen Inspirationen verbanden. In diesem Geiste schufen Puget und Wyspiański, später Mehoffer oder schließlich E. Trojanowski, L. Wojtyczko, J. Czajkowski und E. Dąbrowa-Dąbrowski. In Warschau arbeiteten Karaol Tichy und E. Trojanowski, die künstlerische Möbel projektierten und eine Ausstellung der angewandten Kunst organisierten.

Die Künstler interessierten sich für Wand- und Glasmalerei und schmückten das Innere sowohl profaner als auch sakraler Bauten aus. Die Polychromie und die Kirchenfenster in der Krakauer Franziskanerkirche wurden von Wyspiański ausgeführt. Er war auch der Schöpfer ausgezeichneter, aber leider nicht verwirklichter Vorzeichnungen zu Kirchenfenstern für die Lemberger Kathedrale und die Kathedrale auf dem Wawel. Auch für den Ärzte-Verein entwarf er farbige Glasfenster. Ein anderer hervorragender Schöpfer von Wandmalereien und Kirchenfenstern war Mehoffer. Er projektierte die malerische Ausschmückung der armenischen Kathedrale in Lemberg (1899–1908), für die Wawel-Schatzkammer (1901), die Kathedrale in Plock (1901), die Polychromie für die Handels- und Gewerbekammer in Krakau (1906). Er schuf Vorzeichnungen für die Kirchenfenster der Grauer-Kapelle in Troppau (1901) und vor allem für die Kathedrale in Freiburg (Schweiz). Mit der Kunst der Glas- und Wandmalerei befaßten sich auch K. Sichulski, H. Uziębło, J. Bukowski, K. Frycz u. a. Mit künstlerischer Keramik befaßten sich Stanisław Jagmin, Władysław Bębnowski und Jan Szczepkowski. Es entwickelte sich auch die Erzeugung von Textilkunst. Bekannt sind schließlich die Errungenschaften jungpolnischer Künstler im Bereich der Gebrauchsgraphik (Plakate, Bücher und Zeitschriften). Die Errungenschaften dieser Art standen deutlich unter dem Zeichen der Sezession. Es genügt, nur an die Werke von Wyspiański, Mehoffer, Okuń, Dębicki, Axentowicz, Jastrzębowski, Weiss, Frycz u. a. zu erinnern.

Was kann man zusammenfassend über die Kunst der Periode des Jungen Polen bemerken? Es besteht kein Zweifel, daß diese Periode eine ungewöhnlich große Zahl hervorragender und vielseitiger Künstler hervorbrachte. Diese Epoche polnischen Kunstschaffens weist einen ungemeinen Reichtum an Talenten, künstlerischen Interessen und bahnbrechenden Konzeptionen auf. Man war bemüht – übrigens mit positiven Ergebnissen – mit der europäischen Kunst eine Partnerschaft einzugehen. Deshalb ist diese Periode für die polnische Kunst von außergewöhnlicher Bedeutung, sie stellt eine Erscheinung von großen künstlerischen Wandlungen dar, die den dauernden Beitrag Polens zur gesamten künstlerischen Gemeinschaft verkündet.

Literatur (in Auswahl):

Tadeusz Dobrowolski, Sztuka Młodej Polski. Warszawa 1963 – Anna Radowska, Sztuka Młodej Polski. Warszawa 1984 – Wiesław Juszczak, Malarstwo polskie – Modernizm. Warszawa 1977 – Mieczysław Wallis, Secesja. Warszawa 1967.

Damjan Prelovšek

DIE KUNST UM DIE JAHRHUNDERTWENDE BEI DEN SÜDSLAWEN

Zu Anfang des 20. Jahrhunderts war die Lage der südslawischen Völker kulturell und politisch zersplittert. Jedes Volk war mit einer eigenen historischen Hypothek soweit belastet, daß es zu keiner gemeinsamen Kulturpolitik, die die nationale Vereinigung nach dem Ersten Weltkrieg erleichtern würde, kommen konnte. Im Pluralismus der verschiedenen Tendenzen, die man noch auf den gemeinsamen Nenner des Jugendstils oder besser der Secession bringen kann, stand die Frage der nationalen Identität im Vordergrund. Die neue Kunst hatte verständlicherweise früher und gründlicher Wurzeln bei den Völkern gefaßt, die in den Grenzen der Donaumonarchie lebten, als bei denjenigen, die ihr Schicksal verhängnisvoll mit dem absterbenden osmanischen Imperium teilten. Europäische Kunstzentren wie Wien, München, Paris und das slawische Prag spielten dabei eine entscheidende Rolle.

Die Kroaten waren anderen südslawischen Völkern weit voran, da sie um die Jahrhundertwende sowohl über eine ziemlich breite Schicht kulturbewußter Intelligenz als auch über eine längere Kunsttradition verfügten. Ganz anders war die Lage bei den Slowenen, die beides vermißten. Darum stießen bei diesen die Anregungen aus dem Zentrum des Staates mehr oder weniger ins Leere. Während die Kroaten die Entwicklung des Kunstgeschehens in den europäischen Zentren verfolgen konnten – obwohl die Anpassung an neue geistige Strömungen bei einem Teil der bürgerlichen Kunstkritik scharfe Proteste hervorrief, da man im Verlassen der akademischen Bahn eine Attacke gegen die überlieferten nationalen Werte sah –, kämpften die Slowenen erbittert um die Existenz ihrer nationalen Kunst, wodurch manche Neuheiten an ihnen unbeantwortet vorbeigeströmt sind. Ähnlich wie die Serben entwickelten auch die Kroaten am Ende des vorigen Jahrhunderts im Rahmen der nationalen Wiedergeburt die Historienmalerei. Die Slowenen, die allgemein als eine Nation „ohne ruhmreiche Vergangenheit" galten, blieben dagegen im 19. Jahrhundert völlig ohne eigene Historienmalerei, woran nicht zuletzt das bescheidene handwerkliche Können der einheimischen Künstler Schuld trug. Mit dem frühen Tod von Janez und Jurij Šubic waren alle Bemühungen, die slowenische Malerei auf europäisches Niveau zu bringen und sie aufnahmebereit für Neuheiten zu machen, ins Stocken geraten. Die Slowenen hatten weder einen einflußreichen Mäzen, wie es der kroatische Bischof Josip Juraj Strossmayer war, noch einen autoritären Ideologen von Format wie Iso Kršnjavi. Es fehlte an ausgeprägten Künstlerpersönlichkeiten und vor allem an Publikum, das die einheimische Kunst auch finanziell fördern konnte. Darum blieben z. B. für sie die kostenlosen, geheizten Ateliers, deren Erbauung Kršnjavi in Agram durchsetzte, ein unerfüllter Traum.

Durch den Einfluß des Münchner Kunstmilieus schloß sich eine kleine Gruppe slowenischer Maler dem Impressionismus an. In dem Bedürfnis nach Freilichtmalerei war diese Richtung, trotz beträchtlicher Verspätung gegenüber dem Mutterlande Frankreich, in Österreich noch immer aktuell. Die nostalgisch interpretierte Landschaftsmalerei entsprach bei den Slowenen jenen nationalen Gefühlen, die bei den Kroaten durch die Historienmalerei befriedigt wurden. Dieser etwas ungewöhnliche Entschluß zum Impressionismus, der kaum aus der heimischen Kunsttradition abzuleiten war, wurde aber von den anderen Südslawen rege begrüßt und spielte kurzfristig auch bei den Serben eine namhafte Rolle, die fast völlig vom westeuropäischen Kulturkreis abgeriegelt waren. Trotzdem haben die Slowenen und Kroaten um die Jahrhundertwende in der Architektur und in der Bildhauerei einen bedeutenden Beitrag zur künstlerischen Erneuerung Europas geleistet, d. h. gerade in jenen beiden Bereichen, in welchen sie im 19. Jahrhundert nichts Außergewöhnliches zu zeigen vermochten. Das mediterrane Gefühl für Plastizität und Tektonik war es, womit der Architekt Jože Plečnik (1872–1957) und der Bildhauer Ivan Meštrović (1883–1962) auf die Kunst der Wiener Secession schöpferisch und befruchtend wirkten. Beide kamen bald zur Erkenntnis, daß in nationaler Hinsicht der Charakter des Kunstwerkes wesentlich sei, nicht aber die äußere Form oder der literarische Inhalt. Da sich beide bei der Arbeit nur auf ihre eigene Intuition verließen, bedeutete das zugleich auch das Fehlen hemmender Regeln, die ihre Phantasie einschränken würde.

Der Architekt Jože Plečnik stand von allen Südslawen der Wiener Secession am nächsten. Er stammte aus der Landeshauptstadt Laibach und war Altersgenosse von Josef Hoffmann und Adolf Loos. Da sein Vater schon früh in ihm den Erben der eigenen Tischlerwerkstätte sah, erhielt der spätere Architekt zuerst zuhause und später an der Grazer Gewerbeschule eine beruflich solide Ausbildung. Mit dem unerwarteten Tode des Vaters nahm seine Lebensbahn aber eine ganz andere Richtung. Er kam 1892 nach Wien, wo er in einer renommierten Firma für Innendekoration zwei Jahre hindurch Möbel in allen möglichen historischen Stilen zeichnete und deren Ausführung in der Werkstätte überwachte. Das neue Millieu erweckte in ihm den Wunsch nach einer weiteren Ausbildung. Glücklichen Umständen hatte er es zu danken, daß er zu Otto Wagner kam. Dieser erkannte sofort Plečniks außergewöhnliche dekorative Begabung und nahm ihn in seine Spezialschule auf. Der künftige Architekt mußte seinen ganzen Fleiß aufbieten, um die mangelhafte Schulausbildung im Rahmen des Möglichen aufzuholen. Von dem unorientierten Tischlergesellen reifte er langsam zur Künstlerpersönlichkeit mit klarer Weltanschauung.

Seine Schulung an der Akademie der bildenden Künste fiel mit dem Abschluß der theoretischen Phase der Wiener Architekturrevolution zusammen, und der junge Künstler kam Otto Wagner bei der praktischen Lösung vieler struktureller und technologischer Fragen zugute. Die Planung der Wiener Stadtbahn machte Plečnik mit Eisen und anderen neuen Materialien vertraut, für die man im 19. Jahrhundert noch vergeblich eine entsprechende Formsprache gesucht hatte.

Josef Plečnik, Das Zacherlhaus in Wien, 1903–1905

Wagner machte die Lösung des Fassadenbelages zur Quintessenz seiner Architektur, wobei er die Theorie Gottfried von Sempers in die Praxis umzuwandeln versuchte. Plečnik verstand es gut, daß die Bedeutung des Jugendstils in der Baukunst vor allem eine manifeste sei. In manchem ließ er sich von dem bewegten geistigen Klima der Großstadt leiten. Seine schon erwähnten Anschauungen über das Nationale in der Kunst werden z. B. nur unter Heranziehen der damals aktuellen Theorie vom „Kunstwollen" (Alois Riegl) verständlich.

Die frühen Werke von Plečnik, Fabiani und Meštrović zeugen davon, daß ein großes Kulturzentrum, wie es Wien um die Jahrhundertwende war, essentiell die künstlerische Entwicklung mitbestimmen konnte. Alle drei übernahmen die Ideale der Secession und traten dieser Künstlervereinigung auch formell bei, im Gegensatz zu manchen anderen südslawischen Künstlern, die sich zur gleichen Zeit zwar etablierte, aber nicht avantgardistische Richtungen in Europa zum Vorbild nahmen. Darum darf es nicht verwundern, daß alles, was die Südslawen an Bedeutendem im Rahmen des Jugendstils zustande brachten, fast ausschließlich auf fremdem Boden entstand.

Plečnik begann im Jahre 1900 mit einem Gebäude seine Selbständigkeit zu behaupten, das auch formell den Bruch mit seinem ehemaligen Lehrer unterstreichen sollte. Bei der Fassade des Langerschen Mehrfamilienhauses in Wien-Hietzing bediente er sich der ornamentalen Charakteristiken des westeuropäischen Art nouveau, die er teilweise auch aus eigener Anschauung anläßlich seiner Studienreise nach Paris kannte. Seine phantasiereiche lyrische Antwort auf die rationale Denkweise Otto Wagners ist um so beachtlicher, als die Wiener Architektur solche Tendenzen mit Ausnahme der französischen Botschaft von G. Chedanne, ziemlich fremd gegenüberstand. Wie Plečnik zu denjenigen Künstlern zählte, denen die sensible Anpassung an die neue Kunst schon Mitte der neunziger Jahre gelang, – für ihn war die sezessionistische Kunst vor allem eine Gemütsverfassung –, so wußte er sich auch unter den Ersten, die sich von ihren Fesseln befreiten. Zur gleichen Zeit, als Hermann Bahr vor einer falschen Secession zu warnen begann, experimentierte Plečnik mit einer neuen Dekoration auf dem Außenbau der Villa Loos in Melk, wobei er die gewundenen Jugendstillinien mit geometrischen Mustern und mit Betonung der texturalen Werte zu ersetzen versuchte. Trotzdem verblieb Plečnik bis zu einem gewissen Grade lebenslang der Secession verpflichtet, die mit ihren organischen Formen besonders im Spätwerk des Architekten öfters unverhüllt zum Vorschein kam.

Bevor sich Plečnik ähnlich wie die anderen Wiener Architekten mit dem Klassizismus auseinanderzusetzen begann, resumierte er seine Anschauung über die Avantgardekunst mit dem Bau des Zacherlhauses (1903/05) im Zentrum von Wien. Das Gebäude ist das Hauptwerk des jungen Architekten und zugleich die Abrechnung mit der strukturell-technologischen Richtung Otto Wagners. Es beinhaltet die strenge Rationalität neben phantasievoller Irrationalität, Avantgardismus neben Tradition, monumentale Plastizität und vor allem Dynamik. In dieser Neigung zum Symbolischen, ja sogar zum Mythos, findet man eine gewisse Parallele zu einigen kroatischen Sezessionisten wie z. B. M. Rački oder B. Csikos. In der Art, wo er die Inspiration suchte, neigte Plečnik viel mehr der Vergangenheit als der Gegenwart zu und vermied bewußt die unkritische Hascherei nach Mode. Das Formenvokabular der Secession bereicherte er vor allem mit eleganten, nach oben sich verjüngenden Formen.

Während die Arbeiten Plečniks seinen Landsleuten zwei Jahrzehnte fremd geblieben waren und keinerlei Einfluß auf die heimische Kunstproduktion ausübten, hatte Max Fabiani (1865–1962) in Laibach mehr Erfolg. Er wurde auf heute jugoslawischem Boden geboren und war väterlicherseits zum Teil Slowene. Als junger Architekt gehörte er zu den engsten Mitarbeitern Otto Wagners und zu den Initiatoren der Wiener Secession. Außerordentlich gebildet, wirkte er befruchtend auf die neue Architektur und gab ihr die nötige Breite, indem er sie an englische und an andere westeuropäische Vorbilder heranführte. Seine Antwort auf die künstlerischen Prämissen Wagners waren die Bauten Portois & Fix (1899–1900) und Artaria (1900/01) in Wien, die in manchem Sinn auch dem Zacherlhaus Plečniks Pate standen. Im Vergleich zu Plečnik, deren Vorfahren ebenso aus der Karstgegend stammten, schenkte Fabiani den formellen Fragen des Stils weniger Gehör, zeigte dagegen aber größere Vorliebe für den Städtebau und für funktionale Probleme. Nach dem verhängnisvollen Erdbeben von 1895 baute er in Laibach einige qualitätvolle Häuser, wobei er stets die lokale Architekturtradition zu berücksichtigen suchte.

Weder Laibach noch andere südslawische Städte waren vor 1900 bereit, sich ganz der neuen sezessionistischen Mode anzuschließen. Den Auftakt zu einer neuen Architektur nach Wiener Vorbild stellt in Laibach die Drachenbrücke (1901) von dem aus Dalmatien stammenden Wagnerschüler Giorgio Zaninovich (1876–1946) dar. Bei ihrer Erbauung war maßgebend, daß die Eisenbetonkonstruktion beträchtlich weniger kostete als die klassische Bauweise aus Stein, womit die sparsamen Laibacher Stadtväter ursprünglich das Kaiserjubiläum feiern wollten. Die heimische Architekturlandschaft beherrschten weiterhin, bis zum Ersten Weltkrieg, vorwiegend die Baumeister aus Graz, Wien und Böhmen. Plečnik und Fabiani blieben unbeachtet. In nationaler Hinsicht hatten unbedeutende Details den Vorrang, d. h. man entschied sich, je nach Gesinnung, entweder für Formen der deutschen oder der tschechischen Renaissance. Bei der Popularisierung der sezessionistischen Mode spielten die architektonischen Fachzeitschriften eine entscheidende Rolle. Bei dem Wiederaufbau von Laibach erreichten der Kroate Josip Vancaš (1859–1932) und der einheimische Architekt Ciril Metod Koch (1867–1925) ein höheres künstlerisches Niveau.

Obwohl die Architektur bei den Kroaten als Kunstgattung etwas mehr Ansehen genoß, war ihre Lage, was die Qualität anbelangt, nicht grundlegend anders. Iso Kršnjavi sorgte dafür, daß seine Landsleute durch seinen Schützling Hermann Bollé (1845–1926), der ein Schüler des Wiener Dombaumeisters Friedrich von Schmidt war, bis Ende der neunziger Jahre etliche Beispiele der späthistoristischen Architektur zu sehen bekamen. Während dessen studierte in Wien bei Otto Wagner die erste Generation der heimischen Architekten. Die ersten Impulse jedoch kamen aus dem Zentrum der Monarchie an die Riviera von Kvarner, die damals zu einem beliebten Urlaubsgebiet avancierte. So erbaute z. B. Max Fabiani in Abbazia 1896–1897 das „Gebäude für k. und k. Staatsbeamte".

Zum Begründer der modernen kroatischen Architektur wurde Otto Wagners Schüler Viktor Kovačić (1874–1924). Unter seiner Leitung wurde 1906 der Klub der kroatischen Architekten ins Leben gerufen, der eifrig der Kunstdiktatur von Kršnjavi opponierte. In seinen realisierten Werken zeigte sich Kovačić als Vertreter einer gemäßigten traditionsbewußten Richtung (Hl. Blasiuskirche in Agram, 1913). Einige qualitätvolle Bauten in sezessionistischer Art realisierte in Agram der zweite Wagnerschüler Vjekoslav Bastl (1872–1947). Neben ihm sind noch folgende Architekten zu erwähnen: Ignat Fišer (1870–1948), Rudolf Lubinski (1873–1935) und Aladar Baranyai (1879–1936). Wesentlich radikaler als Kovačić begann

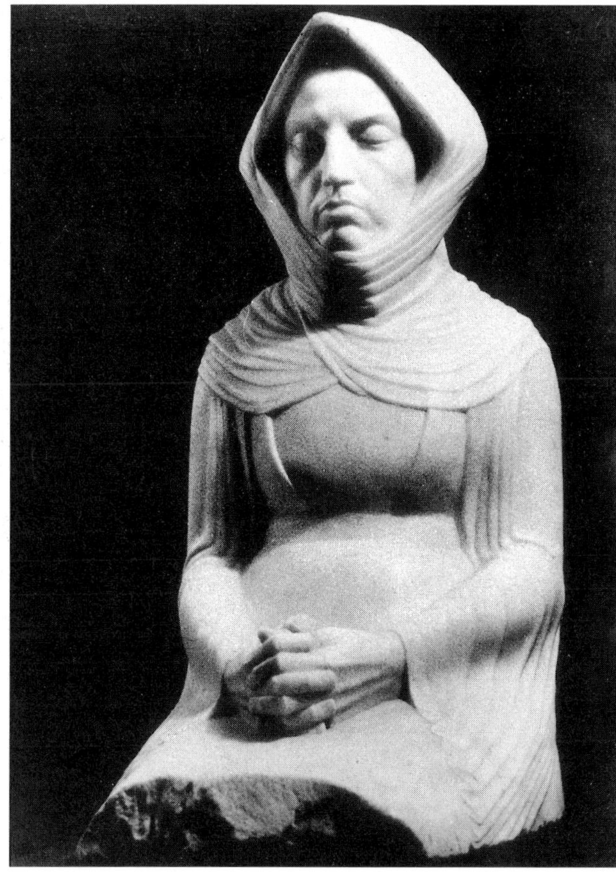

Ivan Meštrović, Meine Mutter, 1908. Beograd, Narodni muzej

dessen Freund und Mitarbeiter Hugo Ehrlich (1879–1936) noch vor dem Ende des zweiten Jahrzehntes die modernen Postulate in der Architektur zu verwirklichen. In Wien um die Jahrhundertwende geschult, wurde er in den breiteren Fachkreisen vor allem als Vollender der Villa Karma am Genfer See, die von Adolf Loos begonnen worden war, bekannt.

Außerhalb von Agram fand die sezessionistische Architektur in Esseg (Osijek) größeres Echo, wo u. a. Vladoje Aksimović (1878–1946) etliche öffentliche und private Bauten errichtete. Die ungarische Variante des Jugendstils im Sinne Ödön Lechners reichte praktisch nur bis zu dem Grenzgebiet mit national gemischter Bevölkerung (Murska Sobota, Subotica). Etwas fremd wirken die sezessionistischen Bauten in

Vlaho Bukovac, Die Erwachte, 1908. Beograd, Narodni muzej

Dalmatien (Split), wo immer starke italienische Einflüsse zu verspüren waren.

Bosnien und Herzegowina, das erst 1878 unter die Obhut der Monarchie kam, ist verhältnismäßig arm an sezessionistischer Architektur. Interessanter sind hier einige Bauten von dem schon erwähnten Josip Vancaš, der von seinem Lehrer Friedrich von Schmidt nach Sarajevo geschickt wurde, um die Bauleitung der dortigen katholischen Kathedrale zu übernehmen. Ähnlich heterogen mutet auch die Hauptstadt Serbiens Belgrad an, wo der bescheidene Widerhall der neuen Mode auf Akademismus und auf den sogenannten Nationalstil, der sich in Nachahmung mittelalterlicher byzantinischer Bauten äußerte, gestoßen ist. Selbst die herrschende königliche Dynastie bevorzugte deutsche oder französische Architekten akademischer Richtung. Etwas stärker wurde in Belgrad die sezessionistische Bauweise von dem in Wien geschulten Viktor Azriel (um 1875–1942) sowie der Arbeitsgruppe Andro Stevanović und Nikola Nestorović vertreten.

In der Bildhauerei stellt Ivan Meštrović die zentrale Figur bei den Südslawen dar. Als siebzehnjähriger Junge kam er 1900 nach Wien, wo man ihn bald darauf in die Akademie der bildenden Künste aufnahm. Im Atelier Otto Wagners lernte er Plečnik kennen. Im Vergleich zu dem slowenischen Künstler war er von Natur aus viel eruptiver und der Umgebung gegenüber aufgeschlossen. Fieberhaft nahm er alles, was ihm auf dem Gebiet der Kultur die Residenz des Vielvölkerstaates bot, an. Die Begegnung mit den Werken von A. Rodin im Hause der Secession war für ihn eine wahre Offenbarung. Zuerst stand er unter dem Einfluß des sentimentalen Pessimismus der neuen Kunst. Seine frühen Arbeiten zeigen eine gewisse stilistische Vielfalt, sind jedoch von elementaren Gefühlen für plastische Form durchdrungen. In diesem Sinne ist auch sein Wandbrunnen („Die Lebensquelle") aus dem Jahre 1906 für das Haus Wittgenstein in Wien zu bewerten. Langsam gelang es Meštrović die jugendliche Pathetik zu überwinden und zu einer ausgewogenen Behandlung gemeinmenschlicher Themen zu reifen. Wien wurde ihm bald zu klein. Im Jahre 1907 ging er nach Paris, wo er es aber auch nicht lange aushielt. Bis zum Ende des Ersten Weltkrieges, als er ruhmreich heimkehrte, wählte Meštrović noch einige andere europäische Metropolen zu seinem ständigen Wohnsitz.

Die nationale Idee ist bei Meštrović stark vertreten und wurde erst Anfang des Ersten Weltkrieges durch einen ausgeprägten religiösen Expressionismus abgelöst. Zusammen mit seinem Landsmann serbischer Abstammung, Kosta Strajnić, der Kunstkritiker war, begeisterte sich Meštrović für die kulturelle Vereinigung aller Südslawen unter der führenden Hand von Belgrad; es gelang ihm jedoch nicht, Plečnik für diese Vision zu gewinnen. Seine politischen Anschauungen standen Pate bei der Entstehung des legendären Zyklus aus der serbischen Geschichte, der für das sogenannten Vidovdaner Heiligtum bestimmt war. Obwohl Meštrović seine Skulpturen in Paris modellierte, erinnern sie stilistisch überraschend stark an die Kunst

Bela Csikos-Sessia, Dante und Beatrice, 1904. Zagreb, Galerija JAZU des Deutschböhmen Franz Metzner, der einen großen Einfluß auf die Wiener Secession ausübte. Es ist darum keineswegs übertrieben zu behaupten, daß zwischen dem Pathos des Metznerschen Völkerschlachtdenkmales in Leipzig und der nationalistischen Variante des Südslawentums von Meštrović ein gewisser Parallelismus vorhanden ist.

Neben Meštrović muß man bei den Kroaten auch den Bildhauer Robert Frangeš Mihanović (1872–1940) erwähnen. Beruflich ausgebildet in Wien, absolvierte er die Praxis in Paris bei Rodin. Die Zeit um die Jahrhundertwende prägte thematisch und stilistisch seine Kunst. Er verblieb bei einer intimeren Skulpturenauffassung und wich dem pathetischen Monumentalismus von Meštrović aus. Zwischen Wiener Akademismus und sezessionistischem Stil suchte Rudolf Valdec (1872–1929) seinen Weg, während der Dalmatiner Juraj Škarpa (1881–1952), der dem gleichen künstlerischen Milieu entstammte, mehr von dem literarischen Symbolismus der Secession angetan war. Wieder anders war die künstlerische Sprache von Branislav Dešković (1883–1939), der die venezianische Kunstakademie besuchte. Ähnlich wie Frangeš Mihanović entwickelte sich Dešković zu einem virtuosen Tierplastiker.

In Slowenien waren der begabte Franc Berneker (1874–1932) und der Schöpfer des Prešeren-Denkmals in Laibach, Ivan Zajec (1869–1952) tätig. Der Wiener Kunstboden förderte zuerst ihre bildhauerische Entwicklung, nach ihrer Rückkehr in die Heimat mußten sie sich mit den beengenden provinziellen Verhältnissen abfinden.

Der enorm starken Künstlerpersönlichkeit Meštrović ist es zuzuschreiben, daß der sezessionistische Stil gerade in der Bildhauerei tiefe Wurzeln faßte und noch in den zwanziger Jahren bei den Südslawen eine nicht unbedeutende Rolle spielte. Meštrović war auch der unmittelbare Erzieher einiger südslawischer Bildhauergenerationen (Toma Rosandić, Lojze Dolinar).

Im Rahmen der Wiener Kunst der Jahrhundertwende gab es nur wenige Versuche, dem französischen Impressionismus treu zu folgen. Daher konnten die slowenischen Maler Rihard Jakopič (1869–1943), Ivan Grohar (1867–1911), Matija Jama (1872–1949) und Matej Sternen (1870–1949) beim Publikum mit einem zwar guten, aber kurzlebigen Erfolg rechnen. In der Zeit zwischen 1902–1906 erreichten sie einen stilistischen Gleichklang, der die Verschiedenheit ihrer Temperamente verwischte. Mit der lyrischen Interpretation ausgewählter Landschaftsausschnitte – die menschliche Figur spielte dabei eine untergeordnete Rolle – weckten die slowenischen Impressionisten bei einem Teil der ihnen gewogenen Kritik national betonte symbolistische Gefühle. Die Schule ihres Landsmannes Ažbe, wo Jakopič, Grohar, Jama und Sternen zusammenkamen, hatte zwar keine bestimmte Kunstrichtung verfolgt, war jedoch ihrer Offenheit und Liberalität wegen eine beliebte Sammelstelle der internationalen Künstlerschar. Für eine Reihe südslawischer Maler und Bildhauer war sie deswegen das geeignete Sprungbrett in die große Welt. So gingen die Serben von Ažbe weiter nach Paris; die genannten vier Slowenen dagegen kehrten zurück in ihre Heimat mit dem Wunsch, zuerst in Wien und dann in Prag Anerkennung zu suchen. Mit Hilfe von Plečnik beabsichtigten sie, ihre Werke in der Secession auszustellen, mußten sich aber mit der Galerie Miethke am Graben, die als Filiale des Ausstellungsgebäudes am Naschmarkt galt, zufriedengeben. Hier erlebten sie 1904 ihren größten Erfolg, als die Wiener noch ganz unter dem Eindruck der großen Impressionistenschau in der Secession standen. Wie die Dinge aber in der Realität aussahen, erkennt man daran, daß ihnen die Secessionsleitung nur ganz knapp die Tür öffnete und ihr inniger Wunsch, sich im Rahmen der tschechischen Künstlergenossenschaft „Manes" in Prag vorzustellen, einen Mißerfolg erlitt. Einen Anteil daran hatte gewiß auch Plečnik, der im slowenischen Impressionismus keine zukunftsweisende Strömung sah. Mehr Glück hatten Jakopič und seine Kollegen im slawischen Süden, als sie 1904 in Belgrad und zwei Jahre danach in Sofia ausstellten. In jeder Hinsicht übte Wien auf sie einen bedeutenden Einfluß aus, obwohl sie fast unberührt von dem dekorativen und psychologisierenden Stil der Klimtschen Richtung blieben. Grohar z. B. wurde zutiefst durch die Bilder von Segantini, die er in der Secession sah, fasziniert. Daß man trotz aller gegenteiliger Aussagen bemüht war, sich nach der Wiener Avantgarde zu richten, beweist auch der Ausstellungspavillon, den sich Jakopič, in etwas bescheidenerer Weise, in Laibach von Max Fabiani nach dem Vorbild des Secessionsgebäudes erbauen ließ.

Von den Impressionisten überschattet blieb die zweite Gruppe der slowenischen Künstler, die ihren Namen „Vesna" (der Frühling) von der Zeitschrift „Ver Sacrum" ableitete (M. Gaspari, G. Birolla, H. Smrekar, S. Peruzzi). Ihr Ideal war eine heimatlich gefärbte Kunst ethnographischen Inhaltes, ihr künstlerischer Stil an Wien orientiert. Als ihren Vorläufer könnte man den Architekten Ivan Jager (1871–1959) bezeichnen, der sich noch als Student der Wiener Technischen Hochschule für eine nationale Kunst einsetzte. Viel später verfolgte diese Richtung in seinen Bauten Ivan Vurnik (1884–1971), der u. a. auch ein Studienjahr bei Otto Wagner absolvierte.

Institutionalisiertes Kunstleben hatte in Kroatien, im Vergleich zu den anderen südslawischen Ländern, eine reiche Tradition hinter sich. In der Kunstvereinigung, deren geistiger Vater Iso Kršnjavi war, kam es um die Jahrhundertwende zur Polarisierung der Meinungen. So stand man schon 1898 vor dem Dilemma für oder gegen die sezessionistische Kunst, ein Dilemma, das fünf Jahre später zum Austritt einer Gruppe jüngerer Künstler führte. Im Jahre 1908 gründeten junge dalmatinische Künstler unter der Leitung Meštrovićs die Vereinigung „Medulić", womit man in den vorhandenen Generationskonflikt auch etwas Politik im Sinne des Panslawismus hineintrug.

Die zentrale Persönlichkeit der kroatischen Malerei war Vlaho Bukovac (1855–1922), ein Schüler von Cabanel, dem der Anschluß an die Freilichtmalerei und an den Symbolismus Wiener Prägung gelang. In den neunziger Jahren war er in Agram tätig, wo er einen starken Einfluß auf die junge Generation der heimischen Maler ausübte. Man soll in dieser Tatsache auch eine Teilantwort darauf suchen, wieso die kroatischen Künstler ziemlich unberührt von der führenden Richtung der secessionistischen Malerei blieben und vielmehr zu einem Symbolismus in der Art von R. Jettmar neigten. Am weitesten verfolgte diese Richtung der Maler Bela Csikos-Sessia (1864–1931). Durch die Aufträge für die kroatische Landesregierung wurde er von Kršnjavi in die symbolische Interpretation der klassischen Literatur und Mythologie gelenkt. Unter dem Einfluß des gleichen Kritikers verfertigte Mirko Rački (1879–1982) einen umfangreichen Zyklus zur Göttlichen Komödie von Dante. Etliche Nachklänge der sezessionistischen Malerei findet man ferner bei Celestin Medović (1857–1920). Tomislav Krizman (1882–1955) wurde zum Repräsentant der jüngeren kroatischen Künstler, deren Ausbildung auf der Achse Wien – München – Paris stattfand.

Unter den Serben gab es weniger Anhänger für die Wiener Secession. Aus der Münchner Schule von Ažbe kamen, wie gesagt, manche gute Maler, die aber stilistisch schon zur Nachsezessionszeit zählen (Nadežda Petrović, Risto und Beta Vukanović). Der Münchner Sezession treu blieb nur Leon Koen (1859–1934).

Literatur (in Auswahl):

T. Brejc, Slovenski impresionisti in evropsko slikarstvo. Ljubljana 1982 – Ž. Domljan, Hugo Ehrlich. Zagreb 1979 – Enciklopedija likovnih umjetnosti. Zagreb 1959–1966 – Jugoslovenska skulptura 1870–1950. Kat. Beograd 1975 – D. Kečkemet, Ivan Meštrović. Zagreb 1970 – V. Kružić-Uchytil, Vlaho Bukovac. Život i djelo. Zagreb 1968 – Likovna enciklopedija Jugoslavije, Bd. 1. Zagreb 1984 – Počeci jugoslovenskog slikarstva 1900–1920. Kat. Beograd 1972 – M. Pozzetto, Max Fabiani. Ein Architekt der Monarchie. Wien 1983 – D. Prelovšek, Josef Plečnik. Wiener Arbeiten 1896–1914. Wien 1979 – J. Uskoković, M. Rački. Zagreb 1979 – V. Zlamalik, Bela Čikoš Sesija začetnik simbolizma u Hrvatskoj. Zagreb 1984.

Monika Faber

PHOTOGRAPHIE ALS KÜNSTLERISCHES MEDIUM

Die letzten beiden Jahrzehnte des 19. Jahrhunderts sind in der Geschichte der photographischen Bildkultur gekennzeichnet durch einen Bewußtseinswandel, der – initiiert und zu Beginn getragen von einer sehr kleinen Gruppe von „Dilettanten" – in den folgenden Jahrzehnten fast die ganze Breite der technischen Bildproduktion erfassen oder zumindest entscheidend beeinflussen sollte – von den Bereichen der kommerziellen Lichtbildnerei bis hin zum privaten „Photosport".

In Wien hat die international sich langsam entwikkelnde Bewegung der Amateurphotographen bereits 1887, vor vergleichbaren Gründungen im Ausland ihren Niederschlag in der Bildung eines Vereines gefunden, des WIENER CAMERA CLUB. Ausgangspunkt der Erneuerungsbestrebungen war die Erkenntnis der hohen Qualität des Schaffens der ersten Photographengeneration, der Erfinder und „Pioniere", und des bald darauf folgenden Niederganges, bedingt durch Massenproduktion. Das angestrebte Ziel war eine „bildmäßige Photographie", die schon 1891 in einer großen Präsentation „Internationale Ausstellung künstlerischer Photographie" einem breiten Publikum vorgestellt wurde. Diese Ausstellung wirkte ebenso wie die PHOTOGRAPHISCHE RUNDSCHAU, das sich durch sorgfältigen Druck und künstlerische Gestaltung auszeichnende Vereinsorgan, beispielhaft für Ausstellungen und Publikationen pictoralistischer Photographie.

Der Höhepunkt dieser Entwicklung sollte aber erst nach 1894 erreicht werden, als das TRIFOLIUM, die Photographen Hugo Henneberg, Heinrich Kühn und Hans Watzek, sich intensiv der Beschäftigung mit der Photographie widmeten. Sowohl durch ihre Lichtbilder selbst als auch durch ihre Beteiligung an Ausstellungen und Publikationen im Ausland und ihre persönliche Verbundenheit mit Alfred Stieglitz (der mehrmals in Österreich war), Edward Steichen, Frank Eugene oder Gertrude Käsebier verhalfen sie der österreichischen Photographie zu internationaler Geltung und Präsenz, die weder davor noch danach erreicht werden konnte.

Innerhalb weniger Jahre folgten im In- und Ausland Gründungen von Amateurphotographen-Vereinigungen, -Ausstellungen und spezialisierter Fachzeitschriften. Nach Graz, Salzburg (beide 1891) und Innsbruck (1896) etwa auch in Budapest (1898) und in Terézváros (1905). Dennoch blieb der Kreis derjeniger, die sich der Photographie mit künstlerischem Anspruch verschrieben, vor allem wegen der hohen Kosten des notwendigen technischen Aufwandes relativ klein und auf Mitglieder des Adels oder des Großbürgertums beschränkt. Erst nach 1900 wurde die Bewegung breiter, ohne aber entscheidend neue Impulse setzen zu können.

Das wichtigste Anliegen der Amateurphotographen war die Überwindung der scheinbaren Objektivität des durch die Kamera erzeugten Bildes, das der Wiedergabe subjektiver, künstlerischer Sehweisen – ihrer Meinung nach – nicht entsprechen konnte: „Dieses Anschauungsbild bildet sich (. . .) nicht allein auf dem auf projektivischem Wege gewonnenen Netzhautbilde, sondern kommt durch das Zusammenwirken verschiedener anderer Momente, die physiologischer und psychologischer Natur sind, zustande. In der bildlichen Wiedergabe eines solchen subjektiven Anschauungsbildes stehen die räumlichen Eigenschaften des dargestellten Gegenstandes nicht gleichwertig nebeneinander, sondern der subjektiven Veranlagung des Künstlers entsprechend werden einzelne Merkmale der Erscheinung hervorgehoben, andere unterdrückt oder ausgeschieden und auf diese Art ein abgeschlossenes Ganzes der Erscheinung geboten, das nun die vom Künstler angestrebte Wirkung beim Beschauer hervorbringt", schrieb Hans Watzek 1895, der sich schon früher – noch unabhängig von seinen Überlegungen zur Photographie – mit physiologischer Optik beschäftigt hatte. In Wien wurde versucht, diesem subjektiven Bild möglichst durch technische Mittel nahe zu kommen. Stark manuell eingreifende Techniken, die die Lichtbilder in ihrem Aussehen und ihrer Konzeption an malerische oder graphische Werke anzugleichen suchten, wurden eher abgelehnt.

Wichtigstes Mittel für diesen Zweck waren die sogenannten „Edeldruckverfahren", komplizierte Kopiertechniken, die von den drei Freunden gemeinsam weiterentwickelt wurden, wofür vor allem Heinrich Kühn durch seine frühere Beschäftigung mit Photochemie und Photophysik wichtige Voraussetzungen mitbrachte. Die Edeldruckverfahren – sei es der Gummidruck, den Hugo Henneberg, durch einen Aufenthalt in England angeregt, mit Hans Watzek experimentell weiterentwickelte, oder etwa der Platindruck, der von einem anderen Mitglied des CAMERA CLUB, Arthur von Hübl, perfektioniert wurde – erlaubten eine genaue Kontrolle des Kopiervorganges in allen seinen Phasen und gaben dadurch dem Photographen die technische Möglichkeit, das Werden des Bildes zu beeinflussen, Helligkeiten oder Dunkelheiten gezielt in einzelnen Bildpartien zu steuern.

Eine weitere wichtige Bereicherung durch diese Verfahren war die Erweiterung der Tonwertskala im photographischen Wiedergabeverfahren, die stärkere Abstufung zwischen Schatten und Helligkeit erlaubte: „(...) ohne diese bekommen wir niemals Bilder, die Stimmungen überzeugend schildern und dem inneren Menschen etwas sagen. (...) Diese Erkenntnis ist für die Stellung der Lichtbildnerei zur mechanischen Photographie wichtig", schrieb Heinrich Kühn, der viele seiner interessantesten Werke einfach als „Tonwertstudien" bezeichnete und damit auf die eminente Bedeutung dieser Effekte für sein gesamtes Oeuvre hinwies.

Kühns Gummidrucke sind oft ganz einfache Stilleben, ein Glas, ein Apfel. Aber auch seine Figurenbilder zeichnen sich durch strenge, einfache Inszenierung aus; die Helligkeiten und Dunkelheiten im Bild werden in großflächigen, klaren Formen gegeneinander gesetzt, fließende Umrißlinien werden geschaffen. Der Photograph konzentriert sich auf die Ausgewogenheit der Komposition, die möglichst breite Tonwertskala. Es fehlen Anspielungen auf symbolistisches Gedankengut, das seine in- und ausländischen Zeitgenossen oft in Anlehnung an malerische Vorbilder in ihre Lichtbilder einbezogen. So finden sich in Hugo Hennebergs Landschaften Anklänge an Böcklin'sche Gemälde. Aber auch andere Wiener Photographen, wie Paul Pichier oder Nathaniel Rothschild lehnten sich in ihren bukolischen Szenen mit Hirten oder Gestalten der griechischen Mythologie an Vorbilder in der Malerei an.

Hugo Henneberg, Porträt eines jungen Mannes. Wien, Graphische Lehr- und Versuchsanstalt

Die pictoralistische Photographie durchlief international eine sehr ähnliche Entwicklung: Nach einer kurzen Phase, während der ausschließlich „Dilettanten" die innovative Bewegung bestimmten und an eigenes wie fremdes Schaffen strengste Maßstäbe anlegten, folgte die Verbreiterung des Kreises der Ama-

František Drtikol, Stiegenaufgang (Spiegelung), 1911. Wien, Sammlung Fotografis Länderbank

teure einerseits und andererseits das Eindringen des neuen Gedankengutes in die kommerziellen Bereiche der Photographie. Damit verflachte das hohe Niveau der frühen Produktion der Amateure; einfacher zu handhabende Techniken, wie der Bromöldruck, die die Aufnahmen in eine allgemeine Unschärfe tauchten, gewannen an Bedeutung. Diese Ästhetik der verwischten Konturen sollte bis in die zwanziger und dreißiger Jahre hinein das Schaffen der künstlerisch ambitionierten Amateure bestimmen, sollte sie – zumindest im Bereich des deutschsprachigen Gebiets – von allen neueren Entwicklungen fast völlig fernhalten. Dagegen gelang es einigen Berufsphotographen, die Idee der „bildmäßigen" Photographie in individueller Weise in ihrer Arbeit zu verwirklichen und – zum Teil – auch weiterzuentwickeln: in Deutschland etwa Nicola Perscheid oder Hugo Erfurth, im heutigen Österreich Hermann Clemens Kosel oder Dora Kallmus, in der heutigen Tschechoslowakei zum Beispiel František Drtikol.

Kommerzielle Porträtateliers, die die neuen ästhetischen Anforderungen berücksichtigten, gab es in Wien seit 1906, als Hermann Clemens Kosel sein Studio eröffnete. Er war seit 1891 Atelierleiter des bereits erwähnten Amateurphotographen Nathaniel von Rothschild gewesen. 1907 begann die Tätigkeit des Ateliers „d'Ora". Die Besitzerin Dora Kallmus und ihr Assistent Arthur Benda hatten beide ebenfalls eine „kunstphotographische" Ausbildung absolviert.

Sowohl Kosel als auch Benda photographierten neben ihrer kommerziellen Tätigkeit auch im Sinne der Amateure und beteiligten sich mit Landschafts-Edeldrucken an nationalen und internationalen Ausstellungen. Die tatsächliche Bedeutung der neuen Ateliers lag jedoch in einer Reform der totgelaufenen Porträtpraxis der Berufsateliers. Das „bildmäßige Denken" verdrängte – vor allem im Atelier „d'Ora" – die traditionelle Standesrepräsentation. Die wichtigsten gestalterischen Mittel dafür waren die Inszenierung des Modells in Haltung und Kleidung, sowie eine gezielte Lichtführung an Stelle der Kulissen und der starken Retuschen. In Anlehnung an das Posen-Repertoire der gleichzeitigen Malerei konnte Stehen und Sitzen zu ausdrucksvollen Gesten der Würde, des Standesbewußtseins, der Koketterie werden und gleichzeitig der Charakterisierung der Individualität dienen.

Die Tatsache, daß Bilder der Ateliers Kosel und „d'Ora" auch in Kunstgalerien ausgestellt wurden, belegt die Wertschätzung dieser Art der photographischen Bildnisgestaltung in kunstverständigen Kreisen. Die Auftraggeber der Ateliers waren vor allem Künstler oder Mitglieder der gehobenen Gesellschaft, während die große Masse der hergestellten Porträts noch immer in der Tradition des 19. Jahrhunderts stand. Außerdem gelang es diesen Studios, einen völlig neuen Aufgabenbereich für sich zu erschließen, jenen der Bildproduktion für die in den Jahren vor dem Ersten Weltkrieg immer stärker mit Photographien illustrierten Zeitschriften, die sie mit dekorativen Porträts der Gesellschaft, über die berichtet wurde, versorgten.

Über diesen Umweg einer größeren Öffentlichkeit verbreitete sich langsam diese neue Ästhetik des photographischen Porträts, um ohne nennenswerte Veränderung auch nach dem Ersten Weltkrieg weitergeführt zu werden.

Gleichzeitig entwickelten sich neue Themenstellungen aus den Anforderungen der illustrierten Zeitschriften, die erst in der Zwischenkriegszeit erste Höhepunkte erleben sollten, wie etwa die Mode-, Werbe- oder Reportagephotographie.

Eine besondere Stellung innerhalb dieser Entwicklung nahm der Tscheche František Drtikol ein. Nach einer Ausbildung in München eröffnete er 1910 ein Studio in Prag. Stärker noch als die beiden erwähnten Wiener Ateliers war seine Arbeit geprägt von Einflüssen der Malerei des Jugendstils, die gemalten Hintergründe seiner Porträts zeigen oft symbolistische Einflüsse. Und während das Atelier „d'Ora" sich immer stärker von der Technik der Unschärfe und der Edeldrucke entfernte, nehmen Manipulation und Malerei im Werk Drtikols noch nach 1918 eher zu. Er hatte sich bereits früh intensiv mit dem Thema Akt auseinandergesetzt und erreichte dabei bald eine individuelle Gestaltungsweise, die zum Originellsten zählt, was auf diesem Gebiet im damaligen Österreich geschaffen wurde. Mit seinem Schaffen setzte in der Tschechoslowakei eine Entwicklung ein, die das Photoschaffen dieses Landes während der Zwischenkriegszeit zu einem Aufschwung und einer internationalen Bedeutung führen und sich von der pictoralistischen Photographie in einer Weise entfernen sollte, wie dies im Gebiet des heutigen Österreich nicht geschehen ist.

Atelier „d'Ora", Modeaufnahme für die Wiener Werkstätte, um 1917. Wien, Museum für angewandte Kunst

Eine vom bisher geschilderten völlig verschiedene Leistung hat der Wiener Amateurphotograph Hermann Drawe erbracht, die von ihm selbst sicherlich weniger als künstlerisch betrachtet wurde, vom heutigen Standpunkt aus aber als nicht weniger Bild-schöpferisch gewertet werden muß. Auf Anregung und in Begleitung des Journalisten Emil Kläger besuchte der Richter Hermann Drawe die Elendsquartiere der Stadt und versuchte dort, möglichst unbemerkt, Augenblickssituationen aufzunehmen. Fast gleichzeitig mit den Amerikanern Jacob Riis und Lewis Hine kam es mit dieser Arbeit – ohne Kenntnis voneinander – zu einer ähnlich motivierten Auseinandersetzung mit den Schattenseiten des Lebens, den schlechten sozialen Zuständen und der daraus resultierenden Kriminalisierung der Bevölkerung.

Drawes photographisches Konzept war es, möglichst authentische Szenen aufzunehmen. Die schlechten Lichtverhältnisse in den aufgesuchten Räumlichkeiten und Behausungen zwangen ihn zur Verwendung des Magnesium-Blitzes – „ein grelles und blendendes Licht, das mit Gedankenschnelle die ganze Höhle erhellte und jeden Riß an den Wänden und allen Unrat in den Ecken wie durch ein Wunder aufzeigte", schilderte Emil Kläger dies in der 1908 erschienenen Publikation „Durch die Wiener Quartiere des Elends und Verbrechens. Ein Wanderbuch aus dem Jenseits", die den karitativen Zielen der beiden Autoren ebenso dienen sollte wie davor schon Lichtbildervorträge.

Das Photo ermöglichte eine stärkere „Erhellung der Umstände als der tatsächliche Augenschein. Diesen verstärkenden Effekt hat Drawe in seinen Bildern insofern genützt, als seine Aufnahmen trotz der schwierigen äußeren Bedingungen stets sehr präzise komponiert sind und die formale Bildgestaltung den intendierten Eindruck unterstützt. So hat er in manchen Bildern durch einen engen Ausschnitt und viele Überschneidungen das Gefühl der Enge und des Chaos zu vermitteln versucht, das auch in den Texten Klägers als typisch für die „Wärmestuben" und Notquartiere beschrieben ist.

Eine weitere Besonderheit von Hermann Drawes Arbeitsweise ist das „Umkreisen" bestimmter Themen. Durch Serien verschiedener Aufnahmen wird ein möglichst differenziertes „Bild" einer Situation geschaffen, das mehr als nur Herausgreifen eines Einzelschicksales oder eines Einzelaspektes bedeutet.

Diese sozial-dokumentarische Vorgangsweise hatte in Österreich kein Vorbild und fand auch keine unmittelbare Nachfolge. Nicht nur im Thema und in der Arbeitsweise unterscheidet sich Hermann Drawe völlig von den Amateurphotographen mit rein künstlerischer Ausrichtung, viel stärker noch differiert der Glaube an die Möglichkeiten des Mediums: Während bei den Kunstphotographen die Wiedergabe eines subjektiven Seheindruckes gefordert wurde, der durch „Ausscheiden" oder „Unterdrücken" von Einzelheiten gewonnen werden sollte, setzte Drawe auf die Fähigkeit der Photographie, durch das Sichtbarmachen von Details auf die Schärfe und Härten einer bis dahin aus der „Bildwürdigkeit" verdrängten sozialen Situation aufmerksam zu machen.

Die Erforschung und Darstellung der Geschichte der Photographie in Österreich – sowohl innerhalb der heutigen Landesgrenzen als auch in Ungarn oder der Tschechoslowakei – ist erst in jüngster Zeit Gegenstand wissenschaftlichen Interesses und Thema zusammenfassender Ausstellungen geworden. Als einzige Ausnahme in dieser Situation der am Beginn stehenden Aufarbeitung muß für den deutschen Sprachraum eine Periode gelten, die bereits seit Jahren im Bewußtsein der internationalen Photoforschung präsent ist: die „Kunstphotographie" der Jahrhundertwende. Wien bildete damals nicht nur das Zentrum der neuesten photographischen Tendenzen im Kaiserreich, sondern lag auch im Vorfeld der internationalen Entwicklung, die auf einen künstlerischen Anspruch des technischen Mediums gerichtet war. So interessante Leistungen auch in anderen Teilen der Monarchie damals erbracht wurden, so sehr standen sie unter dem dominierenden Einfluß der Hauptstadt. Höhepunkte und wesentlich selbständige Leistungen der tschechischen und ungarischen Photographie etwa finden sich erst nach dem Ersten Weltkrieg, als wiederum innerhalb der heutigen Grenzen Österreichs die photographische Bildkultur eher hinter den internationalen Entwicklungen zurückblieb.

Literatur (in Auswahl):

Geschichte der Fotografie in Österreich. Ausst. Kat. Bad Ischl 1983 (Hrsg. vom Verein zur Erarbeitung der Geschichte der Fotografie in Österreich) – MONIKA FABER, Madame d'Ora. Portraits aus Kunst und Gesellschaft. Wien 1983 – Teny Kep. Ausstellungskatalog zur Geschichte der Photographie in Ungarn. Budapest 1984 – Der zweite Eindruck. Bildbeigaben der Photographischen Correspondenz 1864–1971. Hrsg von OTTO HOCHREITER und TIMM STARL. Wien 1984.

Schlagbäume an der österreichisch-russischen Grenze vor der Stadt Brody, Ostgalizien, um 1905

Beim Lloyd-Palais, Ecke Piazza Grande-Sanità in Triest, 1897

Radfahrklub der kroatischen Sokoln in Zagreb, 1887

Damensingverein Hummel in Salzburg

Hochzeit der Mary Adrowski in Agram, 1909

Am Stammtisch, St. Martin im Tennengebirge

Auf dem Wochenmarkt in Czernowitz, 1897

Ungarische Bauernfamilie aus der Umgebung von Fünfkirchen, um 1890

Orthodoxe Juden aus Galizien auf dem Karmeliterplatz in der Leopoldstadt, um 1915

Karlsbader Kurgäste mit dem unentbehrlichen Trinkbecher, 1895

Lungauer Sauschneider

Wiener Hausfrau auf dem Naschmarkt, um 1905

Prager Frauen, um 1900

Mitglieder des Adels bei Flugvorführung in Aspern bei Wien, 1905

Zigeunerinnen in Orsova an der Donau, um 1905

Der Dürrnberger Bürgermeister Günther mit Familie